Copertina *Cettina Novelli, Tiziana Bacco*
Illustrazioni fuori testo *Guido Crepax*
Disegni didattici *Ferruccio Alessandri*

1ª edizione: ottobre 1972
2ª edizione: febbraio 1973
3ª edizione: maggio 1973
4ª edizione: maggio 1974
5ª edizione: marzo 1975
6ª edizione: ottobre 1975
7ª edizione: gennaio 1976
8ª edizione: aprile 1976
9ª edizione: ottobre 1976
10ª edizione: febbraio 1977
11ª edizione: maggio 1977
12ª edizione: giugno 1978
13ª edizione: dicembre 1978
14ª edizione: gennaio 1980
15ª edizione: giugno 1981
16ª edizione: novembre 1982
17ª edizione: giugno 1984
18ª edizione: gennaio 1986
19ª edizione Milano Libri: marzo 1988
20ª edizione rivista e ampliata Milano Libri: novembre 1989
21ª edizione Milano Libri: febbraio 1990
22ª edizione rivista e aggiornata Milano Libri: ottobre 1993

© RCS Rizzoli Libri S.p.A., Milano

ISBN 88-17-71382-1

MARCELLO BERNARDI

IL NUOVO BAMBINO

RIZZOLI · MILANO LIBRI

Ora avete un figlio, o state per averlo; entrate quindi a far parte della nostra grande comunità dei genitori. O ci rientrate, se siete al vostro secondo o terzo bambino; perché ogni volta che nasce un figlio si ridiventa genitori in un modo nuovo.

E adesso vorrei pregarvi di leggere attentamente questa introduzione, la quale affronta due problemi che ci riguardano tutti e da vicino, due problemi di fondo. Cerchiamo di risolverli insieme. Uno è questo:

che cosa speriamo da nostro figlio?

Una volta ho sentito un signore che faceva una quantità di calcoli sull'età sua e su quella dei figli, e che finì col concludere: « Se tutto va bene, fra vent'anni smetto di lavorare . . . allora, potranno pensarci i miei figli a mantenermi ». Questo signore evidentemente sperava che i suoi figli diventassero i suoi finanziatori.

D'altra parte, tutti noi abbiamo sentito madri e padri augurarsi la nascita di una bimba, « così, quando saremo vecchi, avremo qualcuno che si prenderà cura di noi ». Queste madri e questi padri evidentemente sperano che la figlia diventi la loro aiutante-infermiera-dama di compagnia.

Io lo chiedo a voi: vi sembra giusto? Non vi sembra che quando mettiamo al mondo un bambino dovremmo pensare a quello che *noi* dovremo fare per lui, e non a quello che *lui* dovrà fare per noi?

Badiamo però a non cadere nell'eccesso opposto, quello di voler

5

fare di nostro figlio chissà chi o chissà che cosa. Certe volte, un papà che non sia riuscito a diventare direttore generale dell'azienda in cui lavora, o un professionista di grido, o un premio Nobel, finisce con l'aggrapparsi alla speranza che ci riesca il figlio; e spenderà tutta la sua vita (e una parte di quella del figlio) ad accanirsi nella conquista di qualcosa che forse al figlio non interessa affatto.

In ogni caso, c'è in ciascuno di noi la tendenza a sognare per il nostro bambino un avvenire che sia soddisfacente *per noi*, glorioso e prospero fin che si vuole, ma corrispondente ai *nostri* schemi. Vorremmo tutti che nostro figlio diventasse *come noi*, solo più ricco, più potente, più fortunato, magari più intelligente, ma simile a noi. Siamo proprio sicuri di essere nel giusto?

Io credo di no. Quando cerchiamo di fare del nostro bambino qualcosa che ci sembra lodevole solo perché « è sempre stato così », corriamo il serio rischio di ostacolare lo sviluppo della *sua* personalità. La quale può essere diversissima da quello che noi pensiamo.

Nostro figlio deve diventare quello che *lui* vuole diventare; lui sa meglio di noi ciò che gli va bene. Non dobbiamo cercare di inserirlo a ogni costo nel nostro mondo; sarà lui a crearsene uno nuovo, migliore o peggiore del nostro, ma in tutti i casi probabilmente diverso.

L'unica cosa che conta è che nostro figlio diventi un vero uomo (o una vera donna), capace di amare e di farsi amare. E basta.

Il secondo problema è questo:

come fare per consentire al nostro bambino di essere come lui vuole essere,

di diventare un uomo nuovo e felice? Forse vi ho un po' disorientati facendovi capire che dobbiamo rinunciare all'« educazione » tradizionale, basata sui nostri schemi vecchi di secoli. Ma non è il caso di preoccuparsi: aiutare un bimbo a crescere bene non è poi una cosa tanto difficile. Basterà tenere presenti alcuni punti fondamentali, due o tre in tutto: cose semplicissime, ma in verità non tanto evidenti. Io stesso sono arrivato a chiarirmi le idee e a scoprire questi principi elementari solo dopo trent'anni o più passati a guardare i bambini, a parlare con loro, a cercare di capirli. Ci ho messo molto, ma le conclusioni non hanno niente di straordinario.

Innanzi tutto dobbiamo ricordare sempre
ciò che il bambino non è.

Già, perché spesso dimentichiamo che nostro figlio è una persona umana piena di problemi, e non un meraviglioso giocattolo vivente. Intendiamoci: giocate pure con vostro figlio, divertitevi fin che volete, ma ricordatevi che lui non è un balocco, un oggetto, una cosa. Ha una sua volontà, una sua sensibilità, i suoi gusti, le sue esigenze.

In secondo luogo, il bambino non è un animaletto da addomesticare: insegnargli a fare riverenze, smorfie e salutini, è ridicolo e inutile. Non manchiamogli di rispetto. Anche se è piccolissimo, lui ha la sua dignità: farlo muovere come un burattino, costringerlo a un comportamento salottiero, questa non è educazione, è semplicemente deformare la sua personalità.

In terzo luogo, i bambini non costituiscono una categoria, una specie di classe sociale ben separata da quella dei « grandi », quasi una umanità diversa, meno evoluta se non addirittura inferiore. Sono come noi, tali e quali. Se non sono ancora capaci di comprendere o di fare certe cose, se hanno bisogno di aiuto, questo non fa che aumentare i loro diritti, non certo i loro doveri; e comunque non ci autorizza per nulla a escluderli dal nostro mondo di adulti. L'uomo è un uomo, che abbia trenta giorni o trent'anni, e le uniche cose di cui dobbiamo privare il bambino sono quelle che potrebbero fare del male a lui, e non quelle che potrebbero dare fastidio a noi.

Infine, non bisogna confondere il bambino con le sue manifestazioni esteriori: se nostro figlio urla e strepita, spacca tutto, agisce con prepotenza e aggressività, questo non significa necessariamente che lui sia un violento, un iracondo, un prepotente e un aggressivo. Potrebbe al contrario essere soltanto un bimbo infelice che cercava comprensione, e non l'ha trovata, che cercava aiuto, e gli è stato rifiutato, che cercava affetto, e non ne ha avuto a sufficienza. Pensiamoci su, prima di rispondere all'ira di nostro figlio con la nostra ira, alla violenza con la violenza.

Nostro figlio, dunque, non è un oggetto, non è un animaletto, non è un essere inferiore, e spesso non è quello che sembra. Prendiamo nota di questo primo punto, e passiamo al secondo:

che cosa non dobbiamo fare.

Qui sono costretto a parlare, in un certo senso, contro me stesso; cioè contro quello che dicono i libri, i manuali, gli educatori, gli psicologi, i medici. Noi tendiamo tutti quanti a comportarci secondo delle regole: facendo così e così faremo bene, e facendo questa o quella cosa faremo male; una certa educazione è « buona », e un'altra « cattiva »; se il bambino si comporta in un certo modo è la madre che ha sbagliato, se in un altro modo la colpa è del padre; per ottenere un determinato risultato occorre applicare la regola numero dodici, per ottenere quell'altro, la regola numero ventisei; e via dicendo. Come se ci fosse davvero una educazione ideale, un modo perfetto di allevare il proprio figlio, valido per tutti e in tutte le circostanze.

Ma le cose non stanno affatto così. Non ci sono sistemi infallibili e universalmente validi. Ogni bambino ha certe *sue* necessità, diverse da quelle di tutti gli altri.

Ma allora, mi direte, dobbiamo buttare via tutti i libri e gli insegnamenti degli specialisti e tornare ai metodi del buon tempo antico, alla disciplina di ferro, all'autorità imposta, se necessario, con la violenza? Certo no. Sarebbe peggio, molto peggio. Fra l'altro, cadremmo nell'errore veramente tremendo di credere di agire « per il bene del bambino », e di agire invece solo per sfogare i nostri impulsi o per metterci a posto la coscienza. Una volta si diceva che « chi ama suo figlio non gli risparmia la frusta ». Non ho mai sentito una sciocchezza più madornale. Fra tante cose incerte e discutibili, questa è sicurissima: che un tale rapporto fra genitore e figlio, basato sulla violenza da una parte e sulla paura dall'altra, è il peggiore rapporto educativo che si possa immaginare.

Ecco dunque le prime due cose da non fare: non prendere alla lettera tutto ciò che si predica dalle cattedre della scienza moderna, e non ritornare alle incongruenze dei metodi all'antica.

Un terzo errore è quello di credere nella propria onniscienza per quanto riguarda il bene del bambino. « Lo faccio per il tuo bene », « Io so che cosa ci vuole per il tuo bene », « Adesso piangi, ma poi ti accorgerai che era per il tuo bene », e altre infinite varianti su questo tema, escono a getto continuo dalla bocca di non pochi genitori. Beati loro, che sono così sicuri di se stessi. Io, per mio conto, non sono convinto proprio per niente della nostra sapienza di adulti circa il « bene » futuro dei bambini; ho una gran paura che questa storia del far soffrire il bambino oggi in vista di un vago e indefinibile bene di domani non sia altro che una comoda scappatoia per noi genitori, per giustificare certe prese di posizione, certi atteggiamenti, certe repressioni, che altrimenti non sarebbero in alcun modo giustificabili.

Permettetemi di ricordare qui, di questi atteggiamenti poco o nulla giustificabili, uno dei più diffusi e più pericolosi: che tutto il buono sia legato a noi genitori, alla famiglia, alla casa, e tutto il cattivo sia « fuori », nel mondo esterno, dove ci sono le « cattive compagnie », le « brutte cose », i « pericoli ». Convincere il bambino di una simile assurdità equivale a rendergli la vita difficile, a ostacolare seriamente la sua capacità di accettare, domani, gli insegnanti, i compagni, gli amici. Insomma, vuol dire cercare di trattenerlo vicino a noi con la paura, il che non è molto nobile né altruista.

E infine una quarta considerazione: non basate mai le vostre iniziative educative sul ricatto. Mi spiego: dire a un bambino che deve fare o non fare quella certa cosa « per far piacere alla mamma », che comportandosi in quel modo « farà contento il papà » e in quell'altro « gli darà un grande dolore », vuol dire in sostanza minacciarlo: o lui fa così e così, o perderà almeno una parte dell'affetto dei genitori. Un ricatto bell'e buono. Da grande, un individuo educato in tal modo regolerà il proprio comportamento basandosi esclusivamente sull'approvazione o la disapprovazione altrui, e non sulla giustizia, l'equità e la lealtà. In altri termini, diventerà uno che baderà molto alle apparenze e poco alla sostanza.

Abbiamo visto le cose da non fare; vediamo ora

quelle da fare.

Prima fra tutte, goderci nostro figlio. L'amore può richiedere dei sacrifici e delle rinunce, ma *non è* sacrificio e rinuncia. Un tale che conoscevo non perdeva occasione per ripetere al figlio: « Ricordati che per te io non ho mai fatto nessun sacrificio, e perciò non mi devi nulla ». In realtà di sacrifici ne aveva fatti, e non pochi, e non piccoli, ma nemmeno lui se n'era reso conto, perché la sua principale occupazione era quella di godersi la vita, figlio compreso. Questo padre modello aveva avuto ogni gioia da suo figlio e, a quanto mi risulta, aveva dato molte gioie allo stesso figlio. Godetevi vostro figlio, e lasciate perdere i sacrifici: se sono fatti per amore non sono sacrifici, altrimenti è meglio non farli.

Cerchiamo piuttosto di capire nostro figlio, questo sì. Capire un bambino di pochi giorni o di pochi mesi di vita è naturalmente piuttosto difficile. Come facciamo a metterci nei suoi panni? che ne sappiamo di quello che lui prova o sente? Certo non possiamo ricordarci quello che sentivamo noi, da neonati. C'è però un sistema: cercare di vedere ogni problema dal *suo* punto di vista. Facciamo degli esempi: un bambino, che dopo aver pianto disperatamente per ore alla fine si addormenta stremato, cessa di essere un problema per noi, ma contemporaneamente il problema è nato per lui. Egli è stato *sconfitto* (cito la parola usata da un grande psicologo), è stato deluso, la sua fiducia nel mondo è diminuita; in sostanza, è stato tradito. Altro esempio: un bambino sporco che si dibatte allegramente nelle sue feci è un problema per noi, ma lui di problemi non ne ha e sta benone. Noi dobbiamo sforzarci di vedere il mondo coi suoi occhi: i genitori che chiudono un bimbo nello stanzino buio pensano di avere fatto opera educativa, ma il piccolo questo atto « educativo » lo interpreta come un abbandono, come una defezione delle persone che amava di più e che rappresentavano tutta la sicurezza del suo universo. Pensate che crollo, che trauma, che disperazione.

In fondo in fondo, si tratta semplicemente di unire all'affetto il buon senso. Diffidate delle regole, quando sono troppo drastiche, troppo assolute. E fidatevi un po' più di voi stessi. Forse sbaglierete, ma più probabilmente farete giusto. Non dico di respingere in blocco la pediatria, la puericultura, la psicologia infantile e la psicopedagogia; dico di non abbandonarsi ciecamente ai vari dettami dei vari libri. Passate tutto attraverso il filtro del vostro buon senso. Il libro può dare molte risposte ai vostri perché, può aiutarvi a comprendere meglio il vostro bambino, può darvi utilissime indicazioni, ma non può allevare vostro figlio. Questo lo dovete fare voi.

Vorrei darvi un suggerimento che secondo la mia esperienza si è rivelato molto utile: cercate in ogni circostanza di comportarvi con vostro figlio con lo stesso rispetto, con la medesima considerazione con cui vi comportereste davanti a una persona adulta. Questo è molto importante, credetemi. Non c'è niente di più irritante per un bambino che di essere trattato da bambino.

Prima di concludere debbo fare un'altra riflessione. Molte cose nel mondo di oggi possono sostituire parzialmente i genitori: la televisione, la radio, i libri illustrati, la scuola materna, e via dicendo. Ma nessuna può sostituire l'affetto. E qui mi rivolgo specialmente alle mamme. Non che l'affetto del papà non conti, beninteso; ma quello della mamma conta di più. E' stato detto che l'amore materno rappresenta il patrimonio più prezioso della specie umana. Io credo che sia proprio così. Non c'è dubbio che per il bambino la presenza della mamma costituisce l'essenza del bene e del piacere, la sua mancanza (non solo fisica, ma anche affettiva) quella del male e del dispiacere. Ed è parimenti fuori dubbio che la seconda situazione, cioè la mancanza o l'insufficienza dell'affetto materno, porta a disastri irreparabili nella personalità del bambino. In breve, la figura materna è insostituibile.

Questo non è mammismo, questa è una realtà scientificamente dimostrata da innumerevoli ricerche e studi. Perciò dedico questo libro soprattutto a voi, madri, e vi dico: adoperatelo come uno strumento (che spero utile), ma non pensate neanche per un attimo che possa sostituire il vostro istinto, il vostro buon senso e il vostro amore.

A questo punto ho detto tutto quello che avevo da dirvi. Vorrei aggiungere una cosa sola: può darsi che questo libro aiuti indirettamente vostro figlio a diventare un uomo migliore di noi. Il nostro mondo, quello che abbiamo ereditato dai nostri padri e che seguitiamo a mantenere in vita, non funziona. Forse i nostri figli riusciranno a farne un altro, più umano. La speranza c'è. Uno psicologo inglese, il dottor Laing, ha scritto: « . . . ogni bimbo è un essere nuovo, un profeta potenziale, un nuovo Principe dello spirito, una nuova favilla di luce caduta nelle tenebre esteriori. Chi siamo noi per poter decidere che per lui non vi sono speranze? ».

L'autore

Questo libro comprende due parti.

La prima parte affronta i problemi relativi a ciascun periodo dello sviluppo del bambino. La vita della persona umana, dagli ultimi giorni di vita intrauterina fino alla pubertà, è stata divisa in otto capitoli. Sono otto tappe, le più importanti del cammino che vostro figlio dovrà percorrere.

Ogni capitolo comprende tre argomenti:

1. la storia del bambino, le caratteristiche della sua evoluzione e del suo sviluppo, i suoi progressi, la sua maniera di conquistare il mondo
2. ciò che potrete fare per aiutarlo
3. le malattie più frequenti in quella determinata fase di accrescimento.

Se vorrete divertirvi a seguire la storia del bambino, del vostro bambino, potrete leggere di seguito le prime parti dei primi otto capitoli. E' una storia interessante, ve l'assicuro.

Le altre parti di ciascun capitolo le dovrete invece consultare man mano che vi si presenteranno dei problemi, a seconda dell'età del bimbo, o del ragazzo.

La seconda parte del volume comprende tre capitoli dedicati ad argomenti di interesse generale, non legati a una particolare età di vostro figlio:

☐ le malattie dei bambini
☐ le vaccinazioni
☐ il pronto soccorso

Leggete subito *questo capitolo (XII - Il pronto soccorso), senza aspettare che si verifichi una situazione di emergenza. Leggetelo più volte, interamente e con attenzione. Così, se e quando vi troverete di fronte a un caso urgente, non dovrete perdere tempo a cercare il punto che vi interessa.*

Alla fine del volume c'è un indice analitico che vi aiuterà a trovare immediatamente la pagina in cui si tratta quel determinato problema che vi interessa.

Primo Capitolo

LA VIGILIA

1. IL CLIMA DELL'ATTESA

1.1 Vostro figlio dentro di voi

La fiducia

Sarò per lui una buona madre? E' un interrogativo che probabilmente vi porrete cento volte al giorno, ora che vostro figlio sta per nascere. La risposta è indubbiamente *sì*. Il solo fatto di essere coscienti dei problemi che un bimbo porta con sé vi qualifica come ottime mamme. Perciò non pensateci più. Sarete perfettamente alla altezza della situazione. L'unica cosa che vi occorre è di avere un po' di fiducia in voi stesse e di non creare difficoltà dove non ce ne sono.

Allevare un bambino è anche una questione di tecnica, di preparazione, di organizzazione, nessuno lo nega; ma sostanzialmente è una questione di buon senso e di affetto. Credetemi, di madri ne ho viste tante, e per tanto tempo non ho fatto altro che cercare di risolvere i loro problemi: ebbene, le più brave erano quelle che avevano meno problemi. Cioè appunto quelle che si fidavano di se stesse, del proprio istinto materno e del proprio buon senso.

Come ho già detto nell'introduzione che precede, non c'è libro, non c'è psicologo, non c'è pediatra, non c'è scienza che valga quanto la sensibilità di una madre. Questo è forse l'unico punto sul quale *tutti* quelli che si occupano di bambini sono d'accordo.

Sarete dunque una madre eccellente, siatene sicura. Perciò non ascoltate troppo i consigli degli altri. In questo periodo, a pochi giorni

13

o a poche settimane dal parto, una quantità di gente vi darà suggerimenti non richiesti: vostra madre vi dirà di badare che il bimbo non vomiti, vostra suocera vi dirà che vomitare gli fa bene; una vicina vi assicurerà che l'unico tipo di pannolini utilizzabile è quello di spugna, un'altra affermerà che non c'è niente di meglio dei pannolini da buttare via dopo l'uso; ci saranno i seguaci del partito « lasciarlo piangere » e quelli del partito « prenderlo in braccio »; ci saranno quelli pro e quelli contro il ciuccio, le fasce, il latte artificiale, la medicina per digerire, le vitamine, il portarlo a spasso, il bagnetto quotidiano, l'aria di montagna. Se doveste ascoltare tutti diventereste matta.

Ricordatevi che molto spesso questi consigli di « esperti » vengono da certe esperienze particolari e casuali: una donna il cui bambino ha sofferto di gastroenteriti vi dirà tutto sulla difficoltà di trovare un latte « adatto », e un'altra che ha dovuto affrontare una broncopolmonite vi metterà in guardia contro il freddo. In realtà tutti i latti vanno bene se sono usati bene, e il freddo è ben difficile che faccia venire una broncopolmonite a un lattante. E poi ricordatevi che gli insegnamenti degli stessi « esperti » sono spessissimo il frutto di superstizioni: che la fasciatura « tenga la schiena diritta », per esempio, o che il bambino non deve « prendere aria » prima dei quaranta giorni, eccetera.

Inoltre, non mettetevi in mente che la vostra inesperienza, la vostra mancanza di pratica, la vostra « incapacità » possano nuocere al bambino. Imparerete presto e imparerete bene. Ma anche se nei primi giorni sarete goffe e maldestre, niente paura. Fare del male a un neonato, fargli del male proprio fisicamente intendo, è difficilissimo. Vorrei dire che bisogna farlo apposta. Se vi lascerete prendere da troppi timori, andrà a finire che il contatto umano con vostro figlio sarà avvelenato dall'incertezza e dal dubbio; correrete il rischio di considerare il bambino come un oggetto prezioso invece che come un essere umano, e insensibilmente vi staccherete in certo qual modo da lui facendovi sostituire da persone più « brave » o più « sicure ». Più brave e più sicure fin che volete, ma che *non sono la mamma*. Nessuno può riuscire meglio di voi a curare vostro figlio, nemmeno la più esperta delle puericultrici.

Se con queste poche righe sono riuscito a tranquillizzarvi, a distendervi, ho già fatto più di metà del mio lavoro. E voi avete già fatto il passo più importante: siete nelle migliori condizioni per diventare una madre esemplare. La formula è semplice: molta gioia e poche preoccupazioni. Meglio, nessuna preoccupazione. In primo luogo non avete alcun motivo di preoccuparvi, in secondo luogo non serve a niente il farlo. Ripeto: abbiate fiducia in voi stesse. Credo che, tutto sommato, non vi occorra nient'altro.

Vostro figlio non ha sofferto per quello che è successo a voi in gravidanza

Avete aspettato nove mesi. Un lungo periodo di tempo che la voce popolare definisce come « interessante ». Che la gravidanza sia interessante è fuori di dubbio, ma attenzione a non farne qualcosa di *troppo* interessante. Voglio dire questo: negli ultimi nove mesi siete vissute più o meno come al solito, nel vostro ambiente consueto, nel vostro clima di sempre, con i vostri momenti di allegrezza e di depressione, con emozioni positive o negative, con piccoli o grandi guai, piccole o grandi gioie, avvenimenti di ogni genere, contatti con altre persone, problemi da risolvere, situazioni da affrontare. Il mondo intorno a voi, in questi nove mesi, non si è fermato e non è cambiato; e non sono sostanzialmente cambiati i rapporti fra il mondo e voi. Avete avuto, come sempre, la vostra razione di dispiaceri e di grattacapi. È stato insomma un pezzetto di vita qualunque. L'errore che spesso si commette è quello di credere che in tale periodo ogni avvenimento, anche il più trascurabile, sia carico di particolari significati, in genere minacciosi, per il bimbo che dovrà nascere. Si tende cioè a fare della gravidanza uno stato tanto interessante da diventare misterioso, quasi magico. Dal che deriva naturalmente tutta una serie di paure per la futura salute del bambino. Attenzione, ripeto: a questo punto è facilissimo cadere nella superstizione.

Cerchiamo di vederci chiaro, cerchiamo di renderci conto di come stanno realmente le cose e di eliminare tutti i terrori ingiustificati e la paura di « colpe » immaginarie della madre gestante.

Durante la gravidanza il futuro bambino si è sviluppato ed è vissuto in una specie di sacco pieno di liquido (il sacco amniotico) contenuto nell'utero materno; è vissuto press'a poco come un astronauta nel suo veicolo spaziale. Come l'astronauta, vostro figlio « galleggiava » quasi senza peso, e come l'astronauta era in un ambiente chiuso ermeticamente, isolato dal mondo esterno. Anche lui, il vostro bimbo, era in viaggio verso un nuovo modo di vivere, verso il pianeta sconosciuto dell'esistenza extra-uterina. Infine, come l'astronauta, vostro figlio era in comunicazione con la sua «base», cioè con la mamma (*vedi figura a pag. 16*).

Che fra il feto e la madre che lo porta in grembo esista un qualche tipo di comunicazione « personale », psichica, oltre che biologica, è sostenuto da molti ed è effettivamente verosimile. Non è difficile ammettere che il nascituro possa avvertire certi stati di tensione psichica della madre, ed esistono ricerche che tendono a dimostrarlo. D'altra parte, sappiamo che la donna, specie negli ultimi tempi di gestazione, può provare sensazioni ed emozioni simili a quelle che probabilmente prova il figlio che deve nascere. Forse è capitato anche

15

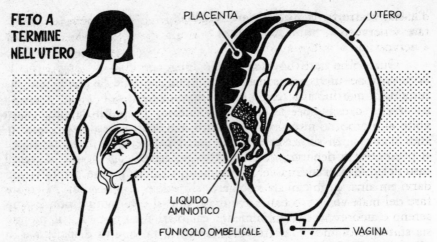

FETO A TERMINE NELL'UTERO

PLACENTA

UTERO

LIQUIDO AMNIOTICO

FUNICOLO OMBELICALE

VAGINA

a voi, magari senza che ve ne rendeste ben conto. Ci sono persino delle donne che parlano col bimbo che hanno in grembo e che sostengono di averne delle risposte attraverso una specie di codice fatto di movimenti e pedatine. Forse un giorno arriveremo a comprendere e a interpretare scientificamente anche questo misterioso rapporto fra madre e feto. Per ora accontentiamoci di dire che tale rapporto probabilmente esiste.

Ma il nostro problema attuale è il seguente: possono gli avvenimenti della vita materna influire, attraverso questo « canale » psichico, sulla salute e sul benessere del bambino che nascerà? Per esempio, gli « spaventi », i dispiaceri, le preoccupazioni, possono nuocere al nascituro? Una volta una mamma venne da me, angosciata, a dirmi che il figlio di sei mesi era intollerabilmente « nervoso » e piangeva sempre perché lei, al terzo mese di gravidanza, aveva litigato col marito. Questo, è possibile o no?

No, non è possibile. Non crediate che gli studiosi non si siano preoccupati di verificare questa eventualità. Al contrario, sono state condotte in proposito delle ricerche molto accurate ... che non hanno dimostrato nulla. Se effettivamente le emozioni della donna gestante fossero dannose per il feto, l'umanità scomparirebbe in un batter d'occhio; tutti nascerebbero più o meno tarati, tutti sarebbero ammalati o mezzi matti, e tutti finirebbero col morire prima del tempo. Infatti, quale donna può dire di aver trascorso nove mesi interi della sua vita senza alcun incidente, senza turbamenti, senza discussioni, senza qualche momento di collera o almeno di irritazione? Impossibile, è chiaro. Eppure i bambini nascono quasi tutti belli, sani e robusti.

Perciò, state tranquille: se anche durante la gravidanza vi siete spaventate, o avete avuto qualche dispiacere o qualche momento d'ansia, vostro figlio nascerà in ottima salute. E se poi dovesse diventare « nervoso », non datene la colpa alla gravidanza; le cause del « nervosismo » infantile sono ben diverse, come vedremo più avanti.

Quanto ho detto fin qui non significa naturalmente che durante la gestazione una donna possa tranquillamente viaggiare in motoretta dalla mattina alla sera, o trasportare di continuo oggetti pesanti, o correre su e giù per le scale, o affaticarsi a ripulire la casa venti volte al giorno. Questo è un altro discorso. Qui non si tratta più di stati d'animo, di solito inevitabili, ma di autentici traumi fisici che si possono e si debbono evitare. Mi sembra che non sia nemmeno il caso di dilungarci su una verità così lampante. Mi preme invece ricordarvi un'altra cosa: se è vero che gli spaventi eccetera non possono fare del male al futuro bambino, è anche vero che uno stato d'animo sereno e amorevole della mamma gli può fare del bene. Un bimbo che sia stato gioiosamente amato già prima di nascere sarà quasi di certo più felice di un altro che sia stato appena tollerato, o subìto con rassegnazione, o addirittura rifiutato. Questo pare proprio che sia certo.

In conclusione, aspettate serenamente e con fiducia che il vostro minuscolo astronauta arrivi sul pianeta della vita. Non fatevi una colpa di esservi arrabbiata con la portinaia al terzo mese, e non preoccupatevi se al settimo è scoppiata la caldaia della casa vicina. Lui, nel suo meraviglioso veicolo che è il grembo materno, viaggia sicuro e ben difeso. Fra poco sarà fra noi, sano e salvo. L'importante, ora, è di accoglierlo bene.

1.2. Chi sarà vostro figlio

Sarà quello che vorrà

Se a un milione di futuri genitori io chiedessi: che cosa vi aspettate da vostro figlio, come lo vorreste?, credo che avrei un milione di risposte diverse. Chi lo vede maschio e chi femmina, chi biondo e chi bruno, chi grasso e chi magro; c'è chi spera di dar vita a un futuro ministro, chi a un grande capitano d'industria, chi a uno scienziato, chi a un artista sommo. Ben pochi, credo, sperano che il figlio diventi un tranviere o un netturbino; tutti o quasi tutti lo sognano ricco e potente, illustre e famoso. Nessuno, forse, vuole semplicemente che sia felice. Un mendicante, magari, un barbone, un vagabondo, ma felice.

Nell'introduzione di questo libro, se l'avete letta, avrete già trovato la mia opinione in proposito. Un'opinione, badate, che scaturisce da una lunga esperienza. Ora che vostro figlio sta per nascere, desidero dirvi solo due cose ancora: la prima è che non dovete abbandonarvi a fantasie di perfezione, a proposito di vostro figlio. Non sarà un essere perfetto. Nessuno lo è. Sarà quello che sarà: solo e semplicemente vostro figlio. Cioè un essere umano al quale voi avete dato la vita e verso il quale siete pertanto in debito.

Proprio così. Questa è la seconda cosa che vi voglio dire: voi avete un grosso debito con vostro figlio, già fin d'ora, prima che nasca. Adesso che l'avete fatto vivere, dovete farlo vivere felice. Il vostro debito verso di lui si chiama *felicità*. Sì, lo so che mi ripeto. Ma queste cose non si ripetono mai abbastanza. Com'è facile credere di fare del bene a un bambino, e fargli invece del male! Ma non voglio insistere su questo tema; l'amore che già da questo momento provate per il vostro bambino vi saprà consigliare meglio di qualsiasi manuale di psicologia. Affidatevi a quello che sentite dentro di voi, senza lasciarvi portare fuori strada da inutili sogni di grandezza, di gloria e di prosperità.

Il suo nome

Ora, dopo questi discorsi piuttosto seri, facciamone uno apparentemente un po' frivolo: quello della scelta del nome. Come si chiamerà vostro figlio? Di solito si seguono su questo tema dei criteri fissi: il gusto personale dei genitori, la moda, l'ispirazione data da un grande e celebre personaggio storico o della cronaca contemporanea, la tradizione familiare. L'unica cosa che non si prende quasi mai in considerazione è il gusto del nascituro. Sì sì, lo so che non si possono prevedere le preferenze di uno che ancora non c'è e che per molto tempo non sarà in grado di esprimere i suoi desideri; però un certo indirizzo logico si può adottarlo. Ma prima bisogna sgombrare il campo dagli indirizzi che logici non sono per niente.

Prendiamo il gusto dei genitori: può essere un'ottima guida, ma anche una guida pessima. Certe volte un nome ci attira perché è legato a piacevoli ricordi del passato, a situazioni felici della nostra vita, ma potrebbe essere un nome stravagante o addirittura brutto e ridicolo: se l'eroe del nostro romanzo preferito si chiama Florimondo o Bombasto, può essere azzardato pensare che nostro figlio sia felice di chiamarsi così anche lui. E lo stesso vale per la moda: fin che l'andazzo del momento si limita alle Moniche, alle Silvie o alle Elisabette, benissimo; ma il guaio è che talvolta entrano imprevedibilmente nel favore popolare le Cunegonde, le Balbine o le Leonildi.

Poi c'è un altro aspetto della faccenda: quell'oscura propensione superstiziosa che ci spinge ad affibbiare al neonato un nome celebre e glorioso nella speranza che detto nome possa in qualche modo influire sui destini del bimbo: chissà, se si chiamerà Cesare o Augusto potrebbe diventare imperatore (o almeno presidente di un consiglio di amministrazione), se si chiamerà Michelangelo potrebbe diventare un grande artista, e il nome di Galileo potrebbe aprirgli gli orizzonti della scienza. Se poi un antenato che ha fatto fortuna si chiamava Rocco o Corradino, perché non ripetere l'esperimento? Forse anche il nostro piccolo Rocchino potrebbe arrivare a fondare un grande impero industriale come il trisnonno che andò in America nell'ottantadue.

Infine non mancano le pressioni familiari: « Dovrete chiamarlo Asdrubale, come il povero nonno », « Ricordatevi della zia Esmeralda, che ha fatto tanto per voi », « La nonna Nasturzia sarebbe tanto contenta se fosse una bambina, così potrebbe portare il suo nome », e altri suggerimenti del genere. Difendetevi. Anzi, difendete vostra figlia o vostro figlio. Ricordatevi che il povero piccolo essere ignaro, che fra poco farà la sua comparsa, dovrà poi trascinarsi appresso per tutta la vita l'indelebile marchio di Bombasto o di Nasturzia che voi avrete impresso sul suo certificato di nascita.

A conti fatti, l'atteggiamento più sensato che i genitori possano tenere nella scelta del nome per il loro futuro erede scaturisce da due precauzioni: primo, rifiutare fermamente le imposizioni della famiglia, dell'ambiente e del costume, ove queste imposizioni appaiano di dubbio gusto o addirittura bizzarre; secondo, scegliere un nome che vada d'accordo col cognome. Un individuo che porti un cognome maestoso e abbondante, mettiamo Cavalcanti delle Torricelle o Ruperti di Collalto, può benissimo chiamarsi Mario o Gianni, mentre un altro il cui casato sia Rossi o Bianchi trarrà vantaggio da un nome un po' più elaborato come Gianantonio o Arturo. Certe volte può essere piacevole un nome simile o eguale al cognome, come Morando Morandini (il noto critico cinematografico e televisivo). Da evitare con cura invece gli accoppiamenti troppo palesemente legati alla storia o alla letteratura: se il vostro cognome è Cenci, sarà meglio che vostra figlia non si chiami Beatrice, se è Mazzini, non imponete a vostro figlio il nome di Giuseppe, se è Manzoni, evitate come la peste il nome di Alessandro.

Ho detto prima che questo nostro discorso è *apparentemente* frivolo. In realtà, non lo è poi tanto. Pensate al disagio di un bimbo che, per anni e anni, susciti l'impietosa ilarità dei compagni di scuola perché si chiama Giuseppe Garibaldi o Torquato Tasso. A voi, ora, l'idea potrà anche sembrare divertente; ma vi assicuro che non lo sarà affatto per vostro figlio.

2. CHE COSA FARE ASPETTANDO

2.1. Difendere la salute del bambino

Siete oramai vicine al momento in cui potrete vedere in faccia vostro figlio. Vi siete preoccupate di fare in modo che nasca sano, bello e robusto: vi siete regolarmente sottoposte ai controlli dell'ostetrico, ne avete seguito i consigli, avete subìto gli esami e gli accertamenti prescritti. Ora il più è fatto.

Il più, ma non tutto. Anche negli ultimi tempi di gravidanza si può, con qualche grave imprudenza, rovinare almeno in parte quanto si è cercato di ottenere nei lunghi mesi appena passati. Voi mamme, che per tanto tempo siete riuscite a ridurre o a eliminare il fumo, non abbandonatevi adesso a un'orgia di sigarette; voi che avete condotto fin qui una vita igienica e regolata, non dedicatevi proprio ora a eccessi di vario genere e non lasciatevi coinvolgere, se possibile, in situazioni di tensione psichica o di superaffaticamento fisico o mentale. E poi ricordate che, anche se la maggioranza dei pericoli per il vostro bimbo è ormai superata, qualcuno ce n'è ancora. Scendiamo dunque sul piano pratico e vediamo a che cosa dovrete ancora prestare la vostra attenzione.

Le medicine

Per quanto riguarda le medicine, esse ormai non possono più influire gran che sul nascituro: egli è già completamente sviluppato e non corre più il rischio di malformazioni. Tuttavia, alcuni medicamenti possono ancora danneggiarlo; certi preparati antitiroidei, per esempio, possono provocare nel bimbo che nascerà un gozzo con alterazioni funzionali della sua ghiandola tiroide. Perciò, come regola generale, limitatevi a prendere solo le medicine che vi sono state prescritte dal medico; se non ve ne ha prescritta nessuna, tanto meglio. In ogni caso non agite mai di testa vostra. Siete ancora in tempo a commettere degli errori, e non sempre innocui.

Le infezioni

Il non prendere delle medicine arbitrariamente è una difesa per così dire « passiva » del vostro bambino. Ce n'è anche una attiva:

salvaguardare voi stessa, e quindi anche lui, dalle malattie in genere e da quelle infettive in particolare.

E' bensì vero che il vostro organismo, grazie a speciali sostanze dette *anticorpi* che esso produce e che sono capaci di neutralizzare eventuali « invasori », è di solito in grado di combattere efficacemente l'infezione batterica e virale e di bloccarla prima che essa arrivi a danneggiare seriamente il feto; è vero inoltre che negli ultimi mesi di gravidanza queste forze difensive che sono gli anticorpi passano in quantità sempre maggiori dall'organismo materno a quello fetale, così che il nascituro diventa sempre più agguerrito contro eventuali attacchi di germi o virus; ed è vero infine che verso il termine della gestazione lo stesso feto comincia a mettere in atto per conto suo certi meccanismi difensivi. Ma tutto ciò non esclude in modo assoluto che una massiccia infezione virale, che vi faccia cadere seriamente ammalata, possa arrivare a colpire anche il bimbo con effetti più o meno rilevanti.

La prima precauzione che dovrete prendere è evidentemente quella di stare lontana da persone ammalate e che vi potrebbero contagiare: non andate, per esempio, a far visita alla zia che sta a letto con l'influenza, o al nipotino con una sospetta epatite virale, ed evitate i luoghi affollati specie in periodo di epidemie; non è il caso che vi ammaliate proprio ora.

Le vaccinazioni

Per quanto riguarda la difesa contro le malattie infettive mediante le vaccinazioni, è più quel che non dovete fare che quel che dovete fare. Contro la poliomielite siete probabilmente già immunizzate, e per altre malattie non c'è ormai da preoccuparsi.

Dovreste al contrario *non sottoporvi* a quelle vaccinazioni che sono obbligatorie per l'ingresso in molti paesi stranieri extra-europei, come la vaccinazione contro il tifo e i paratifi, contro la febbre gialla e contro il vaiolo. In questo momento potrebbero essere pericolose per voi e per il vostro bambino. Meglio evitare il viaggio e il relativo obbligo di inoculazione vaccinica, se appena vi è possibile.

2.2. Preparare voi stessa

Avete intenzione di allattare voi il vostro bimbo, oppure no? Se avete deciso di alimentarlo artificialmente, per ora non ci sono problemi particolari da affrontare; se invece volete nutrirlo col vostro latte, sarà bene che vi mettiate « in forma » per poterlo fare nel migliore dei modi. Ricordatevi cioè di aver cura del vostro seno.

Non c'è molto da fare, in verità, e anche quel poco che dovete fare è semplicissimo e ormai per voi abituale, dato che lo fate (almeno mi auguro) fin dai primi tempi di gravidanza. Comunque, non dimenticatelo ora: massaggio due volte al giorno del seno con acqua e sapone (se il vostro ostetrico è d'accordo, usate per questa operazione un guanto di crine duro) e applicazione di una pomata emolliente sul capezzolo e sull'areola circostante, per ammorbidire i tessuti. Tutto qui.

Con questo minimo di precauzioni eviterete in seguito una quantità di seccature, e in particolare quelle *ragadi* del seno (che sono poi delle specie di tagli sul capezzolo) che non solo sono dolorose, ma rappresentano anche una porta aperta all'infezione del seno stesso. L'igiene del seno dovrebbe essere per voi un'abitudine come quella di lavarvi la faccia o spazzolarvi i capelli; solo che il seno non riguarda solo voi, ma anche vostro figlio.

2.3. Preparare luoghi e cose

La stanza del bambino

Uno dei diritti fondamentali di ogni essere umano di qualsiasi età e condizione è quello di avere un luogo, un luogo suo, un proprio spazio vitale. È un po' strano che non ci si pensi mai. Eppure è un diritto sacrosanto, anzi non solo un diritto, ma un'autentica necessità; per tutti, anche per un neonato, anche per vostro figlio che deve ancora nascere. Per ora il suo spazio è dentro di voi, ma fra pochi giorni dovrà averne uno nella vostra casa.

Che genere di spazio gli occorre e quanto grande? e con quali caratteristiche? e come lo si deve preparare? Ancora una volta vi debbo dire che il problema sembra più grosso di quanto non sia in realtà. Esaminiamolo un poco e vediamo di risolverlo nel modo più soddisfacente e meno complicato.

Va da sé che la soluzione migliore sarebbe quella di assegnare al bimbo una sua stanza personale, ma questo non è possibile in tutti i casi data la sempre minore disponibilità di abitazioni ampie e fornite di numerosi locali. In molte case il regno del neonato dovrà perciò essere collocato nella stanza dei genitori, o nel tinello, nella stanza guardaroba, eccetera. Ma questo non è molto grave. L'importante è che una certa zona sia dedicata a lui, al neonato, e che questa zona presenti certi requisiti. Tali requisiti si possono dividere in tre categorie, in base a tre diversi tipi di esigenze:

1. esigenze di rapporto con gli altri membri della famiglia: è chiaro che il piccino dovrà stare in un luogo tale da poter essere costantemente e facilmente controllato dalla mamma. A nessuno verrà in mente di confinare il bimbo in fondo a un corridoio, al di là di una serie di porte chiuse, o addirittura a un altro piano dell'abitazione. Se piange, si dovrà poterlo sentire; se è silenzioso e tranquillo, si dovrà potergli dare un'occhiata di tanto in tanto per vedere se tutto va bene; se la mamma avrà un po' di tempo libero, dovrà avere la possibilità di fargli un po' di compagnia senza affrontare una camminata o superare lunghe rampe di scale.

D'altra parte, sarà opportuno che il piccolo sia sistemato in modo da non disturbare coi suoi strilli il sonno di eventuali fratellini. Mettere la sua culla, per esempio, nella stanza della sorellina più grande che va già a scuola, non sarebbe un'idea molto felice: la scolara ha bisogno del suo buon sonno ristoratore, e non deve essere svegliata ogni notte in occasione di una poppata, di una crisi di pianto o di un cambio di pannolini.

2. esigenze igieniche: il luogo riservato al neonato dovrà innanzitutto essere *pulito*. Questo, in sostanza, vuol dire che dovrà essere agevolmente lavabile e privo di quei raccoglitori e depositi di polvere che sono i tappeti, i tendaggi, le tappezzerie, i velluti, e così via. Delle semplici tendine alle finestre vanno bene, ma non vanno bene per niente quegli immensi paramenti di tessuti più o meno pregiati che certuni amano tanto. Sia le pareti che il pavimento dovrebbero essere facilmente lavabili. Gli oggetti ornamentali che ostacolino una buona e frequente spolveratura dovrebbero essere rimossi. Anzi, si dovrebbe togliere di mezzo tutto ciò che non serve al bambino.

Un secondo punto, al quale forse non si concede tutta la considerazione dovuta, è quello dell'*ampiezza* della zona dedicata al bimbo. Il neonato è piccolissimo, si pensa, e quindi non avrà poi bisogno di tanto spazio. Invece ne ha bisogno. In proporzione ha bisogno di molto più spazio di un adulto. In primo luogo perché lui,

in quel suo angolo di casa, deve di solito fare molte cose: dormire, mangiare, fare il suo bagno, essere cambiato e pulito; insomma, viverci. E poi perché il neonato ha bisogno di molta aria intorno a sé, di una grande quantità di aria. Egli non si accorge, come noi, che l'atmosfera è qualche volta viziata perché lo spazio è troppo piccolo e forse troppo grande il numero delle persone che vi respirano e che quindi consumano l'ossigeno; egli non può farvi sapere che quell'aria viziata gli dà fastidio, e nemmeno può alzarsi e andare ad aprire la finestra. Dovete pensarci voi. E il primo modo per pensarci è quello di mettergli a disposizione abbastanza aria. Perciò, quando parlo di « angolino » per il neonato, non vorrei essere preso troppo alla lettera: un angolino, sì, ma bello ampio, più ampio di quello che pensate possa servire a voi adulti. Inoltre, dovrete avere la possibilità di cambiarvi l'aria spesso e abbondantemente; una stanzina senza finestre, o comunque un luogo fornito di scarse comunicazioni con l'esterno, non va troppo bene. L'ideale sarebbe disporre di una bella finestra che si apra sul verde; cosa facilissima per chi abita in campagna, molto meno facile per chi abita in città. Almeno, se non avete altre possibilità, cercate di collocare il piccino nei pressi di una

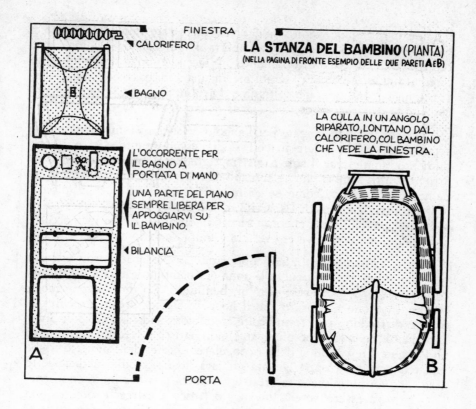

BAGNO

L'OCCORRENTE PER
IL BAGNO A
PORTATA DI MANO

UNA PARTE DEL PIANO
SEMPRE LIBERA PER
APPOGGIARVI SU
IL BAMBINO.

BILANCIA

LA CULLA IN UN ANGOLO
RIPARATO, LONTANO DAL
CALORIFERO, COL BAMBINO
CHE VEDE LA FINESTRA.

A

PORTA

B

finestra che non dia sopra un camino, una ciminiera o una strada piena di scarichi di automobili. Ma soprattutto non abbiate paura ad aprirla, quella finestra. Non è assolutamente vero che il neonato debba essere mantenuto sotto una specie di campana protettiva; al contrario, ha bisogno di vivere, e subito, nell'aria fresca e continuamente rinnovata.

Ricordatevi poi della luce, della *luce del sole*. Una volta si pensava che un bambino appena nato, abituato al buio del grembo materno, dovesse essere costantemente mantenuto in una cupa penombra per « non offendergli la vista ». Niente di vero. Il neonato ha bisogno della luce per diversi motivi. Prima di tutto perché i raggi solari fanno bene all'organismo umano fin dai primi attimi di vita; poi anche perché il sole, come tutti sanno o dovrebbero sapere, contribuisce potentemente a mantenere l'aria pura, a disinfettarla uccidendo i germi pericolosi per la nostra salute. Sarebbe perciò un'ottima cosa se dalla finestra che riserverete al vostro piccino entrasse molta luce, molto sole.

Anche qui però occorre un po' di buon senso: se abitate in una regione meridionale, molto calda, non metterete immediatamente il bambino di fronte a una finestra aperta a sud, con un bagliore accecante che lo investa direttamente in faccia e una temperatura di quaranta gradi all'ombra; se abitate in una zona settentrionale, viceversa, magari fra montagne altissime o nebbie più o meno permanenti, cercherete di sfruttare con cura ogni raggio di sole.

In conclusione, cercate per l'angolo del vostro bimbo una buona esposizione, senza cadere in eccessi di nessun genere. Certuni sono talmente fanatici per il sole che ci metterebbero subito il neonato ad arrostire, altri sembra che ne abbiano paura come di qualcosa di orrendamente pericoloso, come se al minimo sprazzo di luce il piccolo dovesse prendere fuoco. La verità, come dicevo, è che i raggi solari sono indispensabili, ma che non bisogna abusarne; che la luce occorre al neonato, ma non deve essere tale e tanta da farlo soffrire.

A questo proposito, sarà opportuno prevedere e provvedere a quanto servirà per mantenere la zona del bambino a una *temperatura confortevole*. Confortevole per lui, beninteso. Lo dico perché molte mamme tendono a pensare che il neonato sia sempre in procinto di morire di freddo, mentre in realtà freddolose sono loro, e solo loro. Il neonato (ne parleremo più avanti) non patisce il freddo. Con questo non voglio dire che lo si debba congelare, ma desidero avvertirvi che una temperatura troppo elevata gli farà male. I sedici o diciassette gradi per voi potrebbero essere troppo pochi, ma per lui vanno bene. Il suo dovrà essere perciò un angolo fresco d'estate, e non troppo riscaldato d'inverno. Pensateci dunque per tempo e prendete tutte le misure opportune. Per quanto riguarda il tipo di riscaldamento, uno dei sistemi più consigliabili resta il classico radiatore del termosifone, che permette fra l'altro, mediante l'uso delle solite vaschette d'acqua, di panni bagnati, eccetera, di mantenere l'atmosfera abbastanza umida. L'aria molto secca disturba il piccolo e produce un'irritazione delle sue mucose respiratorie.

L'ultimo punto sul quale debbo invitarvi a prendere adeguati provvedimenti è quello del *rumore*: per vostro figlio sarà bene preparare un angolo tranquillo e silenzioso il più possibile. Si crede che al neonato il rumore non dia fastidio, ma non è vero. Anche se il bimbo continua a dormire nonostante il frastuono, tutte quelle vibrazioni agiscono negativamente su di lui. Lo sapevate, per esempio, che le persone abituate a vivere in ambienti molto rumorosi ci sentono meno di quelle che vivono in campagna? Inoltre il rumore provoca alterazioni del circolo sanguigno, il che a lungo andare può produrre diversi tipi di disturbi anche nei bambini.

In particolare, voi che abitate in città, fate attenzione al rumore del traffico: voi forse vi ci siete adattati tanto che non lo avvertite quasi più, ma il neonato invece lo « sente », e potrebbe soffrirne. Secondo gli esperti il rumore del traffico può arrivare ad avere un'intensità dieci volte superiore a quella del baccano prodotto da decine e decine di scolari che giochino urlando nel cortile della ricreazione. Incredibile, ma è così. Perciò pensate subito a riservare per il neonato un posticino che non tremi dalla mattina alla sera per il transito di autocarri, tram e colonne di automobili.

3. esigenze psicologiche: sì, anche queste hanno la loro importanza. Anzi una grande importanza. Il neonato non è una specie di pianta alla quale basta dare, in certe ore del giorno, la sua razione di latte. E' un essere umano con una mente che funziona. Che funzioni in modo diverso dalla nostra di adulti non vuol dire nulla: esiste, e bisogna tenerne conto. Voglio dire che anche al neonato, come a noi, piace vivere in un ambiente di suo gusto; o meglio, un ambiente adatto lo aiuta a crescere meglio e più felicemente.

Ho detto prima che lo spazio dedicato al bambino non deve essere pieno di oggetti inutili, di tendaggi e in genere di cose che possano ostacolare la pulizia e l'igiene; ma questo non significa che debba essere squallido. Al contrario, sarà bene che l'angolo del vostro bimbo sia ricco di colori, di figure, di disegni, perché tutti questi stimoli contribuiscono fin dai primi giorni di vita a favorire la maturazione dei sensi del neonato e quindi l'evoluzione della sua personalità. Non occorre molto: fogli di carta colorata, pannelli sui quali attaccare figure geometriche variopinte, gli sportelli di un mobile dipinti di arancione, e altri accorgimenti del genere. Con un po' di gusto e di fantasia potrete fare della stanza (anche se non è una vera e propria stanza) del vostro bambino un luogo piacevole, allegro e stimolante.

La culla

Una volta preparato il luogo per il neonato, pensate per tempo a metterci le cose che gli serviranno. Prima di tutto la culla. Anche per questa non è affatto necessario andare nel difficile e nel costoso. Anzi è di gran lunga meglio scegliere le soluzioni più semplici: un grande cesto, per esempio, va benissimo. Badate solo che sia abbastanza ampio da permettere al bambino di muovercisi a suo agio. Non è vero che il neonato stia sempre fermo: se non è trattenuto da coperte troppo tese o altro, « passeggia » per il suo letto, agita braccia e gambe, si muove persino durante il sonno. Deve poterlo fare, cioè deve avere spazio a sufficienza. L'interno della culla dovrà naturalmente essere foderato di un tessuto morbido in modo che il piccolo non si graffi o non batta il capo contro qualcosa di duro. Il fondo, che si tratti di un cesto, o di una culla improvvisata di legno, o di una culla elegante e raffinata, dovrà comunque essere rigido e piatto. Proprio come un'asse.

Sopra ci metterete un materassino di crine o, più semplicemente, uno strato di gommapiuma perforata dello spessore di quattro centimetri circa. Sia il materassino che la gommapiuma dovranno essere protetti con una fodera impermeabile. Sopra il materassino, di crine o di gomma, un telo di plastica abbastanza grande da poter essere

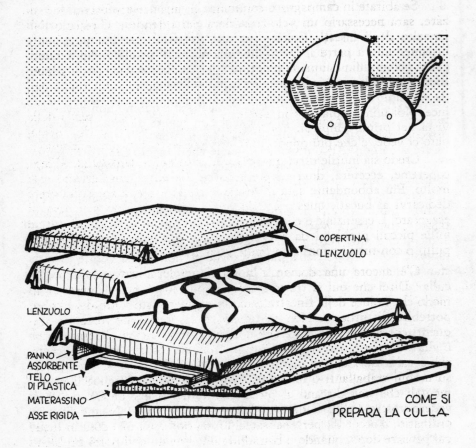

COPERTINA
LENZUOLO
LENZUOLO
PANNO ASSORBENTE
TELO DI PLASTICA
MATERASSINO
ASSE RIGIDA

COME SI PREPARA LA CULLA

rincalzato su tutti e quattro i lati. Poi un bel panno assorbente, e infine un lenzuolino di cotone, meglio se ricavato da un tessuto già usato e quindi più morbido. Se, al posto del telo di plastica, si usano le « incerate felpate » attualmente in commercio, il panno assorbente diventa inutile. Del tutto inutile anche il cuscino, che anzi può disturbare il piccino. Per riassumere, possiamo dire che la sistemazione ideale per un neonato è questa: un piano rigido ma morbido, ampio, piatto, ben aereato e il meno umido possibile.

Questo per quanto riguarda ciò che sta *sotto* il neonato. Veniamo ora a ciò che dovrete metterci *sopra*: se fa caldo, ovviamente, nulla; se fa freddo, un altro lenzuolino e una coperta leggera che mantenga bene il calore. La maglia di lana, per esempio, serve ottimamente. Provvedetevi beninteso anche di qualche copertina di cotone se andate incontro a una stagione intermedia.

Se abitate in campagna o comunque in una zona infestata da zanzare, sarà necessario un velo-zanzariera per difendere il piccolo dall'assalto degli insetti. Evitate però velamenti e tendine puramente ornamentali: a parte il fatto che non servono ad altro che a raccogliere polvere, fin dai primi giorni di vita il neonato deve poter vedere il più possibile dell'ambiente che lo circonda, anche se in realtà egli da principio riesce probabilmente soltanto a distinguere l'ombra dalla luce. Noi non sappiamo con esattezza come si sviluppi il senso della vista nei primi tempi di vita, ma sappiamo con certezza che il neonato ci vede, e che più opportunità di vedere gli forniamo e meglio è.

Credo sia inutile dirvi quanti panni assorbenti, lenzuolini, fodere, copertine, eccetera, dovrete predisporre. Le cifre non servono mai molto. Più abbondante sarà il vostro corredo e meno spesso dovrete dedicarvi ai bucati, questo è evidente. Comunque, non è il caso di esagerare. L'essenziale è che, proprio nei primi giorni, nei quali avrete mille piccoli problemi da risolvere, non vi troviate senza lenzuolini puliti o con tutti i panni assorbenti bagnati.

C'è ancora una domanda a cui rispondere: dove collocare la culla? Direi che qui si tratta solo di buon senso: non orientatela in modo che la luce della finestra cada direttamente sul volto del bimbo; potrebbe disturbarlo. Non mettetela in un luogo percorso da frequenti correnti d'aria. Fate che non sia troppo vicina al termosifone o alla stufa, in modo che vostro figlio non sia tormentato dall'irradiazione calorica. Cercate di difenderla dalla polvere. Non sistematela su mobili traballanti e malsicuri. Non incastratela fra mobili monumentali che impediscano al piccino di vedere l'ambiente e a voi di vedere vostro figlio. E questo, più o meno, è tutto. Niente di straordinario, d'accordo; però pensateci fin da ora. Sarà una cosa in meno cui pensare dopo, quando il bambino sarà arrivato e vi porrà problemi ben più pressanti.

Oggetti per la toeletta

Ricordate che, fra le altre cose, dovrete anche lavare vostro figlio. Subito, fin dal primo giorno. Per tutti, ma specialmente per il neonato, toeletta significa igiene e buona salute. Procuratevi perciò fin da ora le cose più importanti, e in particolare:

☐ il bagnetto: quelli di plastica pieghevoli vanno benissimo; possono essere trasformati in fasciatoio appoggiandovi sopra l'apposito ripiano, oppure, se ingombrano, possono essere ripiegati e riposti in pochissimo spazio; in ogni modo, qualsiasi vaschetta di plastica può andare bene;

☐ un termometro da bagno: non strettamente indispensabile se vogliamo, ma utile;

☐ una spazzola morbida;

☐ un paio di forbici piccole, ma non piccolissime, e *a punte arrotondate;*

☐ due o tre asciugamani grandi e altrettanti piccoli, di spugna morbida.

Sapone, creme, lozioni, oli detergenti, potrete anche prenderli all'ultimo momento, meglio se su indicazione del pediatra.

Vestiario

E veniamo al famoso « corredino ». In genere è la cosa alla quale si bada di più e che rappresenta una vera passione per zie, amiche e bisnonne. Negli ultimi tempi di gravidanza càpita spesso alle giovani mamme di ricevere in regalo golfini, cuffiette, scarpine, guantini, abitini da battesimo, grembiulini, bavagli, cappuccetti, sacchi di lana, tutine, pagliaccetti, e in generale tutto ciò che non servirà mai a niente. Già, perché il vostro bambino, dopo tutto, non avrà bisogno di chissà quale guardaroba.

A parte gli indumenti necessari per fronteggiare un clima rigido, come appunto golfini, tute di lana, eccetera, che vi saranno utili solo nel caso che abitiate in montagna o che vostro figlio nasca d'inverno, e dei quali farete sempre in tempo a provvedervi, ciò che vi occorre subito è:

☐ una mezza dozzina di magliette di cotone a mezza manica;
☐ dei pannolini di tela morbida, triangolari, con della spugna cucita al centro; meglio ancora qualche pacco di pannolini da gettare dopo l'uso;
☐ dei pannolini triangolari di maglia di cotone, del tipo detto « ciripà »
☐ dei grembiulini di cotone
☐ qualche bavaglino, piuttosto grande altrimenti non serve a nulla.

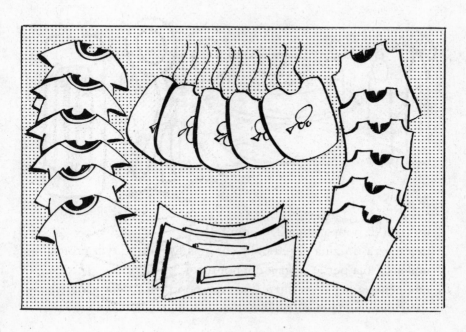

Avrete notato che anche questa volta vi ho dato delle cifre approssimative, o non ve ne ho date affatto. È chiaro infatti che più roba avrete a disposizione e meno spesso dovrete mettervi a fare il bucato.

Su tre punti vorrei attirare soprattutto la vostra attenzione:

1. non usate mai fasce, di nessun genere
2. usate sempre indumenti semplicissimi, senza inutili fronzoli, abbellimenti, nastrini, pizzi e così via
3. non usate, per ora, mutandine di plastica
4. non usate indumenti di lana se non per uscire di casa, se fa freddo

Oggetti per l'alimentazione

Può darsi che possiate allattare al seno il vostro bambino e può darsi di no. A ogni buon conto è meglio essere preparati a tutto. Comunque vadano le cose, i seguenti oggetti vi saranno sempre utili per somministrare al neonato un po' di camomilla o d'acqua durante la notte o nel caso che dobbiate fargli saltare un pasto:

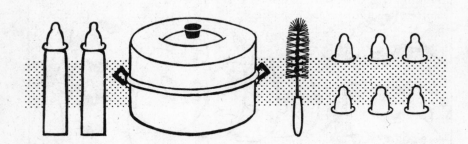

☐ un paio di poppatoi da 250 grammi
☐ una mezza dozzina di tettarelle con relative custodie di protezione
☐ una spazzola per la pulizia dei poppatoi
☐ una pentola per la sterilizzazione dei poppatoi e delle tettarelle.

Per ora non vi serve nient'altro.

2.4. Organizzate subito la vostra nuova vita

Occorre qualcuno che vi aiuti

Non è vero che l'arrivo in casa di un neonato debba rappresentare sempre una specie di cataclisma. Però crea dei problemi. Fino a questo momento avevate parecchie cose che riempivano la vostra giornata; ora ne avrete di più. Dovrete quindi modificare le vostre abitudini, fare nuovi programmi, preparare qualche cosa di simile a un piano di lavoro che vi permetta di non diventare come una macchina che lava pannolini, che allatta, che fa bagnetti e che spupazza il fantolino.

Per mantenere un po' di indipendenza, che è necessaria, dovrete cercare qualcuno che vi dia una mano. Ma chi? La soluzione più ovvia, e anche la più comune, è quella fornita dall'intervento di vostra madre, della futura nonna. Però attenzione: se già non andate d'accordo con vostra madre su tante piccole cose, tanto meno andrete d'accordo sul modo di curare e allevare il neonato. Piuttosto che far cominciare al vostro bambino la vita in un clima di polemiche e malintesi, meglio cercare aiuto altrove: vostra sorella, una vicina di casa che disponga di tempo libero, una donna a ore di cui possiate fidarvi, una donna fissa, una bambinaia o addirittura una puericultrice diplomata. La vostra futura sistemazione dipenderà evidentemente dalle disponibilità economiche, dalle vostre conoscenze, dai parenti che avete, e anche dalla fortuna. Ma in ogni modo una sistemazione dovrete trovarla, e possibilmente subito, in modo da non dover poi ricorrere ad affannose ricerche quando il neonato avrà già « invaso » la vostra casa.

Nell'organizzare la vostra futura vita di giovani madri potrete scegliere tre strade:

1. trovare qualcuno che si occupi del bambino (una bambinaia o una puericultrice, per esempio), e occuparvi voi della casa e di altre eventuali faccende

2. affidare la casa alla vostra aiutante, e dedicarvi interamente al neonato

3. collaborare con la persona che vi aiuterà, sia nel governo della casa che nella cura del piccino.

La maggioranza delle future mamme sarà naturalmente portata a scegliere la soluzione numero due, quella di lasciare agli altri la casa e tenere per sé il figlio; per una donna che abbia appena partorito, infatti, nulla è più « suo » del neonato. Potrà lasciar perdere tutto, ma non certo l'allevamento del bambino. E bisogna pur dire che tutti i torti non li ha. Nonne, amiche, vicine, parenti e collaboratrici di vario genere hanno di solito una caratteristica comune: sanno *tutto* su come allevare un bambino, e sanno tutto *meglio* della madre stessa, specialmente se è giovane. Il che frequentemente crea dei problemi invece che risolverli.

Tuttavia, io vi consiglio la soluzione numero tre, quella della collaborazione. E ciò per evitare che vostro figlio vi isoli dal resto del mondo, vi leghi a sé con legami eccessivi e finisca col farvi sentire vittima dei suoi strilli, dei suoi pannolini sporchi e della sua voracità. Ricordate che, anche dopo la nascita del bimbo, avrete pur sempre una casa, forse degli altri figli, degli amici, degli interessi ... e un marito.

A proposito di marito, vorrei dire qui due cosucce anche a lui: in occasione della nascita di un bambino, il padre qualche volta può reagire in uno di questi due modi:

1. tende a lavarsene le mani, come se si trattasse di un affare che non lo riguarda o che lo riguarda solo indirettamente; in questo caso la povera mamma si sentirà piuttosto abbandonata, sola, senza appoggi, quasi « colpevole » di non essere più una moglie, ma solo una madre

2. tende a sua volta, al contrario, a considerare se stesso come padre e non più come marito; e ancora una volta la donna si sentirà sola e abbandonata.

Evitate, cari papà, entrambi questi atteggiamenti. Permettetemi di rammentarvi che innanzitutto si è marito e moglie, compagni, come si usa dire, « nella buona e nella cattiva sorte », e *poi* si è genitori. Se, diventando genitori, si diventa *solo* genitori e si cessa di essere compagni, non si è neppure genitori. Per lo meno, non buoni genitori.

Nella pianificazione della vita che state per cominciare ci dovrà dunque essere posto anche per il papà. Anzi, prima di tutto per lui. Vi dividerete compiti e responsabilità, farete dei turni di riposo, vi accorderete per adattare le abitudini di entrambi alla vostra nuova condizione. Tutto è più facile quando lo si fa insieme, con sincera dedizione e comprensione reciproca.

Non rinunciate al vostro lavoro

C'è un altro problema che dovrete prendere in considerazione fin da ora: il vostro lavoro. Molte donne lavorano, forse anche voi avevate degli impegni e li avrete ancora poche settimane dopo il parto. Naturalmente in questo momento, tutta presa come siete dall'imminente arrivo del vostro bambino, siete portata a dimenticare del tutto le vostre attività extracasalinghe, o addirittura a rifiutarle. Non fatelo. Il lavoro è stato e sarà per voi una fonte di soddisfazione e un completamento della vostra personalità. Meglio non rinunciarvi: correreste il rischio di sentirvi un po' sacrificata dal vostro bimbo, che diventerebbe « quello che mi ha fatto smettere il lavoro ». Correreste il rischio di non essere più soddisfatta di voi stessa, e il vostro piccino oscuramente lo sentirà. La madre migliore è quella contenta, quella che non fa rinunce inutili.

Perciò farete cosa assennata se non taglierete i ponti col mondo del lavoro, e se già fin d'ora penserete a organizzarvi per poterlo riprendere, il vostro lavoro, appena possibile. Vi diranno che non dovete, perché nei primi anni di vita il bambino ha bisogno della mamma. È vero. Ma ricordiamo che il bambino ha bisogno di una mamma, appunto, e non di un francobollo che gli stia appiccicato addosso ventiquattr'ore su ventiquattro. Si può benissimo essere madri affettuose, efficienti, buone e brave, anche se per qualche ora al giorno si affida il proprio figlio a una persona di fiducia. Il lavoro, l'interesse per i problemi altrui, l'attività in se stessa, la collaborazione col marito nel sopperire ai bisogni della famiglia sono tutte cose che arricchiscono la personalità. E avere una personalità più ricca significa essere una madre migliore. Vi diranno anche che il vostro stipendio lo dovrete passare pari pari alla persona che si occuperà di vostro figlio, mentre voi sarete impegnata. Pazienza. Meglio lavorare senza guadagnare un soldo, piuttosto che non lavorare: forse alla fine del mese non vi rimarrà un centesimo, ma vi rimarrà di sicuro la soddisfazione di aver fatto qualcosa, di aver partecipato alla vita della comunità umana, e quindi, tutto sommato, di aver fatto qualcosa di utile per vostro figlio.

Tutte queste considerazioni sono naturalmente valide solo nel caso che a voi *faccia piacere* andare a lavorare, e che il doppio impegno della casa e del bambino da un lato, e della attività extracasalinga dall'altro, non finisca col diventare una fatica massacrante. Purtroppo, e qui è il caso di ricordarlo, per molte donne il doppio lavoro è una imprescindibile necessità, generalmente per motivi economici. Allora mi devo rivolgere di nuovo ai papà: non potete permettere che tutto gravi sulle spalle della vostra compagna, faccende domestiche, assistenza al bambino e lavoro per salvare il bilancio familiare. Dovrete fare la vostra parte in casa, così come la vostra donna fa la sua parte fuori di casa. Potrete lavare i piatti o rifare il letto o rendervi utili in molti altri modi, o anche badare un poco a vostro figlio, così che la vita della mamma non si trasformi in un incubo.

2.5. Organizzate la nascita

Per la sicurezza di vostro figlio e vostra è senz'altro meglio che il parto abbia luogo in un ospedale; è vero che quasi sempre va tutto bene, e che quello che si fa in una maternità si potrebbe benissimo farlo anche a casa propria. Però . . . badate che ho detto *quasi* sempre. Purtroppo in certi casi succede qualcosa, spesso qualcosa di imprevedibile, che richiede un intervento specialistico d'urgenza. Incidenti che mettano in pericolo la salute o addirittura la vita della mamma o del bambino, o di entrambi, si verificano su per giù cinque volte su cento parti. Raramente dunque. Ma è sempre meglio essere pronti a tutto. Per stare proprio tranquilli conviene perciò partorire in un ospedale.

Se vivete in una grande città, avete a disposizione una notevole scelta. E prima di tutto: ospedale pubblico o clinica privata? In linea di massima è da preferire l'ospedale pubblico. Nei grossi centri esistono degli istituti, o almeno delle intere sezioni di ospedale, riservati esclusivamente alle donne che debbono partorire: le cosiddette « Maternità ». Sono di solito istituti ben attrezzati, con personale medico fisso e specialisti presenti ventiquattr'ore su ventiquattro, in modo che qualsiasi situazione possa venire immediatamente fronteggiata nel modo migliore. Sarà il vostro ostetrico stesso a consigliarvi quale maternità scegliere, e sarà un'ottima cosa seguire il suo consiglio. Se intendete valervi di una eventuale assistenza mutualistica, sarete alloggiate nella « corsia » ospedaliera; ma non lasciatevi impressionare da questo. In primo luogo le corsie di oggi non sono più come quelle di una volta: si tratta frequentemente di ridenti stanze a quattro letti, confortevoli e dotate di servizi efficienti; in secondo luogo, forse non vi sarà del tutto sgradito avere delle compagne vicino con cui poter scambiare qualche parola. Se invece intendete assumervi in tutto o in parte l'onere economico del parto, vi farete assegnare una stanza in una delle cliniche private.

Queste ultime, d'altra parte, presentano bensì il vantaggio di fornirvi un'assistenza « alberghiera » più soddisfacente, ma presentano anche il grave svantaggio di non disporre di complete attrezzature di emergenza e di personale medico specializzato sempre presente sul posto. Se abitate in un piccolo centro, la scelta sarà naturalmente più limitata e spesso non ci sarà nulla. Affidatevi comunque al parere del medico o dell'ostetrica, che terranno conto più della sicurezza vostra e del bimbo che non di altre cose assai meno importanti.

Molte donne, per timidezza, o per paura, o per il dubbio che il proprio neonato « venga scambiato con un altro », o per tradizione, o per quella certa diffidenza che nel nostro paese si prova ancora nei confronti dell'ospedale, o per altri motivi, preferiscono dopo tutto partorire a casa. Credo che questo non sia un atteggiamento ragionevole. Abbiate fiducia in chi ne sa più di voi e ha visto nascere ormai centinaia di bambini, cioè appunto nel medico o nell'ostetrica.

Naturalmente può accadere che per un qualsiasi motivo non vi sia possibile partorire in ospedale; se per esempio vivete in campagna e l'ospedale è troppo lontano, o se l'ospedale non dispone di posti liberi, o se si verificano delle circostanze tali da impedirvi di raggiungerlo, dovrete per forza organizzarvi in casa vostra. In questo caso, ricordatevi di fare tre cose:

1. preparate per tempo l'occorrente, dopo aver chiesto istruzioni dettagliate all'ostetrica

2. mantenetevi in contatto frequente con l'ostetrica o col medico, in modo che essi possano intervenire al momento giusto

3. cercate qualcuno che si occupi di voi e del neonato nei primi giorni dopo il parto.

Sono cose evidenti, ma sono tanto evidenti che qualche volta . . . si dimentica di farle.

3. GLI EVENTUALI NEMICI

Molte di voi hanno sentito parlare di certe malattie che possono minacciare il neonato. Forse ne hanno sentito parlare anche troppo. Conoscenti e amici « esperti », giornali e televisione sono fonti inesauribili di informazioni di questo genere, e le notizie che vi sono state trasmesse potrebbero aver suscitato in voi preoccupazioni eccessive. Sarà bene perciò chiarire alcuni punti, in modo che le vostre conoscenze siano abbastanza complete da eliminare ogni paura ingiustificata.

3.1. La malattia da Rh

Cominciamo con la cosiddetta *malattia da Rh*. Solo poco più di qualche decennio fa non se ne sapeva nulla, e quando un neonato diventava giallo (presentava cioè un *ittero*) subito dopo la nascita si pensava che si trattasse di un fenomeno normale. Se a questo fenomeno « normale » si accompagnavano gravi segni di malattia, si pensava di solito a un'infezione. Così, se la forma era davvero grave, il bambino correva dei rischi notevoli. Oggi sappiamo che un neonato con un ittero va tenuto d'occhio attentamente: potrebbe trattarsi di una malattia da Rh, o più esattamente di una *malattia emolitica*. Ma che cos'è questo famoso Rh? Vediamolo subito.

Il *fattore Rh* è una particolare caratteristica dei globuli rossi, ma non esiste nei globuli rossi di tutti gli individui. Su cento persone

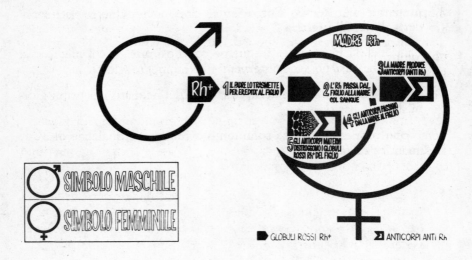

circa ottantacinque hanno nei loro globuli rossi il fattore Rh, e vengono definite *Rh positive*; le altre quindici, che non ce l'hanno, sono chiamate *Rh negative*. Il fattore Rh viene trasmesso ereditariamente dai genitori ai figli; esso è il principale responsabile, ma non l'unico, della malattia emolitica del neonato. Diciamo ora come si verifica questa malattia.

Supponiamo che una donna gravida sia priva del fattore Rh, sia cioè Rh negativa, e che il bambino che porta in grembo sia invece Rh positivo. Durante la gravidanza può accadere che piccole quantità di sangue del bambino passino nel sangue della mamma, attraverso la placenta. Più spesso tuttavia questo passaggio di sangue dal bambino alla madre sembra si verifichi durante il parto. In ogni caso, quando i globuli rossi del bambino, forniti di fattore Rh, arrivano nel sangue della mamma, che è senza fattore Rh, praticamente essi si comportano come degli intrusi, degli stranieri, degli individui « indesiderabili ». Infatti, hanno portato nell'organismo materno qualcosa che prima non c'era mai stato: il fattore Rh appunto. L'organismo della madre allora reagisce a questa « invasione » producendo delle sostanze capaci di distruggere i globuli rossi Rh positivi, capaci cioè di distruggere gli intrusi. Queste sostanze distruttive (dette *anticorpi*) passano dalla madre al bambino e provocano una vera e propria strage fra i globuli rossi del piccino. Di qui origina la malattia emolitica (« emolisi » vuol dire appunto distruzione di globuli rossi).

Un bambino colpito da questa malattia può anche nascere già morto. Altre volte nasce vivo e apparentemente sano, ma ben presto (qualche volta già poche ore dopo la nascita) presenta emorragie, disturbi nervosi, ingrossamento del fegato e della milza, e soprattutto un colore giallo intenso della pelle. Naturalmente tutti questi segni possono essere più o meno evidenti, e più o meno gravi, a seconda dei casi.

Immagino ora che molte mamme si chiederanno ansiosamente: come potrò sapere se il mio bambino ha o non ha la malattia da Rh? Cerchiamo di riassumere in pochi punti i criteri essenziali che portano al riconoscimento della forma morbosa:

1. la prima cosa da fare, per tutti, ma specialmente per una futura mamma, è naturalmente quella di far esaminare il proprio sangue (se si tratta di una donna sposata anche quello del marito) per vedere se è Rh positivo o Rh negativo

2. se la mamma è Rh positiva, il bambino *non può* essere ammalato, per il semplice motivo che in questo caso i globuli rossi Rh positivi del bambino sarebbero dello stesso genere di quelli della mamma, sarebbero dei « compagni », degli « amici », e perciò l'organismo materno non avrebbe nessun motivo di produrre quelle sostanze distruttive che dicevamo sopra

3. se la mamma è Rh negativa, un eventuale ittero del bambino, anche leggero, deve essere considerato *sempre* sospetto;

4. se la mamma è Rh negativa, si dovranno sempre praticare alcuni esami di sangue, e specialmente:

☐ la ricerca di anticorpi nel sangue della mamma a partire dal settimo mese di gravidanza; gli anticorpi, come abbiamo visto, sono quelle sostanze che vengono prodotte dall'organismo materno e che sono capaci di distruggere i globuli rossi del feto. Se verso il settimo mese di gestazione nella mamma esistono già degli anticorpi, ci sono otto probabilità su dieci che il bambino nasca ammalato

☐ la determinazione della quantità di *bilirubina* nel sangue del bambino nei primi giorni che seguono la nascita; la bilirubina è una sostanza che deriva dai globuli rossi distrutti, ed è chiaro perciò che quanta più ce n'è, tanti più globuli rossi debbono essere stati attaccati e distrutti dagli anticorpi della mamma.

Da quanto ho detto potrà sembrarvi che il fatto che la mamma sia Rh negativa equivalga a una specie di condanna per il bambino. Per fortuna non è così. Innanzitutto bisogna dire che la prima gravidanza di solito va benissimo, per il semplice motivo che l'organismo della madre *non fa in tempo* a produrre gli anticorpi capaci di attaccare i globuli rossi del bambino. La produzione di queste sostanze richiede tempo, e infatti diventa evidente, in genere, solo alcuni mesi *dopo il primo parto*. Per il primogenito quindi, nessuna paura. O meglio, state tranquille, ma fatevi egualmente seguire dal medico.

Perché vi faccio questa raccomandazione? Perché possono esistere delle condizioni particolari tali da provocare nel vostro organismo una produzione imprevista di anticorpi: per esempio, una trasfusione di sangue Rh positivo (se siete Rh negativa, naturalmente), che forse vi hanno praticato anni e anni fa in occasione di qualche malattia o intervento chirurgico, potrebbe avere stimolato in voi la comparsa di anticorpi, proprio come se aveste già avuto un bambino Rh positivo. Oppure il vostro organismo potrebbe essere anormalmente sensibile, e produrre anticorpi più facilmente e in maggior quantità di quanto non si possa prevedere. Naturalmente, se siete alla vostra seconda o terza gravidanza il pericolo è ancora maggiore perché siete state « sensibilizzate » dai bambini Rh positivi che avete già avuto, e quindi sono più grandi le possibilità che in voi si formino anticorpi in quantità tali da nuocere al bimbo che avete in grembo.

In ogni modo, anche se per il secondo o terzogenito il pericolo effettivamente esiste, non crediate che esso si realizzi tanto spesso. In effetti, a quanto pare, su cento mamme Rh negative che abbiano un bimbo Rh positivo, solo tre producono anticorpi. Negli altri novantasette casi, per vari motivi non tutti perfettamente conosciuti, non succede nulla.

Infine, dovete sapere che, grazie ai notevoli progressi realizzati in questo campo dalla medicina, ormai è ben difficile che la malattia da Rh possa fare grandi danni. In primo luogo, come abbiamo visto, oggi siamo in grado di individuare la malattia precocemente, mediante opportuni esami, e quindi di combatterla per tempo. Attualmente infatti è quasi eccezionale arrivare a quelle lesioni del sistema nervoso (dette *ittero nucleare*) che rappresentano la conseguenza di gran lunga più temibile della malattia. In secondo luogo, abbiamo a disposizione dei mezzi veramente efficacissimi per sottrarre il bambino alla minaccia degli anticorpi materni: si può per esempio far nascere il bimbo prima del termine, così che egli non riceva più il sangue materno che distrugge i suoi globuli rossi; il parto prematuro infatti presenta ai nostri giorni dei pericoli assai meno gravi che per il passato, grazie alle attrezzature superspecializzate di cui disponiamo per aiutare gli immaturi a sopravvivere. Ma il sistema migliore per combattere la malattia da Rh è quello della *exanguinotrasfusione,* e cioè della sostituzione del sangue del neonato con sangue Rh negativo.

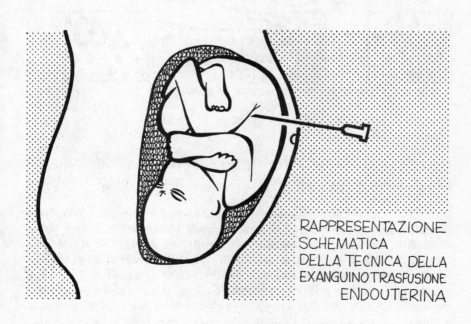

RAPPRESENTAZIONE SCHEMATICA DELLA TECNICA DELLA EXANGUINOTRASFUSIONE ENDOUTERINA

In tal modo si ottengono tre vantaggi:

1. sostituire i globuli rossi del neonato con altri globuli rossi i quali, essendo privi di fattore Rh, non vengono attaccati dagli anticorpi della madre e sono perciò « invulnerabili »

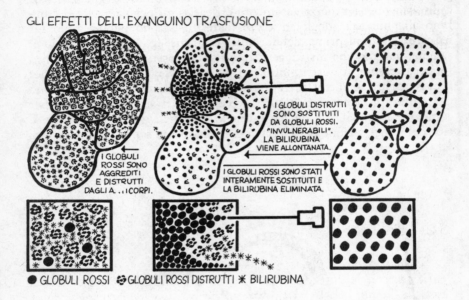

GLI EFFETTI DELL'EXANGUINOTRASFUSIONE

I GLOBULI ROSSI SONO AGGREDITI E DISTRUTTI DAGLI A...ICORPI.

I GLOBULI DISTRUTTI SONO SOSTITUITI DA GLOBULI ROSSI. "INVULNERABILI". LA BILIRUBINA VIENE ALLONTANATA.

I GLOBULI ROSSI SONO STATI INTERAMENTE SOSTITUITI E LA BILIRUBINA ELIMINATA.

● GLOBULI ROSSI ✿ GLOBULI ROSSI DISTRUTTI ✳ BILIRUBINA

2. combattere l'anemia provocata dalla distruzione dei globuli rossi

3. allontanare la bilirubina, che è tossica per il bambino.

Con questi provvedimenti, eventualmente completati con cure vitaminiche e antibiotiche, si riesce oggi a neutralizzare nove volte su dieci la minaccia rappresentata dal tanto temuto fattore Rh. Ma si è fatto ancora di più: in questi ultimi anni si è messo a punto un metodo che permette di individuare il rischio di malattia emolitica già verso la ventottesima settimana di gravidanza, e anche prima, mediante l'esame del liquido che avvolge il feto nel ventre materno, il *liquido amniotico*. Se l'esame dimostra l'esistenza della malattia, è possibile curare il bambino con trasfusioni *dentro all'utero ma-*

terno, molto tempo prima del parto. Evidentemente si tratta di interventi altamente specializzati e che possono essere attuati solo in istituti perfettamente attrezzati.

Da ultimo, disponiamo persino di quella che vien detta comunemente la « vaccinazione anti Rh ». In realtà non si tratta di un vaccino, ma di una specie di siero capace di bloccare nell'organismo della madre la produzione di anticorpi, cioè di quelle sostanze che aggrediscono e distruggono i globuli rossi del bambino. Questo siero viene iniettato alla madre Rh negativa entro settantadue ore dal primo parto, e in tal modo si evita il pericolo che i bambini nati dalle gravidanze successive possano essere colpiti dalla malattia emolitica.

Nel complesso, come vedete, siamo abbastanza ben armati per difenderci contro il famigerato fattore Rh. Perciò, anche se siete Rh negative, non spaventatevi. Affidatevi al vostro medico, che prenderà tutte le precauzioni del caso e aiuterà il vostro bambino a essere sano e robusto come tutti gli altri.

3.2. Il diabete della madre

Una donna ammalata di diabete spesso non può avere bambini; tuttavia, con le cure attuali, si va facendo sempre più frequente il caso di donne diabetiche che diventano mamme. Dato che il diabete della madre può influire sulla salute del neonato, se soffrite di questa malattia farete bene a prendere alcune precauzioni:

1. specie nelle ultime settimane di gravidanza è necessario un controllo frequente e accurato del medico sia per quanto vi riguarda personalmente, sia per quanto riguarda il bimbo che deve nascere

2. assicuratevi di poter godere di un'assistenza completa e specializzata durante il parto, possibilmente in un ospedale ben attrezzato o in una grande Maternità. Naturalmente ci dovrà essere un pediatra a portata di mano

3. il vostro bambino sarà probabilmente grande e grosso, come succede quasi sempre quando la mamma soffre di diabete. Questo non deve trarvi in inganno: il fatto che il piccino sembri robusto

non vuol dire affatto che lo sia. Al contrario, il neonato di madre diabetica è più fragile degli altri e può presentare improvvisi stati di malessere, anche grave. Perciò fate seguire il vostro bambino dal pediatra nei primi tempi di vita, e non esitate a interpellare il dottore tutte le volte che vi sembra di notare qualcosa che non va

4. anche se tutto va bene nelle prime settimane di vita, non cedete alla tentazione di lasciar perdere i controlli medici nei mesi successivi. Per ora infatti non possiamo escludere con certezza l'eventualità che il bambino possa avere anche lui, prima o dopo, una forma di diabete.

3.3. La toxoplasmosi

Il *toxoplasma* è un parassita piccolissimo (un po' più piccolo di un globulo rosso) che sembra venga trasmesso all'uomo dagli animali, specie dal cane, o dall'ingestione di carne non sufficientemente cotta. La malattia provocata da questo parassita, detta *toxoplasmosi*, può anche non dare nessun segno di sé; in altre parole, è possibile che una persona sia stata invasa dal parassita senza che questo provochi alcun disturbo, così che l'ammalato non sa di esserlo.

Perciò può succedere che una donna apparentemente sana sia in realtà portatrice del parassita; non solo, ma può trasmetterlo al bambino che porta in grembo, il quale perciò corre il rischio di nascere già infetto e talora con gravi manifestazioni morbose, specialmente a carico del cervello e degli occhi.

Se vivete a contatto quotidiano con animali, sarà dunque opportuno segnalare questo fatto al vostro medico. Egli potrà prescrivere degli esami speciali per scoprire se nel vostro organismo si è annidato il parassita o no, ed eventualmente stabilìre una cura. S'intende che, se risultate infetta, anche il bambino dovrà essere esaminato immediatamente dopo la nascita. La cura della malattia infatti avrà probabilità di successo tanto maggiori quanto più precocemente verrà iniziata.

Fortunatamente le donne colpite da toxoplasmosi in gravidanza sembra non siano più di sette-otto su mille, e pare inoltre accertato che il parassita possa produrre danni importanti al feto solo se gli viene trasmesso dalla madre fra la decima e la ventesima settimana di gestazione. Inoltre, sappiamo che una tempestiva cura con sulfamidici può combattere efficacemente la malattia.

3.4. La talassemia

La *talassemia*, o microcitemia, è una malattia ereditaria che colpisce i globuli rossi. Questi sono più numerosi e più resistenti del normale, ma sono anche più piccoli e più « poveri ». Contengono cioè una quantità piuttosto scarsa di emoglobina, che è quella sostanza che serve ai globuli rossi per fare il loro mestiere: trasportare l'ossigeno.

La talassemia può manifestarsi in forma lieve, ed è questo il caso più frequente: i sintomi sono scarsi e consistono in un modesto pallore, facilità alla stanchezza quando il bambino è grandicello, talora una particolare conformazione del viso con zigomi sporgenti. C'è poi una forma detta « intermedia » che è caratterizzata anch'essa dal pallore, e qualche volta da un colorito lievemente giallognolo della pelle e degli occhi, ma che può presentarsi anche con crisi di dolore alle ossa, alle articolazioni e all'addome, e in qualche caso con disturbi del sistema nervoso (convulsioni e paralisi). In questa forma c'è sempre una compromissione della milza. Infine esiste la talassemia grave, che si chiama *morbo di Cooley*, con disturbi evidentissimi a carico dello sviluppo generale, delle ossa e del cuore.

La frequenza della talassemia lieve è molto elevata, specie in certe regioni: si calcola che in Sardegna due o tre bambini su dieci nascano con questa malattia, due su dieci nella zona del delta del Po e in Calabria, uno su dieci nelle altre regioni meridionali, uno su venti nelle città industriali del nord, dove la forma morbosa è naturalmente legata alla immigrazione di persone provenienti dalle regioni più colpite. Nel complesso si può ritenere che in Italia ci siano diverse centinaia di migliaia di individui affetti da talassemia, e forse milioni. Fortunatamente assai meno frequenti i casi gravi, che a quanto pare non superano la cifra di qualche centinaio all'anno.

Per quale ragione vi parlo di questa malattia nel capitolo dedicato ai nemici del vostro bambino che sta per nascere? Ecco, le cose stanno in questi termini: una persona portatrice di una talassemia lieve può vivere in ottima salute fino a novant'anni, senza altri sintomi che un leggero pallore e qualche volta una certa facilità alla stanchezza fisica, come abbiamo visto. Questa persona, se non si sottopone a determinati esami di sangue, può benissimo trascorrere la sua intera esistenza senza nemmeno sospettare di avere una talassemia. Invece è molto meglio che lo sappia perché, se avrà un figlio, dovrà averlo con un individuo sano, non talassemico. Se infatti entrambi i genitori di un bambino sono portatori della malattia, sia pure apparentemente sani, le probabilità che il figlio soffra di una forma grave aumentano di molto. In altre parole, se due talassemici si uniscono fra loro e hanno dei figli, corrono il grosso rischio di vedere comparire nei loro discendenti il terribile morbo di Cooley. E non è un rischio da correre.

Che cosa si deve fare allora? E' chiaro: innanzitutto sottoporsi agli opportuni esami prima di mettere su famiglia. Tutti i giovani, specie quelli che appartengono alle popolazioni più colpite dalla forma morbosa (meridionali e provenienti dal delta padano), devono assolutamente farsi controllare per accertare se sono talassemici o no. Se lo sono, dovranno unirsi a un non talassemico, oppure rinunciare alla procreazione. Se una donna talassemica è già incinta, dovrà prepararsi a far seguire attentamente il proprio bambino in modo da garantirgli tutte le precauzioni di cui avrà eventualmente bisogno. Certe cure (per esempio quelle a base di ferro) sono sconsigliabili nei talassemici, anche se affetti da forme lievi.

Se voi siete una talassemica, se lo è anche vostro marito, e se aspettate un bambino, potete assicurarvi già nel corso della gravidanza che il nascituro sia immune dalla forma più grave di malattia mediante un esame speciale da eseguire nei primi tempi di gestazione. In ogni caso sarà opportuno che non abbiate altri figli.

3.5. La rosolia

La *rosolia* della madre è uno dei nemici più temibili per il bambino che deve nascere. Se siete verso il termine della gravidanza il problema è ormai superato, ma se siete solo alle prime settimane dovrete prendere ogni precauzione per evitare questa malattia. Ma cominciamo dal principio.

La rosolia, come tutti sanno, è una malattia da poco che colpisce un gran numero di bambini, specie nei periodi di dilagante epidemia che si verificano, a quanto pare, ogni sei-nove anni preferibilmente in primavera o all'inizio dell'inverno, ed è una malattia che dà a chi se la prende una immunità più o meno totale per il resto della vita. Ma, e qui sta il punto, non colpisce naturalmente *tutti* i bambini. Voi, per esempio, potreste non averla avuta, e in questo caso non siete immunizzate. E' possibile perciò che ne siate colpite, anche in età adulta. Sembra che circa quindici donne su cento si trovino in questa condizione, e cioè esposte al rischio di essere contagiate di rosolia.

Per voi la cosa non ha molta importanza, dato che si tratta di un malanno leggero e per nulla preoccupante. Ma la faccenda è ben diversa se siete incinta. Se una donna che aspetta un bambino ammala di rosolia, lei guarisce in quattro e quattr'otto e poi sta benone, ma nel frattempo il virus va a colpire il bimbo nell'utero e sconquassa anche molto gravemente il suo sviluppo. Per dirla in altre parole, il

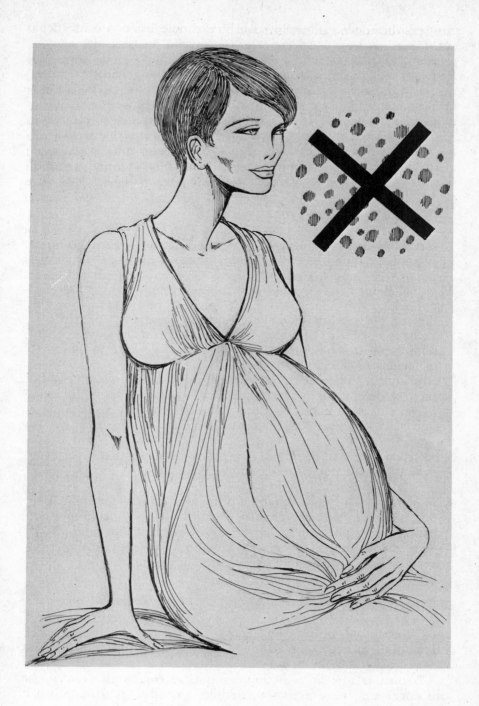

virus provoca delle malformazioni nel nascituro: lesioni a carico degli occhi, sordità, lesioni del cuore e del cervello, malattie del sangue, eccetera. Queste alterazioni, che sono tutte molto gravi, sono più frequenti se la madre si ammala nei primi tempi di gravidanza, specie nei primi due mesi. Si calcola che se la donna si infetta di rosolia nel primo mese di gestazione il bambino abbia nove probabilità su dieci di nascere malformato; le probabilità scendono a cinque su dieci se la rosolia colpisce la madre nel secondo mese, e a una o due su dieci se la colpisce nel terzo mese. Fra il quarto e il sesto mese il rischio è molto minore, e scompare del tutto dal settimo mese in poi. Dovrete dunque fare di tutto per evitare la rosolia se pensate di poter aspettare un bambino.

In concreto dovrete:

1. accertarvi mediante uno speciale esame di sangue se avete già avuto la rosolia, e quindi se siete già immunizzate o no

2. se dall'esame risulta che non siete immunizzate, fatevi vaccinare. E' opportuno che vi sottoponiate alla vaccinazione anche nel caso che l'esame per un qualsiasi motivo non si possa fare, dato che la vaccinazione non vi porterà comunque alcun inconveniente. Sarà semplicemente una operazione non necessaria, se la rosolia l'avete già avuta, ma in ogni caso innocua.
Attenzione! Potete farvi vaccinare solo *se non aspettate* un bambino, e se siete sicure di non restare incinte entro i prossimi tre mesi. La vaccinazione infatti può provocare nel feto dei danni simili a quelli prodotti dalla malattia vera e propria

3. se aspettate già un bambino, e specialmente se non siete vaccinate, evitate a qualunque costo ogni fonte di contagio

4. se ammalate di rosolia durante i primi mesi di gravidanza interpellate d'urgenza il vostro medico. Qualcosa si può ancora fare per evitare il peggio. Sembra infatti che l'immediata inoculazione in vena di forti dosi di gammaglobuline possa riuscire, almeno entro certi limiti, a proteggere il feto contro l'infezione.

3.6. L'AIDS

E' una malattia "nuova", comparsa nel nostro mondo occidentale solo pochi anni fa, e piuttosto temibile. La sigla AIDS è costituita dalle iniziali delle parole inglesi *Acquired Immuno Deficiency Sindrome* (sindrome da immunodeficienza acquisita).

Si tratta di una malattia infettiva e contagiosa, provocata da un virus come, per esempio, la varicella o l'epatite. Però c'è una differenza importante.

Il virus della varicella va a colpire di preferenza la pelle e vi fa comparire le vescichette, quello dell'epatite va ad aggredire le cellule del fegato. Contro questi virus, e contro tutti gli altri, l'organismo mobilita le sue truppe difensive, che sono delle cellule chiamate *linfociti*. I linfociti attaccano i virus, di solito li distruggono, e l'organismo è salvo. L'individuo guarisce.

Il virus dell'AIDS, chiamato HIV (Human Immunodeficiency Virus), va a colpire invece proprio i linfociti, i difensori dell'organismo. I linfociti ammalano e diventano a loro volta "contagiosi". L'organismo risponde all'offensiva dei virus mettendo in campo truppe fresche, cioè altri linfociti, sani. Infuria la battaglia. Se l'esercito dei linfociti sani riesce a bloccare l'invasione, l'individuo non ammala, ma diventa semplicemente "sieropositivo". Il che vuol dire che nel suo sangue si possono trovare le tracce della battaglia, e cioè gli *anticorpi*. Può darsi in questo caso che l'organismo finisca col vincere la guerra e guarisca del tutto. Ma può anche darsi che perda: i linfociti vengono travolti dal virus e contagiano i loro compagni sani, fin che l'organismo resta senza difensori. E allora comincia l'invasione vera e propria, cioè la malattia: le armate dei microbi, batteri e virus di ogni genere, trovano le porte aperte e dilagano dovunque smantellando tutto quello che incontrano sulla loro strada.

L'AIDS, come vedete, è una malattia molto grave, contro la quale in questo momento non abbiamo alcun mezzo di difesa. In pratica non esistono medicine efficaci. L'unica cosa da fare quindi, almeno per ora, è di non ammalarsi. A questo proposito vale la pena di prendere in considerazione alcuni fatti, negativi e positivi. Cominciamo dai negativi.

1. Tutti gli ammalati di AIDS e tutti i sieropositivi, anche se non ammalati, sono contagiosi

2. Il numero delle persone contagiose, nel nostro mondo, è in netto aumento

3. Il contagio avviene praticamente attraverso il sangue, cioè quando il sangue della persona infetta entra direttamente in contatto, e si mescola, col sangue di un altro individuo, sano. Questo può accadere soprattutto nel corso di quell'attività che riguarda la stragrande maggioranza degli esseri umani: l'attività sessuale. Basta una lesione minima, inavvertita, e il virus può infettare. Inoltre il

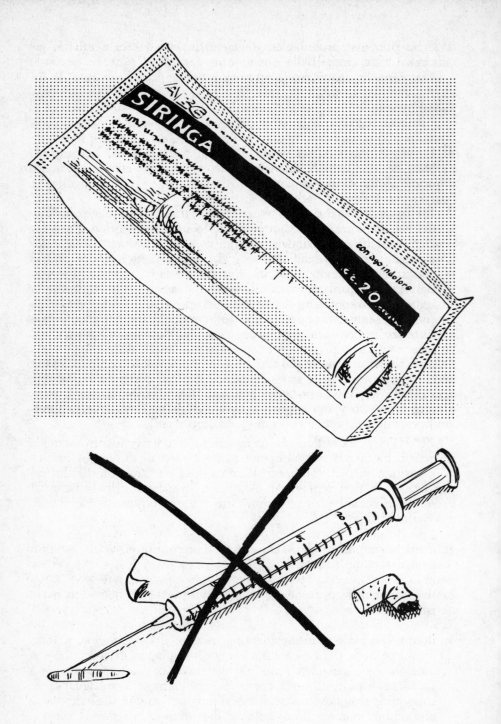

figlio può essere contagiato dalla madre, se questa è infetta, già negli ultimi tempi della gravidanza, durante il parto e, secondo alcuni, anche attraverso il latte materno.

E veniamo alle "consolazioni", specie per quanto interessa i bambini.

1. Pur essendo in aumento, gli ammalati di AIDS e i sieropositivi sono ancora pochi. Si calcola che in Italia ci siano attualmente circa quindicimila donne contagiose

2. Il virus dell'AIDS è molto fragile e non riesce a sopravvivere fuori del sangue. Perciò la malattia non può essere trasmessa in pratica attraverso contatti fisici che non implichino un contatto da sangue a sangue (lesioni delle mucose, piccole ferite, graffi, eccetera) e neppure mediante gli oggetti. Persino le famigerate siringhe non sembrano realmente pericolose, a meno che non siano state appena usate da una persona infetta e non siano quindi inquinate da sangue relativamente fresco. Se ne deduce che la malattia non si diffonde normalmente nelle comunità, come asili, scuole, eccetera.

E adesso tiriamo le conclusioni. Se non siete tossicodipendenti e non usate quindi siringhe sporche o sospette, e se avete rapporti sessuali, di qualsiasi tipo, solo con una o più persone conosciute e sicuramente sane, non esistono problemi. Se invece avete avuto rapporti con persone o siringhe "non garantite", meglio rivolgervi a un centro specializzato per accertare la vostra situazione prima di decidere di avere un figlio.

Qui mi rivolgo naturalmente alle aspiranti madri. Se siete sieropositive è senz'altro consigliabile non affrontare una gravidanza. Esistono circa tre probabilità su dieci che vostro foglio nasca ammalato, e in questo caso non ci sarebbe niente da fare.

Un'ultima osservazione. Dato il tipo di contagio dell'AIDS, molto limitato come abbiamo visto e sostanzialmente possibile solo da sangue a sangue, e data la grande fragilità del virus, che fuori del sangue muore, questa epidemia scomparirebbe in pochissimo tempo se le persone avessero abbastanza buon senso da prendere delle semplicissime precauzioni. Non occorre rinunciare alla propria sessualità né cambiare la propria vita. Basterebbero degli adeguati controlli sanitari e l'impiego di siringhe sterili.

Secondo Capitolo

LA NASCITA

1. L'IMPRESA PIÙ IMPEGNATIVA DELL'UOMO: NASCERE

1.1. Prima della nascita

Con la nascita vostro figlio conclude un'avventura e ne comincia un'altra: dentro di voi, dall'istante del suo concepimento, è cresciuto alcuni miliardi di volte, si è « autocostruito » pezzo per pezzo, cellula per cellula, ha modellato organi, ha preparato complicatissime reti nervose, ha cominciato a collaudare le sue capacità in previsione del suo « sbarco » sul fasciatoio della sala-parto. Per esempio, parecchio tempo prima di nascere, ha imparato a succhiare, ad agitare braccia e gambe, a cambiare posizione, a rispondere con diversi tipi di movimento ai rumori provenienti dall'esterno, e così via.

Naturalmente il suo cervello non è ancora capace di ragionare, nel senso che noi diamo comunemente a questa parola, però lui, il bambino, ha già un suo tipico comportamento, una sua personalità, un suo modo di essere; e secondo queste sue caratteristiche si è venuto preparando ad affrontare la vita fuori del grembo materno.

Pochi giorni prima del parto il bambino conclude il suo allenamento: smette di crescere, ed è già capace di fare tutto quello che gli servirà per sopravvivere una volta uscito dalla sua « capsula ». Non gli resta che aspettare il grande momento.

Qui mi sembra importante una riflessione: per lo più, davanti a un neonato, si parla di « tenero ranocchietto », di « roseo fagot-

tino », di « paffuto angioletto », di « adorabile topolino ». E si prova
un senso di tenerezza, un istinto di protezione, una divertita commozione. Benissimo: tutto logico e umano. Però non dimentichiamo,
per favore, che il neonato non è né un angelo né un animaletto,
ma bensì un uomo. E come tale meritevole, certo, di tenerezza e di
protezione, ma soprattutto di affetto e di rispetto. E' un uomo che
ha concluso un suo ciclo di sviluppo e adesso deve cominciare tutto
da capo, in un ambiente nuovo, diverso, sconosciuto e ostile. Un
uomo che ha superato la tremenda fatica di nascere.

1.2. Durante la nascita

Ma che cosa significa, in realtà, nascere? Cerchiamo di aiutarci
con l'immaginazione per capire meglio questo momento della vita,
cerchiamo di immaginare qual è la condizione di un bambino subito
prima del parto: egli se ne sta come sospeso in un ambiente liquido,
senza fatica, immerso in un mondo ovattato e tiepido, privo di luce
e quasi totalmente silenzioso. Non ha bisogno di respirare, né di
mangiare, né di digerire; a tutto questo pensa l'organismo materno
attraverso quel canale di alimentazione che è il funicolo ombellicale.

Poi, all'improvviso, qualcosa si mette in moto e una specie di
cataclisma scuote dalle fondamenta quell'universo di pace: con frequenza sempre maggiore le pareti dell'utero si serrano addosso al bambino spingendolo verso un impervio e stretto passaggio che faticosamente, penosamente, si apre davanti a lui. In breve tutta la testa del
nascituro è profondamente incuneata in quella sorta di corridoio, compressa da ogni lato e sempre spinta avanti, per un tempo lungo ore
e ore, certe volte giorni interi.

Intanto l'ossigeno che arriva dal cordone ombellicale diminuisce
e comincia a manifestarsi nel bambino un certo grado di asfissia; il
suo piccolo corpo viene implacabilmente schiacciato, le membra di-
storte, il tronco imprigionato sempre più strettamente. Fino a che,
di colpo, egli è proiettato nel nuovo mondo.

Seguitiamo a guardare tutto ciò, per così dire, con gli occhi del
neonato: prima di quel terremoto che è il parto, tutto era oscurità,
silenzio, calore, pace. Ora il bambino, per la prima volta, sente il
proprio peso, sente la fatica di muoversi, è abbagliato da luci violente, percosso da rumori crudi e sconcertanti, disturbato dal contatto
con superfici dure, aspre e fredde, abbracciato da un'atmosfera la cui
temperatura è di quindici gradi inferiore a quella del suo nido liquido,
appena abbandonato. Inoltre, nel suo minuscolo organismo la fame
di ossigeno è diventata insostenibile, l'asfissia lo soffoca: per soprav-

g.crepax

vivere, egli deve respirare. E, col suo primo respiro, egli emette il suo primo suono, il grido della nascita, un messaggio per noi che significa: « Vivo ».

A ben pensarci bisogna riconoscere che la nascita di un bimbo ha sempre qualcosa di miracoloso. C'è un numero infinito di difficoltà e di pericoli nel venire al mondo, e il bambino li supera tutti. Praticamente sempre. Pensate per esempio alla scarsità di ossigeno: per tutta la durata del parto il piccolo è in stato di insufficiente ossigenazione, e poi, per rimettere tutto a posto, egli deve avviare quel complicatissimo meccanismo che è la respirazione. Un adulto si troverebbe sicuramente in una brutta situazione, anzi bruttissima. Il bambino invece supera la crisi con relativa facilità. Egli è perfettamente allenato a sopportare la penuria di ossigeno, e i suoi tessuti sono in grado di arrangiarsi per un periodo piuttosto lungo anche quando il sangue non porta loro il prezioso gas. Non solo, ma egli è capace anche di stabilizzare con incredibile prontezza la propria temperatura corporea, la composizione del sangue, e tutte le altre funzioni del suo organismo. Pochi istanti dopo essere stato lanciato nel nuovo mondo, egli ci si è già adattato con una perfezione sbalorditiva.

Ciò non toglie, naturalmente, che la nascita rappresenti per il bambino un enorme e brusco cambiamento, quanto mai traumatizzante. Abbiamo detto prima in che cosa consiste il fenomeno del parto, visto dalla parte del bambino. Ma in realtà noi possiamo immaginare soltanto ciò che sentiremmo *noi,* in quella situazione. Ma il bambino, che cosa sente? Non lo sappiamo, evidentemente. Possiamo, tutt'al più, cercare di indovinare. Certo il feto che viene partorito non è in grado di vivere la sua avventura come la vivrebbe un adulto, coscientemente, con la speranza che tutto vada bene e la paura che qualcosa vada male. Certo la mente del neonato è ancora immatura e rudimentale, e non è possibile attribuirvi desideri precisi. Dire che un bambino *vuole* uscire dal grembo materno, non ha senso: così come non ha senso dire che vuole restarci, tranquillo e al calduccio. Però, anche nella mente embrionale del feto qualcosa probabilmente c'è: un oscuro senso di essere travolto, di essere preda di forze smisurate, di essere sradicato da una specie di nirvana, di attraversare un momento di violenza inaudita. In conclusione, un senso di disfatta, o meglio di angoscia. Un'angoscia che secondo molti studiosi resterà per sempre in fondo alla mente; sepolta, nascosta, dimenticata, ma resterà.

Dicevamo prima che il grido della nascita è sostanzialmente l'espressione acustica del primo respiro, è dunque un grido respiratorio. Ora vorrei dire che forse non è solo questo. Forse è anche quello che effettivamente sembra: un grido d'angoscia.

1.3. Dopo la nascita

Il neonato: com'è

Subito dopo la tempestosa avventura del parto il neonato ha veramente l'aspetto di un naufrago. Ai genitori inesperti, che per la prima volta vedono un bimbo appena partorito, può sembrare persino che si tratti di una specie di marziano naufragato chissà come sul nostro pianeta. Effettivamente bisogna dire che il neonato ci offre sulle prime un quadro abbastanza sconcertante di se stesso, ed è tutt'altra cosa da quel batuffolino roseo e vezzoso che forse immaginavamo. Al momento del suo arrivo in sala-parto egli porta tutti i segni della battaglia sostenuta e delle peripezie trascorse. Vediamo insieme com'è questo piccolo navigante appena giunto fra noi.

E' lungo, in media, sui cinquanta centimetri; ma di questi circa dodici o tredici sono occupati dalla testa. Una testa enorme, rispetto al resto del corpo; e, come se non bastasse, molte volte questo testone è ricoperto da una foresta di capelli neri, folti e diritti come il filo di ferro. Non allarmatevi: sono capelli « provvisori » che entro qualche mese cadranno per lasciare il posto a quelli definitivi, molto più belli. Infine dobbiamo dire che di frequente il cranio voluminoso e irsuto (o calvo) del neonato è tutto storto, allungato a pera, pieno di protuberanze. Ancora una volta, non allarmatevi: le ossa del capo nel neonato non sono ancora saldate fra loro e quindi possono spostarsi, senza alcun danno per il cervello che sta dentro, nei modi più impensati. E' proprio questa deformabilità del cranio, questa elasticità, che permette al bambino di passare attraverso il canale del parto, cioè attraverso i genitali materni, senza riportare alcun danno.

Lo spavento più agghiacciante tuttavia i genitori novellini lo provano quando, facendosi coraggio, osano una prima carezza sul capo del loro erede: proprio in cima alla testa si accorgono che l'osso non c'è, e che sotto le dita la volta cranica è molle, cedevole, pulsante. Sono costretto di nuovo a tranquillizzarvi: si tratta semplicemente di una zona in cui le ossa sono ancora lontane le une dalle altre, la cosiddetta *fontanella anteriore*. Ce n'è un'altra, più piccola, nella regione occipitale. Tutto a posto, tutto normale.

Ma proseguiamo nella nostra descrizione del nuovo arrivato: sotto il capo relativamente massiccio e che pare direttamente attaccato al tronco, come se il collo non ci fosse, ecco un torace complessivamente accettabile e poi un addome di volume assai variabile, col funicolo ombellicale inserito al centro. Dal tronco partono due braccine piuttosto miserelle e due gambette storte, ancor più miserelle. Tutte, braccia e gambe, di solito in grande movimento.

Il colore generale del nostro eroe è per lo più di un rosa acceso, ma in un primo momento non lo si può notare bene perché tutta la superficie del corpo è impiastricciata di una vernice biancastra, simile a una crema, che è detta *vernice caseosa*. Il colore degli occhi, che tutte le mamme e tutti i papà vorrebbero conoscere immediatamente, non si può sapere con esattezza: per il momento le iridi sono bluastre e il loro aspetto definitivo si manifesterà solo più tardi.

In media, questo strano omettino pesa fra i tremila e tremilacinquecento grammi, ma può pesarne duemilacinquecento o quattromila ed essere normalissimo. I maschi pesano di solito, sempre in media, due o trecento grammi più delle femmine. Qui fermiamoci un attimo per fare una breve considerazione: i genitori sono quasi sempre inclini a valutare il loro erede in termini di peso. Più è grosso e più contenti sono; più cresce in fretta e più grande è la loro soddisfazione. Se non che, nei giorni che seguono la nascita, il bambino non solo non cresce affatto, ma addirittura diminuisce. La cosa è perfettamente logica a ben pensarci: fino al momento del parto il bambino era in un ambiente liquido, come sappiamo, mentre dopo si trova in un ambiente asciutto. Questo cambiamento provoca evidentemente una perdita d'acqua dall'organismo del bimbo. Inoltre egli comincia a eliminare feci e urine, e in più si verifica dentro di lui un diverso assestamento biochimico, come dimostrano ricerche abbastanza recenti, tale da provocare qualcosa di simile a un prosciugamento del suo piccolo corpo. Dunque, nei primi quattro o cinque giorni, il peso del bimbo diminuisce. Niente di male. Sarà veramente un'ottima cosa se non ve ne preoccuperete per nulla. E' un fenomeno normale, anzi secondo molti benefico e necessario; comunque certamente non nocivo.

LE PROPORZIONI DEL CORPO CAMBIANO RADICALMENTE CON LA CRESCITA

NEONATO · NEONATO · RAGAZZO · ADOLESCENTE · ADULTO · ADULTO

LA TESTA E' 1/4 DEL CORPO — LA TESTA E' 1/8 DEL CORPO

Il neonato: che cosa fa

Si dice che il neonato dell'uomo, a differenza di quello di altri animali, sia assolutamente incapace di sopravvivere se qualcuno non si occupa di lui. È vero, ma questo non deve farci credere che il bimbo appena nato sia un pigro inguaribile che si aspetta tutto dagli altri. Al contrario, subito dopo la nascita egli mette in moto una quantità di meccanismi, comincia un'attività piuttosto intensa e prende i primi contatti col mondo che lo circonda. Nei limiti delle sue capacità, egli è pieno di iniziativa.

Prima di tutto, come abbiamo già visto, respira. Finora non ne aveva bisogno, perché l'ossigeno gli arrivava col sangue della mamma; ma adesso deve provvedere da solo a procurarsi l'aria di cui il suo organismo necessita. Da principio il suo apparato respiratorio funziona con qualche incertezza: grandi inspirazioni, o brevi sequenze di respiri superficiali in rapida successione, con intervalli di varia lunghezza di arresto dell'attività polmonare. Queste irregolarità spesso mettono in allarme i genitori che stanno tremebondi a osservare il loro primo nato: perché si è fermato? dimenticherà di respirare? che cosa gli è successo? Niente paura, non gli è successo nulla, e non smetterà di respirare. La respirazione è governata da meccanismi automatici e continua inevitabilmente anche se uno se ne dimentica.

L'organismo del neonato comincia anche a prendere dei provvedimenti per mantenere entro limiti normali la propria temperatura, e ci riesce abbastanza bene. Prima era, nell'utero materno, in un bagno caldo permanente, e non c'erano problemi. Ora invece è circondato da aria, qua più calda, là più fredda, e lui deve arrangiarsi a conservare dentro di sé una temperatura più o meno costante. Ma, ripeto, questo non sembra costituire per lui una grossa difficoltà.

Altrettanto spontanea risulta l'attività di eliminazione delle scorie organiche; forse addirittura piacevole. Credo sia capitato a tutti di vedere un bambino che urla come un forsennato e che a un tratto si placa: sta producendo un lungo zampillo di pipì che, se non vi scostate con mossa fulminea, andrà probabilmente a inzuppare il vostro vestito. Appena lo zampillo si è esaurito, il piccolo riprende con immutato vigore i suoi strilli. Lo stesso accade di frequente per l'evacuazione intestinale. A questo proposito, voglio ricordare ai genitori che le prime scariche del neonato hanno un aspetto del tutto particolare: di colore nerastro, attaccaticce, gommose. La materia di queste prime emissioni intestinali si chiama *meconio*. Esso è differente dalle normali feci per l'ovvio motivo che finora il bimbo non ha mai mangiato, e quindi non ha delle feci, cioè dei residui alimentari, da eliminare. Deve eliminare però ciò che si è andato accumulando nel suo intestino durante la gravidanza: bile, secrezioni, detriti cellulari, resti di liquido amniotico. Cioè appunto il meconio.

Quello che ai nostri occhi è molto appariscente, ma che per il neonato non è poi questa grande novità, è il movimento. Il bambino appena nato si muove, come si muoveva prima di nascere. Solo che ora, libero dal guscio uterino e stimolato dal nuovo ambiente, si muove di più. Si muove tutto, disordinatamente. Fa smorfie, sbadigli, sternuti, tira fuori la lingua, si gira, agita braccia e gambe. Il suo sistema nervoso non è ancora abbastanza maturo da dominare con precisione i movimenti, e questi si svolgono un po' a casaccio e nei modi più strani. Certe volte le mamme sono impressionatissime, per esempio, dal fatto che la mandibola del piccino tremi: ecco, pensano, « batte i denti » per il freddo. Invece no, è semplicemente un movimento qualsiasi, non perfettamente controllato dal sistema nervoso. Normale, comunque, e che non ha niente a che vedere col freddo. Così come è normale che il bambino tenda a ripiegare gambe e braccia, in una specie di ritorno alla posizione fetale, che agiti la testa, che faccia le boccacce, che incroci i piedini, che stringa i pugni, che si dimeni come un ossesso quando piange.

Spesso per scatenare tutta una serie di movimenti a carico dei muscoli più disparati basta un piccolo stimolo, anche esercitato su una zona molto ristretta. Il neonato non è capace di limitare le sue reazioni, egli risponde globalmente, con tutto il suo corpo. Tuttavia, in certi casi i suoi riflessi sembrano caratterizzati da una precisione e una forza straordinarie. Provate per esempio a mettere una matita a contatto delle sue manine: egli vi chiude attorno le dita con una tale energia che potrete sollevare la matita e lui ci resterà aggrappato. Finalmente è riuscito a impadronirsi di una cosa. Questo è il *riflesso di prensione* o *grasping reflex*. Un riflesso globale, generalizzato, è invece il *riflesso di Moro* o *di abbracciamento*: quando il piccino è colpito da una luce o da un rumore improvvisi e violenti, o quando il suo corpo cambia bruscamente di posizione, o quando gli manca un punto d'appoggio sicuro, egli spalanca le braccia, apre tutte le dita a ventaglio e sbarra gli occhi, e quindi scoppia in pianto.

S'intende che il riflesso più importante di tutti, quello che addirittura garantisce al bambino i mezzi di sopravvivenza, è il *riflesso della suzione*. Fin dal momento della nascita, si può dire, il bimbo è fornito di una perfetta capacità di succhiare. Questo è veramente il suo cavallo di battaglia; in nessun'altra attività egli è abile ed efficiente quanto nel succhiare. Eppure, a guardarci bene, non è una cosa tanto semplice: occorre una serie di movimenti delle guance, delle labbra e della lingua perfettamente sincronizzati fra loro. Tuttavia, in questa operazione il neonato è davvero imbattibile. E non solo è un campione di succhiamento, ma è anche prontissimo a individuare ciò che è succhiabile. Provate a stuzzicare delicatamente un punto qualsiasi della faccia del bambino, nei paraggi delle sue labbra: subito egli si girerà verso quella cosa che l'ha toccato, con la bocca aperta, pronto alla suzione. Se il suo obiettivo risulterà poi essere il seno, benissimo; se sarà soltanto un dito, pazienza, succhierà quello. E non di rado con una tale energia da farvi male. L'essenziale, per lui, è di essere pronto a tutto: ci saranno le delusioni, ma ci sarà anche la volta del vero e buon latte.

Il neonato: che cosa sente

Negli intervalli fra le sue diverse attività il neonato dorme. Si tratta in verità di intervalli abbastanza lunghi, dato che nei primi tempi di vita il bambino si fa le sue venti ore di sonno al giorno, poco più poco meno. Potrà accadervi di restare stupefatti davanti al vostro piccolo che dorme: un frastuono improvviso che vi fa saltare il cuore in gola, o una luce accesa inavvertitamente proprio sopra la culla, o altri stimoli che a voi sembra dovrebbero svegliare anche una marmotta in letargo, non producono alcun effetto visibile sul bimbo. Egli continua imperterrito la sua dormita, a parte qualche eventuale smorfietta, come se nulla fosse accaduto. E poi, senza che sia volata una mosca, ecco che si sveglia di colpo, e magari di pessimo umore, dando inizio senza indugio a una manifestazione vocale che mette in allarme tutto il vicinato.

Il fatto è che il neonato è assai poco sensibile agli stimoli provenienti dal mondo esterno, li avverte appena, e in genere soltanto se raggiungono una certa intensità. Egli è per così dire « protetto » da uno schermo invisibile, ma efficacissimo, che è costituito dalla sua stessa insensibilità. Questa è naturalmente per lui una bella fortuna, perché gli permette di vivere abbastanza tranquillamente in un mondo che tranquillo non è per niente. Ma, così come è poco sensibile agli stimoli che vengono « dal di fuori », il neonato è sensibilissimo a quelli che vengono « dal di dentro », cioè dal suo stesso organismo. Un movimento intestinale o un modesto cambiamento di posizione sono probabilmente sufficienti a procurargli l'impressione che l'universo intero sia in agitazione.

Viceversa, come dicevo prima, i suoi organi dei sensi sono piuttosto rudimentali e ci vuole parecchio per stimolarli. Almeno così sembra. In realtà, su questo terreno è facile dare delle interpretazioni gratuite dei fatti, vedendo ciò che non c'è, o non vedendo ciò che c'è. Si dice, per esempio, che il neonato senta poco il dolore, perché è in grado di sopportare certi traumi (come la circoncisione praticata senza anestesia o altre manualità chirurgiche) senza quelle clamorose manifestazioni che sono così frequenti nell'adulto. Ma noi dimentichiamo che l'adulto è cosciente del dolore, lo ricorda, lo anticipa con l'immaginazione, spesso lo ingigantisce con la paura. Il neonato no. Ma questo non significa necessariamente che non senta il dolore. D'altra parte, si dice che il neonato soffra il freddo, perché quando è preso in braccio e stretto al calore del corpo materno, o quando viene immerso in un bagno caldo, tende ad acquietarsi. Ma noi dimentichiamo, di nuovo, che l'essere cullato, dalle braccia o dall'acqua, mette il bambino in una condizione di rilassamento generale, gli dà un certo tipo di equilibrio, gli procura una quiete globale simile a quello di cui godeva nell'utero; stimola cioè delle sensazioni piacevoli che nascono *dentro di lui,* come appunto quella di godere di un buon equilibrio, di essere in una posizione confortevole, eccetera. E' questo probabilmente che conta, non il calore in sé e per sé.

Ciò che stupisce un poco è che il neonato sia un buongustaio. Se ha fame, di solito ingoia con voracità qualsiasi liquido, dalla camomilla al latte, dal tè alla semplice acqua. Ma se è abbastanza sazio comincia a fare delle difficoltà, sputa con sdegno ciò che non gli è gradito, mostra chiaramente di preferire una cosa all'altra. Se gli darete qualche goccia di limone, farà delle smorfie orribili; se gli somministrerete il suo buon latte assumerà un aspetto beato e compiaciuto. Tutto ciò dimostra che il senso del gusto ce l'ha, e non tanto primitivo quanto si potrebbe pensare.

Anche l'udito funziona, ma, per fortuna del bambino e dei genitori, in modo molto grossolano. Il traffico, il televisore, i fratellini che giocano, le chiacchiere degli amici in visita, di solito non disturbano il neonato. Certo, se sparate un colpo di pistola nella sua stanza, farà un salto; ma di norma questo non si fa.

E infine il grande interrogativo: ci vede? e che cosa vede? Sì, ci vede. Distingue ombre e luci. Per ora non sa percepire più di questo. In particolare, il neonato è incapace di *fissare* qualche cosa. Egli non è ancora padrone dei movimenti dei suoi occhi. Vi potrà accadere di rimanere esterrefatti perché, di tanto in tanto, diventa strabico. Non temete, non resterà così. La cosa dipende solo dalla sua provvisoria incapacità a controllare la direzione dei suoi globi oculari. Per ora il vostro bambino non è in grado di riconoscervi, beninteso; anzi, per quanto ne sappiamo, non è in grado nemmeno di apprezzare la differenza fra una finestra e una lampadina. L'unica cosa che possiamo dire con ragionevole certezza è che una fonte luminosa attira di frequente la sua attenzione.

Parlare delle emozioni di un neonato è naturalmente difficilissimo. Di sicuro, di dimostrabile, non c'è nulla; questo è chiaro. Tuttavia possiamo essere certi che di emozioni il bimbo ne prova, e probabilmente molto intense. Credo sia un dovere, non solo per i genitori, ma per tutti gli adulti che vengano a contatto con bambini, quello di rendersi conto di questa realtà: il bambino, anche appena nato, anzi ancor prima di nascere, è in grado di fare l'esperienza del piacere e del dispiacere. Ha cioè una sua psicologia. Solo se ce ne ricorderemo potremo cercare di capire e di assistere un bimbo.

Il neonato: che cosa pensa
(psicologia del neonato)

Vediamo ora di rispondere, nei limiti delle nostre possibilità, a questa appassionante domanda: che cosa « pensa » un neonato? O meglio, che cosa sente nella sua piccola mente? Diciamo prima di tutto che per il neonato non esiste quella divisione, che a noi sembra così ovvia, fra il proprio io e il resto del mondo. Se noi prendiamo una martellata sulla testa, ci rendiamo conto che il mal di testa fa parte di noi, è qualcosa che appartiene alla nostra persona, al nostro io; mentre la martellata viene da fuori, dal mondo esterno, dal non-io. Per il neonato no: martellata e dolore sono un unico fenomeno, che non è né dentro di lui né fuori di lui. C'è il dolore, e basta. In altre parole, il neonato non sa che c'è un mondo da una parte, e che c'è lui, il neonato stesso, dall'altra; egli sa che *esiste qualcosa*. Ma non sa dividere questo qualcosa in due: se stesso di qua, e il mondo di là.

Nel momento in cui il bambino nasce, il mondo nasce insieme a lui. Potremmo dire che, dal punto di vista del neonato, lui stesso e il mondo sono partoriti come una cosa sola: in quel momento, il bambino-mondo comincia a esistere. Proviamo a cercar di capire quale può essere il significato di questa parola: esistere. Per il bimbo vuol dire probabilmente, in un primo tempo, solo dispiacere. Nell'esistenza ci sono parecchie cose che non vanno: traumi, fatica, bisogni. Un universo che non ha nulla di gradevole. E' verosimile che tutto ciò sia vissuto dal bambino, subito dopo la nascita, come una condizione di abbandono, di solitudine e di paura.

Ma ben presto arriva un elemento nuovo: il piacere. E precisamente il piacere di succhiare. Non c'è dubbio infatti che l'attività della suzione sia legata a una profonda emozione primitiva di piacere.

Così come sembra certo che il neonato abbia realmente *l'intenzione* di succhiare, e cioè che la suzione sia qualcosa di più di un semplice riflesso. Quando il bambino comincia a succhiare si verifica un fatto di enorme importanza: egli, col succhiare, cerca di *mettere dentro di sé* qualcosa di piacevole, cerca di *incorporare* il piacere. In altri termini, è ben vero che per lui il mondo e la sua persona sono tutt'uno e costituiscono un'unica realtà, ma è anche vero che questa realtà si è per un altro verso divisa in due parti: prima c'era solo il dispiacere, adesso c'è anche il piacere. Ora, quest'ultimo è qualcosa che va incorporato, che va assimilato; mentre il dispiacere è qualcosa che va allontanato e respinto. Naturalmente, in questo modo il bambino può respingere anche una parte di se stesso, per esempio i suoi visceri, se lo disturbano; e d'altra parte può incorporare una parte del mondo esterno, per esempio il seno materno, che gli piace. Così per il neonato l'universo non si divide in due parti, di cui una costituita da lui stesso e l'altra dal mondo esterno, ma si divide in piacere (che tendenzialmente gli appartiene, anche se viene da « fuori ») e dispiacere (che tendenzialmente gli è estraneo, anche se viene dalla sua stessa persona).

S'intende che questo duplice atteggiamento del neonato, di *mettere dentro* il buono e di *cacciare fuori* il cattivo, contiene già in sé il primo germe di una separazione fra la sua persona e il mondo esterno. E' chiaro che ciò che all'inizio non è altro che un istinto, come il succhiare (mettere dentro) e l'evacuare le feci (cacciare fuori), poco a poco si sposterà sul piano psicologico fino alla identificazione del *dentro* con la persona del bimbo, e del *fuori* col mondo circostante. A questo punto, al quale il piccino arriverà solo fra parecchi mesi, egli avrà raggiunto la coscienza della propria identità, del proprio esistere come individuo, autonomo e indipendente.

Naturalmente l'esperienza del piacere, cioè del succhiare, rompe nel neonato quella sensazione che ho definito prima « di abbandono e di solitudine »: ora c'è qualcosa di buono, che va incorporato; c'è dunque un aspetto dell'universo che va « messo dentro », col quale identificarsi. « Un amico », potremmo chiamarlo col nostro linguaggio di adulti. La desolazione dei primi istanti di vita è superata. Da questo momento il bambino ha un compagno di viaggio. E questo compagno siete voi, la mamma.

Il neonato: come «parla»
(il significato del pianto)

Ora vorrei rispondere a un'altra domanda: il neonato è in grado di comunicarci le sue esperienze? Sì, può farlo. E lo fa. Questo non significa ovviamente che egli abbia l'intenzione di comunicarci qualche cosa: non potrebbe, dato che non sa che esiste qualcuno con cui comunicare. Tuttavia egli reagisce in modo diverso alle varie situazioni, e da queste diversità di reazione noi possiamo entro certi limiti decifrare il suo messaggio.

Il mezzo col quale il bambino manifesta le sue reazioni, il canale mediante il quale egli comunica con noi, è il *pianto*. Il pianto di un neonato non è sempre eguale, e vi accorgerete molto presto che certe sfumature hanno un preciso significato. Ci sono almeno tre tipi differenti di pianto, corrispondenti ad altrettante situazioni:

1. *il pianto da fame e da disagio*: è il più comune, quello che ormai entrerà a far parte dei normali rumori della vostra casa. Se il bambino piange un po' di tempo prima del pasto, è probabile che abbia fame; se ricomincia a piangere poco tempo dopo il pasto, può darsi che non abbia mangiato abbastanza. Fate attenzione però a non attribuire sempre il pianto del vostro piccino alla fame e alla fame soltanto; egli può piangere perché è bagnato, o perché è troppo coperto, o perché ha una bolla d'aria nello stomaco, o per molte altre ragioni. In questo caso, col dargli da mangiare non risolverete nulla; gli procurerete solo un'indigestione. Perciò, prima di decidere che « il bambino piange perché ha fame », vedete di eliminare tutte le cause di disagio: cambiatelo, accertatevi che abbia le manine fresche (se sono calde, è probabile che sia troppo coperto), cercate di fargli fare il « ruttino », assicuratevi che la piega di un pannolino non gli dia fastidio, prendetelo in braccio per un po', dategli qualche cucchiaino d'acqua bollita. Se non c'è niente fuori posto, allora è verosimile che si tratti proprio di fame

2. *il pianto da dolore*: un tipo di pianto notevolmente più violento di quello abituale, da fame o da disagio. Il bambino urla a squarciagola, si agita tutto, diventa rosso, talora addirittura paonazzo, non di rado è preso da una specie di crisi durante la quale trattiene il respiro. Certe volte la causa del dolore è evidente, per esempio una iniezione, e allora non c'è problema. Ma altre volte potrete non riuscire a capire che cosa ci sia che non va. Di solito si tratta di disturbi di poco conto, ma dolorosi, come un'otite. Praticamente eguale al pianto da dolore è il

pianto da collera, originato molto spesso dal fatto che il bimbo non può muoversi come vorrebbe, o che ha aspettato la sua razione di latte oltre i limiti del ragionevole

3. *il pianto da malattia grave*: questo genere di pianto può trarre in inganno: è sommesso, flebile, lamentoso, più un gemito che un pianto, talora così debole che non lo si sente neppure. Questo è un brutto segno. Se il bambino strilla vigorosamente, è ben difficile che ci sia qualcosa di serio. Ma se si lamenta debolmente, allora bisogna stare molto attenti: potrebbe essere così gravemente ammalato da non avere nemmeno più la forza di piangere.

Il neonato: la sua personalità

Quando ho detto che un neonato che ha fame piange in un certo modo, e che quando è in collera o soffre per un autentico dolore piange in un modo diverso, non intendevo naturalmente dire che il pianto di *tutti* i neonati affamati è eguale o che è identico per *tutti* il pianto che esprime la collera, o il dolore, o la malattia. Ogni bambino ha un suo modo di piangere nelle varie situazioni, come ha un suo modo di comportarsi in ogni circostanza. Ogni bambino, fin dal momento della nascita, ha cioè una sua personalità. Certe volte le giovani madri si preoccupano perché il loro bimbo è « cattivo come la peste », oppure « troppo buono ». Non esistono neonati cattivi né buoni. Ognuno di essi è quello che è, e ognuno ha il suo carattere e il suo stile. Perciò, se siete al vostro secondo figlio, non aspettatevi che questo si comporti come il primogenito; potrà essere completamente differente.

Ci sono neonati tranquilli, che dormono sempre e che si limitano a qualche borbottamento quando è l'ora della poppata; e altri che sono degli agitati, urlano per ore anche quando sono sazi e apparentemente nulla li disturba, si contorcono, trattengono il respiro, diventano bluastri, reagiscono in modo estremamente violento a ogni piccolezza. Certe mamme arrivano nel mio studio col volto disfatto, pallide, smunte e tremanti, perché il loro angioletto non concede un'ora di riposo tranquillo a nessuno che sia nel raggio di cento metri, e altre mamme che si mostrano compiaciute e trionfanti perché « non hanno mai perso un minuto di sonno ». Ognuno è fatto a suo modo, anche appena nato.

Ma perché esistono queste differenze di comportamento, che talora sono realmente enormi? E' certo che, in parte, le caratteristiche della personalità sono ereditarie. Il che, badate bene, non vuol dire che siano inevitabili: un figlio, come accennavo prima, può ereditare una certa caratteristica, e un altro una caratteristica del tutto diversa. Determinati aspetti della personalità possono comunque essere fissati dal patrimonio genetico trasmesso dai genitori. Ma altri aspetti derivano sicuramente dall'ambiente: innanzitutto dall'andamento della gravidanza, cioè dalle condizioni di vita nel grembo materno, e poi da come si sono avviati i primi fenomeni e i primi meccanismi vitali dopo il parto. Infine dal modo in cui i genitori hanno accolto il neonato. Troppa preoccupazione, una tensione psichica eccessiva, una paura esagerata, son tutte cose che possono influire nettamente sul neonato e sul suo comportamento. Spesso l'agitazione del bimbo non è che un riflesso dell'ansia dei genitori.

1.4. Benvenuto tra noi!

La crisi dei genitori

Un autorevole psicologo americano ha detto: « Non è facile capire il bambino, perché non possiamo ricordare i primi tempi della nostra esistenza. Nessun avvenimento è più importante di quelli che si verificano all'inizio della vita, eppure essi si dileguano con una tale rapidità che è impossibile richiamarli alla mente ». Tutti, ovviamente, siamo stati neonati, ma nessuno se ne ricorda. E il neonato rimane per noi un essere enigmatico, incomprensibile e imprevedibile. Quindi preoccupante. Il che è logico e umano, ma può diventare fonte di angosce inutili e dannose. Spesso, invece che goderci nostro figlio, siamo completamente assorbiti dalla preoccupazione di ciò che lui fa o non fa. Non è una cosa molto vantaggiosa, né per noi, né per lui. Quando il bambino sbarca in questo nostro mondo, ha bisogno soprattutto di un clima sereno, lieto e tranquillo. Ha bisogno di pace. Dunque fatevi animo e accogliete il vostro bambino col sorriso e non con la pallida faccia dell'ansia.

Il bambino appena nato, come abbiamo visto prima, ha i suoi problemi. Non è il caso di creargliene dei nuovi, sia pure nella lodevole intenzione di giovargli. Egli non ha alcun bisogno che un papà troppo solerte e volenteroso apra una discussione con la mamma circa i pannolini o le fasce, e non gli serve un aspro dibattito sulla opportunità di invitare la zia Clotilde al suo battesimo. Più in generale, il bambino non trae alcun beneficio dal diventare il centro di polemiche e battibecchi.

A chi assomiglia?

Quasi sempre un neonato viene accolto dal mondo familiare e parafamiliare con una combinazione di due dichiarazioni, scelte fra le seguenti quattro:

1. è bello
2. è brutto
3. assomiglia al papà
4. assomiglia alla mamma.

Se la dichiarazione è fatta dal papà, è probabile che sia composta dalla coppia: 1 + 4 (è bello + assomiglia alla mamma). Dello stesso avviso sono di solito il nonno paterno e la nonna materna. La nonna paterna tende in genere a preferire la combinazione 1 + 3 (è bello + assomiglia al papà). Il nonno materno non ha dubbi sul primo termine (è bello), ma non è sempre chiaro a quale dei genitori faccia risalire tale bellezza. Solo i nemici di famiglia, le zie nonagenarie e zitelle e i parenti scemi scelgono una combinazione la cui prima componente sia il n. 2 (è brutto).

S'intende che tutte e quattro le dichiarazioni elencate sono piuttosto discutibili. Che un neonato sia obiettivamente bello o brutto, o che sia il ritratto del papà o della mamma, è generalmente difficile dire. Certo, davanti a taluni bamboccioni rosei e paffuti, dai lineamenti delicati e l'aria serafica, uno resta incantato; mentre altre volte vien fatto di dire, sia pure con benevolenza: « oh! . . . povero ranocchietto! ». Ma può darsi benissimo che fra qualche mese, o addirittura fra qualche settimana, il bamboccione si sia trasformato in un bimbo bruttino, e il ranocchietto in qualcosa di splendido. E così per le somiglianze: alla nascita si giurerebbe che il piccino sia « tutto suo padre », e poi si scopre che è una copia fedele della zia Carmela, sorella della madre.

L'ereditarietà

A questo punto mi sembra opportuno raccontare brevemente come e perché un bimbo può diventare più o meno bello, può assomigliare a questo o quel parente, e può presentare una quantità di altre caratteristiche. Mi sembra opportuno cioè dire due parole sull'ereditarietà.

Ogni bambino porta in sé un patrimonio ereditario di cui metà viene dalla mamma e metà dal papà. I vari caratteri ereditari sono legati a delle molecole dette *geni*, e i geni sono disposti in certi baston-

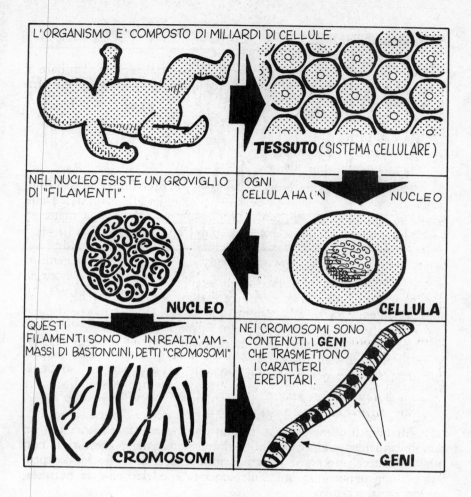

L'ORGANISMO E' COMPOSTO DI MILIARDI DI CELLULE.

TESSUTO (SISTEMA CELLULARE)

NEL NUCLEO ESISTE UN GROVIGLIO DI "FILAMENTI".

OGNI CELLULA HA UN NUCLEO

NUCLEO

CELLULA

QUESTI FILAMENTI SONO IN REALTA' AMMASSI DI BASTONCINI, DETTI "CROMOSOMI"

NEI CROMOSOMI SONO CONTENUTI I **GENI** CHE TRASMETTONO I CARATTERI EREDITARI.

CROMOSOMI

GENI

cini chiamati *cromosomi.* I cromosomi, a loro volta, sono contenuti nei nuclei delle cellule che costituiscono il nostro corpo. Il bambino dunque ha il suo bagaglio di geni, metà regalati dalla mamma e metà dal papà, i quali determineranno fra l'altro il suo aspetto e le famose somiglianze.

Per meglio comprendere il meccanismo dell'ereditarietà, prendiamo l'esempio del colore degli occhi. Supponiamo che il papà abbia gli occhi castani e la mamma azzurri. Di che colore saranno gli occhi del figlio? Prima di rispondere debbo dirvi che esistono due tipi di geni: quelli *dominanti,* più « forti », e quelli *recessivi,* più « deboli ». Se in un individuo c'è un gene dominante e uno recessivo, il dominante avrà la meglio e imporrà il suo carattere, cancellando quello del gene recessivo.

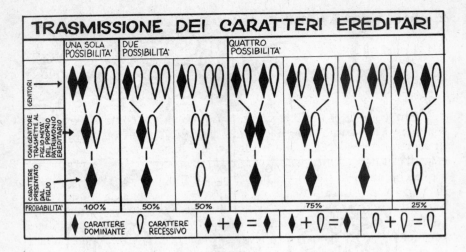

TRASMISSIONE DEI CARATTERI EREDITARI

	UNA SOLA POSSIBILITA'	DUE POSSIBILITA'		QUATTRO POSSIBILITA'		
GENITORI						
OGNI GENITORE TRASMETTE AL FIGLIO METÀ DEL PROPRIO PATRIMONIO EREDITARIO						
CARATTERE PRESENTATO DAL FIGLIO						
PROBABILITA'	100%	50%	50%	75%		25%

◆ CARATTERE DOMINANTE   ◊ CARATTERE RECESSIVO   ◆ + ◆ = ◆   ◆ + ◊ = ◆   ◊ + ◊ = ◊

Ritorniamo ora al colore degli occhi: il gene *occhi castani* è dominante, quello *occhi azzurri* è recessivo. Supponiamo che il papà abbia due geni *castani,* e la mamma due *azzurri.* E' chiaro che il figlio potrà avere solo la combinazione: un *castano* + un *azzurro.* E siccome il *castano* è dominante, il bimbo avrà di sicuro gli occhi castani. Ma se il papà possiede un *castano* + un *azzurro,* e la mamma sempre due *azzurri,* allora per il bambino ci sono due possibilità:

un *castano* + un *azzurro* (e avrà gli occhi castani), oppure
due *azzurri* (e avrà gli occhi azzurri).

Attraverso questo tipo di meccanismo, che naturalmente qui ho semplificato per quanto possibile, si trasmettono dai genitori ai figli tutti i caratteri ereditari; questi, combinandosi in vario modo, producono una personalità unica al mondo: in questo caso la personalità del vostro bimbo.

Ecco, questo è importante: vostro figlio è *unico al mondo.* Nessun altro è come lui. Ce ne saranno di più belli, di più « buoni », di più vivaci, di più grassi o di più grandi. Ma, come lui, nessuno. Non è il caso, credetemi, di paragonarlo ad altri. Può darsi che il bimbo della vostra vicina di casa sia più florido del vostro, ma forse il vostro è più resistente alle malattie; può esserci un cuginetto più pacifico, ma vostro figlio potrebbe avere un'intelligenza più pronta. I paragoni sono sempre inutili, e spesso antipatici. Vostro figlio, come abbiamo già detto, è quello che è. Godetevelo così, bello o meno bello, grosso o piccolino, maschio o femmina, pacioccone o tempestoso. Comunque sia, è vostro figlio, e dentro di lui ci sono tutte le possibilità. Voi, genitori, non dovete far altro che aiutarlo a realizzare se stesso.

2. AIUTATELO A COMINCIARE BENE

2.1. Lui e gli altri

La nursery

Che cosa si può fare per aiutare un neonato a cominciare bene la sua vita? Moltissime cose. La prima, l'abbiamo visto or ora, è quella di accettarlo così com'è, senza rimpianti e recriminazioni. La seconda è quella di non tormentarlo con le mode. Cercherò di spiegarmi. Fino a qualche anno fa tutti i reparti di maternità rispettabili disponevano di uno o più locali destinati ai neonati e chiamati *nursery*. Un bambino non faceva in tempo a nascere che era già bell'e che confinato nella nursery. Cristalli, piastrelle, aria condizionata, lampade germicide, prese di ossigeno, lettini cromati, puericultrici specializzate, sterili ed efficientissime. E la mamma fuori dei piedi, alloggiata in un letto lontano decine di metri, al di là di una serie di porte chiuse ermeticamente.

Sistemazione obbligatoria, anche se in verità quest'obbligo non era rigidamente rispettato proprio da tutti gli ospedali e da tutte le cliniche. Ma dalla maggioranza sì. In tal modo il primo contatto del bambino appena venuto al mondo era limitato alle mani di un'infermiera indaffarata, e la donna, appena diventata madre, se ne stava ore e ore senza vedere il proprio bambino e senza sapere nulla di lui. Sappiamo benissimo che cosa pensavano le neo-madri di tale costumanza, ma non sappiamo che cosa ne pensavano i neonati. Alcuni, all'apparenza, erano piuttosto indifferenti e dormivano. Altri urlavano come i disperati. In ogni caso si deve riconoscere che a tutti veniva pregiudizialmente negata la prima esperienza di rapporto fisico con la madre.

Poi, come spesso accade, è venuta la moda opposta. Bambino incollato alla pancia della madre per un certo numero di minuti dopo il parto, bambino accanto al letto della madre, o nello stesso letto, bambino in braccio alla madre, bambino con la faccia schiacciata contro il seno della madre, bambino costantemente oppresso dalla madre, e la madre dal bambino, ventiquattr'ore su ventiquattro. E lui, il bambino, che ne pensa? Avendo avuto modo di poter osservare sia i neonati carcerati nelle nursery di alcuni anni fa, sia quelli carcerati nelle braccia materne dell'epoca successiva, ho la sensazione che non fossero soddisfatti né gli uni né gli altri. E non lo erano neanche le madri.

Sappiamo che il neonato ha bisogno della presenza materna; ma non ne ha bisogno ventiquattr'ore su ventiquattro. E d'altra parte sappiamo che la madre ha bisogno di avere vicino a sé il proprio figlio appena partorito, di guardarlo, di toccarlo, di curarlo; ma ha bisogno anche di riposare, di dormire, senza essere trafitta, quando meno se l'aspetta, dagli strilli acutissimi dell'infante.

Cercate perciò, care mamme, di godervi il vostro bambino, ma senza esagerazioni. La nursery non deve essere una prigione per il neonato, ma non lo deve essere nemmeno la stanza della mamma. Non fate una scenata tutte le volte che l'infermiera viene a portarselo via, non abbiate la pretesa di averlo costantemente a portata di mano, non lasciatevi sconvolgere dal terrore che « lo scambino con qualcun altro » (non succede mai), non entrate in crisi al pensiero che « potrebbe capitargli un accidente, e nessuno se ne accorgerebbe ». L'affetto non si manifesta con le preoccupazioni inutili, e nemmeno con lo stare vicini ininterrottamente, appiccicati l'uno all'altro come l'ostrica allo scoglio.

Per concludere, diremo che il sistema di reclusione dei neonati nella nursery, rigidamente applicato, è senz'altro condannabile; ma che anche la continua presenza del neonato accanto alla mamma ha i suoi inconvenienti. E' un bene che la mamma possa dedicarsi fin da principio al suo bambino, ma essa deve ricordare che le sue forze hanno dei limiti, e che per lo stesso bambino è molto importante che la mamma sia in buona salute, forte, allegra e riposata. L'ideale sarebbe pertanto quello di giungere a un ragionevole accordo col personale di assistenza. E di solito ci si può arrivare.

Tutte queste considerazioni valgono anche per il caso che abbiate partorito in casa, s'intende; solo che a casa vostra non ci sono regolamenti da rispettare e potete fare quello che volete. Tuttavia, lo ripeto, non lasciatevi travolgere troppo dall'entusiasmo. Abbiate cura di voi. Permettete a qualcuno di aiutarvi. Per il neonato la *vostra* buona salute è necessaria.

Visite e cerimonie

Vostro figlio ha bisogno di voi, non di un'assemblea. Non gliene importa nulla che parenti, amici ed estimatori vengano a trovarlo, a vedere com'è, a fare i rallegramenti alla madre, a portare fiori, cioccolatini e sonagli d'argento. Egli deve risolvere una quantità di problemi, deve affrontare il suo nuovo modo di vivere, e non gli serve essere sballottato, accarezzato, sbaciucchiato e manipolato in diversi modi da gente inesperta ed estranea. Altra cosa sono le cure amorevoli prestate dalle mani delicate della mamma, e altra cosa l'intervento maldestro di persone che non c'entrano per nulla.

Inoltre, se è vero che si è esagerato alquanto sulla necessità di una perfetta sterilità intorno al neonato, è anche vero che non conviene esagerare nel senso opposto: ogni persona è una fonte potenziale di contagio per il bambino, non dimenticatelo. Lo zio potrebbe avere un raffreddore incipiente, l'amico del papà potrebbe essere in preda a un piccolo attacco influenzale, la compagna di scuola della mamma potrebbe avere delle tonsille infette. Certo è che più numerose sono le persone che respirano vicino al bambino, e più germi si diffonderanno intorno a lui. Non si tratta di tenerlo sotto una campana di vetro, ma non si deve nemmeno esporlo con eccessiva disinvoltura all'attacco di cariche batteriche incontrollabili.

A parte ciò, le visite a un neonato rappresentano una grossa seccatura per tutti: per chi le fa e per chi le riceve, mamma e bambino. Andare in un ospedale a prorompere in manifestazioni di entusiasmo, più o meno genuino, è di solito una faccenda abbastanza noiosa. Ma questo non ci interessa. Il fatto è che l'assolvimento di questo dovere, imposto dalla « buona educazione », stanca la donna che ha partorito da poco, la innervosisce, disturba il suo primo rapporto col figlio. E, ciò che è peggio, disturba lo stesso figlio, invade tumultuosamente un mondo già sconcertante per proprio conto, interferisce coi primi tentativi di adattamento ai ritmi biologici della sua nuova vita.

Non parliamo poi delle cerimonie e dei festeggiamenti. Fortunatamente secondo il nuovo rituale il battesimo viene impartito circa due settimane, o anche molto di più, dopo il ritorno del bambino a casa sua, cioè quando il piccino è in grado di meglio sopportare la « festa ». Ma debbo dire egualmente già fin d'ora che qualsiasi tipo di celebrazione, con relativo convegno di invitati, deve essere risparmiato al bambino. Nessuno vi obbliga a rinunciare al tradizionale battesimo, con invitati, rinfresco, e tutto il resto. Fatelo pure. Ma *senza il neonato*. Per il bambino tutto il rito dovrebbe risolversi nello stretto indispensabile, cioè in pochi minuti, e alla presenza del minor numero possibile di persone. Poi fate la vostra festa, con tutti gli amici che volete, ma lui, il neonato, mandatelo via. Capisco che siate orgogliosa del vostro erede, capisco che vorreste farlo vedere a tutti e farlo ammirare da tutti; ma non è il momento, credetemi. Troppo facilmente per il neonato il giorno del battesimo si trasforma in un cataclisma che gli sconvolge gli orari dei pasti e del sonno, lo sottopone a un bombardamento di stimoli fastidiosi e lo sommerge in un oceano di aria viziata e di fumo di sigarette. Fra parentesi, nessuno dovrebbe fumare, mai, in presenza di un neonato. E' certo quindi che un raduno di persone adulte, di cui molte sicuramente dedite al tabacco, non è l'ambiente ideale per il bambino.

2.2. Mettetelo a suo agio

I vestiti

Ho detto che il primo carcere di un neonato è la nursery. Non è del tutto esatto: il primo carcere riservato a ogni bambino che viene al mondo sono i vestiti. La maggioranza dei bambini piccoli dà manifesti segni di soddisfazione quando viene liberata dai vestiti, e protesta quando la si riveste. Ma di questo chiarissimo messaggio gli adulti continuano a non tenere alcun conto, e si affrettano, appena un bimbo è nato, a imprigionarlo nella massima quantità possibile di indumenti.

Nel capitolo precedente abbiamo già visto quale debba essere l'abbigliamento del neonato. Aggiungiamo qui che il guardaroba del piccino deve avere le seguenti caratteristiche:

1. essere comodo, cioè costituito da indumenti che non stringano, che non comprimano, che non immobilizzino

2. essere soffice: l'ideale rimane sempre il tessuto di cotone vecchio e usato, in modo che la tela abbia perduto tutta la sua rigidezza

3. non essere irritante: non deve perciò essere stato lavato coi detersivi, ma con sapone neutro; inoltre, nessun indumento di lana deve essere posto a contatto diretto con la pelle del bambino

4. non essere pericoloso: e quindi niente spille malsicure, lacci intorno al collo, indumenti troppo stretti, eccetera.

Cuffie e scarpine sono inutili, se non dannose. Quasi sempre inutili anche i guantini; anche se il bambino si graffia un po' in faccia, non succede nulla di grave. Assolutamente da evitare, ripetiamolo, le

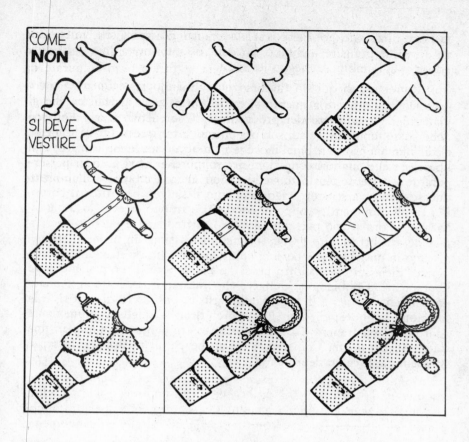

COME **NON** SI DEVE VESTIRE

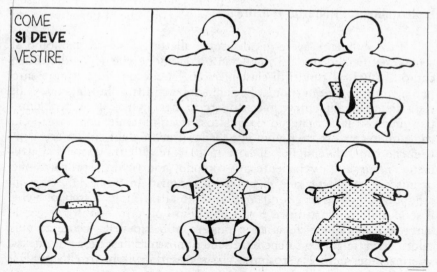

COME **SI DEVE** VESTIRE

fasce di qualsiasi tipo. Pericolosi gli ornamenti a spilla, che potrebbero aprirsi e pungere il bimbo. In conclusione, meno cose metterete addosso al bambino e meglio lui starà.

Riprendiamo qui un discorso che abbiamo già iniziato: il neonato, contrariamente a quanto si crede, soffre poco il freddo. Tuttavia, egli deve adottare dei provvedimenti per neutralizzare l'effetto delle basse temperature sul suo organismo, e fra questi provvedimenti c'è il movimento: un bambino che si muova con energia e in tutta libertà è nelle migliori condizioni per sopportare bene anche una temperatura ambiente piuttosto fredda. Muovendosi, infatti, il bimbo produce calore e fa scorrere vigorosamente il sangue per tutto il corpo. Ma se gli indumenti, troppo abbondanti e troppo stretti, lo immobilizzano, allora sì che potrebbe davvero raffreddarsi e persino presentare dei disturbi molto gravi. In linea di massima un neonato sta benissimo in un locale che per noi adulti sarebbe un po' freddino (diciamo sui diciassette o diciotto gradi), a patto però di potersi muovere liberamente. Dobbiamo aggiungere che questa, di riservare al neonato un ambiente fresco e di non paralizzarlo in un guscio di vestiti, è la soluzione migliore; di gran lunga preferibile a quella comunemente adottata di mantenere il bambino stretto fra panni e coperte in una stanza surriscaldata. Come per noi, anche per il neonato il fresco è stimolante e il caldo deprimente.

L'allattamento: materno o artificiale

Probabilmente avete già deciso se allattare il vostro bambino al seno o artificialmente. E' importante comunque che vi rendiate ben conto di tutti gli aspetti di ciascuna soluzione, e questo è il momento per affrontare la questione. Diciamo innanzitutto che dal punto di vista dietetico, alimentare in senso stretto, oggi non esistono problemi: per quanto il latte materno sia qualcosa di inimitabile, come tutto ciò che è in un certo senso « vivo », è facile ottenere dei risultati eccellenti anche con i diversi tipi di latte in polvere. D'altra parte, l'allattamento naturale è ovviamente più comodo, non richiede preparazione di miscele, sterilizzazione di poppatoi, acquisti in farmacia, e via dicendo. Ma la differenza fondamentale è un'altra: molti sostengono che il seno materno costituisce per il bambino l'oggetto buono per eccellenza, quello che dà il massimo piacere, il senso della sicurezza e il calore dell'affetto. Lo so che è difficile dimostrare l'esattezza di questa affermazione, però è verosimile che sia esatta: è chiaro che per un bimbo il quale trae ogni soddisfazione dal succhiare, altra cosa è il seno palpitante della madre e altra cosa la tettarella di gomma. Togliere al piccino la gioia ineguagliabile del nutrirsi al seno non è una cosa da decidere alla leggera.

Diamo dunque la preferenza all'allattamento al seno. Non dimentichiamo tuttavia che esistono delle circostanze che possono imporre l'alimentazione artificiale, o almeno suggerirne l'opportunità. Queste circostanze sono classificabili in tre categorie:

1. *mancanza di latte*: non si può dare quello che non c'è, e questo è ovvio. In proposito credo di dover dire però qualche cosa di più: non sentitevi menomate nella vostra personalità di madri se non avete latte. Posso assicurarvi che ho conosciuto centinaia di mamme esemplari, veramente ottime sotto ogni punto di vista, che non hanno mai avuto una goccia di latte. E ne ho conosciuto molte altre la cui unica qualità materna, o quasi l'unica, era quella di produrre latte a fiumi. L'attitudine alla maternità deriva da un complesso di doti morali, e non dalla fertilità lattifera. Fra l'altro, bisogna pur riconoscere che la vita moderna pare renda sempre meno efficiente questo tipo di funzione femminile: le donne che non presentano una secrezione lattea apprezzabile sembra cioè che diventino sempre più numerose. Né voi né alcun altro può farci nulla.

2. *salute non buona della madre*: se soffrite di anemia, o di « esaurimento », o di altri malanni che il medico ritiene incompatibili con l'allattamento, dovete senz'altro rassegnarvi. Vostro figlio ha bisogno più di voi che del vostro latte. Compromettere la vostra salute, il vostro benessere, le vostre riserve di energia, per tentare un fortunoso allattamento al seno, non sarebbe un buon affare. Né per voi, né tanto meno per il bambino.

3. *impedimenti psicologici*: se l'allattamento al seno costituisce per voi un sacrificio, meglio non cominciarlo nemmeno. Forse vi sorprenderà il sentirvi dire questo, perché secondo la nostra tradizione la mamma *deve* sacrificarsi per il figlio. Ebbene, posso dirvi soltanto che è una tradizione sbagliata. Se acconsentirete a porgere il seno al vostro bimbo soltanto perché pensate che questo sia il vostro dovere, gli darete da succhiare più fiele che latte. Non esagero. Vi sentirete vittima del bambino, un poco sua prigioniera, legata alle sue esigenze. E' un po' lo stesso discorso che abbiamo fatto a proposito del lavoro: anche voi potete avere delle esigenze, e se queste sono importanti per il vostro equilibrio interiore non dovete trascurarle. Non si tratta solo di un diritto, ma anche di un dovere, perché per essere madri serene e capaci di dare sereni-

tà è necessario prima di tutto non sentirsi sacrificate e oppresse. Se rinuncerete a certe cose, realmente essenziali per voi, in omaggio a un malinteso spirito di sacrificio, inevitabilmente prima o poi farete pesare questa rinuncia sulle spalle di vostro figlio. Credete, mille volte meglio un biberon dato con gioia e con amore, che il seno di una mamma infelice e insoddisfatta.

Se gli darete il vostro latte...

Supponiamo che la vostra salute sia buona e che voi desideriate allattare il vostro bambino. In questo caso ci vuole pazienza e fiducia. Nelle prime ventiquattr'ore dopo il parto voi avete bisogno di un po' di riposo, e ne ha bisogno anche il neonato. D'altra parte, in un primo tempo il vostro seno ancora non produce gran che. Se il bimbo, piangendo e succhiando ciò che gli capita a tiro, dà chiari segni di non voler aspettare un giorno intero per cominciare a mettere qualcosa nello stomaco, gli si può dare un po' di acqua bollita o del tè leggerissimo. Poi comincerete ad attaccarlo al seno.

Ogni quanto tempo? Qual è l'intervallo consigliabile fra una poppata e l'altra? E quante poppate si debbono dare in un giorno? Alcuni sostengono che si deve lasciar fare alla natura, e porgere il seno al piccolo tutte le volte che lui lo reclama. Può essere un buon metodo, purché:

☐ il neonato sia regolare nelle sue richieste

☐ si sia sicuri che il bambino piange perché ha fame e non, per esempio, perché vuol essere cullato

☐ la mamma sia una donna tranquilla, equilibrata, piena di buon senso.

Invece molto spesso la mamma è un po' ansiosa e ha bisogno di essere rassicurata su ciò che deve fare, il neonato non segue affatto un certo ritmo, nemmeno approssimativo, e infine nessuno può garantire che tutte le volte che il piccino piange sia perché vuol mangiare.

Mi sembra, tutto sommato, che l'applicazione di una regola, elastica fin che si vuole, sia consigliabile fin da principio. Elastica, ripeto. Fra il non guardare mai l'orologio e il seguirlo con puntigliosa matematica precisione, c'è una via di mezzo. Per un neonato normale l'intervallo migliore fra un pasto e l'altro è di circa tre ore e mezza. Va da sé che si potrà accorciarlo o allungarlo a seconda delle circostanze: se il bimbo dorme placidamente, lasciamolo dormire. Mangerà una mezz'ora dopo. Se strepita e « cerca » con la bocca, proviamo ad anticipare di mezz'ora o anche di un'ora. Ma, come linea di condotta, una certa regola è bene rispettarla. Ricordate fra l'altro che il neonato è in grado di « imparare » gli orari, e se fin dai primi giorni seguirete un determinato ritmo il bambino ben presto lo farà suo e lo seguirà a sua volta spontaneamente.

Le prime volte che offrirete il seno al vostro bimbo resterete deluse: probabilmente non ne uscirà che qualche goccia di un liquido torbidiccio che sembra non aver nulla a che fare col latte. E' il cosiddetto *colostro*. Per ora va bene così, state tranquille. E non preoccupatevi se anche di colostro ce n'è pochissimo. Vostro figlio in questi primi giorni non ha bisogno di un vero e proprio nutrimento; gli basta bere. Perciò, se dal vostro seno escono solo poche gocce di liquido, darete al bambino una piccola aggiunta di trenta o quaranta grammi di acqua bollita. In ogni modo non scoraggiatevi e continuate ad attaccare il bimbo al seno, dieci minuti per parte, ogni tre ore e mezza circa; lo stimolo esercitato sulla ghiandola mammaria dalla suzione è quello che ci vuole per far venire il latte.

Questo fa la sua comparsa di solito quattro o cinque giorni dopo il parto, fra la soddisfazione generale. Se dovesse tardare, chiedete consiglio al medico o all'ostetrica.

A questo punto il seguire degli orari tollerabilmente regolari per le poppate diventa ancor più importante, perché ora il bimbo mangia davvero, e il suo stomaco ha bisogno di un certo tempo per digerire. Non dimenticate inoltre che anche lo stomaco, come qualsiasi altro organo, deve disporre di un periodo quotidiano di riposo; sarà dunque cosa ben fatta non somministrare del latte fra la poppata serale delle undici e mezza o mezzanotte e la prima del mattino, verso le sei.

Un'ultima cosa: ora che il latte è arrivato, se ne avete a sufficienza sarà meglio attaccare il bambino *a un solo seno* per ogni poppata, in modo che il piccolo svuoti la mammella il più completamente possibile. Questo favorisce potentemente l'ulteriore secrezione lattea.

Immagino che ora mi si chiederà come ci si deve sistemare per dare il latte. Non esiste una posizione ideale per allattare un bambino; mettetevi in modo da stare, voi e vostro figlio, il più comodi possibile. Prendete la punta di un seno fra l'indice e il medio della mano del lato opposto, in modo da farla sporgere un poco; così il piccolo potrà meglio introdurla nella bocca e contemporaneamente il suo naso resterà libero per respirare. Con la punta del seno toccate delicatamente le labbra del bambino. Al resto ci penserà lui. Quello che non dovrete mai fare è di costringerlo a succhiare, ruotandogli il capo a forza con le mani o cercando di fargli aprire la bocca con le dita. Abbiate pazienza. Se non sa ancora attaccarsi bene, imparerà. Ma imparerà da

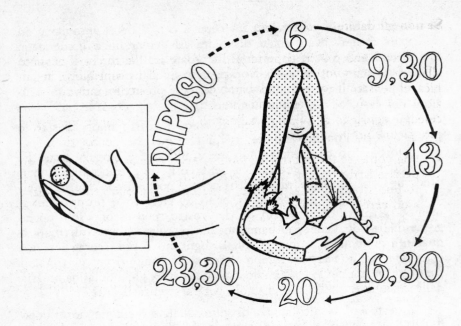

solo. Il vostro intervento non farà che irritarlo inutilmente.

Specialmente nei primi giorni è essenziale che abbiate la massima cura dei capezzoli; delle lesioni dolorose o anche una semplice irritazione possono esercitare un effetto più scoraggiante di quanto non pensiate, talora al punto da indurvi a interrompere l'allattamento. Cercate di rispettare queste norme:

1. non toccate mai il capezzolo con le mani non lavate

2. pulite il capezzolo con acqua bollita subito prima e dopo ogni poppata

3. fate in modo che il capezzolo non sia mai sottoposto a traumi violenti o a irritazioni; se dovete staccare il bambino fatelo dolcemente, un po' per volta, in modo che il capezzolo non sia sottoposto a bruschi stiramenti

4. se il capezzolo è dolente o, peggio, mostra delle lesioni (per esempio dei tagli, cioè le famigerate *ragadi*), interpellate subito il medico o l'ostetrica e seguitene scrupolosamente i suggerimenti

5. in attesa dei consigli del dottore cercate di attaccare il bambino per il minor tempo possibile (non più di cinque o sei minuti) o non attaccatelo affatto; potrete eventualmente svuotare il seno con un tiralatte, e poi somministrare il latte al bambino con un cucchiaino.

Se non gli darete il vostro latte...

Prendiamo ora in considerazione l'eventualità che non possiate allattare al seno vostro figlio. Se avete partorito in ospedale o in clinica, ci penserà il pediatra incaricato dei neonati a darvi tutte le istruzioni del caso. Se avete partorito in casa vostra, dovrete senz'altro chiedere consiglio al medico o all'ostetrica. Dovrete comunque rispettare alcune norme fondamentali:

1. una volta scelto un latte in polvere, *non cambiatelo più* se non su precise istruzioni del medico; ogni cambiamento impone al neonato uno sforzo di adattamento, e certe volte si può arrivare anche a un vero e proprio disturbo intestinale

2. col latte artificiale è opportuna una maggiore precisione negli orari

3. quando preparate il latte per il bambino le vostre mani debbono essere pulitissime, e tutto ciò che usate sterilizzato (biberon, cucchiaino, tazzina, tettarella, ecc.)

4. il primo giorno di allattamento (che è poi il secondo dalla nascita) preparate circa trenta grammi di latte per pasto; poi aumentate di dieci grammi per pasto ogni giorno. Cioè: il primo giorno darete sei pasti di trenta grammi, il secondo sei pasti di quaranta grammi, il terzo sei pasti di cinquanta grammi, e così via, fino al settimo giorno. In seguito aumenterete con un ritmo assai più lento, come vedremo più avanti

DOSI E CONCENTRAZIONI DEL LATTE IN POLVERE NEL PRIMO MESE DI VITA

30 g. • 3%	40 g. • 5%	50 g. • 8%	60 g. • 10%
2ª GIORNATA	3ª GIORNATA	4ª GIORNATA	5ª GIORNATA
70 g. • 12%	80-90 g. • 14-15%	90-100 g. • 15%	100-110 g. • 15%
6ª-7ª GIORNATA	7ª-15ª GIORNATA	15ª-20ª GIORNATA	20ª-30ª GIORNATA

5. per i primi due giorni preparate il latte a una concentrazione minima (3%), per passare poi al 5% in quarta-quinta giornata di vita,
al 7-8% verso la fine della prima settimana, e così via fino a raggiungere la concentrazione prescritta per quel determinato tipo di
latte. Facciamo un esempio. Voi volete preparare trenta grammi di
latte al 3%. Il misurino contiene 5 grammi di latte in polvere.
Se metterete perciò mezzo misurino abbondante, cioè circa 3
grammi di latte, in 100 grammi d'acqua, avrete la quantità sufficiente per tre pasti di circa trenta grammi ciascuno alla concentrazione del 3%

6. ricordate che il latte già preparato non può essere conservato che
in frigorifero, e comunque per non più di dodici ore.

2.3. Un'attenta, ma serena sorveglianza

Se il vostro bambino è nato in ospedale, egli viene di norma controllato dalla puericultrice o dall'infermiera, ed eventualmente dal medico. Queste persone pensano a tutto e si assumono la responsabilità
della salute del bimbo fino al momento in cui ve ne andrete a casa
vostra. Ciò non significa però che la mamma se ne debba lavare le
mani. Nessuno ha la sensibilità che potete avere voi, e nessuno come
voi può accorgersi, anche da sfumature appena apprezzabili, che qualcosa non va. Quella di collaborare col medico e col personale sanitario nella sorveglianza del neonato è un'ottima cosa, anzi una cosa
indispensabile.

Ma *che cosa* si deve sorvegliare in un neonato? Se volete una
guida, o meglio un elenco, che vi dia la tranquillità di non dimenticare nulla, eccolo qui: del neonato dovrete controllare

☐ l'aspetto e il comportamento generale

☐ la posizione

☐ i movimenti

☐ la temperatura

☐ la pelle

☐ occhi, orecchie, naso e bocca

☐ i genitali

☐ l'appetito e le funzioni digestive

☐ la respirazione

Vi debbo dare subito un avvertimento: la maggior parte dei fenomeni che a voi sembreranno strani, incomprensibili, o addirittura preoccupanti, è invece del tutto normale e non indica l'esistenza di alcun disturbo. Prendiamo l'esempio della respirazione: come abbiamo già visto il neonato respira irregolarmente, certe volte pare che i suoi polmoni si fermino, altre volte fa dei sospiri enormi. Tutto questo è perfettamente regolare. Solo qualche tipo particolare di respirazione deve indurvi ad avvertire il dottore, e vedremo fra poco quali tipi.

Facciamo ora una rapida rassegna dei « sintomi » che può presentare un neonato. Leggetela con attenzione: vi risparmierete degli inutili spaventi, e d'altra parte avrete un indirizzo preciso sulla opportunità di interpellare il medico.

Fenomeni non preoccupanti e normali

☐ *« Salta via »*, *« Si spaventa »*: è quello che dicono di solito le mamme quando il bambino, per uno stimolo improvviso (un rumore repentino, un improvviso cambiamento di posizione, l'accendersi di una forte luce, ecc.), che forse all'adulto sembra del tutto normale o addirittura inavvertibile, spalanca le braccia, le dita e gli occhi, e poi scoppia in pianto. In realtà non è uno spavento e non significa affatto che il bambino sia « nervoso ». E' semplicemente il *riflesso di abbracciamento* o *di Moro,* del quale abbiamo già parlato, che è perfettamente normale e indica anzi che il sistema nervoso è a posto e funziona bene.

☐ *Manine e piedi freddi*: nel lattante, e specialmente nel neonato, è cosa del tutto normale, e non significa necessariamente che il bambino soffra il freddo.

☐ *Macchie rosse*: le macchie rosse sulla pelle, se scompaiono premendo col dito, non hanno in genere nessuna importanza. Nei primi mesi di vita le comuni malattie dei bambini (morbillo, scarlattina, ecc.) non, compaiono praticamente mai, e quindi non dovete aver paura che il bimbo possa soffrire di una di queste forme. Di solito le macchie rosse sono soltanto una reazione della pelle a qualche fattore irritativo (lana, umido, troppo caldo, ecc.). Basteranno delle misure igieniche (pulizia, olio emolliente, ecc.) e alleggerire l'abbigliamento.

☐ *Sederino rosso*: è semplicemente un fatto irritativo, dovuto all'acidità delle feci, o al sapone non adatto, o alla pulizia troppo poco frequente, o a una insufficiente risciacquatura dei pannolini. Cambiate spesso il bambino, usate sapone neutro e una buona pomata, risciacquate bene i pannolini.

☐ *Protuberanza sul capo*: certe volte sul cranio del neonato compare una tumefazione di varia grossezza, molle, che sembra piena di liquido, ricoperta dal normale cuoio capelluto. Si tratta di un *cefaloematoma*, cioè di un versamento di sangue dovuto al trauma del parto. Non c'è assolutamente da spaventarsi: la cosa non presenta alcun pericolo, in quanto il versamento è *all'esterno* del cranio, e quindi non può danneggiare il cervello. Basta non fare nulla. Nei prossimi mesi la tumefazione si ossificherà e poi scomparirà completamente, senza alcuna conseguenza.

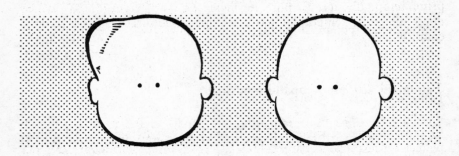

☐ *Sternuto*: è un fenomeno normale, e non significa affatto che ci sia un raffreddore in corso.

☐ *Naso « chiuso »*: spesso il neonato può dare l'impressione di avere il nasino intasato. In realtà non è esattamente così. Basta una poppata abbondante, o una temperatura ambiente troppo elevata, perché si verifichi una leggera congestione delle mucose nasali; il piccolo allora respira rumorosamente, specie mentre succhia, o durante il sonno, come se avesse il raffreddore. Invece non ha nulla, tranne che troppo caldo.

☐ *Borsa scrotale gonfia*: la borsa scrotale è quella specie di sacchetto che contiene i testicoli. Di frequente nel neonato appare tesa e un po' gonfia, come se fosse piena d'acqua. In effetti si tratta proprio di una raccolta di liquido. Niente di male. Si riassorbirà da solo.

☐ *Perdite vaginali rosse*: nelle femmine non è raro che si verifichino delle piccole perdite di sangue nei primi giorni di vita. Il fenomeno è provocato da certi ormoni che la mamma ha trasmesso alla bambina prima del parto. È cosa normale, e non occorre fare nulla.

☐ *« Spinge e diventa tutto rosso »*: questa è un'altra di quelle frasi che ogni pediatra si sente dire ogni giorno. È un atteggiamento frequente e normale del bambino piccolo, e non è per niente un segno di malessere.

□ *Scariche intestinali durante o dopo il pasto*: anche questo è un fatto del tutto regolare: il riempimento dello stomaco stimola normalmente lo svuotamento dell'intestino.

□ *Singhiozzo*: ancora una volta si tratta di un fenomeno comunissimo e privo di ogni importanza. Potrete dare al bambino qualche goccia di limone in un cucchiaino d'acqua bollita. Forse gli farà passare questo piccolo disturbo.

□ *Rigurgito*: il rigurgitare un po' di latte, di tanto in tanto, specialmente dopo una poppata abbondante, è da ritenersi normale nei primi tempi di vita. E' pure normale che, se il rigurgito si verifica dopo un certo tempo dal pasto, il latte rigurgitato appaia acido e come « cagliato ».

Fenomeni da controllare

□ *Agitazione*: qualche volta il bambino è più agitato del solito, piange senza causa apparente e non riesce a prendere sonno. Se, dopo aver eliminato tutte le consuete cause di pianto (fame, bolla di aria nello stomaco, caldo eccessivo, pannolini sporchi, solitudine, ecc.), non riuscite ad acquietare il vostro bambino, allora può darsi che si tratti di qualcosa che non va e che gli procura una vera e propria sofferenza. Un'otite, per esempio, o qualche malattia che sta per manifestarsi.

□ *Sopore*: talora il bambino è più « addormentato » del consueto, piange meno, non si sveglia come di regola all'ora dei pasti. Può non significare nulla, ma se la cosa si prolunga per qualche ora o si accompagna ad altri sintomi (disturbi intestinali o respiratori, per esempio), sarà il caso di sentire il medico.

□ *Le « voglie »*: spesso i neonati presentano delle macchie rosse, abbastanza vaste, non rilevate, specialmente sulla nuca; sono delle « macchie vascolari », che in genere scompaiono poi da sole. Altre volte ci sono invece delle formazioni rosso scuro, sporgenti, molli; in questo caso si tratta probabilmente di *emangiomi*. Niente di pericoloso né di urgente. Tuttavia, soprattutto se tendono a ingrandirsi, sarà il caso di mostrarli al medico.

□ *Mammelle gonfie*: anche questo fenomeno, come le perdite rosse vaginali delle quali abbiamo già parlato, è dovuto ad ormoni trasmessi dalla mamma al bambino subito prima della nascita. E' quindi un fenomeno normale, sia nei maschi che nelle femmine, nei primi giorni di vita. Non occorre fare nulla: tutto andrà a posto spontaneamente. Ma se il gonfiore invece che diminuire aumenta, se la pelle che lo ricopre diventa rossa, se il bambino è agitato, può essere sopravvenuta un'infezione; in questo caso dovrete naturalmente chiamare il medico.

☐ *Orecchie sporche*: può trattarsi semplicemente di cerume. Ma se dall'orecchio esce una secrezione più fluida, o liquida, o purulenta, se il bambino mostra in qualche modo di avvertire dolore quando gli toccate le orecchie, allora è segno che c'è un fenomeno irritativo o infiammatorio dell'orecchio. In questo caso è chiaro che dovrete rivolgervi al medico.

☐ *Scolo nasale*: vuol dire che c'è un raffreddore. Probabilmente una cosa da nulla, ma se va peggiorando sarà meglio consultare il medico.

☐ *Il pene « chiuso »*: alla nascita è frequentissimo che la pelle intorno alla testa del pene sia stretta e aderente, in modo che non è possibile tirarla indietro. Questo rende molto difficile a un non medico decidere se esista o no una fimosi. Se vedete che il pene del bambino si gonfia o diventa rosso, chiamate senz'altro il medico.

☐ *Stitichezza*: naturalmente il fatto che il neonato « salti un giorno » non ha alcuna importanza. Ma se dopo una giornata o più il bimbo mostra dei segni di malessere, abbattimento, pallore, vomito e rifiuto del cibo, allora dovrete subito consultare il medico.

☐ *Appetito scarso*: può essere dovuto a una poppata troppo abbondante, o a un piccolo raffreddore, o a mille altri motivi. Saltare un pasto, in ogni modo, non procurerà certo alcun danno al neonato. S'intende che se la cosa si prolunga sarà necessario il parere del medico.

Fenomeni gravi

Dei sintomi che denunciano la possibile esistenza di una vera e propria malattia parleremo più avanti, nella terza parte di questo capitolo, dedicata appunto alle malattie. Ma già fin d'ora credo sia opportuno attirare la vostra attenzione sui principali gruppi di manifestazioni che hanno caratteristiche di gravità:

— agitazione intensa, sopore profondo, lamento flebile

— posizioni anormali degli arti

— paralisi o convulsioni

— febbre

— ittero, segni di infiammazione purulenta della pelle

— congiuntivite, alterazioni delle mucose della bocca

— vomito e diarrea

— tosse, difficoltà respiratorie.

2.4. Un medico per lui

La scelta di un pediatra per vostro figlio è una cosa importante. Se avete già degli altri bambini, probabilmente esiste un medico che li segue, e in questo caso non ci sono problemi; sarà lui a occuparsi anche del neonato. D'altra parte, può darsi che non abbiate modo di fare delle grandi scelte: se abitate in campagna o in un piccolo centro, è possibile che ci sia un solo pediatra a disposizione, o forse soltanto il medico condotto. Se avete partorito in casa vostra, può accadere che lo stesso medico che vi ha assistita sia anche quello che seguirà il bambino. Se avete partorito in ospedale, potrete affidarvi al pediatra dell'ospedale stesso, a meno che non abbiate qualche amico, o conoscente, o parente, che sia pediatra. Ricordate che, se il vostro bambino è nato in un ospedale pubblico, è regola generale che i medici esterni non possano entrarci a visitare i bambini; dovrete perciò rivolgervi al pediatra interno, oppure chiamare un altro medico dopo che siete tornate a casa. In ogni caso è essenziale che fra voi e il pediatra del vostro bambino si stabilisca un clima di reciproca fiducia, di cordialità e di comprensione.

Un medico «bravo»?

Come ogni altra arte, professione o mestiere, anche la pediatria può essere esercitata con maggiore o minore esperienza, con più o meno spiccate capacità tecniche, con conoscenze più o meno profonde, con maggiore o minore passione, acutezza, genialità. Anche i pediatri possono essere più o meno « bravi » in un senso generale, e più o meno « esperti » in questa o quella branca specialistica. Se voleste cercare di risolvere il vostro problema solo in base a considerazioni tecniche, dovreste cercare di volta in volta il pediatra specializzato in quel particolare settore che vi riguarda, in quella particolare malattia, in quel determinato problema che dovete risolvere. Al limite, bisognerebbe avere a disposizione tanti pediatri quanti sono i possibili disturbi del bambino. Ma il problema, in realtà, non è un problema tecnico. Direi piuttosto che è un problema di collaborazione, di fiducia, di rapporto fra voi e il medico.

Un medico di fiducia

La scelta del pediatra, dunque, non deve essere tanto una scelta tecnica (fra l'altro assai difficile da fare per chi, non essendo medico, non può essere molto competente nel giudicare di cose mediche), quanto una scelta « umana ». Il medico del vostro bambino dev'essere una persona con la quale sia possibile per voi parlare volentieri, con la quale esista un regolare colloquio, con la quale possiate essere aperta e sincera e sicura di essere compresa, con la quale possiate scambiare amichevolmente dei punti di vista, con la quale possiate mantenere un atteggiamento di reciproco rispetto. Questo è il pediatra che fa per voi. Non dico che il vostro sarà il migliore specialista del mondo; anche lui, come tutti, avrà le sue lacune e potrà commettere i suoi errori, e di certo ci potrà essere qualche altro più esperto di lui in un determinato campo, o più sperimentato, o più aggiornato in certe cose. Ma dico che nessuno, probabilmente, sarà in grado di assistervi e guidarvi meglio di lui.

Un medico che vi ascolti

Qui conviene chiarire un punto fondamentale: un pediatra serio e ragionevole non trascura mai quello che dice la mamma del suo piccolo cliente. S'intende che molte delle vostre osservazioni potranno essere inutili, o inesatte, o addirittura sbagliate; se voi foste infallibile non avreste evidentemente bisogno del medico. Ma è fuori discussione che nessuno al mondo più della mamma riesce a capire, a *sentire* la situazione del bambino. Una madre, in genere, si accorge benissimo che nel suo bambino « c'è qualcosa che non va » anche quando l'esame clinico non rivela ancora nulla di anormale; una madre conosce bene le abitudini, le reazioni, il modo di comportarsi del proprio figlio, ovviamente molto meglio di quanto non li possa conoscere il medico, e quindi è in grado di cogliere immediatamente delle alterazioni, dei piccoli segni, dei nonnulla che al pediatra quasi sicuramente sfuggirebbero. Insomma, un pediatra che non dia ascolto alla mamma, che trascuri le sue osservazioni e le consideri solo « superstizioni » o « idee fisse » o « manie », non è un vero pediatra.

Un medico che dovete aiutare

Se il medico ha il dovere di ascoltarvi, voi avete il dovere di essere precise, sincere e leali con lui. Non ditegli che il vostro bambino « ha la febbre altissima » quando ha 37°8, per farlo correre subito da voi a tranquillizzarvi; non ditegli che il piccolo « ha vomitato tutto il giorno » quando si è trattato solo di un paio di rigurgiti; e non ditegli che « deperisce di giorno in giorno » quando semplicemente ingrassa meno di quello che vorreste. Se credete di dover ricorrere a questi piccoli trucchi per attirare l'attenzione del pediatra, vuol dire che fra voi le cose non vanno: o è lui che rifiuta di prendere sul serio la vostra sensibilità materna (e sbaglierebbe, come abbiamo visto) e cioè non si fida di voi; o siete voi a sottovalutare la sua sensibilità di medico, e cioè non vi fidate di lui.

E un'altra cosa: non pretendete che il medico vi dia delle assicurazioni che non può darvi. Certe mamme vogliono che il medico garantisca loro non solo che il bambino « è perfetto », ma anche che starà sempre bene. Il medico non è onnisciente, e nemmeno un profeta. Potrà dirvi che clinicamente il neonato è sano, che alla visita pediatrica non mostra nessun difetto, che in questo momento gode di buona salute, ma non potrà mai darvi la certezza che vostro figlio sia invulnerabile, immune da qualsiasi malattia e inattaccabile dai germi.

Un medico da non cambiare

Abbiamo detto che la scelta del pediatra è una scelta importante; ora debbo aggiungere che, proprio perché è importante, deve essere una scelta *definitiva*. E' una cosa da chiarire subito, prima ancora che la scelta sia fatta: non cambiate pediatra, mai, se non per ragioni gravissime. Una volta stabilito un rapporto umanamente soddisfacente con un medico, è semplicemente pazzesco romperlo senza motivi molto, ma molto seri. Lo so: ce ne saranno certamente di più « bravi » di lui, di più famosi di lui, di più facondi, eleganti, imponenti, titolati, superspecializzati, e via dicendo. Ma sarà ben difficile che possiate ritrovare un rapporto di fiducia e di amicizia che forse si è venuto creando su esperienze vissute in comune, su problemi affrontati e risolti insieme, su anni di collaborazione. Se qualcuno vi parla male del vostro medico, pensateci bene prima di credergli. E poi, anche se il vostro pediatra qualche volta sbaglia, ricordate che è nelle migliori condizioni per riparare all'errore, perché nessuno meglio di lui conosce la situazione del bambino, l'ambiente in cui il bambino vive, e i problemi che lo circondano. E infine, se il vostro medico non fosse all'altezza della situazione (può capitare a tutti), potrete suggerirgli un consulto con uno specialista, o più facilmente sarà lui stesso che onestamente chiederà l'aiuto di un collega più esperto in quel determinato ordine di problemi. Nessuno di noi sa tutto, e il confessare la propria ignoranza in un particolare settore è testimonianza di lealtà, di correttezza professionale, di dignità, e in fin dei conti di preparazione e di capacità *vera*.

In conclusione, se nei riguardi del medico si provano sentimenti di diffidenza, di sfiducia, di sospetto, si corre il rischio di cadere nelle mani di un arrogante guaritore o di uno pseudoscienziato da fumetto, cioè di qualcuno che davvero non merita fiducia. Un medico vero queste cose le sente, e difficilmente accetta di stabilire dei rapporti professionali con persone diffidenti nei suoi confronti. Solo con la lealtà e la fiducia potrete trovare un medico che veramente segua con umana attenzione il vostro bambino, che dia il meglio di sé senza recitare la parte del « missionario che si sacrifica », che insomma si comporti semplicemente da uomo, e non da istrione.

2.5. Di fronte all'imprevisto

I gemelli

I gemelli sono simpatici e divertenti, ma il loro arrivo, non di rado imprevisto, rappresenta un bel colpo per la mamma (e anche per il papà). Questo « colpo » si verifica in media una volta su ottantacinque gravidanze circa. Si deve però ricordare che la gemellarità è un fatto ereditario, e che perciò in certe famiglie la frequenza del fenomeno è di gran lunga maggiore di quella media italiana.

Spesso i gemelli sono anche immaturi (per « immaturo », come vedremo poi, si intende un neonato che pesi 2.500 grammi o meno), e allora debbono essere assistiti in un Centro specializzato. Questo è sotto un certo punto di vista un notevole vantaggio, perché la mamma avrà il tempo di organizzarsi e di prendere tutti i provvedimenti opportuni mentre i piccoli sono in ospedale o in clinica. Qualche volta uno è immaturo e l'altro no, e anche in questo caso la mamma potrà avere un po' di respiro: si porterà a casa uno dei bambini e preparerà tutto per l'altro. Se invece entrambi i bambini hanno la fortuna di nascere grandi e grossi, allora naturalmente il sistema familiare entrerà in crisi. Una crisi tutt'altro che drammatica, beninteso, anzi persino allegra e stimolante; ma comunque una crisi.

Il problema più importante è *la fatica della mamma*. Avere due neonati invece che uno non vuol dire lavorare il doppio, vuol dire lavorare dieci volte di più: mentre ne lavate uno, l'altro si fa venire le convulsioni perché vuol mangiare; appena riuscite a far stare zitto Carletto, Pierino scoppia in un pianto dirotto; il primo si sveglia immancabilmente quando si addormenta il secondo, e così via.

Non è il caso di scoraggiarsi subito in previsione di difficoltà che, dopo tutto, potrebbero anche non sorgere, ma è senz'altro il caso di prepararsi adeguatamente ad affrontare la situazione « di emergenza ». Sarà difficile che la mamma possa arrivare a destreggiarsi da sola, senza nessun aiuto: l'intervento della nonna, o della zia, o di una persona stipendiata, sarà pressoché inevitabile. Non dovete, specialmente voi che siete alla vostra prima gravidanza, presumere delle vostre forze, altrimenti dopo qualche settimana non sarete più in grado di badare a nulla e, oltre ai gemelli, avrete bisogno di cure anche voi.

Lo stesso discorso vale anche per l'*allattamento*: anche la donna più sana e con la migliore volontà può non riuscire a dare il proprio latte a due bambini contemporaneamente, specie se sono entrambi robusti e di buon appetito. Un'alimentazione al seno può sempre essere tentata, ma in ogni caso deve essere integrata al più presto con latte in polvere. Potrete, per esempio, dare a pasti alterni il vostro latte a uno dei bimbi, e l'artificiale all'altro, in modo che ciascuno dei due abbia tre poppate dalla mamma e tre dal poppatoio ogni giorno. Se tutti e due prenderanno il latte artificiale, sarà bene che uno segua degli orari spostati di mezz'ora rispetto all'altro; così potrete provvedere personalmente a somministrare il pasto a entrambi.

C'è un'ultima precauzione che dovreste adottare fin da principio. Come sapete, esistono gemelli molto differenti l'uno dall'altro, che probabilmente derivano da due uova fecondate, e altri molto simili fra loro, che probabilmente derivano da un unico ovulo. Comunque, siano i gemelli identici o diversi, non fate mai nulla per renderli più simili di quanto già non siano. Cercate di non lasciarvi prendere dalla « retorica dei gemelli »: vestiti eguali, acconciature eguali, nomi somiglianti, giocattoli identici, e via dicendo. Cercate sempre di ricordare che, per quanto gemelli, si tratta in ogni modo di due personalità distinte e indipendenti. Ed è necessario rispettare la personalità di ciascuno, senza far nulla che possa smussare le differenze e sottolineare le somiglianze. I gemelli tendono spesso già per conto loro a formare un piccolo mondo a due, a creare una loro società personale costituita di due soli cittadini, a usare un linguaggio riservato, « segreto », incomprensibile a tutti gli altri; non è bene spingerli ulteriormente su questa strada trattandoli *non come due bambini, ma come una coppia di bambini*.

L'immaturo

È immaturo un neonato che pesi duemilacinquecento grammi o meno, indipendentemente dalla reale durata della gravidanza. L'esperienza ci insegna infatti che la fragilità di un bimbo è legata molto più al suo peso che non al momento in cui la gestazione si è interrotta: un bimbo nato all'ottavo mese con un peso di duemilaquattrocentocinquanta grammi, per esempio, starà meglio di uno nato a otto mesi e mezzo con un peso di duemiladuecento grammi. Non solo, ma anche le stesse probabilità di sopravvivenza del bambino dipendono dal suo peso alla nascita: un neonato che abbia un peso vicino ai duemilacinquecento grammi di solito non presenta gravi problemi, uno che pesi sui duemila grammi può presentarne, uno che pesi millecinquecento grammi o meno ne presenta sempre. Questo naturalmente significa che mentre un immaturo di due chili e mezzo o poco meno può anche essere allevato in casa sua, se è sano e normale, quelli più piccini, e in generale tutti quelli che sono al disotto dei due chilogrammi, debbono essere trasportati in un Centro specializzato.

□ *Se il vostro bambino è in condizioni tali da poter essere allevato in casa,* pensate subito a organizzarvi. Prima di tutto assicuratevi la collaborazione del pediatra. Mentre per un neonato normale infatti il medico si limita di solito a controllarne la buona salute e a dare qualche consiglio sull'alimentazione, per l'immaturo dovrà prendere delle disposizioni su tutto: sulle condizioni ambientali, sul lettino, sui vestiti, sulla dieta, sull'igiene, ecc. Ogni errore può costare molto caro, e quindi non si può improvvisare nulla, né fidarsi troppo delle consuetudini, che spesso non sono altro che superstizioni.

Eccovi intanto alcuni suggerimenti: è comune preconcetto che l'immaturo debba « essere tenuto molto caldo ». Questo è vero in linea di massima solo per bambini molto piccoli (ma in questo caso dovrebbero essere curati in un Centro, e non a casa) e in particolari circostanze. Per un immaturo « grosso », cioè vicino ai due chili e mezzo, una temperatura ambientale eccessiva può fare più male che bene. Direi che venti gradi sono di solito più che sufficienti. Sarà bene in ogni modo controllare un paio di volte al giorno la temperatura rettale del bambino: non è affatto necessario che questa raggiunga i 36°5-37°, ma basterà che si mantenga intorno ai 36°. Se continua a discendere al di sotto di questo livello, vuol dire che il piccino si sta raffreddando troppo e che dovete riscaldarlo di più, aumentando la temperatura della stanza o usando una borsa d'acqua calda (che *non deve mai essere collocata a contatto diretto col bambino,* ma bensì avvolta in una copertina o un panno di lana); se la temperatura rettale del bimbo continua a salire oltre i 36°-36°5, vuol dire viceversa che lo state scaldando troppo, e in questo caso dovrete provvedere ad alleggerirlo o a diminuire la temperatura ambiente.

E' molto importante che l'aria della stanza non sia mai troppo secca; ricordatevi di umidificarla spesso mettendo dei panni bagnati sui termosifoni, o facendo bollire dell'acqua su un fornellino elettrico, o impiegando un umidificatore.

Più ancora del neonato normale, l'immaturo ha bisogno di potersi muovere liberamente. L'immobilità ostacola in modo grave le sue funzioni organiche, le quali, non essendo perfettamente mature, già sono un po' debolucce in partenza. I vestiti del bimbo debbono perciò essere ridotti al minimo indispensabile: alcuni strati di garza al posto dei pannolini, un camicino di tela molto scollato, tutt'al più, una maglietta di cotone leggerissima e molto larga. Assolutamente vietate le cuffie e le fasce.

Se il vostro bambino è immaturo, il latte materno diventa doppiamente prezioso. Può anche darsi che non sia sufficiente e che il pediatra debba arricchirlo con altre sostanze, ma esso resta comunque l'alimento-base più digeribile e meglio utilizzabile. Certe volte il neonato, anche se immaturo, riesce egualmente a succhiare bene il seno; altre volte non ce la fa, e allora dovrete avere la pazienza di togliervi il latte e darglielo poi con un cucchiaino o con un piccolo poppatoio. Va da sé che le varie manovre di prelevamento e preparazione del latte dovranno essere attuate con le mani pulitissime e con oggetti accuratamente sterilizzati, meglio se per mezzo della bollitura.

Ricordate, a questo proposito, che l'immaturo presenta una scarsa resistenza contro le infezioni; un raffreddore può trasformarsi facilmente per lui in broncopolmonite, un foruncolo in una setticemia. E' quindi essenziale non trasmettergli delle cariche di germi. A questo scopo seguite le seguenti regole:

1. non fate entrare nessuno nella stanza del bambino, e men che mai persone raffreddate, con la tosse, eccetera

2. se siete raffreddata voi, non avvicinatevi al bimbo se non col viso coperto da una mascherina di garza sterile. Una mascherina del genere può essere agevolmente preparata con una benda piegata in sei-otto strati, cucita sui lati e fornita di fettucce da passare dietro le orecchie. Tenete presente che dopo circa venti minuti di uso la mascherina è satura di germi e quindi va cambiata. La sterilizzerete di nuovo facendola bollire

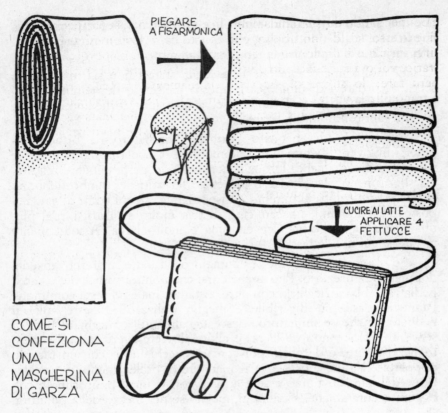

PIEGARE
A FISARMONICA

CUCIRE AI LATI E
APPLICARE 4
FETTUCCE

COME SI
CONFEZIONA
UNA
MASCHERINA
DI GARZA

3. non toccate mai il neonato senza prima esservi lavate le mani

4. comunque, toccatelo il meno possibile, almeno nei primi giorni

5. lasciate entrare molto sole nella stanza del piccino.

☐ *Se il vostro bambino è troppo piccolino per essere allevato in casa* e deve essere portato in un Centro Immaturi, egli vi deve essere trasportato *immediatamente,* se possibile subito dopo la nascita. Ogni minuto di ritardo aumenta i pericoli che lo minacciano. E' inutile e rischioso aspettare « per vedere come si mettono le cose ». Quasi di certo, aspettando, le cose si metteranno male.

Lo so che una mamma prova una certa esitazione di fronte alla prospettiva di staccarsi dal proprio bambino appena partorito. E so che il periodo di ricovero del piccino nel Centro vi sembrerà eterno. Dovrete avere molta pazienza. Probabilmente vi sentirete inutile, incapace di badare a vostro figlio, inadatta a fare la madre; oppure vi potrete sentire colpevole per aver fatto nascere il bimbo anzitempo, e poi per averlo dovuto affidare alle mani di estranei, superspecializzati sì, ma estranei. E' inutile dire che non avete nessun motivo per sentirvi inutile e incapace, e ancor meno per sentirvi colpevole. Al contrario, voi ora state facendo uno sforzo enorme, che non tutti saprebbero fare: lo sforzo di aspettare serenamente. E più sarà serena e tranquilla la vostra attesa, più sarà benefica per vostro figlio. Quando il bambino tornerà a casa, avrà bisogno di una mamma allegra, vivace e ottimista che gli riempia il vuoto lasciato in lui dal periodo del ricovero.

Intanto, mentre aspettate, potete e dovete fare un'altra cosa per il vostro piccolo: cercare di non fargli mancare il latte materno. Toglietevi il latte tre o quattro volte al giorno, da ciascun seno, con un tiralatte, e raccoglietelo in bottigliette con tappo di garza sterile, che conserverete in frigorifero. Tiralatte, scodelle, bottiglie, tutto dovrà essere bollito prima dell'uso, e le vostre mani, come ho già detto, dovranno essere pulitissime. Due volte al giorno manderete il latte al Centro, in modo da non doverlo conservare per più di otto o dieci ore.

Quando il bambino avrà raggiunto un certo grado di maturità e il suo peso sarà intorno ai due chilogrammi e mezzo, ve lo manderanno a casa. Quanto tempo ci vuole? Impossibile saperlo in anticipo. Per i neonati più robusti possono bastare dieci o quindici giorni di permanenza nel Centro per risolvere ogni problema; per altri occorrono anche due o tre mesi. Bisogna non dimenticare che durante il periodo di ricovero è difficile che il bambino cresca rigogliosamente; egli è impegnato a maturare, e deve imparare a respirare, a digerire, a regolare la propria temperatura e a fare una quantità di altre cose, e paga tutto questo sviluppandosi in modo apparentemente assai lento. Ma non temete: riguadagnerà poi a casa il tempo perduto, crescendo con una velocità che non raramente è eguale al doppio di quella normale.

Dopo che avrete portato a casa il vostro bambino, abbiate cura di farlo controllare dal pediatra almeno una volta al mese. L'immaturo, nel corso del primo anno di vita, cade abbastanza facilmente in preda a squilibri di vario genere, e può quindi presentare diverse forme derivanti da questi squilibri organici; per esempio l'anemia o il rachitismo. Perciò egli va seguito dal medico, e la sua dieta deve essere particolarmente ricca e integrata con vitamine.

Fra il primo e il secondo anno di vita l'immaturo raggiunge di solito i suoi coetanei nati a termine e normali. A questo punto nessuno può avvedersi che si tratta di un immaturo: il bimbo è grande e grosso come tutti gli altri della sua età, intelligente e vivace come loro. O addirittura di più. Non pochi grandi uomini della storia, infatti, erano immaturi.

3. SE QUALCOSA NON VA

3.1. Due regole generali

Ho detto prima che la sorveglianza della mamma è importante anche in ospedale o in clinica, nei primi giorni dopo il parto, quando il neonato è ancora sotto la responsabilità dei medici e del personale sanitario. E ho accennato a tutti quei fenomeni che non debbono mettervi in allarme, perché sono da considerare normali o quasi. Vediamo ora invece ciò che *deve* mettervi in allarme.

A questo punto debbo rivolgere a tutte le mamme due preghiere molto vive. La prima è questa:

☐ *non mettetevi a fare il dottore.* Cioè, non fate delle diagnosi, ma limitatevi a riferire al medico, con la massima cura e la massima precisione, tutti i sintomi che potrete osservare. In altre parole ancora, state attenta a tutti i fenomeni, a tutto ciò che vedete, ma non occupatevi delle *cause* di quei fenomeni. Sicuramente, o molto probabilmente, sbagliereste. E forse potreste far sbagliare anche il medico. Un esempio pratico ci aiuterà a chiarirci le idee: quando un bambino piange disperatamente, raggomitolandosi tutto, la mamma spesso riferisce al pediatra che il piccolo « ha mal di pancia perché ha mangiato troppo ». Il suo ragionamento è il seguente: piange e piega le gambe, il che vuol dire che gli fa male la pancia; e se gli fa male la pancia, vuol dire che ha fatto indigestione, cioè che ha mangiato troppo. Ci sono almeno due errori in questa breve sequenza di considerazioni. Primo: quando un neonato piange si agita tutto, e molto spesso piega le gambe riassumendo la posizione fetale, cosa che si verifica *qualunque sia la causa del pianto*. Il vostro bimbo potrebbe benissimo piangere perché ha fame, o sonno, o caldo, e non perché ha mal di pancia. Secondo errore: anche se avesse dei dolori addominali, non è detto che questi dipendano dall'aver mangiato troppo. In genere, se il piccolo ha veramente preso una quantità eccessiva di latte, presenta vomito e diarrea. Altrimenti può trattarsi di una bolla d'aria nello stomaco, o di qualche crampo. Ma la vostra diagnosi può influenzare il medico, il quale penserà che voi abbiate i vostri buoni motivi per dire che il neonato ha mangiato troppo e quindi lo potrà mettere a dieta, mentre invece in realtà il piccino può aver mangiato troppo poco.

La seconda preghiera che vi voglio rivolgere è questa:

☐ *non prendete delle iniziative senza sentire prima il dottore.* Correreste il rischio di peggiorare la situazione. Riprendiamo l'esempio di prima: il bambino piange, e voi pensate che soffra di dolori addominali. Invece, per esempio, piange perché ha troppo caldo. Voi, sapendo che nell'adulto spesso i disturbi intestinali sono provocati dal freddo, pensate di far bene coprendo il bambino e tenendolo ben al caldo. Ma lui di caldo ne ha già fin troppo, e così andrà incontro a dei veri e propri disturbi da surriscaldamento, che potranno arrivare alla febbre, alla diarrea e a una grave perdita d'acqua dall'organismo. Se vi foste limitata a prenderlo in braccio per un po' e a dargli qualche cucchiaino d'acqua bollita, tutto sarebbe probabilmente andato a posto.

Riassumendo, ci sono dunque due cose che dovrete fare sempre, quando vi sembra che il neonato non stia bene, e sono:

1. osservare attentamente i sintomi che presenta

2. aiutarlo nei limiti delle vostre possibilità, per esempio prendendolo in braccio, cambiandogli i pannolini sporchi, facendolo bere, ecc.

E ci sono due cose che non dovrete fare mai, e precisamente:

1. fare una diagnosi, e cioè dare per fatti sicuri quelle che sono soltanto delle vostre opinioni sulle cause del male

2. attuare una cura di vostra iniziativa.

3.2. I segni di malattia

Prendiamo adesso in esame i diversi segni di malattia ai quali dovrete badare e che dovrete riferire diligentemente al medico. Come potrete vedere, per ciascun sintomo cercherò di darvi qualche informazione su ciò che quel determinato segno può significare; ma, ripetiamolo ancora, non faccio questo per indurvi a sostituire voi stessa al medico, bensì semplicemente perché possiate rendervi meglio conto di ciò che vedete e dell'eventuale gravità della situazione.

Ecco dunque un elenco dei principali « segnali d'allarme » nel neonato:

☐ *Agitazione intensa*: se il bambino è molto agitato, se il suo pianto è lamentoso e ininterrotto, se nonostante il sonno e la stanchezza egli continua a muoversi senza riposo dimenandosi tutto, allora è verosimile che ci sia qualche causa importante di malessere, da eliminare senza indugio. In particolare, fate attenzione al *tipo* di agitazione: se è *diversa* da quella che il vostro bambino presenta di solito, per esempio quando ha fame, occorre senz'altro il parere del pediatra.

☐ *Sopore profondo*: quando il bambino è molto abbattuto, non piange col solito vigore o non piange affatto, è pallido, rifiuta l'alimento, è « molle », dorme continuamente, non aspettate: può trattarsi di qualcosa di molto grave.

☐ *Lamento*: attenzione, parliamo di *lamento,* di *gemito,* non di pianto vero e proprio. Se il piccolo piange a squarciagola, è difficile che ci sia qualcosa di grave. Ma se geme debolmente, se emette solo dei suoni flebili e lamentosi, allora probabilmente la cosa è di una certa serietà.

☐ *Piede storto*: un piedino storto, in dentro o in fuori, in alto o in basso, deve essere controllato dal medico. Può darsi che si tratti solo di una vostra impressione, e che in realtà il piede sia perfettamente a posto, ma può anche darsi che si tratti di un piede valgo o torto. In questo caso, quanto più precoci sono i provvedimenti, tanto più rapida e facile sarà la guarigione.

☐ *Posizione anormale dell'anca, della spalla o del ginocchio*: se il neonato mantiene *costantemente* una gamba piegata, o una spalla immobile col braccio vicino al tronco, o un ginocchio piegato, fate attenzione: se insieme a questa posizione fissa c'è anche un arrossamento dell'articolazione e un gonfiore, allora probabilmente c'è un processo infiammatorio che va curato immediatamente.

☐ *Convulsioni*: il fenomeno convulsivo è ben diverso dalla normale agitazione del neonato: potrete notare movimenti più o meno generalizzati, spesso a piccoli scatti successivi, con pause di rigidità diffusa, e spesso con bava alla bocca e colorito bluastro intorno alle labbra. E' chiaro che di fronte a questi sintomi dovreste sottoporre immediatamente il piccolo alla visita del medico.

☐ *Paralisi*: quando il neonato non muove affatto un braccio o una gamba, sicuramente si è verificata una lesione a carico del sistema nervoso. Molte volte queste forme sono provocate dal parto stesso, e tendono a guarire spontaneamente. Tuttavia, è necessario l'intervento del medico per la scelta dei provvedimenti atti a favorire e ad accelerare la guarigione.

☐ *Febbre*: nel neonato difficilmente le infezioni provocano uno stato febbrile, mentre lo possono provocare di frequente una eccessiva perdita d'acqua dall'organismo (la cosiddetta *disidratazione*) o il surriscaldamento. Una diarrea anche modesta, un abbigliamento troppo pesante, una coperta di troppo, e persino un pasto abbondante, possono dare un aumento della temperatura corporea. Non fidatevi mai dell'impressione che potete avere dal toccargli la fronte o le manine. Misurate sempre la temperatura con un termometro adatto. Se la temperatura rettale supera i 37°6 - 37°7 siete di fronte a un'alterazione; se supera i 38° si può già parlare di febbre. Può essere una cosa da nulla, ma è senz'altro meglio consultare il medico.

□ *Ittero*: è la colorazione gialla della pelle e del bianco dell'occhio. Come abbiamo visto a proposito della malattia da Rh, l'ittero del neonato è *sempre sospetto* e pertanto va sottoposto all'attenzione del medico. In particolare, l'ittero impone l'intervento del dottore quando:

compare molto presto, poche ore dopo la nascita

è accompagnato da altri sintomi (sopore, inappetenza)

è molto intenso

dura più di tre o quattro giorni

i genitori sono di diverso gruppo Rh (papà Rh positivo, mamma Rh negativa).

□ *Arrossamento e gonfiore della pelle in una determinata zona*: questi segni indicano che c'è un fenomeno infiammatorio, e quindi naturalmente è necessario sentire subito il parere del medico. Alterazioni di questo genere si possono notare con una certa frequenza intorno all'ombelico (c'è allora la cosiddetta *omfalite*), in corrispondenza delle mammelle (*mastite*), alle articolazioni della spalla, dell'anca o del ginocchio (*epifisite*. Vedi prima, a proposito della « posizione anormale dell'anca, della spalla o del ginocchio »).

□ *Ernie*: qualsiasi gonfiore sospetto, specie alle pieghe inguinali, richiede il controllo del medico.

□ *Gonfiore a un lato del collo*: talora nel neonato si verifica una piccola emorragia nello spessore di un muscolo del collo, e precisamente in quello che si chiama *sternocleidomastoideo*. In questo caso si può apprezzare una specie di nocciolina dura palpando il collo del piccino, da un lato o dall'altro. Nei primi giorni di vita di solito non è opportuno prendere alcun provvedimento, ma è bene che il medico sia al corrente della cosa per decidere le cure da applicare in seguito.

☐ *Secrezione dagli occhi*: nel neonato succede abbastanza spesso che si produca una secrezione più o meno densa, giallastra, nell'occhio; molte volte accompagnata da arrossamento e anche da tumefazione delle congiuntive; non c'è da spaventarsi, ma si tratta comunque di una forma che richiede una cura adeguata e tempestiva, altrimenti l'infezione può provocare dei danni permanenti.

☐ *Secrezione dal naso o dall'orecchio*: se si tratta di una secrezione purulenta, densa e giallastra, è bene avvertire il medico. Una *rinite* o un'*otite* purulenta trascurate possono portare a delle conseguenze indesiderabili e rappresentano sempre un certo rischio per il neonato.

☐ *Mughetto*: si chiamano così quei « funghetti » bianchi che compaiono talvolta nella bocca del neonato e che tendono a invadere la lingua, le guance, le gengive e il palato. Non bisogna trascurarli. Se si diffondono troppo possono ostacolare gravemente l'alimentazione e fanno veramente soffrire il bambino.

☐ *Vomito*: se il vomito è abbondante e *a getto*, se è frequente, se si accompagna ad altri segni di malessere, è senz'altro il caso di avvertirne il dottore. Nell'attesa, sospendete la somministrazione di latte e date al bambino soltanto dell'acqua bollita da bere.

☐ *Vomito con sangue*: piccole tracce di sangue in un rigurgito non debbono assolutamente spaventarvi. Di solito sono semplicemente la conseguenza di una piccola lesione delle mucose della bocca o, se il bimbo è alimentato al seno, il sangue può provenire da una ragade del capezzolo materno. Ma se il sangue è abbondante e viene emesso con un vomito vero e proprio, allora può essersi verificata una emorragia del primo tratto dell'apparato digerente. Naturalmente in questo secondo caso occorre avvertire il medico immediatamente.

☐ *Diarrea*: la diarrea nel neonato è sempre un fenomeno di una certa serietà. Se il vostro bambino presenta scariche frequenti, diverse dal solito, semiliquide o liquide, verdastre, schiumose o con del muco, non esitate: chiedete subito il parere del dottore.

☐ *Sangue nelle feci*: qui si può fare lo stesso discorso che abbiamo fatto a proposito del vomito: se il sangue nelle feci è rosso vivo e si riduce a qualche filamento, niente di grave; ma se il sangue è abbondante, e specialmente se è di colore nerastro, allora può esserci una emorragia intestinale ed è urgente una cura adeguata.

☐ *Tosse*: nel neonato la tosse molta o poca che sia, forte o no, secca o catarrale, è sempre una manifestazione da sottoporre all'attenzione del medico.

☐ *Difficoltà di respiro*: abbiamo visto che una certa irregolarità del respiro è normale nel neonato. Ma se non si tratta semplicemente di irregolarità, bensì di una vera e propria *difficoltà,* allora la cosa è diversa. Può darsi che il piccino respiri male solo perché ha il raffreddore, ma può darsi anche che la difficoltà sia di origine bronchiale o polmonare. Se c'è tosse, difficoltà di respiro, se respirando il bimbo muove le pinne nasali allargando e restringendo le narici, se osservate una colorazione leggermente bluastra intorno alla bocca, allora l'intervento del medico è *urgente*. E siccome per voi molte volte non sarà facile distinguere con sicurezza una difficoltà respiratoria grave da una non grave, farete bene a non perdere tempo in vane attese.

Terzo Capitolo

IL PRIMO MESE

1. L'INGRESSO NEL MONDO

1.1. L'inserimento nel sistema

Subito, già nei primi giorni che seguono il suo arrivo, vostro figlio crea intorno a sé il suo posto nella società. Mette in moto la burocrazia. Il medico, o l'ostetrica, che l'ha fatto nascere compila la *dichiarazione di nascita,* una scheda statistica e un certificato di assistenza al parto, documenti che il papà deve consegnare all'Ufficiale di Stato Civile *entro dieci giorni* dal parto. Se il bimbo è nato in una clinica o in un ospedale spesso i moduli vengono trasmessi all'ufficio competente direttamente dal personale sanitario (*vedi illustrazione a pag. 104*).

Da questo momento il vostro bambino entra a far parte del sistema sociale e fa scattare tutta una serie di meccanismi. Se il papà, per esempio, gode di una qualche forma di assistenza sanitaria, pubblica o privata, egli deve richiedere senza indugio ch'essa venga estesa anche al bambino; se paga le tasse, ha diritto a una detrazione dalla cifra tassabile; se lavora alle dipendenze di un'azienda, grande o piccola, può avere diritto a particolari vantaggi, economici e di altra natura. La società insomma prende nota dell'arrivo di un nuovo individuo e vi si adatta.

Però deve saperlo.

Se il papà dimentica di denunciare la nascita del bimbo al Servizio Sanitario, quest'ultimo non potrà fornirgli assistenza alcuna;

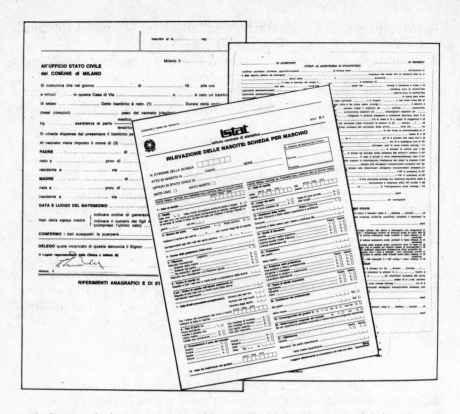

se il datore di lavoro non è al corrente dell'esistenza del bambino, non sarà tenuto a nessun provvedimento; e così via. Perciò, trascorsi i primi giorni di trepidazione e di gioia, dovrete ricordarvi di far sapere a tutti, nelle forme e nei modi prescritti, che ora avete un figlio.

Oltre agli ingranaggi burocratici, il bambino mette in azione, o dovrebbe mettere in azione, anche i servizi sanitari. Purtroppo però su parecchi di questi servizi non c'è da fare grande assegnamento, almeno per ora. In altri termini, appena vostro figlio è nato, da mille parti ci si vuole occupare di lui, a parole; ma alle parole non sempre corrispondono i fatti. Farete bene in ogni modo a informarvi sull'ubicazione e gli orari del più vicino Consultorio Pediatrico, che in qualche caso potrebbe tornarvi utile specialmente se abitate in campagna o comunque lontano da un pediatra.

Col suo arrivo il vostro bimbo promuove automaticamente anche una serie di provvedimenti legislativi in favore della mamma. Cioè: se siete una lavoratrice, la nascita di vostro figlio vi garantisce i seguenti diritti:

1. non potete essere licenziata fin che il bambino non abbia compiuto i dodici mesi

2. il datore di lavoro deve conservarvi il vostro posto per almeno otto mesi dopo il parto, anche se non andate a lavorare.

   Un diritto analogo spetta anche al papà, qualora, per il verificarsi di una qualsiasi circostanza, egli debba sostituire la madre nell'assistenza al bambino

3. dovete essere esonerata da lavori faticosi o insalubri

4. se allattate il vostro bambino, vi spettano due periodi di riposo durante l'orario di lavoro (se riprenderete il lavoro, naturalmente).

S'intende che questi diritti vi saranno riconosciuti se il vostro datore di lavoro sarà stato informato della nascita di vostro figlio. Dovrete perciò fargli avere il certificato di nascita *entro quindici giorni dal parto.*

Il bambino dunque, per il solo fatto di esistere, dà il via a un certo numero di operazioni nel sistema sociale. E questo a sua volta dispone ogni cosa perché il nuovo arrivato entri a far parte dei meccanismi tradizionali. Che poi vostro figlio diventi una rotellina qualsiasi del macchinario, oppure un uomo libero e indipendente, dipende in buona parte da voi, come vedremo più avanti.

1.2. La crisi della famiglia

La paura

Parliamo ora del bambino che è nato in clinica o all'ospedale. Fra i cinque e i sette giorni dopo la nascita egli abbandona il luogo dove ha visto la luce e per la prima volta entra in casa sua. E qui gli succede un fatto davvero curioso: lui, così piccolino, così inoffensivo, così disarmato, diventa all'improvviso un personaggio terrorizzante.

Veramente è logico che sia così. Fin che stavate in ospedale c'era un'intera organizzazione al vostro servizio: medici pronti a ogni evenienza, puericultrici, infermiere, apparecchi di ogni tipo, medicine, tutto. Badavano al benessere del vostro bambino, lo lavavano, lo vestivano, pensavano a dargli da mangiare se non avevate latte, lo curavano. Ora dovete sbrigarvela da sola, con un cosino del quale forse avete l'impressione di non capire niente. Ogni suo movimento, o mancanza di movimento, ogni suo strillo e ogni silenzio, ogni piccolo fenomeno, ogni manifestazioni del suo minuscolo organismo vi appaiono come qualcosa di misterioso e di allarmante. Forse non sapete se ha mangiato troppo o troppo poco, se soffre per qualche dolore o se piange perché ha sonno, se ha caldo o freddo, se sta bene o no. Forse, in qualche momento, non riuscite nemmeno a rendervi conto se respira o non respira. E può capitarvi benissimo di non sapere assolutamente che cosa fare.

In questi primi giorni dopo il ritorno a casa la paura può diventare la vostra inseparabile compagna. Paura che il neonato muoia di fame, che prenda freddo, che sia ammalato, che soffochi, eccetera. La vostra casa può diventare allora il regno del terrore, come se fosse stata invasa da un esercito di spettri minacciosi e temibilissimi.

Il neonato è un intruso?

In realtà, il neonato è un invasore, spesso un vero e proprio intruso. Ma non per colpa sua, bensì perché davanti alla sua innocua presenza ci si lascia travolgere dalla disorganizzazione e dal panico. Vediamo un poco insieme che cosa può accadere ai diversi membri della famiglia quando il neonato arriva a casa.

Prima di tutto esaminiamo *la situazione della mamma,* la vostra situazione. Si dice che la più grave malattia di una giovane mamma sia il sonno. O meglio la mancanza di sonno. In generale questo è verissimo. Il cambiamento di ambiente, il passaggio dalla clinica alla casa, provoca un piccolo terremoto nel mondo del neonato: cambia l'aria (che forse in clinica era condizionata e in casa no), cambia la temperatura dei locali, cambia l'illuminazione, cambiano i rumori, gli orari, le persone, i ritmi di vita. A tutto questo il piccino risponde con una serie di irregolarità, che vanno dal disordine nella richiesta delle poppate alle più imprevedibili bizzarrie per quanto riguarda il dormire. Spesso il bimbo si sveglia ogni notte, puntualmente, fra le due e le tre del mattino, proprio quando la mamma, esausta, è sul primo sonno. Altre volte il neonato prende l'abitudine di fare la sua urlatina notturna a rate, svegliandosi regolarmente ogni ora, in modo da impedire del tutto un riposo sufficiente a chi sta con lui. Altre volte ancora dorme tutta la notte come un angelo, ma è la mamma che si alza a più riprese per vedere se respira, se è bagnato, se si soffoca col guanciale, e via dicendo. In un modo o nell'altro, molto spesso la mamma trascorre le prime settimane ciondolando per casa in uno stato di perenne intontimento dovuto alla mancanza di sonno.

Vedremo dopo che cosa si può fare per regolarizzare e favorire il riposo del bambino; per ora limitiamoci a considerare i problemi della mamma. I provvedimenti ai quali potrete ricorrere per risolvere la vostra situazione sono sostanzialmente di due tipi, e sono tanto ovvii che non varrebbe quasi nemmeno la pena di parlarne:

1. stabilite dei turni di veglia notturna. Se, come dicevamo nel primo capitolo, avete pensato a procurarvi un aiuto fidato (vostra madre, la suocera, la sorella, un'amica, o una vicina, oppure una bambinaia o una puericultrice, o semplicemente una domestica), allora la questione è bell'è risolta: una notte per ciascuno, oppure un certo numero di ore a testa. Se non avete potuto trovare nessuno che vi dia una mano, allora toccherà al papà rinunciare a qualche ora di sonno per permettere alla mamma di riposare quel minimo che le è necessario

2. cercate di dormire in qualsiasi momento della giornata, sfruttando i periodi di « stanca » del vostro bambino. Se lui, per esempio, ha l'abitudine di starsene tranquillo fra l'una e le quattro del pomeriggio, approfittatene senz'altro per fare anche una buona dormita. E non preoccupatevi del bucato, dei mestieri di casa, delle pulizie. La vostra salute è importante, specialmente ora; quello di mantenervi, nei limiti del possibile, fresca e riposata, dev'essere il vostro primo pensiero.

Anche il papà naturalmente viene di solito travolto dall'impetuosa fiumana di novità che scaturisce dal neonato. Neppure lui riesce in genere a dormire quanto vorrebbe, e per di più, come ben sappiamo, di giorno deve lavorare. Questo può far nascere in lui uno stato di perenne irritazione, non di rado acuito dal fatto che la moglie lo trascura un po', tutta presa com'è dal bambino. In queste circostanze ciò che si richiede al papà è un po' di comprensione e di collaborazione. Se alla vostra camicia manca un bottone, cari papà, o se non trovate la minestra pronta quando tornate dal lavoro, o se non riuscite a rintracciare la cravatta rossa, portate pazienza. Un po' per volta tutto rientrerà nell'ordine e nella regolarità. Ma per ora adattatevi alla situazione di emergenza, la quale fra l'altro sarà risolta meglio e più rapidamente se anche voi cercherete di dare una mano nell'affrontare i problemi più urgenti. Forse a voi sembrerà di non essere in grado di far nulla di buono, ma non è vero. Ci sono tante cose che potete fare: sostituire qualche volta vostra moglie nelle veglie notturne, come abbiamo detto prima, andare a fare la spesa, preparare la camomilla per il neonato e il caffè per la mamma, e soprattutto far sentire alla vostra compagna che le siete vicini con la tenerezza e l'affetto di sempre. Anzi maggiori. E quando è il vostro turno di riposare, mettetevi i tappi di cera nelle orecchie e andate a dormire in una stanza il più lontana possibile da quella in cui vostro figlio sta strepitando. Eventualmente, se sarà necessario, fatevi ospitare da un amico comprensivo.

L'ambiente in cui il neonato provoca la maggiore agitazione è tuttavia *quello dei fratellini*. Se il vostro bambino è un secondo, o terzo, o quartogenito, dovrete affrontare un problema abbastanza importante: quello della gelosia dei figli maggiori. Ritorneremo più avanti su questo punto (vedi Capitolo VI), ma debbo avvertirvi fin d'ora che il problema esiste e che frequentemente rende ancora più delicato il momento del vostro arrivo a casa dalla maternità. Su questo argomento debbo inoltre dirvi subito due cose:

1. la gelosia dei bambini più grandi (specie di tre o quattro anni) verso il neonato è del tutto normale, anche quando si manifesta in propositi micidiali e truculenti. Per i figli che già ci sono, il nuovo arrivato è indubbiamente un intruso che si accaparra tutte le attenzioni della mamma; e questo può non essere tollerato da un bimbo di pochi anni. Egli potrà esprimere progetti mortiferi, annunciare che getterà il neonato dalla finestra, o consigliare i genitori di riportarlo in ospedale. Inutile e dannoso scandalizzarsi di queste cose, inutile e dannoso rimproverare o castigare il piccolo autore delle minacce

2. la gelosia dei fratellini maggiori non si evita né proclamando che il neonato è buonissimo, bellissimo, piacevolissimo, degnissimo di stima e di affetto, né gettando il discredito su di lui presentandolo come un piccolo incapace e rompiscatole. La cosa migliore è la naturalezza, la spontaneità e una serena benevolenza nei confronti dei bambini tormentati dalla gelosia e dal rancore. Ma, ripeto, tratteremo più a fondo la questione parlando dei bambini di tre anni.

Speciale per la mamma

Tutto questo, e qui mi rivolgo di nuovo alle mamme, può suscitare in voi l'impressione di un autentico cataclisma familiare. Ma non è un cataclisma. E' solo un momento un po' difficile, e molte volte nemmeno questo. Perciò non lasciatevi prendere dall'avvilimento. Capisco benissimo che il ritrovarvi sola davanti a tante nuove responsabilità, che la fatica, la delicatezza dei nuovi rapporti con vostro marito ed eventualmente con gli altri bambini, la difficoltà di organizzarvi, son cose che possono provocare una crisi di depressione. Succede di frequente, ed è perfettamente naturale. Ma cercate di non abbandonarvi a questo stato d'animo. Anche se a voi ora sembra impossibile o quasi, vedrete che le cose andranno molto meglio di quanto pensate. Non c'è niente di drammatico nell'arrivo di un bambino, non ci sono problemi insolubili. C'è invece il modo di ricominciare col neonato una vita nuova, quasi una seconda vita, di sicuro appassionante e piena di fascino.

L'atteggiamento che con maggiore facilità porta allo scoraggiamento e alle crisi di depressione è quello di voler essere una « madre perfetta »; si tratta di una tentazione dalla quale dovete guardarvi. Qui vale la pena di spendere qualche parola. Purtroppo in molti paesi, e nel nostro in particolar modo, una tradizione alquanto infelice ha prodotto e conservato attraverso i secoli il mito della « madre-che-vive-solo-per-i-figli », della « regina-della-casa », dell'« angelo-del-focolare », e così via. Ebbene, debbo proprio dire che mettervi in mente di essere una madre perfetta, che vive solo per i figli, eccetera, non è affatto una buona idea. Non esiste una madre perfetta. O meglio, una madre è perfetta quando . . . non è perfetta. Proprio così. Se comincerete a volere ostinatamente sacrificare tutto al neonato e a dedicarvi unicamente a lui, andrà a finire che reciterete una parte, la parte della madre esemplare appunto, invece che essere semplicemente quello che siete. E non c'è nulla di più dannoso di questo, per un bambino. Inoltre, e su questo soprattutto volevo attirare la vostra attenzione, fallirete sicuramente nei vostri sforzi, vi sentirete sempre di molto inferiore al modello ideale che vi siete proposta di incarnare, e quindi sarete costantemente in preda al più sconsolato avvilimento per non essere riuscita a diventare quello che vorreste diventare. Vostro figlio non è un mostro divoratore che pretende l'olocausto della vostra persona sui suoi altari; è solo un bambino che ha bisogno di una mamma allegra, felice e soddisfatta.

Speciale per il papà

Inutile dire che il neonato ha bisogno anche di un papà felice e soddisfatto; ma non sempre ce l'ha. Spesso il primo effetto, o uno dei primi, prodotto dal bimbo sul neo-padre è quello di suscitare in lui l'idea di essere incapace, impacciato e ingombrante. E spesso il padre reagisce a questa sensazione ritirandosi dalla scena con la segreta e forse inconsapevole convinzione di essere trascurato da tutti e di non contare più nulla per nessuno. Altre volte invece pretende di impugnare lui, come capo di casa, le redini della situazione, discute su tutto, prepara poppatoi e pannolini, traffica continuamente con la bilancia e con certi quaderni pieni di grafici e di cifre, spia ogni movimento e ogni smorfia del bambino, diagnostica malattie, consulta manuali, e arriva a trovarsi in uno stato permanente di crisi e di allarme, contribuendo validamente a rendere l'atmosfera familiare irrespirabile, satura di apprensione e di angoscia.

Per il bene di tutti è molto meglio che il papà non diventi né vittima del figlio, né direttore sanitario di una sua privata clinica domestica interamente occupata dallo stesso figlio. L'essenziale, come sappiamo, è mantenere un certo equilibrio e fidarsi un poco del proprio buon senso, senza esagerare né in un verso né nell'altro.

L'irreperibile salvatore: il pediatra

Può capitare tuttavia, anche nelle famiglie più equilibrate, che il trambusto provocato dall'arrivo del neonato raggiunga livelli critici; quando poi i genitori sono un po' apprensivi, o c'è in giro una nonna particolarmente ansiosa, il « punto di rottura » viene toccato in media un giorno sì e uno no, talora tutti i giorni, e non di rado persino due o tre volte al giorno.

Quando il neonato, magari facendo cose normalissime, è riuscito a portare la compagine familiare al livello critico di preoccupazione, « esplode » la telefonata al pediatra. Il quale, naturalmente, in quel momento è fuori per il suo giro di visite, o è a un congresso, o è occupato in ospedale. Allora si chiama un altro medico, e poi eventualmente un terzo, e poi l'ostetrica, l'amica « esperta », la custode del palazzo, la tabaccaia che una volta faceva l'infermiera. Si racimolano carrettate di consigli, per lo più diversissimi l'uno dall'altro, si prendono diciotto decisioni differenti in rapida successione, si corre in farmacia, si preparano decotti e pozioni che non serviranno mai a nulla, e si intraprendono altre attività parimenti inutili. Per fortuna quasi mai queste attività arrivano a coinvolgere il bambino, e si fermano di solito allo stadio di preparativo. Poi finalmente si rintraccia il pediatra e come per incanto tutto va a posto.

Si può dire veramente che, nelle prime settimane di vita di ogni bimbo, il pediatra serve in generale molto di più per rassicurare i genitori che per curare il figlio. Questo è abbastanza logico e comprensibile, ma io vorrei consigliare ai genitori di non abbandonarsi troppo a questa specie di assicurazione contro la paura. La vera serenità si trova prima di tutto dentro se stessi, ed è di *questa* serenità che il bambino ha bisogno.

Quando vi pare che qualcosa non vada bene, o quando succede un fatto che non siete in grado di capire, cercate di valutare la situazione con calma e tranquillità. Vedrete che quasi sempre si tratta di cose da nulla, per le quali non c'è proprio motivo di preoccuparsi. Il pediatra potrà darvi poi la conferma che tutto va bene, ma non riponete la vostra fiducia esclusivamente nella scienza. Dovete aver fiducia anche in voi stessi.

I nemici in agguato: gli amici

C'è d'altra parte un esercito di persone delle quali è meglio non fidarsi troppo: gli amici e i conoscenti. Costoro, con le loro visite, il loro entusiasmo, le loro buone intenzioni, rappresentano il più delle volte un fattore di disturbo per il benessere del neonato. E anche per il vostro. In questo primo delicato periodo di adattamento alla nuova vita non è il caso che vi prendiate l'impegno di offrire thé e pasticcini, di conversare per ore e ore, di dedicarvi ad attività mondane e salottiere; così come non è il caso che il vostro bambino passi da una mano all'altra e da un bacetto all'altro. L'ospitalità è una bellissima cosa, ma il quotidiano afflusso di persone in casa vostra, proprio ora che dovete riorganizzare l'andamento dell'intera famiglia, non può che dar luogo a scompiglio e confusione.

Lasciate perdere i doveri sociali, se ne avete; non è questo il momento per dedicarcisi. Per qualche oscuro motivo, un bambino appena nato attira intorno a sé decine di persone, come il miele attira le mosche. Ebbene, vi invito a considerare queste persone appunto come mosche: sono fastidiose, petulanti, irritanti e portatrici di infezioni.

Il discorso è diverso, beninteso, per le persone che *vi fa piacere* incontrare, per gli amici autentici che non pretendono un'accoglienza « ufficiale », per tutti quelli che non solo non vi disturbano, ma che possono anche darvi una mano. Questo tipo di visite vi sarà probabilmente assai utile, vi aiuterà a tirarvi su il morale e contribuirà a mantenere la letizia in casa vostra, con vantaggio di tutti, a cominciare dal neonato.

1.3. Comincia la grande avventura

Che cos'è l'accrescimento

Il neonato dunque è capace di cambiare notevolmente il mondo che lo circonda, cioè casa vostra. Ma il mondo a sua volta contribuisce a far cambiare il bambino, cioè a farlo crescere e a svilupparsi. Fermiamoci un momento a considerare questa semplice verità, che contiene in sé il segreto dell'evoluzione dell'essere umano.

Tutta la grande avventura che il vostro bimbo ha appena cominciato a vivere, alla quale noi diamo il nome di sviluppo, è il frutto di due forze che agiscono insieme: una dentro di lui che si chiama *eredità,* e una fuori di lui che si chiama *ambiente.* In altre parole, il bambino, armato di un suo patrimonio di attitudini, di capacità e di caratteristiche che gli sono state trasmesse dai genitori e che sono per così dire « stampate » in ogni cellula del suo corpo, affronta in ogni momento il mondo circostante e cerca di adattarlo alle sue esigenze da un lato, e di adattare se stesso al mondo dall'altro.

Le cose procedono più o meno così: supponiamo per esempio che il piccino abbia fame, che avverta cioè il *bisogno* di mangiare. Questo significa che fra lui e il mondo si è verificato uno stato di *squilibrio,* il quale potrebbe essere espresso nei seguenti termini: troppo latte *fuori* del bambino, e troppo poco latte *nel* bambino. Che cosa farà allora il nostro eroe? Urlerà, si dibatterà, cercherà di mangiarsi le mani, e in vari altri modi esprimerà l'irritazione suscitata in lui da questa situazione di squilibrio. Supponiamo ora che in seguito alle vociferazioni del neonato la mamma accorra e gli dia il poppatoio. Il piccolo divora il latte e si sazia: ha ristabilito l'*equilibrio* fra sé e il mondo.

Ora fate bene attenzione: fino a questo momento lo strillare per fame è stato semplicemente un *istinto*; ma, ripetendosi la medesima situazione diverse volte al giorno, questo istinto si trasforma in *abitudine.* Che cosa vuol dire questo? Vuol dire che mentre in un primo tempo il bimbo si limitava a ristabilire quel certo tipo di equilibrio, fra sé e il mondo, istintivamente, ora tende a ristabilire l'equilibrio per abitudine. Egli è diventato cioè capace di raggiungere *un equilibrio diverso,* un po' più evoluto del precedente.

Così, riuscendo a stabilire fra se stesso e l'ambiente degli equilibri sempre più « perfezionati », il bambino si sviluppa. Perché lo sviluppo è proprio questo: la continua conquista di equilibri sempre nuovi e sempre più progrediti; cioè un *adattamento* continuo di se stesso al mondo e del mondo a se stesso. Naturalmente un tale adattamento sempre più complesso e raffinato si manifesta con un costante perfezionamento dell'attività del bambino, cioè del suo comportamento.

Che cos'è il primo anno di vita

Bisogna dire adesso che nel primo anno di vita questo meraviglioso progredire porta il bimbo da uno stadio psicologico rudimentale, fatto di emozioni confuse ed estremamente generiche, fino alle soglie delle prime forme di intelligenza. E' un balzo veramente prodigioso; che però non viene fissato dalla memoria. Sappiamo dalle ricerche degli studiosi che le cose vanno in questo modo, ma nessuno di noi può ricordare la propria esperienza. Il primo anno di vita, questo stupefacente arco evolutivo che ci porta dal grembo materno alla comparsa dell'intelligenza, è un « vuoto » nella storia di ogni essere umano.

E qui s'impone una riflessione: di questo vuoto, di questo periodo di sviluppo esplosivo destinato a essere cancellato dalla memoria, di questo tempo nel quale può accadere tutto e del quale non si ricorda nulla, la società cerca di impadronirsi per i suoi scopi. La cosa vi sorprende? E allora pensateci un poco: il costume e la tradizione non ci inducono forse a « educare » in un certo modo il bambino già nei suoi primi mesi? e questa « educazione » non è forse orientata secondo criteri stabiliti ancora dal costume e dalla tradizione? e alla base di questi criteri non c'è forse uno scopo preciso?

Sì, lo scopo preciso c'è, ma non è quello che pensiamo noi, non è quello di rendere felici i nostri figli. Lo scopo è un altro: è quello di « fabbricare » individui che corrispondano perfettamente alle esigenze della società, e che quindi non possano mettere in crisi la società stessa; è quello di fabbricare individui non « pericolosi », cioè che non siano capaci di minacciare la stabilità del nostro sistema; è quello di fabbricare individui che non possano mai generare in noi l'angoscia di un cambiamento della condizione umana. Questo è il punto: la società cerca di servirsi del bambino piccolo per difendersi dall'angoscia. E finora ci è riuscita. Non so per quanto tempo ancora ci riuscirà. Questo dipende da voi, da noi genitori, dall'affetto che ci lega ai nostri figli. Se è un affetto vero, autentico, non potremo più prestarci a questo gioco.

1.4. I suoi primi progressi

Peso e statura

Il passaggio dalla clinica alla propria casa rappresenta per il neonato, come abbiamo visto, un cambiamento piuttosto impegnativo. Questo influisce di solito sul suo accrescimento. Perciò, nella prima settimana dopo il vostro ritorno a casa, non aspettatevi grandi progressi nel peso del bambino; è una settimana, potremmo dire, di assestamento. In questo periodo di solito il neonato riguadagna su per giù il peso che aveva al momento del parto. Poi comincerà a crescere regolarmente, di circa centottanta o duecento grammi per settimana.

Quando dico « regolarmente » però, non vorrei essere frainteso: non è affatto necessario che un bimbo cresca di peso *tutte le setti-*

mane, né che cresca ogni settimana *di quel preciso numero di grammi.* Ci sono bambini che aumentano di peso con una puntualità quasi cronometrica, altri che crescono in modo del tutto irregolare e imprevedibile; alcuni guadagnano ogni sette giorni i loro bravi duecento grammi, altri solo centosettanta, altri duecentocinquanta, altri ancora vanno avanti di quattrocento grammi in una settimana e poi restano sul loro peso per dieci o quindici giorni, e così via.

E lo stesso può dirsi per la statura: potete aspettarvi che nel primo mese di vita vostro figlio si allunghi di un paio di centimetri, ma non potete sapere quando e con che ritmo li guadagnerà.

Le sue attività

Nelle prime settimane avrete forse la sensazione che il bambino non sappia fare grandi cose: se ne sta lì, dormicchia, talora con gli occhi semiaperti, oppure piange, o succhia, o fa un po' di smorfie ... e basta. Per la verità le sue imprese più clamorose, come quelle di avviare la respirazione, di intraprendere un'alimentazione vera e propria, di adattare i suoi movimenti all'ambiente esterno, e così via, le ha compiute subito dopo la nascita. Ora sembra che se la prenda comoda e che intenda concedersi un lungo periodo di riposo. Ma non è proprio così: egli è ancora impegnato in un suo sforzo di adattamento, facendo quello che può mediante l'uso del suo sistema nervoso ancora immaturo e incompleto.

Se lo osservate bene, vedrete che ogni atteggiamento in lui è un po' irregolare. Instabile, si direbbe. Dorme, ma spesso non si sa bene se dorma davvero, o se sia in dormiveglia, o se sia sveglio addirittura, tanto il suo sonno appare discontinuo e vario. Respira, ma certe volte si ferma, poi riparte velocissimo, poi fa dei respiri profondi, poi spinge, sternuta, singhiozza, con grande spavento delle nonne (le quali, come è noto, stanno molto attente a queste cose). Mangia, ma alterna momenti di voracità sbalorditiva ad altri in cui sembra non abbia voglia di mandar giù nulla, rigurgita, vomita, sputa, fa ruttini, si scarica sette volte di fila e poi, il giorno dopo, niente. E lo stesso accade per tutte le altre sue attività: sono incostanti, approssimative, confuse.

Ma seguendolo con attenzione si può notare che il suo comportamento diventa poco a poco sempre più preciso col passare dei giorni. Dorme con maggiore regolarità, respira in modo più ritmico, si nutre con maggiore efficienza, i suoi movimenti appaiono meno caotici. Guardate per esempio il vostro bambino subito prima del pasto: si agita e si muove con una notevole intensità. Dopo il pasto invece cade in una specie di sopore e si muove molto meno. Abbiamo motivi per credere che ciò avvenga in quanto il neonato è molto sensibile agli stimoli che provengono dall'interno del suo corpo, come la fame, e in generale lo stato dei suoi visceri. Se questo è vero, la maggior parte dell'attività del bimbo sarebbe prodotta appunto da stimoli interni. Man mano che cresce però, egli diventa sempre più sensibile agli stimoli esterni (luce, rumore, temperatura ambiente, eccetera), e risponde con un'attività sempre maggiore anche a questi. Non solo, ma le sue risposte si fanno sempre più precise: muove gli occhi verso le fonti luminose, risponde a un suono arrestando la sua attività, e così via. In altre parole, percepisce sempre meglio il mondo intorno a lui e va raffinando le proprie capacità di affrontarlo adeguatamente.

L'udito e la vista

Non crediate tuttavia che sappia distinguere la musica di Mozart dal frastuono di un autocarro; egli probabilmente avverte un rumore, e basta. E vi presta attenzione. Ma ciò non toglie che musica e frastuono abbiano verosimilmente su di lui effetti differenti. Per ora la sua risposta al « crescendo » di una sinfonia e quella al baccano di un motore Diesel possono anche apparire identiche; ma non v'è dubbio che a lungo andare i due stimoli acustici produrranno conseguenze assolutamente diverse: positive nel caso della musica, negative nel caso del motore.

Le medesime considerazioni si possono fare per quanto riguarda ciò che il bimbo vede. Come già sappiamo, il bambino appena nato è capace di vedere la luce. Ma già dopo una settimana o poco più egli è in grado di *reagire* alla luce: una luminosità modesta, posta davanti a un neonato di otto o dieci giorni che tenga gli occhi chiusi, provoca l'apertura delle palpebre; se la luce è più violenta accade il contrario, il bambino che abbia gli occhi aperti li chiude; se poi l'illuminazione è molto forte e investe bruscamente il volto del neonato, questi getta il capo all'indietro.

Verso i quindici giorni di età il bimbo mostra di essere attratto dalla fonte luminosa e vi reagisce con segni di benessere: interrompe le sue attività, comincia a succhiare e a salivare, e assume un'espressione di soddisfazione.

Questo è ciò che abbiamo potuto constatare. Se poi il bambino, oltre alla luce e agli oggetti chiaramente illuminati, riesca a percepire anche quelli dotati di una luminosità più modesta, o almeno i colori più vivaci, non sappiamo con certezza; egli si comporta sostanzialmente nello stesso modo in una stanza grigia e in una piena di colori. Ma ancora una volta debbo sottolineare che la povertà e la grossolanità degli stimoli, in questo caso ottici, produrranno conseguenze ben diverse da quelle che si potranno ottenere mediante stimoli ricchi e brillanti. Sembra accertato infatti, o almeno verosimile, che dei bei colori e delle luci adeguate rappresentino già nei primi giorni di vita dei potenti fattori di maturazione della funzione visiva.

Che cosa impara

Il mondo esterno può influire sul neonato anche « insegnandogli » una certa regolarità di vita. Prendiamo gli orari dei pasti, per esempio: può darsi che all'inizio il bambino voglia mangiare ogni due ore, anche di notte, e che dorma per tutto il pomeriggio. Se la mamma avrà un po' di costanza (e anche di coraggio) e cercherà di dargli la poppata ogni tre ore e mezza facendogli saltare quella delle tre del mattino, si accorgerà ben presto che il bimbo poco a poco « impara » il nuovo ritmo.

L'importante, chiaramente, è di non insegnargli un ritmo diverso tutti i giorni: il bambino è pieno, se così si può dire, di buona volontà, è disposto ad accogliere qualsiasi soluzione, ma non si deve approfittare delle sue buone disposizioni. Una volta stabilito un ritmo, o una regola, nell'alimentazione come in qualunque altra cosa, non si deve più cambiare per nessun motivo. Ma su questo ritorneremo in seguito.

Il suo linguaggio

Col passare dei giorni vi accorgerete che, fra le altre cose, il vostro bambino riesce sempre meglio a comunicare con voi. Nel capitolo precedente abbiamo parlato dei diversi tipi di pianto e del loro significato; vedrete ora che il pianto del piccino si fa sempre più « specializzato », più espressivo, e che inoltre il bimbo completa i suoi messaggi con le diverse espressioni del viso: soddisfazione, compiacimento, sazietà, stanchezza, disgusto, collera, dolore, si possono già leggere sul volto di un bambino di un paio di settimane, e anche più piccolo. Questa mimica si fa sempre più ricca col passare del tempo, e spesso è davvero avvincente.

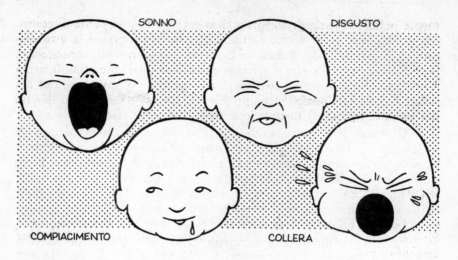

SONNO DISGUSTO

COMPIACIMENTO COLLERA

La sua personalità

Naturalmente tutti questi progressi si verificano per ogni bambino in un certo modo particolare, esclusivamente suo, caratteristico, che dipende dalla personalità del piccino.

Così, per esempio, ci sono neonati che si agitano e si dibattono di continuo con grandissimo impegno, anche quando sono pieni di latte fino agli occhi, e altri che reclamano la loro poppata solo con qualche modesto versetto e che dopo mangiato si addormentano subito placidamente; alcuni fin dai primi giorni saltano in aria a ogni rumore insolito o appena si accende una luce, mentre altri non si scuotono nemmeno con le cannonate; ci sono quelli che si lasciano distrarre da una voce o da una finestra che si apre, e altri che continuano imperterriti nelle loro attività, per esempio succhiare, anche se casca il mondo; ci sono bambini che si adattano con estrema facilità a ogni cosa nuova, come un cambiamento nell'orario dei pasti, il primo bagnetto, la prima passeggiata, eccetera, e altri che resistono strillando irosamente a qualsivoglia tentativo di modificare le loro abitudini; altri ancora di abitudini semplicemente non ne hanno e non ne vogliono avere, o almeno così sembra, e ogni giorno instaurano un nuovo sistema di vita; ci sono infine bambini straordinariamente comunicativi e altri che sembrano vivere in un beato isolamento, apparentemente indifferenti al meschino mondo che li circonda.

Ma tutti, a loro modo, progrediscono secondo le vie che abbiamo visto prima; più o meno speditamente, più o meno pacificamente, più o meno regolarmente, ma progrediscono tutti. Solo bisogna sapere fin da bel principio che chi guida il progresso, chi ne sceglie il ritmo e le modalità, non sono i genitori, ma è il bambino. E solo lui.

1.5. Il mondo dal «suo» punto di vista

L'ambiente

Qual è il mondo che il neonato trova a casa sua? Dipende, naturalmente, dai genitori.

Ci sono delle persone che partono col programma preciso di « educare » il bambino a un funzionamento cronometrico, a comportarsi in un determinato modo già prestabilito, a diventare una specie di macchinetta disciplinata, regolare e « per bene ». Queste persone daranno vita a un ambiente rigido e intollerante, senza concessioni, e soprattutto corrispondente più alle loro pretese e alle loro convinzioni che alle esigenze di un bimbo.

Ci sono poi quelli che accolgono il neonato col terrore di non essere all'altezza del loro compito, con la paura, con l'ansia, se non addirittura con l'angoscia. E costoro non potranno che creare un clima di tensione e di insicurezza che manterrà la loro casa in uno stato di perenne agitazione.

Ci sono quelli che considerano sostanzialmente il bambino come uno strumento per la realizzazione di certi loro progetti, per ottenere una eredità ad esempio, o per mantenere in vita una casata, o per dare alla propria famiglia le dimensioni volute dal costume e dalle tradizioni di quella determinata comunità, o semplicemente per assolvere quello che credono sia un loro dovere: mettere al mondo un figlio. E questi daranno al bimbo un ambiente freddo, distaccato, indifferente, vuoto.

E ci sono anche quelli che il bambino non lo volevano per niente, che lo accettano con rassegnazione, ma che lo tollerano appena, con malcelato rancore e con aperta delusione. E da questi ci si potrà aspettare, nel migliore dei casi, un'atmosfera lacerata dai conflitti, dal senso di colpa, dall'amarezza e dal rimpianto.

Il neonato dunque può anche arrivare in un ambiente negativo, che tende a schiacciarlo, o a turbarlo, o a sfruttarlo, o a respingerlo. Ho voluto esporvi queste diverse situazioni, deplorevoli sotto ogni aspetto, per introdurre un altro concetto: il neonato, in qualche modo misterioso, si accorge benissimo della qualità del clima familiare. Si accorge benissimo di non essere desiderato, o di essere trattato con paura, o con indifferenza, o con intolleranza. Così come si accorge benissimo di essere trattato con amore.

Fortunatamente questo è il caso più frequente. E sappiate che se un bimbo arriva in una casa in cui si è felici della sua nascita, in cui lo si rispetta invece che volerlo educare rigidamente, in cui si pensa innanzitutto alle *sue* esigenze, in cui lo si tratta con tenerezza e non con indifferenza, con serenità e non con paura, con generosità e non con egoismo, se arriva in una casa piena di calore e di letizia, sappiate che quel bambino è già a metà strada nella conquista della felicità.

Il buono e il cattivo

Poniamoci ora una seconda domanda: *come* percepisce il neonato ciò che sta intorno a lui? che cosa significano per lui la presenza e l'affetto della mamma, la soddisfazione dei suoi bisogni, l'essere curato con tenerezza?

Abbiamo visto nel capitolo precedente che il neonato percepisce il mondo e se stesso come una cosa unica. Egli vive in un universo del quale lui stesso fa parte, e che egli avverte come un insieme confuso di luci, ombre, rumori, calore, freddo, morbidezza, disagio, fame, sazietà, immobilità, movimento, sapori, odori, e così via. Questo universo è costituito in realtà, oltre che dal suo piccolo corpo, essenzialmente dal corpo della mamma. Il bimbo non è capace di percepire ciò che è lontano da lui, ma solo ciò che gli sta vicino. E la cosa più vicina è appunto il corpo materno. La presenza della mamma si associa nella mente del bambino alla soddisfazione dei suoi bisogni, e in particolare del suo bisogno di mangiare. La presenza della mamma costituisce pertanto un *piacere,* e il neonato la sente come qualcosa di buono.

Attenzione però: il piccino non sa che si tratta di una persona diversa da lui; si rende conto soltanto che esiste qualcosa di buono che, per quel che lui ne sa, potrebbe anche far parte del suo medesimo organismo. Potremmo chiamare questo qualcosa, per usare un linguaggio psicanalitico, col nome di *fantasma.* La presenza fisica, reale, della mamma, è dunque un *fantasma buono.*

Ora vediamo che cosa succede quando la mamma non c'è. Prima di tutto occorre precisare che per il bambino la scomparsa della mamma dal suo campo visivo equivale a una scomparsa dal mondo, una scomparsa assoluta, una totale e definitiva assenza di quel *bene,* di quel *piacere* che abbiamo appena descritto. Il piccino non sa che la mamma tornerà, che c'è sempre, anche se lui non la vede e non la sente. Egli si rende conto soltanto che nel suo universo il *buono* manca, non c'è più, non esiste.

Supponiamo adesso che si avvicini l'ora della poppata: il neonato ha fame e la mamma non c'è. La fame viene naturalmente sentita come un dispiacere, e questo stimola nel bambino il formarsi di cariche di aggressività contro un mondo che contiene tale dispiacere. Un'aggressività che, essendo scaturita dalla fame-dispiacere, sarà ov-

119

viamente localizzata alla bocca. Ora, questa cosa « cattiva » che è la fame-dispiacere-aggressività, il neonato tenderà a cacciarla *fuori* di sé, come cerca di fare con tutto ciò che è dispiacere, ed essa diventerà pertanto qualcosa di cattivo che sta fuori, e cioè un *fantasma cattivo*. E siccome l'aggressività « mandata fuori » è, come abbiamo visto, una aggressività localizzata alla bocca, ecco che il fantasma cattivo sarà un fantasma con una bocca aggressiva, e cioè un *fantasma divoratore*.

L'assenza della mamma dunque si traduce per il bambino nella angoscia di essere divorato.

Di fronte a questo pericolo il neonato avverte un senso di impotenza, di paralisi: egli non può fare nulla. Si abbandona allora a una reazione di panico generalizzata, urla a squarciagola e con violenza sempre maggiore man mano che il tempo passa, fino a che la sua agitazione diventa esasperata e raggiunge un'intensità massima. A questo punto la stessa violenza della sua collera trasferisce in un certo senso l'impotenza e la paralisi a livello dell'apparato polmonare e blocca la respirazione del piccino, così ch'egli comincia a soffrire di asfissia, cosa che si può agevolmente constatare in quanto il suo volto diventa bluastro, cianotico. E' un momento veramente drammatico per il bambino: la sua stessa paura si è rivolta contro di lui e lo soffoca. Egli viene letteralmente travolto dall'angoscia.

Qui si devono fare due precisazioni: in primo luogo va detto che questa sequenza di pianto, agitazione, arresto del respiro e cianosi, non comporta nessun danno e nessun rischio sul piano puramente fisico. La respirazione è governata da un meccanismo automatico e inarrestabile, per cui quando il bambino raggiunge un certo grado di asfissia (verosimilmente del tutto innocuo) la respirazione si rimette in moto da sola, molto prima che l'organismo possa soffrire per la mancanza di ossigeno.

Sul piano psicologico viceversa queste crisi di angoscia con paralisi sembrano lasciare delle tracce indelebili, che frequentemente emergono dai nostri sogni. Chi non ha mai sognato, per esempio, di non potersi muovere, di non poter fuggire, di essere paralizzato davanti a un pericolo incombente?

Le conquiste sociali

Tutto questo ci dà un'idea abbastanza precisa dell'enorme importanza che la presenza materna ha per il benessere psicologico del bambino. Quando il neonato sta sul petto della mamma e mangia, il suo universo è, per così dire, globalmente buono. Egli mette dentro

di sé il bene, succhiando il latte, e contemporaneamente *entra nel bene,* essendo accolto fra le braccia della mamma. Cioè: la mamma (sotto forma di latte) entra dentro di lui, e lui entra nella mamma (entra fra le sue braccia).

In questo rapporto, così intimo, fra il bambino e la mamma, si verifica una massa di fenomeni che avranno un grandissimo peso nella evoluzione successiva del piccino. Insieme al piacere (di sfamarsi) il neonato sperimenta sensazioni gustative (il sapore del latte), olfattive (il profumo del latte e del corpo materno), visive (il volto della mamma, o meglio, più probabilmente, la luminosità emanata dall'ovale chiaro del volto e dagli occhi), tattili (il petto della mamma sul quale il bimbo appoggia spesso la manina), di benessere generale (l'essere comodamente disteso fra le braccia della mamma); e tale massa di sensazioni diventerà in seguito per il bambino un complesso di punti di riferimento per differenziare, per « staccare » la mamma da se stesso, e quindi se stesso dalla mamma, e infine se stesso dal mondo. Egli si accorgerà cioè a un dato momento che il sapore e il profumo del latte, il sorriso materno, il calore e la morbidezza del corpo della mamma, sono cose che *vengono a lui* da fuori, da un altro essere che è diverso da lui, che *non è lui.* Ma questo succederà fra qualche mese. Per ora sappiate che il tenere in braccio il vostro bimbo serve a preparare questa grandissima conquista.

Il nutrire il bambino, il curarlo, l'abbracciarlo, il farlo addormentare e così via, cioè tutti i contatti con lui imbevuti di affetto e di tenerezza, sono stati giustamente definiti « atti materni ». Il bambino, fin dal momento della nascita, ha un grande bisogno di atti materni, che è come dire di presenza umana, di aiuto, di difesa. E man mano che i rapporti di questo tipo si moltiplicano, egli sempre più e sempre meglio si prepara al momento in cui capirà che la vita può essere vissuta soltanto insieme agli altri uomini. Gli atti materni, in altre parole, preparano il bambino a diventare un membro della comunità umana.

Inoltre, il sentire la presenza materna che elimina i suoi dispiaceri, come la fame, l'immobilità, la solitudine, eccetera, fa nascere nel bimbo una specie di primitiva fiducia nel mondo. Questo senso di fiducia, di sicurezza, di essere protetto, è in fondo *la sua prima conquista sociale,* quella che gli permetterà in seguito di affrontare i dispiaceri e le privazioni, in quanto saprà che alle sue spalle ci sarà sempre qualcuno che lo aiuterà e gli starà vicino.

Ma nel rapporto che si stabilisce fra mamma e bambino in occasione della poppata c'è qualcosa di ancora più profondo e basilare, nel campo delle conquiste sociali. Il bambino, come abbiamo visto, tende a *incorporare* l'oggetto buono; in questo caso la mamma-latte.

Egli, anzi, tende a incorporarlo con tutte le sue facoltà: con la bocca innanzitutto, ma anche con l'odorato, con la vista, col tatto. Egli « assorbe » la mamma attraverso tutto il proprio organismo. Ora, se questa incorporazione si svolge regolarmente, suscitando nel piccino sensazioni di piacere e di benessere, egli imparerà poco a poco l'atteggiamento sociale del *saper prendere,* del *saper ricevere,* che è ovviamente l'anticamera del *saper dare.* L'amore umano, nelle sue varie forme, comincia di qui.

Questo è il momento di fare una precisazione: quando si tratta l'argomento dello sviluppo sociale del bambino, si usano le parole « sociale » e « società » in modo ambiguo. Per noi, « società » significa una comunità retta da leggi e regolamenti e fornita di gerarchie cui è affidato il compito di emanare e di far rispettare queste leggi e questi regolamenti; significa quindi l'esistenza di governanti e di sudditi, o almeno di dirigenti e di dipendenti, e nel caso peggiore di padroni e di servi; significa cioè l'esistenza di alcuni cui spetta comandare e di altri cui spetta obbedire. Per noi, inoltre, « sviluppo sociale » di un individuo vuol dire un progressivo adattarsi dell'individuo stesso alla società, così come è stata or ora definita.

Sia ben chiaro che tutto questo non ha, e non può aver nulla a che fare con lo sviluppo e con le conquiste sociali del bambino. Per un bimbo la società è un insieme di persone legate fra loro da rapporti di forza (non di potere!) o di debolezza, di amore o di paura, di fiducia o di diffidenza, di accettazione o di ripulsa; in nessun caso è una struttura fornita di gerarchie, di leggi, di capi e di gregari. Il bambino, almeno fino al momento in cui quel complesso di violenze e di ricatti che noi chiamiamo educazione non l'ha definitivamente intossicato, non può nemmeno concepire che ci sia qualcuno che comanda e qualcun altro che obbedisce. Egli non ha la minima intenzione di obbedire a nessuno, se non vi è costretto con la forza; e non crede affatto che il papà o chiunque altro abbia il diritto di comandargli una cosa qualunque. Glielo facciamo credere noi; e fra l'altro con l'inganno.

Quando diremo dunque che il bambino è socievole già nei primi attimi della sua vita, che compie delle conquiste sociali, che si socializza, eccetera, non intenderemo mai alludere alla *nostra società,* gerarchica, ingannevole e liberticida, ma alluderemo invece sempre alla *società del bambino,* cioè a quello che il bambino intende per società, e quindi a una comunità umana libera, pulita, leale, e pregiudizialmente basata sull'amore.

1.6. Il suo primo traguardo

All'età di un mese vostro figlio ha raggiunto il suo primo traguardo. Ha imparato ad avere fiducia nell'abbraccio della mamma, e qualche volta la guarda in faccia, almeno per qualche istante, con una espressione che potremmo definire di soddisfazione e di contentezza. Dà l'impressione di sentirsi protetto, sicuro, « a posto ». E il suo volto è capace di esprimere queste sue primitive sensazioni.

Presta attenzione ai suoni, e spesso quando sente un campanello o una musica smette di muoversi e sembra intento ad ascoltare. La voce umana, specie se ha un'intonazione dolce e amorevole, esercita un effetto calmante su di lui. Qualche volta riesce lui stesso a emettere dei suoni, che non sono più il solito pianto, ma che assomigliano un po' a dei gorgheggi, a dei gorgoglii, e che pare siano una specie di « risposta » alle parole che gli vengono rivolte. In conclusione, egli dà tutti i segni di essere *sensibile alla presenza umana* e di apprezzarla.

Per quanto riguarda *le sue attività fisiche,* il bambino presenta ancora delle notevoli limitazioni. In realtà le sue imprese egli le compie soprattutto con la bocca e con gli occhi. Spalanca la bocca per cercare qualcosa da succhiare, fa smorfie, sbadigli, inghiotte, tira fuori la lingua. Con gli occhi riesce a fissare per qualche breve momento un oggetto che gli sia posto davanti, bene in luce, a una piccola distanza, ed è persino in grado di seguirne il movimento purché questo sia lento e non più ampio di qualche centimetro. Altre volte si perde a fissare qualche cosa di grande e luminoso, come una finestra, un soffitto su cui vi sia una macchia di sole, un lampadario acceso.

Con le mani invece non riesce a combinare molto: di solito, quando è tranquillo, le tiene chiuse a pugno. Se è agitato le muove, ma irregolarmente e senza alcuno scopo preciso. Tuttavia, se qualcosa viene messo a contatto delle sue manine, egli le apre, le chiude, e spesso afferra l'oggetto con l'apparente determinazione di non lasciarlo andare più, come dicevamo prima. Comunque, di sua iniziativa non fa alcun tentativo per afferrare qualcosa che sia lontano anche solo pochi centimetri da lui.

Il suo atteggiamento generale è piuttosto uniforme, statico e indifferente. Il bambino, quando è sveglio, se ne sta disteso sul dorso, ma più spesso mezzo girato da una parte, quasi sempre dal medesimo lato. Tiene la testa girata nella stessa direzione, col braccio diritto sotto la guancia e il braccio del lato opposto ripiegato. Se anche voi cercate di metterlo in un'altra posizione, egli prima o dopo ritorna ad assumere la sua posizione di partenza, che è la sua preferita. Il fatto che egli stia quasi sempre girato dallo stesso lato provoca naturalmente una deformazione del cranio, le cui ossa non sono ancora saldate. Niente di male: non resterà con la « testa storta ». Quando il cranio si ossificherà diventerà perfettamente normale. Infine, se lo mettete disteso sulla pancia, è capace di alzare la testa per qualche secondo.

Il suo peso, come abbiamo già visto, alla fine del primo mese di vita è di circa mezzo chilogrammo superiore a quello che aveva alla nascita, e la sua statura è aumentata di due o tre centimetri. Ma, lo ripeto, queste cifre sono puramente indicative: il vostro bambino può essere cresciuto solo di trecento grammi, oppure di ottocento, ed essere perfettamente normale. Il suo corpo in ogni modo comincia ad assumere quella rotondità che sarà caratteristica degli stadi successivi del suo sviluppo.

Questo, più o meno, è vostro figlio all'età di trenta giorni. Ormai non è più un naufrago, sbalordito e confuso, su un continente sconosciuto. Ormai è un esploratore che sta organizzando le sue risorse per partire alla scoperta della vita.

2. PER AIUTARLO BISOGNA CONOSCERLO

Spesso crediamo di conoscerlo, il neonato. Non ci vuole molto, pensiamo; è un esserino tenero e indifeso, forse capace di qualche emozione rudimentale, sia pure, ma sostanzialmente solo un cuccioletto al quale basta dar da mangiare quando ha fame, coccolarlo un po' quando frigna, metterlo a dormire quando ha sonno, pulirlo quando è sporco. E invece più lo guardiamo con attenzione, più cerchiamo di capire le sue manifestazioni, e più ci rendiamo conto che il bimbo è un personaggio indecifrabile e che la sua sensibilità è quanto mai ricca e misteriosa.

2.1. Di che cosa ha bisogno

Ha bisogno di un ambiente sereno

Il bambino sente con sorprendente acutezza la situazione psicologica di chi gli sta vicino, cioè l'umore dei genitori, le loro tensioni, le loro preoccupazioni, il loro stato d'animo. L'ho già detto più volte, ma qui debbo ripeterlo: la prima cosa di cui ha bisogno un neonato, a parte ciò che gli assicura la sopravvivenza, è un ambiente familiare disteso e sereno.

So benissimo che questo discorso è facile da fare e molto meno facile da tradurre in pratica. Noi, tutti noi, viviamo in un mondo tormentato e contraddittorio, pieno di insicurezza, di ingiustizia, di problemi economici, sociali, politici, morali, L'incessante minaccia di conflitti, l'incertezza dell'avvenire, l'alienazione, i grattacapi del lavoro, delle tasse, dei bisogni quotidiani, della salute dei nostri cari, queste e altre innumerevoli angustie ci travagliano da mane a sera, e non di rado da sera a mattina turbando il nostro sonno.

E' facile, oggi, essere « nervosi ». Ma, se vogliamo bene al nostro bimbo, dobbiamo proprio cercare di non esserlo. Un papà che rientri in casa alla sera sopraffatto da un suo fardello di affanni, che grugnisca torvamente poche parole, che non sia capace di sorridere, crea immediatamente un'atmosfera della quale il bambino, per piccolo che sia, risente in modo notevole; così come risente di un clima « elettrico » provocato da una mamma agitata, inquieta, triste o scontenta.

Molte volte poi la causa prima del nervosismo familiare è lo stesso neonato. Non che la colpa sia sua, poveretto. La colpa, semmai, è di un eccessivo zelo dei genitori. Prendiamo l'esempio di un bambino che dorma poco di notte, che strilli per ore con quanto fiato ha in corpo, che sia tendenzialmente un agitato. In un primo tempo i genitori si armano di pazienza, cercano di ottenere con la dolcezza un po' di calma e di regolarità. Ma dopo pochi giorni, di solito, si lasciano prendere dall'irritazione e ricorrono alla maniera forte: applicano orari rigidissimi per le poppate, a un certo momento cacciano il piccolo urlatore a letto e lo lasciano lì a gridare per ore e ore, non lo prendono più in braccio. Così imparerà!, pensano. Invece il bimbo non impara. Alla violenza risponde con la violenza, rifiuta il latte quando glielo danno e sbraita come un pazzo quando non glielo danno, vomita, dorme meno di prima, cade in preda a tremende crisi di collera. I genitori cominciano a non poterne più, e in cuor loro mandano a quel paese l'infame rompiscatole in miniatura che va riducendo la casa a un manicomio. Ma subito dopo sono presi dal rimorso per aver potuto coltivare pensieri così indegni, sono travolti da un senso di colpa, e riprendono tutto daccapo con raddoppiata arrendevolezza. E il ciclo si ripete.

Le cose poi si complicano, e di parecchio, quando l'esasperazione provoca dissensi e conflitti fra mamma e papà: la mamma vorrebbe cullare fra le sue braccia la piccola peste vociferante, il papà vorrebbe invece chiuderla in camera e lasciarcela fin che « gli è passata », o viceversa; uno vorrebbe dargli il poppatoio, anche se non è ancora arrivato il momento giusto, l'altro vuole rispettare l'orario con l'orologio alla mano; uno vuole prenderlo a dormire nel « lettone » dei genitori, l'altro rifiuta fermamente questa soluzione; eccetera eccetera. Le cose vanno poi a finire in reciproche accuse, battibecchi, rancori, porte sbattute, e altre cose che non aiutano certo a rasserenare l'ambiente. E il neonato diventa sempre più nervoso, più agitato, più irregolare nei suoi cicli, più pestifero, più insopportabile.

Bisogna veramente fare in modo di evitare tutto questo: sforzatevi per quanto possibile di lasciare le preoccupazioni fuori dell'uscio di casa vostra; non lasciatevi innervosire se il neonato piange; studiatevi di regolarizzare poco a poco le sue abitudini, senza rigidezze e puntigliose determinazioni; e soprattutto non ostinatevi a voler avere sempre ragione, non discutete aspramente fra voi, ma affrontate insieme i problemi, con spirito di collaborazione e non di polemica. Nell'allevamento di un bambino nessuno ha ragione e nessuno ha torto: l'unico che ha sempre ragione è il bambino stesso, e il compito dei genitori è quello di aiutarsi l'un l'altro a capire le esigenze del loro piccino. E nient'altro che questo.

Ha bisogno di un ambiente «suo»

Della stanza e della culla del neonato abbiamo già parlato (*vedi Capitolo I*). Qui vorrei insistere soltanto su un particolare: non prendete per abitudine il bambino a letto con voi. Capisco che quando un bimbo è molto vivace e irrequieto, e si sveglia venti volte durante la notte, è molto più comodo averlo accanto a sé: non occorre alzarsi per cullarlo o per dargli la camomilla, non c'è bisogno di andare nell'altra stanza per vedere che cosa c'è che non va, non si debbono affrontare passeggiate notturne per la casa allo scopo di mettere in atto le varie manovre calmanti. Ma se fin dai primi tempi date al piccino l'abitudine di dormire con voi, andrete incontro a delle grosse difficoltà, più tardi, per fargliela perdere. Ci sono dei ragazzi di dieci o dodici anni che pretendono ancora di dormire con la mamma e col papà, e io stesso ne conosco parecchi.

Non è un bene. Come vedremo più avanti, ci sono diversi motivi per cui la vita intima dei genitori non deve essere condivisa dal bambino. E poi, proprio come l'adulto, anche il neonato deve avere un *suo* mondo, un mondo privato, e deve imparare a viverci. La tenerezza della mamma, il dolce caldo contatto col corpo materno sono cose indispensabili, ma non è il caso che debbano durare ventiquattr'ore su ventiquattro. Molto meglio affrontare nella prima settimana il disagio di alzarsi e di andare a consolare il bambino, portargli da bere, cambiarlo, eccetera, piuttosto che creare una consuetudine che diventerà sicuramente dannosa.

Anche in questo, però, non siate troppo rigida. Se qualche volta vi porterete il piccino a letto con voi, perché siete troppo stanca, o non vi sentite bene, o per qualsiasi altro motivo, non succederà una sciagura irreparabile. Ciò che importa è non creare un'abitudine. Al limite, se il bambino è molto agitato, sarà preferibile che passiate una notte o due su una poltrona accanto alla sua culla piuttosto che tenerlo sempre a letto con voi.

Ha bisogno di poter dormire tranquillamente

Quel che abbiamo discusso or ora ci porta a parlare di un argomento fra i più scottanti: il sonno del neonato. Ogni mamma vorrebbe che il suo bambino dormisse con un ritmo preciso e immutabile, seguendo puntualmente le lancette dell'orologio, in modo da permetterle di pianificare la sua giornata, di sbrigare con tranquillità le sue faccende, di assumere degli impegni e di poterli rispettare. Ma è ben raro che questo succeda. E' possibile tuttavia arrivare a un ragionevole adattamento bilaterale, accettando le esigenze del piccino da un lato, e favorendo d'altro lato lo stabilirsi di un certo ritmo nel sonno del bambino. Ciò che conta più di ogni altra cosa comunque è di assicurare al neonato un riposo sufficiente, anzi abbondante, e veramente tranquillo. A questo scopo sarà bene che teniate sempre presenti le seguenti regole:

1. perché il bambino dorma bene e placidamente bisogna ch'egli sia in uno stato di completo benessere, che tutti i suoi bisogni siano stati soddisfatti e che non ci sia niente che lo disturba. Egli non può ovviamente riposare davvero se ha fame, o se è bagnato, o se l'ambiente è psicologicamente teso, o se è in una posizione scomoda, o se è turbato per l'assenza della mamma. Perciò, quando vostro figlio ha sonno, stategli accanto, lasciate perdere le discussioni col marito, assicuratevi che il piccino sia a suo agio, che non abbia sete, sorridetegli, parlategli, eventualmente cantategli una ninna nanna. Anche se siete stonata, lui non se ne accorgerà

2. lasciate che il bambino stia nella posizione che preferisce: la posizione migliore è quella sul fianco destro, ma molti neonati si rigirano, si muovono, si mettono a pancia in giù. Non preoccupatevene, non soffocherà. Evitate soltanto di mettergli un cuscino

morbido nel quale egli possa affondare la faccia. Questo sì che può essere pericoloso. Meglio evitare inoltre la posizione supina, perché se il piccino avesse un rigurgito durante il sonno il latte gli ricadrebbe in gola andando a ostruire le vie respiratorie. Ma la paura di questo inconveniente non deve assolutamente indurvi a « fissare » il bimbo in una certa posizione mediante coperte molto tese o altri mezzi costrittivi. Al contrario, il piccolo deve potersi muovere a tutto suo agio, di qua e di là per la culla, in tutti i sensi

3. non fategli patire il caldo. Questo è un punto sul quale non insisterò mai abbastanza: il caldo è un nemico feroce dei bambini. Spesso il neonato non riesce a prendere sonno, è agitatissimo, tormentato dalla sete, sofferente in modo impressionante, solo perché ha una copertina in più. Ricordatevi di quanto abbiamo già detto: se vostro figlio ha le manine calde, o, peggio, se è tutto sudato in testa, vuol dire che la temperatura per lui è troppo alta, o che è troppo coperto, e che ne soffre. Ripeto ancora che le mani di un bimbo che stia bene *debbono essere fresche* (le mamme, solitamente, dicono « gelate »)

4. non fissatevi sugli orari del sonno: ogni bambino ha un suo ritmo, che va rispettato. Naturalmente ci sono anche i neonati che in apparenza di ritmi non ne hanno alcuno, si addormentano e si svegliano nei momenti più impossibili, di giorno e di notte, come se avessero il preciso programma di far impazzire i genitori. Ma questo di solito succede soltanto nei primi giorni; poi, poco a poco, cominciano a seguire una certa regola. Voi potete senz'altro favorire questa tendenza alla regolarizzazione del ciclo del sonno, adottando una serie di piccoli accorgimenti: mantenendo un ragionevole ordine negli orari dei pasti, per esempio, applicando a determinate ore i provvedimenti che ho elencato al punto 1, facendo in modo che in taluni momenti della giornata la casa sia tranquilla e in penombra, facendo al piccolo un bagno caldo che lo rilassi, e così via. Un po' per volta vostro figlio si abituerà ad alternare con una certa puntualità la veglia al sonno. Ma non forzatelo troppo. Se dorme profondamente, non svegliatelo perché è l'ora della poppata; aspettate che si svegli da solo. Sposterete il pasto di una mezz'ora o, nella peggiore delle ipotesi, salterete addirittura una poppata. Non accadrà nulla di male. E non pretendete che dorma in quel preciso momento che secondo voi è quello giusto. Un po' di elasticità ci vuole. Però non esagerate nemmeno nel senso opposto: ogni bambino, dicevamo, ha un suo ritmo, ed è bene che questo ritmo non cambi tutti i giorni. Se vostro figlio, alla sera, si addormenta di solito verso le nove, non occorre che stiate lì col cronometro in mano, ma non dovete

nemmeno metterlo a riposare una volta alle nove, un'altra alle sette e mezza, e un'altra ancora alle undici. Dovrete in altre parole adattare un poco le vostre attività e l'andamento della casa alle abitudini del piccino: se una sera lo cacciate a letto alle sette perché dovete andare a cena fuori con gli amici, e la sera dopo lo tenete in salotto fino alle dieci perché viene la zia Clotilde che vuol vedere il nipotino, non potete poi pretendere che il bimbo segua docilmente un ritmo che voi stessa avete infranto

5. non fissatevi nemmeno sulla *quantità* del sonno. Voi non potete sapere di quante ore di riposo ha bisogno il vostro piccolo. Lui invece lo sa. Si dice che un neonato dorma circa venti ore su ventiquattro, ma questa norma è ben lontana dall'essere generale. Certi neonati sembra che non dormano mai, e stanno altrettanto bene di quelli che dormono come ghiri per tutta la giornata. Voi dovete soltanto rispettare le esigenze del vostro bimbo, favorendo nei limiti del ragionevole un minimo di regolarità degli orari.

Ha bisogno di essere vestito con buon senso e di essere cambiato spesso

Ho già trattato, sia nel primo che nel secondo capitolo, l'argomento del vestiario del neonato. Però c'è un punto che non abbiamo ancora toccato in quanto, fino a questo momento, non era di vostra stretta competenza: *quando* si deve cambiare il bambino? Finora, se vostro figlio è nato in una maternità ci pensavano le puericultrici e le infermiere; se avete partorito in casa vostra, probabilmente se ne occupava vostra madre, o una collaboratrice, o qualcun altro. Ma adesso dovete pensarci voi.

Su questo problema ne sono state dette di tutti i colori: che non si deve cambiare il neonato subito dopo la poppata, altrimenti prende freddo e gli si ferma la digestione; che non si deve cambiarlo quando dorme, altrimenti gli s'interrompe il sonno; che il bagnato non gli fa alcun male, purché il bimbo sia ben coperto e al calduccio; eccetera. In realtà la risposta al vostro interrogativo è molto semplice: il bambino va cambiato, possibilmente, tutte le volte che si sporca o che si bagna. Ha appena mangiato? Non importa, cambiatelo egualmente. Non prenderà freddo al pancino e non gli si fermerà la digestione. Non succederà nulla. Dorme? Ebbene, cambiatelo pure anche in questo caso. Delicatamente, si capisce, senza sballottarlo di qua e di là, sfilandogli di dosso adagio adagio i pannolini. Probabilmente non si sveglierà neppure, se farete le cose con un po' di garbo. E poi lasciatelo pure nudo, fin che si sveglia, riparandolo eventualmente con una copertina. Meglio che sia nudo e all'asciutto piuttosto che vestito e bagnato fino al collo.

A questo proposito, sia ben chiaro che non è affatto vero che il bagnato e lo sporco sono innocui, purché il bambino sia al caldo. I prodotti di rifiuto dell'organismo, feci, urine, sudore, latte eventualmente rigurgitato, sono tutti irritanti per la pelle del neonato, e il loro contatto prolungato è *sempre* dannoso. Perciò cambiate pure il vostro piccolo anche cinquanta volte al giorno, senza paura, e in qualunque momento. Fra l'altro, se lo vestirete come dicevo nei capitoli precedenti, e cioè con pochi e semplici indumenti, l'operazione di cambiarlo sarà facilissima e potrete effettuarla senza quasi muovere il bambino.

Ha bisogno di essere pulito

La pulizia è una grande cosa. Certuni sono convinti ancor oggi che il lavarsi troppo rovini la pelle e « indebolisca » l'organismo, e che questi effetti negativi siano particolarmente temibili nel caso del neonato, il quale ha la pelle delicata e un organismo che pare instabilissimo. Si tratta, com'è chiaro, di una delle tante fandonie che ci vengono ammannite da tradizioni ridicole e perniciose. Nessun neonato ha mai presentato disturbi di alcun genere dovuti alla pulizia. Ma veniamo ai nostri problemi pratici.

Prima di tutto c'è *la questione del funicolo ombelicale*: può darsi che nel momento in cui vi riportate a casa vostro figlio il funicolo si sia già staccato, e può darsi di no. Cominciamo col prendere in considerazione quest'ultimo caso: il funicolo è ancora al suo posto, attaccato all'addome del bambino. Dovrete allora, mattina e sera, avvolgere il funicolo stesso in una falda di garza *sterile* inumidita con alcool denaturato. Ho detto inumidita, e non bagnata, perché l'alcool non dovrebbe per quanto possibile andare a contatto con la pelle dell'addome; e questo per il semplice motivo che l'alcool ha la proprietà di disseccare i tessuti, il che va benissimo per il funicolo (è proprio quello che vogliamo ottenere), ma non va bene affatto per la pelle. Dopo qualche giorno di questo trattamento il funicolo si staccherà da solo. Se, dopo una settimana, è ancora solidamente inserito al suo posto, ditelo al medico, il quale vedrà se sarà il caso di toglierlo o di aspettare (*vedi figura a pag. 136*).

Se invece quando tornate a casa il funicolo è già caduto, dovrete semplicemente pulire la ferita ombelicale con una garza sterile imbevuta di acqua ossigenata (la solita acqua ossigenata a dodici volumi) e quindi cospargervi un po' di Streptosil in polvere. Ripeterete l'ope-

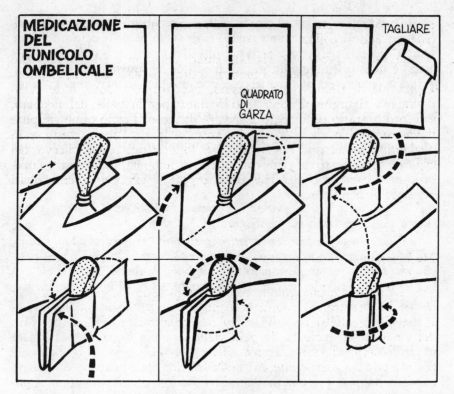

MEDICAZIONE DEL FUNICOLO OMBELICALE

QUADRATO DI GARZA

TAGLIARE

razione un paio di volte al giorno, per sei o sette giorni. Lo stesso farete, ovviamente, anche se il funicolo si stacca dopo il ritorno a casa. In questo periodo pulirete il piccino con batuffoli di ovatta imbevuti di acqua bollita e tiepida. Circa sette giorni dopo la caduta del funicolo la ferita ombelicale può ritenersi cicatrizzata ed è possibile praticare al bambino il bagno vero e proprio, immergendolo nella sua vaschetta.

Il bagno è un'operazione di grande importanza: esso rappresenta infatti un'altra occasione di contatto, di rapporto, di dialogo fra mamma e bambino, e noi sappiamo bene quale sia il significato di questi contatti per il bimbo, e quale la loro influenza sul suo sviluppo. Perciò dedicate al bagno tutto il tempo e l'attenzione di cui potete disporre. Parlerete con vostro figlio, giocherete con lui, riderete, canterete, gli farete sentire che siete lì con lui.

Se appena vi è possibile, fategli il bagno tutti i giorni. Subito, anche se il bambino ha solo pochi giorni di vita. Un bagno quotidiano non gli farà certo del male. E un'altra cosa: non lasciatevi prendere dal timore di « rompere » il piccino. *Il neonato non è affatto fragile.* Lo sembra, ma non lo è. Procurargli delle lesioni, nel corso delle diverse manovre richieste dalle normali cure, è praticamente impossibile.

Il momento migliore per il bagno al bambino è quello che precede l'ultimo o il penultimo pasto, cioè verso le otto o le undici di sera, a seconda delle vostre abitudini e dei vostri impegni. In primo luogo è questo il momento in cui di solito siete meno affaccendata e quindi avete modo di fare le cose con maggior calma: non ci sono pulizie della casa cui dedicarsi, la cena è già pronta o già consumata, non ci sono visite, spese da fare, fattorini, telefonate, eccetera. In secondo luogo il bagno ha per il bambino un effetto rilassante, proprio come per noi adulti, e costituisce quindi un'ottima preparazione a una notte tranquilla e serena. In terzo luogo è facile che a quest'ora sia in casa anche il papà, che potrebbe desiderare di partecipare anche lui all'impresa.

Il locale in cui si svolgerà l'operazione dovrebbe essere abbastanza caldo, diciamo sui venti gradi.

Ricordatevi di *preparare tutto* prima di immergere il bambino nell'acqua. Che non vi succeda di dover poi correre in giro per la casa alla ricerca di un asciugamano col bimbo grondante fra le braccia! Per evitare dimenticanze, rileggetevi ogni tanto il seguente elenco di oggetti necessari per la toeletta di vostro figlio:

☐ una brocca d'acqua calda

☐ una brocca d'acqua fredda

☐ il termometro da bagno

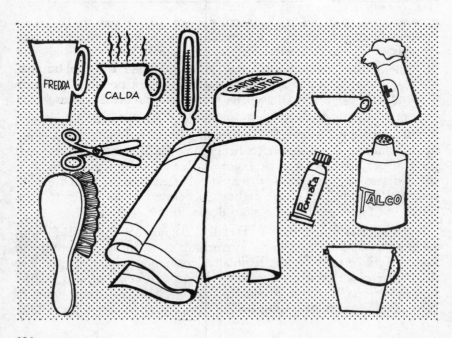

☐ sapone neutro

☐ una tazza d'acqua bollita e tiepida

☐ una spazzola morbida

☐ forbici a punte arrotondate

☐ un asciugamano di spugna grande

☐ un asciugamano di spugna piccolo

☐ il talco

☐ una crema emolliente

☐ cotone

☐ un secchio per il cotone usato e i panni sporchi.

Collocate la vasca in una posizione che sia comoda per voi e sistematela solidamente, che non corra il rischio di rovesciarsi. Riempitela con l'acqua calda mescolata opportunamente a quella fredda. Su un ripiano lì vicino disponete l'asciugamano grande, disteso; su un altro ripiano, sempre a portata di mano, tutti gli altri oggetti che vi servono. Lavatevi bene le mani e cominciate l'opera, seguendo questo schema:

1. controllate la temperatura dell'acqua, che deve essere sui trentotto gradi circa

2. spogliate il bambino

3. immergetelo lentamente, con garbo, in modo che non si spaventi per il brusco contatto con l'acqua, sostenendolo col braccio sinistro, col vostro pollice sopra la sua spalla sinistra e le altre quattro dita sotto l'ascella sinistra; in questo modo la testa del bambino rimarrà appoggiata al vostro avambraccio

4. lavategli il viso con semplice acqua

5. insaponate il resto del corpo

6. lavate e sciacquate

7. se vostro figlio è un maschietto, cercate di tirare un po' indietro, delicatamente, la pelle del pene, per pulirlo bene; se si tratta di una bimba, pulite i genitali dall'avanti all'indietro, per evitare che eventuali germi vengano trasferiti dalla zona anale a quella genitale, provocando pericolose contaminazioni

8. insaponate e lavate la testa

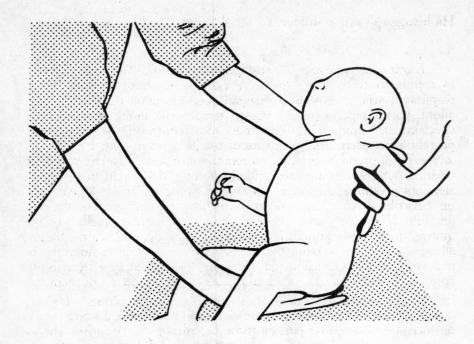

9. togliete il bambino dalla vasca e avvolgetelo nell'asciugamano grande, già pronto lì accanto

10. pulite con batuffolini di cotone le narici, le orecchie e tutte le pieghe della pelle

11. cospargete un po' di talco su tutto il corpo del bimbo per togliere ogni traccia di umidità, indi rimuovetelo con l'asciugamano, specie dalle pieghe della pelle

12. asciugate faccia e testa con l'asciugamano piccolo, tenendo sempre il bimbo avvolto in quello grande

13. stendete un velo sottile di crema emolliente sulle zone di pelle eventualmente arrossate

14. spazzolate i capelli

15. non toccate l'interno della bocca e delle palpebre

16. eventualmente tagliate le unghie.

Ha bisogno di aria e di luce

L'aria non è velenosa (a parte l'inquinamento). D'accordo, questo lo sappiamo tutti, ed è inutile e persino ridicolo il dirlo. Tutti respiriamo aria, e se questa fosse velenosa saremmo tutti morti. Ma allora, vorrei sapere, perché questo terrore che molte mamme (ma specialmente nonne) nutrono nei suoi confronti? « Attenzione, potrebbe prendere aria! », « Chiudi quella finestra, ché c'è aria! », « Non fargli prendere aria, mi raccomando! »; sono frasi che vengono ripetute ogni giorno migliaia, milioni di volte, da eserciti di mamme, zie, nonne, domestiche, balie e fantesche. Come se l'aria fosse davvero un pericolo mortale, una minaccia terrificante, un'insidia delle più temibili. E invece l'aria, proprio l'aria di « fuori », quella che si muove, quella fresca, quella che passa per le strade, fra le case e fra gli alberi, quella che fa tanta paura alle brave tremebonde nonnine, è necessarissima per la salute dei bambini. Voglio dire che i bambini, compreso vostro figlio, debbono essere portati fuori di casa, a passeggio.

A che età un bimbo può cominciare a uscire di casa e a fare la sua passeggiata quotidiana? La risposta è: subito. Sì, proprio subito, quando ha soltanto otto o dieci giorni di vita. Che si debbano aspettare i famosi quaranta giorni è soltanto una leggenda, un'altra delle tante cose prive di senso che ci vengono imposte dalla tradizione. Dunque, appena ve ne sentite la forza, cominciate immediatamente a portare fuori il vostro piccino.

La durata della passeggiata sarà, inutile dirlo, progressivamente maggiore: dieci o quindici minuti il primo giorno, poi sui venti minuti per un altro paio di giorni, poi una mezz'oretta, poi un'ora, e poi sempre più finché potrete star fuori col vostro bimbo quanto vorrete, anche sei o sette ore al giorno o più, nella buona stagione.

L'orario per le vostre uscite lo sceglierete in base al clima esterno: d'estate sceglierete i momenti meno caldi della giornata, il primo mattino o il tardo pomeriggio; d'inverno sfrutterete le ore più tiepide, quelle intorno al mezzogiorno. In poche parole, il bambino dovrebbe essere sempre a suo agio, né soffocato da una temperatura canicolare, né congelato da un clima polare.

Le condizioni del tempo, tuttavia, non debbono praticamente in nessun caso impedirvi di portar fuori il vostro piccino; anche con una temperatura esterna di dieci gradi sotto zero un neonato, ben coperto s'intende, può fare la sua passeggiata. Così come può farla con la neve, con la pioggia, con la nebbia, col sole e senza sole. L'unica cosa alla quale dovrete stare un pochino attenti è il vento forte, non perché sia dannoso in sé per sé, ma in quanto solleva molta polvere che poi viene respirata dal bambino, irrita le sue mucose e può anche essere un veicolo di infezioni.

Il luogo che preferirete per far prendere aria al bimbo sarà ovviamente un luogo in cui ci sia ... aria. Voglio dire una zona in cui l'atmosfera sia il più pulita possibile, senza ciminiere, lontana dal traffico automobilistico, e possibilmente con dei prati, degli alberi, del verde. Se avete la fortuna di abitare in campagna o in un piccolo centro circondato da campi e boschi, ogni problema è risolto in partenza; se abitate in città, la migliore soluzione rimane pur sempre quella dei parchi e dei giardini pubblici.

Se non vi è possibile portare a passeggio vostro figlio, almeno portatelo in giardino, se ne avete uno, e lasciatelo lì a godersi l'aria fresca; oppure portatelo sul terrazzo (non sotto un sole cocente, mi raccomando!), o mettetelo su un balcone, o almeno collocate la sua culla davanti a una finestra spalancata. E' comunque essenziale che, in un modo o nell'altro, il bambino abbia la sua dose di aria aperta ogni giorno. E questo, lo ripeto, vale anche per il neonato.

Ha bisogno di una vita regolata

Abbiamo già visto in diverse occasioni che non si deve mai usare la rigidezza, l'inflessibilità, il puntiglio, nell'allevamento di un bimbo: non si deve costringerlo a mangiare controvoglia solo perché « è l'ora », non si deve pretendere che dorma in quel preciso istante solo perché noi abbiamo deciso così, non si deve trattarlo come un congegno a orologeria. Ma non si deve nemmeno favorire la sregolatezza e la confusione. Il bambino ha bisogno di un certo ordine, o meglio, come ho già detto ripetutamente, di un certo ritmo. Elastico fin che si vuole, adattato alle esigenze della sua personalità, ragionevolmente variabile, ma un ritmo ci vuole. Non gli farete, per esempio, il bagno un giorno al mattino, il giorno dopo alla sera, poi a mezzanotte, e poi niente per due giorni, riprendendo infine a farglielo alle quattro del pomeriggio; non lo porterete a spasso oggi alle sei di sera, domani alle nove del mattino e doman l'altro all'una; non gli darete da mangiare sei volte al giorno per un certo periodo, poi sette, poi cinque, e poi magari otto. Dovrete seguire, se volete · che vostro figlio stia veramente bene, un minimo di regole.

Ecco un esempio di come potrebbe svolgersi la giornata del vostro bambino, poniamo, in primavera:

fra le sei e le sette del mattino: il primo pasto
dalle sette alle nove del mattino: sonnellino
fra le nove e le dieci del mattino: il secondo pasto

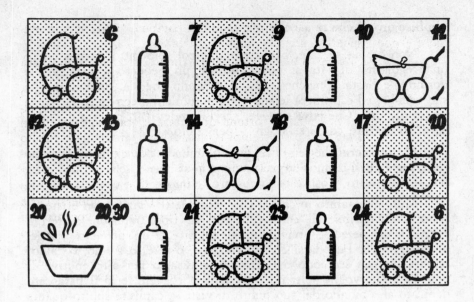

dalle dieci alle dodici: passeggiata (durante la quale in genere il bambino dorme o dormicchia)

fra le dodici e le tredici: in cucina con la mamma che prepara il pranzo e che, lavorando, gli parla; oppure altro sonnellino

fra l'una e le due del pomeriggio: il terzo pasto

dalle due alle quattro: passeggiata

fra le quattro e le cinque: il quarto pasto

dalle cinque alle otto di sera: sonno

alle otto di sera: bagno

fra le otto e mezza e le nove: il quinto pasto

dalle nove alle undici: sonno

fra le undici e mezzanotte: l'ultimo pasto

da mezzanotte alle sei del mattino successivo: sonno.

Naturalmente potrete anticipare tutto di un'ora, se vi pare che questo vada meglio per tutti, o posticipare di mezz'ora, eccetera; ci saranno dei periodi, che secondo il programma sarebbero dedicati al sonno, durante i quali vostro figlio non vorrà saperne di dormire; capiterà il giorno in cui non avrete il tempo per fargli il bagno; si potrà scatenare una bufera che vi impedirà la passeggiata. Ma tutto questo non dovrà mai sconvolgere l'intero ritmo della giornata.

Ha bisogno di essere ascoltato

Non c'è da sperare, beninteso, che col solo fatto di mantenere una regolarità di vita si possa indurre un neonato a mangiare e dormire, e basta. Qualche volta, per buono che sia, darà fiato alle sue trombe, ed esprimerà le sue opinioni ululando con tutto il vigore di cui dispone. Che cosa si deve fare? Prenderlo in braccio e consolarlo? o lasciare che « si sfoghi » per conto suo?

Molti dicono che se si prende un bimbo in braccio tutte le volte che piange gli si danno i « vizi », e che lo si deve lasciare lì dov'è fin che si è stancato. Così, dicono costoro, « imparerà a essere buono ».

Mettiamo subito in chiaro che i cosiddetti « vizi » non esistono. Sono un'invenzione di certi educatori di tipo tradizionale, ferrei, « tutti d'un pezzo », arcigni, e pericolosi. Se un neonato piange, un motivo c'è. Può darsi che abbia fame, o sete, o sonno, o caldo; oppure che sia scomodo o bagnato o a disagio per altri motivi. E può darsi che voglia soltanto compagnia. Se avete letto il paragrafo dedicato al « mondo dal suo punto di vista », capirete subito quanta ragione abbia un bambino a chiedere la presenza della mamma; e vi renderete conto di quali conseguenze sarete responsabile se non risponderete al suo richiamo. Il bambino che chiama e non sente arrivare nessuno, che piange e non ottiene risposta, finisce col perdere la fiducia nel mondo. E il guaio è che la perde *per sempre*.

Certo, lo so benissimo che se a un bimbo non si risponde mai egli prima o dopo si rassegna e rinuncia a lanciare i suoi appelli verso un mondo che, tanto, non lo ascolta. A questo punto, secondo gli educatori di cui dicevo prima, il bambino è diventato « buono ». Cioè sta zitto e non disturba più nessuno. Ma non è diventato buono; ha semplicemente accettato la sconfitta. Francamente, non mi pare un successo di cui ci si possa vantare.

D'altra parte, certe volte il bambino ha davvero bisogno di sfogarsi, di «buttare fuori» col pianto un «fantasma cattivo» che ha dentro di sé. Non si deve perciò impedirgli, a ogni costo, di piangere. Basterà che gli facciate sentire la vostra presenza, che lo accarezziate, che lo prendiate un po' in braccio, che gli parliate. E poi lasciate pure che strepiti a suo piacimento. Dopo esservi assicurata, ovviamente, che il suo pianto non sia causato da qualche dolore o disagio fisico.

In conclusione, direi che la regola deve essere questa: prendete in braccio spesso il vostro bambino, e *non soltanto quando piange*. Se piange apparentemente senza motivo, è probabile che voglia la vostra compagnia, e in tal caso farete bene a dargliela, tutte le volte che vi è possibile. Se questa non gli basta, lasciatelo strillare senza innervosirvi; vuol dire che lui ha bisogno di uno sfogo.

Ha bisogno di una villeggiatura ragionevole

Questo paragrafo è dedicato ai genitori dei bambini che nascono alla fine della primavera o all'inizio dell'estate. Queste mamme e questi papà rimangono di solito estremamente perplessi, per non dire costernati, di fronte al problema della villeggiatura. Dove andare, con un figlio appena nato? Niente paura, non ci sono problemi. Un neonato può benissimo essere portato in alta montagna, o al mare, o in qualunque altro posto. Dovrete soltanto adottare le seguenti precauzioni:

1. se prendete le vostre vacanze nel periodo più caldo dell'estate, date la preferenza alla montagna. Meglio se si tratta di montagna *alta*: millecinquecento o millesettecento metri o più, e comunque, se possibile, sopra i mille

2. se andate al mare, scegliete un luogo con un bel retroterra ricco di vegetazione, ventilato, dove si possa portare il bambino al fresco. E' essenziale che il neonato, al mare come altrove, non soffra il caldo

3. ricordate che il bambino ha bisogno di una settimana circa per abituarsi al nuovo clima, e perciò la vostra permanenza sul luogo prescelto dovrà essere di almeno quindici o venti giorni

4. evitate i luoghi affollati e pieni di automobili

5. non portate in giro continuamente il neonato in automobile. Non gli fa affatto bene. L'aria viziata dell'abitacolo, o al contrario le violente correnti che si stabiliscono fra i finestrini aperti, le vibrazioni della macchina, il rumore, l'immobilità prolungata, i gas di scarico degli altri veicoli, lo sconvolgimento degli orari imposto dalle esigenze di viaggio, son tutte cose che influiscono in modo nettamente negativo sul benessere e sull'equilibrio del neonato.

Ha bisogno di essere difeso contro gli «esperti»

I conoscenti, i parenti e gli amici, dicevo prima, sono spesso per il neonato degli autentici nemici. Ma fra costoro ci sono i meno pericolosi e i più pericolosi. Desidero dedicare qualche considerazione a questi ultimi, a coloro che dovrebbero essere neutralizzati per legge, e ai quali le porte di ogni casa dovrebbero essere inesorabilmente chiuse. Alludo agli « esperti », a quelli che sanno tutto di tutto, ma che sono particolarmente versati nelle scienze pediatriche. Indubbiamente ne conoscete anche voi. Ebbene, vi prego, vi prego vivamente di non tenere mai conto di ciò che vi dicono, per nessun motivo e in nessuna circostanza. Sono degli infaticabili spacciatori di frottole, degli inesauribili fornitori di consigli non richiesti e in generale pazzeschi, degli inarrestabili produttori di dubbi, timori e perplessità.

Tutti questi signori, a sentir loro, hanno un'esperienza enorme, smisurata, che farebbe impallidire d'invidia i pediatri più provveduti; tutti sono possessori in esclusiva di metodi infallibili e di rimedi prodigiosi; tutti sono animati dalla ferma determinazione di aiutarvi. Guardatevene. Su cento cose che vi diranno, almeno novantanove saranno costituite da pregiudizi assurdi, notiziole lette sui rotocalchi e digerite male, superstizioni, idee fisse, sciocchezze insegnate da « medicone » nonagenarie, e altra simile mercanzia.

Il loro repertorio di consigli è vastissimo: vi diranno per esempio che un bambino non può essere portato in montagna a più di ottocento metri (ma perché poi proprio ottocento?), che bisogna tenerlo fasciato fino a quaranta giorni (ma perché poi proprio quaranta?) in quanto « ha la schiena debole », che il vostro latte è troppo grasso, o troppo magro, o « avvelenato », che il tale latte in polvere è « il migliore », che se gli si danno troppe vitamine il bambino diventa « nervoso », che quando grida la colpa è dei vermi che lo soffocano (necessarie, in tal caso, le fregagioni di aglio), che bisogna purgarlo quando si « cambia aria », che non gli si deve toccare la testa perché diventerebbe « scemo », che se non lo fasciate « gli verranno le gambe storte », che se piange gli verrà l'ernia, che se non piange non si dilatano i polmoni, eccetera eccetera.

Ma fin qui siamo ancora nel campo dei pericoli minori: il neonato, per fortuna, è robustissimo, e quasi sempre riesce a mantenersi in buona salute anche se la mamma cede e finisce col mettere in pratica qualcuno dei consigli che le sono stati elargiti. Ben più dannosi degli « esperti in allevamento » sono gli « esperti in educazione ». Questi sono pertinaci, aggressivi, implacabili, sicurissimi di essere i depositari della verità, e numerosissimi. Soltanto loro sanno « come si fa a tirare su un figlio », e guai se non gli date retta! Si offendono, si arrabbiano, si ritengono lesi nella loro dignità. Essi non si limitano a darvi dei consigli; pretendono che voi li seguiate. E sono capaci anche di sorvegliarvi per vedere se avete fatto come vogliono loro. Sono in genere i paladini della « maniera forte », della « disciplina », del « pugno di ferro », e di ogni altra e più sciagurata condotta diseducativa.

Con queste persone, credete, è meglio essere chiari fin da principio: il figlio è vostro, voi ne siete responsabile, e nessun altro all'infuori di voi. Fate capire a questi consiglieri, anche se si tratta di vostra madre o della vostra più cara amica, che non avete nessuna intenzione di abbandonare il destino di vostro figlio nelle loro mani. E che pertanto, su questo argomento, facciano il piacere di togliersi di mezzo. Forse dovrete affrontare qualche dissapore, qualche scontro, qualche rancore. Ma avrete difeso vostro figlio.

2.2. Il latte

Strategia dell'alimentazione

Per un essere in cui l'organo che funziona di più e meglio è la bocca, per un essere la cui psicologia è dominata dal *mettere dentro* di sé il buono (cioè mangiare) e *cacciare fuori* di sé il cattivo (cioè eliminare le feci), per un essere infine il cui piacere più grande è succhiare, evidentemente l'alimentazione ha un'importanza fondamentale. Questa è una delle poche cose del neonato che tutti hanno sempre capito. Ma l'avere compreso questa verità non ha portato, sul piano pratico, all'adozione di una linea di condotta coerente ed eguale per tutti, come ci si potrebbe aspettare: alcuni affermano che se un bambino non è allattato al seno diventerà un criminale, altri sostengono che il latte materno non serve a niente e che conviene senz'altro sostituirlo con i prodotti industriali; c'è chi predica la necessità di orari severissimi per i pasti, e chi consiglia di dar da mangiare al bambino tutte le volte che frigna; per qualcuno bisogna calcolare rigidamente il fabbisogno in calorie di ogni bimbo, e per qualcun altro si deve trascurare completamente il problema di quanto latte occorre al piccino per crescere e stare bene. Si è cercato di risolvere i quesiti dell'alimentazione sulla base di criteri scientifici, di opportunità, di comodità, di tradizione, e persino sulla base di considerazioni moralistiche. Mai sulla base del semplice buon senso. O quasi mai.

Ripetiamolo: solo vostro figlio sa bene ciò che gli occorre, specialmente in questo campo. La vostra parte è quella di aiutarlo. L'alimentazione di un neonato è una cosa veramente troppo importante perché si possa affidarla a delle teorie più o meno giustificate o preconcette.

Per favorire utilmente l'alimentazione di un neonato non occorre molto. Calcoli di calorie, tabelle, grafici e regolamenti non servono. Basterà la vostra sensibilità e un po' di equilibrio. Ci sono, in ogni modo, dei criteri generali da tenere presenti. Assai semplici, del resto. Eccoli:

1. se un bambino cresce normalmente vuol dire che la sua alimentazione va bene

2. non si deve cambiare tipo di alimentazione se non per motivi veramente seri

3. bisogna controllare con una certa attenzione e con costanza le funzioni digestive del bambino (appetito, evacuazioni, eccetera)

4. bisogna seguire i consigli *di una sola persona*, e precisamente del medico che segue il bambino e che ne ha la responsabilità.

Tutto qui. Poco e facile, come vedete. Ed ora entriamo nei dettagli della questione.

Tattica dell'alimentazione: l'allattamento materno

Se avete deciso di allattare al seno il vostro bambino, dovrete cominciare con l'avere una certa cura di voi stessa come produttrice di alimento. *La vostra dieta,* innanzitutto: che sia abbondante (ma non imponetevi di mangiare più di quel che desiderate) e che vi piaccia: carne, pesce, uova, latte, formaggi, verdure fresche o cotte, frutta, minestre asciutte o in brodo, dolci, gelati. Scegliete quello che vi pare, sempre con buon senso. Non potrete, per esempio, mangiare soltanto spaghetti al pomodoro, oppure esclusivamente bistecche. La dieta deve comprendere alimenti di ogni tipo, essere varia e completa. Inoltre, farete bene a evitare ciò che potrebbe nuocervi, come fritture pesanti, insaccati in eccessiva quantità, intingoli elaborati, e così via, nonché tutti quei cibi che possono dare al latte un sapore sgradevole per il bambino (cavoli, asparagi, verze, aglio, eccetera). Té e caffè in modesta quantità e preferibilmente non alla sera, liquori in dosi molto limitate. Succhi di frutta e bevande analcooliche in abbondanza. Vino e birra in quantità normali.

E *il fumo?* Ebbene, se potete, fatene a meno. Ma se proprio non ce la fate, cercate almeno di non superare le cinque o sei sigarette al giorno.

Il sonno e la tranquillità sono comunque le cose di cui avete più bisogno. Ne ho parlato ormai a sazietà, e non voglio ripetermi ancora.

Sugli *orari delle poppate* dovreste già sapere tutto. Se ben ricordate ne abbiamo parlato nel capitolo precedente. Un orario indicativo potrebbe essere il seguente:

6 - 9.30 - 13 - 16.30 - 20 - 23.30

con una tolleranza di una mezz'ora in più o in meno sul momento previsto per ciascun pasto. Badate che l'intervallo di tre ore o tre ore e mezza fra un pasto e l'altro ha un senso, non è stato messo lì a caso. E il senso è questo: che lo stomaco del bambino ha bisogno di un periodo di tempo variante fra le due e le tre ore per svuotarsi. Se la mamma, terrorizzata dall'ipotesi che il piccolo « muoia di fame », si lascerà andare a un'alimentazione del tutto sregolata, potrebbe succedere questo: dopo due ore e mezza o tre dall'inizio del pasto il bambino comincia ad avvertire nuovamente la fame e, spesso, lo manifesta piangendo. La mamma entra in istato di allarme e anticipa il pasto di mezz'ora o un'ora. Naturalmente la poppata sarà meno abbondante del solito, perché il piccolo *comincia* appena ad avere fame e si sazierà con una razione relativamente più piccola di quella abituale. Questo significa che dopo un paio d'ore, o anche meno, avrà fame di nuovo. Così i pasti andranno progressivamente avvicinandosi l'uno all'altro e diventeranno sempre più piccoli, finché il bambino sarà continuamente agitato da un senso di disagio, cercherà di succhiare senza interruzione, senza per altro riuscire mai a fare un pasto vero e proprio, il suo stomaco privo di riposo potrà andare incontro a fenomeni irritativi, e l'insufficiente svuotamento del seno materno porterà a una diminuzione della secrezione lattea. Non di rado la faccenda culmina in una gastroenterite, contro la quale si dovrà poi combattere in condizioni tutt'altro che ideali per la contemporanea cessazione della produzione di latte da parte della mamma.

Qui bisogna chiarire l'equivoco del cosiddetto "allattamento a richiesta". Alcuni hanno affermato categoricamente che il bambino ha il bisogno, e il diritto, di mangiare quando vuole. Giusto. Però bisogna sapere quand'è che vuole. Dato che l'unico segnale percepito dall'adulto è il pianto, si dà per scontato che quando il bambino piange vuole mangiare. Infatti, la mamma lo attacca al seno e lui succhia. Magari per un minuto o due, ma succhia. Poi piange di nuovo e succhia ancora. Forse non ne ricava niente, perché di latte non ce n'è più. Quindi continua ad alternare furibondi succhiamenti a proteste sempre più clamorose. Si rientra nella sequenza che ho descritto sopra. Alla fine il bambino, esausto, si addormenta. Ma può anche darsi che il piccolo piangesse perché aveva caldo, o sonno, o un piccolo fastidio alla gamba destra, o qualcos'altro, e niente affatto per la fame. Però la Legge dell'Allattamento a Richiesta è ferrea: se piange, occorre cacciargli il capezzolo in bocca. La cieca obbedienza a questa Legge, lo ripeto, può portare a conseguenze anche gravi. Il rispetto per il bambino è qualcosa di irrinunciabile. Ma il rispetto per le Teorie che riguardano il bambino è una faccenda diversa, e non di rado pericolosa. E' vero che la "natura", o chi per essa, spesso interviene e riesce a neutralizzare certe imprese maniacali dei teorizzatori, cosicché non si verificano grandi danni. Ma non sempre. Qualche volta i danni ci sono, e qualche volta sono molto seri. Ricordo un bambino di otto mesi, allattato dalla madre "a richiesta", che pesava quattro chili e mezzo. Veramente ridotto male. Anche perché la povera donna non aveva più latte. Ma qualche fiero sostenitore dell'allattamento a richiesta e del divezzamento tardivo ("non prima dell'anno!") l'aveva convinta a non dare null'altro al figlio, oltre al seno. Vuoto.

Credo che la tattica più ragionevole sia questa: *meglio una poppata in meno che una poppata in più.* Che il neonato muoia di fame, o comunque soffra realmente per aver saltato un pasto (o anche due), è senz'altro da escludere. Ma è invece sommamente probabile che « paghi », e anche salato, un pasto in più: nel migliore dei casi potrà cavarsela con un paio di giorni di malessere, di inappetenza e di irritazione, nel peggiore cadrà in preda a un disturbo intestinale vero e proprio.

E veniamo a un altro problema che spesso agita i genitori: *quanto deve mangiare per poppata?* E' bene dire subito che non ci sono regole fisse e inderogabili. Anche per il neonato, come per noi, la razione « ideale » per l'equilibrio dell'organismo può essere considerevolmente diversa da caso a caso. Ecco in ogni modo, anche per questo argomento, una tabella *indicativa.* Ripeto: indicativa. Che vuol dire che non è una regola da rispettare, ma semplicemente l'indicazione di una media intorno alla quale si aggira la maggioranza dei neonati. Eccola:

in quarta-quinta giornata di vita	30-50 grammi per pasto
a una settimana	60-80 grammi per pasto
a un mese	100-120 grammi per pasto

Naturalmente ci sono bambini, perfettamente sani, che crescono benissimo con razioni inferiori, e altri che richiedono molto di più. In generale, se avete latte a sufficienza, è buona norma badare più alla *durata* del pasto che alla *quantità* di latte succhiata dal bambino. Il lattante infatti ingerisce di solito la sua razione nei primi dieci o venti minuti; poi gioca col capezzolo, dormicchia, si trastulla. La poppata non dovrebbe dunque superare mai la mezz'ora, compresi i « riposini », i « ruttini », e tutte le altre cerimonie.

E se avesse mangiato troppo poco? Non preoccupatevi, mangerà di più al pasto successivo e i conti torneranno. In questo dovrete poprio lasciare che il piccino si regoli completamente da solo!

Tutto ciò, ripeto, se avete latte a sufficienza. Ma se dopo pochi minuti dall'inizio della poppata il bambino si stacca dal vostro seno e piange; se alla spremitura della mammella, dopo che il piccino ha succhiato solo per pochi minuti, non esce più latte; se vi « sentite il petto vuoto »; allora vuol dire che di latte ne avete troppo poco e si impongono altri provvedimenti.

Ma, se tutto va bene, ecco un'altra regola generale: *tenetelo al seno per non più di mezz'ora e lasciate che mangi quello che vuole*. Se volete controllare con la « doppia pesata » (pesando cioè il bambino, esattamente nelle stesse condizioni, subito prima e subito dopo la poppata) la quantità di latte che ha succhiato, fatelo; ma basterà farlo di tanto in tanto, appunto come controllo.

E veniamo al problema della *qualità del vostro latte*. Spesso la mamma si chiede: sarà buono il mio latte, sarà nutriente, andrà bene per il mio bambino? Sì, andrà benissimo. Di solito questo dubbio è assolutamente infondato. A parte certi casi particolari, il latte materno va sempre bene. Sarà qualche volta un po' troppo grasso, può darsi, oppure un po' troppo magro, ma questo non altera per nulla le sue qualità essenziali, né rappresenta un vero problema dal punto di vista alimentare. Basterà, come vedremo, integrarlo con piccole quantità di speciali prodotti.

Tattica dell'alimentazione l'allattamento artificiale e misto

Come abbiamo visto nella prima parte di questo capitolo, il latte e il corpo della mamma, e specialmente il seno, rappresentano per il bambino *il buono* del mondo. Ora, se per un qualunque motivo, non potrete dare il vostro latte al neonato, dovrete comunque dargli il vostro corpo. Questo significa che, quando lo nutrirete col poppatoio, dovrete tenerlo in braccio esattamente come se lo nutriste al seno, dovrete fargli sentire il vostro calore, il vostro affetto, la vostra presenza fisica. L'ultima cosa da fare è di affidare a qualcun altro il compito di dar da mangiare a vostro figlio. Qualsiasi altra cosa, ma non questa. *Il bambino ha bisogno di essere nutrito dalla mamma*; al seno o col poppatoio, ma dalla mamma.

La scelta del latte per il vostro bimbo costituisce invece un problema di dimensioni abbastanza modeste. Praticamente tutti i latti in commercio possono andare bene, se impiegati con una certa cautela e con buon senso. Ma, a seconda delle esigenze di vostro figlio, un certo tipo di latte può essere più indicato di un altro. Sarà comunque un'ottima cosa se lascerete al pediatra la responsabilità di una decisione. Dopo tutto, fa parte del suo mestiere. L'amica che vuole a tutti i costi convincervi a usare quel tale prodotto, col quale « ha tirato su tre figli grandi e grossi », non può sapere se il vostro piccino ha gli stessi bisogni dei suoi tre campioni, e non può nemmeno sapere se per caso vostro figlio non abbia la necessità di

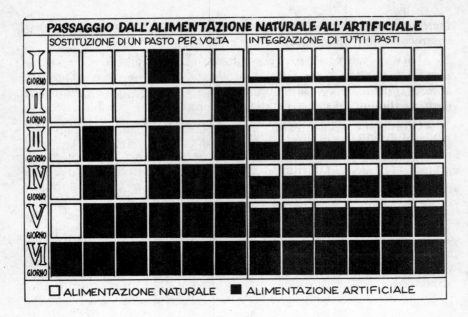

PASSAGGIO DALL'ALIMENTAZIONE NATURALE ALL'ARTIFICIALE

SOSTITUZIONE DI UN PASTO PER VOLTA · INTEGRAZIONE DI TUTTI I PASTI

□ ALIMENTAZIONE NATURALE ■ ALIMENTAZIONE ARTIFICIALE

un'alimentazione un po' più ricca in proteine, o in grassi, o in particolari sostanze delle quali probabilmente ignora persino l'esistenza. Affidatevi perciò al pediatra, e seguitene con cura le istruzioni.

Può accadere che non possiate consultare subito un pediatra, per esempio perché siete in villeggiatura in un luogo isolato, proprio nel momento in cui dovete iniziare un allattamento artificiale. Supponiamo che da un giorno all'altro il vostro latte, che fino a ieri abbondava, venga a mancare; oppure che vi ammaliate e che dobbiate sospendere l'allattamento; oppure che il latte ci sia, ma non in quantità sufficiente per la voracità sempre crescente del vostro piccolo ma gagliardo mangiatore. Il pediatra non c'è, o almeno non c'è *quel* pediatra che voi preferireste consultare. Ecco, anche per questo caso c'è una regola generale: *il passaggio da un tipo di alimentazione a un altro va attuato gradatamente.*

Prendiamo il caso che dicevo prima, che da un giorno all'altro il vostro latte diminuisca tanto da bastare sì e no per un paio di poppate. La tentazione sarebbe quella di sostituire senz'altro il vostro latte con quello artificiale in tutti i pasti ai quali non potete far fronte col vostro seno. Invece no; comincerete, in base alla regola generale della gradualità, a somministrare al neonato *un pasto*, e uno soltanto, di artificiale. Altri due li prenderà da voi, e altri tre saranno costituiti, per il primo giorno « di emergenza », da semplice té leggero o acqua bollita o camomilla. Ogni giorno gli darete poi un pasto di artificiale in più, fin che passerà a quattro di latte in polvere e due di latte materno, o addirittura a sei di latte in polvere se nel frattempo il vostro latte se n'è andato del tutto.

Un altro modo di affrontare la situazione è quello di dare, a ogni pasto, se possibile, un po' di latte materno e poi un po' di artificiale, aumentando un poco per volta quest'ultimo man mano che il latte naturale diminuisce.

Così come aumenterete gradualmente la quantità di latte in polvere, ne aumenterete gradualmente anche la *concentrazione*. Non partite subito con la concentrazione massima prevista per quel determinato tipo di prodotto; partite con la minima, per esempio mezzo misurino su cento grammi d'acqua, e poi aumentate di un mezzo misurino ogni giorno o due fino a raggiungere la densità prescritta.

E' inutile dire che mentre sono in corso queste operazioni di sostituzione del latte occorre *sorvegliare le funzioni digestive* del bambino con particolare cura: una evidente diminuzione dell'appetito, un rigurgito che si fa sempre più frequente, o sempre più abbondante, un numero eccessivo di scariche o un cambiamento « in peggio » del loro aspetto (feci semiliquide, grumose, verdastre, schiumose o mucose), un arresto dell'accrescimento di peso, sono altrettanti segni che qualcosa non va. Se i disturbi sono modesti, basterà fermarsi al punto in cui si è arrivati e aspettare che tutto ritorni normale prima di riprendere ad aumentare le dosi; ma se le cose sono più serie può darsi che si debba tornare indietro e cominciare tutto daccapo.

Per quanto riguarda la *quantità di latte* per poppata, non posso che ripetere quanto ho detto a proposito dell'allattamento materno: lasciate che vostro figlio mangi quanto vuole. Purché, beninteso, le sue funzioni digestive siano regolari.

E adesso alcuni dettagli pratici:

1. *il poppatoio*: dev'essere di una forma tale che ne permetta una perfetta pulizia. Prima di usarlo ricordatevi sempre di sterilizzarlo mediante le apposite soluzioni disinfettanti in commercio o mediante bollitura. Lo stesso dicasi per la tettarella. Quest'ultima deve essere forata in modo che il flusso del latte non sia troppo abbondante (il bambino sarebbe indotto a mangiare troppo rapidamente, nel suo stomaco si formerebbe più facilmente una grossa bolla d'aria, e il tutto potrebbe concludersi con un bel vomito), ma che non sia neppure troppo scarso (il bambino farebbe troppa fatica, e finirebbe col mangiare meno del dovuto). Poppatoio e tettarella debbono essere subito e accuratamente lavati dopo l'uso, e conservarti al riparo dalla polvere

2. *il latte in polvere*: ricordate che il latte in polvere, dopo aperto il barattolo, non può essere conservato per un tempo superiore ai

dieci o quindici giorni. Conservatelo in luogo fresco, asciutto e riparato

3. *la preparazione del latte*: il latte va stemperato con cura in acqua bollita e tiepida. Se volete, potete preparare due o tre poppatoi per volta, conservarli in ghiacciaia (per non più di dieci ore circa) e scaldarli a bagnomaria al momento dell'uso

4. *la somministrazione del latte*: tenete il bambino in posizione semiseduta e porgetegli il poppatoio inclinato col fondo verso l'alto e la tettarella verso il basso, in modo che la tettarella stessa sia sempre piena di latte. Eviterete così che il bambino ingerisca una eccessiva quantità d'aria durante il pasto.

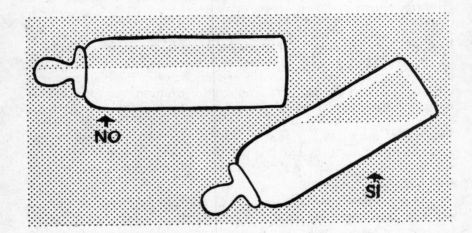

2.3. La sicurezza

Controllate la sua salute

Per avere la sicurezza che il vostro bambino sta bene non è necessario che vi rivolgiate ogni giorno al pediatra. Anche il parere del medico ha il suo peso, come vedremo, ma il dato più importante vi sarà fornito dalla constatazione di un normale sviluppo del bimbo, sviluppo che voi potrete benissimo seguire e controllare senza l'aiuto di nessuno. Tutto sommato, le cose essenziali da controllare sono poche, e di facile rilievo. Ve le elencherò qui di seguito.

Innanzitutto il *comportamento* del bambino. Ogni neonato, e ne abbiamo già parlato, ha un suo speciale modo di vivere, potremmo dire « un suo stile ». Se dorme come al solito, si muove come al solito, piange come al solito, mangia come al solito, passa le giornate più o meno coi suoi ritmi abituali, ciò significa che tutto funziona regolarmente.

Poi l'*appetito*. Non è il caso di pretendere che tutti i giorni, e ogni giorno a tutti i pasti, il bambino mangi nello stesso modo. Delle variazioni nella sua voglia di nutrirsi è normale che ci siano. Ma se notate una evidente e duratura diminuzione dell'appetito, allora sarà bene cercarne la causa. Se invece la mancanza di appetito si verifica solo di tanto in tanto, occasionalmente, la cosa non ha alcun significato allarmante.

Le *funzioni intestinali* costituiscono un indice piuttosto valido della salute di un neonato. Per interpretarlo correttamente bisogna tuttavia tenere presente un particolare: con l'allattamento artificiale l'intestino, per quanto possa sembrare strano, funziona di solito più regolarmente che con l'allattamento al seno. Un bambino alimentato con latte in polvere si scarica generalmente due o tre volte al giorno, con feci omogenee e consistenti, mentre uno alimentato al seno può presentare anche sei o sette scariche, spesso semiliquide. L'essenziale, comunque, è che l'intestino funzioni sempre nello stesso modo. Ci sono neonati che si scaricano anche una sola volta ogni quattro o cinque giorni, e altri che si scaricano quattro o cinque volte al giorno. Gli uni e gli altri stanno benone purché continuino col loro « sistema ». Così, se un bimbo che di norma evacua, mettiamo, due volte al giorno, d'improvviso comincia a scaricarsi sei o sette volte, è chiaro che qualcosa non va.

Una cosa che di solito si trascura di fare, e che invece è utilissima per valutare la funzione intestinale, è il controllo della *reazione delle feci*. Si tratta di una manovra estremamente semplice: acquistate in farmacia un rotolino di *carta al tornasole azzurra* e, tutte le volte che il bimbo si scarica, schiacciate un pezzetto di questa carta in mezzo alle feci. Se la carta diventa rossa vuol dire che il contenuto intestinale è acido, se resta più o meno dello stesso colore che aveva prima vuol dire che è neutro o alcalino. Questo dato sarà molto utile al pediatra per regolare l'alimentazione.

La *statura* del bambino non è invece un dato di importanza fondamentale. Tuttavia, in certi casi può essere utile conoscerlo. Il sistema più semplice per misurare il bambino è questo: stendetelo supino su un tavolo, tenendo la testa con una mano e la gambe con l'altra in modo che il piccino sia ben diritto. Subito un'altra persona collocherà un oggetto, per esempio un libro, a contatto della sommità del cranio del bambino, e un altro a contatto della pianta dei piedi. Togliete il bimbo e misurate la distanza fra i due oggetti.

Se la statura non è molto importante, lo è invece il *peso*. Si può affermare senz'altro che il peso dice tutto, o quasi tutto, sulla salute di un bambino. Se vostro figlio cresce regolarmente, ci sono novecentonovantanove probabilità su mille che tutto sia a posto; se non cresce, sicuramente qualcosa fuori posto c'è. Il controllo del peso deve essere effettuato in questo modo:

☐ una volta alla settimana

☐ sempre nello stesso giorno

☐ sempre alla medesima ora

☐ sempre col bambino a digiuno (cioè subito prima di una poppata)

☐ sempre sulla stessa bilancia

☐ sempre col bambino completamente nudo.

Molti, per il solito timore che il piccino « prenda freddo », lo pesano completamente vestito e poi « fanno la tara ». E' un sistema sbagliato. Anche se i vestiti fossero esattamente eguali in occasione dei due controlli, il loro peso potrebbe essere diverso; i tessuti infatti, come è noto, cambiano il loro peso in rapporto all'umidità dell'atmosfera. Quindi, niente « tare ». Pesate il bimbo nudo, in modo da essere sicura del fatto vostro.

La *temperatura* del bambino rappresenta un dato interessante, ma solo nel caso che qualche particolare fenomeno vi faccia pensare che il piccolo non stia bene. Altrimenti è inutile. Se ritenete di doverla misurare, procedete nel seguente modo:

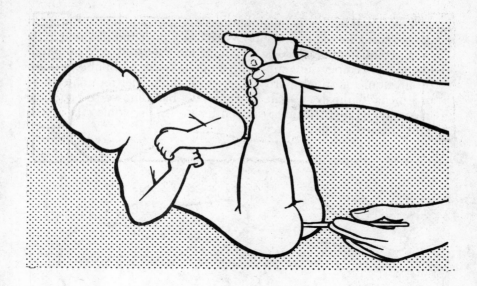

1. prendete un termometro « prismatico » (lo si può acquistare in farmacia o in un negozio di articoli sanitari; se non ne avete uno sottomano, e non vi è possibile al momento andarlo a comperare, e se pensate d'altra parte di dover conoscere subito la temperatura del bambino, potete anche usare un termometro comune, ma con precauzione, perché il bulbo contenente il mercurio ha l'estremità più acuta ed è più fragile); tenetelo solidamente fra l'indice e il medio della mano e scuotetelo con energia fin che la colonnina di mercurio è scesa sui 34°-34°5

2. stendete il bambino sulla schiena, sopra un piano rigido, e con la mano sinistra prendetegli le caviglie alzandogli le gambe quasi ad angolo retto

3. con la mano destra immergete il bulbo del termometro nella vasellina, e poi introducetelo delicatamente nel retto del bambino (introducete solo il bulbo contenete il mercurio)

4. lasciate andare il termometro e stringetegli attorno le natiche del bambino, sempre con grande delicatezza

5. aspettate un minuto circa

6. togliete il termometro e leggete la temperatura segnata dal mercurio. Questo è il dato che dovrete riferire al medico, senza togliere nulla (in genere alla temperatura rettale la mamma sottrae cinque decimi di grado: è sbagliato!), ma ricordatevi di dire che si tratta di temperatura rettale

7. se il bambino ha dei disturbi intestinali sarà meglio non misurare la temperatura rettale, sia per non irritargli l'intestino, sia perché le mucose infiammate dello stesso intestino vi darebbero probabilmente una temperatura superiore a quella reale del bimbo. In caso di affezioni intestinali perciò, mettete il bulbo del termometro in una piega inguinale, piegate la gamba del bambino verso l'addome in modo che il termometro sia ben fissato fra l'addome e la coscia, e aspettate due minuti circa

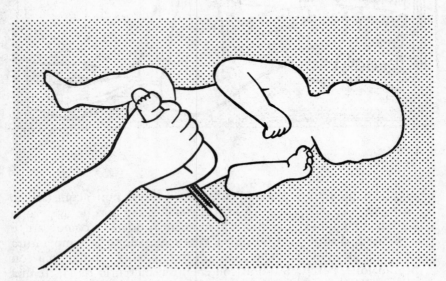

8. le ore migliori per misurare la temperatura a un bambino piccolo sono le dieci del mattino, le tre del pomeriggio e le sette di sera.

Tutti questi controlli serviranno a poco o a niente se non ricorderete di *scriverli*. Vi suggerirei di tenere un quaderno, sul quale segnerete la data, le vostre osservazioni e i dati che avrete rilevato. Sarà utilissimo per il dottore, in occasione del suo periodico controllo del bambino.

Fatelo controllare dal pediatra

Se avete partorito in clinica o in ospedale è probabile che il vostro bambino sia già stato controllato almeno una volta dal dottore prima del vostro ritorno a casa. Se tutto va bene sarà sufficiente un'altra visita quando il piccino avrà un mese circa. A seconda delle sue abitudini, il pediatra verrà lui stesso a casa vostra oppure vi pregherà di portargli il bambino nel suo studio.

Data: Ora:

Quantità di latte:

Comportamento:

Digestione:

Numero scariche:

Reazione scariche:

Vomiti:

Rigurgiti:

Appetito:

Data	Peso	Statura	Temper.

Questo controllo all'età di un mese è molto importante: si tratta di vedere se il bimbo si è avviato bene, di valutare i suoi primi progressi, di programmare l'alimentazione per il mese successivo, eventualmente di cominciare un trattamento vitaminico, e di risolvere tutti i problemi che potessero essere sorti durante le prime settimane.

Perché la visita del medico si svolga regolarmente e con efficienza è necessaria la vostra collaborazione. Ecco ciò che dovrete (o che non dovrete) fare:

1. ricordate di avere sottomano il vostro quaderno con tutti i dati relativi a vostro figlio; al medico interessano in particolar modo queste notizie: l'età precisa del bambino (non ditegli la data di nascita soltanto, costringendolo a fare il conto, ditegli addirittura l'età esatta in giorni), il peso alla nascita, gli aumenti settimanali di peso, il peso attuale, il numero e gli orari dei pasti, che latte prende (materno o artificiale, e che tipo di artificiale), quanto ne prende per poppata, quante volte si scarica in un giorno, come sono le feci, se presenta disturbi particolari

2. scrivete su un foglietto a parte tutte le domande che intendete rivolgere al medico, man mano che vi vengono in mente, altrimenti di certo dimenticherete qualcosa, e forse qualcosa di importante

3. quando riferite al medico le notizie sul bambino e i suoi eventuali disturbi, cercate di essere chiara e concisa: al dottore importa molto sapere che, mettiamo, la tosse del vostro piccino è comincia-

ta due giorni fa, ma non gli importa nulla di essere informato che è cominciata mentre andavate a trovare la nonna, la quale abita in un paese della bassa padana, perché è vostra abitudine andarla a trovare tutte le settimane povera vecchia, e voi dicevate che quel giorno non era il caso perché il cielo minacciava, ma vostro marito ha tanto insistito, e del resto pareva che schiarisse, e poi come si fa a contraddire quel poveruomo che lavora come un negro, e anche la nonna ci teneva tanto, e allora si è deciso di andare che erano le quattro del pomeriggio, eccetera eccetera. Un medico, di solito, ha poco tempo; e quel poco deve dedicarlo interamente a vostro figlio, e non a un corso di aggiornamento sulle consuetudini dei vostri parenti o sulle manie di vostro marito

4. se il medico ve lo chiede, spogliate il bambino senza paura; per visitarlo bene bisogna vederlo, e non avere davanti un fagotto di panni e camicine

5. eseguite con esattezza le istruzioni del medico durante la visita; egli vi insegnerà il modo migliore per reggere il piccolo, in modo da rendere il più possibile completa e soddisfacente l'esplorazione dei vari organi

6. durante la visita cercate di non parlare; le domande fatele prima o rimandatele a dopo. E non intervenire in alcun modo per far stare zitto il bambino: credete, per un pediatra che si concentra nel tentativo, non sempre di facile successo, di ascoltare il cuore di un neonato urlante, non c'è nulla di peggio che sentire sullo sfondo le vociferazioni di persone che cercano invano di indurre il piccolo cliente a smettere la sua rumorosa protesta. Cominciate con lo stare zitta voi. E' già molto. Per il resto lasciate che se la sbrighi il dottore

7. sia che la visita si svolga nello studio del medico, sia che venga praticata in casa vostra, fate in modo che non siano presenti persone inutili, e in particolare che non ci siano altri bambini. Per un controllo veramente accurato c'è bisogno di calma, silenzio e tranquillità: un fratellino più grande che vada in giro toccando tutto, o una nonna che continui a fare dei tentativi per ricoprire il neonato mentre il medico lo sta visitando, o un'amica che voglia a ogni costo dire la sua, o chiunque altro all'infuori dei genitori, non fa che disturbare il pediatra e rendere tutto più difficile

8. se la visita si svolge in casa vostra, preparate tutto l'occorrente prima che il medico arrivi, così da non costringerlo a starsene lì, piantato su una seggiola, mentre voi sfaccendate di qua e di là. Le cose più importanti alle quali dovrete provvedere sono:

- [ ] un piano rigido (un tavolo, una scrivania, un fasciatoio) collocato dove la luce è migliore e coperto con un asciugamano di spugna
- [ ] un cucchiaino da frutta a manico largo, ben pulito, per l'esplorazione della gola
- [ ] un termometro
- [ ] una scatoletta di vasellina
- [ ] cotone
- [ ] alcool
- [ ] una lampadina tascabile.

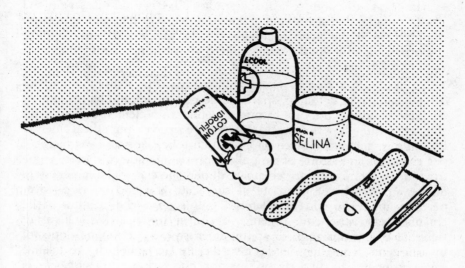

Controlli imprevisti

Potrà naturalmente accadervi di aver bisogno di un controllo medico fuori programma, di emergenza. Un incidente qualsiasi, un malessere improvviso del piccino, o anche semplicemente il dubbio che ci sia qualcosa che non va bene, possono indurvi a richiedere senza indugio il parere del dottore. Mi riferisco qui a incidenti o disturbi non gravi (di questi parleremo dopo), ma tali comunque da suggerire l'opportunità di una visita medica. In questi casi bisogna innanzitutto, com'è chiaro, mettersi in contatto col dottore. Sembra la cosa più semplice del mondo, ma qualche volta non lo è. Non basta sollevare la cornetta del telefono e comporre un numero. Ogni medico ha certi impegni: l'ospedale, le visite al domicilio degli ammalati, consulenze, riunioni, congressi, corsi di specializzazione, eccetera. E, in generale, più è quotato e più impegni ha. Ci sono molti medici che riescono a mangiare allo loro tavola sì e no una volta al giorno, che rientrano alle ore piccole ed escono all'alba, e che di norma sono dovunque tranne che a casa loro. D'altra parte, si deve pur rintracciarli in qualche modo e in qualche momento. Come fare?

In realtà il problema è assai più semplice di quanto non sembri, e può agevolmente essere risolto con questi accorgimenti:

1. quando scegliete il vostro pediatra, informatevi sugli orari in cui egli è reperibile al telefono. Tutti i medici molto occupati dedicano una o due ore al giorno alle telefonate. Basta sapere quali sono queste ore

2. se proprio ritenete di non poter aspettare l'orario abituale, telefonate a casa del dottore o al suo studio, e lasciate un messaggio che comprenda: il vostro nome, il vostro numero di telefono (il dottore potrebbe anche avere due clienti con lo stesso nome, oppure potrebbe non avere il vostro numero, o averlo perduto) e il motivo per cui gli telefonate.

Quest'ultima cosa è molto importante. Dire sempre le ragioni della chiamata, in dettaglio, specificando che il bambino ha presentato tali e tali sintomi, vuol dire fornire al pediatra un elemento di giudizio che certe volte gli permetterà di intervenire prima e più efficacemente. E vuol dire anche compiere un atto di cortesia. Pensate a un medico, per esempio, che rientri in casa alle dieci di sera stanco morto, e che trovi ad aspettarlo ventitré chiamate di persone che vogliono genericamente « parlargli ». E pensate al suo stato d'animo se, dopo aver perduto un'ora o più al telefono, egli scopre che nessuna delle chiamate era veramente urgente, e che si trattava di banalità, di richieste di informazioni, di appuntamenti per la settimana dopo, di inviti a cena. Il medico deve poter stabilire un ordine di precedenza fra le chiamate che gli arrivano, ma non può farlo se non sa *perché* la chiamata è stata fatta.

2.4. Un problema particolare: la circoncisione

Il problema della circoncisione non è sentito nel nostro paese nella stessa misura in cui è sentito in altri (negli Stati Uniti per esempio, specialmente alcuni anni fa). In realtà, è un problema che non esiste. Alla nascita il *prepuzio*, cioè la pelle che copre la testa del pene, è quasi sempre piuttosto stretto e aderente al *glande*, cioè appunto alla testa del pene. Questo non significa affatto che si debba tagliarlo via, che si debba in altre parole praticare la circoncisione. Col passare del tempo, se avrete la pazienza di tirarlo un po' indietro tutti i giorni (come ho suggerito di fare in occasione del bagno), il prepuzio si allarga e si stacca da solo, senza bisogno di interventi chirurgici di alcun genere.

Qualche volta però il prepuzio è *anormalmente stretto*; esiste allora una condizione chiamata *fimosi*. Spesso la fimosi è riconoscibile già nei primi tempi di vita, e in questo caso è bene praticare la circoncisione finché il bimbo è piccino, in modo da evitargli il trauma psichico dell'intervento.

La circoncisione va in genere praticata anche se si stabilisce una *infezione fra il prepuzio e il glande*. Queste infezioni, se non si toglie il prepuzio così da poter pulire bene la parte, tendono a ripetersi, e in qualche caso possono anche lasciare delle cicatrici deformanti piuttosto gravi. Ma sia la vera fimosi che le infezioni del tipo descritto sono tutt'altro che frequenti.

Alcuni sostengono ancor oggi l'utilità della circoncisione come mezzo preventivo contro la masturbazione. Questo è semplicemente pazzesco. A parte il fatto che la masturbazione, come vedremo in seguito, non è per nulla affatto un male, e che qualsiasi iniziativa messa in atto per impedirla può produrre delle conseguenze negative e financo catastrofiche, sembra veramente mostruoso che si sottoponga un bambino a un atto chirurgico inutile, cioè a una forma di violenza del tutto gratuita, per motivi puramente moralistici di natura personale.

3. LE SUE STRANE MALATTIE

3.1. Perché si ammala

Il contagio

è una delle più importanti cause di malattia nel neonato. Nei primi tempi di vita il bambino non è ancora capace di difendersi validamente contro le infezioni, e delle quantità di germi che a noi potrebbero procurare tutt'al più un raffreddore, in lui arrivano abbastanza facilmente a scatenare una broncopolmonite. E di germi ce n'è dappertutto. I pavimenti, le pareti, gli oggetti, l'acqua, l'aria, sono pieni di germi. Questo non significa naturalmente che il neonato debba essere mantenuto in un ambiente rigorosamente sterile, né che si debba disinfettare tutto quello che può venire a contatto con lui; ma significa che si deve difendere il suo organismo contro aggressioni batteriche e virali troppo massicce.

Queste, nella maggioranza dei casi, vengono dall'aria di locali chiusi e dal respiro di persone infette. Spesso, dopo aver visto un bambino piccolo con una forma influenzale, un brutto raffreddore o una bronchite, mi sento dire dalla mamma: « E pensare che sono settimane che non lo porto fuori! ». Eh già, ecco perché il piccino si è ammalato: per settimane il poveretto è rimasto rinchiuso in ambienti dall'aria viziata, dei quali non si apriva mai una finestra per la paura delle « correnti », e nei quali i germi si andavano accumulando, ogni giorno di più. Finché lui, il bambino, non ce l'ha più fatta ed è ammalato. Non è lo spifferino d'aria che fa ammalare il piccino, ricordàtelo; è il respiro del parente che ha il mal di gola, del conoscente che si trascina l'influenza, dell'amico con la tosse.

La nostra disattenzione

può indubbiamente contribuire a far del male al bambino. L'incidente, grande o piccolo, è sempre là in agguato. Un neonato può sfuggire di mano alla mamma e cadere a terra (ma questo è forse uno dei guai più piccoli, perché è ben difficile che l'altezza della caduta sia tale da essere realmente pericolosa), gli si può dar da mangiare inavvertitamente del latte avariato, lo si può scottare con un liquido bollente, eccetera. Succede più spesso di quanto non possiate pensare!

La nostra buona volontà

è il nemico autentico del neonato, il più implacabile e il più temibile. In base alla mia esperienza di pediatra credo di poter dire che, su dieci neonati che ammalano, almeno la metà ammala per il troppo zelo dei genitori.

Non ho alcuna intenzione di accusarvi di chissà quali colpe, né di far sì che vi sentiate responsabili di tutto ciò che potrà capitare a vostro figlio. Desidero soltanto avvertirvi che anche per il fervore e la diligenza, come per qualunque altra cosa, il troppo storpia. Voi sareste sbalorditi se sapeste quanti errori, e purtroppo non sempre innocui, si possono commettere e in effetti si commettono con l'intenzione di fare il bene del bambino. Nel campo dell'alimentazione, per esempio, si fa di tutto per indurre la piccola vittima a mangiare *sempre un pochino di più* di quello che gli va; si va continuamente alla ricerca del cibo « migliore », buttando via quello ritenuto peggiore e che magari andava benissimo fino al giorno prima; si ricorre a mille espedienti per mantenere la regolarità dell'intestino del bimbo, alternando perette, supposte e lassativi a «disinfettanti intestinali», prodotti astringenti e strane pappe prescritte dalla vecchia balia; si applicano cure di ogni genere a mali di pancia che non sono mai esistiti. E la conseguenza di tutte queste «cure» è che il bambino, che stava benone, ammala di gastroenterite. Lo stesso tipo di errori, se non controllerete il vostro entusiasmo, potrete ovviamente commetterlo in qualsiasi altro campo, in quello dell'abbigliamento come in quello delle pulizie, in quello delle passeggiate o in quello del sonno, e via dicendo.

3.2. I segnali di allarme

Non è sempre facile rendersi conto che un neonato non sta bene, o che addirittura sta male. Le sue malattie sono diverse dalle nostre. Esistono però dei fenomeni che possono mettervi sull'avviso, dei veri e propri segnali d'allarme, e dovete conoscerli. Ne abbiamo già fatto un cenno nel capitolo precedente, ma ora li vedremo insieme in modo più esauriente.

Disturbi del comportamento generale

☐ *Agitazione intensa*: se il bambino è molto agitato, in modo *diverso* dal solito, si deve chiedere il parere del medico.

☐ *Sopore profondo*: quando il bambino è molto assopito, non piange, è pallido, disappetente, « molle », la situazione è probabilmente grave.

☐ *Lamento flebile*: se si accompagna ad abbattimento generale, ha lo stesso significato del segno precedente.

☐ *Convulsioni*: è sempre un sintomo grave.

☐ *Paralisi*: anche questo è un segno di malattia grave. Fate attenzione però a non prendere per paralisi il semplice intorpidimento di una gamba o di un braccio. Certe volte un bimbo sembra che non muova un arto, con indicibile spavento dei genitori, e pochi minuti dopo lo muove benissimo. Ma se l'arto pende inerte, o se viene mantenuto contratto e non si riesce a farglielo muovere in alcun modo, allora non c'è tempo da perdere.

Alterazioni della temperatura corporea

La *febbre* non compare spesso nel neonato e, quando c'è, ha di solito un significato del tutto diverso da quello che ha nel bambino più grande e nell'adulto. Se a un adulto càpita una broncopolmonite, per esempio, quasi sempre ha un febbrone da cavallo. Il neonato no: può avere una forma gravissima e neanche una linea di febbre, o addirittura una temperatura inferiore alla norma. Questo « raffreddamento » anzi, è un brutto segno. Viceversa, il piccino può presentare un'alterazione febbrile pur essendo sanissimo, solo perché è coperto troppo.

Disturbi dell'atteggiamento e della posizione

Questo tipo di segni non ha di solito nulla di drammatico e non richiede provvedimenti d'urgenza. Però richiede dei provvedimenti, che naturalmente dovranno essere decisi dal medico.

☐ *Atteggiamento di torcicollo*: se il bambino mantiene il capo *costantemente* girato da un lato, e se i vostri tentativi di fargli cambiare posizione non solo sono inutili, ma suscitano in modo evidente un dolore nel piccino, è possibile che si tratti di un vero torcicollo oppure di un atteggiamento di reazione provocato da un'otite. E' senz'altro il caso di interpellare il medico, il quale potrà a sua volta richiedere il parere di uno specialista in ortopedia.

☐ *Piede girato all'esterno*: può essere un cosiddetto *piede valgo mobile*; è necessario un controllo di un medico ortopedico.

☐ *Colonna vertebrale storta*: una evidente curvatura troppo accentuata della schiena in avanti o una curvatura laterale permanente possono essere dovute a una *scoliosi* o a una *cifoscoliosi*. Anche in questo caso è necessario l'intervento di uno specialista in ortopedia.

Alterazioni della pelle

☐ *L'ittero*: una colorazione gialla della pelle e del bianco dell'occhio è *sempre* un segno di malattia.

☐ *Petecchie*: sono delle piccole macchie rosse, talvolta non più grandi di una capocchia di spillo, a margini netti, piuttosto scure, che non scompaiono esercitando una pressione sulla pelle e sono irregolarmente sparse su una zona qualunque o su tutta la superficie corporea. Sono il segno di una malattia seria, in generale di tipo emorragico o infettivo.

☐ *Infiammazioni con pus*: di qualunque tipo (foruncoli, lesioni con secrezione purulenta, ascessi, ecc.) e di qualunque localizzazione esse siano, debbono sempre essere curate dal medico.

☐ *Pallore*: quando è insolitamente evidente, specie se si accompagna a uno stato di abbattimento generale, denuncia praticamente sempre uno stato di malattia.

☐ *Arrossamento intorno alla ferita ombelicale*: potrebbe essere il segno di una infezione della ferita stessa.

Occhi, orecchie, naso e bocca

☐ « *Occhi sporchi* »: secrezioni purulente intorno al globo oculare dipendono da infiammazioni della congiuntiva o delle formazioni vicine. Debbono essere curate su precise indicazioni del medico.

☐ *Secrezione purulenta dalle orecchie*: si tratta sicuramente di un'otite, e richiede l'intervento del medico.

☐ *Secrezione purulenta dal naso*: anche per questa è meglio sentire il parere del dottore; potrebbe trattarsi di un raffreddore complicato con l'infiammazione di altri organi vicini, o di un'infezione particolarmente temibile e quindi da curare subito ed energicamente.

☐ *Mughetto*: si tratta di piccole chiazze bianche che tendono a invadere tutte le mucose della bocca, come una specie di feltro candido. Se non viene curato, di solito si estende alla lingua, alle guance, alle gengive, al palato. È una infezione da microrganismi che può ostacolare gravemente l'alimentazione e fa soffrire il bambino.

☐ *Altre lesioni delle mucose della bocca*: per tutte queste forme è consigliabile interpellare il dottore.

Disturbi della digestione

☐ *Alterazioni dell'appetito*: entro certi limiti sono normali, ma se il neonato improvvisamente perde l'appetito, non per un pasto o due,

163

ma per un giorno intero, sarà meglio sentire il medico: potrebbe esserci qualche disturbo in incubazione.

□ *Sete intensa*: la repentina comparsa di questo sintomo deve attirare la vostra attenzione, perché talora questo è il primo segno di un disturbo della nutrizione.

□ *Vomito*: se il vomito si verifica dopo *tutti* i pasti, se è *sempre* abbondante, se è a *getto*, e se contemporaneamente il bambino *smette di crescere di peso e diventa stitico*, dovrete senz'altro informarne il pediatra. Questi infatti sono i sintomi principali di una malattia che generalmente si manifesta verso la fine del primo mese di vita, e che si chiama *stenosi pilorica*. Si tratta di un restringimento della valvola che porta dallo stomaco all'intestino, talché il latte non riesce a defluire regolarmente e viene poi eliminato col vomito.

□ *Diarrea*: è sempre il segno di una malattia che deve essere curata dal medico.

Disturbi della respirazione

□ *Tosse*: nel neonato la tosse impone sempre la visita del medico.

□ *Difficoltà di respiro*: qualunque tipo di difficoltà respiratoria, anche quello dovuto a un banale raffreddore, va controllato dal medico. Ci sono due tipi di disturbo respiratorio che impongono però provvedimenti urgenti:

1. quello che si accompagna a tosse, alitamento delle pinne nasali (quando le narici si allargano e si restringono seguendo il ritmo della respirazione), colorazione leggermente bluastra delle labbra

2. quello che si accompagna a un forte rumore provocato dall'aria che passa difficoltosamente attraverso la gola, espressione spaventata del bambino, rientramento della fossetta giugulare durante l'inspirazione.

Avvertimento importante

Qui sopra ho elencato i "segnali d'allarme" che per lo più impongono l'intervento del pediatra. Ora però devo tranquillizzarvi: le malattie *veramente* gravi, quelle che minacciano la stessa vita del bambino, stanno diventando sempre più rare. Il tempo delle meningiti mortali, delle broncopolmoniti tossiche, delle infezioni generalizzate, delle gravi gastroenteriti, della difterite, della tubercolosi, e di molte altre forme che mantenevano elevata la mortalità infantile, quel tempo è passato. La meningite più temibile per esempio, quella tubercolare, che uccideva sempre, è ormai un ricordo. Le broncopolmoniti di oggi presentano generalmente la stessa gravità di una banale influenza. Per i disturbi gastroenterici, nella maggior parte dei casi, non si usano nemmeno più delle medicine. Basta la dieta. Persino certe forme di tipo tumorale, come la leucemia, il terribile "cancro del sangue", vengono oggi curate con successo e molti bambini, sei su dieci, ne guariscono. Infatti la mortalità infantile, negli ultimi anni, è scesa a cifre modestissime.

Dunque non lasciatevi prendere dal panico se il vostro bambino presenta qualcuno dei sintomi ai quali ho accennato. Quasi di sicuro si tratta di cose da poco. Però non seguite nemmeno la tattica dello struzzo, non lasciate passare troppo tempo nella speranza che le cose si sistemino da sole. Molti malanni del neonato, quasi tutti, sono facilmente curabili, a patto però... che si curino. E per curarli occorre di solito il medico. Perciò leggete i paragrafi che seguono, così sarete pronte a tutto.

3.3. Che cosa fare

Regole generali

Non perdere la calma: questa è la prima cosa da fare. Un bambino ammalato ha bisogno della calma dei genitori più che di medici e medicine. Può darsi che la situazione sia grave, che richieda delle decisioni immediate, che imponga delle cure urgenti, oppure che non sia grave per nulla e che non ci sia alcun provvedimento da prendere, ma in ogni caso è assolutamente necessario agire con coerenza e ponderazione. E non si può evidentemente essere coerenti né ponderati se ci si lascia travolgere dall'agitazione e dall'isterismo.

Ho conosciuto delle signore che, quando avevano l'impressione che il loro bambino non stesse bene, si lasciavano prendere dai « nervi », insolentivano il medico se non andava subito da loro trascurando tutti gli altri impegni, e poi lo imploravano lacrimando e ululando « Dottore me lo salvi! » nella cornetta del telefono. I dottori, di norma, non « salvano » nessuno. Mettono semplicemente le loro conoscenze al servizio dei genitori. Chi salva il bambino non è il medico, sono i genitori. Per lo più la mamma. Anche le cure più efficaci e meglio condotte corrono il rischio di fallire se manca l'assistenza vigile, equilibrata e amorevole della madre. Quelle signore che urlavano improperi e suppliche al medico avevano di solito figli pieni di malanni, che non guarivano mai o, se guarivano, era solo per ricadere immediatamente in un altro disturbo. E certe volte (mi è capitato anche questo) queste mamme erano talmente ottenebrate dall'agitazione che facevano correre il medico per uno sternuto o per un trentasette e due di temperatura, e poi non si accorgevano di una broncopolmonite o di una grave malattia intestinale. Sì, perché l'angoscia incontrollata può portare anche a questo, a chiudere gli occhi davanti ai sintomi più evidenti per la paura di riconoscere i segni di una malattia. Dunque, prima di tutto calma.

Non prendere delle iniziative che spettano al medico è la seconda cosa importante. Anzi molto importante. Può darsi che il vostro bambino abbia già sofferto di qualche distubo, e che in quell'occasione il dottore vi abbia prescritto un determinato rimedio. Ebbene, non è affatto detto che quella medicina vada bene per altri disturbi apparentemente eguali. Forse si tratta di un preparato tossico, che va usato con cautela, o forse le dosi vanno cambiate, o forse la malattia sembra eguale alla precedente ma non lo è, e occorre una cura diversa. Comunque non potete decidere voi. Ricordate che molte medicine sono pericolose, e talvolta velenosissime per il neonato, persino quelle che sono ritenute più innocue, come certe vitamine. E non parliamo degli antibiotici e di altri preparati che dovrebbero essere usati con prudenza anche nell'adulto. Persino le gocce nel naso e nelle orecchie debbono essere usate soltanto su indicazione del medico.

S'intende che quanto ho detto per le medicine vale anche per qualsiasi altra cura, sia pure in modo meno tassativo: cambiamenti di dieta, applicazioni di pomate, fregagioni, nebulizzazioni, aerosol, eccetera, son tutte cose che dovrebbero essere sempre prescritte dal pediatra.

In attesa del medico

E mentre si aspetta che il dottore arrivi, mi chiederete, non si può fare proprio nulla per aiutare un bambino che sta male? Sì, potete fare parecchie cose.

Innanzitutto *non dargli da mangiare*. Molte volte nel neonato i sintomi sono press'a poco gli stessi, almeno in apparenza, per qualunque tipo di malattia. E' difficile per la mamma (e talora anche per il medico) sapere se il piccolo, per esempio, ha il mal di gola o un disturbo intestinale in incubazione. Inoltre, spesso affezioni di vario genere, come un'otite o un'influenza, si complicano con una forma gastroenterica. Perciò è semplice prudenza quella di non caricare l'apparato digerente.

Dovrete invece *dargli da bere*. Se il bambino ha febbre, il liquido lo aiuterà a sopportarla meglio, se sta per capitargli un disturbo intestinale il bere costituisce già di per sé una cura; e inoltre un neonato, quando è ammalato, ha sempre bisogno di un supplemento d'acqua. Dategli della semplice acqua bollita, o del té leggero, o della camomilla, con qualche goccia di limone e senza zucchero. Semmai potrete usare della saccarina, nella proporzione di una compressina per ogni tazza. Il bere, male sicuramente non gli farà, e probabilmente gli farà bene.

Il riposo e la tranquillità sono sempre importanti per un bimbo sofferente; questa è una terza cosa da mettere in pratica. Se vostro figlio è agitato, cercate di acquietarlo, prendetelo in braccio, cullatelo un poco, cantategli una ninna nanna; se è già tranquillo, non disturbatelo. Evitate i rumori forti e improvvisi, le luci violente, l'andirivieni di persone.

Un'iniziativa che potrete senz'altro permettervi, e che forse contribuirà a calmare il bambino, è *il bagno caldo*. L'immersione nell'acqua calda favorisce il rilasciamento muscolare; questo, fra l'altro, può essere molto utile nel caso di un'ernia strozzata. Non di rado succede che il bagno caldo provocando una diminuzione dei fatti spastici, permetta di far rientrare l'ernia e risolva, almeno provvisoriamente, la situazione. Non abbiate paura: anche se il bimbo avesse una broncopolmonite, il bagno non gli potrà recare danno alcuno.

E infine tenete il piccino a una *temperatura confortevole*. Non soffocatelo nella lana, non imprigionatelo nei panni, non seppellitelo sotto le coperte, non trasformate la sua stanza in un bagno turco. Così come il bagno caldo è per lo più benefico, un ambiente caldo è pericoloso.

Piccoli problemi pratici

Dopo la visita del medico ci sono altri problemi da risolvere. Su molte cose il medico stesso vi fornirà le istruzioni necessarie, ma su altre meno importanti forse dovrete sbrigarvela da sola.

Le *iniezioni intramuscolari*, per esempio. Se il dottore vi ha prescritto delle iniezioni per vostro figlio, non entrate in crisi per questo. I neonati non soffrono ancora di quel ridicolo terrore che perseguita molti adulti davanti a una siringa. Spesso non si accorgono nemmeno della puntura, e comunque è certo che il fastidio (non si può parlare di vero e proprio dolore) dato dall'ago è di modestissima entità. Sarà bene che l'inoculazione venga praticata da una persona esperta e con la massima sterilità, e non dalle solite vicine di casa.

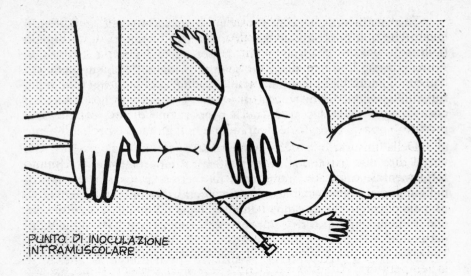

PUNTO DI INOCULAZIONE
INTRAMUSCOLARE

Salvo precise indicazioni del medico, l'iniezione può essere praticata in qualunque momento della giornata, e non è per niente necessario che il bambino sia a digiuno.

Non è frequente che a un neonato il pediatra prescriva delle *supposte*. Se comunque dovete somministrarne una al vostro bimbo cercate di farlo dopo che si è scaricato, altrimenti la supposta stessa stimolerà l'evacuazione e verrà prontamente eliminata con le feci; a meno che, beninteso, il rimedio non sia stato suggerito proprio con questo scopo. Se invece la supposta deve essere trattenuta nell'intestino per venire poi assorbita, dopo averla introdotta tenete con una mano le natiche del bambino strette fra loro per qualche minuto, così da evitare che lui la spinga fuori subito.

Le *medicine per bocca* possono dare origine talvolta a dei piccoli drammi. Oggi la maggioranza dei prodotti viene fornita anche in una speciale forma pediatrica, e cioè in gocce dal sapore gradevole e di facile somministrazione; ma può accadere che il sapore di qualche medicamento non sia proprio gustoso, o almeno non lo sia per vostro figlio. Provate in tal caso ad aggiungervi un pochino di zucchero, o di miele, o di succo di frutta. Se si tratta di compresse, converrà polverizzarle schiacciandole in un piattino e poi mescolarle con un po' d'acqua zuccherata. Meglio non versare mai la medicina nel latte della poppata: in primo luogo perché correreste il rischio di disgustare il bambino al punto da fargli rifiutare non solo quel pasto, ma anche i successivi, e per parecchi giorni, anche se di medicina non gliene date più; e in secondo luogo perché molti prodotti si alterano e perdono almeno una parte della loro attività quando entrano in contatto con un liquido caldo.

Se il medico vi ha consigliato un *medicamento per inalazioni*, è chiaro che non potrete tenere il neonato sopra i vapori di un liquido bollente, con un asciugamano in testa, come facciamo noi adulti. Potrete però produrre dei vapori in abbondanza nella camera del bambino, facendo bollire dell'acqua contenente la medicina su un fornellino elettrico, anche per ore e ore. Non sarà proprio la stessa cosa di una inalazione diretta, ma servirà egualmente ad aiutare il piccino.

Della misurazione della temperatura abbiamo già parlato; qui vorrei dire due parole sull'*interpretazione della temperatura*. Il punto fondamentale è questo: l'interpretazione della temperatura corporea del bambino, e specialmente del neonato, è una cosa che richiede una preparazione specifica, una conoscenza approfondita delle caratteristiche fisiologiche di quel determinato organismo, la coordinazione di un certo numero di dati, ecc. Si tratta insomma di un « ragionamento clinico ». Non potete farlo voi. Il vostro compito è quello di misurare la temperatura e di riferirla al dottore, senza aggiungere né togliere nulla, specificando la tecnica della misurazione (rettale o « interna », inguinale, tipo di termometro usato, durata della misurazione). Non preoccupatevi d'altro. Deciderà il medico che cosa si dovrà fare. Pensate che certi bambini hanno *normalmente* una temperatura rettale di 37°8 e inguinale di 35°3, altri hanno 36°5 sia al retto che all'inguine, altri ancora presentano oggi un 35°8 rettale e domani, sempre rettale, un 37°9. Inoltre sappiate che nelle diverse ore della giornata cambia largamente non solo la temperatura del corpo, ma anche il rapporto fra la temperatura rettale e quella inguinale, così che a un certo momento i valori al retto sono superiori a quelli inguinali, e in un altro momento succede il contrario. Come potreste orientarvi? A tutti i pediatri, me compreso naturalmente, è accaduto di aver a che fare con qualche mamma che non portava *mai* a passeggio il bimbo perché la sua temperatura rettale era, per esempio, 37°5, cioè, secondo la mamma, quasi febbrile. Invece era normalissima. Il che non toglie che per un altro bambino della medesima età quella stessa temperatura possa effettivamente essere febbrile.

In conclusione: gli interventi di natura tecnica, come l'interpretazione dei sintomi, la scelta dei medicinali, le modalità delle cure, la dieta, spettano al medico. A voi spetta il resto: il controllo del bambino, la cura della sua igiene, un'attenta applicazione delle istruzioni che il dottore vi ha dato, e soprattutto una assistenza responsabile, equilibrata e amorevole. Che, tutto sommato, è la cosa che conta di più.

TABELLA RIASSUNTIVA DEI SINTOMI

	normale	da controllare	richiede il medico
aspetto e comportamento	"si spaventa" "spinge e diventa rosso"	agitazione sopore	agitazione intensa **sopore profondo** lamento flebile **convulsioni paralisi**
posizione			torcicollo piede storto colonna vertebrale storta
temperatura	mani e piedi freddi		febbre eccessivo raffreddamento
pelle	eritemi tumefazione in testa (cefaloematoma)	"voglie" (emangiomi) tumefazione mammelle pallore	ittero **petecchie** lesioni con pus **pallore intenso** arrossamento intorno all'ombelico **cianosi** (pelle grigio-bluastra)
occhi, orecchie naso, bocca	naso "chiuso"	orecchie sporche scolo nasale	secrezione purulenta occhi secrezione purulenta orecchie secrezione purulenta naso mughetto e altre lesioni interne della bocca
genitali	borsa scrotale gonfia perdite vaginali rosse	pene "chiuso"	infiammazione ai genitali secrezioni purulente ai genitali
funzioni digestive	scariche durante il pasto singhiozzo rigurgito	stitichezza inappetenza sete intensa vomito	vomito ripetuto diarrea **blocco dell'intestino con vomito e agitazione**
respirazione	sternuto		tosse **difficoltà di respiro**

Quarto Capitolo

L'ETÀ DEL DIVEZZAMENTO
da uno a sei mesi

1. VOSTRO FIGLIO DIVENTA «UN ALTRO»

1.1. Ora comincia veramente a crescere

Vostro figlio, questo minuscolo viaggiatore appena arrivato sui lidi di uno sconfinato continente misterioso, ha occupato il suo primo mese di vita a « guardarsi in giro »: ha scoperto che c'è il piacere e il dispiacere, il buono e il cattivo, una quantità di « spazi » fatti di luci e ombre, rumori, movimenti, caldo e freddo, sensazioni di ogni genere; ha messo a punto i suoi strumenti e le sue attrezzature, polmoni, apparato digerente, e così via. Sostanzialmente, ha imparato a vivere. Adesso è pronto a partire per quel grande viaggio di esplorazione che noi chiamiamo sviluppo.

La sua fatica

Abbiamo già visto che lo sviluppo è la progressiva conquista di equilibri sempre nuovi e sempre più evoluti: ogni volta che un bambino avverte una condizione di squilibrio in lui nasce un *bisogno*, cioè una condizione di dispiacere, che lui supera tentando di ristabilire l'equilibrio perduto. Facendo questo egli continua ad agire, e ad agire, in un certo senso, sempre meglio; quindi progredisce, evolve. Ma non si deve credere che tutti gli squilibri, e quindi tutti i dispiaceri, scaturiscano semplicemente da situazioni primitive, come per esempio la fame. Probabilmente il bambino è sensibile a una forma di squilibrio ben più complessa e profonda: la sua sostanziale *impotenza* di fronte al mondo. In ogni momento gli si presentano fenomeni indecifrabili, realtà sgradevoli difficilmente superabili e oggetti buoni difficilmente raggiungibili. La vita davanti a lui è una serie di porte ch'egli deve faticosamente aprire, una dopo l'altra; e ogni porta aperta equivale al raggiungimento di un nuovo e più progredito equilibrio. In altre parole, egli è continuamente impegnato nella ricerca di un superamento della propria impotenza.

Va da sé che in questa perenne fatica il bimbo si vale immediatamente di tutte le facoltà che vanno sviluppandosi nella sua persona: quando i suoi occhi diventano capaci di fissare e individuare degli oggetti, egli subito *guarda* tutto; quando le sue mani diventano capaci di prendere, egli subito *prende* tutto; quando il suo orecchio diventa capace di distinguere suoni e rumori, egli subito *ascolta* tutto. Il bambino, potremmo dire, è come un naufrago che trovi, per esempio, un cannocchiale, una lampada e una scure; come si può pensare che non se ne serva da mane a sera per migliorare la propria situazione e risolvere i propri problemi?

A differenza del naufrago, che potrà farsi una nuova vita o essere raccolto da una nave di passaggio, e a differenza dell'esploratore che tornerà un giorno a casa sua soddisfatto delle sue imprese, il bambino non troverà mai pace né riposo nel suo cammino sulla strada dello sviluppo. Anzi, troverà ostacoli sempre più grandi, delusioni sempre più forti, dispiaceri sempre più profondi. Comincerà a cadere quando saprà camminare, a essere ingannato quando avrà imparato a comprendere il linguaggio, a essere tradito quando avrà fiducia, a essere oppresso quando entrerà nella compagine sociale. E ogni volta che cadrà, che sbaglierà, che sarà sconfitto, ingannato, tradito, oppresso, abbandonato, egli ricomincerà daccapo i suoi tentativi.

Crescere è difficile, evolvere è faticoso. Ma il bambino è veramente un essere meraviglioso: egli non rinuncia mai al nuovo perché il vecchio era più comodo, non conosce compromessi, né rinunce, né nostalgie che lo incatenino stabilmente al passato. Egli è un progressista, non un conservatore. In verità, dovremmo imparare da nostro figlio: egli non ha paura dei cambiamenti, cerca di risolvere sempre nuovi problemi e in modo sempre nuovo, non si adatta a nessun sistema statico, non accetta l'immutabile, rifiuta le regole del passato, anzi tutte le regole che lo costringano ad arrestare la sua marcia, i suoi orizzonti non hanno limiti. Almeno provvisoriamente. Forse, purtroppo, li avranno quanto prima, se e quando noi erigeremo intorno al nostro piccolo rivoluzionario le mura invalicabili di un'educazione repressiva tradizionale.

È maturo?

Vorrei dirvi ora due parole sulla *maturità*. Forse non subito, ma prima o dopo nel corso dello sviluppo del vostro bambino vi verrà fatto sicuramente di chiedervi se « è maturo ». Qui dobbiamo chiarirci un momentino le idee: nella maggioranza dei casi, quando si dice che un bambino « è maturo », si intende affermare che si comporta assennatamente, seriamente, disciplinatamente, rispettosamente, ordinatamente, realisticamente, calcolatamente. Che si comporta cioè in modo simile a quello dell'adulto medio normale, rispettoso degli usi e dei costumi, ragionevolmente attento ai propri interessi, e non meno ragionevolmente incline a dar peso a questi più che a quelli altrui. Ma tutto questo ha ben poco a che fare con la maturità. Questo, nel caso di un bambino, significa soltanto aver assorbito un certo numero di caratteristiche non appartenenti al suo stadio evolutivo, significa cioè scimmiottare i grandi. Direi, semmai, che questa è *immaturità*. Il bambino infatti, ed è qui che volevo arrivare, è sostanzialmente *diverso* dall'adulto, e il fatto che ricalchi oltre certi limiti il comportamento dell'adulto vuol dire che non possiede una sua personalità matura. E questa è una cosa della quale dovete convincervi subito, mentre vostro figlio è ancora piccino: egli, vedrete, si comporterà spesso in un modo che a voi sembrerà assolutamente illogico, ma che per lui sarà assolutamente logico.

La maturità non consiste nel saper fare delle cose che sanno fare di solito gli individui « più grandi », e non consiste quindi nell'essere più « bravo » di altri bambini della medesima età. Essere maturi vuol dire semplicemente essere se stessi, vivere pienamente secondo le proprie risorse e le proprie potenzialità; vuol dire investire tutta la propria personalità in ciò che si fa, si pensa e si sente. Un bimbo di tre mesi che mangi la pappa, per esempio, è probabilmente molto più maturo di un ministro che prenda i tranquillanti. E così un bambino di cinque mesi che rompa i timpani di tutti picchiando il cucchiaio sul tavolo è maturo, mentre il signore che scorrazza in macchina per la città strombettando in quanto la tale squadra di calcio ha vinto la tale coppa, maturo non è. Il bambino infatti sta compiendo un esperimento, sta svolgendo una ricerca sulla base delle proprie possibilità e delle conoscenze caratteristiche della sua età, e l'automobilista strombettatore sta manifestando la propria soddisfazione secondo lo stile di un dodicenne. Il primo non sa che disturba gli altri, il secondo lo sa benissimo. Il primo è una persona seria che sta facendo una cosa seria, il secondo è un irresponsabile che sta facendo una sciocchezza.

In conclusione, non pretendete mai che il vostro bambino si comporti « come un ometto », cioè copiando gli atteggiamenti degli adulti. Egli ha una sua personalità, diversa dalla nostra. E, naturalmente, deve esprimerla.

Il suo sviluppo fisico

Dopo la fine del primo mese il bambino cambia notevolmente il proprio aspetto fisico. Prima di tutto, *ingrassa*. Finora, come sappiamo, ha avuto degli alti e bassi: è diminuito di peso dopo la nascita, indi ha attraversato un periodo di assestamento, poi ha ripreso il terreno perduto, e infine ha cominciato a crescere. D'ora in poi andrà avanti regolarmente. Regolarmente per modo di dire, perché nessun bambino cresce esattamente di quel determinato numero di grammi in quel determinato periodo di tempo. Andrà avanti comunque con una certa uniformità: circa 180-200 grammi per settimana fino alla fine del terzo mese, e poi 150-180 grammi circa per settimana fino alla fine del sesto mese. Questo, naturalmente, se tutto va bene.

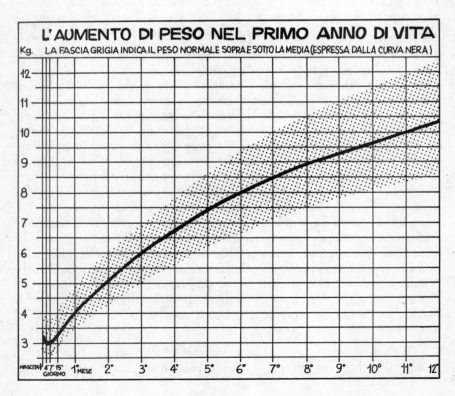

L'AUMENTO DI PESO NEL PRIMO ANNO DI VITA

LA FASCIA GRIGIA INDICA IL PESO NORMALE SOPRA E SOTTO LA MEDIA (ESPRESSA DALLA CURVA NERA)

La sua *statura* aumenterà su per giù di due centimetri al mese.

Il suo *aspetto* si farà sempre più rotondo, e potrà accadere benissimo che gli vengano un pancione e il doppio mento. Potrà anche accadere che una folta capigliatura, eventualmente presente alla nascita, scompaia del tutto verso i due mesi, lasciando la sua testa pelata o quasi. Insomma, potrà assumere la figura tipica di un commendatore, miniaturizzato.

Se molti seguono questa strada, non ne mancano altri che si sviluppano in modo differente: certi lattanti non crescono molto di peso e si allungano di più, mantenendo un aspetto più slanciato; altri diventano grandi e grossi e si trasformano in piccoli Ercole; altri ancora rimangono minuti e sono costantemente al di sotto della media sia per il peso che per la statura. Ma ciascuno gode in genere di ottima salute e presenta un accrescimento che, tutto sommato, può ritenersi normale.

Guarda e ascolta

Proviamo a guardare il mondo con gli occhi di un bambino di un mese o poco più: finora non c'erano che luci e ombre, qualche macchia più viva, come una finestra o una lampada, o come un oggetto bene illuminato, l'ovale di un viso, per esempio, o una macchia di sole sulla parete. Cose di interesse limitato, in fondo, sulle quali non valeva la pena di soffermarsi a lungo. Ora da questo confuso scenario emergono altre cose, in gran numero, e son cose dai contorni più precisi e con caratteristiche nuove, sulle quali non si può non concentrare un minimo di attenzione. Possiamo pensare che il mondo visibile stia venendo fuori, per il bambino, da un banco di nebbia: poco a poco le incerte luminosità e i confusi profili scuri prendono forma e assumono un loro significato, diventando *oggetti*. Oggetti da guardare.

Ecco, forse il grande passo avanti che fa il bimbo a quest'età sta proprio qui: egli non si limita più a vedere, ma comincia a *guardare*. E' un progresso che si manifesta col cosiddetto *riflesso di fissazione*: il bambino dirige su oggetti e persone uno sguardo più sostenuto e più attento, ben diverso da quello vago e incerto di qualche settimana fa, e riesce a concentrare sul punto che gli interessa l'azione di entrambi gli occhi, dirigendoli e coordinandoli con una certa efficienza. S'intende che la cosa da guardare non deve essere troppo lontana da lui, anzi non deve essere più distante di ottanta centimetri circa. Se il bimbo trova che lo spettacolo merita la sua attenzione, si dedica solo a quello e interrompe le altre attività, la sua espressione diventa più vivace, l'occhio più brillante, il respiro cambia il suo ritmo. Se poi la « cosa » è luminosa, si muove ed emette qualche suono, l'entusiasmo del piccolo osservatore diventa più che palese.

Verso l'età di tre mesi il lattante si è già arricchito di un'altra facoltà: riesce ad apprezzare le differenze fra alcuni colori più vivaci. Il mondo che sorge dalle nebbie, per tornare al paragone di prima, non ha più solo forme e luci; ora il sole fa brillare il rosso di certi oggetti, il giallo di altri, il turchino del cielo, il verde del prato. Questa nuova scoperta, è facile immaginarlo, esercita sul bambino un effetto molto stimolante. Egli infatti si studia di muovere le mani verso l'oggetto che ha suscitato il suo interesse, apre e chiude le braccia come per impadronirsene, e talvolta riesce ad afferrarlo per qualche breve istante; se l'oggetto si muove, il piccino lo segue con gli occhi e può anche cercare di cambiare la direzione dei suoi sforzi per raggiungerlo.

E' sui quattro o cinque mesi che questi sforzi di solito raggiungono il loro scopo. Il bimbo riesce cioè finalmente ad agguantare la « cosa » con fermezza e con una certa precisione: è la manifestazione più evoluta del cosiddetto *riflesso di prensione*. Dunque a questo punto il bambino ha scoperto che l'oggetto possiede forma e colore, e inoltre che è liscio o ruvido, duro o soffice, tondeggiante o spigoloso. E' il momento di approfondire l'esame con altre tecniche di indagine, e il piccolo prontamente porta l'oggetto alla bocca, lo succhia, con molta abbondanza di saliva che cola dappertutto, lo guarda ancora, lo riporta alla bocca; tutto il suo essere è concentrato in questo studio, e pare che durante tale attività il resto del mondo cessi di esistere per lui.

Contemporaneamente l'universo visibile si allarga intorno al bambino. In un primo tempo, ciò che gli era troppo vicino o troppo lontano (oltre i cinquanta-ottanta centimetri) non esisteva per lui. Adesso egli spinge il suo sguardo, avido di scoperta, fino alla distanza di parecchi metri, ed è capace d'altra parte di fissare con attenzione un bottone o una pallina che stia a venti centimetri dai suoi occhi; e non di rado riesce ad afferrare quella misteriosa piccola cosa e, se la mamma non interviene, a cacciarsela immediatamente in bocca.

A noi grandi sembra che questa azione della mano sotto la guida dell'occhio sia qualcosa di irrilevante, di normalissimo. Ma pensate che conquista dev'essere per il bambino: fino a questo momento egli era una specie di miscuglio fra una persona con le mani legate e un'altra con gli occhi bendati, vedeva ma non riusciva a prendere, prendeva a caso, ma senza riuscire a dirigere le sue mani con lo sguardo. Ora, vede e prende; ora comincia a poter lavorare con le sue mani, con efficienza; ora può scegliere un'azione ed eseguirla.

Anche l'*orecchio* intanto fa la sua parte. A due o tre mesi il bambino reagisce con manifestazioni di piacere al suono della voce umana, verso i cinque mesi si gira verso la persona che parla. La voce è diventata per lui un suono « speciale », in quanto associata di norma al volto di una persona. E vedremo fra poco quale sia l'enorme importanza del volto umano per un bimbo di quest'età. Sta di fatto che, fra i molti rumori e suoni ai quali un lattante presta palesemente attenzione, la voce sembra possedere un suo fascino del tutto particolare. Specialmente, com'è naturale, se si tratta di una voce carezzevole, tenera, allegra, amorevole, armoniosa. Come di solito è la vostra voce, anche se voi non ve ne rendete conto, quando vi rivolgete al vostro bambino.

L'evoluzione delle sue attività

Molti genitori mi hanno assicurato, e la loro sincerità era fuor di dubbio, che preferivano guardare il loro bambino e seguire i suoi progressi giornalieri piuttosto che andare al cinema o a teatro o uscire con gli amici. Io non ho nessuna difficoltà a crederci. Lo spettacolo di un bimbo di qualche settimana o di pochi mesi che sta conquistando il mondo e se stesso è veramente una delle cose più affascinanti che si possano immaginare. Cercherò ora di darvi un'idea, necessariamente imperfetta, di questa perenne fonte di sorprese che è lo sviluppo di un lattante.

Man mano che il vostro bambino cresce, egli abbandona la posizione tipica del neonato che abbiamo descritto a suo tempo (il neonato preferisce come ricorderete stare girato su un fianco, con un braccio steso sotto il capo e l'altro ripiegato); sempre più spesso, ora, se ne sta disteso sulla schiena, diritto, tranquillo e felice. Se poi, quando è verso i tre mesi e mezzo o quattro, lo tirate su e lo sostenete tenendolo sotto le ascelle, egli stende una gamba e poi l'altra, alternativamente, quasi come se cercasse di rimanere in piedi su una gamba sola; e lo fa con evidente compiacimento.

Alla stessa età egli ama moltissimo starsene seduto, ben appoggiato a dei cuscini, a osservare il panorama intorno a lui. In generale, la culla non gli piace più; probabilmente ormai la considera una specie di carcere, o almeno un grave attentato alla sua libertà di esplorazione. Verso i sei mesi riesce addirittura a starsene seduto da solo, senza appoggi, almeno per un po' di tempo: ha conquistato, come è stato detto da un illustre studioso, il dottor Gesell, « l'uso della sedia ». Ancora una volta debbo dire però che, mentre certi bambini particolarmente intraprendenti riescono a stare seduti da

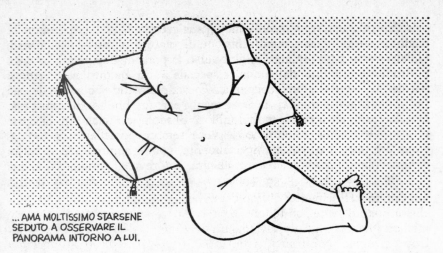

soli, anche per diversi minuti, già all'età di cinque mesi, altri, più pigri, non ci riescono nemmeno a sette mesi. Non perché « hanno la schiena debole », ma semplicemente perché non ne hanno voglia, o forse perché non hanno avuto modo di fare abbastanza esercizio.

Dedicate ora la vostra attenzione alle *mani* di vostro figlio: col venir meno di quell'*ipertonia*, di quelle contratture muscolari che erano tipiche dell'età neonatale, il piccino « scioglie » i suoi movimenti, di giorno in giorno guida sempre meglio le proprie estremità, usa con maestria sempre maggiore le sue piccole dita. E sembra che lui stesso se ne accorga: già poco dopo i tre mesi concentra la sua curiosità sulle proprie mani, e nelle settimane che seguono se le studia, le adopera per afferrarsi un piede, tira con l'una il dito dell'altra, le assaggia con grande diletto fra lo scorrere di fiumi di saliva.

Mani e piedi pare abbiano assunto un'importanza enorme per lui. E infatti è così. Verso i tre mesi il bambino scopre che gli è possibile « sostituire » la mamma, quando questa non c'è, con la propria mano o con un piede. Mi spiego: nel mondo del bambino, del quale egli medesimo fa parte, la mamma è sostanzialmente qualcosa che si succhia, o che comunque è strettamente associato alla suzione. In assenza di questo meraviglioso « qualcosa », il lattante scopre un altro « qualcosa » che, sia pure con minore soddisfazione, è succhiabile: se stesso, anzi la sua mano, o il suo piede. Egli, in altre parole, « maternizza » la propria mano, procurandosi così l'illusione di avere ancora la mamma vicino a sé.

La mano « maternizzata » del bambino verrà usata, naturalmente, per riprodurre quelle stesse sensazioni piacevoli che scaturiscono dal contatto abituale con la mamma vera. Una di queste sensazioni, come abbiamo visto, è data dal succhiare, e così il piccino si succhia la mano, proprio come succhierebbe il seno; e guarda la mano proprio come guarderebbe il seno o il volto della madre. Un'altra sensazione piacevole è quella che nasce dall'essere lavato, pulito e accarezzato dalla madre, con accompagnamento di tenere parole e di sorrisi affettuosi; e siccome la zona che più spesso viene pulita e lavata è quella vicina ai genitali, ecco che il bambino usa la mano per toccare i propri genitali, sempre nel tentativo di « ricreare » vicino a sé la presenza materna. E' ciò che si chiama *masturbazione precoce*, la quale, come si vede, ha un contenuto tutt'altro che riprovevole.

Quando poi la mamma è realmente presente, essa costituisce un campo affascinante di esplorazione. Sarà capitato anche a voi, chissà quante volte: se tenete in braccio il vostro piccino egli spesso inizierà una vera e propria indagine sistematica sulla vostra persona. Uno psicologo americano ha detto che il viso materno rappresenta « la prima geografia infantile ». Il bimbo vi mette le dita in bocca, vi tira il naso, vi tocca gli occhi. Prova a gridare o a vocalizzare per vedere come voi risponderete, e a quale dei suoi messaggi risponderete.

Intorno ai sei mesi il lattante spesso è già capace di usare le sue mani separatamente, una per volta: afferra un oggetto con una mano sola, se lo guarda da ogni lato, lo passa nell'altra mano, lo batte sul tavolo, probabilmente con grande interesse per il rumore che riesce a provocare in tal modo.

Queste attività contengono in sé il germe del progresso: quando il bimbo attua un'impresa che produce un effetto nuovo per lui, per esempio il rumore ottenuto battendo un cubo di plastica sul tavolo, egli ripeterà quell'azione più volte alla ricerca di effetti diversi e sempre più interessanti. A questo punto egli è già in grado di associare la sua azione al risultato che ne ottiene: egli scopre cioè che esistono *una causa e un effetto*.

Instancabilmente, il bambino va avanti, giorno per giorno. Sì, credo proprio che ci sia ben poco di più sbalorditivo di questa continua conquista che vostro figlio realizza sotto i vostri occhi, in ogni istante della giornata.

1.2. La sua personalità si sta determinando

Una delle cose più emozionanti che potrete scorgere nell'evoluzione del vostro bambino è questa: egli comincia a manifestare dei sentimenti in rapporto alle sue attività. Il bimbo lavora, tocca, prende e muove oggetti, esplora, provoca rumori e spostamenti nel mondo di cose alla sua portata; qualche volta riesce a ottenere ciò che vuole o che gli piace, e qualche volta no. E nel primo caso manifesta segni di soddisfazione e di contentezza per il successo raggiunto, nel secondo caso esprime il suo disappunto, o addirittura la collera, per l'insuccesso.

La sua personalità si sta sviluppando rapidissimamente: egli procede a grandi passi verso quel momento in cui riuscirà a « staccare » se stesso dal mondo che lo circonda, cioè a comprendere che lui esiste come persona autonoma. Ho detto prima che il bimbo, quando la mamma non c'è, si illude di sostituirla con la propria mano (o il piede, o il solo pollice, ecc.). Ma ben presto egli troverà altre cose che gli potranno procurare la stessa illusione, che potranno cioè riempire il vuoto lasciato dalla madre assente con una presenza fittizia, da succhiare; potrà in breve trovare degli *oggetti-sostituti* della mamma. L'angolo del lenzuolo, il bavaglino, la manica del grembiulino, tutto ciò che è alla sua portata e che può essere succhiato gli serve per rimpiazzare la mamma che in quel momento non c'è.

Ora, questo oggetto-sostituto, per esempio l'angolo del lenzuolo, presenta due caratteristiche:

1. non fa parte del corpo del bambino
2. non viene riconosciuto dal bambino come qualcosa che non gli appartiene, che non fa parte della sua persona, ma che fa parte invece del mondo esterno.

Si verifica così questa situazione: il bambino possiede un oggetto esterno, senza sapere che è esterno. Questo possesso di una cosa esterna, però, è probabilmente il primo passo verso la scoperta che esiste appunto qualcosa di esterno, cioè un mondo, *diviso dalla persona del bambino.*

Un passo decisivo: saper ridere

Mettiamoci ancora una volta nei panni del bambino: in diverse occasioni nel corso della giornata egli prova la grande soddisfazione di mangiare e, mentre succhia con voluttà, vede davanti a sé qualcosa di molto bello, un ovale luminoso, riscaldato da una certa espressione di affetto e di allegria, con due sorgenti di magici splendori.

Il volto della mamma. Il piccolo guarda incantato; e, a un certo punto, nel corso del secondo mese di vita, interrompe la poppata e per la prima volta *sorride*.

Credo che questo sia un momento di intensa commozione per chiunque, anche per uno spettatore occasionale, anche per un estraneo. Figuriamoci per la mamma. Da questo istante il bimbo prende l'abitudine di sorridere sempre, quando si trova di fronte un volto umano; questo infatti è diventato per lui la « materializzazione », potremmo dire, del fantasma buono. Il *Bene del mondo,* per vostro figlio, si concentra lì, in quella stupenda visione che gli appare tutte le volte che mangia, nella visione del vostro volto; anzi di tutti i volti, perché lui non sa ancora distinguerli l'uno dall'altro. Il viso di chiunque, e persino una maschera di carta, purché visto di fronte, suscita nel piccino il sorriso. Ma se vi girate di profilo il sorriso scompare. Perché per il bambino il profilo non è più un viso umano, non è quello che lui vede quando succhia, non è più niente.

Poco tempo dopo, verso il terzo mese, la gioia che il bimbo ricava dalla visione del volto umano, e il dispiacere che prova in occasione della sua scomparsa, non sono probabilmente già più legati rispettivamente alla soddisfazione della poppata o ai morsi della fame. Indipendentemente dal bisogno di mangiare o dallo stato di sazietà, il viso è diventato per il bambino un qualcosa di buono, di rassicurante, che scaccia dal mondo i fantasmi cattivi e divoratori. A questo punto si può persino parlare di un *riconoscimento*; non della persona, beninteso, ma del volto come oggetto buono.

Questa specie di riconoscimento, testimoniato dal sorriso, è indubbiamente un grande passo avanti nell'evoluzione del bambino. Illustri studiosi ritengono addirittura che alla comparsa del sorriso corrisponda nella personalità del bimbo il nascere di una prima forma di consapevolezza, nonché l'inizio di un'attività controllata e delle relazioni sociali. Certo è che, col primo sorriso, la personalità del lattante cambia in modo radicale, e si può dire veramente che si apre un nuovo capitolo della sua vita.

Poi, verso i quattro mesi, avrete un'ulteriore sorpresa: vostro figlio *riderà*. Riderà nel senso proprio della parola, « col rumore », a gola spiegata. Sarà l'inizio di quel delizioso modo di essere della persona umana che si chiama *umorismo*. Anche questo è un bel passo avanti, sapete. E, fra l'altro, porterà un nuovo clima di allegria nella vostra casa. Vedrete, il piacere che proverete quando col gioco farete ridere il vostro bambino sarà uno di quelli che vi resteranno in fondo al cuore per tutta la vita.

La protesta

Non è da credere che la vita del lattante nei primi mesi sia solo un susseguirsi di delizie e di godimenti. Ci sono anche i momenti di cattivo umore, anzi pessimo, di irritazione e di collera. Il bambino ha certe sue necessità, ha i suoi desideri e persino i suoi programmi, e tutto ciò che si oppone alla soddisfazione dei suoi bisogni o alla realizzazione delle sue aspirazioni o dei suoi progetti lo disturba profondamente e molte volte lo fa cadere in preda a delle vere e proprie crisi di rabbia. Il lattante è un iracondo, e in generale ha i suoi buoni motivi per esserlo.

Nelle prime settimane le cause fondamentali della collera del bambino sono due: l'impedimento alla sua attività fisica, ai suoi movimenti, alla sua libertà di agitarsi come vuole (per esempio fasciature, indumenti troppo costrittivi, coperte troppo tirate, ecc.), e la mancata risposta ai suoi richiami, cioè l'assenza della madre, assenza alla quale egli non riesce a porre rimedio coi suoi strilli. In seguito possono verificarsi altre situazioni capaci di scatenare la sua protesta: per esempio il fallimento dei suoi sforzi per ottenere un determinato effetto, un suono, o una luce, o per impadronirsi di un oggetto. Il bambino, è bene non dimenticarlo, non riesce a spiegarsi come mai una sua determinata azione, come tirare un cordoncino, gli procuri la soddisfazione di far muovere dei pendagli ma non quella di far comparire, poniamo, una luce: dopo la prima esperienza, quella di un movimento piacevole prodotto dal cordoncino, egli ritiene che il ripetersi della stessa manovra provochi ogni effetto desiderato, egli considera in altri termini quel cordoncino come una specie di bacchetta magica che realizza i desideri. E la constatazione che le cose non stanno così lo urta profondamente. Insomma, egli segue una sua « logica » e, come accade anche agli adulti, non ammette ch'essa sia contraddetta dalla realtà. In questo suo atteggiamento il bambino è tenacissimo, non accetta il mondo così com'è, non scende a compromessi, almeno fin che ha la forza di protestare. In breve, egli non ha ancora imparato a diventare ciò che noi oggi chiameremmo un « integrato ».

1.3. La sua prima «guerra di indipendenza»: il divezzamento

I progressi di vostro figlio in questo periodo gli permettono di arrivare bene agguerrito alle soglie della crisi più impegnativa dopo quella della nascita, della crisi forse più importante di tutta la sua vita: la *crisi del divezzamento*.

Il divezzamento rappresenta per il bimbo un cambiamento di tale portata, un momento di così gravi e complesse difficoltà, da lasciare delle impronte *permanenti*, positive o negative, nella sua personalità. È necessario che sappiate di che cosa si tratta. In sintesi, il divezzamento comprende due grandi rinunce: quella al corpo materno, e quella al latte. La conseguenza di questo duplice abbandono, anzi la contropartita, è la conquista del mondo. Vediamo questi punti uno per uno.

Il distacco dalla madre

Il bambino allattato al seno, e anche quello alimentato artificialmente purché sia nutrito personalmente e nei dovuti modi dalla madre, percepisce la poppata come un insieme di sensazioni piacevoli: l'essere comodamente adagiato fra le braccia materne, nel tepore e nel profumo del corpo materno, la visione del seno e del volto materni, la voluttà del succhiare, il piacere di saziarsi. Con l'inizio del divezzamento questo universo di soddisfazioni, che scaturiscono tutte dal corpo della mamma, si va dissolvendo, crolla pezzo per pezzo. È il grande distacco: il grembo materno viene sostituito prima o dopo dal seggiolone o dall'infant seat, il contatto con le braccia e col petto della mamma vien meno, il « buon seno », come alcuni l'hanno definito, scompare per sempre, il succhiare viene ostacolato dall'impiego del cucchiaino. Strumenti, freddi e scomodi, al posto di un corpo umano tiepido e cedevole. Di certo, dal punto di vista del bambino, si tratta di un brutto affare. Anzi di una vera e propria tragedia.

Stando così le cose c'è da chiedersi: *quando* si deve porre un lattante di fronte a questa « disgrazia », quando conviene divezzarlo? Meglio presto o meglio tardi?

Per la verità, su questo argomento si è fatta un po' di confusione: si è sempre parlato di divezzamento in senso generico, dimenticando che esiste un *primo divezzamento* che consiste nel passaggio dal latte materno a quello artificiale, e un *secondo divezzamento*, che consiste nel passaggio da una dieta esclusivamente lattea a un'alimentazione semisolida o solida, mista e varia (pappe, minestrine, carne, verdure, frutta, ecc.). Nel caso del primo tipo di divezzamento, per il bambino il dramma si riduce sostanzialmente alla scomparsa del seno, mentre rimangono le altre componenti piacevoli della poppata: l'abbraccio della mamma, il suo calore, la suzione, eccetera. Però, come ho già accennato nel primo capitolo, molti ritengono che proprio il seno rappresenti per il bimbo tutto il bene del mondo. Che la visione e il contatto del seno siano importanti è certo assai probabile; ma, come abbiamo visto poco sopra, l'oggetto che realmente racchiude in sé il Bene, il fantasma buono, la presenza rassicurante, non è tanto il seno, quanto il *viso materno*. Anzi, secondo molti, il

g. crepax

volto umano in generale. Anche quello del papà, o della nonna, o della sorella maggiore, o di qualsiasi altra persona "di fiducia" che stia somministrando il poppatoio al bambino. C'è da credere perciò che il passaggio dall'alimentazione al seno a quella artificiale, se attuato con tenerezza e affetto, non costituisca un grande problema per il piccino: il volto della persona, solitamente della mamma, il suo sorriso, il suoi occhi, la sua voce, rimangono. E pare sia questo ciò che conta.

Per il divezzamento del secondo tipo il discorso è diverso: come si è detto or ora, è tutto un mondo di caldo piacere che va in frantumi. E' il *vero* distacco dalla madre. E qui si ripropone la domanda: presto o tardi? Per alcuni studiosi il divezzamento iniziato troppo presto è fonte di guai innumerevoli: la nostalgia di un piacere, quello di succhiare, goduto per un tempo troppo breve, farebbe nascere nella personalità del bambino una autentica mania di ripagarsi in qualche modo, che poi si tradurrebbe in un carattere pessimista, insicuro, aggressivo, o addirittura sadico. Secondo qualcuno persino le contestazioni studentesche degli anni settanta e gli scontri con la polizia, e poi il teppismo, la criminalità, la violenza, la droga, sarebbero da mettere sul conto del pessimismo, dell'insicurezza, e quindi dell'aggressività, prodotti da un allattamento materno troppo breve o nemmeno iniziato. Come se nella nostra società, oltre all'allattamento artificiale e al divezzamento precoce, non esistessero altre spinte alla ribellione, o alla delinquenza, o alla fuga. Per gli stessi ricercatori il divezzamento tardivo, avendo fornito al bimbo una soddisfazione piena e prolungata del suo bisogno di succhiare, favorirebbe invece il formarsi in lui di un carattere sereno, ottimista, equilibrato e sicuro. Ho ricordato queste opinioni solo perché sono state molto diffuse e potrebbero ancora influenzare le vostre scelte, ma in realtà sappiamo ormai benissimo che si tratta di teorie del tutto gratuite e mai confermate da alcuna ricerca seria.

Certo, è ben difficile indovinare che cosa « pensa » un bambino piccolo. Però possiamo osservarlo e studiare il suo comportamento. E l'attento studio del comportamento di molti bambini, effettuato da non pochi ricercatori, ha dimostrato che molto spesso succede proprio il contrario di quanto sostengono le teorie di cui parlavo; ci sono bambini divezzati precocemente che presentano una personalità normalissima, un carattere equilibrato e una grande serenità, e che non dànno alcun segno di rimpianto per la suzione ormai superata, e altri, divezzati tardi, che sono "lagnosi", paurosi, insicuri e frenetici succhiatori di pollici e tettarelle.

Naturalmente può succedere anche il contrario. Ma sembra comunque che si possa tranquillamente escludere l'eventualità che un divezzamento precoce ben condotto possa produrre effetti negativi sull'evoluzione della personalità del bambino.

E allora? Dato che la crisi del divezzamento è ovviamente inevitabile, dove collocarla nella vita di vostro figlio? La risposta è contenuta nelle seguenti considerazioni.

1. L'esperienza, anche quella più impegnativa e sconcertante, come il primo contatto col cucchiaino o con l'alimento solido, diventa ben presto qualcosa di stimolante e persino di piacevole per il bambino. Una specie di giocattolo nuovo. Una realtà da scoprire, da analizzare, da sfruttare, da controllare, da gustare. L'esperienza alimentare ancor più delle altre, direi. Non dimentichiamo infatti che il primo modo di entrare in contatto col mondo è per il bimbo, fin dalla nascita, quello della *incorporazione*. Mettere dentro di sé, attraverso la bocca. È quindi in questo campo che il "nuovo" lo affascina e lo sprona di più. A determinare condizioni, s'intende, come vedremo in seguito

2. Qualsiasi esperienza, a qualsiasi età, produce un progresso. Il bambino impara presto, prima di quanto pensiamo, se *può* imparare. Cioè, appunto, se può fare esperienze

3. Non ci sono due bambini eguali, non ci sono due mamme eguali, e non ci sono due coppie mamma-bambino eguali fra loro. Le esigenze di ogni coppia, e quelle di ciascun membro della coppia, possono essere diversissime. Anche per quanto riguarda il divezzamento. Perciò c'è da pensare che sia sbagliato stabilire delle regole valide per tutti. C'è chi si sente di cominciare prima e chi dopo, chi ha un carattere più "avventuroso" e chi meno, chi è ansioso e chi non lo è, chi deve fare i conti con determinate situazioni e chi può fare quello che vuole, eccetera eccetera

4. Ciò che rende tutto più difficile è la fretta. Le varie fasi del divezzamento vanno attentamente distribuite nelle settimane e nei mesi. È importante non dover passare precipitosamente, per una qualsiasi circostanza, dall'allattamento a una dieta mista, magari in buona parte solida. Meglio pensarci per tempo. Un divezzamento affrettato, di solito, deve essere *imposto* al bambino. E allora i vantaggi legati alla nuova esperienza vengono in buona parte annullati. Allora sì che può insorgere nel bambino un violento desiderio di ritornare indietro, di regredire, di rientrare nel confortevole porto del seno materno. E siccome questo è ormai impossibile, il bambino si attacca disperatamente a qualcos'altro che gli restituisca sicurezza e quiete, diventa un forsennato succhiatore, non vuole più dormire nel suo lettino, vuol essere sempre tenuto in braccio, e via dicendo

5. Sembra comunque raccomandabile che il divezzamento, per un bimbo alimentato al seno, venga concluso *prima dell'inizio della dentizione*. Se infatti il lattante è disturbato dall'eruzione dei denti,

egli è portato ad alleviare il suo disagio con il *mordere* energicamente ciò che gli càpita in bocca; ma in bocca, in quel momento, egli potrebbe avere il capezzolo della madre, la quale, per il dolore, cercherà immediatamente di ritirarlo. Ecco allora che il piccino rimarrà sopraffatto da un complesso di dispiaceri: il dolore procuratogli dai denti, la delusione di non aver più l'oggetto da mordere, il senso di aver perduto il contatto con la mamma, la collera contro la propria impotenza. E tutto questo si tradurrà in un profondo disturbo del rapporto fra bambino e mamma, anzi, come ha detto lo psicologo americano Erikson, in una « catastrofe nella relazione dell'individuo con se stesso e col mondo ». Una catastrofe che potrebbe disturbare l'evoluzione della personalità del bambino, e il cui contenuto è stato simbolizzato nella Bibbia dalla mela (il seno materno) che, morsa da Adamo (il bambino), gli ha fruttato la rottura dei rapporti con Dio (la madre).

La libertà dal latte

Al distacco dalla madre si accompagna l'abbandono, almeno parziale, del latte. L'osservazione quotidiana di bambini durante il divezzamento ci permette di pensare che anche questa novità rappresenti per il piccino un avvenimento estremamente sgradevole e una fonte notevole di dispiacere. In primo luogo bisogna ricordare che il latte, e più in generale l'alimento liquido, è strettamente legato alla attività della suzione, attività nella quale il bimbo è maestro e che per di più gli procura un intenso piacere. In secondo luogo è probabile che il liquido caldo abbia per il bambino il valore di una specie di « prolungamento » del corpo materno, costituisca cioè per lui una parte dell'oggetto buono da incorporare, da mettere dentro di sé. Succhiando il latte il bambino è felice, perché, attraverso un'attività piacevole, egli assorbe il Bene, e inoltre sfamandosi neutralizza per così dire il Male.

Le cose vanno ben diversamente coi primi cibi solidi: l'impossibilità di appropriarsene succhiando, e quindi la separazione fra il piacere della suzione e quello del saziarsi, e il fatto che la pappa non appartenga al corpo materno, cioè all'oggetto buono, possono far sì che il piccino consideri il cibo come un oggetto cattivo, non da mettere dentro di sé, ma piuttosto da cacciare fuori. E infatti càpita molto spesso, e capiterà anche a voi, di vedere il lattante che sputa i primi bocconi di pappa con uno sdegno furibondo, che si fa venire il vomito, e che in diversi altri modi manifesta la sua ferma decisione di respingere quella cosa detestabile. La quale, in realtà, forse è buonissima, ma che in ogni modo per il bambino rappresenta un aggressore, un nemico, una sostanza che richiama la presenza di quello che abbiamo definito il « fantasma divoratore ».

La conquista della *libertà dal latte*, in conclusione, richiede una battaglia penosa, lunga e difficile, e il coraggio di capovolgere il proprio mondo. Come, del resto, la conquista di ogni altra libertà.

La conquista del mondo

Questa crisi di separazione, di abbandono della madre e del latte, sembra così terrificante da indurci a pensare che forse sarebbe meglio evitarla del tutto e lasciare che il bambino continui a succhiare il latte, se gli va, fin che frequenterà la scuola o giù di lì. Ma invece, come tutte le crisi, anche quella del divezzamento è matrice di progresso. In questo caso si tratta per il bimbo di rendersi indipendente dall'organismo materno per iniziare la conquista del mondo. Ecco peché mi pare che il divezzamento possa veramente essere considerato come la prima « guerra di indipendenza » del bambino.

Non c'è dubbio che per intraprendere l'avventuroso viaggio di esplorazione attraverso la vita, alla conquista dell'universo, occorre innanzitutto conquistare una propria autonomia, e cioè accettare l'abbandono dell'involucro protettivo fornito dal corpo materno. Certe tribù indiane d'America infatti danno al divezzamento il nome di « oblio della madre ». Ma vediamo ora che cosa succede al vostro bambino durante questo delicato periodo.

Supponiamo che a un bimbo si voglia evitare il trauma del divezzamento e che lo si lasci indefinitamente prendere il latte materno. Lo stato di piacere pressoché costante che deriverà da tale condizione porterà naturalmente il bambino a rimanere passivamente adagiato nel suo soave nirvana, come racchiuso in un magico bòzzolo senza problemi, senza contrarietà e senza sorprese. Il rilassamento derivante dalla soddisfazione si stenderà sul piccolo gaudente come un dolce gas sonnifero e il bambino finirà col restarsene lì, tranquillo, occupato soltanto nel cercare di mantenere stabilmente immutate le sue condizioni di vita, che egli considera ottime. Anzi le migliori.

Prendiamo ora in esame un bambino in fase di divezzamento. Il divezzamento come abbiamo visto, costituisce indubbiamente un dispiacere per il bimbo; un grosso dispiacere. Ma il dispiacere, come tutti sappiamo, agisce sulla personalità in un senso opposto a quello in cui agisce la soddisfazione: questa induce un pacifico e sonnolento abbandono, il dispiacere stimola a uno stato di attenzione e di vigilanza. Tanto è vero che, quando facciamo un sogno angoscioso, ci svegliamo di soprassalto. Ora, lo stato di attiva vigilanza provocato dal dispiacere, nel nostro caso dal divezzamento, spinge com'è chiaro il bambino a essere assai più sensibile a tutti i messaggi che provengono dal mondo esterno; egli diventa come un pioniere in una regione sospetta e minacciosa, e deve stare bene attento a tutto ciò che vi è intorno a lui. Ma questa attenzione, questa costante ricezione di stimoli, di segnali e di messaggi, non potrà rimanere a livello di un atteggiamento passivo (chi può pensare a un pioniere che se ne stia sempre seduto sotto un albero?), e si trasformerà in una operosa attività esplorativa. In breve, il dispiacere della perdita della mamma spinge il bambino all'esplorazione del mondo; egli tenterà di sostituire il Bene perduto con altri Beni, e andrà a cercarseli nell'universo. Il dispiacere del divezzamento insomma spinge il bambino fuori di un nirvana, verso la realtà esterna. E anche questo è stato simbolizzato nella Bibbia con la cacciata dal Paradiso Terrestre (il nirvana del piacere) a seguito della conquista da parte dell'uomo della conoscenza del Male (il dispiacere del divezzamento).

Va detto però a questo punto che il bambino sarà capace di affrontare adeguatamente il dispiacere del divezzamento, e di trarne frutto diventando indipendente e intraprendendo un'attività esplorativa del mondo, solo nel caso che egli abbia potuto precedentemente godere appieno dell'affetto materno. In altri termini, se il bambino avrà avuto dalla mamma una quantità di cure e di manifestazioni di affetto sufficienti ad appagare i suoi bisogni, se quindi egli avrà raggiunto la *sicurezza* di un Bene che esisterà sempre per lui, allora egli sarà in grado di accettare e superare il distacco dal paradiso materno, in quanto tale paradiso continuerà in un certo senso a rimanere dentro di lui. Altrimenti egli si troverà, sfiduciato e deluso, sulle soglie di un mondo al quale non riuscirà mai ad adattarsi completamente; egli si troverà a dover *subire* un mondo aspro e terrorizzante, senza alcuna sicurezza che lo sostenga « dal di dentro ».

1.4. Inizia la penetrazione sociale

Nelle prime settimane di vita i rapporti sociali del vostro bambino consistevano essenzialmente nel contatto con voi, con la mamma, e nel senso di protezione e di sicurezza che da questo contatto scaturiva. Dall'inizio del secondo mese di vita questa comunione madre-bambino si trasforma in una « base di lancio » per la conquista di relazioni sociali sempre più estese. Ma vediamo prima di tutto come tale base, costituita dall'amore materno, si consolidi e si sviluppi.

Il bimbo, anche di poche settimane, è sensibilissimo all'affetto di cui sono nutriti tutti i gesti, gli sguardi, le parole, le cure che la mamma gli dedica e, a un certo punto, vi risponde come abbiamo visto col sorriso. E la mamma di solito interpreta il sorriso del suo bambino come la testimonianza non solo di un *riconoscimento* da parte del piccino, ma anche di *riconoscenza* per l'amore che gli viene prodigato.

Sì, lo so che questo da un punto di vista scientifico è sbagliato; lo so che un bambino di un mese o poco più non sa riconoscere nessuno e non può avere la più pallida idea di che cosa sia la riconoscenza. Eppure la vostra interpretazione del sorriso del bambino, questa interpretazione istintiva che vi fa leggere sul volto del piccino una gratitudine diretta *proprio a voi*, forse ha in sé qualcosa di più « vero », di più importante di qualunque realtà scientifica. Questa interpretazione materna, ha detto lo psicologo italiano Fornari, « è un errore sul piano della realtà, che ha però una sua vitale e misteriosa saggezza che pone le fondamenta del mondo affettivo originario ». Io credo che la vostra gioia davanti al sorriso del bimbo, questa gioia che nasce dalla illusione di essere ringraziata da lui, e che voi esprimete sorridendo a vostra volta al piccino, io credo che questa vostra gioia costituisca veramente la prima base per lo sviluppo di tutti i successivi rapporti sociali di vostro figlio. Una base che si chiama amore.

Già verso i quaranta o quarantacinque giorni il bambino compie un progresso notevole sul piano delle relazioni sociali: ho detto altrove che col passare del tempo il pianto del bimbo « si specializza », si fa sempre più espressivo, indica con precisione sempre maggiore il tipo di bisogno che lo ha provocato. La persona che si occupa del piccolo riesce di conseguenza a decifrare sempre meglio il messaggio contenuto negli strilli e nelle vociferazioni che arrivano dalla culla, e provvede a soddisfare le esigenze del piccino con tempestività ed efficienza sempre più soddisfacenti per lui. Egli piange perché ha fame, e arriva il latte; protesta perché è sporco, e lo si pulisce; si lamenta perché è solo, e la mamma lo prende in braccio. Così, inconsapevolmente, il bambino impara a servirsi delle diverse qualità di frastuono che il suo apparato vocale riesce a emettere, allo scopo di ottenere le soddisfazioni che di volta in volta desidera. A questo punto egli è riuscito a stabilire una vera e propria comunicazione in codice fra se stesso e l'ambiente Cioè un germe di relazione sociale.

Sui tre mesi circa la capacità del vostro bambino di stabilire dei rapporti sociali, nonché il suo desiderio di stabilirli, sono ormai evidenti. La voce umana, anche quella del garzone che vi ha portato la verdura, attira notevolmente la sua attenzione: egli si gira, ascolta, spesso sorride. Come se quella voce, che forse parla dell'aumentato costo dei pomodori, gli si rivolgesse personalmente con deliziosi complimenti. Ancor più di frequente sorride ai volti delle persone, si protende come può verso chi passa nella sua zona di avvistamento e fa chiaramente intendere di essere animato dalle più amichevoli intenzioni; non di rado tronca immediatamente un furioso concerto di ululati solo perché una persona qualunque si ferma a guardarlo.

Ma c'è di più: se il vostro bambino sta arrabattandosi con un oggetto che ha captato il suo interesse, e voi glielo portate via, di solito non succede nulla. Ma se voi state a guardarlo per un po', e poi ve ne andate, il bimbo probabilmente scoppierà in pianto. Il che significa che il volto umano è per lui un « oggetto speciale », ben diverso da tutti gli altri. E questo non è già più un germe di rapporto sociale, ma è ormai una *base di rapporto sociale*. Anzi, in un certo senso, è un rapporto sociale vero e proprio.

A quanto sembra, quella che potremmo chiamare la « risposta sociale al volto umano » assume particolari significati per il bambino quando il viso ch'egli può contemplare è quello della mamma. Fra i tre e i quattro mesi infatti il bimbo comincia a rendersi conto oscuramente che la mamma è *qualcosa di reale*, e non soltanto quel « fantasma buono » che il suo desiderio aveva creato; un oggetto reale, quindi buono o cattivo a seconda delle circostanze e non a seconda dei suoi desideri, e in definitiva buono e cattivo insieme, come tutte le cose reali. La mamma che nutre e accarezza, tanto per intenderci, è buona; quella che interrompe la poppata, forse perché squilla il telefono, o che mette in atto delle manovre di pulizia fastidiose, è cattiva. Il bambino allora potrebbe provare degli impulsi aggressivi contro la « madre cattiva », e perciò anche contro la « madre buona », dato che entrambe si sono unite nella madre reale. Così, quando il viso della mamma scompare, il bimbo è angosciato dalla sensazione di aver distrutto la mamma coi suoi sentimenti di aggressione, mentre il ricomparire del volto materno lo rassicura che ciò non è avvenuto. Germoglia in tal modo nella mente del bimbo quell'atteggiamento di timore di nuocere agli altri, quel senso di colpa di fronte alla sofferenza altrui che più tardi diventerà il cosiddetto *senso di responsabilità*, cioè la base di ogni viver civile. Se tale ipotesi è vera, appare chiaro che il lattante compie in questo momento un passo davvero sbalorditivo nella sua evoluzione sociale.

Oltre a una simile conquista, che non si vede, il bambino ne realizza molte altre che si vedono benissimo. Potrete constatare per esempio che molte volte il vostro bambino di quattro mesi o cinque aumenta considerevolmente le sue attività quando vi siano altre persone vicino a lui: si affanna a raggiungere questo o quell'oggetto, si agita, balbetta e gorgoglia, e nel complesso appare molto indaffarato. Quasi si direbbe che il « pubblico » lo incoraggi a sempre più gloriose imprese; e del resto è probabile che i contatti con altre persone umane lo aiutino proprio ad affermare se stesso, gli diano la sensazione di « essere qualcuno ».

D'altra parte, egli è pronto a cogliere ogni sfumatura di chi gli sta intorno: l'espressione del volto, il modo di muoversi, lo stato d'animo, il tono della voce, eccetera. Non solo, ma comincia anche a saper distinguere una persona dall'altra. Non sempre, e non in tutte le circostanze. Ma potrà accadervi di notare che, mentre sorride cordialmente a voi, resta del tutto impassibile davanti al ragionier Rossi, amico del papà. L'epoca in cui elargiva il suo sorriso a tutte le facce, imparzialmente, e persino alle maschere di cartapesta, è ormai superata. Ora comincia a « conoscere gli uomini », e tende a riservare ad alcuni la sua approvazione e ad altri la più severa disapprovazione. In realtà, badate bene, è tutto molto sfumato, molto incerto: il bimbo non ha ancora la consapevolezza della propria autonomia, né riesce a riconoscere in senso stretto una persona. È un inizio, una prima luce, che però fra pochissimo tempo rischiarerà vivamente il panorama sociale che circonda vostro figlio.

Verso i sei mesi il bimbo tende di solito ad assumere un atteggiamento particolare nei confronti della « società »: egli ha raggiunto certe abilità, ha conquistato nuove capacità di manovra, è in grado di affrontare nuove esperienze nel mondo degli oggetti, ed è perennemente ansioso di mettere alla prova se stesso in ogni sorta di imprese. Insomma, ha molto da fare. Questo, inevitabilmente, lo distoglie da una vita sociale troppo intensa. Le persone lo interessano sempre, certo, ma egli lascia chiaramente intendere che non può dedicare loro troppo tempo. Egli deve lavorare. Comincia in tal modo per lui un breve periodo di raccoglimento, di « ritiro », come per i giocatori di calcio nel periodo che precede una partita importante. Solo che vostro figlio non ha allenatori né tecnici. Fa tutto da solo. E la miglior cosa che potrete fare per aiutarlo è di « lasciarlo lavorare », senza pretendere che faccia ciao-ciao con la manina alla signora in visita, che dia il bacino alla prozia o che faccia un bel sorriso al signor parroco.

1.5. Sviluppa i suoi mezzi di comunicazione

Gorgheggio e vocalizzazione

Già nel periodo in cui raggiunge il suo primo mese di età il bambino comincia a emettere dei suoni nuovi, che nulla hanno a che fare col pianto. Si tratta al contrario di suoni divertenti per chi li ascolta e, a quanto sembra, divertenti anche per lo stesso bambino. Suoni irripetibili, bizzarri, inesistenti nella nostra lingua: gorgoglii, gorgheggi, rumori vari che in verità non si saprebbe a che tipo di linguaggio si possano avvicinare. Abbondano le G, le K, le CH, consonanti che si formano in gola, e che si accompagnano in maniera apparentemente casuale a qualche vocale dall'accento strano e imprevedibile. Se volessimo scrivere questo tipo di suoni dovremmo creare « parole » di questo genere: *nghé, käo, anghae, nghée, anchée*, eccetera. E comunque non riusciremo a imitare che molto imperfettamente le espressioni del bambino.

È probabile che questi primi suoni di vostro figlio derivino dai movimenti di deglutizione e di eruttazione che il bimbo compie durante e dopo la poppata. Quello che sembra certo è che essi si collegano in qualche modo al piacere del succhiare, del saziarsi e dell'essere a contatto con la madre.

Naturalmente il lattante è ben lontano dall'idea di usare un simile linguaggio per trasmettere delle informazioni; i suoi bisogni, le sue esigenze e i suoi desideri si traducono ancora nel puro e semplice pianto, che a sua volta non ha nulla di intenzionale, ma che, nelle sue diverse varietà, mette la mamma in grado di interpretarlo, il più delle volte correttamente.

Poco tempo dopo, sul finire del secondo mese, si può notare un certo cambiamento nel linguaggio del bambino: le vocali aumentano e si fanno più precise, più simili a quelle che usiamo noi : le A sono A, e non più delle AE, delle ACH, o delle AGHAA; le E sono delle chiare E, e via dicendo. Nel frattempo diminuiscono in proporzione quelle strane consonanti gutturali che avevano tutto il sapore della casualità. Siamo arrivati allo stadio della *vocalizzazione*.

Anche la vocalizzazione, come il gorgheggio che l'ha preceduta, ha un contenuto di soddisfazione e di contentezza, ma ora si ha l'impressione nettissima che il suono non sia più semplicemente una manifestazione di giubilo fine a se stessa e genericamente diretta all'universo, bensì un segno diretto alla madre, personalmente. O almeno, per essere più precisi, diretto a quella porzione di mondo rappresentata dalla madre.

Che cosa fate voi davanti al vostro bambino che vi guarda, forse vi sorride, ed emette delle piacevoli vocalizzazioni verso di voi? Ovviamente rispondete, e rispondete imitando i suoi suoni, vocalizzando a vostra volta. Il piccino sente così « rimbalzare » verso di lui gli stessi gradevoli e lieti suoni che lui ha prodotto ed è incoraggiato a persistere nei suoi tentativi. Ed ecco che si stabilisce una prima comunicazione fra il vostro bambino e voi. Una comunicazione di gioia.

Arriverà al punto, vostro figlio, che userà la vocalizzazione per « sostituirvi » quando non ci siete, per crearsi l'illusione che voi siate ancora accanto a lui. Userà insomma la vocalizzazione nello stesso modo in cui usa la propria mano, succhiandola, nell'illusione di succhiare il vostro seno.

Mimica e gesti

Non si deve mai dimenticare che il bambino di quest'età non si esprime praticamente mai soltanto attraverso i suoni: egli possiede altri due mezzi di comunicazione di grande valore, che sono il suo corpo e soprattutto la sua faccia.

Osservate vostro figlio nei diversi momenti della giornata e nei suoi vari stati d'animo: certe volte non è nemmeno necessario che lui pianga o rida o assuma una certa espressione del volto per capire che è contento, o scontento, o incollerito, o spaventato, eccetera. Se desidera la vostra compagnia, fin da piccolissimo compie sforzi enormi per protendere il suo intero corpo verso di voi; se qualcuno o qualcosa lo intimorisce, si rannicchia, si ripara il volto con le mani, si gira repentinamente dall'altra parte; se è tranquillo e soddisfatto, se ne sta lì come un principe in trono, raggiante e spesso come perduto in certe sue paradisiache visioni.

Col suo viso poi, egli esprime in dettaglio ogni sua emozione. Ansia, interesse, soddisfazione, curiosità, disgusto, stanchezza gioia, paura, si leggono sul volto di un lattante con la massima chiarezza, senza possibilità di equivoci.

Ora debbo dire una cosa: tutte le varie forme di espressione del bimbo, quelle sonore, quelle dei gesti e quelle della mimica, vengono per così dire *rafforzate* dalla risposta materna: se alla vocalizzazione la mamma risponde con la vocalizzazione, se al gesto di desiderio risponde con un gesto di tenerezza, se al sorriso o alla smorfia risponde col sorriso o con la medesima smorfia, il bambino arriva a stabilire una autentica comunicazione. Che non sarà « voluta », intenzionale, ma non per questo è meno valida. Il bambino manda dei segnali, e « sa » che questi segnali vengono ricevuti, interpretati e rimandati. Egli, tutto sommato, riceve una risposta. No, non è per nulla ridicolo o infantile il gioco che voi fate con vostro figlio ripetendogli i suoi versi, rifacendogli le sue smorfie, rivolgendogli dei teneri suoni senza senso. E' la cosa più seria del mondo: voi insegnate a vostro figlio a *comunicare* con gli altri esseri umani.

1.6. Il suo secondo traguardo

A sei mesi il vostro bambino è diventato veramente « un altro ». In una ventina di settimane ha fatto dei passi da gigante: apprezza le forme e i colori del mondo; distingue non solo i vari tipi di suono, più o meno gradevoli, ma anche le intonazioni delle voce umana; si muove con una disinvoltura considerevole; afferra gli oggetti e li adopera per effettuare degli esperimenti; ha definitivamente abbandonato l'ambiente della culla e guarda l'universo dall'alto della sua nuova posizione, quella seduta; ha conquistato un suo primitivo senso dell'umorismo; è attivissimo, e occupa una buona parte della sua giornata a lavorare, a verificare le sue abilità da poco conquistate, a esplorare ogni cosa intorno a lui; ha raggiunto una prima confusa percezione del mondo « esterno »; è entrato nel gioco dei primi rapporti sociali; comunica con voi, vi intrattiene in lunghi misteriosi ma ricchissimi dialoghi, vi « racconta » a modo suo le gioie, gli entusiasmi, i dispiaceri, le paure, i desideri. E' diventato un *personaggio*, ma proprio vero, con un suo carattere ben preciso e con un suo modo di vivere, di comportarsi e di esprimersi.

Ma la sua più grande conquista è quella di aver superato la crisi del divezzamento. Egli ha bisogno di voi più che mai, ma non è più totalmente legato a voi. E' diventato indipendente. La perdita del latte non è stata per lui la perdita della mamma, ma il *distacco* dalla mamma; egli « ha mollato gli ormeggi », è partito per il suo grande viaggio di esplorazione. Lo può fare, naturalmente, in quanto sa che voi ci siete sempre, che il porto tranquillo e sicuro delle braccia materne c'è sempre; ma non potrebbe farlo se non avesse avuto il coraggio di uscire da quel porto.

2. SIATE CON LUI, MA CON DISCREZIONE

2.1. La sua giornata di lavoro

Programmate con discernimento la sua giornata

Certamente voi avete molte cose da fare: l'andamento della casa, il marito, forse altri bambini, i vostri impegni personali, una quantità di legami che non è sempre facile far andare d'accordo con le esigenze del bimbo. Fin che lui era un neonato, e dormiva la maggior parte della giornata, potevate fare un minimo di programmi; ma ora, con l'aumentare della sua età e il diminuire delle ore dedicate al sonno, la questione diventa sempre più complicata.

Tuttavia, non c'è bisogno di farne un problema angoscioso e opprimente. In fondo c'è sempre modo di sistemare le cose con soddisfazione di tutti, a patto però di non abbandonarsi a un'eccessiva disinvoltura, nella presunzione che il lattante, essendo piccolo, « non capisca niente » e sia perfettamente soddisfatto « una volta pulito, saziato e messo a nanna ». No, anche lui ha bisogno di una giornata sufficientemente varia e attraente, ordinata nei limiti del ragionevole, e animata dalla vostra presenza.

Vi consiglierei di seguire due criteri nel programmare la giornata di vostro figlio, e quindi anche la vostra:

1. fateci rientrare tutto ciò che è necessario, o anche soltanto utile, al bimbo: bagno, ginnastica, passeggiata, gioco, eccetera

2. non cambiate orari e abitudini se non per motivi di imprescindibile necessità. Se un giorno gli fate il bagno al mattino e un altro giorno alla sera, se oggi gli fate fare la sua passeggiata e domani no, se gli date la vostra compagnia per quattro ore e poi ne lasciate passare settantadue senza dedicargli un minuto, se spostate continuamente gli orari dei suoi pasti, o del sonno, o del gioco, egli non riuscirà mai a prendere un ritmo, finirà con l'innervosirsi, diventerà disordinato nelle sue richieste, agitato, fastidioso. Non potrete certo pretendere che il bambino funzioni come un orologio il quale si adatti alle vostre faccende, invece che seguire il normale scorrere del tempo.

La giornata di vostro figlio va pianificata, evidentemente, sul numero e l'orario dei suoi pasti; e sia l'uno che l'altro, nel periodo del divezzamento, cambiano. Penso in ogni modo che possiate mantenere dei *punti fissi*:

1. il bagno alla sera, prima dell'ultimo o del penultimo pasto

2. la ginnastica subito prima del bagno

3. la passeggiata nelle ore più tiepide d'inverno, più fresche d'estate

4. nessun pasto durante la notte.

Per i sonnellini durante il giorno, il gioco, l'eventuale bagno di sole, la « conversazione » fra voi e lui, vi regolerete come vi parrà meglio, sulla base delle abitudini del bimbo e delle vostre. Solo, ripeto, cercate di non cambiarle ogni momento, queste abitudini. Non sarebbe affatto vantaggioso né per lui né, a conti fatti, per voi.

Tutto sommato, si tratta come sempre di usare il buon senso. E' chiaro che voi non potete abbandonare ogni cosa per consacrarvi esclusivamente al servizio di vostro figlio; è chiaro inoltre che non potete e *non dovete* privarvi di ogni distrazione e di ogni divertimento per occuparvi solo di lui. Però potete, almeno in parte, mettere d'accordo le varie cose: se vi piace uscire alla sera, basterà che anticipiate un po' l'orario del suo ultimo pasto; se un pomeriggio volete trascorrerlo con un'amica o a una sfilata di moda, niente vieta che una baby sitter o una domestica o chiunque altro porti il bambino a passeggio e, per una volta tanto, gli somministri la merenda. Tutto è possibile. L'importante è che il bambino abbia una sua vita regolata e organizzata con discernimento. Portarlo a passeggio alle nove di sera, per esempio, o dargli l'ultimo pasto alle sei del pomeriggio e il primo alle quattro del mattino, possono anche diventare delle regole, ma non certo regole basate sul discernimento.

Il bagno

Sul bagno abbiamo già visto tutto nel capitolo precedente. Vorrei raccomandarvi ancora una cosa sola: conservate l'abitudine del bagno quotidiano. In primo luogo è un'eccellente cosa dal punto di vista igienico; in secondo luogo il bagno resta sempre un'occasione molto favorevole per un dialogo col vostro bambino, dialogo che si fa sempre più interessante, più divertente e più utile man mano che il piccolo impara a comunicare con voi; in terzo luogo il trovarsi in un elemento liquido, specialmente se gli date qualcosa con cui giocare (una spugna colorata, una palla, o anche un semplice pezzo di legno), costituisce per il lattante un'esperienza preziosa e stimolante. Non private, se appena è possibile, vostro figlio e voi stessa di questo piacevole incontro giornaliero. Vi porterà via un po' di tempo, ma, credete, sarà tempo speso bene.

La ginnastica

Prima del bagno potrete far fare al vostro bimbo un po' di ginnastica. D'accordo, non è strettamente indispensabile, ma utile sì. Basteranno pochi minuti. Potrete farvi consigliare alcuni semplici esercizi dal vostro pediatra. In ogni modo vi darò qui alcune indicazioni:

1. la ginnastica può essere iniziata quando il bambino è sui tre mesi e mezzo o quattro, non prima

2. l'ambiente dovrà essere ben arieggiato: una stanza con le finestre aperte, o un balcone. D'inverno, quando la temperatura esterna impedisce gli esercizi all'aperto o davanti a una finestra spalancata, fate che l'ambiente sia stato arieggiato subito prima della ginnastica; anche se sarà un po' fresco, non importa

3. il bambino dovrà essere collocato su un ripiano rigido (tavolo, scrivania e simili) ricoperto da un asciugamano di spugna sopra un materassino sottile non cedevole; ottimo un semplice foglio di gommapiuma dello spessore di un paio di centimetri

4. il bambino deve essere nudo e a digiuno

5. applicherete, come sempre, la regola della gradualità: un solo esercizio il primo giorno, due il secondo giorno, e così via

6. quando il bimbo eseguirà parecchi esercizi ogni giorno, lasciatelo riposare un poco ogni due o tre esercizi, coprendolo con un asciugamano di spugna

7. è chiaro che la ginnastica non si potrà praticare se il piccino non sta bene, o anche semplicemente se non ne ha voglia, frigna e si ribella

8. non inventate mai nuovi esercizi, ma limitatevi a quelli indicati qui o dal vostro medico.

Queste le regole generali. Vediamo ora alcuni esercizi adatti a fare di vostro figlio un atleta.

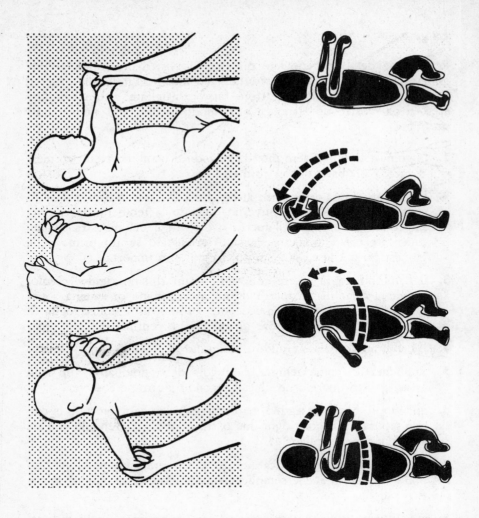

Primo esercizio: bambino steso sul dorso, braccia stese in avanti all'altezza delle spalle (lasciate che sia il bambino, se possibile, ad afferrarsi alle vostre mani):

- ☐ portare le braccia in alto, sopra la testa
- ☐ ritornare alla posizione di partenza
- ☐ allargare le braccia
- ☐ ritornare alla posizione di partenza
- ☐ ripetere tre volte la stessa sequenza
- ☐ aumentare il numero delle ripetizioni gradatamente fino a sei.

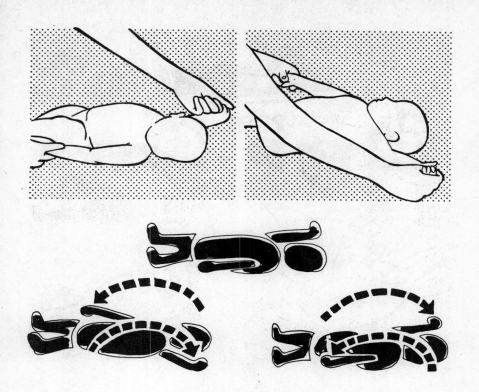

Secondo esercizio: bambino steso sul dorso, braccio destro in alto e sinistro in basso:

☐ invertire la posizione delle braccia

☐ ripetere dalle sei alle sedici volte, aumentando gradatamente.

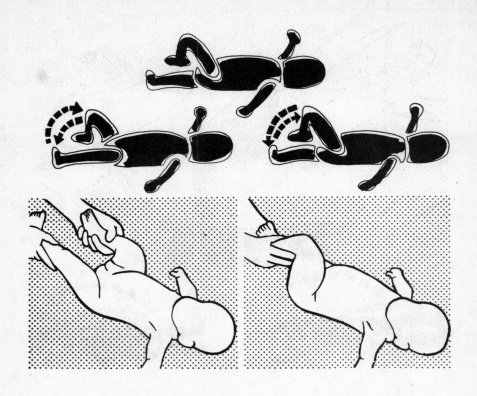

Terzo esercizio: bambino steso sul dorso:

- ☐ afferrare le caviglie
- ☐ piegare una gamba verso l'alto e tendere l'altra in basso
- ☐ invertire la posizione
- ☐ ripetere progressivamente da sei a sedici volte.

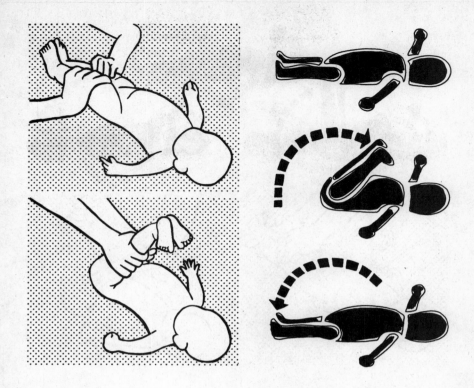

Quarto esercizio: bambino steso sul dorso:

☐ prendere le gambe all'altezza delle ginocchia col pollice al di sotto, lungo il polpaccio, e le altre quattro dita sopra

☐ alzare le gambe premendo col pollice e mantenendole tese con le altre dita

☐ ritornare alla posizione iniziale

☐ ripetere dalle quattro alle dieci volte.

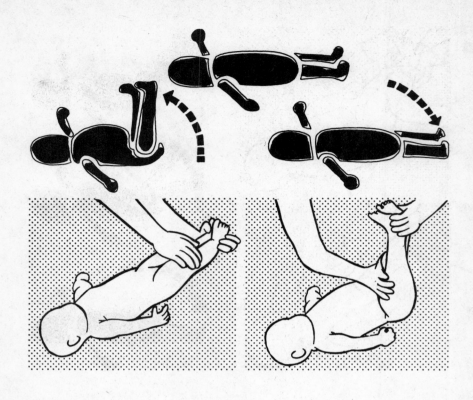

Quinto esercizio: bambino steso sul dorso:

☐ afferrare le caviglie da dietro e mettere l'altra mano sulle ginocchia davanti; naturalmente, gambe tese

☐ mantenendo le gambe ben tese, alzare fino a formare un angolo retto col tronco

☐ ritornare alla posizione di partenza

☐ ripetere dalle quattro alle dieci volte.

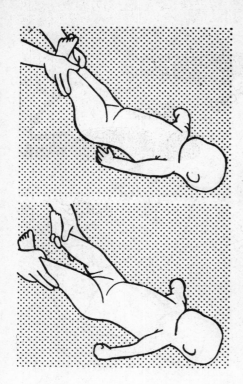

Sesto esercizio: bambino steso sul dorso:

☐ afferrare le caviglie (con due dita lungo la gamba) e mantenere le gambe tese, unite e leggermente sollevate

☐ allargare le gambe mantenendole sempre ben tese

☐ ritornare alla posizione di partenza

☐ ripetere dalle quattro alle dodici volte.

 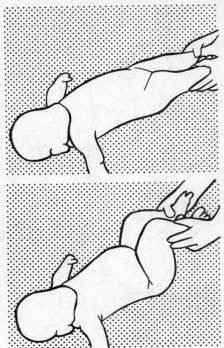

Settimo esercizio: bambino steso sul dorso:

☐ afferrare le caviglie e mantenere le gambe ben tese

☐ piegare le gambe in alto facendo un po' di pressione sull'addome

☐ ritornare alla posizione iniziale

☐ ripetere dalle quattro alle dodici volte.

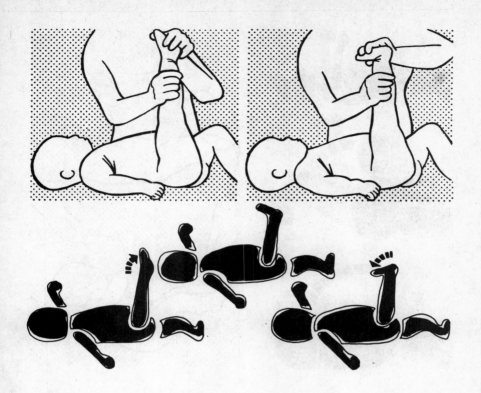

Ottavo esercizio: bambino steso sul dorso, con una gamba libera e l'altra circa ad angolo retto col tronco:

☐ piegare il piede della gamba alzata verso l'indietro per quanto possibile

☐ piegare lo stesso piede in senso opposto

☐ ripetere dalle sei alle dieci volte per ogni piede.

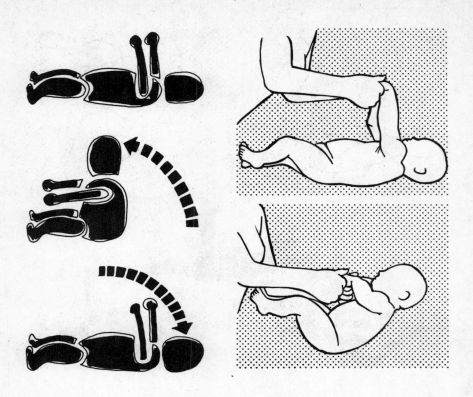

Nono esercizio: bambino steso sul dorso, braccia stese in avanti all'altezza delle spalle (come all'esercizio numero uno):

☐ tirare il bambino verso di sé lentamente, fin che arriva alla posizione seduta

☐ lasciarlo ricadere all'indietro, sempre molto lentamente, finché ritorna alla posizione distesa

☐ ripetere da tre a sei volte.

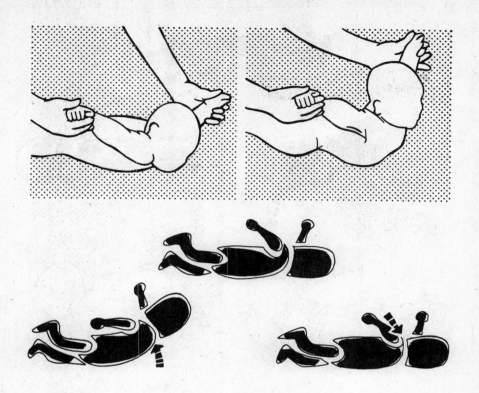

Decimo esercizio: bambino steso sul ventre, con le braccia tese in fuori all'altezza delle spalle:

☐ tenendolo per i polsi, alzare le braccia fin che il tronco si solleva di qualche centimetro dal piano del tavolo, senza forzare troppo

☐ lasciare ritornare delicatamente il bambino alla posizione di partenza

☐ ripetere da tre a sei volte.

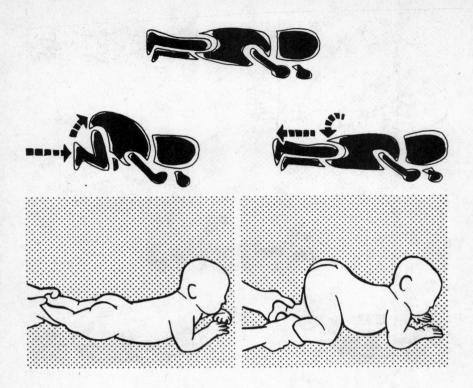

Undicesimo esercizio: bambino steso sul ventre, afferrare le caviglie e mantenere le gambe ben tese:

☐ spingere le gambe in avanti piegandole sotto il ventre

☐ ritornare alla posizione di partenza

☐ ripetere da quattro a otto volte.

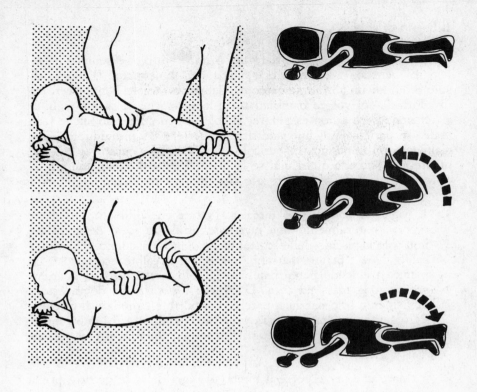

Dodicesimo esercizio: bambino steso sul ventre, appoggiare la mano sinistra sul dorso all'altezza delle reni, con la destra afferrare le caviglie da sotto:

☐ piegare le gambe coi piedi verso l'alto

☐ riportare le gambe alla posizione di partenza

☐ ripetere da sei a dodici volte.

Il bagno di sole

Il sole, e ne ho già parlato nel primo capitolo, è sempre benefico. E' benefico a tutte le età, anche per il neonato. Il bagno di sole è quindi un'abitudine raccomandabile, e fareste bene a cercare di adottarla col vostro bambino tutte le volte che vi sarà possibile. Attenzione però a non esagerare: il sole fa bene, ma può anche fare male. In casi estremi può addirittura mettere un individuo, e specialmente un bambino, in pericolo di morte. Ma questo fortunatamente non succede quasi mai se la mamma fa uso di un minimo di criterio. Ecco le principali regole che dovrete ricordare:

1. il bagno di sole si può fare sia d'estate che d'inverno: d'estate occorre naturalmente una maggiore prudenza, e si deve badare non solo al rischio delle scottature, ma anche a quello del troppo caldo. Non ripeterò mai abbastanza che il calore eccessivo è un nemico tremendo per il bambino piccolo, e che bisogna guardarsene con la massima cura. D'inverno l'esposizione dovrà essere ovviamente solo parziale, perché non potrete denudare il piccino. Però serve egualmente. Sarà opportuno collocare il bimbo in un luogo riparato dal vento, con il corpo ben coperto, gambe nude e un cappellino in testa

2. è chiaro che per esporre il bimbo ai raggi del sole occorre prima di tutto che ci sia ... il sole. Un sole vero, voglio dire, e non quel pallido spettro che vediamo passare al di là della cappa di fumi e vapori che costituisce l'atmosfera delle grandi città

3. è assolutamente essenziale che il bagno di sole venga effettuato con *gradualità*, specie d'estate o anche d'inverno se siete in montagna e l'aria è limpida. Per il primo giorno limitatevi a un paio di minuti; poi aumentate l'esposizione di qualche minuto al giorno, dai due ai quattro, a seconda dell'intensità dell'irradiazione solare, e stando bene attenta alla reazione della pelle del vostro piccino. Certi bambini tollerano benissimo la luce del sole, altri non la tollerano affatto e si prendono con estrema facilità delle brutte scottature

4. badate anche agli occhi del bimbo: in qualche bambino infatti la luce solare intensa provoca notevoli fatti irritativi dell'occhio, con arrossamento, lacrimazione, eccetera; in generale è bene che la faccia del lattante non venga esposta con la stessa disinvoltura con cui si espongono le gambe, il torace o la schiena. Al bambino piccolo una luminosità accecante può dare veramente molto fastidio

5. ricordatevi di difendere sempre la testa del bambino con un cappellino di tela bianca. Il bianco *respinge* i raggi solari, e quindi costituisce una difesa efficace; i colori scuri invece *assorbono* i raggi, e quindi non difendono nulla

6. è senz'altro consigliabile dividere il tempo di esposizione in due: prima metterete il bambino col sole davanti, poi lo girerete in modo che lo prenda sulla schiena

7. anche quando il lattante è abituato al sole e ben abbronzato, non lasciatelo per ore e ore; appena vi accorgete che è troppo accaldato, agitato, insofferente, portatelo all'ombra. Occorre perciò *sorvegliarlo* sempre mentre prende il sole.

L'abbigliamento

I vestiti del lattante non differiscono gran che, nella loro sostanza, da quelli del neonato. C'è però qualche piccola considerazione da fare in aggiunta a quanto ho detto nel primo e nel secondo capitolo:

1. quando il bambino comincia a diventare « interessante », a ridere, a balbettare, a « fare spettacolo », difficilmente la mamma resiste alla tentazione di renderlo anche elegante. Nulla di male, anzi; tuttavia, vi prego di ricordare che l'eleganza più raffinata è quella che corrisponde alla massima semplicità e che ha una ragion d'essere, cioè la cosiddetta eleganza *funzionale*. Le cose che non servono, non sono mai *veramente* eleganti: nastrini, pizzi, ricamini, eccetera, non rendono certo più attraente il vostro bambino. Oltre a ciò, tenete a mente che in nessun caso la comodità e il benessere del bambino vanno sacrificati a esigenze, diciamo così, estetiche. Quindi sbizzarritevi pure a inventare grembiulini, tutine, mangiapappa, eccetera, con colori e disegni gradevoli e allegri; questo forse può indirettamente giovare anche al bimbo, che sente di essere guardato con piacere, divertimento e simpatia. Ma guardatevi bene dal disturbare vostro figlio coi vestiti « di riguardo », con cuffie e cappellini, costosissimi ma scomodi, con pantaloncini « deliziosi » ma che gli fanno soffrire il caldo, e così via

2. nel secondo mese di vita di vostro figlio potete cominciare a usare le mutandine di plastica. E' assolutamente necessario però che adottiate alcune precauzioni:

☐ impiegate questo tipo di indumento solo quando la sua utilità è reale, effettiva, per voi e per il vostro bambino: se uscite per una lunga passeggiata, per esempio, è preferibile che il piccino porti dei pannolini assorbenti e le mutandine impermeabili piuttosto che viaggiare per ore su una carrozzina trasformata in un laghetto. Ma in casa, dove potete cambiare il bimbo in ogni momento, non è il caso di cedere alla tentazione di « impermeabilizzarlo »

☐ non usate le mutandine di plastica per la notte: meglio cambiare lenzuolo e pannolini, anche più volte, piuttosto che lasciare il bambino per molte ore di seguito nell'umidità

☐ scegliete un tipo di mutandine che non siano scomode per il bimbo, che non lo stringano alle cosce o in vita, che siano facilmente lavabili. Ottimo il tipo con bretelle

3. in linea di massima, è meglio coprire il bambino « di fuori » che « di dentro », cioè sulla pelle. In altre parole, l'ideale è che il piccino porti come indumenti fissi solo il minimo indispensabile, maglietta di cotone e pannolini. Poi, a seconda della temperatura esterna, potrete fargli indossare golfini, tute di flanella, o quant'altro sia necessario. Insomma, di norma deve stare al *fresco*; lo difenderete dal *freddo*, di volta in volta, nella misura richiesta dal clima.

La passeggiata

Nel periodo di tempo che va da uno a sei mesi di età la passeggiata diventa per il lattante un avvenimento sempre più avvincente e ricco di stimoli. Col progredire delle sue funzioni visiva e uditiva, con l'evolvere della sua piccola mente e con l'aumentare delle sue possibilità di approccio al mondo in generale, e alle persone in particolare, l'uscire di casa gli spalanca davanti, si può dire, ogni volta dei nuovi orizzonti.

Ogni giorno egli vede forme e colori nuovi, luci nuove; ascolta mille voci umane, lontane o vicine, canzoni, suoni, rumori, risate, strilli, richiami; vede paesaggi che cambiano, oggetti sconosciuti, cieli percorsi dalle nuvole e dagli uccelli, tramonti, i giochi del sole nell'acqua; e soprattutto vede tanti volti umani, che spesso gli vanno vicino, gli parlano, e gli sorridono.

Sottovalutare questa ricchezza di stimoli, contenuta in una semplice passeggiata ai giardini, sarebbe un grave errore. Ricordate dunque che il portare il vostro piccino fuori di casa, ogni volta che vi sia possibile farlo, non costituisce per lui soltanto un grande vantaggio dal punto di vista igienico (del quale abbiamo parlato nel capitolo precedente), ma anche dal punto di vista mentale, educativo e psicologico. Il contatto col mondo delle cose e soprattutto con quello delle persone è sempre per il bambino qualcosa di sensazionale, di formativo e di utilissimo: egli impara ed evolve anche così: passeggiando.

Il gioco

Uno dei modi migliori per capire un bimbo fin dai primi mesi della sua vita è quello di guardarlo mentre gioca. Il gioco è una novità di questo stadio di sviluppo del vostro bambino: giorno per giorno potrete seguire questa sua conquista, constatare il comparire di attività che non aveva mai esercitato prima, il germogliare di interessi che fino a ieri non aveva mai manifestato. Man mano che si impadronisce di una nuova abilità, egli la mette subito a frutto per giocare.

Noi la chiamiamo « gioco » questa sua operosità. Ma dobbiamo stare attenti a non cadere in un equivoco: per noi, per noi « grandi » intendo, il gioco è passatempo, è far trascorrere le ore in qualche cosa di disimpegnato, di piacevolmente inutile, di rilassante. Per il bambino il gioco è tutt'altra cosa: è il suo modo di esplorare il mondo, di imparare e di progredire. Cioè qualcosa di molto impegnativo, talora di molto faticoso. Un lavoro, insomma.

Ma, anche qui, attenzione: non un lavoro come il nostro, diretto a fini di lucro o di scalata sociale, e spesso alienato, « diviso » dalla nostra personalità. No, per il lattante si tratta di un lavoro serio, direttamente produttivo e strettamente « legato » alla sua personalità.

In che cosa consiste il gioco-lavoro del vostro bambino? Soprattutto in queste quattro attività: guardare, prendere, assaggiare, usare. Egli osserva le cose con attenzione sempre maggiore, le prende con una precisione sempre più evidente, le esplora specialmente con la bocca, le adopera palpandole, passandole da una mano all'altra, lasciandole cadere, riprendendole, battendole una contro l'altra. Più tardi egli si renderà conto che ogni cosa può essere associata a un'altra in una serie di sviluppi entusiasmanti, ma per ora si limita a studiare gli oggetti uno per uno, a scoprirne le caratteristiche e a valutarne le possibilità.

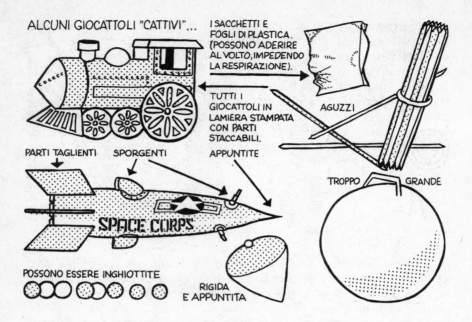

ALCUNI GIOCATTOLI "CATTIVI"...

I SACCHETTI E FOGLI DI PLASTICA. (POSSONO ADERIRE AL VOLTO, IMPEDENDO LA RESPIRAZIONE).

TUTTI I GIOCATTOLI IN LAMIERA STAMPATA CON PARTI STACCABILI.

AGUZZI

PARTI TAGLIENTI   SPORGENTI   APPUNTITE

TROPPO   GRANDE

SPACE CORPS

POSSONO ESSERE INGHIOTTITE

RIGIDA E APPUNTITA

I suoi giocattoli, ma preferirei chiamarli i suoi « strumenti di lavoro », comprendono quattro categorie:

1. il suo stesso corpo, e specialmente le mani. Non dimentichiamo che a quest'età il bambino non sa ancora che il mondo è « separato » da lui, che è un'altra cosa. Perciò le sue mani rappresentano per lui degli oggetti qualsiasi, come il cucchiaio o la palla. Indubbiamente le mani lo affascinano, e voi non dovete in alcun modo impedirgli di usarle come lui meglio crede, cacciandosele in bocca, battendole, toccandosi in varie parti del corpo, eccetera

2. il corpo della persona che gli sta vicino, in genere della mamma, che è pur sempre un giocattolo, anzi uno strumento, vivo, caldo e imprevedibile

3. i giocattoli veri e propri: palle, pupazzi, sonagli, eccetera. Tutti i trastulli di questo tipo che darete al vostro bambino dovranno avere certe caratteristiche, importantissime:

☐ essere vivamente colorati (rossi, blu, gialli, verdi)

☐ essere facilmente lavabili e non raccogliere polvere (meglio quindi la plastica o la gomma che la stoffa, il panno, ecc.)

☐ non presentare parti spigolose o taglienti

☐ non comprendere parti che potrebbero staccarsi (come bot-

maniche (eventualmente lo coprirete all'alba, quando l'aria rinfresca, con un lenzuolino)

☐ non usate (tranne che nel caso considerato or ora) né coperte, né lenzuola, per coprire il bimbo; lasciatelo dormire semplicemente sul materassino.

In questo modo il bambino non subirà sbalzi di temperatura, e nello stesso tempo potrà muoversi liberamente e mettersi nella posizione che preferisce, senza impacci o legami di alcun genere.

2.2. La sua dieta

Prologo al divezzamento

Quando abbiamo parlato del divezzamento, siamo arrivati alla conclusione che si tratta di una necessità psicologica, in quanto è attraverso la crisi del divezzamento che il bambino si avvia alla conquista del mondo. Ma non dobbiamo dimenticare che si tratta anche di una *necessità alimentare*. Prestissimo, molto più presto di quanto non si pensasse solo pochi anni fa, il bimbo ha bisogno di alimenti diversi dal latte per crescere bene. Non per tutti la parola « presto » ha lo stesso significato, s'intende. Come è noto, i medici non vanno quasi mai perfettamente d'accordo fra loro. Ma si può dire che oggi sia opinione generale quella secondo cui il bambino ha bisogno di completare la sua dieta con qualcosa di diverso dal latte fin dai primi mesi di vita. Nessuno consiglierebbe per esempio un'alimentazione esclusivamente lattea fino a un anno. È molto importante ricordare un fatto: il latte è un alimento completo, che contiene cioè tutte le sostanze indispensabili per l'organismo, ma che le contiene in quantità e qualità che non possono andare sempre bene. Occorre perciò sostituire parzialmente il latte con vari cibi che, nel loro complesso, contengano a loro volta tutte le sostanze necessarie, e che contengano *quei certi tipi* di queste sostanze, e inoltre nella misura opportuna. Le più importanti sostanze alimentari sono le seguenti:

1. *le proteine*: esse sono contenute soprattutto nella carne di ogni genere, nel pesce, nelle uova, e inoltre nei latticini, nei cereali e nei legumi. Le più importanti comunque sono quelle della carne. Le proteine servono per « costruire » e « riparare » il corpo umano; sono per così dire i *mattoni* con cui è fatto il nostro organismo. Tutti i tessuti essenziali sono fatti sostanzialmente di proteine. Un individuo che debba vivere con una dieta priva di proteine, inevitabilmente ammala e muore

2. *i carboidrati*: comprendono le farine (amidi) e gli zuccheri. Essi si trovano naturalmente in tutto ciò che contiene farina di qualunque tipo (pane, pasta, biscotti, riso, ecc.) e in tutto ciò che contiene zucchero (dolci, frutta, miele, marmellate, ecc.). I carboidrati servono come carburante per l'organismo: essi sono la nostra benzina. Quando noi ci muoviamo, lavoriamo, giochiamo, pensiamo, o anche dormiamo (anche durante il sonno l'organismo lavora: il cuore continua a battere, i polmoni continuano a respirare, ecc.), tutto questo lo facciamo bruciando carboidrati. E' soprattutto dalla utilizzazione di queste sostanze che il corpo umano trae in ogni momento l'energia che gli serve per vivere

3. *i grassi*: il burro, il lardo, l'olio, possono servire anch'essi per essere bruciati e fornire energia, ma possono anche essere « immagazzinati » come materiale di riserva. Così, più uno mangia e più riesce a mettere da parte riserve, cioè grassi, e ovviamente diventa a sua volta grasso. Se invece mangia poco, o consuma molto, deve rifornirsi attingendo alle riserve, e dimagrisce

4. *i sali minerali*: l'organizzazione molecolare dell'organismo ha una assoluta necessità di parecchi sali minerali. Il ferro, per esempio, è indispensabile per la formazione dell'*emoglobina,* che è una sostanza contenuta nei globuli rossi e che serve per trasportare ossigeno ai tessuti che lavorano. Se il ferro viene a mancare si sviluppa l'*anemia,* con diverse conseguenze anche gravi. Ora, il ferro è proprio uno di quegli elementi che non sono contenuti

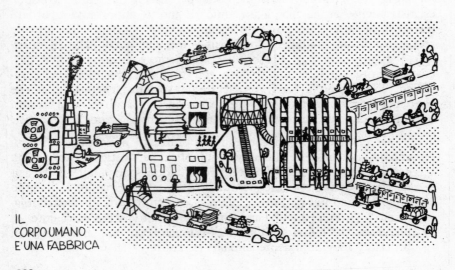

IL
CORPO UMANO
E' UNA FABBRICA

a sufficienza nel latte: esso viene fornito infatti soprattutto dalle verdure verdi, dalla carne, dal fegato e dal rosso d'uovo. Il calcio invece è abbondante nel latte (e quindi anche nei formaggi), e bisogna ricordarsi di somministrare al bambino una certa quantità di questi alimenti ogni giorno, altrimenti rimarrà privo di questo sale, che è necessario per le ossa, i denti e il sistema nervoso. Non meno importanti di quelli già ricordati sono altri sali, come quelli di fosforo, di potassio, di sodio, di jodio, di rame, che si trovano tutti in una dieta completa e varia

5. *l'acqua*: certo, anche l'acqua è una sostanza di grandissimo valore. Pensate che circa tre quarti del corpo di un bambino è costituito da acqua. Guai se venisse a mancare! Fra l'altro, nell'acqua sono disciolti dei sali, sull'utilità dei quali ci siamo soffermati or ora

6. *le vitamine*: molte vitamine sono contenute nel latte, ma in genere vengono per una buona parte distruttte dalla bollitura o dai procedimenti industriali di lavorazione. Naturalmente il medico che segue il vostro bambino provvederà a prescrivere dei preparati contenenti tutte le vitamine necessarie, ma questo non esclude l'importanza di una dieta che sia ben fornita di queste sostanze veramente *vitali*. Le principali vitamine sono le seguenti:

☐ *la vitamina A*: si trova specialmente nel fegato di pesci di mare (ecco perché si usa il famoso olio di fegato di merluzzo); protegge e regola i tessuti della pelle e delle mucose, protegge

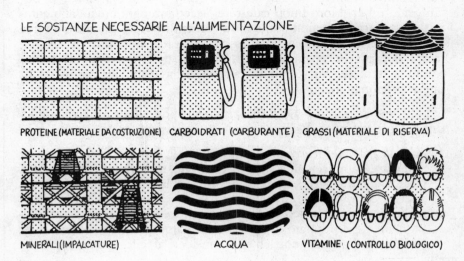

LE SOSTANZE NECESSARIE ALL'ALIMENTAZIONE

PROTEINE (MATERIALE DA COSTRUZIONE)   CARBOIDRATI (CARBURANTE)   GRASSI (MATERIALE DI RISERVA)

MINERALI (IMPALCATURE)   ACQUA   VITAMINE (CONTROLLO BIOLOGICO)

l'occhio e favorisce la visione notturna, ed è necessaria per un buon accrescimento

☐ *il complesso B*: comprende la *vitamina B₂*, che partecipa al funzionamento delle cellule di tutto l'organismo, la *vitamina PP*, che protegge la pelle, la *vitamia B₁₂*, che presiede alla produzione di globuli rossi, e alcune altre. Le vitamine del complesso B si trovano nei cereali (specie nel germe di grano), nei lieviti, nelle verdure, nella frutta, nella carne, nelle uova, nel fegato

☐ *la vitamina C*: interviene nella difesa dell'organismo contro le infezioni e la fatica e protegge i capillari sanguigni; si trova soprattutto negli agrumi

☐ *la vitamina D*: anche questa, come la A, si trova specialmente nell'olio di fegato di pesce (merluzzo, ipoglosso e tonno); favorisce lo sviluppo delle ossa e previene il rachitismo

☐ *la vitamina K*: abbonda soprattutto nelle verdure con foglie verdi; partecipa del meccanismo della coagulazione del sangue e la sua mancanza può portare a gravi emorragie.

È chiaro dunque che l'arricchire, il più presto possibile, la dieta del lattante con cibi vari, carne, verdure, frutta, eccetera, è un'ottima cosa. Ma il bambino molto spesso non la pensa così. Egli si trova all'improvviso di fronte a un intruglio denso e colloso, che non scivola affatto, come faceva il latte, quasi automaticamente dalla bocca allo stomaco, ma che anzi si appiccica lì, fra lingua, guance e palato, e pare non voglia staccarsene a nessun patto. Oltre a tutto, per avere questa discutibile poltiglia, bisogna anche aspettare chissà che cosa fra un cucchiaino e l'altro. Per la verità ci sono bambini i quali, o per curiosità, o per il loro buon carattere, accettano ogni novità alimentare di buon grado, se non addirittura con entusiasmo. Ma altri, e forse questi ultimi sono la maggioranza, si mostrano assai più circospetti, talora decisamente contrariati, si irritano, e oppongono un fermo rifiuto ai tentativi di somministrazione della prima pappa messi in opera dalla mamma.

È fuor di dubbio che il divezzamento pone dei problemi pratici di notevole rilevanza. Essi possono essere riassunti così:

1. *il problema del cucchiaino*: di solito al bimbo di pochi mesi mangiare col cucchiaino non piace molto: egli gira decisamente la testa dall'altra parte, sputa con violenza la pappa in faccia a chi gliel'ha data, si dibatte, ruggisce e si fa venire il vomito. Forse la medesima pappa la accetta, sia pure con freddezza, se somministrata mediante il poppatoio; ma col cucchiaino no. Non di rado si ha veramente l'impressione ch'egli consideri il cucchiaino come un

imperdonabile affronto personale

2. *il problema del sapore*: pensate a un lattante che, per due o tre mesi o forse più, abbia bevuto esclusivamente latte, e che d'improvviso si senta in bocca una cucchiaiata di pappa di carote, la quale non solo non è per niente dolce come lo era il buon latte, ma è addirittura *salata*! Per lui, probabilmente, sarà un'esperienza quasi disgustosa. Una delusione tale da fargli odiare per qualche tempo ogni cibo che in un modo o nell'altro assomigli anche vagamente a quella cosa orrenda

3. *il problema della consistenza*: in realtà, fino al momento della prima pappa, il vostro bambino non ha fatto altro che *bere*; il suo alimento infatti, il latte, è sempre stato liquido. Adesso deve cominciare a *mangiare*. Deve cioè inghiottire un cibo più denso, deve mettere in moto e imparare a usare degli organi ai quali finora non ha mai accordato particolare attenzione. Non c'è dubbio che questo è un altro aspetto della nuova dieta che potrà dargli delle preoccupazioni.

4. *il problema della tolleranza*: è evidente che qualsiasi alimento nuovo impone all'intestino del bambino un certo sforzo di adattamento. Inoltre, non è detto che tutti i cibi nuovi che somministrerete al piccino siano ben tollerati: certi bambini non digeriscono le uova, altri vanno fuori posto con l'uva o le prugne, altri reagiscono male agli spinaci. Occorre stare attenti anche a questo.

Anche sul piano puramente pratico, dunque, il divezzamento non è per lo più un'impresa del tutto semplice. Presenta dei problemi, certe volte più complessi, altre volte meno impegnativi. In ogni modo, per ogni problema c'è una soluzione. E la soluzione più importante, come al solito, siete voi: la mamma. Nessuno come la mamma può accorgersi che qualcosa non va, che con la tale pappa succede la tale cosa, che con la tal'altra l'appetito non è più quello di prima, o che con una terza invece il bimbo sta bene ed è contento. E poi, e questa è forse la cosa più importante, la costante presenza del viso della mamma è un fatto che « consola » il bambino, che gli dà il senso della sicurezza e che può rendere gradevole, o per lo meno accettabile, qualcosa che in sé e per sé gradevole non sarebbe.

Abbiamo visto prima che il divezzamento ha il significato di un distacco dalla madre, ha il valore di un cimento che il bambino deve affrontare per riuscire a fare a meno della madre. Ebbene, *tocca a voi aiutare vostro figlio a fare a meno di voi*.

Divezzamento: come?

Per condurre il divezzamento con soddisfazione di tutti, e soprattutto del bambino, mi sembra che occorrano quattro virtù. Eccole:

1. *la ragionevolezza*. Sul divezzamento, specie negli ultimi anni, ne sono state dette di ogni colore. Soprattutto *contro* il divezzamento. È stato detto che il divezzamento precoce fa venire l'anemia, la carie, l'obesità, la pressione alta e l'arteriosclerosi, che toglie al bambino ogni difesa contro le infezioni, che produce l'eczema, il raffreddore da fieno, l'asma, le coliche, il vomito e la diarrea. C'è chi sostiene che il bambino deve essere allattato dalla madre almeno fino a quattro mesi, altri affermano che l'allattamento materno è necessario fino a sei mesi, qualcuno che non lo si deve interrompere prima dell'anno. Un illustre professore (svizzero) ha dichiarato in televisione che l'allattamento al seno è indispensabile per diciotto mesi. Un altro professore (italiano) ha scritto su un giornale che *tutti* i bambini non allattati dalla madre sono malnutriti. Poi ci sono naturalmente anche gli altri, quelli che vorrebbero cominciare il divezzamento a tre mesi, a due, a uno. Questi però non sono di moda. Che fare? Ecco che entra in gioco la ragionevolezza.

☐ In primo luogo, è ragionevole il *non* prendere per buona qualsiasi teoria. Molte teorie, anche sul divezzamento, sono fondate su malintesi e su opinioni preconcette, più che su fatti reali, scientificamente dimostrabili e dimostrati. Per ora nessuno ha portato delle prove che il divezzamento precoce, o quello tardivo, produca dei danni alla salute del bambino. Le varie ricerche si contraddicono a vicenda, non sono generalmente abbastanza documentate e sono state condotte con metodi differenti. E poi, non si è nemmeno d'accordo sulle parole che si usano. Che cosa vuol dire "precoce"? Vuol dire cominciare a un mese, a due, a quattro? E "tardivo"? La cosa non è stata chiarita. Ognuno dice la sua, ma non tutti sanno quello che dicono. Quindi, prima di decidere, informatevi e pensateci su. Se qualcuno, per esempio, vi dice che, se non potrete allattare, vostro figlio sarà un disgraziato, o che diventerà anemico e macilento perché gli date un po' di limone mentre lui non ha ancora due mesi, non abbandonatevi subito al rimorso e alla disperazione. Magari non è vero, o non lo è per vostro figlio

☐ secondo: se, come spero, avete un pediatra di fiducia, chiedete a lui. Anche questo è ragionevole. Quel medico conosce voi, conosce il vostro bambino, conosce il vostro ambiente, il vostro carattere, le vostre abitudini e le vostre esigenze. Può darsi che lui sia un entusiasta partigiano dell'allattamento prolungato o del divezzamento precoce, ma è di sicuro quello che ne sa di più sulla vostra personale situazione. E credo che questa sia la cosa più importante. D'altra parte, che vostro figlio venga divezzato un mese prima o un mese dopo, non gli accadrà probabilmente niente di male

☐ terza considerazione che mi pare ragionevole: in base alle ricerche di cui disponiamo, possiamo escludere che il divezzamento precoce, anche iniziato nel secondo mese di vita, sia dannoso per la salute del bambino. Viceversa, abbiamo validi motivi per credere che costituisca un notevole vantaggio per la sua evoluzione psicomotoria. Ne abbiamo parlato prima, nel capitolo dedicato al "Distacco dalla madre", a proposito del valore formativo dell'esperienza, e in particolare dell'esperienza del divezzamento. A questo punto si potrebbe dire che ciò che conta non è tanto il divezzare più o meno presto il bambino, quanto il dargli la possibilità di *sperimentare* il divezzamento. In altre parole, nelle prime settimane di vita il divezzamento non è tanto un problema di alimentazione, quanto un problema di esperienza. E, inutile dirlo, la libertà di fare esperienza è un diritto fondamentale della persona umana, di qualsiasi età. Se ne potrebbe dedurre che il divezzamento vada cominciato subito, cioè alla nascita. Infatti molte madri lo fanno, forse senza saperlo. Il cucchiaino d'acqua, la goccia di limone, la piccola aggiunta di un qualche alimento, sono già un inizio di divezzamento. Poi si tratta di andare avanti e di proporre al bimbo cose nuove, diverse e sempre più abbondanti. E qui arriviamo alle altre virtù

2. *la calma*. Il divezzamento, che sia stato cominciato presto o tardi, va comunque condotto con la massima circospezione e con una tecnica appropriata. Siamo di nuovo al *principio della gradualità*. Come sappiamo, è questo un principio che va rigorosamente applicato tutte le volte che nella dieta, o, più generalmente, nella vita di un bambino, si introduce qualche cosa di nuovo.
Se il divezzamento viene attuato troppo bruscamente si può andare incontro a diverse spiacevoli conseguenze. Prima di tutto disturbi della nutrizione di varia gravità: arresto dell'accrescimento, diarrea, vomito, inappetenza, eccetera. E poi disturbi di ordine psicologico, ancora più seri dei primi: un alimento solido imposto senza la dovuta cautela, troppo frettolosamente, può suscitare nel bambino una invincibile ripugnanza per tutto ciò che non è liquido, per il masticare, per il mangiare in senso proprio. E questa ripugnanza può durare molto a lungo, anni e anni. Certi bambini arrivano persino a rifiutare anche le parole, come se fossero cibi, e balbettano penosamente fin quando vanno a scuola, e anche dopo.

Bisogna dunque andare avanti adagio. In primo luogo, già nel primo mese di vita, addirittura fin dai primi giorni, abituate il vostro bambino a prendere qualcosa col cucchiaino. Dapprima un po' di acqua bollita o camomilla o tè leggero, poi, eventualmente, un po' di succo d'arancia e di limone. Così il bimbo arriverà alla prima pappa già preparato, almeno per quanto riguarda il cucchiaino. Durante il vero e proprio divezzamento attuate i cambiamenti alimentari uno per volta, e prima di introdurre nella dieta del piccino un'ulteriore novità assicuratevi che lui si sia bene adattato a quella precedente. Una cosa per volta, e sempre seguita da qualche giorno di controllo e di osservazione: questa è la regola. Se l'appetito del bambino si mantiene buono, se le sue funzioni digestive sono regolari, se non presenta segni di intolleranza, allora andate avanti. Altrimenti fermatevi, o tornate indietro. La peggior nemica del divezzamento è la fretta

3. *la prudenza.* Fate sempre molta attenzione a come il vostro bambino tollera ciascun cibo nuovo. Un certo tipo di pappa potrà, per esempio, rallentare il funzionamento intestinale, e questo, se non giunge a una stitichezza veramente grave e ostinata, non è molto importante; altri cibi possono al contrario provocare un aumento nel numero delle scariche, nel qual caso dovrete controllare accuratamente il tipo delle evacuazioni: se le feci si fanno molto molli, o addirittura liquide, o con della schiuma o del muco, allora sospendete tutto e consultate il pediatra; certi bambini mangiano quantità enormi di pappa fin dal principio e le digeriscono con la stessa facilità con cui digeriscono il latte, ma altri perdono un po' di appetito e appaiono molto agitati anche dopo aver mangiato solo ottanta o cento grammi del nuovo alimento, e in questo caso sarà bene sentire ancora il parere del medico.
Inoltre, non fate « esperimenti », non date mai al vostro piccino delle cose che non rientrano nel programma previsto. In questo periodo certe volte basta un po' di succo d'uva o di prugne per scatenare una diarrea, o una quantità eccessiva di zucchero, o troppe verdure

4. *la pazienza.* Nessun alimento, mai, deve essere imposto al bambino con la violenza. Vostro figlio dovrebbe passare dal latte e dal poppatoio, o dal seno, alla tazza e al cucchiaino con relativa pappa, quasi senza avvedersene. E per ottenere questo molte volte ci vuole veramente tanta pazienza. Ci sono comunque infiniti « trucchi » che possono rivelarsi grandemente utili per abituare il piccolo recalcitrante alle novità, pur senza imporgli mai nulla. Eccone alcuni:

☐ spesso il bimbo è infastidito dall'attesa fra un cucchiaino e l'altro: ebbene, ci sono dei poppatoi di plastica i quali hanno un cucchiaino al posto della tettarella. Con questi ingegnosi strumenti voi potrete mantenere il cucchiaino sempre pieno di pappa schiacciando semplicemente il poppatoio, così che il bambino non deve aspettare neanche un attimo, ma può continuare a mangiare senza interruzione

☐ se a vostro figlio non piace la pappa densa, nulla vieta che all'inizio voi la prepariate più diluita, più liquida, in modo che la consistenza del nuovo cibo non sia troppo differente da quella del latte. Poi, un po' per volta, aumenterete la densità della pappa, e il piccino neppure se ne accorgerà

☐ se proprio il bambino non ne vuol sapere, di cibi nuovi, non ostinatevi troppo: per qualche giorno lasciate perdere, e poi riprovate, magari dandogli solo qualche cucchiaino, ma proprio due o tre, dopo una poppata qualsiasi. In seguito aumenterete le dosi adagio adagio

☐ cercate nei limiti del possibile di seguire i gusti del vostro bambino; può darsi che la crema di riso non gli piaccia affatto, ma che gli piaccia la farina tostata, oppure che detesti le carote e vada matto per le patate o i pomodori. Anche lui ha diritto di avere delle preferenze. Non ritornate puntigliosamente su un cibo che lui rifiuta; cercate di proporgli diverse cose, fin che scoprite quelle che gli sono più gradite. E ricordate che i bambini cambiano i loro gusti da un giorno all'altro, spesso in modo radicale

☐ non mancate di sollecitare la curiosità e l'appetito del bambino variando spesso non solo il sapore della pappa, ma anche il colore, la consistenza, l'aspetto, e inoltre cambiando la foggia e il colore del piattino, della scodella, del cucchiaino, della tovaglia, del bicchierino

☐ per somministrare la prima pappa, scegliete se possibile il pasto in cui vostro figlio mostra di solito più appetito; così sarà più facile che la accetti, anche se forse non ne sarà entusiasta le prime volte

☐ nei limiti del ragionevole stabilite il numero e l'orario dei pasti « d'accordo » col vostro bambino: se di sei pasti lui ne mangia uno con meno appetito, è probabilmente segno che il momento è giunto per passare a cinque; se mangia cinque pasti, e dovete svegliarlo tutte le sere per somministrargli l'ultimo, questo vuol dire che potrete senz'altro passare a quattro

☐ le prime pappe "salate" preparatele senza sale. E questo non solo per il rispetto dovuto al palato del bimbo (il quale, abituato al dolce, in genere non apprezza molto il salato), ma anche perché una eccessiva quantità di sale non fa affatto bene a un individuo di poche settimane di vita. Se la pappa poi sembra egualmente sgradita a vostro figlio, potrete semmai provare ad aggiungere un dolcificante, all'inizio. Poi, un po' per volta, diminuire il dolcificante fino a eliminarlo.

Insomma, di accorgimenti da applicare ce n'è, e qualcuno potrete inventarlo voi stessa, che meglio di ogni altro conoscete il vostro bambino. La cosa più importante di tutte, per quanto vi possa sembrare strano, non riguarda le pappe, il cucchiaino, i sapori, eccetera, ma riguarda *voi*. In altre parole: ogni alimentazione può riuscire bene, ogni tentativo può avere successo, se l'atteggiamento della mamma è affettuoso, comprensivo e paziente. E, viceversa, il divezzamento più accorto e più perfetto dal punto di vista dietetico può benissimo fallire miseramente se la mamma si lascia prendere dal « nervoso », dall'ansia, dallo scoraggiamento, dall'irritazione. L'alimentazione di un bambino non è tanto questione di calorie, di caratteri organolettici dei cibi, di bilanci dietetici, quanto di « clima » psicologico e di serenità.

Debbo fare ora un'ultima considerazione sull'argomento *omogeneizzati*. Gli omogeneizzati vanno benissimo, sono comodi, dosati, generalmente ben tollerati. Ma sono... omogeneizzati. Questo è il loro pregio e il loro difetto. Fin che voi li usate come aggiunta a una pappa, di tanto in tanto, o per iniziare il divezzamento introducendo qualche cucchiaino di questi prodotti in una dieta ancora prevalentemente o esclusivamente lattea, non c'è niente da eccepire. Ma se abituate il vostro bambino a nutrirsi *solo* con omogeneizzati, andrete incontro a dei dispiaceri. Probabilmente il piccino in futuro rifiuterà energicamente ogni cibo che contenga delle particelle più grosse di una capocchia di spillo, e non vorrà saperne, per mesi interi, di carne tritata, o di verdure, o di qualsiasi altra cosa che non sia, appunto, omogeneizzata. Ho conosciuto dei bambini di *tre anni* che vomitavano tutte le volte che nella loro pappa c'era un granellino di qualcosa. Meglio che prepariate voi stessa le pappe e le minestrine per vostro figlio, più finemente triturate nei primi giorni, e poi sempre meno, in modo che il piccolo si abitui poco a poco a usare i suoi organi nutritivi.
Nulla vieta, ripeto, che possiate usare gli omogeneizzati come aggiunta, se per una volta non avete il tempo o il modo di preparare voi stessa del vitello bollito o del pollo o del fegato o altre cose. A questo proposito, ricordate che esistono anche dei prodotti *liofilizzati*, che hanno sull'omogeneizzato il vantaggio di non contenere « aggiunte » di alcun genere e di poter essere sciolti con estrema facilità in qualsiasi alimento.

Sempre a proposito di omogeneizzati, è nato da parecchi anni un altro grave problema: quello dell'inquinamento. Per la verità si tratta di un problema che riguarda *tutta* l'alimentazione, per grandi e piccini. Pesticidi, diserbanti, ormoni, antibiotici, radionuclidi, additivi di ogni sorta, germi e altri sgraditi ospiti invadono sempre di più i nostri cibi. A quanto ci dicono non c'è niente che si salvi. Nemmeno l'acqua. E nemmeno i cibi precotti, i prodotti industriali, gli alimenti conservati, che, si pensava, dovrebbero essere più controllati. Non si salvano neppure i prodotti per l'infanzia, omogeneizzati inclusi. E' di qualche anno fa la segnalazione che il trenta per cento degli omogeneizzati e liofilizzati sottoposti ad analisi conteneva ormoni in dosi pericolose, e nel 1985 l'Istituto Superiore di Sanità ha deciso di svolgere un'indagine sui prodotti dietetici per la prima infanzia. Insomma non ci si può fidare più di nulla, a quanto sembra. Secondo alcuni ci si può fidare ancor meno dei prodotti industriali, che dovrebbero, sì, essere sottoposti a una maggiore sorveglianza, ma devono anche fare l'interesse dell'industria. Un interesse che non sempre coincide con le esigenze del consumatore, e del bambino in particolare.

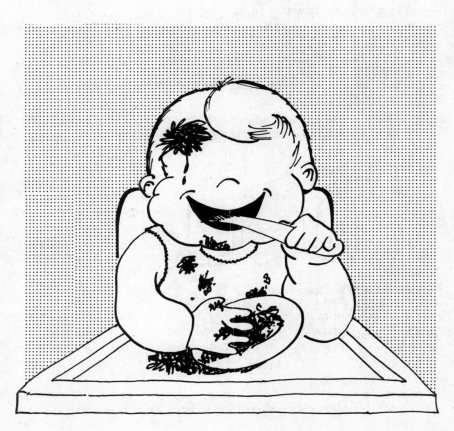

Esempi di ricette per il divezzamento

PAPPE DOLCI

Crema di riso al latte
— in 350 grammi d'acqua stemperate a freddo 30 grammi di crema di riso, quindi aggiungete:
— un pizzico di sale
— un po' di buccia di limone grattugiata
— fate bollire 15-18 minuti, quindi aggiungete:
— un cucchiaio da minestra di latte (*)
— lasciate bollire altri 2-5 minuti, fin che la pappa acquisti una certa densità
— lasciate intiepidire
— aggiungete:
— un cucchiaio di Meritene, sciolto a parte in poca acqua
— un cucchiaino di miele

* Ogni due giorni aumentate il latte di un cucchiaio e diminuite l'acqua di altrettanto, fino ad arrivare a metà latte e metà acqua

Semolino al latte e ricotta
— mescolate a freddo in un tegame:
— 170 grammi di latte
— 170 grammi di acqua
— 30 grammi di semolino di riso o di grano
— fate bollire per 20-25 minuti
— lasciate intiepidire
— aggiungete:
— 2 cucchiaini di ricotta mescolati a 1 cucchiaino di miele

Pappa di verdura e carne

— mettete in tre quarti di litro d'acqua
— due patate sbucciate
— due carote
— fate bollire a fuoco moderato fino a completa cottura delle verdure (*)
— in 300 grammi del brodo così preparato stemperate 30-35 grammi di semolino di riso o
     semolino di grano o
     crema d'orzo o
     fiocchi d'avena o
     pantrito
— fate bollire a fuoco moderato, mescolando, per 10-20 minuti, a seconda della farina impiegata
— lasciate intiepidire
— aggiungete:
— 2 cucchiaini di olio d'oliva
— 4 cucchiaini di verdura passata (la stessa usata per preparare il brodo)
— 2 cucchiaini di vitello bollito e finemente tritato o
        di fegato di vitello crudo e tritato o
        di petto di pollo bollito e tritato

* Dopo i primi cinque o sei giorni il brodo potrà essere preparato anche con le seguenti verdure, variamente associate:
un pomodoro, mezzo finocchio, un cuore di carciofo, due zucchine, qualche foglia di lattuga, qualche foglia di spinaci, qualche foglia di erbette, due cucchiaini di lenticchie, due cucchiaini di piselli

Pappa di verdura con uovo
— preparate 300 grammi di brodo vegetale (vedi « pappa di verdura e carne »)
— stemperate nel brodo 30 grammi di crema di riso o di farina diastasata
— fate bollire a fuoco moderato 10 minuti per la farina diastasata
                                       20 minuti per la crema di riso
— lasciate intiepidire
— aggiungete:
— 4 cucchiaini di verdura passata (la stessa usata per preparare il brodo)
— un quarto di tuorlo d'uovo sodo o
— un cucchiaino di tuorlo d'uovo crudo
— dopo due volte che il bimbo ha mangiato la pappa senza inconvenienti, aumentate a mezzo tuorlo, e dopo altre due o tre volte a un tuorlo intero

Pappa di verdura con formaggio
— preparate 300 grammi di brodo vegetale (vedi « pappa di verdura e carne »)
— stemperate nel brodo 30 grammi di semolino di riso o di grano
— fate bollire a fuoco moderato, mescolando, per 25 minuti circa
— lasciate intiepidire
— aggiungete:
— 4 cucchiaini di verdura passata (la stessa usata per preparare il brodo)
— 2 cucchiaini di ricotta
— 2 cucchiaini di mozzarella finemente tritata
— un cucchiaino d'olio d'oliva

Pappa di patate e pesce
— in mezzo litro d'acqua fate bollire a fuoco moderato, fino ad avanzata cottura, 3 patate farinose sbucciate
— scolate
— in 300 grammi del brodo così preparato aggiungete 20 grammi di crema di riso
— fate bollire a fuoco moderato per 15 minuti circa
— aggiungete 50 grammi di latte, mescolando
— lasciate bollire per altri 5 minuti circa
— lasciate intiepidire
— aggiungete:
— 4-8 cucchiaini di patate bollite
— 3 cucchiaini di pesce magro bollito e finemente tritato

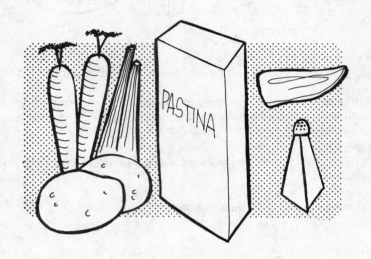

Minestrina con carne
— in tre quarti di litro d'acqua mettete:
— 150 grammi di vitello o filetto di manzo accuratamente sgrassato
— 2 patate sbucciate
— 2 carote
— un pezzetto di sedano
— fate bollire a fuoco moderato fino a cottura avanzata della carne e delle verdure
— scolate
— in 300 grammi circa del brodo così preparato fate cuocere 5-6 cucchiaini di pastina fine
— lasciate intiepidire
— aggiungete:
— 40-50 grammi di vitello o manzo finemente tritato
— 2 cucchiaini di patate passate
— 2 cucchiaini di carote passate

Minestrina all'uovo
— in mezzo litro d'acqua mettete:
— 150 grammi di vitello accuratamente sgrassato
— una patata sbucciata
— fate bollire a fuoco moderato fino a cottura avanzata della carne e della patata
— scolate
— nel brodo così ottenuto stemperate un cucchiaio da minestra di semolino di riso
— fate bollire 20-25 minuti
— lasciate intiepidire
— aggiungete la patata bollita passata e un tuorlo d'uovo crudo

Minestrina con fegato e lenticchie
— in mezzo litro d'acqua mettete:
— 50 grammi di patate sbucciate
— una cucchiaiata di lenticchie
— fate bollire a fuoco moderato per un paio d'ore
— scolate
— nel brodo così ottenuto fate cuocere 6 cucchiaini di pastina

— lasciate intiepidire
— aggiungete:
— 4 cucchiaini di patate e lenticchie passate
— 30-40 grammi di fegato di vitello crudo e tritato

Minestrina con fette biscottate e piselli
— in un litro d'acqua mettete:
— 100 grammi di patate sbucciate
— 100 grammi di piselli
— fate bollire a fuoco moderato fino a ridurre l'acqua a mezzo litro
— scolate
— nel brodo così preparato aggiungete:
— un cucchiaio da minestra colmo di patate e piselli passati
— due o tre fette di pane biscottato grattugiate
— fate bollire qualche minuto
— lasciate intiepidire
— aggiungete un cucchiaino di olio d'oliva
— cospargete la minestrina con un cucchiaino di gruviera o parmigiano grattugiato

Crema di pollo
— in 100-120 grammi di latte fate cuocere per 10-15 minuti:
— 5 grammi di farina di grano
— una fetta di buccia di limone
— lasciate intiepidire
— aggiungete:
— 100 grammi di pollo bollito e frullato
— un cucchiaino di tuorlo d'uovo crudo

Minestrina con uova e prosciutto
— in un litro d'acqua mettete:
— 100 grammi di patate sbucciate
— un pezzetto di sedano
— fate bollire fino a ridurre l'acqua a mezzo litro
— aggiungete un cucchiaio da minestra colmo di pantrito
— lasciate bollire per altri 10 minuti circa
— lasciate intiepidire
— aggiungete:
— 50 grammi di prosciutto cotto (solo la parte magra) finemente tritato
— un tuorlo d'uovo crudo

Il problema dell'appetito

È quasi sempre in questo periodo, dedicato al divezzamento, che insorgono i problemi dell'appetito. La prima cosa da dire su questo argomento è che *il problema dell'appetito non esiste.*

Veramente sarebbe più esatto dire che non esisterebbe, se non ci pensassero gli adulti a farlo nascere. Durante il divezzamento, durante questa burrasca che il bimbo deve attraversare, possono naturalmente accadere molte cose: che le funzioni intestinali del piccino presentino qualche alterazione, che la crescita rallenti, e anche che l'appetito diminuisca. In modo transitorio, s'intende. Ma se davanti al rifiuto di una pappa la mamma entra in crisi, se per un pasto saltato la mamma si lascia prendere dal terrore che il bambino « muoia di fame », allora si svilupperà una reazione a catena: terrorizzata dalla occasionale inappetenza del figlio, la mamma cederà alla tentazione di aggredirlo in mille modi, cercando con ogni mezzo di convincerlo, o addirittura di costringerlo, a ingurgitare qualsiasi cosa, purché ingurgiti. Il bambino, terrorizzato a sua volta dal cibo usato contro di lui quasi come un'arma, guarderà alla pappa come a un nemico acerrimo, da respingere. E di fatto comincerà a rifiutare anche quello che prima amava, per esempio il latte. A questo punto la mamma, disperata, aumenterà ancora le sue insistenze, e il bimbo aumenterà la sua resistenza. Fino a che questa si trasformerà in una resistenza « per principio », in un rifiuto del cibo come abitudine. Ed ecco nato il problema dell'appetito.

Che cosa si può fare? Mi sembra evidente: nulla. Se il bambino viene rispettato nei suoi desideri e nelle sue esigenze, se non si usa la violenza contro di lui, se ci si limita a controllarlo, ed eventualmente a farlo controllare dal pediatra per assicurarsi che alla base della mancanza di appetito non ci sia una malattia, se non gli si impone il cibo come se si trattasse di una « medicina cattiva », se non si pretende che mangi sempre un pochino di più di quello che lui vorrebbe, se non ci si lascia prendere dall'ansia della bilancia, il problema dell'appetito non sorgerà mai. Siamo al solito discorso: il bambino sa benissimo ciò che gli occorre, lo sa meglio di chiunque altro. E il modo migliore per guastargli la salute (e la gioia di vivere) è quello di voler « strafare », di volere a tutti i costi « fare il suo bene ».

2.3. Il controllo del suo benessere

Sta bene o no? E' un dubbio che spesso tormenta i genitori, anche senza nessun motivo evidente. Alcuni papà e alcune mamme ravvisano in ogni più piccolo e insignificante avvenimento i segni di tremende malattie che minacciano la salute del loro bimbo; altri cadono nell'eccesso opposto e, per paura del male, chiudono gli occhi anche davanti ai sintomi più clamorosi. Questo, del controllo de¹ lattante, è certo un problema un po' delicato. Il cont~ollo ci dev'essere, beninteso, e deve essere un controllo costante e . ttento. Ma deve essere anche sereno, non esasperato da incessanti paure. Sappiate che ci sono diversi modi per vivere tranquilli, nella ragionevole certezza che tutto va bene. Vi consiglio di ricorrere senz'altro a questi vari accertamenti, che non solo vi metteranno l'anima in pace, ma soprattutto vi aiuteranno a mantenere il vostro piccino in perfetta forma.

Per meglio chiarire l'importanza di questi controlli vorrei valermi di un paragone: l'organismo del bambino che cresce è in un certo senso simile a un impianto, a una fabbrica che produca energia e che continui a espandersi e a ingrandirsi. Ora, una fabbrica in espan-

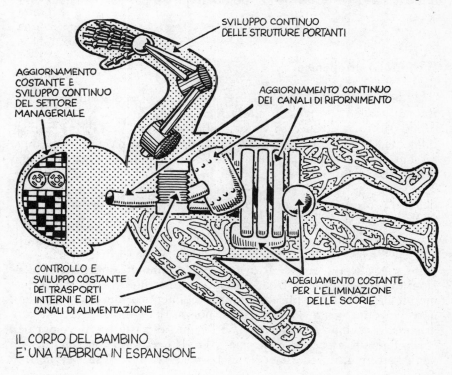

SVILUPPO CONTINUO
DELLE STRUTTURE PORTANTI

AGGIORNAMENTO
COSTANTE E
SVILUPPO CONTINUO
DEL SETTORE
MANAGERIALE

AGGIORNAMENTO CONTINUO
DEI CANALI DI RIFORNIMENTO

CONTROLLO E
SVILUPPO COSTANTE
DEI TRASPORTI
INTERNI E DEI
CANALI DI ALIMENTAZIONE

ADEGUAMENTO COSTANTE
PER L'ELIMINAZIONE
DELLE SCORIE

IL CORPO DEL BAMBINO
E' UNA FABBRICA IN ESPANSIONE

sione pone un grande numero di problemi: un progressivo sviluppo delle strutture portanti (come le ossa dell'organismo del bimbo), il mantenimento di un efficiente sistema di trasporti interni e di condutture di alimentazione (come il sistema circolatorio e il sangue), il continuo aggiornamento dei canali di rifornimento (alimentazione e digestione), un costante adeguamento dei dispositivi per l'eliminazione delle scorie e dei prodotti di rifiuto (il rene e l'apparato urinario), e così via. Tutto ciò va naturalmente controllato ininterrottamente da esperti e specialisti, i quali debbono fare in modo che il continuo svilupparsi dei diversi sistemi non vada a scapito del loro funzionamento.

La stessa cosa si deve fare con l'organismo del bambino perché, essendo un organismo impegnato nei fenomeni dell'accrescimento, più spesso e più facilmente può presentare qualche insufficienza funzionale in questo o quel settore. Ora, queste insufficienze si possono di solito correggere con interventi da nulla, con qualche goccia di vitamine o cose del genere, se ci si pensa in tempo; ma possono portare a situazioni anche irrimediabili se si lasciano andare avanti per mesi e mesi senza far nulla.

Vediamo dunque quali sono i più importanti controlli ai quali dovrete sottoporre il vostro bambino in questo periodo della sua vita.

Il controllo ortopedico

Se il vostro bambino appare normale e se il pediatra non ha motivo di sospettare qualche alterazione ossea, sarà sufficiente che il primo controllo ortopedico venga praticato sui sei mesi di età. Probabilmente lo specialista vi suggerirà di far fare al piccino anche una radiografia del bacino, per vedere se l'ossificazione delle articolazioni delle anche è normale. Se invece il pediatra ha qualche sospetto, se vi sembra che il bimbo abbia le tibie storte, o una gamba più corta dell'altra, o qualunque altra cosa, allora sarà bene anticipare il controllo specialistico all'età di due mesi, che è quella in cui di solito si può cominciare a prendere dei provvedimenti curativi.

Se avete una bambina, è comunque meglio ricorrere al parere dello specialista a due mesi di età. Nelle femmine infatti le alterazioni dell'anca sono più frequenti che nei maschietti, e all'età di due mesi è già possibile applicare dei provvedimenti ortopedici per eliminare l'inconveniente. D'altra parte, non si deve dimenticare che un armonico sviluppo è importante, dal punto di vista estetico, più nel corpo femminile che in quello maschile. Un secondo controllo dovrà venire effettuato naturalmente, anche per le bambine, sui sei mesi.

Il controllo delle urine

Le urine sono uno dei principali mezzi di cui dispone l'organismo per eliminare le scorie, i prodotti di rifiuto e le sostanze tossiche. L'organo che le produce è il rene e così, analizzando le urine, è possibile assicurarsi almeno entro certi limiti che il rene funzioni a dovere. Ora, bisogna non dimenticare che nel bambino molte malattie, anche banalissime, possono disturbare il lavoro del rene: malattie infettive, malattie intestinali, persino un semplice raffreddore, danno talvolta luogo ad alterazioni della funzione renale. Non si tratta per lo più di cose gravi, a patto però di prendere in tempo i dovuti provvedimenti.

Sarà perciò un'ottima cosa se farete controllare le urine del bambino tutte le volte che ha dei disturbi di una certa serietà, come diarrea con vomito, febbre, scadimento delle condizioni generali, eccetera.

Il problema, in questi casi, è quello di raccogliere le urine. Se si tratta di un maschietto potrete infilare il suo pene in una piccola bottiglietta di plastica, fissandola poi con del cerotto (attualmente sono in

---

ESAME DELLE URINE NORMALE
(IN UN BAMBINO)

Colore	giallo paglierino
Aspetto	limpido o sublimpido
Peso specifico	1015-1020
Reazione	acida
Albumina	assente o velo tenue
Emoglobina	assente
Indacano	assente o tracce
Glucosio	assente
Acetone	assente
Urobilina	assente
Pigmenti biliari	assenti

Esame microscopico del sedimento:

cristalli e sali	assenti o presenti
cellule di sfaldamento	in piccola quantità
leucociti	in scarso numero
eritrociti	assenti
cilindri	assenti

commercio dei recipienti fatti apposta per questo scopo, che si possono trovare in certi negozi di articoli sanitari). Se si tratta di una bambina, potrete impiegare uno dei piccoli apparecchi che si trovano in commercio, oppure potrete metterle fra le gambe un grosso batuffolo di cotone idrofilo, e poi spremerlo in un bicchiere (che conserverete in ghiacciaia) dopo che la piccina l'avrà imbevuto di urina. Ripetendo l'operazione diverse volte riuscirete a raccogliere abbastanza urina per un'analisi, almeno parziale.

ESAME EMOCROMOCITOMETRICO NORMALE
(IN UN BAMBINO)

Hb (emoglobina)	14-16 g. % = 80-100%
Eritrociti (globuli rossi)	4-5,5 milioni per millimetro cubo
Valore globulare	1
Leucociti (globuli bianchi)	8.000 - 12.000 per millimetro cubo
Formula leucocitaria:	
granulociti neutrofili	25-60%
granulociti eosinofili	0-5
granulociti basofili	0-2
linfociti	30-70
monociti	0-8
Piastrine	180.000 - 260.000 per millimetro cubo

Il controllo del sangue

Questo controllo si chiama *esame emocromocitometrico*. Si tratta di un esame che va praticato a digiuno, preferibilmente al mattino, prima del primo pasto.

Ora vi dirò perché si deve attuare questo controllo: i globuli rossi, mediante l'*emoglobina* di cui sono pieni, portano i rifornimenti di ossigeno alle cellule che lavorano in tutto il corpo. Durante l'accrescimento è possibile che la produzione dei globuli rossi o quella dell'emoglobina, o entrambe, « restino indietro » rispetto alle necessità sempre maggiori dell'organismo; si verifica allora quella condizione nota col nome di *anemia*. Ciò accade più facilmente nei bambini che sono alimentati esclusivamente con latte di mucca.

Questo controllo può essere perciò opportuno quando il bimbo è sui sei mesi di età.

Il controllo pediatrico

Durante il primo semestre di vita sarebbe teoricamente consigliabile il controllo pediatrico una volta al mese. In concreto questo non è sempre agevole per la mamma, specialmente se l'abitazione del bimbo è in campagna, o comunque lontana da uno studio o da un ambulatorio pediatrico; e il più delle volte non è nemmeno necessario. Sarà sufficiente un controllo del pediatra nei momenti « cruciali », per esempio in occasione del divezzamento per stabilire le nuove pappe, o prima di una vaccinazione per vedere se tutto è a posto e se il vaccino può essere tranquillamente somministrato. Penso che un controllo pediatrico verso i due mesi o due mesi e mezzo, uno sui quattro, e uno a sei mesi, siano di norma bastevoli per un lattante che stia bene e cresca regolarmente.

Si capisce che potrà presentarsi l'opportunità di un controllo in più, non solo in caso di malessere del piccino, ma anche per altri motivi: se per esempio dalla visita ortopedica, o dall'esame di sangue, o da quello delle urine, salta fuori qualcosa che non va, toccherà al pediatra studiare i dati, trarne delle conclusioni e prendere i provvedimenti adeguati; se il bambino sta per essere portato via per un lungo periodo di vacanza, una revisione generale delle sue condizioni prima della partenza non farà certo male; né sarà fuori luogo una visita medica quando il bimbo presenti una crescita troppo scarsa o per altri aspetti non soddisfacente. In genere sarà lo stesso pediatra a dirvi, di volta in volta, quando dovrete riportargli il piccino. Se il medico dimenticasse di dirvelo (può succedere, dopo tutto), chiedeteglielo voi.

E' del tutto sconsigliabile invece sottoporre il bimbo a delle visite mediche inutili, solo perché i genitori o i nonni « vogliono sentirsi tranquilli ». Spesso la visita del dottore rappresenta per il bambino spostamenti negli orari dei pasti, impedimento al suo abituale sonnellino, rinuncia alla passeggiata, e comunque un certo disagio; e inoltre in qualche caso l'essere manipolato, palpato, schiacciato, rivoltato ed esplorato con strumenti vari, in genere freddi e repellenti, può rappresentare per lui un'esperienza sgradevole, o addirittura sconvolgente. Far visitare il piccolo perché « suda con la testa », o perché la settimana scorsa ha avuto un trentasette e due rettale e « il nonno è tanto preoccupato », non è affatto una buona idea. Il bambino non è un'automobile da corsa, che più la si controlla e meglio è. Ha i suoi diritti, fra i quali quello di essere lasciato in pace. E' ben vero che il bambino deve familiarizzare col dottore, e non essere sottoposto alla visita soltanto quando sta male; ma una cosa è vedere il medico di tanto in tanto, in un clima disteso e cordiale, e un'altra cosa il vederlo due o tre volte in una settimana con l'accompagnamento dell'ansia e del terrore.

Si avvicina la dentizione

Di solito i primi denti compaiono dopo il sesto mese, però già verso i tre mesi di età il bambino spesso presenta una salivazione abbondante e dà l'impressione che la dentizione sia lì lì per cominciare. Non è così. Ci vorrà ancora un po' di tempo. Verso i quattro o cinque mesi il lattante può dare segni manifesti di voler mordere qualcosa: è bene che lo faccia, come dirò più avanti. Per ora non c'è nient'altro da aggiungere su questo argomento, che vedremo più in dettaglio nel prossimo capitolo.

Desidero però avvertire subito i genitori di questo: se un bimbo, contrariamente a tutte le regole e a tutte le tabelle, « mette un dente » a quattro mesi, o magari anche a tre, questo non significa affatto né che sia un bambino pericolosamente precoce, né che sia una specie di piccolo mostro, « diverso » dagli altri. E' solo un bambino la cui dentizione è cominciata prima dell'epoca in cui, *in media*, comincia per gli altri. Solo e semplicemente questo. E la cosa, inutile dirlo, non ha assolutamente nessuna importanza.

2.4. Alcuni problemi particolari

Il « ciuccio » e il pollice

Quando il problema del ciuccio, o del pollice, si presenta, ciò accade di solito verso i tre mesi di età; più di rado inizia nei mesi successivi, quasi mai dopo l'anno. L'abitudine di succhiare qualcosa, che non necessariamente dev'essere il ciuccio o il pollice, ma che può essere una cosa qualunque, viene di solito definita come « vizio » e considerata come fonte di terribili sciagure. In realtà le conseguenze di questo « vizio » sono abbastanza modeste, quando ci sono, e si riducono a una deformazione dell'arcata dentaria. Ma anche tale deformazione non sempre si verifica e, se si verifica, non sempre è dovuta al ciuccio. O non solo al ciuccio. Ci possono essere di mezzo fattori ereditari, per esempio, che producono quella certa conformazione del mascellare.

In questo campo non sono tanto importanti le conseguenze, quanto le cause. Perché un bambino diventa un entusiasta e irriducibile succhiatore, e un altro no? Molti fanno risalire il fenomeno al fatto che nei primi tre mesi di vita il piccino non ha succhiato abbastanza; consigliano perciò di allungare i pasti, anche fino a tre quarti d'ora l'uno, di usare per il poppatoio tettarelle con fori piccolissimi, in modo che per mangiare a sufficienza il bambino debba succhiare per molto tempo, e così via. Io non credo che il problema del ciuccio si possa spiegare semplicemente così, anche se, come ho già detto, un divezzamento troppo brusco può sicuramente portare a una dolorosa nostalgia della suzione e quindi a un attaccamento appassionato al pollice o al ciuccio. I motivi reali non stanno nella insufficiente quantità di suzione, e basta. Sono più profondi e più complessi. Per capirli, non si deve fare altro che osservare uno di questi piccoli « tifosi » del ciuccio. *Quando* succede che un bimbo si dedichi disperatamente al ciuccio o al proprio pollice? E' chiaro: quando è solo, quando sta per addormentarsi, o, se è più grandicello, quando è avvilito o quando per una ragione o per l'altra ha bisogno di consolazione. Il bambino, in altre parole, si abbandona alla suzione quando gli manca qualcosa ed è infelice. Ora, il qualcosa che gli manca di solito è un *qualcuno,* è una presenza umana.

Prendiamo l'esempio del bimbo che sta per dormire: egli non sa che fra poche ore la sua vita ricomincerà come prima, che rivedrà le solite cose e i soliti volti. Egli sente solo che col sonno arriva un « distacco », un salto nel buio, un abbandono della compagnia umana, e specialmente un abbandono della mamma. Col sonno, egli sente arrivare la solitudine. Allora egli si sforza di « richiamare » la figura materna e di renderla presente, come per magia, in qualcosa che lui può dominare e tenere vicino a sé: nel ciuccio, nel pollice, nel lenzuolo, e così via. Questi oggetti, come abbiamo già visto all'inizio del capitolo, diventano in sostanza dei sostituti della mamma e, come la mamma (cioè il seno), vanno succhiati.

Ma non è tutto qui: per un lattante il succhiare non rappresenta solo il piacere del contatto umano (del tutto paragonabile al piacere sessuale dell'adulto, quindi intensissimo), ma rappresenta anche un essenziale strumento di esplorazione: tutto ciò che interessa il bambino, che attira la sua attenzione o che suscita il suo entusiasmo, chiama in gioco la bocca. La bocca, e anche di questo ho già fatto cenno, è per il lattante un organo sensitivo forse più importante degli occhi, del tatto e dell'udito. Egli succhia non solo per amare (il succhiare il seno è il suo modo di amare la mamma), ma anche per conoscere.

Se si tien conto di questa smisurata importanza che il succhiare ha per il bimbo, appare subito evidente che ogni atteggiamento repressivo, ogni azione diretta a limitare la sua « libertà di suzione », porterà immediatamente a una esasperazione della suzione stessa. Ci sono bambini che hanno smesso da un pezzo di succhiarsi il pollice, e che ricominciano istantaneamente non appena si dice loro che si tratta di cosa da non fare. E' come per gli uomini e per i popoli: nessuno pensa a ribellarsi contro chicchessia, se è libero di farlo. Ma non appena la libertà di contestare venga minacciata, subito la ribellione scoppia. E tanto più furibonda quanto più pesante la minaccia.

In breve, il modo migliore per consolidare in un bambino il « vizio » del ciuccio è quello di impedirglielo. D'altronde, è logico: se il ciuccio, o il pollice, conforta la solitudine di un bimbo dandogli la illusione di godere della presenza materna, se il succhiare appaga la sua curiosità e il suo bisogno di conoscenza, è ovvio che la repressione di questa attività non farà altro che moltiplicare per mille, per un milione di volte, e il desiderio di compagnia e quello di esplorazione. Perciò, non appena la repressione verrà interrotta, il succhiamento ricomincerà, e più ferocemente di prima. In sostanza, impedire a un piccino di succhiarsi il pollice vuol dire togliergli ogni possibilità di consolazione, ogni illusione, ogni speranza; vuol dire negargli comprensione e appoggio; vuol dire respingerlo e abbandonarlo. Vuol dire, in definitiva, ostacolare anche gravemente la sua evoluzione. Pensate a ciò che ho detto prima, pensate che un lattante di solito si dedica al proprio pollice o al ciuccio perché non ha abbastanza compagnia; e noi, invece che dargli quello di cui ha bisogno e che ha provocato l'abitudine al succhiamento, invece che dargli cioè la compagnia, gli togliamo anche ogni possibilità di compensazione e di sostituzione.

Il modo migliore di affrontare la questione del ciuccio o del pollice è innanzitutto quello di non farne una tragedia. Molti genitori che hanno letto libri di psicologia infantile cadono in preda al più divorante senso di colpa perché il loro piccino si succhia le dita. Non è il caso. Quando si parla di mancanza di compagnia, di assenza della figura materna, eccetera, non si vuol dire affatto che i genitori abbiano trascurato il bambino e siano pertanto colpevoli; si vuol dire semplicemente che in certe occasioni, inevitabili, il bimbo vorrebbe avere la mamma vicino e, non avendola, si consola sostituendola con un oggetto da succhiare. Questo è normale. Inoltre, come ho detto, il bambino succhia anche per imparare, per conoscere, per esplorare. Se però il succhiamento diventa eccessivo, ininterrotto, allora vuol dire che il piccolo ha bisogno di più compagnia e di più distrazioni. Dategliele. Cercate di dedicargli un po' più di tempo, di farlo giocare, di dargli varie cose che lo possano interessare. Tutto qui. Inoltre, diciamolo ancora una volta, pensate per tempo a condurre il divezzamento con prudenza, piano piano, in modo da evitare che nel bimbo sorga la nostalgia del succhiare.

Un'ultima cosa: spesso i piccoli succhiatori hanno l'abitudine di occupare una mano cacciandosela in bocca, e l'altra tirandosi una orecchia, o strofinandosi una pezza sulla guancia, o facendo altre cose del genere. E' probabile che anche questa attività marginale abbia lo stesso significato del succhiare, e cioè quello di sostituire in

lattia: il bimbo mangia con appetito, si scarica regolarmente, cresce bene, è florido e robusto.

Probabilmente la causa della « colica » risiede in un atteggiamento troppo ansioso della mamma, la quale non tollera di sentir frignare il figlio nemmeno per un attimo e corre continuamente con poppatoi e tazzine di camomilla, thé o acqua, nel timore che il piccino abbia fame, o sete, o « mal di pancia », o chissà che. Così, da un lato il bambino « assorbe il nervoso » dell'ambiente diventando a sua volta « nervoso », e d'altro lato il suo intestino si trova perennemente ingombro di liquidi, innocui sì, ma egualmente disturbanti.

Dato il ripetersi dei sintomi a orario fisso e preferibilmente di sera, è verosimile che c'entri anche una certa stanchezza del bimbo.

La cosa non è affatto preoccupante e non c'è molto da fare per prevenirla né per curarla. La cosa migliore è di non dare troppo peso alla faccenda e, quando il concerto serale inizia, prendere il piccolo in grembo appoggiandolo sulle proprie gambe a pancia in giù e dandogli dei colpettini sulla schiena. Sembra che in molti casi questa manovra sia la più efficace.

2.5. L'atteggiamento dei genitori

A tutto quello che ho detto sulle cure da prodigare al vostro bambino debbo fare ora un'importante aggiunta: ciò che conta di più non è tanto la qualità e la tecnica dell'assistenza data al bimbo, quanto il modo in cui voi « sentite » vostro figlio. Si può sbagliare con affetto, comprensione e rispetto per la personalità del bambino, e allora di solito le cose si sistemano da sole; oppure si può attenersi ai dettami della più moderna puericultura e fare tutto in modo ineccepibile, ma con un atteggiamento di padronanza, di « severità » e di intolleranza, e allora sarà difficile che tutto vada bene. Il bambino ha indubbiamente bisogno di essere nutrito, allevato e curato bene, ma ha molto più bisogno di essere amato e compreso. Non dobbiamo mai dimenticare che le emozioni dei genitori, attraverso canali che per noi sono ancora misteriosi, si trasmettono al bambino, anche di poche settimane; e non dobbiamo dimenticare che questa esperienza emotiva rappresenta la prima sorgente, il primo « stampo » della personalità del bimbo. Se avete in voi gioia, serenità e amore, la sua personalità nascerà su queste fondamenta; così come nascerà su basi di apprensione, di ansia, di timore o di indifferenza, se questo sarà il vostro stato d'animo.

Bisogna ricordare inoltre che le primitive esperienze del lattante sono quelle che daranno poi un'impronta ai suoi atteggiamenti sociali: un bambino che cresca in un ambiente generoso e altruista, sarà probabilmente a sua volta portato verso la generosità, la solidarietà con gli altri e la sincera cordialità; uno che cresca in un ambiente calcolatore, freddo, astuto, egocentrico, verrà incanalato sulla strada dell'egoismo, della meschinità e dello sfruttamento altrui. In sostanza, si può dire che fin dai primi mesi di vita il bambino è inconsapevolmente portato a sentire gli altri esseri umani così come li sentono i genitori: come amici o come nemici.

E ancora un'ultima cosa: che ve ne rendiate conto o no, la vostra scelta sui sistemi di allevamento e di educazione del bimbo sarà determinata da due forze. La prima sarà il vostro atteggiamento emotivo verso di lui: se nutrirete nei suoi confronti solo affetto, tenerezza e comprensione, i metodi che sceglierete saranno aperti, ricchi di comunicazione, elastici, dolci, rispettosi della sua dignità, e nel complesso del tutto soddisfacenti. Se invece tenderete a considerare il bimbo come qualcosa che vi appartiene e che deve rispondere a determinate vostre esigenze, preferirete probabilmente metodi rigidi, severi, intolleranti, coercitivi, e nel complesso disastrosi.

La seconda forza che agirà su di voi e dalla quale dovrete difendervi è quella delle consuetudini del gruppo sociale o della comunità cui appartenete. Purtroppo viviamo ancora in un mondo tormentato e stravolto da costumanze assurde, da superstizioni, da preconcetti insensati, da tradizioni pazzesche. Tutto ciò influisce su di noi, e ci induce a fare delle cose che, per nostro conto, ci guarderemmo bene dal fare: affidare la cura del bambino a mani mercenarie, negargli il contatto del corpo materno, legargli le mani perché non si succhi il pollice o non si tocchi i genitali, punirlo lasciandolo solo e al buio, mettergli addosso degli indumenti costrittivi e scomodi, persino picchiarlo, sono soltanto alcuni esempi di ciò che la tradizione e il costume possono far fare a dei genitori che per altri aspetti sarebbero normali e ragionevoli. Il migliore suggerimento che io possa darvi è questo: non lasciatevi condizionare, non lasciatevi trasportare troppo lontano da certe consuetudini sociali, non vogliate strafare per allevare vostro figlio in un modo piuttosto che nell'altro. Siate con lui, ma con discrezione.

3. LE SUE MALATTIE «SI NORMALIZZANO»

3.1. Il suo punto delicato: l'intestino

Le cause dei disturbi intestinali

Quando un bimbo di età inferiore ai sei mesi viene portato dal dottore perché è ammalato, otto volte su dieci si tratta di un disturbo intestinale. Questo non succede perché il lattante « ha l'intestino delicato »; egli ha un apparato digerente che di solito è perfettamente normale e funziona benissimo. Le cause dei suoi guai sono di altra natura.

In primo luogo, è un fatto che in questo periodo della vita la alimentazione di un essere umano *dipende interamente* dalla volontà altrui, sia per quanto riguarda la qualità che per quanto riguarda la quantità: il bimbo non può difendersi, non può scegliere, non può opporre alcuna valida resistenza, egli è completamente alla mercé di quelli che decidono « ciò che va bene per lui ».

In secondo luogo al lattante, più che ai bambini delle età successive, viene applicata la regola: grassezza = salute. Oppure la regola inversa, e non meno nefasta: grassezza = malattia. La DIETA diventa un mito, l'APPETITO una specie di sacro fuoco che se si spegne scatena catastrofi orrende, il CIBO una sostanza miracolosa. Insomma, quando si pensa all'allevamento di un lattante, automaticamente si pensa alla sua nutrizione, e solo a questa. Tutto il resto viene dopo, a molta distanza.

Questa duplice situazione « alimentare » porta a una serie di conseguenze, a una parte delle quali ho già accennato: la ricerca del latte « migliore », praticata spesso attraverso una sequenza infinita di prove, di esperimenti, di cambiamenti; la tendenza a rimpinzare il bambino fino agli estremi limiti delle sue capacità di assorbimento; l'ansia di sbagliare, che porta i genitori a provare qualcosa, poi a tornare indietro, poi a provarne un'altra e di nuovo a sospendere tutto, disturbando non poco le normali funzioni del piccino; il terrore della fame, della sete, dell'« indebolimento », della denutrizione, e di varie altre cose, con relativi provvedimenti di emergenza per lo più molto strani, per non dir di peggio. Ho dovuto una volta curare un bambino di due mesi al quale, per « rinforzarlo », la nonna somministrava ogni giorno un po' di merluzzo fritto e due o tre cucchiai di vino. E ne ricordo un altro, mi pare sui tre mesi circa, che i genitori costernati mi portarono perché « non mangiava »;

infatti, beveva: in media due litri di latte al giorno. E' difficile che un organismo umano, anche robustissimo, riesca a superare prove di questo genere; e così il lattante, poverino, è in partenza un candidato ai disturbi intestinali.

Naturalmente ho citato dei casi limite, particolarmente clamorosi. Ma non c'è dubbio che la massima parte delle malattie del bambino, nei primi mesi di vita, dipende da sregolatezze, errori, eccessivi entusiasmi, apprensioni e iniziative sbagliate nel campo dell'alimentazione.

I segni premonitori

I primi segni di un disturbo intestinale non sempre sono evidenti. Molto spesso soltanto la mamma, che in queste cose ha una sensibilità speciale, riesce a capire che c'è qualcosa che non va. Il bambino, per esempio, sta apparentemente bene, mangia col solito appetito, non mostra alcun sintomo di malessere. Però la bilancia rivela un *arresto della crescita*. E' il momento di stare attenti e di procedere con molta cautela: può darsi che il piccino non aumenti di peso perché la sua razione è insufficiente; ma può essere vero il contrario, e cioè che mangi troppo e non riesca più ad assimilare nulla per il « sovraccarico ». I pediatri chiamano questo fenomeno « reazione paradossa »: più il bambino mangia e meno cresce, o addirittura perde peso. Si tratta di un vero e proprio segnale di allarme, e bisogna senz'altro consultare il pediatra.

Un altro segno premonitore è l'improvvisa *diminuzione di appetito*, forse non molto rilevante, ma che si prolunga giorno dopo giorno. E' chiaro che non si deve-forzare il bambino a mangiare ugualmente tutta la sua razione: tutto sommato, l'inappetenza ha il valore di un meccanismo di difesa, mediante il quale l'organismo cerca di prevenire il disturbo intestinale.

Altre volte invece il bimbo manifesta una *sete intensa*, che sembra inesauribile. Non vuole più mangiare, ma continuerebbe a bere, con straordinaria avidità. Anche in questo caso conviene accontentarlo. L'acqua pura male non gli farà, mentre una dose anche piccola di latte o di qualsiasi altro alimento potrebbe scatenare una gastroenterite.

Un *rigurgito* che diventa sempre più frequente deve pure far sospettare un disturbo in incubazione. Molti lattanti rigurgitano abitualmente, e questo sappiamo che non significa nulla. Ma se il rigurgito continua ad aumentare, e se si accompagna ad altri segni come diminuzione dell'appetito, sete, agitazione, « nervoso », allora va preso in seria considerazione e costituisce un sintomo da riferire al medico.

Talvolta una malattia a carico dell'apparato digerente può essere preceduta da un'*alterazione febbrile*. Forse la febbre è dovuta a qualcos'altro, per esempio a un raffreddore o a un'otite, ma non si deve dimenticare che nel lattatnte praticamente tutti i disturbi possono complicarsi con una forma intestinale. In caso di temperatura febbrile è sempre bene perciò alleggerire la dieta e sorvegliare con maggior cura le funzioni digestive del piccino.

Anche uno stato di *agitazione* inspiegabile deve essere considerato sospetto. Non è vero che tutte le volte che il bambino piange egli soffra di « mal di pancia », anzi di solito i motivi della sua protesta sono di tutt'altro genere; ma può accadere che effettivamente all'inizio di un disturbo della digestione non ancora manifesto il piccino abbia dei dolori, dei crampi ricorrenti, o comunque un senso di disagio interno che lo irrita e lo fa urlare a perdifiato. Il suo stato di agitazione sarà naturalmente tanto più temibile quando si accompagni ad altri segni di malessere, come febbre, inappetenza, eccetera.

Infine ricordate che il segno premonitore più importante di tutti è quello fornito dal *funzionamento dell'intestino*. Occorre stare molto attenti alle scariche del bambino: non di rado sembra che tutto proceda regolarmente, il numero delle scariche è quello di sempre e le feci sono di aspetto normale; solo hanno un odore particolare, e provocano un arrossamento della pelle del bambino nella zona perianale. Questo significa che il contenuto intestinale è diventato troppo acido, o troppo poco, e cioè che la situazione non è perfettamente a posto. Altre volte l'esplosione della malattia è preceduta da un periodo di stitichezza inconsueta. Altre volte ancora, al contrario, le evacuazioni si vanno facendo poco a poco più numerose, meno solide, talora con residui indigeriti, o qualche blocchetto di muco, o un po' di schiuma. In tal caso è più che evidente l'opportunità di controllare accuratamente la dieta, abolendo il latte o diminuendolo notevolmente in attesa dell'evolvere della situazione.

Tutti questi segni possono ovviamente associarsi fra loro in vari modi, o presentarsi isolatamente; l'essenziale è accorgersi per tempo della loro presenza, avvertirne il medico, e adottare gli opportuni provvedimenti. In questo modo spesso è possibile prevenire un disturbo intestinale, o almeno ridurne fin da principio la gravità.

I sintomi di disturbi intestinali

Se, nonostante ogni precauzione, il disturbo intestinale arriva, dovrete badare soprattutto ai seguenti fenomeni che vi aiuteranno a valutare l'importanza della malattia:

1. *diarrea*: il bambino può presentare un numero estremamente variabile di scariche, da una a dieci o più nella giornata; ma ciò che conta maggiormente è l'aspetto delle feci. Se queste sono molli, un po' mucose o schiumose, « sfatte » come si usa dire, la faccenda richiede degli immediati provvedimenti, ma può non essere molto grave. Se invece le evacuazioni sono nettamente liquide, proprio come l'acqua, oppure sono costituite quasi esclusivamente da muco o da schiuma, allora il disturbo è serio e va fronteggiato con mezzi drastici

2. *vomito*: l'associazione del vomito alla diarrea è sempre segno di una notevole gravità della forma morbosa

3. *agitazione intensa*: anche questo è un segno di gravità del disturbo

4. *calo di peso*: che un lattante con un'affezione intestinale diminuisca di peso è normale; ma se il calo di peso si verifica rapidamente, in poche ore, ed è di notevole entità, le cose non vanno affatto bene ed è urgente l'intervento del medico

5. *febbre*: spesso nelle forme intestinali del bambino piccolo la febbre non c'è per nulla; anzi può accadere che la temperatura scenda al di sotto dei valori normali. Questo non è un buon segno. Talora però la temperatura può elevarsi: se giunge sui trentotto o trentotto e mezzo, la cosa non ha un particolare significato, ma se si fa molto alta, sui quaranta gradi o anche più, è indispensabile provvedere immediatamente a sottoporre il bambino alle opportune cure mediche

6. *occhi alonati e infossati, cute grigiastra, viso affilato, pianto flebile, fontanella rientrante*: tutti questi fenomeni depongono per una *estrema gravità* della malattia, e impongono l'immediato ricovero del bambino in un ospedale attrezzato per l'assistenza pediatrica.

I primi provvedimenti per un disturbo intestinale

Fortunatamente al giorno d'oggi non si arriva quasi mai alle forme molto gravi di disturbo intestinale; il più delle volte questo tipo di malattia si limita alla diarrea, perdita dell'appetito, irritabilità del bimbo, ed eventualmente qualche vomito. E' comunque necessario l'intervento del medico, e non meno necessario che la mamma sappia che cosa deve e che cosa non deve fare in attesa delle istruzioni del dottore. Una forma intestinale affrontata fin da principio con misure adeguate può risolversi rapidamente e senza alcun danno serio per la salute del piccino, mentre la stessa forma può assumere un andamento anche assai minaccioso se al suo inizio si commettono determinati errori. D'altra parte, le norme che dovrete rispettare sono poche e semplici, e in parte le abbiamo già viste. Penso tuttavia che sia utile ripeterle qui. Esse sono:

1. *non dare da mangiare*: se il medico non vi ha già indicato telefonicamente una dieta precisa, sospendete senz'altro ogni tipo di alimentazione: niente latte, né minestrine, né frutta, né biscotti, né alcun'altra cosa

2. *dare da bere*: un lattante affetto da diarrea o da vomito generalmente ha molta sete, perché il suo organismo sta perdendo acqua. Potrete dargli semplice acqua bollita, o acqua Sangemini, o thé leggero o camomilla; il tutto senza zucchero (potrete invece aggiungere una mezza compressina di saccarina per ogni tazza di liquido) e, se volete, con qualche goccia di limone. E' bene che il piccolo abbia da bere in abbondanza, ma non è bene che beva troppo in fretta: se gonfia lo stomaco con una grande quantità di liquido ingerita voracemente tutta d'un colpo sarà più facile che poi vomiti

3. *non dare medicine*: a meno che, naturalmente, non ve le abbia prescritte il pediatra. Certi genitori ricorrono subito a prodotti antidiarroici, ai cosiddetti « disinfettanti intestinali » o ai fermenti lattici, nella convinzione che vadano sempre bene e che in ogni modo non possano far del male. Non è così: nel caso di vostro figlio un prodotto particolare potrebbe benissimo far precipitare la situazione invece che risolverla, mentre un altro al quale non avete pensato potrebbe risultare il toccasana. Non azzardatevi a fare di testa vostra, mai e per nessun motivo

4. *non tenere il bambino al caldo*: è comune opinione che molti disturbi intestinali siano provocati dal solito « colpo d'aria al pancino », e così si seppellisce il bimbo sotto coperte di lana, trapunte e piumini. Invece il troppo caldo può essere pericolosissimo in questo tipo di malattie, e inoltre fa soffrire il bambino.

I disturbi cronici della nutrizione

In questo genere di disturbi, che i medici chiamano *distrofie* (cattiva nutrizione), i genitori di solito non possono fare gran che. E' bene tuttavia che sappiate della loro esistenza, così da essere in grado di orientarvi e di poter collaborare validamente col dottore.

Un bambino colpito da un disturbo cronico della nutrizione non cresce o cresce poco e irregolarmente di peso, presenta spesso delle disfunzioni intestinali, in genere si difende male anche contro altre malattie come raffreddori, bronchiti, eccetera, così che passa da un malanno all'altro senza mai riprendersi del tutto; può avere un appetito ottimo, ma quello che mangia sembra che non gli serva a nulla e scompare senza lasciargli addosso un filo di grasso. Nelle forme più avanzate e più gravi, ormai molto rare, il piccolo assume l'aspetto di un vecchiettino, con le membra scarne, la faccia scavata, la pelle grinzosa e arida.

All'origine di queste malattie frequentemente ci sono gravi errori di alimentazione, che hanno letteralmente messo fuori combattimento l'apparato digerente del bambino; ma altre volte la causa principale sta in qualche particolare disturbo « occulto » che bisogna andare a cercare con estrema diligenza, come un'infezione cronica o un'alterazione del ricambio. Qualche volta è necessario ricoverare il bimbo in ospedale per poter eseguire tutti gli esami che occorrono e mettere in atto delle cure speciali, come trasfusioni, trattamenti ormonici o diete particolarmente bilanciate. Ma in generale, anche per le forme più complesse e più difficili da capire e da trattare, si può benissimo valersi del cosiddetto *day-hospital*, "ospedale di giorno", nel quale il bambino viene sottoposto alle indagini e alle cure necessarie nel corso della giornata, e alla sera può ritornare a casa sua.

Attualmente la frequenza dei disturbi cronici della nutrizione sta diminuendo in modo notevole, grazie soprattutto all'abitudine sempre più diffusa di mantenere i bambini sotto un costante controllo pediatrico.

3.2. I disturbi respiratori

I disturbi a carico dell'apparato digerente sono i più comuni nel primo semestre di vita, ma non sono certo i soli che possono colpire il lattante. Un'attenzione particolare dovrete prestarla anche alle forme respiratorie, che, dopo quelle intestinali, sono le più importanti sia per frequenza che per gravità.

Il raffreddore

Molti genitori entrano in crisi ogni volta che il bambino sternuta e si precipitano a telefonare al dottore nella quasi assoluta certezza che una micidiale broncopolmonite penda sul capo del piccino. Invece il lattante spesso sternuta, specie nelle prime settimane di vita, senza che in lui esista nemmeno l'ombra di un raffreddore.

Questo si manifesta di solito con uno scolo nasale che dapprima è liquido e sieroso, e poi si fa sempre più denso e giallastro. La pelle sotto il naso si arrossa, l'appetito diminuisce, talvolta c'è un'alterazione della temperatura, il bimbo respira rumorosamente e, se anche ha voglia di mangiare, trova notevoli difficoltà ad alimentarsi perché, non potendo far passare l'aria attraverso il naso, non riesce a succhiare.

La malattia non è grave in sé, ma va curata subito perché l'infiammazione può facilmente estendersi alle zone vicine e cioè alla gola, provocando una faringotracheite, e all'orecchio dando luogo a un'otite. Il raffreddore viene generalmente trasmesso al bambino per contagio, da una persona ammalata; si tratta infatti quasi sempre di una infezione da virus.

A parte le cure prescritte dal medico, ricordate di applicare le seguenti norme: pulite il naso del bambino con batuffolini di cotone, senza irritarlo; non mettete gocce nel naso se non per consiglio del dottore; applicate un po' di vasellina sulla pelle arrossata dalla secrezione nasale; non coprite troppo il bambino, in quanto il calore eccessivo provoca una congestione delle mucose, peggiorando la situazione del suo povero nasino; cercate di nutrire il bambino col cucchiaino, dato che egli non può succhiare liberamente; non date al bimbo, se non per prescrizione medica, i soliti rimedi « antiinfluenzali », che potrebbero non essere ben tollerati.

La tosse

Questo sintomo, come abbiamo già visto, impone sempre una visita medica. La tosse significa infatti che esiste una infiammazione della gola o, peggio, dei bronchi o dei polmoni. Ci sono molti tipi di tosse, e voi dovete stare bene attenta alle sue caratteristiche per poterle poi riferire al medico: badate se si tratta di una tosse « grassa », catarrale, o secca; se è stizzosa e frequente o se c'è solo un colpo di tanto in tanto; se si presenta ad accessi o se ha un andamento costante e uniforme; se produce un rumore normale o se è « abbaiante », con una specie di guaito proveniente dalla gola.

Molte volte la tosse si manifesta soltanto quando il bimbo va a letto alla sera o quando si sveglia al mattino; questo è praticamente normale, ma non deve indurvi a pensare che si tratti di una cosa da nulla, dato che durante la giornata il bambino è tranquillo e non tossisce. La causa della tosse esiste anche nelle ore in cui la tosse non c'è, ed è la causa, non la tosse in se stessa, che va curata.

Che cosa si può fare contro la tosse? Nulla, se non seguire i consigli del medico. In particolare non date mai al bambino, di testa vostra, degli sciroppi o delle goccie « calmanti »; potrebbero fargli molto più male che bene.

La difficoltà respiratoria

I veri e propri disturbi della respirazione, di qualsiasi natura e di qualsiasi entità, richiedono sempre il sollecito intervento di un medico. Dovete sapere comunque che le difficoltà respiratorie si possono raggruppare in tre categorie che nella maggior parte dei casi potrete distinguere abbastanza facilmente l'una dall'altra, e che presentano caratteristiche e gravità diverse:

1. la respirazione può essere ostacolata da un'occlusione del naso, dovuta a una infiammazione locale con congestione delle mucose e con produzione di muco, siero e pus. E' la difficoltà che si nota nel comune raffreddore. Il bambino, come ho detto prima, respira rumorosamente, non può succhiare, ha il « naso chiuso ». E di questo abbiamo già parlato

2. l'ostacolo può invece essere localizzato alla gola: talvolta un fatto infiammatorio della gola può, in certi bambini predisposti e nei cosiddetti « allergici », provocare un rigonfiamento delle mucose così rilevante da impedire gravemente il passaggio dell'aria. In questo caso il bambino produce, respirando, un rumore caratteristico, detto « tirage », come di uno che stia per essere strangolato. Tale rumore è particolarmente evidente quando il piccino « tira dentro l'aria », cioè quando *inspira*. A questo sintomo si accompagnano spesso dei rientramenti della fossetta giugulare e degli spazi fra una costola e l'altra, sempre durante la fase inspiratoria, e inoltre un'espressione spaventata del volto, pallore, e nei casi più gravi *cianosi,* che è un colorito leggermente bluastro della pelle, in genere più evidente alle labbra e intorno alla bocca. Il bambino insomma dà la precisa sensazione di avere qualcosa in gola che gli impedisce di respirare. Davanti a questi sintomi l'intervento del medico è

urgente; anzi, se i disturbi sono molto evidenti, è meglio portare addirittura subito il piccino in un ospedale ben attrezzato o in una clinica per le malattie della gola. Debbo aggiungere però che la gravità di tali forme è quasi sempre transitoria e che, una volta superato l'inconveniente prodotto dalla tumefazione delle mucose in gola, nessun ulteriore pericolo minaccia seriamente il bambino. L'unica cosa che potete fare, in attesa del dottore o del ricovero in ospedale, è di mantenere *l'aria molto umida*, e se possibile di far respirare al bimbo del *vapore*

3. l'impedimento alla respirazione può infine essere situato ai bronchi o ai polmoni. Forse per una persona che non abbia pratica medica non è sempre semplice rendersi conto dell'esistenza di questo tipo di disturbi, e ancor più difficile capire se si tratta, per esempio, di una bronchite spastica o di una broncopolmonite. Tenete a mente perciò solo questa regola: se a un certo punto il vostro bambino, dopo qualche giorno di tosse apparentemente « normale », comincia a respirare in un modo diverso dal solito (per esempio « spingendo » quando manda fuori l'aria, o con un rumore che non vi spiegate, o troppo in fretta e superficialmente), se notate un allargarsi e restringersi delle narici che va di pari passo coi movimenti respiratori, se vedete che ci sono quei rientramenti al giugulo e agli spazi intercostali che ho detto prima, se c'è pallore, abbattimento, cianosi, non perdete tempo e chiamate subito il medico.

3.3. Tre malattie speciali

Il vomito abituale

E' questa una malattia assai simile in apparenza alla « stenosi del piloro », alla quale ho già accennato nel capitolo precedente; le cause però sembrano essere alquanto differenti nelle due forme. Mentre infatti nella stenosi pilorica esiste un'alterazione che deve essere corretta con un intervento chirurgico, nel cosiddetto vomito abituale esiste solo una disfunzione che può essere guarita con delle medicine o anche semplicemente con la dieta.

· I lattanti « vomitatori » sono di solito dei bambini ipereccitabili, che spesso si irrigidiscono, si contraggono, si agitano, gridano e fanno il diavolo a quattro per un nonnulla, e talora « tengono il fiato ». Inoltre essi soffrono di una ipersensibilità della mucosa dello stomaco, il quale si comporta press'a poco come si comporta il suo piccolo padrone: per ogni piccola cosa si irrigidisce, si contrae, e finisce col rimandare fuori una parte più o meno grande di quello che il bambino aveva mangiato poco prima. Questa situazione viene spesso aggravata dal fatto che il bimbo vomitatore ingerisce molta aria insieme al latte: l'aria naturalmente gonfia lo stomaco, spinge verso l'alto per trovare una via d'uscita, e quando riesce finalmente a trovarla esce di bòtto, come da una bottiglia di spumante, e trascina con sè il latte.

Il vomito abituale può cominciare già nelle prime settimane di vita, o al più tardi nei primi mesi. Esso, a differenza del normale rigurgito, si verifica parecchio tempo dopo il pasto (da mezz'ora a due o tre ore), non di rado è preceduto da agitazione, pianto e vari contorcimenti del piccino, che mostra chiaramente di essere a disagio, ed è piuttosto abbondante. Certi giorni è frequentissimo e si ripete anche tre o quattro volte dopo ogni pasto; in altri giorni invece sembra che sia quasi scomparso. L'intestino può essere stitico (ma non come nella stenosi del piloro), o normale, o persino un po' troppo frequente, e le feci possono essere molli, con un po' di muco e con residui non digeriti. Se questo disturbo non viene tempestivamente e adeguatamente curato il bambino cresce poco, o non cresce per nulla, o addirittura cala di peso, e può arrivare alla *distrofia*, di cui ho parlato prima.

E' chiaro che per una malattia del genere è assolutamente indispensabile l'opera del medico. Ci sono però alcune regole da applicare che dovete conoscere anche voi:

1. la dieta del bambino deve contenere pochi grassi, in quanto sembra che queste sostanze, fermandosi più a lungo delle altre nello stomaco, possano irritare maggiormente la mucosa dell'organo. Meglio quindi usare un tipo di latte semiscremato, o scremato del tutto

2. è preferibile che il bambino sia nutrito con pappe dense piuttosto che con latte liquido; il cibo più consistente infatti viene di solito vomitato assai meno

3. possibilmente somministrate l'alimento col cucchiaino e non col poppatoio; col cucchiaino il bimbo mangia più adagio, quindi lo stomaco si distende meno rapidamente, e perciò è meno facile che l'organo reagisca alla distensione contraendosi (e provocando il vomito). Inoltre mangiando col cucchiaino il piccino sicuramente ingerirà meno aria, la quale, come abbiamo visto, è una delle cause del vomito

4. mantenetevi sereni e fiduciosi. Come ho detto prima, una delle cause principali del disturbo, e forse la principale, è l'ipereccitabilità del bambino; ebbene, questo stato di ipereccitabilità, di

«nervosismo», viene senza dubbio influenzato dall'ambiente, nel senso che più i genitori si preoccupano e più il bambino diventa «nervoso» e più vomita. La calma in casa è veramente essenziale per il trattamento di queste forme. Se riuscirete a controllarvi, ad affrontare la situazione con tranquillità, a non fare una tragedia tutte le volte che il bambino tira su una boccata di latte, la guarigione arriverà puntualmente, e con ogni probabilità assai prima di quanto non vi aspettiate.

Il grosso timo

Un tempo la colpa del vomito abituale, e di molti altri disturbi (difficoltà respiratorie, febbre, gonfiore del volto, convulsioni, e persino la "morte improvvisa"), veniva spesso attribuita a un anormale ingrossamento del timo. Il timo è una ghiandola situata dietro lo sterno, press'a poco in mezzo al torace, che normalmente va diventando sempre più piccola man mano che il bambino cresce. Ha una parte importantissima nei meccanismi "difensivi" dell'organismo. Oggi si tende a escludere che un aumento di volume del timo, anche cospicuo, possa produrre inconvenienti degni di rilievo. In ogni caso si tratta di disturbi transitori i quali, se e quando ci sono, non richiedono generalmente alcun trattamento particolare e scompaiono del tutto dopo qualche settimana o qualche mese.

La crosta lattea

Nelle prime settimane o, al più tardi, entro il terzo mese di età, in certi bambini fa la sua comparsa una alterazione della pelle localizzata più spesso al cuoio capelluto e alle sopracciglia, meno spesso estesa a tutta la faccia, e più di rado ancora a tutto il corpo. Si tratta di formazioni crostose, dall'aspetto untuoso, sotto le quali la pelle è arrossata. L'affezione sembra essere più frequente nei bambini cosiddetti «linfatici», che ammalano spesso di raffreddori, mal di gola e disturbi intestinali, come se anche le mucose delle vie respiratorie e dell'apparato digerente andassero soggette a fenomeni infiammatori, proprio allo stesso modo della pelle; essa sembra colpire inoltre con particolare facilità i figli di genitori allergici (sofferenti di raffreddori da fieno, asma, eczema, orticaria, reazioni a certi prodotti chimici, eccetera). Frequentemente alla «crosta lattea» si accompagnano lesioni a forma di taglio situate nelle pieghe della pelle, e specialmente dietro l'orecchio (*intertrigine retroauricolare*), che secernono in continuazione una specie di siero. I bambini affetti dalla «crosta lattea» sono talora degli anemici, e quindi potrà essere opportuno un esame del sangue.

In sé e per sé la malattia non presenta alcuna gravità. Anche se in certi momenti, in occasione di qualche crisi di peggioramento, il bimbo ammalato può sembrare un piccolo mostro, i genitori non debbono avvilirsi e lasciarsi abbattere. Essi debbono ricordare che *sicuramente* la forma migliorerà e infine scomparirà praticamente del tutto prima che il piccino abbia un anno. Tuttavia si deve fare attenzione che le lesioni della pelle *non si infettino*. Questo è forse il rischio maggiore che presenta la « crosta lattea »: una infezione della pelle può portare a infiniti guai, anche molto gravi. Si dovrà perciò stare molto attenti che il bimbo non si gratti con le mani sporche. Ecco uno dei rarissimi casi in cui l'uso dei guantini (di cotone bianco, ben puliti e cambiati spesso) è consigliabile. Qualche volta, nei figli di persone allergiche, la malattia si prolunga in un *eczema* nel corso del secondo semestre di vita. Ma qui entriamo in altro campo.

Per quanto la crosta lattea sia in fondo un disturbo abbastanza banale, tutt'altro che grave e destinato a guarigione, bisogna cercare con tutti i mezzi di diminuirne l'intensità, non foss'altro che per alleviare il disagio del bambino ed evitare il pericolo di infezioni. L'intervento del medico è naturalmente necessario. Insieme a lui si dovrà tentare di individuare gli alimenti eventualmente mal tollerati dal bambino ed eliminarli dalla sua dieta. Per quanto riguarda il trattamento locale della pelle (pomate, olii, bagni e saponi speciali, eccetera) credo senz'altro consigliabile il consulto con uno specialista in dermatologia, preferibilmente scelto dal vostro pediatra, in modo che i due medici possano decidere insieme il da farsi. Evitate in ogni modo gli indumenti di lana a contatto della pelle del bambino.

Quinto Capitolo

ANNO "UNO"
da sei a dodici mesi

1. VOSTRO FIGLIO DIVENTA UOMO

1.1. Ormai è dei nostri

Molti studiosi ritengono che la specie umana esista da qualche milione di anni, più o meno. Da migliaia di secoli l'uomo ha sfruttato le tre grandi conquiste che l'hanno reso diverso dagli altri animali. Queste conquiste sono: il saper camminare in piedi e non più carponi, cioè la *stazione eretta*; il comunicare con gli altri uomini mediante simboli verbali, cioè il *linguaggio*; l'usare degli oggetti per ottenere determinati scopi, cioè la *strumentalizzazione*. Ebbene, questi tre passi giganteschi che l'umanità ha compiuto in un periodo incalcolabile di tempo, vostro figlio li compie in dodici mesi. Fra poco egli camminerà, parlerà, userà degli strumenti; si sarà impadronito delle caratteristiche fondamentali della specie umana.

Crescendo diventa come noi

Man mano che il bambino si avvicina al compimento del suo primo anno di vita egli diventa sempre più simile a noi: le sue proporzioni cambiano. La testa, che era relativamente grossa, cresce poco, mentre il rimanente del suo corpo aumenta con rapidità notevole; il suo pancino è sempre un pancione, ma è anche sempre meno

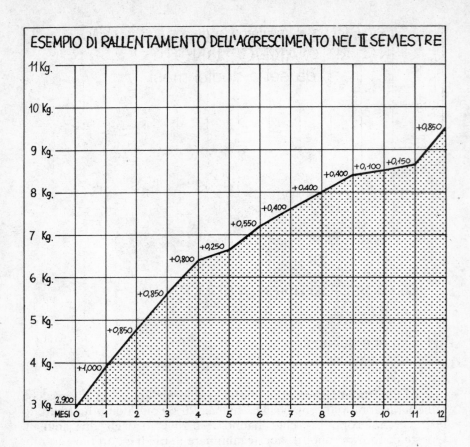

ESEMPIO DI RALLENTAMENTO DELL'ACCRESCIMENTO NEL II SEMESTRE

voluminoso in rapporto all'intero organismo; il suo viso fa ancora venire alla mente i tratti di un bambolotto, ma va assumendo ben precise caratteristiche fisionomiche. Poco a poco vedrete ch'egli si muove in un certo modo, suo personale; ride, piange, balbetta, gioca, si comporta secondo uno stile che diventa sempre più preciso e differente da quello di tutti gli altri bambini.

Fra i sei e i nove mesi vostro figlio aumenta di *peso,* in media, fra i quindici e i venti grammi al giorno; fra i nove e i dodici mesi aumenta di dieci-quindici grammi al giorno. Badate però che ho detto « in media »: potrà crescere un po' di più o un po' di meno. Anche in questo egli è del tutto personale. Ricordate inoltre che fra gli otto e i dieci o undici mesi, in corrispondenza della prima crisi della dentizione, il suo accrescimento può anche fermarsi per qualche settimana. In certi casi si può verificare anche una diminuzione di qualche centinaio di grammi. Non allarmatevi, è un fenomeno previsto e normale. Verso la fine del primo anno di vita il peso del vostro bam-

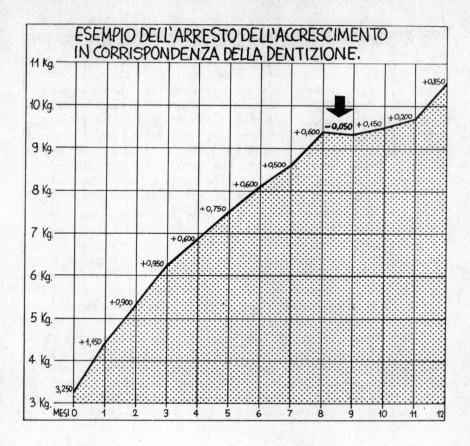

ESEMPIO DELL'ARRESTO DELL'ACCRESCIMENTO
IN CORRISPONDENZA DELLA DENTIZIONE.

bino sarà su per giù il triplo di quello che presentava alla nascita, ma ci potranno essere delle notevoli varianti in più o in meno. Certi bambini, a un anno, pesano otto chili e mezzo, altri dodici chili, indipendentemente da quanto pesavano al momento del parto. Non c'è assolutamente di che preoccuparsene, se il piccino sta bene.

La *statura* di vostro figlio aumenta di circa due centimetri al mese fin verso i nove o dieci mesi, poi di uno al mese. A un anno egli raggiunge di solito la statura di settanta-settantacinque centimetri, cioè una volta e mezza quella della nascita. Ma anche in questo campo, sia pure in misura minore di quanto accade per il peso, le variazioni rispetto alla media sono frequentissime. In ogni modo, e questo lo dico per i genitori che sognano figli con dimensioni da granatieri, l'altezza raggiunta dal bimbo a quest'età non ha nulla a che vedere con quella definitiva, da adulto: a dodici mesi un bambino può essere alto qualche centimetro meno dei suoi coetanei, e poi diventare un giovanottone di un metro e novantadue.

Comincia a mangiare come noi (la dentizione)

C'è un altro aspetto dello sviluppo, e un aspetto assai importante, che nel secondo semestre di vita avvicina di molto il bambino a quella che potremmo chiamare la « maturità funzionale » del suo organismo: il passaggio dalla suzione alla masticazione. O almeno a un inizio di masticazione. Succhiare, l'abbiamo visto nei capitoli precedenti, è forse l'attività predominante dell'essere umano nei suoi primi mesi di vita; ora questo suo modo di essere, dominato da labbra e lingua, viene sconvolto dall'inizio della dentizione. Con l'eruzione dei primi denti per il bambino cambiano molte cose, cambia addirittura la maniera di stabilire un rapporto col mondo.

La dentizione comincia in genere fra il sesto e l'ottavo mese, e si conclude verso i due anni e mezzo. Più spesso i primi a comparire sono gli incisivi mediani inferiori, poi i due corrispondenti incisivi superiori, indi i due incisivi laterali superiori, e quindi i due incisivi laterali inferiori; fra i dodici e i sedici mesi faranno la loro apparizione i premolari e, quattro o cinque mesi dopo, i canini (fra i sedici e i venti o ventidue mesi). All'inizio del terzo anno sarà poi la volta dei molari.

Tutto questo secondo le tabelle, naturalmente. Nella realtà è possibilissimo che un bimbo abbia il suo primo dentino a tre o quattro mesi, oppure a tredici. Da che cosa dipende l'anticipo, o il ritardo, della dentizione? Molte volte non sappiamo rispondere a questa domanda. E' verosimile che c'entrino fattori ereditari, dato che in certe famiglie tutti i bambini presentano una dentizione precoce, o tardiva;

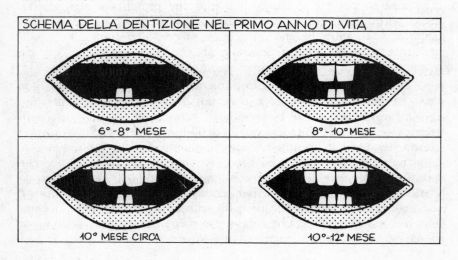

SCHEMA DELLA DENTIZIONE NEL PRIMO ANNO DI VITA

6° - 8° MESE

8° - 10° MESE

10° MESE CIRCA

10° - 12° MESE

può darsi che esistano cause legate al clima, alla dieta, alla costituzione, a certe cure. Sta di fatto che il ritmo di sviluppo dell'organismo umano è spesso imprevedibile, irregolare ed estremamente variabile da un individuo all'altro, e spesso anche nello stesso individuo. In ogni modo, e questo è l'essenziale, non c'è nessun motivo di preoccupazione nel fatto che il vostro bimbo, a dieci o undici mesi, non abbia ancora il suo bravo dentino; questo non significa affatto che sia « rachitico », che « manchi di calcio » o che « sia debole di ossa ». Ci arriverà anche lui, non temete.

Lo stesso discorso può essere fatto per quanto riguarda l'ordine di comparsa dei denti: abbiamo detto che i primi a spuntare sono gli incisivi mediani inferiori, seguiti dai quattro incisivi superiori, e poi dai due laterali inferiori; ma questa successione è tutt'altro che obbligatoria. Qualche bambino comincia con gli incisivi superiori invece che con gli inferiori, qualcun altro coi laterali invece che coi mediani. In qualche piccino i denti erompono senza alcun ordine apparente, così che per mesi il bimbo mette in mostra per esempio un incisivo mediano inferiore e i due laterali superiori ogni volta che sorride, e sembra un piccolo Draculino. Tutto ciò non ha importanza: i denti arriveranno tutti e al loro posto giusto. Molto in generale comunque, se volete un'indicazione approssimativa, alla fine del primo anno vostro figlio avrà gli otto incisivi. Ma, ripeto, potrebbe anche averne solo quattro, o due, o uno, o nessuno, ed essere egualmente normale sotto ogni punto di vista.

L'aspetto più importante della dentizione non è quello della sua data di inizio, né quello dell'ordine di comparsa dei vari denti, ma bensì l'influenza che la dentizione stessa esercita sul comportamento del bambino, come ho detto prima. Il disagio prodotto dalla eruzione dei denti, il prurito o il dolore alle gengive, il « sentirsi la bocca diversa », spinge il bambino a *mordere*. A voi sembra quasi un'azione incivile, brutale e riprovevole. Ma invece è del tutto naturale e anzi utile e provvidenziale. Mordere, infatti, è l'anticamera del *masticare*. E masticare vuol dire non solo mangiare in un modo diverso, quasi, in un certo senso, più « evoluto », ma vuol dire anche *vivere in un modo diverso,* più autonomo, più intraprendente, più « coraggioso ». Rileggete in proposito i capitoli sul divezzamento; comprenderete meglio quale progresso rappresenti per il vostro piccino la masticazione, o meglio la spontanea conquista della masticazione prodotta dall'impulso a mordere, prodotto a sua volta dalla dentizione. Il bambino che mastica sta per chiudersi alle spalle una porta, quella del mondo del succhiare, del seno e del poppatoio, un mondo ormai quasi superato; e sta per aprire un'altra porta, quella dell'universo da affrontare con le proprie forze, quella dell'avventura e dell'indipendenza.

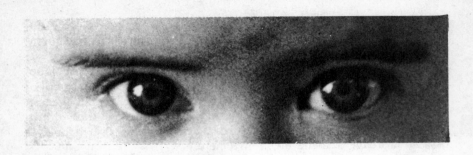

Comincia a vedere come noi

Il mondo che vede un bimbo di sei mesi non è certo eguale a quello che vediamo noi: per lui il panorama finisce a pochi metri di distanza, e consiste essenzialmente in « cose » più o meno lucenti o scure, colorate o no, grandi o piccole, e tutte apparentemente alla stessa distanza dai suoi occhi. Ma in questi altri sei mesi che lo separano dal suo primo compleanno vostro figlio arriva poco a poco a vedere ogni cosa come la vedete voi e come la vedo io; l'universo visibile cessa di avere segreti per lui.

Fra i sei e i nove mesi il bambino diventa capace innanzitutto di una maggiore concentrazione visiva e presta quindi un'attenzione sempre più grande agli oggetti che gli càpitano sott'occhio; egli guarda, osserva, studia. Non solo, ma se l'oggetto che gli interessa si muove, egli lo segue con lo sguardo fin dove gli è possibile farlo. Se prendete in mano una palla che gli piace, per esempio, il bambino continuerà a fissarla mentre l'avvicinate a lui, finché l'avrete appoggiata alla portata delle sue mani; allora se ne impadronirà e comincerà a lavorarci, a considerarne i vari aspetti, a scrutarne con grande impegno le diverse caratteristiche. Intanto egli riesce a spingere il suo sguardo sempre più in là, a individuare cose sempre più lontane, quasi che l'universo visibile continuasse ad allargarsi intorno a lui.

E' negli ultimi due o tre mesi del primo anno che vostro figlio compie l'ultimo passo, quello, starei per dire, decisivo; quello che gli rivela il mondo in tutta la sua ricchezza di immagini e nella sua « realtà ottica ». Finora egli aveva visto tutto come dipinto su uno scenario, su un unico piano, piatto, senza volumi e senza profondità; ora, grazie a una sempre più perfetta messa a punto della coordinazione fra i due occhi, il piccino arriva a vedere il mondo *in rilievo*, in tre dimensioni. In 3D, si direbbe in linguaggio cinematografico. E' quella che i medici chiamano « visione stereoscopica ».

Potete rendervi conto di quanto sia grande questa conquista? Si tratta di qualcosa di molto, molto grosso: si tratta di « vedere »

le distanze, di apprezzare i volumi, di rendersi conto della profondità. Si tratta, in altre parole, di « entrare » in un mondo che prima si vedeva soltanto dal di fuori; qualcosa come entrare in un quadro.

Ho detto che la visione stereoscopica, in rilievo, deriva dal fatto che il bimbo ha imparato a usare meglio i due occhi insieme; ma non si deve dimenticare che il piccino, avendo raggiunto la capacità di spostarsi di qua e di là, comincia a rendersi conto che le cose hanno due facce, hanno un « davanti » e un « dietro », che una faccia viene prima e l'altra dopo, e che fra l'una e l'altra esiste una distanza. Comincia in altri termini a rendersi conto di che cos'è lo *spazio*. E questo naturalmente concorre a migliorare il senso della terza dimensione, cioè della profondità, e quindi in definitiva a favorire indirettamente la visione in rilievo.

Questa, della visione stereoscopica, è la conquista più grande, ma non la sola di vostro figlio. Nello stesso periodo egli impara a distinguere sempre meglio un oggetto dall'altro e manifesta spesso in modo molto chiaro di preferirne qualcuno, specie se è piccolo, se produce un rumore e se è variopinto. Inoltre, e anche questo è importantissimo, egli comincia a distinguere nettamente una forma geometrica dall'altra, un cerchio da un quadrato, un cilindro da una sfera. Dovrà ancora perfezionarsi, s'intende, ma ormai il più è fatto: a un anno di età, il mondo che vede vostro figlio è come quello che vediamo noi.

Comincia a lavorare come noi

Ho detto nel capitolo precedente che verso i cinque o sei mesi spesso un bambino si diverte a battere un oggetto sul tavolo producendo un rumore; questa attività diventa del tutto normale circa un mese dopo, e cioè fra i sei e i sette mesi. Indubbiamente si tratta di un'iniziativa della quale fareste volentieri a meno, dato che di rumori nella nostra vita ce ne sono anche troppi; però si tratta anche di un'iniziativa che per lui, per il vostro bambino, ha un preciso significato e che lo conduce verso un modo di agire sempre meno casuale, sempre più motivato e sempre più simile al *nostro* modo di agire.

Ciò che fa il bambino è in questo caso un esperimento fondamentale: nei primi mesi di vita egli subiva i rumori passivamente, non di rado anzi egli si sentiva *aggredito* dai rumori e non se ne poteva difendere. Dormiva, e lo svegliavano; era tranquillo, e lo facevano sobbalzare; gorgheggiava, e coprivano la sua voce. Insomma, *lo perseguitavano*. Ora il rumore lo può fare lui, battendo appunto il cucchiaio o un altro oggetto sul tavolo; egli è in grado cioè di produrre *attivamente* ciò che finora aveva subìto *passivamente*, ed è in grado per di più di far cessare il fenomeno quando gli pare, di farlo ricominciare, di farlo cessare di nuovo. Egli può, in altre parole, *controllare* a suo piacimento ciò che prima era stato per lui un *oggetto persecutore*. Questo è già un agire con uno scopo concreto e logico, è già una forma di controllo effettivo sulla realtà.

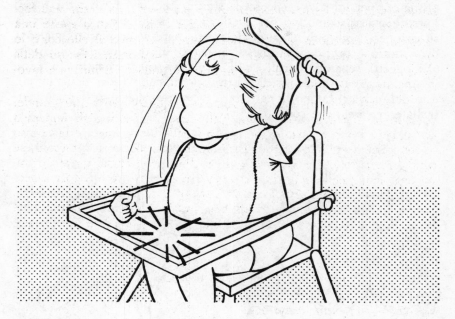

Sui sette–otto mesi vostro figlio comincia inoltre a sfruttare meglio le sue risorse manuali e a servirsene per un lavoro sempre più minuzioso ed efficiente; quando è vicino al compimento del primo anno egli sa già prendere qualcosa, non più con tutta la mano, ma delicatamente, fra le punte delle dita; per la precisione fra le punte dell'indice e del pollice. Verso gli otto o nove mesi il bambino sa già realizzare una quantità di giochi: offrire un oggetto all'adulto, poi riprenderlo, poi offrirlo di nuovo, all'infinito; unire e separare diversi oggetti, costruendo o distruggendo così nuove imprevedibili strutture; mettere un oggetto in una tazza, toglierlo, rimetterlo, eccetera; spingere un oggetto con un altro; analizzare un oggetto composto di più parti; e così via.

Tutte queste attività presentano due caratteristiche fondamentali: in primo luogo è chiaro ormai che il bambino è in grado di *usare l'oggetto come strumento* per raggiungere un determinato effetto; in secondo luogo il piccino dimostra di essere particolarmente interessato alle *operazioni reversibili*, cioè a « fare e disfare », a costruire e a demolire, a comporre e a sezionare, ad avvicinare e ad allontanare, eccetera; egli ama cioè invertire continuamente la realtà e studiare gli effetti di questo capovolgimento. E' più che verosimile che anche tali attività abbiano in fondo il senso che abbiamo attribuito prima alla produzione di un rumore ottenuto battendo un oggetto sul tavolo: il bambino cerca di controllare nella realtà ciò che prima era per lui solo qualcosa da subire, buono o cattivo che fosse. Forse è questo il motivo per cui il piccino seguita a « rovesciare la situazione »: egli può in tal modo trasformare a suo piacere qualcosa di « intero » (gli oggetti messi insieme) in qualcosa di « rotto » (gli oggetti separati), qualcosa di « bello » (per esempio un cubo in una tazza) in qualcosa di « brutto » (il cubo fuori della tazza), e in definitiva il buono in cattivo, e viceversa; egli può dunque controllare *realmente* le cose.

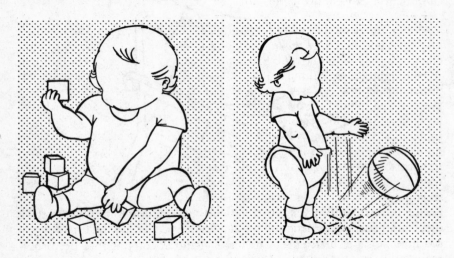

L'espressione più evoluta di questo tipo di attività vostro figlio la raggiunge a un anno circa: è il momento in cui egli impara a *lasciare*. Non solo a offrire come faceva prima, permettendo ad altri di togliergli l'oggetto di mano. No, ora egli può abbandonare l'oggetto, può lasciarlo cadere, può lanciarlo; in altri termini, può ordinare alla propria mano di aprirsi in quel preciso istante, cosa che finora non sapeva fare. Questo lo mette in grado di trasferire alla mano, guidata dall'occhio, ciò che prima egli sapeva fare soltanto con la bocca: prendere o gettare, tenere o lasciare, « mettere dentro » o « buttare fuori ». Con la bocca egli realizzava queste attività solo succhiando o sputando, inghiottendo o vomitando. Ora, con la mano, egli può veramente prendere o lasciare, come voi. Come un uomo.

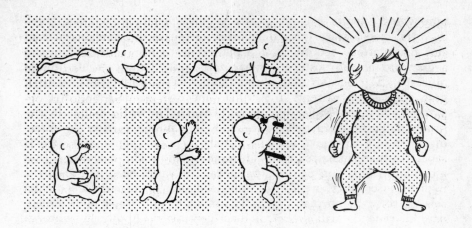

Comincia a camminare come noi

Per un bambino di età inferiore ai sei o sette mesi il mondo è qualcosa che esiste *sopra di lui*, qualcosa di « alto », che sovrasta, che incombe. Il regno del bambino infatti, e l'ho già accennato, è il pavimento. Ma all'inizio del secondo semestre di vita le cose cominciano a cambiare per vostro figlio anche in questo campo. A sei mesi egli si arrangia, con maggiore o minor successo, a stare seduto; a otto mesi lo stare seduto è di solito per lui un'impresa ormai abituale, tanto ch'egli può chinarsi o sdraiarsi e poi rimettersi a sedere da solo e senza alcun aiuto; subito dopo, fra gli otto e i nove mesi, impara a muoversi gattoni, anche con sorprendente velocità, e inoltre sa mantenersi in piedi per qualche tempo, aggrappato a un sostegno, se qualcuno ha provveduto ad alzarlo e a collocarlo nella giusta posizione. Fra i nove e i dieci mesi sa già « camminare » se viene sorretto per entrambe le mani, e poco dopo anche se lo si sostiene per una mano sola. Sono già dei grandi progressi, ma finora realizzabili soltanto mediante l'aiuto della mamma. Il grande balzo in avanti si verifica in genere sui dieci o undici mesi quando, attaccandosi a qualcosa, il piccino riesce finalmente per la prima volta ad alzarsi in piedi da solo e a restarci.

E' un momento di trionfo, anzi potremmo dire di gloria: di colpo, e grazie solo a se stesso, il bambino non vede più il mondo da sotto in su, ma al suo stesso livello; qualche cosa riesce persino a vederla dall'alto in basso. Credo che la sensazione che prova il bimbo in queste circostanze sia simile a quella che può provare un ardimentoso alpinista il quale, dopo grandi sforzi, sia riuscito a conquistare la vetta di una montagna, e di lì osservi il panorama sotto di lui: egli si sente come un re.

Ma, come d'altra parte può accadere anche all'alpinista, il bambino viene talvolta a trovarsi in una posizione precaria: è arrivato in vetta, cioè a stare in piedi, ma non è più capace di ridiscendere, cioè di rimettersi seduto. Così il piccino se ne sta lì, freneticamente aggrappato al suo sostegno, spaventatissimo e praticamente immobilizzato. E' chiaro che in questi frangenti egli invocherà aiuto a gran voce e con torrenti di lacrime, finché la mamma non arriverà a dargli una mano. Molto spesso però l'avventura non finisce qui: inebriato dall'esperienza della « scalata » il bambino ci riprova immediatamente, e di nuovo si ritrova nella disperata condizione di non saper ritornare indietro; e così di seguito, fino a che si stanca o fino a' che la mamma non perde la pazienza. Arriva infine il giorno in cui il piccolo scalatore prende il coraggio a due mani e decide di farcela da solo: piano piano piega le gambe, si abbassa, e si lascia andare... cadendo dall'altezza di dieci centimetri. A questo punto di solito il bambino scopre che la duplice impresa del salire e dello scendere, cioè del mettersi in piedi e del ritornare seduto, è perfettamente realizzabile, e pratica con impegno questa nuova attività.

E' nell'epoca del primo compleanno che il bimbo porta a compimento la sua fatica: egli muove i suoi primi passi da solo, senza appoggi e senza aiuti. Certi bambini scoppiano palesemente d'orgoglio per questa loro conquista; altri la perfezionano per conto loro, privatamente, in segreto; altri la sfruttano tremando di paura; altri ancora se ne valgono quando sono da soli, ma pretendono di essere presi subito in braccio non appena la mamma compare. Tutti, comunque, vanno avanti nei loro esercizi e diventano ben presto degli spericolati podisti. Il fatto è che un bimbo capace di camminare si sente qualcuno, si rende conto di avere assunto un ruolo nuovo nella sua piccola società: egli può spostarsi come vuole, sa stare diritto, impegna gli altri a seguirlo, aiutarlo e controllarlo, gode insomma di un nuovo grande prestigio sociale. Prestigio che viene esplicitamente riconosciuto dalla mamma che gli dice « bravo » e che lo incoraggia in tal modo a proseguire i suoi sforzi.

Il saper camminare da solo rappresenta tuttavia per il bambino qualcosa di molto più profondo che non un semplice fatto di prestigio sociale: ora egli può andare e prendere contatto con gli oggetti piacevoli, inseguire un giocattolo, rincorrere la mamma; e può, al contrario, allontanarsi dalle cose spiacevoli, sfuggire alla presenza di un estraneo, allontanarsi da un rumore che lo disturba. In breve, egli può unirsi al Buono e fuggire dal Cattivo. E' la fine della sua impotenza, almeno per quanto riguarda il movimento; egli non è più in balìa del mondo.

Ora debbo ripetere un discorso che ho già fatto altre volte: se il vostro bambino, a un anno, non cammina ancora, questo non significa nulla; e non significa nulla nemmeno se comincia a camminare soltanto a quattordici, o sedici, o persino diciotto mesi e più. L'importante è che il medico escluda l'esistenza di malattie o deformità. Una volta accertato questo, non c'è assolutamente nessuna fretta. Un bambino anche vivacissimo, intelligente e robusto, può camminare da solo qualche mese dopo che i suoi coetanei già si lanciano in traballanti marce attraverso la casa. Le cause di un « ritardo » nel camminare possono essere parecchie: certi bambini sono semplicemente pigri, non hanno voglia di impegnarsi in attività atletiche troppo audaci e preferiscono essere trasportati qui o là dalle comode braccia della mamma; altri non sono molto portati all'avventura e si sentono più tranquilli nelle immediate vicinanze del rifugio materno; altri ancora, per un motivo o per l'altro, non hanno fatto abbastanza esercizio con le gambe. Ma la causa più frequente e più importante dei ritardi è la paura; la paura di trovarsi maggiormente esposti ad aggressioni più o meno immaginarie, e soprattutto *la paura di cadere*.

Va sottolineato qui che il cadere, per un bimbo che muove i suoi primi passi, non rappresenta solo una disavventura fisica, un trauma puramente meccanico; in realtà si tratta di qualcosa di molto più grave. Come dicevo prima, il camminare vuol dire potersi avvicinare alle cose buone e allontanarsi da quelle cattive, quindi essere finalmente in grado di controllare il mondo, o quanto meno di poterlo accettare o rifiutare; ora, la caduta infrange, per così dire, questo « sogno di potere ». Cadendo, il bambino si sente separato dalle cose buone e facile preda di quelle cattive; egli non cade solo a terra, ma ricade in balìa del senso di impotenza di fronte al mondo. Ecco perché tanti bimbi hanno una paura così grande delle cadute che, pur di evitarle, non cominciano nemmeno a camminare; a meno che, ovviamente, il sicuro appiglio della mano di un adulto non li garantisca contro ogni incidente.

Comunque, se il ritardo c'è, se c'è una difficoltà, un timore, una incertezza, si tratta sempre di qualcosa che sparirà in poche settimane o tutt'al più in due o tre mesi. A un anno, più o meno, la conquista del camminare è cosa fatta. Il mondo del bambino non ha più confini: culla, seggiolone, pavimento, appartengono al passato. Egli adesso è « colui che può camminare ». Cioè, ancora una volta, un uomo.

Comincia a parlare come noi

Già verso la fine del primo semestre di vita, su per giù fra i quattro e i sei mesi, il bimbo realizza un progresso che potremmo senz'altro definire sensazionale: egli mette insieme una vocale e una consonante, e cioè costruisce una sillaba. E' bene ricordare che questa è l'epoca in cui il divezzamento è già a buon punto, se non del tutto condotto a termine, e pertanto il bambino ha imparato a usare in modo diverso, per ragioni alimentari, un certo numero di organi: labbra, lingua, palato, guance, gola. Proprio gli stessi organi che gli servono per l'articolazione dei suoni. La conquista della sillaba è una conseguenza anche di questa sua nuova abilità. E siccome la sillaba gli piace, egli la usa abbondantemente, sia come « giocattolo », sia come « oggetto—sostituto » della madre, come faceva con le vocali e come fa tutt'ora col pollice o con altri oggetti da succhiare.

Ovviamente, un'azione piacevole viene ripetuta più volte. Se vi piacciono le ciliege, non vi limitate a mangiarne una sola; se amate il fumo, non vi fermate alla prima boccata. Così il bambino: egli, una volta impadronitosi della sillaba, e trovatala piacevole, la ripete. La ripete molte volte. Mette in fila le sillabe come farà più tardi coi cubi di plastica colorata. Ed ecco le lunghe sequenze di BA-BA-BA-BA- o di PA-PA-PA-PA, o di MA-MA-MA-MA. Siamo arrivati al vero e proprio balbettamento, o *lallazione*.

Precisiamo a questo punto che, per quanto il balbettamento sia da un punto di vista « tecnico » notevolmente più evoluto della semplice vocalizzazione, esso rimane pur sempre e soltanto una anticipazione del linguaggio. Non è linguaggio. Se il bambino ha bisogno di qualche cosa, o comunque se intende comunicare coi grandi, egli ricorre ancora al pianto, alle grida, alle esclamazioni, alla mimica, ai gesti. E di solito con questi mezzi riesce a spiegarsi benissimo. Il balbettamento gli serve soprattutto per divertirsi e per riempire il vuoto lasciato dalla mamma nei momenti in cui questa non è presente. Infatti, se ci pensate bene, un bimbo balbetta in genere con particolare impegno quando è solo.

Il balbettamento, dunque, è un gioco. Ma, e questo è il punto, si tratta di un gioco che diverte non solo il bambino, ma anche gli altri. E specialmente la mamma. Arriva il momento in cui il piccino si accorge di questa realtà, e allora non gli par vero di mostrare le proprie abilità. In tal modo si inizia un autentico dialogo fra madre e bambino, ed è proprio questo dialogo che apre al bimbo le porte della comunicazione verbale vera e propria.

Avendo a disposizione uno strumento così prezioso come la sequenza di sillabe, il bambino sarà in grado di imitare la voce della mamma: dapprima ne imiterà soltanto la linea melodica e l'intonazione, ma poi arriverà a fare i suoi primi tentativi di imitazione anche per quanto riguarda la struttura della parola. E' chiaro che non riuscirà a seguirvi se direte che « la politicizzazione culturale non è strumentalizzabile dal conservatorismo tradizionalista », ma riuscirà a seguirvi benissimo se direte « pappa ».

Ma ciò che conta di più agli effetti della conquista del linguaggio non è l'imitazione della mamma fatta dal bambino, bensì il contrario, e cioè *l'imitazione che la mamma fa del bambino.* Supponiamo che un piccino sia impegnato nella ripetizione del monosillabo MA: naturalmente la madre sarà portata a « tagliare » la sequenza dopo la seconda sillaba, in modo da ottenere un semplice raddoppiamento della sillaba MA, e precisamente: MA-MA. E cioè MAMMA. Così, quando il bimbo dirà MA-MA . . . , la madre lo interromperà e ripeterà a sua volta MA-MA, esprimendo contemporaneamente grande gioia, con sorrisi, carezze, abbracci e altre manifestazioni di tenerezza. In altre parole, il bisillato MA-MA « rimbalza » dalla madre al bambino con accompagnamento di espressioni di esultanza e di giubilo. E' naturale che, a questo punto, il bimbo avrà ogni incoraggiamento a ripetere MA-MA; il pronunciare queste sillabe infatti lo fa sentire approvato dalla mamma, e perciò « buono e bravo ».

Ma non basta: ben presto il bambino si renderà conto che ripetendo a gran voce quel suono egli potrà « evocare » la presenza della madre, farla comparire quando ne ha bisogno, farla accorrere quando ne desidera la compagnia. E allora MA-MA fa presto a diventare MAMMA, il vostro nome, voi. È la prima parola, la prima vera parola.

Dodici mesi fa vostro figlio era un cosino urlante. Ora è un individuo che parla, che parla come voi, come tutti, anche se il suo vocabolario comprende soltanto una parola, o al massimo due o tre. Fra poco ne avrà dieci, di parole, e poi venti, e poi cento, e poi migliaia. Ma nessuna avrà l'importanza della prima. Ora il bambino è « colui che può parlare ». Ormai, è dei nostri.

1.2. Diventa filosofo e scienziato

Lo sviluppo mentale e la conquista delle cose

Il progressivo sviluppo delle proprie capacità, la conquista della posizione seduta e poi di quella eretta, e poi del camminare, la crescente abilità delle mani, il perfezionamento della visione, e tutti gli altri progressi, allargano enormemente il campo di attività del bambino: egli può raggiungere una quantità sempre più vasta di obbiettivi, può cercare di conseguire un numero sempre più elevato di risultati. Non ha che da scegliere. E il bimbo sceglie, infatti, e lo fa seguendo delle vie che ci stupiscono per la loro coerenza e la loro logica.

Facciamo un esempio: un bicchiere, lucido e attraente, sta sopra il tavolo. Il bambino, supponiamo di dieci o undici mesi, si aggrappa alla tovaglia per avvicinarsi a quella bella cosa che vorrebbe prendere; così facendo tira la tovaglia e si accorge che questa si muove verso di lui trascinando con sé il bicchiere. A questo punto il piccino ha scoperto che tirando una tovaglia egli riesce ad avvicinare a sé ciò che vi sta sopra. Adesso egli procederà ad ampliare l'esperimento, variandone certe caratteristiche, per appurare quali effetti ne potrà ricavare: potrà per esempio tirare il giornale per avvicinare il nonno che lo sta leggendo, o tirare un tappeto per impadronirsi di un vaso di fiori, eccetera. Qualche volta gli andrà bene e qualche volta no; ma ciò che importa è che egli ha creato lo schema: *tirare = avvicinarsi*. Contemporaneamente, s'intende, il bambino elabora altri schemi, come: gettare = movimento, scuotere = rumore, e così via.

Ora il bimbo compirà una seconda operazione: metterà insieme i risultati dei suoi esperimenti, cioè gli schemi che è riuscito a costruire, e li coordinerà fra loro secondo un vero e proprio metodo scientifico. Poco a poco imparerà, per tornare all'esempio di prima, che tirando la tovaglia « attira » il bicchiere (primo schema), che il bicchiere cadendo fa un bellissimo rumore (secondo schema), che il rumore fa accorrere qualcuno (terzo schema); e allora potrà tirare la tovaglia non più per prendere il bicchiere ma per far venire la mamma, o gettare un oggetto a terra per ascoltarne il rumore. E' l'inizio di quella che lo studioso svizzero Piaget chiama « intelligenza pratica ».

A partire dai sei mesi di età circa, tutto il lavoro di sperimentazione e di ricerca del vostro bambino, anzi tutto il suo comportamento, è dominato da una tendenza fondamentale: quella *di prendere e di trattenere*. Il bimbo cerca di appropriarsi di tutto ciò che càpita nella sua cerchia. E' una tendenza che primitivamente sembra nascere dalla bocca, come è logico che accada a quest'età, in cui la bocca ha un'importanza determinante a tutti gli effetti. Il punto di partenza probabilmente è l'eruzione dei denti, la quale spinge il bimbo a mordere, cioè appunto a prendere e trattenere con la bocca. Ma ben presto tale impulso si estende a tutte le facoltà del piccino: egli prende e trattiene con le mani, in ciò facilitato dalle nuove conquiste della posizione seduta e di quella eretta che gli permettono un avvicinamento attivo a cose e persone, « prende » con gli occhi, « prende » con le orecchie, prende, si direbbe, con tutto il suo essere.

Di particolare importanza pare sia il prendere con le mani; certo, è un prendere meno soddisfacente e totale di quello che si può attuare con la bocca, ma è un prendere più controllabile, più dominabile, più sicuro. Quando il bambino « metteva dentro di sé », cioè prendeva, le cose con la bocca, egli andava incontro a perdite e delusioni: il seno della mamma che scompariva, il poppatoio che gli veniva portato via, eccetera; ma adesso, con le mani, la faccenda è diversa. Provate a guardarlo: egli afferra un oggetto, lo lancia al suolo, *lo riprende*, lo guarda, lo butta via e lo riprende ancora. L'oggetto non scompare, esiste sempre, e non cessa di esistere nemmeno quando viene gettato via, tant'è vero che è possibile riprenderlo quando si vuole. Tutto ciò è estremamente rassicurante per il bambino: il mondo non è più fatto di ombre e fantasmi che vengono e vanno inesplicabilmente, ma è diventato qualcosa di stabile con cui si può sperimentare, lavorare, conoscere. E' diventato qualcosa che si può prendere, di cui ci si può impadronire. E' diventato un mondo concreto da conquistare.

La conquista di se stesso

Se ben ricordate, ho detto a suo tempo che per il bambino appena nato il mondo è tutt'uno con la sua stessa persona, non esiste separazione fra il bambino stesso e l'universo. Questo è ancora vero, almeno in parte, quando vostro figlio ha sei mesi, ma dopo quest'età le cose cominciano a cambiare. Nel secondo semestre di vita il bimbo dimostra di avere raggiunto una prima confusa consapevolezza della propria esistenza come essere autonomo, indipendente, separato dal mondo: egli, per esempio, può cercare di nascondersi di fronte a un estraneo da lui considerato « minaccioso », sembra che si accorga abbastanza bene che certe cose possono fargli del male, e spesso compie degli sforzi considerevoli per « dare spettacolo » e attirare l'attenzione altrui su di sé. Si comporta, tutto sommato, come se ormai avesse capito che c'è lui e che c'è « qualcos'altro », buono o cattivo, *intorno a lui*.

D'altra parte, c'era da aspettarselo: ora che può stare seduto il bambino può guardare se stesso, può osservare il proprio corpo che si unisce a degli oggetti, cioè li prende, e si separa da essi, cioè li butta via. La sua stessa esperienza di ogni momento gli dimostra che *lui esiste*, che il suo corpo esiste, che la sua persona esiste. Non solo: se un bimbo di dieci o dodici mesi gioca, supponiamo, con un cubo rosso, e voi glielo portate via e lo nascondete, egli *lo cercherà*. Questo significa che il piccino ha compreso che esistono delle cose anche se lui non le vede (e infatti le cerca), che esistono delle cose diverse da lui, in quanto ci sono anche quando si allontanano dal suo corpo e, addirittura, scompaiono. Egli ha compreso dunque che esistono cose, cioè *che esiste un mondo separato dalla sua persona*, dunque « esterno ».

Alla base di questo procedimento di separazione del mondo da se stesso, e del riconoscimento di se stesso come persona autonoma, c'è tuttavia qualcosa di molto più profondo e complicato delle semplici esperienze che ho descritto. Vediamo di seguire il cammino che il bambino percorre dentro di sé per arrivare a questa grande conquista che potremmo chiamare « la conquista dell'IO ». Noi sappiamo che il bambino tende a « mettere dentro di sé » il piacere, cioè il Bene, cioè l'« oggetto d'amore »; anzi tende addirittura a *identificarsi* con l'oggetto d'amore, a diventare un cosa sola con esso. Perciò, quando il piccino vede e sente tale oggetto d'amore, egli in sostanza percepisce se stesso, dato che egli si identifica con l'oggetto medesimo. Ma, come abbiamo visto nel capitolo precedente, verso i quattro mesi l'oggetto buono (che è poi la madre) non viene più sentito come esclusivamente buono, bensì come oggetto buono e cattivo insieme; e quando l'oggetto buono-cattivo è sentito più come cattivo che come buono (come quando la mamma per esempio compie una operazione igienica spiacevole), allora il bimbo prova degli impulsi di aggressione verso l'oggetto. Ma siccome l'oggetto d'amore e il bambino sono la stessa cosa, perché il bambino si è identificato con l'oggetto d'amore, questa aggressione si rivolge in sostanza contro lo stesso bambino. Egli dunque, per salvare se stesso, deve salvare l'oggetto d'amore dai propri attacchi. In altre parole, il bambino si viene a trovare nella situazione di dover sacrificare se stesso (come aggressore, cioè come Male) per salvare l'oggetto d'amore (che è il Bene).

A questo punto succedono due cose: innanzitutto l'essere diventato tutt'uno con l'oggetto d'amore, il quale va salvato e conservato dentro di sé, dà probabilmente al bambino una primitiva forma di coscienza di esistere; in secondo luogo, la necessità di sacrificare se stesso per salvare l'oggetto d'amore darebbe al bambino la sensazione dell'esistenza di qualcosa per cui si deve appunto sacrificare, cioè qualcosa di *diverso da se stesso*. E' possibile che in questo momento il bambino sia preso in tale situazione contraddittoria e inestricabile; ma si tratta di una condizione transitoria che ben presto si chiarirà.

Nel secondo semestre di vita infatti il bambino, anche grazie al divezzamento, sposta una parte dei propri interessi dalla madre agli altri oggetti del mondo, e in particolare a quelli che sostituiscono la presenza materna (il ciuccio, la coperta, eccetera), ma verosimilmente non solo a quelli. La necessità quindi di sacrificare se stesso per salvare l'oggetto d'amore (la madre), si trasforma nella necessità del sacrificio di sé per conservare non solo la mamma, ma anche gli oggetti che la sostituiscono, e in definitiva tutto il mondo. Cosicché il bambino arriva per tale via a comprendere che *il mondo esiste*, e che esiste a tal punto che la conservazione della sua esistenza richiede il sacrificio di se stessi.

Ma c'è di più: se il bambino ha avuto una sufficiente quantità di affetto, egli arriva a portare *stabilmente* dentro di sé l'oggetto d'amore, che è poi l'amore materno. Ciò gli fornisce naturalmente un grande senso di sicurezza perché, comunque vadano le cose, egli ha il Bene dentro di sé in forma solida e permanente. La sicurezza a sua volta permette al piccino di affrontare coraggiosamente i « pericoli » del mondo esterno, e lo spinge pertanto sulla via dell'esplorazione del mondo stesso. L'attività esplorativa infine porterà al risultato di una ulteriore e più chiara conoscenza del mondo esterno, e quindi a una più precisa coscienza della separazione del mondo dalla persona del bimbo, e pertanto a una più profonda percezione di se stesso come individuo separato dal mondo, quindi come individuo autonomo e indipendente.

E' in quest'epoca, verso la fine del primo anno di vita, che il bambino passa di solito attraverso l'*avventura dello specchio*. Supponiamo che il piccino si venga a trovare davanti a un grande specchio e ci veda riflessa la propria immagine: egli, ovviamente, non si riconosce, dato che non si era mai visto in faccia prima di allora. Ciononostante il bimbo manifesta in genere segni di compiacimento, di soddisfazione, o addirittura di giubilo incontenibile. Perché? Ecco, in parole povere si potrebbe dire ch'egli ha preso un abbaglio: dato che il bambino tende come si è detto a identificarsi con la madre, egli crede di vedere nello specchio il volto della madre anziché il proprio. Più precisamente possiamo dire così: nello specchio egli vede una faccia buona e simpatica come quella della mamma, anche se sembra differente nella forma. Il bambino trascura cioè le apparenti diversità, e còglie la somiglianza essenziale: per lui, quel volto è comunque quello di un essere amico.

Ma l'illusione non dura a lungo. Non molto tempo dopo il piccolo si accorge che l'immagine rimandata dallo specchio è la *sua,* non quella della madre; si accorge, forse per la prima volta, che la identificazione della propria persona con quella della mamma non era vera, che lui è una cosa e la mamma un'altra, che lui e la mamma sono persone diverse e separate. Egli, in un certo senso, ha perduto la mamma. E' rimasto solo. E paga, già all'età di un anno, il suo primo tributo di dolore al fatale imperativo della conoscenza.

1.3. Le sue prime vere emozioni

In realtà non è possibile dividere nettamente lo sviluppo delle emozioni di un bambino dallo sviluppo delle sue capacità fisiche e mentali. Il comportamento di un bimbo è il risultato di ciò che lui pensa, di ciò che sa fare, e di ciò che sente. Cioè dell'intelligenza, delle abilità e delle emozioni. Tre cose che si intrecciano strettamente l'una all'altra, e che solo per chiarezza di esposizione siamo autorizzati a separare l'una dall'altra. E' questa una precisazione che dovevo fare, per evitare che i genitori cadano nel solito equivoco di credere che il pensiero, il ragionamento, le abilità in genere, siano tutt'altra cosa dall'emozione e dall'affettività. Sono vari aspetti, inscindibili, della personalità del vostro bambino. Ciò premesso, parliamo appunto delle emozioni. Delle emozioni di vostro figlio.

La gioia

Dopo l'età di sei mesi il bambino dà spesso chiare dimostrazioni di essere contento. Quasi tutto ciò che lui fa, *di sua iniziativa*, lo riempie probabilmente di gioia: balbettare, prendere le cose e gettarle, sgambettare, muoversi carponi di qua e di là, alzarsi in piedi, camminare. Se da tutto questo non ricavasse soddisfazione e compiacimento, non lo farebbe. Il mondo intorno a lui è un meraviglioso campo da gioco, nel quale egli può sbizzarrirsi in ogni genere di attività e che stimola e appaga la sua insaziabile curiosità.

Il bambino ha bisogno di agire, e l'agire lo riempie di gioia. Specialmente quando il risultato delle sue azioni è strano e diverso dal prevedibile. Credo che praticamente tutti i bambini siano irresistibilmente attirati dall'ignoto. Il bambino è per sua natura un essere avventuroso: egli cerca le situazioni difficili, le strade senza uscita, il rischio. Purché, beninteso, ci sia sempre qualcuno che poi gli dia una mano a trarsi d'impaccio. Anzi, questa è una delle cose che lo divertono di più: costringere gli altri a occuparsi di lui, a risolvere i problemi che lui ha creato con la sua temerarietà e la sua audacia.

Lo strano, il bizzarro, l'assurdo, lo incantano. Una persona che gli si avvicini di colpo solleticandogli la pancia col naso e mugolando versi senza senso, o che si nasconda per poi ricomparire improvvisamente, o che faccia rumori e movimenti stravaganti con le mani, lo manda spesso in visibilio, ed egli risponde a queste manovre con sonore risate che arrivano persino a fargli venire il singhiozzo.

La collera

Se la libera attività colma il bambino di soddisfazione, gli impedimenti, le interferenze e gli ostacoli lo irritano invece profondamente. Mettiamoci nei panni di un bimbo di sette, otto o dieci mesi: egli ha già non pochi motivi di contrarietà e di disappunto. Vorrebbe probabilmente fare moltissime cose, ma spesso non ne è capace e i suoi ostinati tentativi non approdano a nessun risultato. Cerca di raggiungere un oggetto e non ci arriva, prova e riprova a superare la barriera del recinto e non ci riesce, si studia di portarsi una tazza alla bocca e la rovescia; e via dicendo. Non si scoraggia, questo no, ma è logico che si irriti e talvolta si incollerisca. La sua stessa inettitudine lo urta profondamente, e costituisce il rovescio della medaglia rispetto alla gioia dell'azione.

Come se tutto ciò non bastasse, ci si mettono anche gli adulti. Ho l'impressione che nulla mandi fuori dei gangheri un bambino quanto gli impedimenti posti dagli adulti alle sue attività e alle sue iniziative. La sua situazione può essere paragonata a quella di uno di noi al quale qualche superiore autorità, per ragioni sconosciute, impedisse di andare al cinema, o di leggere, o di portare a termine un lavoro interessante, o di fare all'amore. Di solito, quando una condizione di questo tipo si verifica nella società degli adulti, prima o poi scoppia la rivoluzione. Ma il bambino non può fare la rivoluzione; egli può soltanto protestare. E la sua protesta, noi grandi, abbiamo la faccia tosta di chiamarla « cattiveria ».

Non dimentichiamo poi che a quest'età, fra i sei e i dodici mesi, il bambino è turbato da un fenomeno particolarmente sgradevole: la dentizione. L'eruzione dei denti provoca indubbiamente un senso di disagio, una sorda irritazione, talora un autentico dolore. E le persone amiche, prima fra tutte la mamma, non solo non possono farci nulla, ma tendono ad « allontanarsi » dal bambino per non subire i morsi coi quali egli cerca di dare sollievo alle sue gengive. Abbiamo già parlato di questa rottura dei rapporti umani provocata dal mordere, a proposito del divezzamento. Ecco allora che il bambino si sente aggredito da un dispiacere che nasce dentro di lui, nella sua bocca, e la consolazione (l'oggetto da mordere) gli viene portata via da chi dovrebbe aiutarlo. Secondo lo psicologo Erikson nascerebbe di qui l'atteggiamento inverso tipico degli adulti: quello di aggredirsi da soli con manovre dolorose (strapparsi i capelli, picchiare la testa nel muro, eccetera) quando un oggetto viene sottratto al nostro dominio. Per esempio quando ci rubano l'automobile. Sta di fatto che la dentizione rappresenta una dura prova per la pazienza del bimbo e lo predispone alle crisi di collera.

Non bisogna interpretare la collera del bimbo come « cattiveria » o come « nervoso »: anche se il piccino manifesta la sua ira in modo esplosivo, incontrollato e caotico, e ovviamente, secondo il nostro punto di vista, del tutto irragionevole e improduttivo, si tratta pur sempre della espressione di uno stato d'animo che consegue *logicamente* a determinate contrarietà, delusioni, o repressioni. In altri termini, la sua collera è giusta, ma è « sbagliato » il modo in cui la esprime. Sbagliato, è chiaro, nel senso che il bambino è incapace di una collera fredda e ragionata e quindi diretta a un fine. Egli semplicemente « scoppia di rabbia », nel senso quasi letterale della parola.

La paura

L'esplosione della collera-dispiacere può portare, come ho già detto nei capitoli precedenti, a un blocco della respirazione, cioè a una specie di autosoffocamento. Questo motivo della soffocazione rappresenta per così dire un « ponte » fra la collera e la paura. Non di rado infatti la paura scaturisce dal fatto che il bambino popola il buio di *fantasmi strangolatori* (il famoso « uomo nero »). Questo genere di paura fa la sua comparsa proprio nel periodo di cui ci stiamo occupando, cioè nel secondo semestre di vita. Prima di arrivare ai sei mesi circa il bambino manifestava invero un certo disagio per la solitudine, ma non segni di paura vera e propria; questa, secondo le ricerche ormai celebri del pediatra americano Gesell, comparirebbe verso i sette mesi. A quest'età il bimbo sembra sia capace da un lato di animare la solitudine e il buio di fantasmi nemici e annientatori, e d'altro lato di percepire nettamente la solitudine stessa come abbandono da parte di chi lo potrebbe difendere. In altre parole, verso i sette-otto mesi il piccino è abbastanza evoluto da immaginare l'esistenza di un pericolo, ma non abbastanza evoluto da escluderla sul piano della logica. Egli cioè non sa distinguere fra l'*angoscia* che nasce dentro di lui e lo spinge a creare pericoli immaginari, e la *paura* propriamente detta, suscitata da entità e situazioni reali che stanno fuori di lui.

Quali sono le cause della paura del bambino? In parte a questa domanda ho già risposto: il buio e la solitudine possono certamente provocare l'insorgere della paura nel piccino, anzi addirittura del terrore. Ma anche fenomeni repentini e imprevisti di vario genere possono spaventarlo in modo notevole: l'improvvisa perdita di un appoggio, per esempio, o un forte rumore, o l'accendersi di una luce abbagliante. E questi avvenimenti improvvisi lo intimoriscono tanto più in quanto non di rado sono collegati a una

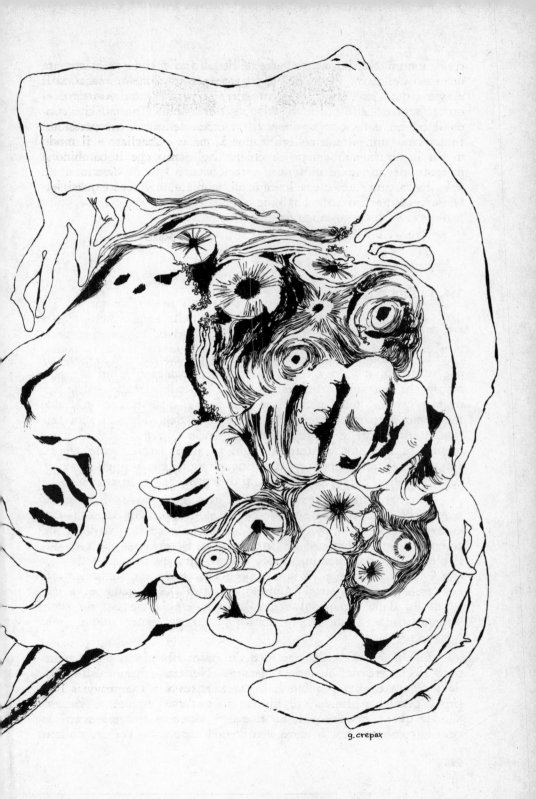

g. crepax

condizione di abbandono da parte dell'adulto, così come può accadere nel caso del venir meno dell'appoggio (per esempio la mano della mamma che viene frettolosamente ritratta perché, poniamo, qualcuno ha suonato alla porta) o dello sbattere di una porta che esclude il bimbo dalla compagnia della mamma seduta nella stanza accanto. Non dimentichiamo infine che la causa principale dei terrori di un bambino può essere costituita dagli stessi genitori. Se una mamma, per esempio, mostra di essere atterrita da un temporale, è abbastanza prevedibile che lo sarà anche il figlio; lampi e tuoni diventeranno per lui cose terribili, in quanto potrà leggere sul volto materno l'angoscia suscitata da questi fenomeni.

1.4. I primi problemi sociali

La «crisi dell'ottavo mese»

La separazione del mondo dalla sua persona, e cioè la scoperta che esiste un mondo « esterno », porta il bambino a un atteggiamento che possiamo senz'altro definire « sociale »: egli applica agli oggetti esterni, e in particolare alle figure umane (che in fondo non sono altro che oggetti più interessanti degli altri), i suoi sentimenti di amore e di repulsione che prima erano riservati a un mondo di fantasmi « interni ». Egli, in altre parole, sente amore, simpatia e attrazione per certe persone, e repulsione, antipatia e avversione per altre. Sono i primi barlumi di sentimenti interpersonali.

Più precisamente le cose vanno in questo modo: il bambino scopre che ci sono delle persone che *non sono lui*, che sono distinte e separate da lui, e che sono per lui fonte di piacere o di dispiacere. Per la mamma che gli sorride e lo fa giocare, per esempio, il bimbo prova un sentimento di piacere, mentre per la vecchia zia che è sempre seria e parla troppo forte prova un sentimento di dispiacere. Questo, per il bambino, significa che la mamma ha verso di lui delle intenzioni benevole, e invece la zia ha intenzioni « minacciose ». Il mondo, a questo punto, contiene dunque amici e nemici.

Dobbiamo ora chiederci su quale base il bambino prova piacere o dispiacere per una data persona. Nel caso della madre, cioè della figura umana più familiare, la risposta è semplice: il bimbo prova per lei sentimenti di piacere in quanto l'esperienza gli dice che da quella persona egli ha ricevuto, riceve e riceverà cose piacevoli, come il cibo, le cure amorevoli, il sorriso, l'essere cullato, eccetera. Ma di fronte al volto estraneo l'esperienza non gli dice nulla, e in particolare non gli assicura affatto che ne riceverà qualcosa di male. Perché dunque, non appena il piccino si accorge della differenza che esiste fra il volto della madre e quello dell'estraneo, e cioè verso l'ottavo mese (o anche molto prima, data l'attuale accelerazione dell'evoluzione umana), perché egli dimostra di sentire dispiacere davanti alla faccia sconosciuta? Il motivo è questo: il volto che il bambino ha visto più spesso, quello che vedeva durante la poppata e in mille altre occasioni piacevoli, è quello della mamma. Il volto della mamma è diventato *il volto,* cioè la Cosa Buona per eccellenza. Perciò, davanti a un viso, egli in un certo senso si aspetta che si tratti del viso materno, del *viso,* così come lui lo conosce. Ora invece, al cospetto di un estraneo, egli scopre che quel volto *non è* quello materno. Egli ha scoperto per così dire il « contrario » del volto materno, cioè un volto che, non essendo quello della mamma, non porta con sè promesse di Bene, ma promesse di Male. Insomma, un volto dal quale ci si può aspettare di tutto, anche aggressioni e malefatte. Un volto nemico, o quanto meno sospetto. Ed ecco allora che di fronte all'estraneo il bambino mostra un atteggiamento di paura e di fuga, chiudendo gli occhi o coprendoseli col braccio, girando la testa, cercando in sostanza di eliminare la visione del « nemico »; quasi che, non essendo più visibile, il nemico cessasse di esistere. A questo riconoscimento-paura dell'estraneo si dà il nome di *crisi dell'ottavo mese.*

I primi rapporti interpersonali

Con la scoperta degli amici e dei nemici iniziano per il bambino i primi autentici rapporti interpersonali. Il più precoce di questi rapporti è forse *l'imitazione*: il bimbo osserva le persone amiche e si studia di stabilire con loro una specie di comunicazione ripetendo i loro atteggiamenti, le azioni, le parole, il comportamento. Naturalmente, man mano che il sistema nervoso del piccino si perfeziona, si arricchisce anche la sua tecnica imitativa: fa « ciao», batte le mani, si nasconde dietro qualcosa, fa inchini, ripete dei suoni semplici, e così via. In realtà egli riceve dall'adulto un « messaggio », per esempio il saluto fatto allargando e chiudendo la mano, e vi risponde con un messaggio identico, che è contemporaneamente il segnale che egli ha capito e la manifestazione del suo « essere d'accordo ».

A proposito dell'imitazione, va sottolineato che probabilmente non si tratta di un semplice istinto, nel senso che comunemente si dà a questa parola, ma di una vera e propria capacità che il bimbo impara poco a poco, come hanno dimostrato le ricerche di alcuni studiosi che si sono dedicati per anni e anni all'osservazione dei bambini. Noi adulti siamo troppe volte portati a sottovalutare gli sforzi dei nostri figli: quando fanno qualcosa di nuovo, pensiamo subito che sia l'« istinto » a guidarli. Non è sempre così. Credo anzi che nella maggioranza dei casi l'istinto c'entri in misura estremamente limitata. Il bambino progredisce ed evolve perché lavora, lavora sodo, impara continuamente e senza mai stancarsi. È importante rendersi conto di questo se si vuole realmente comprendere i bambini e aiutarli nella loro fatica.

La divisione degli individui in simpatici e antipatici, in buoni e cattivi, in amici e nemici, induce ovviamente il bambino ad assumere un diverso atteggiamento sociale a seconda dei casi. Abbiamo già visto che alla presenza dell'estraneo-nemico il piccino di otto o dieci mesi manifesta repulsione, paura e desiderio di fuga. Con gli amici, viceversa, egli si mostra cordiale, socievole e comunicativo. Verso l'età di un anno egli esprime le sue disposizioni amichevoli col classico gioco del dare e riprendere: dà la palla, supponiamo, allo zio « buono », poi la riprende, poi gliela ridà, e così via all'infinito, senza annoiarsi mai. In fondo, si tratta verosimilmente di una evoluzione di quella *tendenza a prendere e trattenere* che abbiamo visto essere tipica del bambino di sei-otto mesi: dare e riprendere avrebbe per il bambino questo significato: « non occorre che io trattenga una cosa; posso anche darla, perché sono certo che poi la riprenderò ». Tutto sommato questo gioco rappresenterebbe dunque un'attività rassicurante per il bambino, e contemporaneamente una testimonianza di amicizia nei confronti della persona che gli garantisce la sicurezza (cioè che gli ridà l'oggetto).

Negli ultimi mesi del suo primo anno di vita il bambino non solo manifesta sempre più chiaramente i suoi sentimenti verso gli altri, ma dimostra anche di essere sempre più sensibile alle emozioni e alle disposizioni d'animo altrui, e anche di sapersi regolare in base all'atteggiamento di chi gli sta vicino: può essere festoso e intraprendente con chi lo tratta cordialmente, così come può rinunciare a stabilire una comunicazione con una persona fredda e indifferente. Se l'ambiente gli è favorevole, come di solito lo è l'ambiente familiare, egli cerca generalmente di diventare il centro di attrazione, di suscitare l'interesse del suo pubblico, di fare spettacolo; se qualche sua azione fa ridere gli altri, egli la ripete innumerevoli volte e si rivela un attore insaziabile in fatto di applausi e consensi. D'altra parte, quando gli va di fare qualcosa, lascia chiaramente intendere che l'opinione negativa dei genitori non gli interessa affatto; egli non

g.crepax

fa mistero dei suoi desideri e dei suoi progetti, e disapprova esplicitamente, con proteste talora violentissime, l'eventuale opposizione degli adulti.

Nei confronti dei suoi coetanei il bambino comincia a manifestare una certa attenzione già verso i sei mesi di età. Da questo momento i rapporti con i suoi piccoli colleghi si vanno lentamente intensificando e precisando, e sui dieci o dodici mesi potrete vedere che vostro figlio è già in grado di assumere atteggiamenti piuttosto eloquenti: si gira quando un altro bimbo piange, tenta di intavolare un discorso con un compagno a base di balbettamenti, esclamazioni e richiami di vario genere, e si agita imperiosamente per eliminare un concorrente da qualche sua personale iniziativa. Nel complesso, avrete la sensazione che vostro figlio si sia degnato di prendere atto dell'esistenza degli altri bambini, ma che la sua « società » sia quella degli adulti. E infatti è proprio così. Il bimbo di un anno è molto avveduto: egli deve conquistare il mondo, e a questo scopo i suoi coetanei non gli servono.

L'affetto materno è la base della conquista sociale

Con la cosiddetta crisi dell'ottavo mese comincia dunque la vera e propria vita sociale del bambino; comincia nel senso che i rapporti con gli altri esseri umani diventano un problema, e lo diventano in quanto gli altri non sono più delle semplici figure che rappresentano i sentimenti del bambino, non sono più delle specie di maschere, di burattini, buoni o cattivi a seconda dell'interpretazione che ne dà il bambino stesso, ma sono delle persone reali, buone e cattive insieme, come sono sempre gli individui veri e autentici. Il bambino deve perciò affrontare in questo momento un tipo nuovo di universo umano, reale, quindi sconcertante; e questo universo nuovo si chiama appunto *società*.

Intorno agli otto mesi di vita il bambino impara in definitiva due cose: primo, impara l'esistenza di una società umana *reale*; secondo, impara ad accettare questa società così com'è. E per entrambe queste operazioni egli ha bisogno di voi, ha bisogno cioè della presenza materna. È un discorso che ho già fatto prima, se ben ricordate; ma forse vale la pena di riprenderlo e chiarirlo meglio. Vediamo dunque il primo passo sociale del bambino, la scoperta della *realtà* degli esseri umani. Fra i sei e gli otto mesi il bambino ha ormai consolidato in sé la convinzione che la mamma è buona e cattiva a un tempo, convinzione che già aveva cominciato a farsi strada in lui intorno ai quattro mesi. Nello stesso periodo, verso gli otto mesi o poco dopo, egli si accorge che l'estraneo non è soltanto cattivo come sembrava in un primo momento, ma può

g.crepax

essere anche buono. Queste nuove conoscenze impongono al piccino di amare o respingere di volta in volta la stessa persona, a seconda che si comporti in modo buono o cattivo; gli impongono cioè di accettare la reale esistenza di individui buoni-cattivi, cioè di individui *veri*, e non più di individui fantastici interamente buoni o interamente cattivi. Ma questo non sarebbe possibile se il bimbo non avesse avuto a disposizione la mamma, che è sempre stata la unica figura buona per eccellenza, e quindi l'unica figura che poteva diventare, da esclusivamente buona, anche cattiva; cioè vera. Il procedimento inverso, vale a dire la scoperta che l'estraneo cattivo può essere anche buono, è secondario, e non può verificarsi se prima non c'è stata la *realizzazione* della figura materna, che serve al bimbo come termine di paragone per il giudizio su ogni altro essere umano e rappresenta la prima pietra di qualunque rapporto interpersonale successivo.

Vediamo ora il secondo passo sociale del bambino, la capacità di accettare gli esseri umani veri, buoni e cattivi; anzi la capacità di amarli. Ho detto più sopra che il bimbo arriva a rendersi conto che, se vuol salvare se stesso, deve innanzitutto salvare la madre dai propri impulsi aggressivi; egli impara in altri termini come sia necessario per il suo stesso bene controllare le proprie spinte distruttive dirette verso la madre, in quanto la sua vita dipende dalla vita della madre. In breve, il bambino comincia a capire che egli deve sapersi sacrificare per la madre, in mancanza di che la madre stessa cesserebbe di esistere, e cesserebbe di esistere quindi la possibilità di un rapporto con lei, e cioè la vita medesima del bimbo. Questo atteggiamento di dedizione e di amore si estende poi al mondo intero, e diventerà la base di ogni attività umana degna di questo nome, di ogni impresa compiuta per il bene altrui, di ogni rivoluzione e di ogni progresso. Ma nulla di tutto ciò potrà avverarsi se, all'inizio, non c'è stata una mamma meritevole di essere amata e per la quale ci si dovesse sacrificare; se non c'è stato insomma l'amore materno.

Una tragica conferma di questa enorme importanza della figura materna ci viene offerta dall'osservazione di quei bambini che la mamma non l'hanno avuta, degli illegittimi, degli abbandonati, degli orfani: queste piccole vittime mantengono sempre un atteggiamento di difesa contro gli altri esseri umani, sono costantemente impaurite, non comunicano con balbettamenti né con gesti, sono ansiose, spesso inesplicabilmente agitate, oppure apatiche, incerte e indifferenti. Sembrano « morte di dentro ». E lo sono. Senza la figura materna, e questa è una realtà scientificamente dimostrata, il bambino non conquista il mondo, non conquista l'amore, non conquista nulla. Senza la mamma la sua mente muore, il suo spirito muore, la sua persona muore. Vivrà il suo corpo. Ma questo, forse, non basta.

Qui devo aprire una parentesi di grandissima importanza sul problema dei *bambini in ospedale*. Ciò che abbiamo visto accadere a un piccolo orfano o abbandonato può accadere a un bambino che abbia una famiglia normalissima e amorevole. Basta che questo bimbo finisca ricoverato in ospedale per un certo periodo di tempo, senza la madre. Una volta questo accadeva spesso, anzi era la norma. Oggi non più. Gli ospedali pediatrici moderni sono attrezzati tutti, o quasi tutti, per accogliere la madre insieme al bambino. Ma in qualche caso la separazione avviene. O perché l'ospedale non è adeguatamente organizzato, o perché è la stessa madre che non può rimanervi in quanto ha degli altri figli cui badare, o non può disfarsi di altri impegni, o è ammalata anche lei, o impedita da qualche altro motivo. Allora cominciano i guai. Se il bambino è piccolo, e se il ricovero si prolunga per settimane o mesi in queste condizioni, si avranno quei danni che ho descritto prima a proposito degli abbandonati o degli orfani. Danni che possono anche essere irrimediabili e definitivi.

Il guaio è che, oltre a non accogliere la madre in ospedale insieme al bambino, si abbonda troppo in ricoveri di bambini ammalati o ritenuti tali, e, peggio ancora, si trattengono i piccoli in ospedale per periodi ingiustificabilmente lunghi. In un paese come il nostro, che detiene il poco onorevole primato della disorganizzazione, dell'inefficienza e delle lungaggini burocratiche anche in campo sanitario, e persino nel campo dell'assistenza ai bambini, ci si può aspettare qualsiasi inconveniente. Che gli apparecchi siano guasti o fuori uso, o che manchino addirittura, che una parte dell'edificio sia sinistrata o comunque non agibile, che si rimanga senza medicinali, o senza luce, o senza acqua, che scioperino gli analisti, o i tecnici, o i medici, o il personale paramedico, che manchi l'autorizzazione a fare quella certa cosa, eccetera eccetera. E così gli esami vengono rimandati di giorno in giorno e di settimana in settimana, la diagnosi viene rimandata, le cure vengono rimandate, l'uscita del bimbo dall'ospedale viene rimandata. Succede, e lo sappiamo tutti. E intanto il bambino sta lì, in un ambiente che non conosce e che gli sembra minaccioso, lontano da casa, lontano dai suoi giochi e dai suoi familiari, senza capire niente e avendo paura di tutto. E allora ci si devono mettere i genitori, e il pediatra.

In primo luogo si devono evitare i ricoveri inutili. Molte volte, presi dal panico, ci si aggrappa a quella che sembra la soluzione migliore e che invece può essere la peggiore: l'ospedale, appunto. Nelle cronache mediche ha fatto rumore il caso di un bambino che un tribunale inglese ha tolto ai genitori; pensate che questo piccolo, dell'età di un anno, era stato ricoverato diciotto volte in ospedale, per complessivi centottantacinque giorni, *e sempre per niente!* Solo perché i genitori avevano paura di chissà quali malattie.

Seconda cosa da fare: se il ricovero del bimbo è proprio necessario, insistere perché si prolunghi il meno possibile.

Terzo: dare battaglia con tutti i mezzi ai regolamenti e alla burocrazia ospedaliera, allo scopo di ottenere che alla madre sia concesso di restare in ospedale vicino al suo bambino se questo è di età inferiore ai tre anni. Il più delle volte, lo ripeto, questa battaglia non occorre, perché l'ospedale è perfettamente in grado di accogliere mamma e bambino insieme, e di dar loro ogni comodità e ogni tipo di conforto. Conosco degli istituti così bene organizzati che i bambini, quelli più grandicelli, non vogliono più ritornare a casa loro! Ma in altri casi, fortunatamente sempre meno numerosi, la situazione è catastrofica e scandalosa. Comunque, se la battaglia per rimanere con vostro figlio è necessaria, combattetela. Senza esclusione di colpi. Su questo terreno non è il caso di scendere a compromessi. Ne va della salute mentale del bambino, e del suo futuro.

Il suo terzo traguardo

E' arrivato il giorno del primo compleanno di vostro figlio. C'è la torta con una candelina, forse ci sono i nonni, qualche zio, qualche amico. Dopo prolungati e impegnativi allenamenti il bambino si appresta a soffiare con tutto il fiato che ha in corpo per spegnere la fiammella che sta davanti a lui. In genere riesce soltanto a spruzzare panna e cioccolato da tutte le parti e a schiacciare la torta con una manata. Ma non importa. Egli è diventato egualmente un essere meraviglioso.

A un anno il bambino è capace di fare una quantità di cose: viaggia, spesso velocissimamente, per la casa, muovendosi carponi o, meno velocemente e più prudentemente, camminando; mette degli oggetti in fila, getta cose di qua e di là, colloca un cubo o qualcos'altro in una tazza, distingue un buco rotondo da uno quadrato (e in genere mostra di preferire il primo), costruisce una « torre » con due cubi, scarabocchia col pennarello su un foglio o sui muri, gioca alla palla con un'altra persona. Usando i suoi giocattoli dimostra una primitiva valutazione del numero, nel senso che per lui *una* cosa è ormai ben diversa da *tante* cose.

Il guaio, se così si può dire, il guaio più grosso è che il bimbo esprime ormai con fermezza la sua decisione di rendersi utile: spesso vuole mangiare da solo, disseminando la pappa su un'area di diversi metri quadrati; e inoltre pretende anche di vestirsi da solo, occupando certe volte intere mezze ore a tentare di infilarsi una calza. Ma, a parte questi piccoli inconvenienti, si comporta allegramente e piacevolmente con gli altri e partecipa con grande interesse alla vita del gruppo familiare. Sempre che, naturalmente, le cose vadano d'accordo coi suoi punti di vista e le sue personali esigenze; altrimenti non esita a manifestare nel modo più deciso, e spesso più rumoroso, la sua disapprovazione. Ha molto bisogno di compagnia, ma è anche molto indipendente, e di volta in volta lascia chiaramente intendere ciò che vuole.

Ormai ha una sua personalità ben definita ed è in grado di farla valere. Cammina, parla, ragiona. Come tutti noi. Col suo terzo traguardo, egli ha raggiunto la pienezza del suo « essere uomo ».

2. ORA HA UN BISOGNO «SPECIALE» DI VOI

2.1. Ha bisogno di voi per vivere a modo suo

Per essere libero e indipendente

Quando dico che vostro figlio, nel suo secondo semestre di vita, ha uno « speciale » bisogno di voi, non vorrei essere frainteso: sono necessari la vostra presenza, il vostro affetto, il vostro aiuto, ma non sono per niente necessarie le continue interferenze nelle sue attività. Certi genitori, e ancor più certi nonni, sembra si sentano colpevoli di spaventosi delitti se non trascorrono ogni istante della loro giornata a perseguitare e a opprimere in mille modi il bambino: se il piccino gioca, vogliono « aiutarlo » e distruggono in un attimo tutto quello che egli aveva laboriosamente progettato e faticosamente costruito; se non gioca, si precipitano a prenderlo in braccio, a cullarlo, a sbaciucchiarlo, e in complesso a seccarlo fino all'esasperazione; se si diverte a balbettare qualcosa per conto suo, accorrono preoccupatissimi per vedere se ha bisogno di assistenza, o se si sta soffocando, e se è stato còlto da un attacco di qualche misteriosa malattia; se sta seduto si sforzano di tirarlo in piedi; se è in piedi gli si appiccicano addosso per paura che cada; se sta fermo gli misurano la temperatura per vedere se è malato; se si muove lo rincorrono perché non si faccia male. Insomma, gli rendono la vita un inferno. E inoltre lo abituano a tal punto alla loro ininterrotta e ossessionante presenza, che egli finirà col diventare assolutamente incapace di restare da solo per due minuti di seguito.

Non è così che si può aiutare un bimbo che comincia a esplorare il mondo. Se lui avrà bisogno di voi, della vostra compagnia, di un dialogo con voi, vi verrà a cercare. Se non ne avrà bisogno perché è occupato nelle sue faccende private, non verrà. A questa età, fra i sei e i dodici mesi, il bambino sa dividere bene il suo tempo: indubbiamente gli piace molto stare insieme alla mamma, ascoltarne la voce, guardare ciò che sta facendo, giocare con lei. Ma gli piace anche lavorare in pace per conto suo, portare avanti certi suoi esperimenti, svolgere in tranquillità le sue ricerche. E, man mano che cresce, renderà più intensi e più vivaci, ma più brevi, i suoi rapporti con voi, mentre dedicherà un tempo maggiore alle sue esplorazioni, specialmente quando riuscirà ad andarsene in giro da solo. Il vostro compito è di lasciare a lui l'iniziativa. Voi dovete essere a sua disposizione, e basta. Non dovete imporgli la vostra compagnia, ma dovete essere sempre pronta ad accettare la sua.

E qui dobbiamo chiarire un altro equivoco: ci sono dei genitori che, al contrario di quelli che ho descritto prima, sono convinti che per favorire lo sviluppo del senso di indipendenza in un bambino bisogna lasciarlo solo, anche se egli implora a gran voce la compagnia di qualcuno. Questo è naturalmente sbagliato, e produce esattamente l'effetto opposto a quello desiderato: vedendosi abbandonato, il bimbo perde ogni senso di sicurezza e non si azzarda più a prendere nessuna iniziativa. Rinuncia in altri termini a conquistare una propria indipendenza. Anche per i bambini, come per gli adulti, la base indispensabile per il progresso è la libertà da un lato, e l'amore dall'altro. Un amore che rispetti la libertà, e una libertà che sia sostenuta dall'amore.

Per godersi la vita

Parliamo ora dell'ambiente di gioco, cioè di lavoro, del bambino. E' un argomento che abbiamo già toccato, ma ora c'è qualche dettaglio da aggiungere. In primo luogo resta stabilito che l'ambiente deve essere nei limiti del possibile allegro e stimolante: non occorrono arredamenti costosi o giocattoli di lusso; anche una soffitta, un magazzino o un retrobottega possono andare benissimo, purché ci siano luce, oggetti colorati, spazio per muoversi, e magari un po' di musica. Una radio tenuta a basso volume o un giradischi da pochi soldi possono risolvere il problema. Mi chiederete ora che musica sia preferibile per un bambino così piccolo. Non importa. Qualunque musica, dal Golden Gate Quartet a Gershwin, da Bach a Wagner, da Palestrina a Mikis Theodorakis. Purché sia buona musica.

Del recinto abbiamo già parlato, ma non abbiamo ancora detto tutto sul seggiolone, sul tavolo col buco in mezzo in cui incastrare il bambino, sul girello, e su altri simili strumenti ancora in uso qua e là. Personalmente ritengo che tutti questi « mezzi di contenzione » siano da evitare il più possibile non appena il bambino abbia raggiunto la capacità di spostarsi da un posto all'altro muovendosi carponi. Il bimbo ha bisogno di sentirsi libero e di poter viaggiare a suo talento. Dal suo punto di vista, seggiolone, seggiolino, girello, eccetera, sono altrettante carceri. Mi rendo perfettamente conto che in certi casi il loro uso può rivelarsi inevitabile, ma comunque deve essere limitato al più breve tempo possibile. Non oltre alcuni minuti, come regola generale.

D'altra parte, non si deve nemmeno lasciarsi prendere dall'ansia di fare del proprio figlio un podista. Alludo a quei genitori che non stanno nella pelle per il desiderio di vedere il loro piccino muovere i primi passi; costoro tormentano il poverino, lo costringono a camminare persino a otto o nove mesi, afferrandolo per le mani e spingendolo avanti con implacabile determinazione, cercano di indurlo alla marcia indipendente lasciandolo lì, malfermo, barcollante e terrorizzato, in piedi in mezzo al pavimento e lontano da ogni appoggio. Questo è palesemente il modo migliore per insegnare al bambino a *non camminare*. Vorrei fare una viva raccomandazione a tutti i genitori: non abbiate fretta. Certi bambini imparano a camminare da soli a undici mesi, altri a quindici, altri a diciotto, e la cosa non ha nessuna importanza. Lasciate che sia vostro figlio a decidere. Quando sarà pronto, camminerà.

Per parlare

L'ho già detto: per semplice istinto, per naturale propensione e senza fatica alcuna, il bambino non impara nulla. Non impara a imitare i grandi, non impara a camminare, non impara a mangiare, non impara a ridere, e men che meno impara a parlare. Ancora una volta ne abbiamo la prova dalla osservazione dei bambini senza mamma: all'età di un anno, di due anni, persino di tre anni, essi non parlano. Ripetono meccanicamente i suoni emessi dagli adulti, come dei registratori, e basta. Per imparare a parlare vostro figlio ha bisogno di voi e della vostra collaborazione. Ecco in che modo potete aiutarlo:

1. *parlategli*: è la cosa più ovvia da fare. Parlategli molto, teneramente, piacevolmente, ridendo, cantando. Probabilmente questo l'avete sempre fatto, fin dai primi tempi di vita; e avete fatto

bene. Ora è il momento di intensificare i vostri colloqui. Ripetete con lui le sue prime sillabe, inventate per lui semplici sequenze di suoni. Mentre vi prendete cura di lui, spiegategli quello che state facendo, cantando piccole filastrocche: « Adesso facciamo la pappa », « Adesso laviamo la faccina, adesso laviamo il nasino, adesso laviamo le manine . . . ». Queste cantilene che descrivono i fatti che stanno accadendo gli saranno utilissime per cominciare a capire le parole e arricchire il suo piccolo bagaglio di vocaboli

2. *traducete i fatti in parole*: è una conseguenza, un'estensione della regola precedente. Fate in modo che, a parte le espressioni di affetto pure e semplici, tutte le parole che rivolgete al vostro bambino si riferiscano chiaramente a qualcosa che lui vede e tocca in quel preciso momento, o a qualcosa che attiri la sua attenzione: « Che bella popò! » quando passa un'automobile, « Ecco il papà! » quando arriva suo padre, « Guarda il micino! » quando accarezzate il gatto di casa, e così via. E fate in modo che i vostri gesti e le espressioni del vostro volto siano sempre in armonia con quello che dite e con quello che lui vede. Se dite, per esempio, « Ecco il papà » mentre vostro marito passa in macchina a un chilometro di distanza, sarà ben difficile che vostro figlio riesca ad associare quell'affarino invisibile e fuggevole, lontanissimo, con l'idea della persona di suo padre

3. *realizzate i suoi desideri*: quando si affanna a farvi capire qualche cosa, quando si protende tutto verso il rubinetto, per esempio, emettendo dei suoni che per lui vogliono dire « acqua » (e che possono anche non assomigliare per nulla alla parola « acqua », naturalmente), accontentatelo. Dategli un po' d'acqua. Allora lui scoprirà che imparare quei certi suoni è utile e porta a dei vantaggi concreti, e i suoi progressi saranno più rapidi. In seguito potrete indurlo a perfezionare le sue « parole » fino a quando riuscirà a renderle un po' più simili al vocabolo corretto corrispondente a quel determinato oggetto o a quella certa situazione

4. *premiatelo e incoraggiatelo*: non con regali e giocattoli, ma con manifestazioni di approvazione e di affetto; fategli sentire che lui è buono e bravo tutte le volte che dice qualcosa di più corretto rispetto ai suoni rudimentali che emetteva prima. Ma attenzione: non fategli credere che è buono e bravo *soltanto se* supera continuamente se stesso. Sarebbe un ricatto. Tuttavia, quando fa di meglio, quando chiaramente si sforza per fare di meglio, fategli capire che apprezzate il suo sforzo e che ne siete contenta. Un po' per volta, per fare contenta la mamma, il bambino lascerà perdere i suoni inutili e sbagliati e intensificherà l'uso di quelli giusti.

Ricordate che il sorriso della mamma è per lui fonte di grandissima soddisfazione e stimolo a un continuo progresso

5. *non pretendete l'impossibile*: insegnare a un bambino di cinque o sei mesi a dire « nonna » o « zia », o a uno di otto mesi a dire i numeri, è ovviamente assurdo. L'evoluzione del linguaggio può essere favorita e accelerata anche di molto grazie al vostro aiuto, ma i miracoli non li fa nessuno, nemmeno vostro figlio. Attraverso certe tappe ci deve passare. Un bambino che con grande impegno e fatica riesca a malapena a mettere insieme le due sillabe MA-MA, non può di punto in bianco pronunciare una parola difficile come « zia », che fra l'altro non ha la più pallida idea di che cosa significhi; e un altro che appena comincia a capire che il suono « mamma » corrisponde alla vostra presenza accanto a lui, difficilmente può impadronirsi del concetto astratto della numerazione.

Per riposare

Secondo le tabelle e le statistiche un bambino di età compresa fra i sei e i dodici mesi dorme in media quattordici ore al giorno: dodici di notte, e un paio d'ore di giorno, divise in due pisolini. Ma credo che non ci sia nessun bambino al mondo che rispetti rigorosamente queste cifre: alcuni dormono di più e altri di meno. L'importante, come sempre, è lasciare che il bimbo dorma quanto vuole. Il pretendere che si addormenti a una certa ora precisa e che si svegli a un'altra, è sbagliato. Ed è parimenti sbagliato tenerlo sveglio quando ha sonno perché « non è la sua ora », o perché fa comodo a noi. Ho conosciuto dei genitori che trascinavano con sé una bimba di dieci mesi a ricevimenti, feste e pranzi, e persino al cinema, perché non sapevano a chi affidarla; e la poveretta crollava continuamente per il sonno, era sempre di cattivo umore, irritata e piagnucolosa. Non è certo questo il modo migliore per aiutare un bambino a stare bene e a vivere serenamente.

Ho già parlato di ciò che si deve fare per favorire il sonno di un bimbo. Debbo tuttavia attirare qui l'attenzione dei genitori sul fatto che un piccino che abbia raggiunto i sei mesi o più, presenta una sensibilità maggiore di quella che presentava nei primi tempi di vita nei confronti dei traumi psichici, capisce meglio le situazioni familiari e gli avvenimenti ai quali assiste, e in generale può essere più facilmente impressionato di quanto non potesse essere nei mesi precedenti. Bisogna perciò stare sempre più attenti a non turbare la sua mente nel periodo di tempo che precede il sonno. Se per esempio voi mamma siete sola in casa col vostro bambino, anche se è sera inoltrata e la vostra è una casa solitaria, anche se siete rimasta atterrita da qualche fatto di cronaca nera particolarmente truculento, da un crimine efferato o da un orrendo delitto, dovrete assolutamente controllare i vostri timori e a nessun patto far capire al piccino che siete in ansia. E non parliamo delle assurde paure dei temporali, dei tuoni e dei lampi: se, prima di andare a dormire, vostro figlio vive in un'atmosfera da incubo perché c'è un temporale di passaggio, sarà abbastanza difficile che si abbandoni serenamente al sonno.

Ma il peggio si verifica quando la tensione psichica dell'ambiente riguarda direttamente lui, il bambino: il trattarlo « severamente » prima dell'ora di andare a letto, il punirlo, l'alzare la voce con lui, il minacciarlo, il rimproverarlo, il perdere la pazienza, il tenergli il broncio, sono altrettante maniere per disturbargli il sonno quasi a colpo sicuro.

Infine, badate a non discutere o litigare fra voi genitori: per quanto voi siate portati a pensare che ciò non sia possibile, è invece sicuro che un bimbo di quest'età sente perfettamente il clima di rancore, di disaccordo o di disarmonia che esiste fra i genitori, ed è non meno certo che una sensazione di tal genere lo getta nella più profonda angoscia. Non c'è nulla, credo, che terrorizzi un bimbo più della oscura coscienza di un possibile attrito fra i genitori, cioè fra quelle due persone che, insieme, costituiscono il suo mondo e la sua sicurezza. Se all'ora della nanna egli viene sconvolto da una scenata, anche fredda, anche mantenuta nei limiti della civiltà formale, ma comunque da un sospetto di rottura fra i genitori, egli probabilmente non vorrà dormire, piangerà, si aggrapperà all'una o all'altro, oppure andrà a letto, ma sarà disturbato dalla agitazione e dagli incubi.

Ho ancora una cosa da dire su questo argomento: spesso vengono da me dei genitori a lamentarsi che il loro bimbo non vuol dormire alla sera, fa mille storie, ha paura. Molte volte, come ho detto, questi genitori sono i veri responsabili della situazione, perché discutono e bisticciano fra loro in presenza del bambino, convinti come sono che « tanto lui non capisce ». E pretendono di risolvere il problema con dei « calmanti » o dei sonniferi. Diciamolo subito e chiaramente: le medicine in questi casi non servono. Nella migliore delle ipotesi non fanno niente; nella peggiore possono fare del male, e non poco, alla salute del bambino. Secondo le ricerche di illustri pediatri i sonniferi possono dare nel bambino piccolo fenomeni di intossicazione molto gravi e pericolosi. Dunque, niente medicine. Ma piuttosto tranquillità, serenità e pace.

2.2. Ha bisogno di voi per gustare i piaceri della tavola

Ritorniamo ancora sul tema dell'appetito. E' questo un argomento di speciale interesse proprio per i bambini fra i sei e i dodici mesi di età: come vedremo fra poco, l'eruzione dei denti porta *normalmente* a una diminuzione dell'appetito, la quale non è altro che una specie di provvedimento difensivo con cui l'organismo cerca in un certo senso di prevenire i disturbi intestinali. E fin qui niente di straordinario. I guai cominciano quando i genitori credono che sia arrivato il momento di preoccuparsi per l'inappetenza del loro bambino. E sono guai grossi. Non c'è quasi nessuna malattia che riesca a « cancellare » letteralmente l'appetito di un bambino quanto la preoccupazione dei genitori. Preoccuparsi perché un piccino non ha voglia di mangiare non è solo inutile, ma è quasi sempre dannoso. Anzi, dannosissimo. Se vostro figlio qualche volta rifiuta la pappa, sicuramente ha le sue buoni ragioni, e voi non dovete in alcun modo esercitare su di lui delle pressioni per farlo mangiare. Stabilito questo, vediamo che cosa potete fare per non essere proprio voi a rovinargli l'appetito e la digestione.

Primo: favorite il suo appetito

Una volta si diceva « O mangiare questa minestra o saltare da questa finestra ». In verità è una delle norme di vita più barbare che io abbia mai sentito. Eppure ci sono ancor oggi molti adulti i quali pretendono che un bimbo si debba abituare fin da piccolo a mangiare di tutto, senza tenere nel minimo conto i suoi gusti e le sue preferenze. Ognuno di noi ama certe cose e ne detesta altre: io per esempio amo le patate e il whisky, e odio ferocemente il pesce, i pomodori e l'aglio. Ora vorrei proprio sapere perché un diritto che viene riconosciuto senza alcuna riserva a un adulto, non debba venire riconosciuto anche a un bambino. Forse perché si pensa che un bambino non abbia dei gusti ben definiti? Errore: li ha, eccome. O forse si pensa che obbligandolo a ingurgitare qualsiasi cosa fin che è piccolo lo si metta in grado di apprezzare poi, da grande, ogni genere di alimento? Altro errore: non si farà invece che consolidare in lui certe avversioni che poi diventeranno assolutamente insuperabili.

Per aiutare il vostro bambino a godere dei piaceri della tavola, che in fondo sono uno degli aspetti positivi dell'autentica civiltà, farete bene a rinunciare in partenza a ogni imposizione, a ogni insistenza e a ogni genere di pressione. Cercate piuttosto di seguire i suoi gusti: se la carne non gli piace troppo, tritatela insieme alla sua verdura preferita, o confezionate qualche attraente pasticcio che contenga della carne, o usate la carne per preparare un sughino da mettere sulla pastina; se non gli vanno i carciofi, lasciateli perdere; se non gli piacciono i formaggi, potrete sempre cuocere qualche sformato in cui farete passare della mozzarella o della ricotta di contrabbando; e così via. Un sistema per aggirare le difficoltà esiste sempre.

Un secondo accorgimento per far felice il vostro bimbo è quello di offrirgli spesso cibi nuovi, con colori nuovi, confezioni nuove, sapori nuovi. D'accordo, lo so che certi bimbi non possono sopportare cambiamenti nella loro dieta e che andrebbero avanti per settimane e mesi a mangiare soltanto riso bollito con succo di pomodoro; e in questi casi è chiaro che è meglio non abbandonarsi alle innovazioni. Ma in genere i bambini amano le variazioni, si incuriosiscono e sono stimolati ad assaggiare le cose nuove. Viceversa, se metterete davanti a vostro figlio ogni giorno, con imperterrita costanza, la stessa pastina in brodo, il medesimo vitello bollito o le solite carote grattugiate, è ben probabile che a un certo punto il piccino si stufi, si ribelli e si rifiuti decisamente di sopportare più oltre una simile schiavitù alimentare.

Il terzo accorgimento « pro-appetito » è questo: lasciate per quanto possibile che il vostro bambino mangi da solo. Voglio dire

304

senza imboccarlo. Come ho accennato prima, verso la fine del primo anno di vita il bimbo ama affrontare per conto suo la pappa, ci mette le mani, vuole usare il cucchiaio; i risultati, da un punto di vista strettamente alimentare, sono per lo più disastrosi, dato che il cibo va a finire dappertutto tranne che nella sua bocca. Ma dal punto di vista educativo questa sua nuova indipendenza si rivela utilissima: al piacere del nutrirsi il bambino può collegare il piacere del gioco, della esplorazione del cibo, di un'attività divertente ed eccitante. Lasciatelo fare. O almeno lasciatelo fare più che potete. A un certo punto, se non vorrete che resti digiuno, dovrete dargli una mano; anzi probabilmente sarà lui stesso a farvi capire che ha bisogno di aiuto. Ma non opprimetelo imponendogli subito a viva forza il vostro intervento. Un po' di pappa per terra o in testa servirà moltissimo a fargli maggiormente apprezzare i piaceri della tavola.

E infine una quarta astuzia: sempre compatibilmente con le abitudini della famiglia e con le vostre disponibilità di tempo, permettete al vostro bambino di mangiare a tavola con voi. In questo caso dovrete naturalmente adattarvi a mangiare degli alimenti che vadano bene anche per lui. Un bimbo, quando è allo stesso desco dei grandi, tende infatti a trascurare un poco quello che sta nel suo piatto per dedicare una speciale attenzione a ciò che sta nel piatto dei genitori. Rifiutargli questi « assaggini » vorrebbe dire mortificarlo, escluderlo dal mondo dei grandi, e inoltre sottoporlo a una specie di supplizio di Tantalo. Ma se il cibo che sta nel vostro piatto non è adatto a lui, o è comunque diverso dal suo, ecco che comincerà una catena di inconvenienti: il vostro cibo gli farebbe male, ma lui pretenderà proprio quello, e così si scatenerà un conflitto che produrrà risultati ben diversi da quelli che si speravano.

Secondo: non guastategli l'appetito

Ci sono molte maniere per far passare a un bambino la voglia di mangiare, e quasi tutte vengono messe in opera prima o dopo dai genitori ansiosi, e dai nonni, che ansiosi sono praticamente sempre. Vi prego con tutto il cuore di guardarvene. Non dimenticate mai che il bambino ha scarse possibilità di difesa contro le iniziative degli adulti; non può, come noi, cavarsela con un « No, grazie », oppure con un « Basta così, oggi mi sento un po' pesante ». Egli deve subire. Perciò, ecco la prima regola, che del resto abbiamo già ricordato più di una volta: *non insistete per farlo mangiare.* Se ne ha voglia, bene; se no, bene lo stesso. Ho avuto in cura dei casi di bimbi forniti di eccellente appetito che l'avevano perduto istantaneamente, e per la durata di mesi interi, perché *una sola volta* una persona volonterosa aveva tentato di farli mangiare più di quanto ne avessero voglia.

Evitare poi di dare al vostro bimbo cosucce da sgranocchiare fuori dei pasti: un cioccolatino mangiato mezz'ora prima del pranzo può rovinare l'appetito. E lo stesso risultato può derivare dalle bevande ingerite a tutte le ore. Non voglio certo invitarvi a far soffrire la sete al piccino, ma una bevanda, specie gasata, tracannata durante l'ora che precede il pasto, non può certo favorire l'appetito. Che vostro figlio beva quanto vuole, ma ai pasti, o anche fra un pasto e l'altro se fa caldo, ma possibilmente *mai prima di mangiare*. All'ora di andare in tavola lo stomaco del piccino dovrebbe essere vuoto.

In terzo luogo non trasformate l'ambiente del pasto in una specie di aula di tribunale. Molti di noi aspettano il momento in cui si è seduti intorno al desco per scaricare rabbie represse, manifestare preoccupazioni che ci agitano, discutere problemi seccanti. E non di rado tutto ciò si risolve in reciproche accuse, controaccuse, discussioni, processi, difese, attacchi e recriminazioni. Meglio evitarlo, se a tavola c'è un bambino. E' lo stesso discorso che abbiamo fatto a proposito del sonno: così come vostro figlio avrà delle difficoltà a dormire serenamente se l'ambiente non è disteso, allo stesso modo non potrà mangiare di gusto se è circondato da diverbi e malumori. A tavola occorre essere sereni, tranquilli, persino allegri. Lo ripeto per la millesima volta: non crediate che vostro figlio non si accorga del clima che lo circonda perché è piccolo. Se ne accorge benissimo, e ne risente molto più di quanto voi non crediate.

Un'altra cosa importante è di non distrarre il piccolo durante il pasto. Non continuate a pulirlo, ad asciugarlo, a impedirgli di fare questo o quello, a cambiargli posizione, ad accomodargli il bavaglino, eccetera. Lasciatelo in pace. E cercate di stare in pace anche voi: certi pranzi dei nostri tempi, consumati frettolosamente con lo orologio alla mano e interrotti da ottantasei telefonate, non sono proprio l'ideale per far apprezzare al bambino le delizie della tavola. C'è bisogno di calma e serenità, anche da questo punto di vista.

Terzo: non avvelenatelo

Ho detto prima che se vostro figlio mangia a tavola con voi i vostri alimenti dovrebbero essere adatti a lui, così che lui li possa assaggiare; e ho detto che i cibi « da grandi » fanno male al bambino. Forse qualcuno pensa che io abbia esagerato, o che abbia usato un modo di dire. No, non ho esagerato. Prendete uno degli esempi più banali: la cotoletta alla milanese. Come sapete, è fritta. Ebbene, i fritti, tutti i fritti, sono velenosi per un bimbo piccolo. Per la verità lo sono anche per noi, ma in misura molto minore dato l'equilibrio funzionale che il nostro organismo adulto ha raggiunto; eppoi, ognuno ha diritto di uccidersi come meglio crede. Ma non abbiamo il diritto di uccidere i nostri figli caricando il loro fegato con prodotti tossici di vario genere. Quindi, niente fritti. Intendiamoci, se di tanto in tanto gli darete una frittatina o una polpetta passata nel burro, non ne resterà certo fulminato. Anzi, probabilmente non succederà nulla. Purché, ripeto, la cosa si verifichi solo di tanto in tanto, occasionalmente. Ciò che va chiaramente stabilito è che i fritti non debbono entrare nella normale dieta del piccino.

Lo stesso si può dire per i cibi piccanti: salatini, sottaceti, mandorline, formaggi piccanti, insaccati, spezie, e via dicendo. Che a un bambino, anche piccolissimo, queste cose piacciano, e molto, lo sappiamo. Che le possa ingurgitare impunemente è un altro affare. Oltre a tutto, se un bambino assaggia le olive farcite, la fettina di salame o la scheggia di parmigiano, pensate davvero che poi si rassegni alla pastina in brodo o alle carote tritate?

Altro pericolo, il caffé. Ovviamente a nessuno passa per la testa di offrire un « espresso » a un bimbo di dieci mesi, e in ogni modo al bambino non piacerebbe affatto. Ma succede abbastanza spesso che piccole quantità di caffé vengano contrabbandate nella dieta quotidiana: un pochino nel latte del mattino « per dargli sapore », un pochino nello zucchero per « fare la pallina », un cucchiaino dalla tazzina del papà « giusto per farlo stare zitto ». Sono piccolissime dosi, certo, innocue in sé e per sé. Ma le eviterei egualmente. Non tanto per la caffeina, che in qualche goccia di caffé casalingo è contenuta in quantità irrilevanti, quanto per i grassi cotti della tostatura che troncano spesso l'appetito e sovraccaricano il fegato. E poi per non creare un'abitudine.

A proposito di abitudini, vorrei accennare qui a un argomento che svilupperemo più a fondo in seguito: quello dell'alcool. Non crediate che io scherzi. Non pochi casi di alcoolismo dell'adulto derivano dal famoso « ditino intinto nel bicchiere del papà », cioè da un'abitudine apparentemente innocente, iniziata proprio verso la fine del primo anno di vita. E non dimentichiamo che l'Italia è il paese in cui l'alcoolismo è più diffuso, dopo la Francia. State in guardia. All'età di vostro figlio, di un anno o poco meno, ogni consuetudine può diventare invincibile, radicatissima e pericolosa. E qualche volta si trasforma in una schiavitù che durerà per tutta la vita.

2.3. Ha bisogno di voi per superare le sue crisi

In sostanza, nel secondo semestre di vita il bimbo deve sbrigarsela a superare due crisi: quella sociale dell'ottavo mese, e quella fisica della dentizione. Il problema è: che cosa potete fare per aiutarlo a superare felicemente questi due gradini della lunga scala dello sviluppo.

La crisi dell'ottavo mese

Sapete ormai perfettamente di che cosa si tratta, e sapete qual è l'importanza della figura materna in questo periodo delicato della evoluzione di vostro figlio. Non occorre che facciate niente altro. Proprio così: la cosa migliore che potrete fare per aiutare il vostro bambino è *sapere* quali sono le sue difficoltà, di dove vengono, secondo quali vie lui può risolverle. Non potete risolverle al posto suo; egli deve affrontare la situazione per proprio conto, altrimenti la crisi non serve a nulla, diventa una crisi « negativa » e non uno strumento di progresso.

Ma sapere, evidentemente, vuol dire agire di conseguenza: cioè stare vicino a vostro figlio, affrontare l'estraneo insieme a lui, almeno le prime volte, non abbandonarlo da solo nello studio del dottore, fargli sentire che voi ci siete sempre, aiutarlo a capire che l'estraneo può essere anche buono, e che in effetti lo è. Un avvertimento: molti genitori, quando il bambino strilla durante la visita del medico, si affannano a spiegare al piccolo, che ha otto o dieci mesi, come il dottore sia buono, come gli voglia bene, come gli faccia andare via la « bua ». Chiaramente tutto questo è ridicolo. Una spiegazione *a parole* fornita in questi termini a un bambino di quest'età, non ha nessun senso: il bambino *non può* seguire il ragionamento dei grandi, e comunque non glie ne importa niente. Lui si rende conto solamente che il papà o la mamma si dà da fare per consolarlo, per rassicurarlo *ansiosamente*, il che significa che l'estraneo è *veramente nemico*. Tant'è vero che la mamma e il papà sono in ansia anch'essi. No, non è questo il modo per affrontare la situazione. Siate sereni, tenete fra le vostre la mano del bimbo, sorridete al dottore (o a chicchessia) in modo da dare al piccino l'impressione che l'estraneo è persona alla quale si può sorridere, e parlate di quello che volete, come se foste in un salotto. Ciò che rassicura il bambino è il vostro atteggiamento, non le vostre parole.

La crisi della dentizione

L'eruzione dei denti rappresenta probabilmente una grossa seccatura, talora una vera e propria crisi per il bambino. E non solo per il bambino. Non è impossibile che in questo periodo casa vostra si trasformi in una bolgia: vostro figlio è agitato, capriccioso, si sveglia urlando in piena notte senza nessun motivo apparente, a tavola non gli va più bene niente, si rifiuta di mangiare, sputa la pappa addosso a chi gli sta vicino, qualche volta ha leggeri rialzi della temperatura corporea che lo rendono ancora più insopportabile.

Certamente tutte queste tragedie vi sembreranno sproporzionate al fastidio, relativamente modesto, provocato dalla dentizione. Ma dovete pensare che questo disagio è localizzato proprio nella zona che finora era stata la maggior fonte di piacere per il bimbo, e cioè la bocca. La situazione di vostro figlio in questo momento è del tutto paragonabile a quella di un accanito fumatore col mal di gola, anzi peggiore. Perciò abbiate pazienza. D'altronde, può anche capitarvi la fortuna che tutto vada liscio e che un bel giorno vi accorgiate che il sorriso del vostro bimbo si è arricchito di un dentino, senza che nessun segno di malessere ne abbia preceduto la comparsa.

Da molti si crede ancora che la dentizione sia la causa prima di numerosi e gravi malanni. Naturalmente non è vero, ma sembra vero però che l'eruzione dei denti porti a una diminuzione dei poteri di difesa dell'organismo e che quindi, indirettamente ed entro certi limiti, possa favorire la comparsa di talune malattie. I disturbi che sembrano più frequentemente legati alla dentizione sono quelli a carico dell'apparato digerente, con rigurgito, vomito, diarrea, perdita di peso, e quelli a carico dell'apparato respiratorio, con raffreddore, tosse, catarro, febbre. Sia ben chiaro che queste malattie possono essere *favorite* dall'eruzione dei denti, ma *non sono direttamente provocate* da questa. Si tratta cioè di autentiche malattie, e non di « disturbi da dentizione »; e debbono perciò essere curate dal medico, come tutte le altre malattie. Quando vostro figlio ha la tosse e febbre a trentanove, non illudetevi che « la colpa sia dei denti ». La colpa è di una faringite, o di una bronchite, o di quello che sia. Che poi la dentizione possa aver contribuito a « disarmare » l'organismo del bambino di fronte all'attacco dei germi, e che quindi possa aver preparato il terreno alla malattia, è un'altra faccenda. Il fatto è che la malattia esiste, e va curata a dovere.

Ma torniamo alla dentizione « normale », senza accompagnamento di malanni seri. Il bambino che sta mettendo i denti *ha bisogno di masticare*. Questa è una cosa che dovete sempre tenere presente, se volete aiutarlo a superare la sua crisi. Dategli perciò cose da masticare, qualsiasi cosa, anelli di gomma, tettarelle senza buco e piuttosto dure, pezzi di legno o di plastica, oggetti vari. Badate però che tutto ciò che date al vostro bimbo da masticare deve presentare le seguenti caratteristiche: avere una forma che non possa riuscirgli dannosa (quindi niente punte, spigoli taglienti eccetera), essere infrangibile (guai se una scheggia o un pezzetto viene ingoiato!), essere pulito, essere gradito al bambino.

Se la crisi si prolunga, se il bambino passa settimane intere in preda al disagio della dentizione, se il dentino è lì, che preme sulla gengiva, ma non si decide a venir fuori, chiedete consiglio al medico. Non adoperate medicine di vostra scelta. Potreste sbagliare tutto. Forse con una sola fiala di vitamina D, prescritta dal dottore, la situazione si risolverà in un paio di giorni.

2.4. Ha bisogno di voi per rimanere sano e incolume

Continuano i controlli sanitari

La crisi della dentizione è una crisi inevitabile, ma ce ne sono altre che sono evitabili purché ci si pensi in tempo utile. Perciò non dovete trascurare i controlli periodici della salute di vostro figlio, che vi permetteranno di svelare eventuali disturbi già sul loro nascere, e di correre ai ripari. Direi anzi che i controlli sanitari diventano ancora più necessari nel secondo semestre di vita di quanto non fossero nel primo, e vedremo subito il perché.

Il *controllo ortopedico*, come ho già detto, va senz'altro praticato sia ai maschietti che alle bambine intorno ai sei mesi di età, particolarmente per quanto riguarda l'articolazione dell'anca. Non dimenticate che fra poche settimane il vostro bambino comincerà a fare i suoi primi tentativi di stare in piedi, caricando con ciò l'intero peso del suo corpo sulle gambe per la prima volta nella vita. E' ovviamente necessario avere la certezza che le gambe, e quindi le anche, le ginocchia, i piedi, siano in grado di sopportare lo sforzo.

Il *controllo del sangue* va pure ripetuto in qualche caso. Se, per un motivo o per l'altro, il vostro bambino segue una dieta ristretta, per esempio senza carne, o senza verdure, se vi sembra particolarmente pallido e con le occhiaie, se si stanca facilmente, se vi pare che abbia perduto la sua abituale vivacità, se è stato ripetutamente ammalato, consultate il medico. Può darsi che vi consigli un esame per scoprire una eventuale anemia. Ricordate che nel primo anno di vita i bisogni del bambino in alcuni campi sono veramente enormi, e non sempre la dieta, anche giusta, riesce a soddisfarli completamente. Questo è il caso soprattutto del ferro, la cui scarsità può portare a una vera e propria « stanchezza » delle cellule e a forme di anemia tutt'altro che trascurabili.

Il *controllo delle urine* deve, come sempre, essere attuato ogni volta che il bimbo si ammala di una forma abbastanza seria, o quando presenta dei periodi prolungati di inappetenza apparentemente ingiustificata, o vomita ripetutamente, o dà segni di malessere che persistono a dispetto delle cure. Può accadere, se avete una bambina, che la piccola pianga e strilli quando fa la pipì. In questo caso si deve sospettare un'infiammazione delle vie urinarie, e il controllo delle urine va senz'altro eseguito.

I *controlli pediatrici* infine sono necessari per le nuove impostazioni della dieta, per la somministrazione delle vitamine, per accertare la buona salute del bimbo prima delle diverse vaccinazioni, e per sorvegliare l'accrescimento e lo sviluppo in generale. Penso che nel secondo semestre di vita i controlli pediatrici debbano essere effettuati, salvo imprevisti, almeno due o tre volte, e cioè alla distanza di due o tre mesi l'uno dall'altro.

Attenzione agli incidenti!

Con la conquista della capacità di muoversi per conto suo, di spostarsi qua e là camminando carponi o in piedi, vostro figlio conquista anche la capacità di mettersi in pericolo. Parleremo più a fondo nel prossimo capitolo di questo argomento degli infortuni e degli incidenti casalinghi. Per ora desidero attirare la vostra attenzione sul fatto che l'incolumità di vostro figlio dipende largamente dalla prudenza e dall'avvedutezza dei genitori, e desidero inoltre esporvi qualche breve considerazione sul come potrete sorvegliare il bimbo senza opprimerlo.

Quando si parla di incidenti casalinghi generalmente non si viene molto ascoltati: ognuno immagina che si tratti di avvenimenti piuttosto rari o addirittura eccezionali, e non pensa mai che possano capitare in casa propria. « Perché dovrebbe succedere proprio a me? », oppure « Non è mai successo niente... », oppure ancora « Basta un po' di attenzione...! »; queste sono le riflessioni di molti. Risponderò con delle cifre: secondo i dati più recenti di cui dispongo, per i paesi della Comunità Europea, sono parecchi milioni all'anno i bambini coinvolti in infortuni domestici. Circa trentamila, ogni anno, ne riportano menomazioni permanenti. Diecimila muoiono. Duemila all'anno solo in Italia, che è in seconda posizione come produttrice di incidenti, battuta solo dalla Francia. Sempre in Italia, i bambini che sono portati al pronto soccorso per infortuni domestici sono quasi mezzo milione all'anno. Su cento bambini che muoiono nei primi quattro anni di vita, cinquanta muoiono per incidente e gli altri per malattie e cause varie. Su cento incidenti quaranta o più succedono in casa, e solo dodici per la strada.

Queste le cifre. Si è detto che l'infortunio, specie quello domestico, è "la più grave epidemia del mondo occidentale". In effetti pare che sia proprio così.

Mi chiederete quali sono le cause di tutti questi infortuni. Sono state condotte delle accurate indagini anche su questo, e ne è emerso che le cause principali sono le seguenti:

1. cadute da mobili, dalle braccia di una persona, dalle scale, e così via. Parlo di cadute gravi, non delle solite cadutine che dànno molto spavento e poche conseguenze; e parlo soprattutto di cadute su pavimenti duri, piastrellati o di marmo, di cadute dalla finestra (è successo, e non una sola volta) o da scale ripide, eccetera

2. ustioni, scottature sia da fiamma che da liquidi bollenti

3. avvelenamenti da prodotti di uso domestico (acidi, detersivi, eccetera) o da medicinali lasciati incustoditi

4. cause varie, fra le quali soffocamento da ingestione di corpi estranei (tappi, palline, bottoni, eccetera); strangolamento da bavaglini, briglie, lacci, o altro; folgorazione da corrente elettrica.

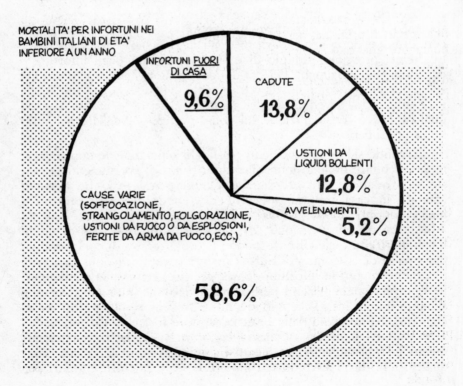

MORTALITA' PER INFORTUNI NEI BAMBINI ITALIANI DI ETA' INFERIORE A UN ANNO

INFORTUNI <u>FUORI</u> DI CASA 9,6%

CADUTE 13,8%

USTIONI DA LIQUIDI BOLLENTI 12,8%

AVVELENAMENTI 5,2%

CAUSE VARIE (SOFFOCAZIONE, STRANGOLAMENTO, FOLGORAZIONE, USTIONI DA FUOCO O DA ESPLOSIONI, FERITE DA ARMA DA FUOCO, ECC.)

58,6%

Che cosa si può fare per evitare tutto questo? Direi che le regole fondamentali sono tre:

1. eliminare da casa vostra, nei limiti del possibile, ogni sorgente di pericolo: porte aperte sulle scale, finestre aperte raggiungibili dal bimbo, pavimenti sdrucciolevoli, fuochi o pentole bollenti ai quali vostro figlio si possa avvicinare, veleni e medicinali incustoditi, prese di corrente scoperte, eccetera

2. sorvegliare il bambino e distrarlo con altre attività non appena lo si veda approssimarsi a qualcosa che potrebbe essere pericoloso per lui

3. dimostrargli con fermezza, senza inutili rimproveri, che certe cose non si possono toccare. Per esempio: egli si avvicina a una presa di corrente? E allora voi lo allontanerete con garbo ma decisamente, gli farete segno di no e gli direte anche di no con voce ferma, metterete un oggetto pesante, che il piccolo non possa spostare, davanti alla presa, e dedicherete infine un po' di tempo a far giocare il piccino con qualcosa che gli piaccia.

Ciò che vi raccomando è di non far vivere il vostro bambino in una specie di prigione, per paura che gli càpiti qualcosa. Stargli continuamente alle costole non serve; meglio dargli un'occhiata da lontano. Sorveglianza non significa oppressione, la prudenza non richiede una forma di reclusione, una giusta attenzione non va confusa con l'angoscia. Il vostro bambino ha bisogno sì di essere aiutato a evitare il pericolo, ma ha bisogno anche di vivere allegramente e in libertà.

3. LE SUE «NUOVE» MALATTIE

3.1. L'anemia

Esistono naturalmente molte forme di anemia, ma potremmo semplificare le cose dicendo che questa malattia consiste in una scarsità di globuli rossi, o di emoglobina (che è la sostanza principale contenuta nei globuli rossi), o di entrambi. Nei bambini di età compresa fra i sei e i dodici mesi è abbastanza facile che si verifichino delle modeste forme di anemia, come ho detto prima a proposito dei controlli di sangue. Esaminiamo ora la questione un pochino più a fondo.

I tipi di anemia più frequenti nel bambino sono quelli in cui scarseggia l'emoglobina, sia perché ogni globulo rosso ne contiene troppo poca, sia perché sono pochi i globuli rossi. S'intende che spetterà al medico fare una diagnosi precisa e prescrivere le medicine opportune, ma i genitori possono fare la parte loro evitando tutti quegli errori, piccoli e grandi, che stanno alla base della malattia o che concorrono a favorirla. Come dicevo prima, l'organismo del bimbo, che è in rapido accrescimento, ha un bisogno grandissimo di certe sostanze, un bisogno molto superiore a quello di un organismo adulto. Fra queste sostanze molto richieste c'è il ferro. Ora, solo un'alimentazione molto varia e completa contiene ferro a sufficienza per mantenere in equilibrio il patrimonio di questo elemento nel corpo del bimbo. Ciò significa che tale equilibrio è sempre alquanto precario e da un momento all'altro può rompersi, determinando nel piccino una scarsità di ferro. Basta alle volte una malattia infettiva, o un disturbo intestinale, o una dieta che contenga troppo latte rispetto alle altre componenti alimentari, per mettere in crisi il bilancio del ferro: in queste circostanze, cioè, la richiesta di ferro da parte dell'organismo può aumentare, mentre diminuisce la quantità di questo elemento ricavata dal cibo. Così l'organismo si trova ad avere troppo poco ferro a disposizione.

Che cosa provoca la scarsità di ferro? Innanzitutto una diminuzione nella produzione di emoglobina, la quale non può essere « fabbricata » dai tessuti senza ferro. Questo, infatti, è il principale costituente dell'emoglobina stessa. Pensate al cemento armato: è chiaro che non si può produrlo senza il metallo con cui armarlo. Ma i guai non si fermano qui: i globuli rossi diventano « malati », fragili e poco vitali e, ciò che non è meno grave, moltissimi altri tipi di cellule entrano in uno stato di sofferenza, tanto da indurre gli studiosi a coniare il termine di « cellule stanche ». Questa « stanchezza cellulare » generale può dare perdita dell'appetito e diminuzione dei poteri difensivi contro le infezioni, fenomeni che contribuiscono entrambi ad aggravare l'anemia.

Il vostro compito nella prevenzione di questo malanno risulta in modo evidente da quanto ho detto fin qui: prima di tutto fate in modo che la dieta del vostro bambino sia ricca e varia, con vegetali verdi, fegato crudo o ai ferri, carne, frutta. Qualche volta può capitare che un bambino non voglia saperne di fegato e di carne, e si ostini a mangiare solo latte, dolciumi e pappe. In tal caso, sarà bene che ne avvertiate il medico; egli potrà prescrivervi dei prodotti che sostituiscano, almeno fino a un certo punto, i cibi che vostro figlio non vuole. In secondo luogo cercate di far fare al vostro bimbo una vita fisicamente attiva, igienica e stimolante; che stia molto allo aperto, anche nella brutta stagione, che si muova molto, che respiri aria buona. Se potete, portatelo in montagna per un po' di tempo, sia d'estate che d'inverno. E infine non dimenticate i controlli del sangue: queste forme di anemia possono veramente risolversi in nulla se prese in tempo, ma possono con eguale facilità dar luogo a dei grattacapi piuttosto seri se vengono trascurate.

3.2. Il rachitismo

La sostanza che previene l'insorgenza del rachitismo è la vitamina D, ma essa non agisce se non viene « attivata » dai raggi del sole. Ecco perché il rachitismo è più frequente nei paesi in cui l'inverno dura a lungo e costringe i bambini a starsene tappati in casa per mesi e mesi. Ed ecco perché, anche in pieno inverno, i bambini non debbono. . . starsene tappati in casa.

Bisogna dire che oggi questa forma è enormemente diminuita sia per quanto riguarda la frequenza che per quanto riguarda la gravità. Un tempo si vedevano bambini addirittura deformi, con teste grossissime, schiene incurvate, gambe storte; certe volte le ossa delle gambe erano talmente fragili e sformate da non permettere nemmeno al bimbo di camminare. Oggi queste forme di « rachitismo florido », come lo chiamavano i medici, non si vedono praticamente più. Ma il rachitismo c'è ancora, e anzi è diffusissimo. A questo proposito vorrei fare una precisazione: molti genitori dei miei piccoli clienti (e credo che questo succeda anche agli altri pediatri) impallidiscono e barcollano visibilmente quando sentono parlare di rachitismo, su per giù come se sentissero parlare di peste bubbonica o di spappolamento cerebrale. Bisogna intenderci: esistono infinite sfumature di rachitismo, che vanno da alterazioni apprezzabili solo mediante l'esame microscopico di frammenti di ossa, a piccolissime e quasi invisibili alterazioni dello scheletro, a forme facilmente rilevabili solo per gli specialisti, a deviazioni dalla norma riconoscibili per ogni medico anche non specialista, a deformazioni visibili a tutti. A rigore, siamo tutti rachitici, in misura maggiore o minore. Qualcosina, a carico delle ossa, ce l'abbiamo tutti. E può darsi benissimo che qualche piccola traccia di rachitismo ce l'abbia anche vostro figlio. Non è il caso di allarmarsi per questo. Normalmente si tratta di alterazioni destinate a scomparire con l'applicazione di semplici norme igieniche e con la somministrazione di qualche preparato vitaminico.

Il rachitismo insorge quando il bimbo non sta abbastanza all'aperto e quindi non gode a sufficienza dell'irradiazione solare, e in particolare dei raggi ultravioletti. Questi, come dicevo, « attivano » la vitamina D, la quale, a sua volta, provvede a « fissare » il calcio nelle ossa. Alla base della malattia quindi non c'è di solito una mancanza di calcio, come molti credono, e nemmeno una mancanza di vitamina D; ma solo una mancanza di vita all'aria aperta. Se non ci si espone alla luce del sole, e se di conseguenza la vitamina D non lavora, il calcio non si deposita a sufficienza nelle ossa e queste diventano molli e si deformano con una certa facilità.

Per prevenire e curare il rachitismo la cosa migliore da fare è dunque quella di far vivere il bimbo all'aperto più che sia possibile S'intende che dovrete anche fornirgli una dieta ricca in vitamina D (e ne abbiamo già parlato a proposito del divezzamento) e infine, ma solo su consiglio del medico, dargli qualche preparato che contenga la stessa vitamina già « irradiata », e cioè attivata artificialmente.

3.3. La bronchite spastica

Alcuni disturbi del bambino piccolo sembra che siano in aumento da qualche anno, e fra questi c'è una forma di bronchite caratterizzata da uno spasmo della muscolatura bronchiale, e cioè da un *restringimento* dei bronchi stessi. Questa malattia è comunemente chiamata *bronchite spastica*. Come è logico, la principale manifestazione di tale malattia è la *difficoltà respiratoria*, in quanto i bronchi, attraverso i quali evidentemente deve passare l'aria, riducono di molto il loro diametro interno, sia per l'infiammazione delle mucose che li tappezzano, sia per lo spasmo. Pensate ai canali di un impianto di aereazione che improvvisamente diventino più stretti, e nei quali contemporaneamente si accumuli una grande quantità di sporcizia e di incrostazioni: naturalmente passerà meno aria, e il funzionamento dell'impianto sarà meno efficiente.

E' un malanno che noi pediatri vediamo sempre più spesso, come dicevo, e soprattutto nei bambini fra i sei mesi e l'anno. Alcuni bimbi presentano questa forma addirittura tutte le volte che si prendono un raffreddore o un po' di mal di gola. Non sappiamo esattamente il perché dell'aumentata frequenza della malattia, e non conosciamo con precisione nemmeno le cause che la provocano. Sicuramente c'entra una specie di predisposizione costituzionale, ma abbiamo forti motivi per sospettare che una delle ragioni del moltiplicarsi del disturbo sia costituita dall'inquinamento atmosferico.

La malattia comincia di solito con un raffreddore o un po' di tosse, ma ben presto, certe volte dopo poche ore, compare la difficoltà di respirazione, accompagnata da un rumore caratteristico, una specie di lieve sibilo, che si sente accostando l'orecchio alla bocca del bimbo. Il piccolo fa una fatica maggiore a mandare fuori l'aria che a « tirarla dentro », e anche il rumore che vi dicevo si avverte in corrispondenza della espirazione (cioè della fase di espulsione della aria dai polmoni verso l'esterno). Il sintomo è molto simile a quello che si può rilevare nell'asma. Al disturbo respiratorio si accompagnano in genere tosse insistente e perdita dell'appetito. La febbre non c'è sempre, anzi il più delle volte non c'è affatto. Le condizioni generali del bambino si mantengono solitamente buone: egli è allegro come al solito, gioca, e non sembra molto infastidito dalla malattia. A meno che, naturalmente, la forma non sia di particolare serietà.

Va detto però che la bronchite spastica non è una cosa grave in sé e per sé, e guarisce praticamente sempre in qualche giorno, se è ben curata. Può tuttavia aprire la strada a complicazioni anche molto preoccupanti e portare a conseguenze tutt'altro che trascurabili, e persino permanenti, se non viene trattata col dovuto impegno. Nella maggioranza dei casi la malattia si ripete sempre più raramente man mano che il bambino cresce, fino a scomparire del tutto prima della età della scuola.

È chiaro che l'intervento del medico in questa forma è assolutamente necessario: in primo luogo per fare una diagnosi esatta, per constatare cioè se si tratta proprio di una bronchite spastica, oppure se il disturbo ha origini e caratteristiche differenti. In secondo luogo per stabilire una cura adatta; cosa non sempre facile dato che, a seconda delle peculiarità del piccolo ammalato e delle manifestazioni della malattia, i medicamenti da usare possono essere diversissimi. In alcuni casi, per esempio, sono indispensabili gli antibiotici e in altri no, per certe forme occorrono degli antispastici mentre per altre sono inutili, in qualche bambino è opportuno dare dei farmaci molto attivi, che possono essere dannosi in qualche altro, e così via. Non solo dunque dovrete interpellare il medico, ma seguirne anche scrupolosamente le istruzioni.

Se la malattia non dà febbre alta o abbattimento generale, sintomi come ho detto non frequenti, è inutile costringere il bambino a letto. Può benissimo stare alzato, giocare e muoversi come al solito. Anzi questo lo aiuterà a non perdere l'appetito proprio del tutto. In qualche caso il dottore potrà persino darvi il permesso di far uscire il piccino a prendere una boccata d'aria. E' molto importante invece che l'aria in casa non sia troppo asciutta, perché l'aria secca peggiora l'irritazione e lo spasmo dei bronchi; perciò, se la stagione è fredda, mettete panni bagnati e recipienti d'acqua sui termosifoni o sulla stufa; se il riscaldamento non è in funzione, fate bollire dell'acqua su un fornellino nei locali in cui vive di solito il bimbo. Infine, la solita raccomandazione: non copritelo troppo, non fatelo sudare sotto valanghe di lana. Otterreste solo il risultato di aggiungere un altro disagio a quello procuratogli dalla malattia.

Sesto Capitolo

L'ETÀ DELLA SOCIALIZZAZIONE
da uno a tre anni

1. VOSTRO FIGLIO DIVENTA UN «CITTADINO»

1.1. Perfeziona i suoi strumenti, le sue attitudini e le sue capacità

Il suo sviluppo fisico

Non aspettatevi che dopo l'anno il vostro bambino continui a crescere con la regolarità e il ritmo dei primi mesi di vita: ora anche il suo corpo ha assunto delle proprie caratteristiche e un modo particolare di svilupparsi. Ci sono bambini che continuano ad aumentare vertiginosamente in peso e in altezza, altri che si fermano per mesi sullo stesso peso mentre diventano parecchio più « lunghi », altri ancora che crescono di peso ma pochissimo di statura, e altri che per qualche mese non crescono in nulla. Insomma, da questo momento le cifre dicono poco; o meglio, dicono, ma solo sulle « grandi distanze ».

Comunque, eccovi qualche indicazione approssimativa:

☐ a un anno il bambino pesa in genere dieci chili circa ed è alto su per giù settantadue-settantacinque centimetri

☐ a un anno e mezzo pesa press'a poco un chilo di più e la sua statura è fra i settantacinque e gli ottanta centimetri

☐ a due anni è sugli undici-dodici chili e sugli ottantadue-ottantacinque centimetri

☐ a tre anni raggiunge un peso di tredici o quattordici chili e una altezza di ottantacinque-novantacinque centimetri.

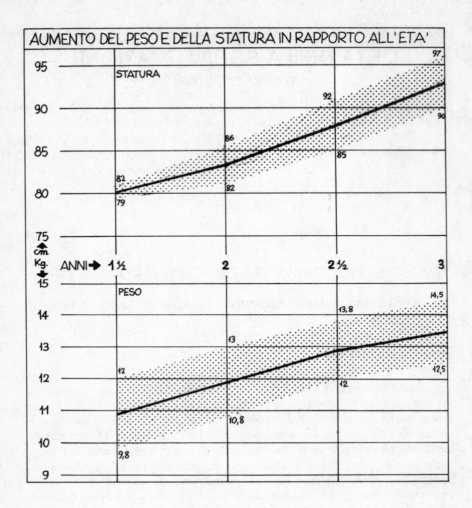

AUMENTO DEL PESO E DELLA STATURA IN RAPPORTO ALL'ETA'

STATURA

PESO

ANNI ➤ 1 ½   2   2 ½   3

Queste sono le cifre medie e classiche. Potrà accadere che vostro figlio sia un po' al di sotto di questi valori, oppure un po' al di sopra. Potrebbe essere anche nettamente al di sopra perché, come sapete, l'accrescimento dei bambini è diventato in media notevolmente più rapido in questi ultimi anni, per diverse ragioni non tutte ben conosciute.

Forse ancor meno regolare e prevedibile dello sviluppo del corpo è lo sviluppo della dentatura; anche per questo vi fornisco qualche dato che però, lo ripeto, può non corrispondere affatto alla situazione del vostro bambino. Solo in caso di grandi ritardi potrà essere giustificata una certa preoccupazione e il ricorso al parere di uno specialista.

A UN ANNO DI SOLITO IL BAMBINO HA **SEI** DENTI:	A UN ANNO E MEZZO HA **DODICI** DENTI:
	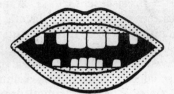
QUATTRO INCISIVI SUPERIORI DUE INCISIVI INFERIORI MEDIANI	QUATTRO INCISIVI SUPERIORI QUATTRO INCISIVI INFERIORI QUATTRO PREMOLARI
A DUE ANNI HA **SEDICI** DENTI:	A TRE ANNI HA **VENTI** DENTI:

QUATTRO INCISIVI SUPERIORI QUATTRO INCISIVI INFERIORI QUATTRO PREMOLARI QUATTRO CANINI	QUATTRO INCISIVI SUPERIORI QUATTRO INCISIVI INFERIORI QUATTRO PREMOLARI QUATTRO CANINI QUATTRO MOLARI

Dal primo passo all'impresa acrobatica

È stato detto che la maggior parte delle cose che un essere umano impara nella sua vita, le impara nei primi tre anni. Effettivamente, osservando i progressi di vostro figlio, avrete anche voi questa precisa sensazione. A un anno il bambino ha appena conquistato (e non sempre) la stazione eretta, ma ci si trova ancora a disagio, per così dire: fa qualche passo, per altro prudentissimo, e... non va molto più in là. Sei mesi dopo lo stare diritto in piedi è diventata per lui una cosa da niente, alla quale sembra non attribuire alcuna importanza. Cammina come un'anatra, questo è vero, ma con una palese disinvoltura; e inoltre sa « pilotare » molto meglio il proprio corpo in diversi altri tipi di prestazione, come sedersi su una seggiolina (cautamente, sia pure), erigere torri con tre cubi, sfogliare alla bell'e meglio un libro, eccetera. Inoltre affronta salite e discese, mobili su cui arrampicarsi e scale, con apprezzabile baldanza e ricorrendo alle più svariate risorse tecniche.

A due anni, e cioè dopo appena altri sei mesi, la sua padronanza dei movimenti si è perfezionata in modo stupefacente: adesso non solo domina agevolmente il proprio equilibrio, ma lo sfrutta abbandonandosi arditamente alle più travolgenti attività. Siamo ai limiti delle imprese acrobatiche. Insegue precipitosamente palle prendendole a calci, balla, salta, sale e scende per le scale, si cimenta in ogni sorta di prestazioni atletiche. Con frequenti capitomboli, d'accordo, ma che non intaccano la sua audace intraprendenza. Senza dire poi delle sue imprese « secondarie », come innalzare torri di cinque o sei cubi, consultare volumi, usare forbici, bere col bicchiere, usare il cucchiaio, eccetera.

Sui tre anni il bambino sembra che non abbia ormai più nulla di grosso da imparare: sa correre a diverse velocità ed eseguendo manovre da « alta guida », come fermate brusche e curve larghe e strette; pedala sul triciclo, esegue dei salti a piedi uniti, sta su un piede solo, e nel complesso dimostra di non avere più limiti alla propria iniziativa. E' tanto padrone di sé, delle proprie risorse motorie, da arrivare a non interessarsene più per lunghi periodi: e infatti dedica gran tempo attorno a costruzioni e ad altri giochi sedentari, come se l'alta acrobazia fosse diventata per lui ormai un fatto acquisito e pertanto trascurabile.

C'è veramente dello sbalorditivo nei progressi di un bimbo di quest'età. A un anno vostro figlio stava a malapena in piedi, a tre è un ginnasta spericolato e un virtuoso dell'atletica leggera. Ancora una volta vi voglio ricordare che questa meravigliosa evoluzione non va sottovalutata, non va interpretata semplicemente come una conseguenza dello sviluppo del suo organismo e di una istintiva tendenza allo sfruttamento delle proprie capacità. Sì, certo, c'è anche questo: il sistema nervoso del bambino ha completato e perfezionato le proprie strutture, il suo corpo ha avuto una grande evoluzione; ma c'è stato un altro, importantissimo, fattore di progresso, e cioè l'*esperienza*. Un'esperienza che il bambino si è fatta ora per ora, giorno per giorno, mese per mese, con impegno, con perseveranza, con coraggio. La natura fa la sua parte, ma non fa tutto. Se vostro figlio è diventato un acrobata, egli lo deve essenzialmente a se stesso.

Le sue mani diventano sempre più esperte

In un certo senso si può dire che dopo il primo anno di vita la mano sostituisce parzialmente la bocca. Nell'avvicinarsi al mondo, nell'esplorarlo, nel prenderlo, nel respingerlo, il lattante usava soprattutto la bocca; ora, dopo i dodici mesi, il bambino usa le mani. E infatti potrete constatare che le mani del vostro bambino, le quali solo negli ultimi mesi del primo anno avevano cominciato a funzionare come strumenti, e in modo molto grossolano e approssimativo, ora rapidamente diventano sempre più abili, precise e specializzate.

Vediamo le principali attività che vostro figlio svolge con le mani, e cerchiamo di seguirne l'evoluzione.

☐ *Prendere.* A un anno il bambino è già capace, come sappiamo, di afferrare gli oggetti con buona precisione, ma a un anno e mezzo sa fare molto di più: prendere una cosa è diventato per lui un atto quasi automatico, al quale non si degna di prestare una particolare attenzione. Ormai non è tanto il prendere un oggetto che gli interessa, quanto l'usarlo. Naturalmente ciò non significa che il suo modo di afferrare qualcosa sia già assolutamente perfetto: egli avvicina la mano, supponiamo, a un cubo, tenendola completamente aperta; quando arriva a contatto col cubo non sa arrestare immediatamente il moto di avvicinamento, così che sposta un pochino l'oggetto e infine vi chiude attorno la mano, « avvolgendolo » con le dita. Insomma, è un tipo di presa abbastanza primitivo, anche se del tutto efficiente. Ma nei mesi che seguono il bambino si perfeziona sempre più, coordina meglio l'avvicinamento con l'afferramento, finché riesce a prelevare l'oggetto con grande maestria, e senza spostarlo, prima di rimuoverlo secondo i suoi piani di azione.

☐ *Costruire una torre*. Un bimbo di diciotto mesi non è un grande costruttore: dopo diversi esperimenti riesce a erigere una torre di tre cubi, ma ha bisogno di molto tempo per collocare ciascun pezzo al suo posto e lasciarvelo senza farlo ricadere quando ritira la mano. E, alla fine, il suo edificio risulta comunque piuttosto instabile e vacillante. A due anni però siamo già a un livello molto più avanzato: il piccolo ingegnere è in grado di innalzare una specie di grattacielo di ben sei cubi, il quale tuttavia appare piuttosto storto e non molto stabile. Lo stesso costruttore del resto se ne rende ben conto e colloca un pezzo sopra l'altro con estrema prudenza, ma contemporaneamente con tale forza da provocare non di rado il crollo dell'intero palazzo. D'altra parte, sembra che l'innalzare opere architettoniche il più possibile elevate sia un impellente bisogno anche per i bambini: nessun fallimento li scoraggia. A tre anni il piccino riesce bene o male a raggiungere la vertiginosa altezza di otto o dieci cubi, spesso fuori allineamento l'uno rispetto all'altro, spesso disposti secondo un equilibrio quanto mai precario, spesso vistosamente barcollanti, ma in fin dei conti collocati pur sempre uno sopra l'altro a costituire il primo monumento alla sua iniziativa.

☐ *Disegnare*. La matita, per un bimbo di un anno, pare rappresenti più un'arma da punta, un pugnale, che uno strumento per tracciare dei segni: il piccolo la brandisce con grande risolutezza e con essa *colpisce* letteralmente il foglio di carta o, più spesso, il tavolo. Sei mesi dopo non ha ancora cambiato di molto il suo modo di impugnarla, ma, invece che usarla come punteruolo, la *trascina* su e giù per il foglio lasciando dei segni di vario genere, e soprattutto delle righe. Dopo altri sei mesi, e cioè all'età di due anni, è tutto cambiato: aiutandosi con la mano sinistra egli sistema la matita nella destra, tenendola fra il pollice da un lato e le altre quattro dita dall'altro, e disegna. Cose non molto decifrabili per solito, piccoline e composte di linee verticali o circolari. A tre anni il bambino è già un creatore: disegna figure umane e varie altre cose, talora con sorprendente maestria. Nel corso di certe ricerche che si stanno conducendo attualmente si è potuto constatare che i bambini d'oggi sanno disegnare, all'età di tre anni, molto meglio di quanto non sapessero fare i loro coetanei quindici o vent'anni fa. E' un fatto che i nostri bambini vivono in un mondo di immagini, e improvvisamente ci siamo resi conto che ne hanno saputo approfittare in misura sconcertante. Nessuno, di regola, ha insegnato a disegnare ai bambini di due o tre anni; hanno imparato da soli. E da soli, a nostra insaputa, hanno largamente sopravanzato la generazione precedente.

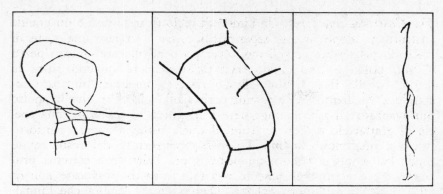

SOPRA: DISEGNI DI BAMBINI DI TRE ANNI ESEGUITI TRENT'ANNI FA (RIPORTATI DAL LIBRO DI GESELL "I PRIMI CINQUE ANNI DI VITA" ED. ASTROLABIO).
SOTTO: DISEGNI DI BAMBINI DI TRE ANNI OGGI.

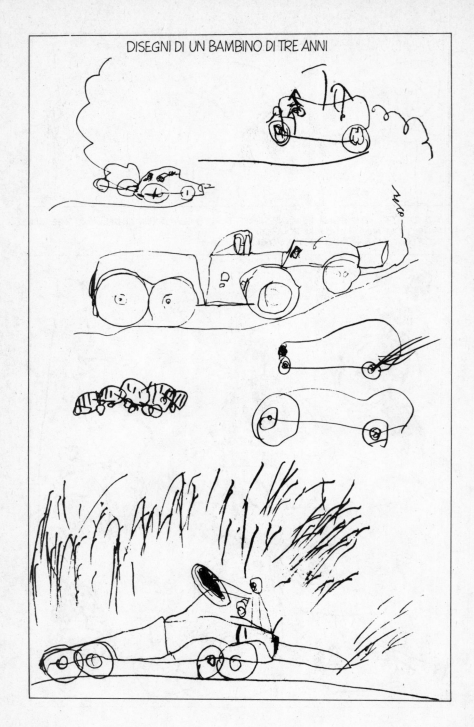

☐ *Lanciare.* A ben pensarci, il lancio è una delle azioni più complicate: si deve localizzare con gli occhi l'obbiettivo, la zona verso cui lanciare l'oggetto; si deve assumere una posizione adatta e dare al proprio corpo un certo equilibrio; si deve sincronizzare lo sforzo con il rilasciamento dell'oggetto da lanciare; e si deve riprendere lo equilibrio. E' facile immaginare quanto sia arduo e complesso tutto ciò per un bambino che sta imparando ancora a organizzare i suoi movimenti. A un anno e mezzo infatti il piccolo riesce a proiettare in avanti il braccio, ma apre la mano troppo presto o troppo tardi, così che l'oggetto, la palla per esempio, finisce col percorrere delle traiettorie stranissime o col cadere a terra prima che il movimento sia portato a termine. A due anni le cose vanno un po' meglio, ma il lancio lascia tuttavia parecchio a desiderare in fatto di precisione. A tre anni molti bambini sono già dei piccoli campioni.

☐ *Vestirsi.* Abbiamo visto che già intorno all'età di dodici mesi il bambino pretende di dare una mano quando lo si veste o lo si spoglia, provocando di solito coi suoi interventi un considerevole aumento nella difficoltà delle operazioni. Nei mesi successivi, con lo sviluppo delle sue abilità manuali, si moltiplicano i tentativi di collaborazione e poco a poco cresce l'efficienza delle sue prove. A togliersi le calze egli ce la fa ormai agevolmente quando è sui due anni, e su per giù nella stessa epoca riesce a infilare con una certa precisione le imboccature delle maniche. A tre anni sa fare praticamente tutto. . . a modo suo: si toglie i pantaloncini, infila le scarpe, sbottona indumenti vari. Certo, non è perfetto in ogni cosa: una volta sbottonato un indumento, trova grandi difficoltà a riabbottonarlo; e quando fa il nodo alle stringhe delle scarpe, spesso lo disfa immediatamente tirandosi dietro la fettuccia quando allontana la mano dalla calzatura. Ma son cose di poco conto. Si veste, ripeto, a modo suo, con una calza diritta e una rovescia, le scarpine slacciate o avvolte in nodi inestricabili, il davanti della maglia sulla schiena, i bottoni infilati (quando lo sono) in asole che non sono le loro; e si sveste in modo non meno fantasioso, tirando con energia quando non trova altro mezzo per liberarsi di un indumento. Ma insomma è sulla strada buona, e per lo più si mostra soddisfattissimo dei risultati che riesce a ottenere.

☐ *Mangiare.* I primi tentativi di indipendenza in campo alimentare fanno anch'essi la loro apparizione verso l'età di un anno, ma abbiamo visto che si tratta di esperimenti destinati sostanzialmente allo insuccesso; dopo un semestre circa invece, verso l'età di un anno e mezzo, il bimbo sa valersi utilmente del cucchiaio e persino della forchetta, che tiene saldamente impugnati con tutta la mano. Poi, un po' per volta, impara a tenere le posate solo con le dita, e non più col palmo della mano; non le usa in modo impeccabile, ma in modo efficiente sì. A due anni è abbastanza padrone di una sua tecnica, ed è capacissimo anche di portarsi alla bocca il bicchiere pieno e di berci. Quest'ultima manovra in realtà la esegue con una certa prudenza, seguendo il bicchiere con l'altra mano a breve distanza, accompagnando potremmo dire l'operazione con la mano « di riserva », pronta a intervenire nel caso che il bicchiere sfuggisse alla presa. Il mangiare da solo non è ormai più un problema per un bimbo di tre anni: a quest'età il piccolo attua con noncuranza le operazioni più impegnative, come quella di versarsi da bere senza rovesciare il liquido dalla brocca sul pavimento invece che nel bicchiere, e porta a termine il suo pasto con le sue sole forze spargendo intorno a sé delle quantità di cibo abbastanza modeste.

Questo intervento sempre maggiore e sempre più efficace della mano nell'alimentazione è molto importante: il procedimento della nutrizione, che in un primo tempo si basava sull'abbinamento seno-bocca, e che era entrato in crisi all'epoca del divezzamento, ora ritrova tutta la sua stabilità sulla base dell'associazione mano-bocca. In altre parole, la mano entra a far parte viva di un soddisfacimento primario, di fondo: quello del saziarsi. Questo fatto stimola ovviamente il bambino a perfezionare di continuo la sua abilità manuale, onde ricavarne maggiori soddisfazioni. In breve, il mangiare da solo è per il bimbo uno dei modi più importanti per imparare a usare le proprie mani.

☐ *Aggredire*. Forse questo non vi piacerà, ma non possiamo ignorarlo: nel secondo anno di vita il bambino impara a usare le mani per esprimere la propria collera, per manifestare i propri impulsi aggressivi, e persino per concretarli in vie di fatto. Egli impara cioè a picchiare gli altri. Ecco, dovete ricordare che anche questo fa parte dei suoi progressi, perciò non inorridite e non scandalizzatevi. Accade su per giù quello che ho detto prima a proposito del mangiare: finché era lattante, il bimbo respingeva il « cattivo » (sputando o vomitando) o lo aggrediva (mordendo) sempre con la bocca; ora lo può fare con le mani. E' un altro aspetto del superamento della bocca come organo tuttofare. Ora l'organo tuttofare è la mano. E tale resterà. Che vostro figlio di due anni vi colpisca irosamente con la sua manina potrà anche gettarvi nella costernazione; ma avreste torto. Ora è questo il suo modo di esternare la sua aggressività, e sarebbe davvero un guaio se ciò non accadesse.

☐ *Attività varie*. Ci sono naturalmente mille altre attività in cui il vostro bambino perfeziona l'uso delle proprie mani. A un anno e mezzo sa raccogliere delle palline e lasciarle cadere in una bottiglia a collo stretto, sa riempire una tazza o un catino con oggetti vari, sa persino infilare una chiave nella serratura. A due anni è già capace di una quantità di altre imprese ben più complesse: piega una carta, per esempio, imitando l'adulto, gira una per volta le pagine di un libro, gira la maniglia della porta e la apre, taglia la carta con le forbici, toglie l'involucro di una caramella, svita il coperchio di un vasetto, costruisce un « treno » di cubi di plastica, e così via. All'età di tre anni sa fare praticamente qualsiasi cosa; deve solo perfezionarsi. Ormai le sue piccole mani sono in grado di aprirgli le porte verso ogni impresa e ogni avventura.

La conquista della velocità: correre e camminare

Ho detto più volte che a un anno il bambino ha conquistato la posizione eretta e, sostanzialmente, sa camminare. Questa affermazione è esatta in senso, diciamo così, « fisico », ma lo è meno se guardiamo le cose dal punto di vista dello sviluppo generale dell'individuo. Voglio dire che saper muovere alcuni passi senza aiuto, come fa vostro figlio intorno all'età di un anno, è camminare in senso meccanico, ma non lo è in senso psicologico.

A quest'età il bimbo è di solito tutto assorto nella conquista dello stare in piedi e del camminare; è frenato da mille difficoltà di ogni genere, che vanno dalla mancanza di equilibrio alla paura, ma sembra che egli faccia di tutto per superarle nel minor tempo possibile. Egli dà la precisa sensazione di avere molta fretta. Infatti riesce ben presto a ottenere i primi risultati: muove qualche passo a gambe larghe, fra l'entusiasmo generale. Ogni passo tuttavia richiede da parte sua un attento e costante controllo, uno sforzo di concentrazione molto notevole; tant'è vero che, non appena il piccino si distrae, egli cade rovinosamente. Questo non è ancora camminare.

All'età di due anni le cose sono già completamente cambiate: il bambino è molto più padrone del proprio equilibrio, il marciare di qua e di là è diventato per lui qualcosa di parzialmente automatico che può fare senza pensarci troppo. Ma non senza pensarci del tutto. Un minimo di attenzione egli deve ancora mettercela, altrimenti inciampa, perde l'equilibrio, sbaglia movimento, e precipita. Nemmeno questo è camminare; però ci siamo vicinissimi. La possibilità di muoversi prestando solo una *parziale* attenzione al proprio movimento, mette il bambino in condizione di poter *usare* il movimento stesso per qualche scopo, per esempio per sbrigare piccole faccende domestiche come andare a prendere un oggetto che la mamma gli ha chiesto. Come per noi il guidare l'automobile: fin che siamo tutti presi dal coordinare frizione e cambio, sterzo e velocità, freno e lampeggiamento, eccetera, non possiamo certo sfruttare l'automezzo per sveltire il nostro lavoro o per partecipare a competizioni varie; ma appena cominciamo a guidare, almeno in parte, automaticamente, allora possiamo anche cominciare a usare la vettura come strumento.

La grande conquista che apre l'« era del camminare » è la... corsa. Proprio così: quando il bambino comincia a correre, quando si impadronisce della velocità, allora vuol dire che sa realmente camminare. Vuol dire che ha definitivamente superato i problemi del proprio equilibrio, che ha raggiunto una certa prontezza di riflessi, che non è più trattenuto dalla paura, dal dubbio, dall'incertezza. Vuol dire che ormai il camminare è « entrato dentro di lui », è diventato un fenomeno che non richiede praticamente più alcuna attenzione, che si svolge da solo, senza bisogno di una continua sorveglianza. A questo punto il camminare è *veramente* camminare; cioè una capacità che il bambino può sfruttare a suo talento, per raggiungere gli scopi che vuole. Come uno di noi, per tornare al paragone di prima, che si sia perfettamente impadronito della tecnica della guida: solo ora l'automobile diventa davvero strumento. E più la manualità della guida è automatica, e più il cervello avrà « spazio » per attuare una guida ragionata, una vera e propria strategia della guida, fino al virtuosismo del corridore. Lo stesso per il bimbo di tre anni: il camminare è diventato per lui un atto automatico, tanto da permettergli di fare delle gare di corsa. Solo in questo momento, caratterizzato dalla conquista della velocità, si può dire veramente che il bambino sa camminare.

Si superspecializza, ma da una parte sola

A tre anni il bambino sa fare di tutto, come abbiamo visto, e non gli rimane che perfezionarsi. In realtà, però, egli comincia il suo « corso di perfezionamento » ancor prima di imparare a usare bene il proprio corpo; egli provvede cioè a realizzare una superspecializzazione su una metà di se stesso. In genere sulla metà destra. Usa di più e meglio l'occhio destro, la mano destra, il piede destro. Perché?

E' questa una domanda alla quale da anni e anni si cerca invano una risposta definitiva. C'è chi dice che la prevalenza funzionale di un lato del corpo sia da mettere in rapporto con un maggiore sviluppo di una metà del cervello (un « emisfero » in termini anatomici) rispetto all'altra; c'è chi afferma che non si tratta tanto di un più rilevante sviluppo di un emisfero cerebrale, quanto del fatto che quell'emisfero riceve più sangue dell'altro; c'è chi riconduce tutto a una particolare posizione del feto nell'utero materno; c'è chi sostiene che una metà del corpo sia « fatta meglio » dell'altra, così, per ragioni « naturali ». Tutto è possibile, beninteso, ma niente per ora è stato dimostrato in modo convincente. L'unica cosa sicura è che quasi tutti gli esseri umani preferiscono usare una metà del proprio corpo, e che questa metà è generalmente la destra.

A me sembra che, per chi deve aiutare un bambino a crescere e a svilupparsi, siano importanti due considerazioni:

1. indubbiamente l'uso prevalente di una sola mano presenta dei vantaggi rispetto all'uso indiscriminato di tutte e due: così, per esempio, uno strumento di norma si afferra e si utilizza meglio con una mano sola, riservando all'altra, semmai, una funzione ausiliaria; l'uso contemporaneo di due mani « nasconde » maggiormente lo strumento all'occhio, il quale deve dirigere l'azione; l'uso di una mano sola permette lo sfruttamento dell'altra per scopi accessori, come mantenere l'equilibrio del corpo, fornire un sostegno, eccetera; con una sola mano si può portare l'azione più lontano di quanto non si possa fare usandole entrambe contemporaneamente; e via dicendo

2. la società in cui viviamo è per tradizione e per costume una società che usa la mano destra, cosa che ovviamente non può non influenzare il bambino: vedendo tutti i suoi simili che salutano con la destra, scrivono con la destra, lavorano con la destra, aggrediscono o si difendono con la destra, il piccino sarà portato a fare lo stesso, sia per ragioni di imitazione che per ragioni di praticità. Infatti, secondo le ricerche degli studiosi, il bambino comincia già a manifestare una certa preferenza per l'uso della destra verso la fine del primo anno di vita, preferenza che si consolida notevolmente fra l'anno e mezzo e i due.

Qui si deve però fare una precisazione: se è vero che fin dal secondo semestre di vita il bambino in genere manifesta la sua preferenza per l'uso di una mano, non è affatto vero che *tutti* i bambini mostrino tale preferenza per la destra. La maggioranza sì, a quanto pare. Ma anche qui bisogna distinguere: per certe attività i bambini preferiscono una mano (per esempio per disegnare), per certe attività l'altra (per esempio per salutare). Se stendete la mano a un bimbo di due anni e mezzo o tre, lui probabilmente vi risponderà stendendo la sinistra, anche se per fare altre cose adopera più spesso la destra; a quattro o cinque anni vi darà la destra, ma dopo qualche esitazione; e solo in seguito stenderà automaticamente la destra. Ma, ripeto, non tutti. Qualcuno parte in ogni attività con la sinistra, e ci resta affezionato per sempre: diventerà probabilmente un *mancino*. Perché? Non sappiamo. E' un bene o un male? Non sappiamo nemmeno questo. Verosimilmente né bene né male. In ogni modo riprenderemo il discorso più avanti, e vedremo insieme che cosa si può o non si può fare. Per ora vorrei ricordarvi solo questo: che Leonardo da Vinci era un mancino.

1.2. Perfeziona il suo comportamento

Molti credono che per un bambino ci voglia chissà quanto tempo per « imparare a vivere », per « imparare a comportarsi ». Questo dipende da un grossolano equivoco: i progressi nel comportamento ai quali pensiamo noi adulti sono nient'altro che un adattamento a certe formalità imposte dalla tradizione e dal costume sociale; i progressi del comportamento che il bimbo realizza in concreto sono invece il perfezionamento delle sue caratteristiche umane. E in questo tipo di perfezionamento il bambino è maestro. Egli non ha bisogno di molto tempo per imparare le cose, ma di pochissimo. Egli sa imparare con una velocità sbalorditiva. In rapporto alle sue possibilità, ovviamente, al suo livello di evoluzione, alle capacità di cui dispone. Ma è bene sottolineare che noi non sappiamo mai con certezza quali e quante siano queste capacità. Sembra assurdo pensare che un bimbo di quattordici o quindici mesi sia in grado di usare i pattini a rotelle, e invece può usarli benissimo, come è stato dimostrato da alcune ricerche; e nessuno era seriamente convinto, solo pochi anni fa, che un bambino di tre anni potesse leggere, e invece oggi molti bambini lo fanno. Il bambino è davvero stupefacente.

Esplorare è la sua vocazione

Non solo vostro figlio ha delle risorse che neppure immaginate, non solo è rapidissimo nell'imparare, ma è anche instancabile. Egli studia sempre e impara sempre, ininterrottamente, in tutti gli istanti della giornata. Egli applica la tecnica, se mi permettete l'espressione, dell'« apprendimento permanente ». Il bambino non si concede mai riposo, né vacanze, né rallentamenti: impara quando gioca, quando va a passeggio, quando fa il bagno, quando mangia. Impara sempre. Basta ch'egli abbia a disposizione ciò che gli occorre, e precisamente: gli strumenti materiali (oggetti vari, terra, acqua, giocattoli, eccetera), l'esempio di qualcuno che gli fornisca i modelli da imitare (il papà che pianta un chiodo, la mamma che mette le patate in una pentola, eccetera), e *la libertà*. La libertà di agire, di muoversi, di cercare, di esplorare, di conoscere.

Ecco, questa è forse la parola che ci può permettere meglio di ogni altra di capire a fondo il bambino: il suo bisogno di *conoscere*. Questo desiderio, questa necessità, questa fame di conoscenza viene in un certo senso riversata dal bambino sull'intero universo che ancora gli è estraneo e ignoto; in tal modo, l'universo straniero e sconosciuto, che a un certo momento era carico soltanto di pericoli e di « cattive intenzioni », si carica ora anche di fascino, diventa desiderabile, pur restando sempre più o meno minaccioso. E' la situazione tipica di ogni esploratore, quella che gli psicologi chiamano la « condizione di Ulisse ».

La propensione verso le attività esplorative indipendenti e temerarie nasce in genere quando il bambino ha raggiunto o superato da poco l'età di un anno. Fino a questo momento egli si accontentava di esplorare ciò che gli dava la mamma, giocattoli, o nastri o palle, oppure se stesso, le proprie mani, i piedi, i genitali. Adesso no: adesso vuole esplorare gli sconfinati « terreni di caccia » che gli si aprono davanti, e vuole procedere da solo, vuole scegliere da solo, e vuole sperimentare da solo.

La sua ansia di conoscere *tutto* è così grande che spesso egli lascia le cose a metà: se per esempio sta studiando un mozzicone di sigaretta trovato sotto una poltrona, può abbandonarlo improvvisamente perché ha scoperto lì vicino il filo della lampada da tavolo; e può abbandonare quasi subito anche questo se sente l'aspirapolvere entrare in funzione nella stanza accanto. D'altra parte, nulla al mondo può fermarlo quando abbia deciso di compiere un certo suo « safari »; tranne la violenza, beninteso. I sentimenti di ribrezzo, di disgusto, di repulsione, che fermerebbero di colpo un adulto di fronte a certe forme di indagine, per il bambino, invece, non esistono: egli assaggia il contenuto dei posacenere, beve l'acqua che è servita per lavare i pavimenti, lecca le suole delle scarpe, mangia la terra dei vasi da fiori, mordicchia un tappo vecchio e marcito trovato nelle immondizie.

E per di più il bambino non ha nemmeno il senso del pericolo reale, come è chiaro: lui trova che non ci sia proprio nulla di temibile nell'inseguire carponi una formichina attraverso una superstrada a scorrimento veloce, nel giocare sul davanzale di una finestra al dodicesimo piano, nel cacciarsi sotto un autocarro in manovra o nel tirare il manico di un pentolone che sta bollendo sul fuoco. Viceversa, può rimanere mortalmente spaventato da cose assolutamente innocue, come un ombrello che si apre, una sveglia che suona o un maggiolino che prende il volo. Ho conosciuto un bambino di due anni che conversava amabilmente coi rospi, accarezzandoli, e che era terrorizzato dalle mosche. E lo stesso bambino, un anno dopo, ritornò tutto felice da una visita al dentista che gli aveva curato un dentino, perché il rumore del trapano gli aveva fatto venire in mente quello degli aeroplani.

La stessa spinta all'esplorazione che il bimbo prova per le cose la prova anche per le persone, sia pure con qualche riserva. Una piccina di tre anni, ricordo, figlia di un amico, era a letto con l'influenza. Sentì che in salotto c'erano delle voci nuove, la mia e quella di un conoscente ingegnere. S'informò di chi fossero quelle voci e, saputo che c'era un *ingegnere*, lo volle assolutamente vedere e constatare di persona di che cosa mai si trattasse. Quando l'ingegnere entrò nella sua stanza lo guardò ben bene, anzi lo studiò in ogni dettaglio, e poi, soddisfatta, si addormentò di bòtto. Spesso il bambino sta lì incantato a osservare minutamente una persona sconosciuta; e spesso, se il suo esame risulta soddisfacente, intavola rapporti di amicizia offrendo al nuovo compagno le cose più svariate, che possono andare da un vecchio orsacchiotto spelacchiato a un vaso da notte. Salvo poi cambiare idea e riprendersi tutto, s'intende.

Per dirla in due parole, il bambino ha in sé delle possibilità immense, probabilmente assai più grandi di quelle che noi possiamo immaginare: egli può imparare di più, conoscere di più, esplorare di più, avere più rapporti con cose e persone. Probabilmente una gran parte di queste potenzialità non ha modo di realizzarsi. E probabilmente questa mancanza di realizzazioni dipende da noi: se i nostri figli non fanno molte cose, non imparano molte cose, confessiamolo, la colpa è nostra. Ma anche di questo parleremo più avanti.

Il gioco: una inarrestabile ricerca

Le smisurate capacità del bambino e la sua incessante ricerca del nuovo e dell'ignoto si esprimono in ciò che noi adulti chiamiamo « gioco ». E' una parola ambigua, o meglio una parola che noi usiamo in modo ambiguo: quando diciamo « gioco » alludiamo di solito a un'attività inutile, vuota, irrilevante. Per noi « gioco » vuol dire « niente », o quasi niente. Vuol dire passatempo, distrazione, non-lavoro, abbandono o, nella migliore delle ipotesi, utilizzazione di energia superflua. Questo, chiariamolo ancora una volta, può essere vero per noi grandi, ma non è vero affatto per il bambino. Per il bambino il gioco è la tecnica e lo strumento del progresso, la strada obbligata verso l'evoluzione e la conquista del mondo.

All'inizio, fin verso l'anno e mezzo o i due anni, il gioco è soprattutto esercizio, esplorazione della realtà, dunque lavoro essenzialmente pratico; ma ben presto esso si carica di significati notevolmente più profondi e complessi. In primo luogo il gioco sembra permettere al bambino lo sfogo di certe sue emozioni, e contemporaneamente sembra fornirgli una compensazione a certe perdite e a certi dispiaceri. In altre parole, il gioco consente al bambino di *dominare la realtà*, invece che esserne dominato. Ricorriamo a un esempio per renderci meglio conto di questo fatto: il bimbo è travolto da una emozione, supponiamo quella del dispiacere per essere stato lasciato solo dalla mamma; egli allora gioca con un pupazzo che rappresenta la mamma, lo allontana da sé, lo riprende, lo maltratta, lo accarezza, gli dà da mangiare, eccetera. Ne fa cioè quello che vuole. Nella sua ricostruzione della realtà non è più lui, il bambino, a dipendere dalla mamma, ma è la mamma che dipende da lui. In questo modo il piccino ha trovato la strada per sfogarsi (può maltrattare il pupazzo-mamma) e al tempo stesso una compensazione al suo dispiacere (può dominare il pupazzo-mamma). In altri termini ancora, possiamo dire che il gioco permette al bambino di *ricostruire il mondo* secondo i suoi personali desideri, e rappresenta perciò uno stimolo e una via alla creatività.

Un secondo aspetto importantissimo del gioco è questo: il bimbo, mediante l'uso di oggetti e situazioni conosciuti, si spinge verso situazioni ignote e imprevedibili. Egli sa, per esempio, che cosa succede gettando la palla a terra, ma non sa che cosa potrà accadere gettandola dalla finestra, o contro un vaso, o addosso al gatto; egli sa che dalla seggiola si gode un determinato panorama, ma non sa quale spettacolo potrà ammirare dall'alto di un armadio; e così via. Perciò il bambino *parte dal noto per affrontare l'ignoto*. Naturalmente, e fortunatamente, non tutte le sue imprese implicano rischi e distruzioni, come quelle cui ho accennato. Di solito anzi le avventure del piccino sono del tutto innocue per lui stesso e per gli altri, se non per le suppellettili casalinghe. Comunque è bene favorire in tutti i modi le sue imprese, compatibilmente con la tutela della sua incolumità.

Infine, un terzo punto: se vi concederete un po' di tempo per osservare il vostro bambino che gioca, vedrete che egli tende a ripetere le medesime azioni un numero pressoché infinito di volte. Non crediate che stia perdendo il suo tempo; non è così. Egli sta cercando di raggiungere due obbiettivi: primo, si esercita per consolidare le proprie abilità da poco conquistate; secondo, cerca di introdurre diverse varianti nella medesima operazione, di improvvisare nuove tecniche per ottenere gli stessi risultati, e in definitiva di *inventare*. Anche se sembra legato a una esasperante monotonia di azione, vostro figlio in realtà è un innovatore.

L'evoluzione del gioco

Cerchiamo ora di rispondere a questa domanda: *come* svolge il bambino la sua attività di ricerca, di conquista e di esplorazione? E cioè: come gioca?

☐ *A un anno e mezzo* il bimbo possiede già un ragguardevole patrimonio di capacità: innanzitutto egli *sa riconoscere le cose*, è al corrente delle loro caratteristiche più importanti, sa ciò che fanno, dove sono, dove vanno, le distingue in categorie, sia pure molto approssimative. Davanti a un libro illustrato egli indica l'animale (anche se confonde il leone con la pecora), l'automobile, la casa, eccetera. Se glielo chiedete indica il proprio naso, o la bocca, o gli occhi. Questo è frutto anche di una sempre maggiore *capacità di attenzione*, che è ora più profonda e più vasta di quanto non fosse solo pochi mesi fa. Inoltre, pare che a quest'età il piccino « senta » con particolare chiarezza la dimensione *verticale*. Egli ama ciò che è disposto dall'alto in basso: le torri, le righe verticali, i pezzi di arredamento a disposizione verticale, e via dicendo. Infine, il bambino mostra di avere bene impresso nella mente il concetto del *riunire*, del raggruppare, del mettere insieme.

Su queste basi, egli agisce: studia e verifica gli oggetti, specialmente gli oggetti di uso comune, come il cucchiaio, la scodella, o le forbici, che egli vede usare continuamente dalla mamma e che collega a delle attività ben precise e conosciute; costruisce, come abbiamo già visto, delle torri coi cubi; traccia delle righe col pennarello, preferibilmente verticali; spinge sedie, sgabelli o altro (noterete che in genere preferisce spingere piuttosto che tirare, forse perché lo spingere si avvicina di più all'idea del raggruppare e del riunire, mentre il tirare si avvicina di più all'idea del separare); riunisce vari oggetti mettendoli dentro a oggetti più grandi o semplicemente accumulandoli. E poi, cosa non da poco, il bambino di diciotto mesi rivela una certa coscienza di ciò che fa o di ciò che ha fatto: quando saluta con la manina, per esempio, non lo fa più per dare spettacolo, ma per salutare realmente, per concludere un incontro. Anzi, secondo alcuni studiosi, sembra che il bambino di quest'età abbia appunto una spiccata passione proprio per il *concludere*, per il finire qualche cosa: egli sembra davvero soddisfatto quando ha portato a termine un'azione qualsiasi, comprese quelle di farsi la pipì addosso, di rovesciare una tazza di latte, o di essersi fatto pulire il naso.

☐ *A due anni* il grado di *attenzione* che egli presta a ciò che lo circonda è ancora aumentato, e in più possiede una dote « nuova »: la *memoria*. Ricorda quello che gli è accaduto il giorno avanti, racconta gli avvenimenti ai quali ha assistito durante la sua passeggiata, si dà da fare per ritrovare un oggetto che aveva per le mani ieri, eccetera. Il che gli permette ovviamente di sfruttare meglio le sue esperienze. Il suo livello di evoluzione mentale gli consente inoltre di *identificare alcune lettere dell'alfabeto*, cioè, in sostanza, di cominciare a « leggere ». Non sa ancora distinguere bene i colori, ma il bianco e il nero sì. Così come a un anno e mezzo aveva il senso del verticale, ora ha quello dell'*orizzontale*: il treno, in particolare, rappresenta per lui la struttura più interessante, a parte quelle che gli servono per raggiungere determinati scopi. Sì, perché questa è un'altra fondamentale caratteristica del bimbo di due anni: *l'uso ragionato di uno strumento*. Egli ora può costruire qualcosa per poi valersene a un certo fine, può mettere una sedia accanto all'armadio per salire sulla « scala » allestita in tal modo e prendere la vaschetta dei pesci rossi, e compiere altre imprese del genere.

Ho detto nella prima parte di questo capitolo che il bambino di due anni è tendenzialmente un « terremoto », sempre affannato a correre di qua e di là e a lanciarsi in vicende atletico-acrobatiche di vario tipo. Bisogna riconoscere tuttavia che la grande evoluzione della sua mente, le sue più spiccate capacità di prestare attenzione, di ricordare, di identificare dei segni, di ragionare, lo inducono talvolta a starsene tranquillo e fermo, con notevole sollievo di tutti. Gli piacciono per esempio le figure semplici, un po' schematizzate, e colorate, e gli piacciono le storie brevi che riguardano persone o cose da lui conosciute. Gli piace inoltre usare l'argilla e materiali simili, la terra, la sabbia, i sassi, l'acqua. In questo periodo è difficilissimo tenere il bambino lontano dall'acqua: egli apre rubinetti in tutta la casa, « si lava le mani » milioni di volte al giorno, travasa acqua da un recipiente all'altro, ci mette dentro oggetti vari per fare le « barchette » (in questo modo spesso finiscono la loro carriera la pipa del nonno o l'orologio del papà), beve dal bidé, e via dicendo. Ma, a parte questo irrefrenabile entusiasmo idraulico, si deve riconoscere che l'uso di materie prime informi ed elementari come la terra, l'argilla e l'acqua, segna una tappa veramente importante nella evoluzione della creatività del bambino: con questi mezzi infatti egli dà vita a un mondo che prima non esisteva affatto, egli « crea » in senso artistico.

□ *A tre anni* il bambino dispone ormai di risorse mentali che si potrebbero definire « scientifiche »: egli sa confrontare, distinguere e definire le forme (quadrata, circolare, eccetera) ed è capace di dividere le cose in categorie piuttosto precise, cioè di *classificarle*. Diventa più coerente ed esatto nelle sue creazioni, che sono meno impetuose, meno spontanee, ma più aderenti ai canoni « ufficiali ». Sembra che a tre anni il bimbo abbia in certo qual modo assorbito le regole degli adulti, e cerchi di adeguarvisi. Sembra quasi che egli attraversi un periodo di « resa senza condizioni » al costume dei grandi. E' diventato in molti casi più ordinato, più concreto, persino più pignolo: con l'argilla confeziona cose comuni, di ogni giorno, come focacce, « bastoni », scodelle. E quando ascolta una storia sta bene attento che nessuna parola sia diversa da quelle usate in una precedente versione del medesimo racconto. Forse però la sua resa è solo apparente, ed egli continua in silenzio la battaglia per la sua indipendenza. Forse, se i suoi genitori lo amano veramente, egli non è ancora uno sconfitto.

1.3. La conquista del linguaggio

Il suo «linguaggio personale»

Intorno al suo primo compleanno il vostro bambino possiede un minuscolo vocabolario di tre o quattro parole: mamma, pappa, tata, ba-ba, o simili. Con questo modesto bagaglio egli inizia la non facile impresa di farsi capire dagli altri. Notate che non ho detto « capire », ma « farsi capire ». Il bambino infatti riesce sicuramente a comprendere un numero di parole molto maggiore di quante non ne sappia pronunciare, e in ogni modo molte di più di quanto noi adulti non possiamo immaginare. Egli còglie intonazioni, suoni, linee melodiche, caratteristiche fonetiche di ciò che diciamo, con grande acutezza, anche se non còglie l'aspetto, diciamo così, « ortografico » della parola. Possiamo figurarci la posizione del bambino piccolo pensando alla situazione di uno di noi che, da mille sfumature, riesce a capire il senso sostanziale di una frase pronunciata in una lingua straniera che non conosciamo. Il problema di vostro figlio non è dunque tanto quello di capire, quanto quello di farsi capire. Questa è la barriera che egli deve varcare per parlare con gli altri, cioè per fare il suo primo passo nella cultura del suo tempo.

Ora è chiaro che per farsi comprendere dagli altri, per comunicare con gli altri, per far sapere loro i suoi desideri, i suoi bisogni, le sue intenzioni, il bambino deve creare delle parole, deve cioè associare un certo suono a una certa cosa, e inoltre scegliere per ogni cosa un suono che sia interpretabile dagli altri. Il che non è poi tanto facile. Per fare questo il bimbo si vale di due tecniche:

1. ricorre ai nomi onomatopeici, adopera, per definire ogni cosa, il rumore prodotto dalla cosa stessa: « bau-bau » per il cane, « pio-pio » per l'uccellino, « puf-puf » per il treno, « tic-tac » per l'orologio, « po-pò » per l'automobile, e via dicendo

2. cerca di affibbiare lo stesso nome al maggiore numero possibile di cose, in modo da non essere costretto a inventare trecento nuovi vocaboli ogni giorno.

Per esempio: il bambino scopre che il cane fa « bau-bau », quindi associa il suono « bau-bau » al cane ed entra in possesso di questa parola: « bau-bau » = cane. Ma esistono molti esseri viventi in qualche modo simili al cane e diversi dagli uomini, come gatti, mucche, cavalli, pecore, eccetera. Allora egli divide l'universo vivente in due categorie: gli uomini (ai quali darà nomi diversi, come vedremo in seguito) e i « bau-bau ».

Questo metodo, di dividere il mondo esterno in grandi categorie, costituisce il mezzo più efficace per l'evoluzione del linguaggio. Vediamo in che modo il bimbo progredisce su questa strada. Vedendo passare un uccellino o un lombrico egli, fedele alla sua definizione di « bau-bau » per tutto ciò che vive e che non è umano, chiamerà « bau-bau » entrambi gli animaletti. Ma subito qualche adulto gli spiegherà che uccellino e lombrico non sono affatto dei cani, e così il bambino dovrà fare un'altra distinzione: se in qualche circostanza egli ha sentito usare, per esempio, la parola « pio-pio » riferita a un uccellino, egli prontamente chiamerà « pio-pio » tutti gli animali che non hanno quattro gambe, compresi i pesci rossi e le farfalle; e chiamerà « bau-bau » tutti gli animali con quattro zampe come il cane, dall'elefante al topolino. E così, un po' per volta, egli arriva a saper definire categorie sempre più piccole e sempre più omogenee, fino a trovare una parola per ogni cosa.

Su questa strada il bambino compie dei progressi che sono apparentemente modesti in un primo tempo (a un anno possiede tre o quattro parole, e dopo sei mesi di sforzi ne possiede solo una ventina), ma che poi « esplodono » quasi all'improvviso: a due anni egli possiede già circa trecento parole! In questo periodo succedono le cose più divertenti. Supponiamo che abbiate in casa una coperta di pelo; è probabile che prima o poi vostro figlio abbia sentito qualcuno dire a qualcun altro: « Dammi quella coperta di pelo » e, non potendo ricordare tutta la frase, ricorderà solo l'ultima parola (che è anche la più semplice), e assocerà il suono « pelo » alla coperta. Ma, naturalmente, non solo a *quella* coperta, bensì a *tutte* le coperte. E inoltre a tutto ciò che più o meno vagamente può assomigliare a una coperta, ai cappotti, alla tovaglia, ai tappeti, e persino agli animali che hanno il mantello peloso. Così egli potrà chiamare « pelo » il tovagliolo o il gatto, con la stessa sicurezza.

Poi c'è il problema degli esseri umani. Per la mamma tutto è chiaro: quella persona che ha sempre costituito il suo mondo, che lo nutre, che lo cura, che lo pulisce, che lo veste, che gli canta la ninna nanna, che gli sorride quando lui balbetta « mamma », è evidentemente la mamma. Ma ci sono altre donne, che altri bambini chiamano « mamma », ma che non possono essere la mamma vera, perché di mamme vere c'è ovviamente solo la sua. Chi sono allora queste « tipe »? Probabilmente il bimbo le avrà sentite chiamare da qualcuno « signore », ed ecco allora che tutto si spiega: quelle sono « signore », le quali non hanno niente a che vedere con la mamma.

E gli altri, quelli più grandi, con baffi, barbe, basette, eccetera, chi sono? Indubbiamente sono diversi dalle signore. Forse ne ha visto uno su un libro, con una specie di pentola in testa e un coso lungo in mano, e la mamma gli ha detto che si trattava di un soldato. Benissimo. Dunque a questo mondo ci sono tre categorie di esseri umani: la mamma, le signore e i soldati. O meglio, per dare a ciascuno il suo, il papà e la mamma, che sono una categoria a parte, le signore e i soldati. Resterebbe da spiegare perché mai tanti bambini chiamino papà e mamma delle signore e dei soldati che *non sono* il papà e la mamma, ma anche questo mistero verrà a suo tempo risolto.

C'è un'altra grossa difficoltà da superare per il bambino che si sta faticosamente conquistando le parole: abbiamo visto che le donne potrebbero essere genericamente definite « signore », ma è chiaro che un bambino di quindici o diciassette mesi non potrà mai pronunciare questa parola. I suoi organi del linguaggio, gola, lingua, guance, palato, labbra, non sono ancora abbastanza allenati. Egli deve seguire una via « di ripiego »: cògliere l'essenziale di ogni suono, e adattarlo alle sue possibilità. Così, molto spesso il bambino si serve dell'ultima parte della parola udita, della parte cioè che gli è per così dire « rimasta nell'orecchio ». Nel caso della parola « signore » egli può dunque limitarsi a sfruttare il finale « ore », e siccome non sa ancora pronunciare la lettera *erre*, dirà « ole ». Ma, ed ecco un'altra difficoltà, anche la parola « sole » sarà stata ridotta a « ole », così l'adulto troverà delle notevoli difficoltà a capire il bimbetto, il quale, in quel momento, vuole per esempio attirare l'attenzione sul sole che gli dà fastidio e non sulle signore che chiacchierano nel salotto.

In ogni modo, a dispetto delle immense difficoltà, il bambino si arrabatta a costruire sempre nuove parole per risolvere i suoi problemi, con una tenacia e un'inventiva realmente sbalorditive. Vediamo qualche altra tecnica ch'egli sfrutta: qualche volta, invece che fare uso del finale di un vocabolo, potrà per esempio servirsi del suo inizio: un bimbo che conoscevo inventò il suono « lac » per definire l'acqua; prese cioè le prime tre lettere, compreso l'articolo, della parola. E lo stesso bambino, in verità molto creativo e originale, per indicare le caramelle si serviva delle prime due consonanti, *c* e *r,* di questo complicato vocabolo, cui, per sua comodità di pronuncia, aveva aggiunto una *i*. Così le caramelle diventarono le « crì ». Uno dei metodi più frequentemente seguiti rimane tuttavia quello dell'imitazione del suono e del raddoppiamento di una sillaba: « tic-tac » per l'orologio, « puf-puf » per il treno, « po-pò » per l'automobile.

Nonostante i suoi sforzi veramente titanici il bambino rimane sempre povero di parole rispetto al numero grandissimo di cose che deve dire, ma egli è per contro sempre ricco di trovate e di soluzioni: così egli aggira gli ostacoli cercando di condensare il maggior numero possibile di concetti in una sola parola, la quale viene dunque a prendere il valore di una frase completa. E' lo stadio detto appunto della *parola-frase*. « Pappa », per esempio, può significare che il piccino vuole la pappa, o che bisogna ricordare di dare la pappa al cane, o che la mamma è uscita a comperare la pappa. Un congruo numero di gesti servirà a completare il discorso e a chiarirlo. È evidente che se un bambino indica col ditino la brocca dell'acqua sul tavolo e urla freneticamente « bumba » egli intende esprimere la sua precisa volontà di ottenere dell'acqua da bere e non, per esempio, attirare l'attenzione dei genitori sul fatto che fuori piove.

Più tardi, verso la fine del secondo anno di vita, il bambino si perfeziona e cerca di mettere insieme alla bell'e meglio le parole appena conquistate formando, a modo suo, delle frasi. Naturalmente molto concise. E' il momento dello *stile telegrafico*. Un piccino, per esempio, assistendo alle pulizie della casa, vede che la mamma fa cadere a terra la lampada che c'è sul tavolo del papà e la manda in frantumi, e non sta più nella pelle dal desiderio di raccontare la sciagura al papà. Ecco come se la cava: « Oh papà-luce mamma bum! ». Chi di noi sarebbe riuscito a essere più conciso?

Allo scopo di perfezionare il proprio linguaggio il bambino di due anni ricorre poi a un metodo molto efficace e personalissimo: parla mentre gioca, descrive a se stesso ciò che sta facendo, si dà degli ordini e delle istruzioni che poi esegue, racconta per conto suo la vicenda che sta vivendo nel gioco. In tal modo egli si allena ad attribuire un vocabolo a ogni cosa e a ogni azione, e a distinguere il fatto o l'oggetto dalla parola che lo definisce.

Fino a quest'età il linguaggio del bambino rimane tuttavia un *linguaggio personale*, casalingo, di comodo, destinato solo all'ambiente familiare e quindi a persone che normalmente si fanno in quattro per capire le stravaganze linguistiche del piccolo parlatore. È questa indubbiamente la fase più creativa, almeno dal punto di vista del linguaggio: al bambino non importa nulla delle regole che governano il mondo, gli basta farsi capire. E quindi inventa « a ruota libera », abbandonandosi esclusivamente al suo estro, senza freni di sorta. Tanto, la mamma e il papà si arrangeranno a decifrare i suoi mosaici di suoni. Così, verso i due anni, il bambino parla, spesso parla molto, non di rado possiede addirittura due o trecento vocaboli, e con questi inonda la casa. Ma solo i genitori sono in grado di comprendere, spesso solo la mamma. Egli ha bisogno ancora di un interprete quando va « all'estero », cioè fuori di casa sua.

La sua lingua segreta: il «gergo» per giocare

Sempre nel secondo anno di vita il bambino, trasportato dalla propria impetuosa attività, crea un'altra lingua. Forse vi sembrerà incredibile, ma è proprio così. Mentre da un lato il piccolo cerca con tutte le sue forze di conquistare un linguaggio che gli serva per comunicare coi grandi, per esprimere i suoi bisogni e per ottenere ciò che vuole, d'altro lato egli si diverte a giocare con le parole, come faceva con le sillabe circa un anno fa. Per giocare non è affatto necessario essere compresi, e quindi il bambino si abbandona a delle lunghe sbrodolate di parole complicatissime, o meglio di suoni, perché si tratta di occasionali associazioni di sillabe del tutto prive di un significato preciso. Materiale di gioco, e basta. Ascoltandolo, sembra che egli parli in una dolce lingua straniera, con sorprendente facilità e con straordinaria eloquenza. E' quello che molti chiamano il « gergo ludico », cioè appunto un particolare linguaggio che serve solo per giocare, e non per comunicare.

Stiamo attenti, ancora una volta, alla parola « giocare »; stiamo attenti a non prenderla troppo alla leggera. Anche in questo caso, giocare per il bambino significa esercitarsi, impadronirsi dei suoni, imparare. Imparare a usare sempre meglio gli strumenti con cui darà vita in seguito a parole sempre più precise e corrette.

Il gergo ha però anche un altro significato: esso, come la suzione del pollice e la vocalizzazione, serve al bambino per « farsi compagnia », per creare vicino a sé una presenza buona, per illudersi di non essere solo. Insomma, per sostituire la mamma. In tal modo si verifica anche in questo caso una specie di « reazione a catena »: il bambino parla in gergo per farsi compagnia, parlando si esercita, esercitandosi parla sempre meglio, parlando sempre meglio ricava dalla propria voce un piacere sempre maggiore e una « autocompagnia » più soddisfacente, cosa che lo spinge a parlare sempre di più e quindi a intensificare l'allenamento, e così via.

Il «linguaggio sociale»

Prima di proseguire nel nostro racconto della conquista del linguaggio dobbiamo aprire una piccola parentesi e dire due parole su un argomento che preoccupa molti genitori: *i ritardi del linguaggio*. Innanzitutto debbo chiarire che non è affatto obbligatorio che ogni bimbo progredisca con la stessa velocità: certi piccini sono facondi e loquaci fin dai primi tempi di vita, rovesciano addosso ai genitori torrenti di suoni e poi di parole, di frasi, di inestricabili miscugli di vocaboli più o meno comprensibili; altri sono dei taciturni, non dicono quasi nulla, ma quel poco che dicono è straordinariamente corretto; altri ancora fanno solo dei versi strani anche fin oltre l'età di due anni, e pochi anche di quelli. Tutto ciò non ha di solito nulla a che vedere con l'intelligenza del bimbo. Un bambino intelligentissimo può essere fino a due o tre anni un pessimo parlatore, e poi da grande diventare un oratore o un tecnico della parola.

Secondo le osservazioni di alcuni ricercatori sembra che le bambine imparino a parlare prima e meglio dei maschi, e questa superiorità del sesso femminile è stata attribuita a un maggiore talento imitativo. Ma la cosa non può dirsi sicuramente dimostrata. I gemelli, viceversa, arrivano a quanto pare un po' in ritardo rispetto agli altri, perché sono soliti usare fra loro un linguaggio privato e non si preoccupano di impararne un altro, del quale non hanno un gran bisogno dato che vivono quasi sempre fra loro, in una specie di micro-società a due. Ma anche questo non è sempre vero.

In generale, si può dire che i progressi nel linguaggio sono ciò che di più incostante e imprevedibile si possa immaginare. Certi bambini imparano prestissimo a parlare e poi si fermano a un certo livello, altri fanno dei progressi lenti e apparentemente modesti nei primi anni per poi diventare dei parlatori particolarmente brillanti e intelligenti. Ci sono dei piccini che fino ai due anni non hanno spiccicato una parola e che poi improvvisamente saltano fuori con frasi già complete e perfette.

Nel terzo anno di vita vostro figlio inaugurerà un nuovo tipo di impiego del linguaggio: il *racconto fantastico*, che noi brutalmente e ingiustamente chiamiamo bugia. In questo periodo i bambini, come vedremo in dettaglio fra poco, fabbricano dei mondi immaginari, ma che per loro hanno una consistenza reale, tanto che spesso non li sanno distinguere dal mondo concreto di ogni giorno, dal nostro mondo, e ci raccontano in perfetta buona fede delle storie assolutamente incredibili. Un bimbo di due anni e mezzo mi disse una volta che aveva visto una locomotiva mentre veniva portata all'ospedale; e ci credeva sul serio, al punto da versare tutte le sue lacrime sulla sorte di quella povera locomotiva. A quest'età il bimbo ci racconta delle « bugie » colossali senza sapere che sono bugie. Ma contemporaneamente diventa difficilissimo spacciare delle bugie a lui, perché sta imparando a confrontare le parole con gli oggetti e si accorge sempre meglio, quando non corrispondono, che c'è qualcosa che non va.

E' sempre nel medesimo periodo che germoglia nel piccino l'idea della *pluralità*. Non dei numeri veri e propri, s'intende, ma dei « tanti ». Se un bambino vede sei o sette mele nella fruttiera dirà probabilmente che sono « mille » perché, per lui, mille vuol dire semplicemente molte, o comunque una quantità che a lui sembra grande. Certe volte il bambino può usare anche i numeri, ma comunque pochissimi e del tutto a caso: per lui, ad esempio, quattro può significare solo *più di uno*, e mille un numero infinito. Così i cuginetti, che forse sono dodici, per lui sono quattro, e le rondini mille, perché non riesce a contarle.

Anche il concetto del *tempo* nasce intorno a questa età: il bambino si accorge che il tempo passa e che è possibile esprimere questo fatto in parole. Naturalmente sbaglierà le parole. Dirà « domani sono andato ai giardini », o « l'anno scorso sarà il mio onomastico », ma l'idea è ciò che conta, e quella c'è, anche se è piuttosto confusa.

Munito del patrimonio delle sue recenti conquiste il bambino, nel suo terzo anno di vita, affronta la fatica gigantesca di adeguare il suo linguaggio alle esigenze, non più della famiglia, ma della comunità. Egli è giunto a comprendere che le sue paroline tanto comode, i « pio-pio », i « ba-bà », i « pa-pà », non gli servono più, perché nessuno fuori di casa sua riesce a decifrare questo tipo di comunicazione. Egli si rende conto che ora deve usare parole vere, come quelle dei grandi, per essere inteso da tutti.

Ho detto prima che la fase del « linguaggio personale » è la più creativa e la più originale; ebbene, questa della « socializzazione del linguaggio » è invece la fase più laboriosa e meno entusiasmante: si tratta, dopo tutto, di accettare le regole altrui, di integrarsi nel mondo altrui, di adattarsi alle esigenze altrui, e di rinunciare alla libera espressione della propria personalità e a una creatività del tutto spontanea. E per fare questo il bambino deve rivedere tutte le parole del suo piccolo vocabolario, una per una, « ricostruirle », e inoltre crearne delle nuove. Un'impresa indiscutibilmente difficile.

Gli scogli da superare sono tanti: certe lettere « non gli vengono », gli s'ingarbugliano nella lingua. Ma il bambino non si dà mai per vinto, anche se inciampa un numero infinito di volte su un numero infinito di suoni. La sua perseveranza è veramente senza limiti. Qualche volta però ricorre a delle « vie trasverse »: per esempio sostituisce le lettere difficili con altre più facili, oppure le elimina addirittura. Così potrà dire « antòla » invece che « ancòra », « teno » invece che « treno », « pattatutta » invece che « pasta asciutta », e via dicendo. Certe parole poi sono troppo lunghe per le sue possibilità, e non riesce a ricordarle per intero; e allora se la cava accorciandole, trasformando la « caramella » in « mella » o la « Alessandra » in « Landa ». Ma non di rado il bimbo sdegna questi mezzucci e affronta con baldanzosa temerarietà anche i vocaboli più mostruosi; e allora saltano fuori i « pracitelli » al posto dei praticelli, gli « efelanti » al posto degli elefanti, i « trigotti » al posto dei tigrotti.

Ma c'è un'altra grossa difficoltà: dove comincia e dove finisce una parola? Il bambino sente dire « acasa », « acena », « laradio », « ziamaria », e nessuno lo informa che in tutti questi casi le parole sono due e non una come a lui sembra. E quando arriva a capire che sono due, non sa come dividerle: « l'aradio » per lui potrebbe andare benissimo.

Inoltre ci sono le parole misteriose. Un bimbo, citato da un celebre ricercatore, sentì parlare delle *concubine* del Re Salomone, ma questa parola, concubine, non aveva nessun significato per lui. Cercò allora nel suo piccolo bagaglio di vocaboli e ne scoprì uno che chiaramente era quello « giusto »: *colombine*. Così, da quel momento, parlò con ostentata competenza delle « colombine del Re Salomone ».

Può darsi naturalmente che la parola « giusta » non ci sia per niente nel corredo linguistico del piccino. Egli vede su un libro una stella cometa, e non sa come si chiama. Ebbene, nulla di male: egli se la cava creando un termine nuovo. Un bambino che ho potuto seguire personalmente indicava la stella cometa con le parole « stella col manico ». E lo stesso bambino chiamava « coltello con la svolta » la mezzaluna per tritare la verdura.

Infine esiste un altro problema: quello di mettere insieme le parole per farne delle frasi, delle frasi complicate come quelle degli adulti, con tutte quelle strane paroline in mezzo come in, *da, per* e simili. Vediamo di metterci ancora una volta nei panni del bambino: la frase « questo è *per* la mamma » significa che questa cosa deve essere data alla mamma; ma « il treno *per* Roma » significa forse che il treno deve essere regalato alla città di Roma? E ancora: *in* vuol dire dentro; ma « in fretta » vuol dire proprio dentro alla fretta? E come mai quando si viene via da un posto si dice « io vengo *da* Milano », e quando si va a casa di un amico si dice « io vado *da* Gigino »? Non c'è da stupirsi se di fronte a simili complicazioni il bimbo rimane sconcertato. Comunque, l'iniziativa e il coraggio non gli mancano, ed egli un po' per volta arriva a risolvere tutti i problemi. Al traguardo dei tre anni egli arriva con la capacità di costruire con discreta correttezza frasi di tre o quattro parole.

Così, attraverso sforzi più che notevoli, perseveranza, determinazione incrollabile e instancabile ricerca, a tre anni il bambino è diventato padrone del « linguaggio sociale », comprensibile per tutti. Con la sua riserva di un migliaio di parole il piccolo si avventura nel mondo, esce di casa, affronta la Scuola Materna. Sono passati su per giù mille giorni dal momento in cui nella sala parto è risuonato per la prima volta il suo vagito, il suo grido di costernazione e di angoscia per essere stato strappato dal grembo materno. Ora è già un uomo, proprietario di un linguaggio che gli permette di comunicare con gli altri uomini.

Le tre grandi parole: io, no, mio

Nel corso del terzo anno di vita, in genere verso i due anni e mezzo, il bambino conquista la parola che definisce la sua propria persona: la parola IO. Fino a ieri vostro figlio alludeva a se stesso col proprio nome, supponiamo Pierino, e in terza persona: « Pierino ha fatto la tal cosa », « Pierino è andato al cinema », « Pierino ha fatto il bravo », e così via. Ora dice « *Io* ho fatto questo », « *Io* sono stato bravo ». Egli ha sostituito cioè una parola che era legata alla sua persona, il nome Pierino, con una parola che tutti possono usare, il pronome « io »: ha sostituito una parola personale con una impersonale. In breve, ha « spersonalizzato » la parola. E spersonalizzando la parola ha personalizzato se stesso: egli non è più « un Pierino », ma IO. Un IO che non è più un LUI, e tanto meno un TU; un IO che divide nettamente e definitivamente la sua persona da quelle degli altri. Si tratta, tutto sommato, di una traduzione in parole di quel processo di separazione di se stesso dal mondo che abbiamo visto nel capitolo precedente. Dal punto di vista del linguaggio questo è indubbiamente un progresso enorme, ma non si deve credere che il bambino abbia aspettato questo momento per scoprire che la sua persona esiste in modo autonomo e ha una sua precisa identità. Tale scoperta il bimbo l'ha già fatta da molto tempo. Ora egli ha trovato il modo di esprimerla in parole, usando appunto i pronomi IO, TU, LUI, LORO.

La seconda delle grandi parole è il NO. Anzi secondo molti questa è la parola più importante di tutte, la prima *vera* parola. Probabilmente è proprio così, e vedremo subito perché.

Ecco come nasce il NO: fra i dodici e i diciotto mesi il bambino comincia ad andarsene attorno per la casa per i fatti suoi, cacciando il naso dappertutto e cercando di mettere le mani su tutto ciò che trova lungo il suo cammino. Si sforza di raggiungere il vaso prezioso sul mobile del soggiorno, tenta di impadronirsi del pentolone che fuma e gorgoglia sul fornello, prova a mangiare i mozziconi di sigarette, si arrampica su mobili pericolanti, e in genere si dedica a iniziative gravemente rischiose per la sua incolumità. Ma ecco che, quand'è sul più bello della sua avventura e sta per raggiungere l'obbiettivo prestabilito, viene colpito alle spalle, come da una pistolettata, da un secco e terribile NO gridato dalla mamma, la quale accompagna questo feroce monosillabo con segni di disapprovazione, di rimprovero e di minaccia. E così l'affascinante impresa resta incompiuta. Il NO per il bambino non è dunque un suono associato a una cosa o a una persona, ma bensì legato a una proibizione, alla necessità di *non fare*, al prevalere di una volontà più forte che impedisce un'attività; il NO è legato perciò a qualcosa di non materiale, di astratto; vale a dire a un *concetto*. Per il bambino è questo il primo suono che corrisponda a un concetto e non a una cosa concreta, è la prima parola che *esprima* un concetto, è insomma *la prima vera parola*.

Ma c'è un altro aspetto della parola NO che vale la pena di considerare. Come ho appena detto, il bambino viene bloccato dal NO della mamma proprio nella fase più eccitante, e spesso conclusiva, delle sue attività. Questo naturalmente non è che gli faccia molto piacere; anzi, in linea di massima lo irrita e lo riempie di rancore e di oscuri propositi di rivincita. Il bambino sente il NO come un'aggressione contro la sua persona, egli avverte il NO come una arma « sparata » contro di lui. Di qui, automaticamente, egli passa a impadronirsi del NO come arma da usare contro gli altri. Questo fatto non va giudicato negativamente: imparare a dire NO significa per il bambino affermare se stesso e la propria indipendenza, rifiutare un condizionamento imposto dall'ambiente, mettere in discussione le opinioni altrui, acquistare la capacità di vedere l'*altro* aspetto, la *seconda dimensione* di tutte le cose, e conquistare dunque anche per se stesso una seconda dimensione. In breve, significa un passo fondamentale verso la conquista della propria dignità di persona umana. Non dimentichiamo che il bambino potrà domani usare l'arma del NO per combattere l'ingiustizia, la sopraffazione e l'egoismo. Che poi ora, a due o tre anni, egli usi il NO per divertimento, per partito preso, o persino per deliberata provocazione, è un'altra faccenda. Ogni strumento, e specialmente un'arma, può essere usato all'inizio in modo maldestro, illogico e inutile. Questo è insito nell'imperfezione umana. Ma poi si impara. E domani probabilmente il vostro bambino userà questa grande parola per difendere delle opinioni, delle idee, e degli altri uomini.

La terza parola che rappresenta un fondamentale passo avanti per il vostro bimbo è la parola MIO. Anche col MIO il bambino rafforza in un certo senso la propria identità; estende la propria individualità oltre i limiti della sua persona fisica, su un settore del mondo che lo circonda, sulle cose che egli ritiene gli appartengano. Qui occorre chiarire un altro degli innumerevoli equivoci che fioriscono intorno all'età infantile: è opinione assai diffusa che il cosiddetto istinto di proprietà sia innato nell'essere umano, e si basa questa convinzione appunto sul fatto che a un certo momento (di norma nel terzo anno di vita) compare la parola MIO. Ma in realtà questa parola ha per il bambino un significato ben diverso da quello che ha per l'adulto: dicendo MIO, il bambino intende semplicemente stabilire che un certo oggetto è di sua pertinenza, che quella data cosa fa in certo qual modo parte del suo io e perciò, tutto sommato, gli serve per esprimere se stesso. In altri termini, il bambino afferma la sua proprietà su cose che intende usare direttamente, che gli occorrono per costruire, esplorare e lavorare. Il senso della sua proprietà non ha dunque fini di potere o di guadagno: il possedere per lui non è un fatto sociale, ma un fatto personale; non desidera servirsi di ciò che ha per aumentare la quantità dei propri « beni » (cioè per guadagnare), né per esercitare una pressione, un dominio, sugli altri (cioè per ottenere il potere). Insomma, per dirla in gergo politico, la proprietà per il bambino non ha alcun contenuto « capitalistico ».

D'altra parte, noi sappiamo che la proprietà di tipo capitalista è respinta con indignazione, ancor oggi, dai bambini di certe società che noi chiamiamo « primitive ». Per esempio presso gli indiani di America del gruppo Sioux. Lo psicologo americano Erikson riferisce a questo proposito un episodio molto interessante: in una scuola indiana, un bimbo era stato completamente isolato dai suoi compagni, i quali lo lasciavano sempre da solo. Si svolsero delle indagini, e si scoprì che il padre di quel bambino era noto presso gli altri membri della comunità per due caratteristiche, e precisamente queste: « Egli è colui che ha i soldi », e « Egli è colui che tiene per sé il suo danaro ». Ciò aveva determinato la morte civile del figlio, in quanto sospetto anch'egli di avere respinto uno dei più antichi princìpi della economia Sioux: il principio della generosità. E il dottor Erikson commenta: « Per comprendere il senso di questo fenomeno bisogna guardare un bambino indiano dar via ancor oggi in certe occasioni cerimoniali il poco che i suoi genitori hanno messo da parte proprio a tal fine. Il suo volto esprime allora ...: 'Voi mi vedete ora nella mia vera natura, che è anche quella dei miei antenati' ». La vera natura, aggiungo io, di tutti i bambini, che è quella di *dare*, e non quella di possedere.

Le conseguenze della conquista del linguaggio

Quali sono per il bambino le conseguenze di questa grande conquista che è il linguaggio? E' una domanda che richiede evidentemente una risposta molto complessa e difficile; cercherò di riassumerla in due punti fondamentali:

1. innanzitutto desidero ricordarvi un fatto di grande importanza al quale ho già accennato prima: il bambino parla a se stesso mentre gioca, si abbandona cioè a un monologo. Ma, e questo è il punto, a un certo momento succede che questo monologo non ha più bisogno di parole realmente pronunciate per verificarsi; esso si svolge molte volte *in silenzio*, « *dentro* » *al bambino*. Ciò significa che il bambino « ha messo dentro di sé » le parole, nonché le azioni definite da quelle parole, azioni che possono essere solo immaginate e non realizzate, e che possono appartenere al passato come al futuro. Egli, dunque, *pensa*. Possiamo dire perciò che *la prima conseguenza del linguaggio è il pensiero*

2. naturalmente il bambino, oltre che con se stesso, parla anche con gli altri: comunica agli altri le sue intenzioni, le esperienze, le sensazioni, i progetti, i desideri, eccetera. Le sue azioni vengono messe pertanto alla portata degli altri, in comunicazione con le azioni e col comportamento degli altri. Ciò che fa il bambino viene portato mediante le parole a conoscenza degli altri, e gli altri, sempre con le parole, portano le proprie azioni (reali o immaginarie) a conoscenza del bambino. Le azioni del bambino sono perciò influenzate da quelle degli altri attraverso il linguaggio e, con lo stesso mezzo, influenzano le azioni altrui. *La seconda conseguenza del linguaggio è dunque la socializzazione dell'azione.*

Ora, all'età di tre anni, il bambino grazie alla conquista del linguaggio non si trova più di fronte a un solo universo (quello fisico), ma a tre:

☐ l'universo fisico, materiale, concreto

☐ l'universo interiore del pensiero

☐ l'universo della realtà umana, dei rapporti con gli altri, cioè quello sociale.

1.4. Comincia a conquistare il mondo

**Prologo alla conquista del mondo:
la conquista di se stesso**

Se vogliamo essere sinceri con noi stessi, dobbiamo riconoscere che per noi la personalità di un bambino di uno, due o tre anni è qualcosa di molto poco importante. Tutt'al più ammettiamo che il bimbo è « buono », o « cattivo », o « testardo », o « allegro », o « frignone ». Ma al fatto che lui possa avere delle idee, dei progetti, delle opinioni, un modo proprio *suo* di vedere il mondo, cioè appunto una sua ben precisa personalità, non ci pensiamo mai. Involontariamente siamo portati a credere che un bambino piccolo non pensi niente, non sappia niente e non capisca niente. O pochissimo. E siamo portati a credere che il suo comportamento altro non sia che il manifestarsi di doti o di difetti « innati », di un carattere che è quello che è, e basta.

Invece no: fra l'uno e i tre anni di età il bambino è impegnato a fondo nello sviluppo della sua personalità, ovvero nella ricerca di se stesso, di un suo equilibrio, di un suo modo di vivere. Egli è indaffaratissimo a dare una certa « sistemazione » e a consolidare il suo Io. Ma qui dobbiamo subito fermarci e chiarire che cos'è l'Io. In termini molto schematici possiamo dire che l'Io è formato da:

1. l'immagine che l'individuo (nel caso nostro il bambino) ha di se stesso, cioè come si figura di essere e come pensa che gli altri lo vedano: un bambino per esempio può credere di essere grande e forte, e può essere convinto che tutti lo vedano così e che abbiano paura di lui. Questa idea può essergli venuta dal fatto ch'egli è vissuto accanto a bambini più piccoli di lui, o più timidi, o ammalati, eccetera. Un altro bambino può avere al contrario la certezza di essere piccolo e miserello, perché i genitori lo trattano come un « cosino » e altri bimbi, più grandi di lui, l'hanno gettato a terra qualche volta durante il gioco. E così via

2. l'idea che il bambino ha delle proprie capacità: uno crede di essere abilissimo in tutto, un altro si sente maldestro e inetto; uno è sicuro di saper dipingere come un novello Giotto, e un altro è sicuro di non saper tracciare nemmeno una riga; uno si sente un atleta, e un altro un mollusco; eccetera

3. i sentimenti che il bambino prova per se stesso: compiacimento, orgoglio, fierezza, stima; oppure dubbio, vergogna, disprezzo, pietà.

Tutto questo forma l'Io: si tratta cioè non solo di ciò che il bambino si sente di essere, ma anche di ciò che tutte le altre persone, e il mondo intero, sentono per lui. O meglio, di ciò che egli *crede* sentano per lui.

A questo punto è chiaro che la personalità del bambino è fortemente influenzata dalle figure umane che lo circondano, e in particolar modo da quelle che contano di più: prima di tutto dalla mamma. Voi amate il vostro bambino, lo avete accolto con gioia, lo rispettate, gli date la sicurezza: ebbene, egli allora si sentirà piacevole (anche se forse non è bellissimo), fiducioso, gradito a tutti. E naturalmente tenderà a pagare gli altri, se così si può dire, con la stessa moneta che ha avuto: essendo stato accettato con amore, sarà portato a supporre negli altri sentimenti di benevolenza; essendo sicuro di sé, non avrà paura che gli altri lo danneggino; essendo convinto di essere simpatico, tenderà a trovare simpatici gli altri. Ma a un bimbo può accadere anche il contrario, può essere stato respinto, maltrattato, rimproverato in continuazione, disprezzato; e in questo caso egli si sentirà debole, vulnerabile, incapace, antipatico e disutile, si sentirà cioè in una posizione del tutto precaria di fronte ai suoi simili, contro i quali ovviamente cercherà di difendersi. Così diventerà sospettoso, aggressivo, bugiardo, sleale e permaloso.

Possiamo dunque dire senz'altro che la conquista di se stessi non si può realizzare da soli: occorre l'aiuto e, più che l'aiuto, l'amore, di qualcun altro. Diciamo pure che occorre l'amore della madre. Se il bambino cresce in un clima di affetto, di comprensione, di rispetto, di sicurezza, allora egli gode delle migliori opportunità per conquistare una personalità bene equilibrata, forte e serena. Si trova cioè nelle condizioni migliori per affrontare il mondo.

Che cos'è il mondo per il bambino

Che cos'è il mondo per un bambino di due o tre anni? Rispondere con precisione a una domanda del genere è chiaramente impossibile. Nessuno di noi può immaginare come un piccino di quest'età veda la gente, le case, il cielo, le macchine, il mare. Nessuno di noi ricorda le impressioni dei primi anni della propria vita. Però abbiamo una fonte attendibile di informazione: quello che ci raccontano i bambini stessi. E dalle loro parole, dal loro comportamento, dal loro gioco, dai loro disegni, possiamo ricostruire il loro mondo, almeno in parte.

Prima di tutto bisogna dire che per il bimbo il mondo è *qualcuno* che vive e che agisce come lui, come il bambino; in un certo senso è un grande bambino, che le cose le fa perché si debbono fare, che obbedisce come obbedisce il bambino. Il sole è brillante perché *deve* illuminare il giorno, il vento soffia perché *deve* spingere le nuvole, i fiumi scorrono perché *devono* andare al mare, e via dicendo. Anche le cose osservano perciò delle regole, obbediscono a delle leggi. Questo vuol dire che per il bimbo le cose sono « vive », animate, hanno delle intenzioni e persino dei sentimenti: la luna cammina per far luce alla gente di notte, il temporale è un cielo « arrabbiato », il ritratto del bisnonno è « cattivo », la pioggia è buona perché dà da bere ai fiori e agli uccellini. E' un mondo pieno di personaggi, grandi e piccoli, simpatici e malevoli, visibili e invisibili. E fra questi personaggi c'è anche la parola, per esempio, che è una « cosa che viene fuori dalla bocca », o l'amore che « sta nel petto ». Un mondo abbastanza strano per noi adulti, ma che invece per il bambino è perfettamente logico e anzi molto ben congegnato; per il bimbo il mondo ha infatti uno scopo, ed « è stato fatto » con uno scopo.

AUTOSTRADA

ROSPO

← BAMBINA A CAVALLO

← ALBERI

IL MONDO
VISTO DAL
BAMBINO

Di tutto questo universo che è stato costruito e organizzato secondo un piano molto chiaro, alcuni aspetti rimangono tuttavia alquanto oscuri per il bimbo; per esempio *il tempo*. Lo stesso periodo di tempo può avere per il piccino lunghezze assai variabili, in rapporto a ciò che lui sta facendo: se deve aspettare qualcuno o qualcosa restando fermo su una seggiola, ogni minuto vale quanto un'ora; ma se sta giocando, un'ora sembra un minuto. E poi, c'è la faccenda del passato, del presente e del futuro. Secondo gli studi di certi ricercatori un bimbo di due anni non pare abbia ancora le idee molto chiare in proposito, ma a due anni e mezzo già parla del « domani », e a tre anni usa la parola « ieri ». In complesso c'è da ritenere che nel terzo anno di vita il bambino cominci a rendersi ben conto che esiste un passato e che si può prevedere un futuro, anche se il senso esatto dell'uno e dell'altro rimane per lui estremamente confuso. « La settimana scorsa » o « l'anno passato », come ho già accennato nel paragrafo dedicato al linguaggio, sono espressioni che per un piccolo di due o tre anni significano su per giù la stessa cosa, così come il « domani » o « il mese prossimo ». Tuttavia la sensazione dello scorrere, dell'andare del tempo, c'è.

Infine non si deve dimenticare che per il bambino il mondo è ancora sostanzialmente tutto da scoprire: il piccino si sforza di dare una spiegazione a tutto ciò che conosce, ma è ben lontano dal conoscere tutto. Ecco perché in questo periodo egli si vale dello strumento del linguaggio, appena conquistato, per porre ai genitori un numero infinito di domande; sembra che un bimbo di due anni e mezzo o tre arrivi facilmente a porre una media di circa una domanda ogni due minuti, vale a dire press'a poco trecento domande nel corso di una giornata, pari a quasi diecimila in un mese! Le prime domande con cui vostro figlio metterà a dura prova la pazienza di cui siete fornita, saranno quelle relative alla *identità* e al *luogo*: « Che cosa è? », « Chi è? », « Dov'è? ». Egli ha infatti bisogno innanzitutto di sapere la natura delle cose, l'identità delle persone, come si chiamano, e in che posto sono. Egli deve cioè rendersi ben conto della realtà della situazione in cui vive. In seguito cercherà di approfondire l'indagine per arrivare a comprendere le *cause* di ciò che vede e gli *scopi* di ciò che accade: è l'epoca dei famosi « Perché? ». Verso i tre anni il vostro bambino vi sottoporrà a un vero e proprio bombardamento di « perché? ». Vorrà sapere perché le rondini volano, perché crescono i fiori, perché lavate l'insalata, perché l'acqua vien giù dal rubinetto, perché avete due occhi, perché la zia è grassa, perché c'è il cielo e perché il nonno è vecchio.

Lo scopo delle domande del bambino è innanzitutto quello di sapere, di conoscere il mondo. Però ce ne sono degli altri: vostro figlio può porvi un interrogativo perché ha bisogno di qualche cosa, o per essere rassicurato, o perché vuole evitare un dispiacere. Se per esempio vi domanda dov'è la mamma del canarino, è probabile che voglia sentirsi rispondere che è andata a comperare la pappa e che poi ritornerà: egli vuole essere certo che le mamme non abbandonano mai i bambini, anche se sono canarini. Se vi domanda che cos'è una strega, verosimilmente desidera sentirsi rispondere che la strega è un personaggio lontanissimo e che lui non lo incontrerà mai.

E non meravigliatevi se il bimbo vi pone cinquanta volte la stessa domanda nello stesso giorno: egli ha degli eccellenti motivi per farlo. In primo luogo egli spesso desidera compiere una verifica: forse si è accorto che avete risposto distrattamente, e allora non rimane del tutto convinto di ciò che avete detto. Perciò ripete la domanda per vedere se gli rispondete sempre nel medesimo modo. In secondo luogo è possibile che una sola risposta non sia stata sufficiente a fargli comprendere bene la situazione. In terzo luogo può darsi che il bambino, attraverso una ripetuta conferma da parte vostra, voglia tranquillizzarsi su un punto che lo preoccupa: se per esempio vi chiede più volte dov'è l'automobile, forse vuole essere proprio sicuro che è in autorimessa e cioè che voi non la userete per uscire questa sera. Infine succede che il piccolo vi spari domande a ritmo serrato solo per non lasciarvi andare via, per impegnarvi a restare con lui.

In ogni modo, una cosa è certa: la domanda del bambino rappresenta in un modo o nell'altro una richiesta di aiuto rivolta allo adulto allo scopo di poter meglio affrontare il mondo. Il mondo è grande, vertiginosamente grande, e al suo cospetto il bambino è piccolo e inerme, e sa di esserlo. Non è poi tanto strano che s'ingegni a cercare appoggio, collaborazione e assistenza.

La paura che viene dal mondo

Con tutte le sue incognite, gli avvenimenti imprevisti, i fenomeni grandiosi e incomprensibili, la sua stessa immensità, il mondo diventa spesso origine di angoscia e di paura per il bambino. Per lui, vissuto sempre accanto alla mamma (talvolta anche troppo), la minaccia viene dal mondo. Ora non è più sconvolto da quegli oscuri terrori che lo perseguitavano nel primo anno di vita, o lo è molto meno; ma in compenso i motivi di paura si moltiplicano per lui con l'aumentare delle sue conoscenze.

La paura più « istintiva », più primordiale, resta anche nel secondo e terzo anno quella che scaturisce da un avvenimento improvviso, non previsto e violento, specie quando tale avvenimento sia la risultante del concorrere di diverse componenti: un'apparizione repentina (sia pure della persona più inoffensiva del mondo), accompagnata dal frastuono di un oggetto precipitato al suolo e dall'accendersi di un forte lampadario, può atterrire un bambino a morte. Del resto, sappiamo tutti che l'associazione appunto di stimoli ottici e acustici è sfruttata dai cineasti per dare un senso di sgomento allo spettatore (per esempio con la comparsa istantanea di un volto feroce e contemporaneo rullo di tamburo). In generale, tutto ciò che impone al bimbo l'*adattamento immediato* a una situazione nuova (una posizione diversa del corpo, il passaggio dall'immobilità al movimento, l'inizio di un forte rumore nell'ambiente, uno sbalzo di luminosità, il passaggio dalla compagnia alla solitudine e viceversa, eccetera), suscita un senso di angoscia e non di rado di terrore.

E' interessante il fatto che la paura originata dalle situazioni che ho appena descritto, e da altre parimenti concrete e reali, vada diminuendo fra i due e i tre anni di età: in questo periodo il bimbo si lascia infatti impressionare sempre meno dai rumori, dalla comparsa di persone o cose sconosciute, dalle cadute, e persino dal dolore. Viceversa, e questo è ancora più curioso, nel medesimo periodo aumenta in lui la paura di situazioni del tutto innocue per se stesse e di cose immaginarie: per esempio dei fantasmi e degli spiriti, del buio, dei « ladri », della « morte » (quella col teschio e vestita di nero), della « prigione ».

Ma la paura fondamentale di un bimbo di due o tre anni è un'altra. Ho detto poco fa che per il bambino « la minaccia viene dal mondo »; ebbene, nulla è più sconvolgente per lui del timore di essere esposto, solo soletto, a questa minaccia. In altre parole, nessuna paura è grande come *la paura di essere abbandonato*. Questo tipo di paura nasce principalmente da due situazioni: l'allontanamento inesplicabile della mamma per un periodo di tempo abbastanza prolungato (per uno o più giorni) e il timore di fare qualcosa di male che induca la mamma a lasciare il bambino diventato « cattivo ». La prima circostanza può verificarsi in ogni momento e non si può sempre evitare: un viaggio imprevisto, un impegno, la ripresa del lavoro da parte della madre e simili, son cose di ordinaria amministrazione per chiunque. Vedremo più avanti come ci si deve comportare in questi casi. La seconda situazione, quella della cattiveria del bambino stesso che provocherebbe l'abbandono come punizione, può assumere gli aspetti più strani e fantasiosi: certi bambini temono di essere lasciati soli se bagnano il letto, e allora urlano « pipì! » duemila volte per notte; altri credono di essere cattivi se non mangiano tutta la pappa, e allora il pasto diventa per loro un autentico supplizio; altri ancora si sentono colpevoli se rompono qualcosa e vivono nel perenne timore di un incidente; e così via. E' chiaro che alla base di questa situazione c'è di solito un atteggiamento troppo severo e intransigente dei genitori, e anche di questo tratteremo più oltre. Per ora mi preme soltanto attirare la vostra attenzione sul fatto che paure di questo tipo possono realmente rendere infelice un bambino e, a lungo andare, influire negativamente e in modo permanente sull'evoluzione della sua personalità.

Ho lasciato per ultimo il genere di paura più « naturale » e di più comune osservazione: *la paura degli estranei*. Sui due o tre anni il bimbo non ha più paura di *tutti* gli estranei, egli sa benissimo che ci sono i buoni e i cattivi, i simpatici e gli antipatici, i fidati e gli infidi; ma *certi* estranei rimangono comunque un grosso problema. Ho conosciuto dei piccini che si spaventavano moltissimo davanti alle « guardie » (carabinieri, poliziotti, vigili urbani, e financo pompieri), e altri che erano terrorizzati dai sacerdoti, dai frati o dalle monache. Ma l'estraneo che più facilmente di ogni altro atterrisce il bambino è sempre il dottore. Il dottore per il bimbo di quest'età è di solito un incrocio fra uno stregone, un carnefice, un diavolo e un malfattore. Comunque un nemico. E inoltre un individuo che si circonda di arnesi sommamente spiacevoli come abbassalingua, siringa, termometro, stetoscopio, peretta, e affini. Il bambino non conosce ancora questi nomi complicati, ma conosce benissimo l'uso che il dottore fa di quegli oggetti infernali sulla sua persona; e la sua paura è tanto più grande quanto più i genitori cercano di consolarlo e di convincerlo che tutto viene fatto « per il suo bene ». Anche di questo, in ogni modo, parleremo più avanti.

La ricerca della sicurezza

Al cospetto di un mondo pieno zeppo di minacce, più o meno reali o immaginarie, il bambino cerca naturalmente qualche àncora di salvezza, qualcosa che lo rassicuri e che gli dia un minimo di tranquillità. Ho già detto nei capitoli precedenti che uno dei suoi metodi preferiti per sentirsi protetto è quello di simulare la presenza della madre: egli cioè finge di avere la madre accanto a sé succhiando il proprio pollice o qualunque altro arnese succhiabile (come se si trattasse del seno materno), oppure tenendosi vicino un oggetto morbido che in qualche modo rappresenti la madre, come un bambolotto, o un animale di stoffa o di pelo, o semplicemente una *sua* coperta. E' specialmente quando il piccino rimane solo che ricorre a questo « trucco », e in particolar modo alla sera prima di dormire, cioè quando subisce un'esperienza di distacco dalla madre o di privazione della sua presenza.

Fra l'età di uno e quella di tre anni il bimbo si vale di una tecnica analoga anche in altre circostanze, durante la giornata, per allontanare da sé il timore di essere abbandonato da un lato, e d'altro lato per illudersi di non poter essere aggredito da esseri malvagi e pericolosi. Per lui, come abbiamo visto, tutte le cose sono animate, sono « vive »; ma contemporaneamente, a differenza delle persone, possono essere controllate dal bambino e *fanno quello che vuole lui*. Egli perciò, giocando con le cose, ricostruisce un mondo *sicuro*, senza imprevisti, senza sorprese, e senza ansia. Egli decide che un determinato oggetto, supponiamo un animale di pezza, è cattivo e vorrebbe mangiare il bambino; ma il bambino lo getta lontano da sé, lo picchia, lo insulta, e l'animale non fa nulla. « Ecco », pensa allora il piccino, « ecco che io sono forte e inattaccabile; e infatti picchio il mio nemico e lo allontano da me, e lui non può fare nulla ». Viceversa, un altro oggetto può essere classificato come buono, vale a dire come rappresentante della protezione e dell'affetto materni; anche questo può essere gettato via, ripreso, e rigettato di nuovo, ma questa volta il bambino fa un altro ragionamento: « Io non posso essere abbandonato », egli pensa, « perché questo oggetto buono non scompare mai, nemmeno quando io sono cattivo e lo butto via ».

Nel secondo anno di vita compare di solito un altro sistema di autorassicurazione: il cerimoniale, *il rito*. Mi spiego: se fate attenzione, vedrete che il vostro bimbo tende ad addormentarsi sempre nello stesso modo (per esempio facendosi tenere la manina, o succhiando il pollice e girandosi di fianco, o con quella certa luce accesa, eccetera), o tende a iniziare il pasto con gli stessi atti (per esempio bevendo il succo d'arancia, o tirandosi il bavaglino), o a vuotare l'intestino secondo certe regole (per esempio stando seduto in un suo modo particolare sul vasino), e così via; egli cerca in altri termini di ripetere sempre gli stessi riti, le medesime cerimonie, qualunque cosa faccia. Il fare le cose rispettando queste norme significa per lui fare le cose « bene », che è poi lo stesso che « fare cose buone ». Ma chi fa cose buone è buono lui stesso, e quindi non può essere abbandonato.

E qui vorrei ritornare a quanto dicevo all'inizio di questo paragrafo: troppo spesso noi pensiamo che nella testa del bambino non ci sia nulla o quasi nulla. C'è, c'è moltissimo. Forse c'è molto di più di quanto non ci sia nella *nostra* testa. Tutto quello che il bambino fa ha un motivo, un motivo per lo più estremamente serio e valido. Anche le sue azioni apparentemente più insensate sono mosse da tutta una serie di emozioni, di pensieri e di atteggiamenti interiori. Credo che il dimenticare questa verità sia veramente un grosso errore.

Il mondo della fantasia

In sintesi, si può dire che per il bambino di età compresa fra uno e tre anni il mondo è un insieme di realtà e di fantasia; e che quando si delinea per il piccino una situazione sgradevole e minacciosa, in genere la fantasia prevale sulla realtà. Si attua cioè una fuga dal mondo reale in un mondo immaginario. Sembra molto probabile che il bambino diventi capace di questa fuga, vale a dire della creazione di un suo mondo immaginario, molto presto, prima ancora di saper borbottare le prime parole, prima di arrivare all'età di un anno, o comunque intorno a quest'epoca. Più tardi, fra i due e i tre anni, il bimbo progredisce rapidamente su questa strada e compie con frequenza sempre maggiore una quantità di « operazioni fantastiche ». Queste operazioni si possono raggruppare in tre categorie fondamentali:

1. dare vita alle cose inanimate, come ho detto ampiamente prima, dare una personalità umana agli animali (ricordate il bambino che discorreva coi rospi?) e persino a figure inesistenti: un esempio di quest'ultima attività immaginativa è l'incrollabile convinzione che Babbo Natale ci sia davvero, e arrivi nella mistica notte del ventiquattro dicembre a bordo della sua slitta volante carica di doni

2. modificare la realtà delle cose, trasformandole in alcunché di completamente diverso da ciò che sono: così una fila di seggiole diventa un treno, una scatola di cartone diventa una capsula spaziale, una pila di libri diventa un castello, un tavolo una caverna, il pavimento un oceano tempestoso, eccetera

3. vivere in situazioni immaginarie, come salvare la mamma (una bambola) da un incendio, andare a caccia di elefanti, partecipare a una competizione automobilistica, volare su aeroplani velocissimi, e così via.

Come abbiamo visto, la fantasia è un'arma formidabile per il bambino: essa gli permette di « realizzare » desideri assurdi, di agire al di fuori delle dure e immutabili leggi della realtà, di non tener conto della logica delle cose, dei limiti di tempo e di spazio, del principio di causa ed effetto; in altre parole, la fantasia lo rende *onnipotente*, quindi sicuro, dominatore, invulnerabile, e in grado di neutralizzare i pericoli e le minacce di qualsiasi genere.

Accanto a questa funzione rassicuratrice l'immaginazione ha però anche altre funzioni, molto importanti sul piano pratico: stimola il bambino a svolgere attività di ogni tipo, a muoversi, a imparare a

le mani, gli occhi, le gambe, il corpo intero: la montagna sulla
█ il piccino si arrampica, per esempio, è finta (può essere sem-
█mente una sedia avvicinata a un tavolo), ma lo sforzo che lui
█ █pie per arrampicarcisi è vero; la « torta » per la bambola è solo
un po' di terra bagnata, ma le manualità richieste dalla confezione
sono autentiche e impegnative; e così via. L'immaginazione prepara
inoltre il bambino a quell'attività culturale di base che è la lettura:
un bambino che viva con interesse una storia che gli viene raccon-
tata, che vi prenda parte con la fantasia, avrà poi inevitabilmente il
desiderio di raccontarsi le storie da solo, se così si può dire, di rivi-
verle senza dover chiedere l'intervento di nessuno; e questo lo farà
non appena sarà in possesso di quella capacità che gli permetterà di
farlo, e cioè della capacità di leggere. L'immaginazione infine spinge
il bambino ai primi contatti sociali, a vivere le proprie avventure
fantastiche insieme a dei compagni di viaggio, agli amichetti, al figlio
della custode o del lattaio o del vicino di casa; l'uomo compie le
sue prime esperienze sociali in un mondo immaginario, ma tuttavia
validissimo agli effetti della socializzazione. Tale e quale come se
fosse perfettamente reale e concreto.

E' chiaro dunque che il mondo dell'immaginazione e della fantasia ha una funzione di enorme importanza nella vita del bimbo.
E anche in quella dell'adulto, del resto. Ma, chissà perché, di fronte
a questa parola, *fantasia*, la maggioranza di noi grandi entra in allarme, assume degli atteggiamenti addirittura difensivi, si affretta a
manifestare disapprovazione e disprezzo, come se quest'attività della
mente umana costituisse una minaccia mortale per i « sacri valori »
della realtà. Molto di frequente vengono da me genitori preoccupatissimi perché il loro bambino « lavora troppo di fantasia », « sembra
che viva in un altro mondo », « ha un'immaginazione che li spaventa ». Ma perché la fantasia ci spaventa? Ebbene, se cercheremo di
essere sinceri con noi stessi credo che troveremo facilmente la risposta
a questa domanda: se il nostro bambino si abbandona troppo alla
fantasia, può darsi che se ne faccia un'abitudine, che non riesca mai
a « entrare » in pieno nella realtà; e se questo accadrà, egli sarà
sempre un po' un estraneo in questo nostro mondo che amiamo definire « pratico »; ma se egli resterà fuori, più o meno completamente, dal mondo pratico, finirà col diventare un individuo inutile
o persino dannoso per il nostro sistema, una specie di nemico, apparentemente bonario, « con la testa nelle nuvole », ma pericoloso e
disintegratore. E molti altri potrebbero diventare come lui. E allora
addio solide strutture mercantili, addio confortevoli privilegi basati
su concreti profitti monetari, addio commerci, banche, interessi
« pratici », sviluppi economici e via dicendo. Sarebbe il crollo di tutto
un mondo. Del *nostro* mondo. Del nostro mondo di oggi. Perciò la

fantasia, anche nei bambini piccoli, ci fa paura. E, ovviamente, nei grandi ci fa ancora più paura; e allora cerchiamo di squalificarla chiamandola *utopia*. No, no; vi prego, lasciate che i vostri bambini fantastichino come vogliono, che vivano nel *loro* mondo e nel *loro* modo, quali che siano. Ne hanno bisogno.

1.5. Si prepara a entrare in società

Il problema di accettare e di farsi accettare

La realtà di gran lunga più importante nella quale il bambino deve inserirsi fra l'età di uno e tre anni è quella degli altri esseri umani. In questo periodo il bambino affronta il colossale problema di vivere insieme ai suoi simili, vale a dire il problema della *socializzazione*. Vediamo ora che cosa significa in sostanza questa parola: socializzazione. Significa semplicemente questo: che il bambino deve imparare ad accettare gli altri e a farsi accettare dagli altri. Insomma, deve tener conto dei diritti altrui e far valere la propria personalità, deve diventare un « cittadino ». Ed egli lo fa, in soli due anni.

Prendiamo in considerazione un bambino di un anno e mezzo: egli è faticosamente riuscito a mettere insieme un suo piccolo capitale di idee, di concetti, di convinzioni, di conoscenze, chiamateli come volete, di cose infine che lui sa o crede di sapere, e rimane atterrito al pensiero che qualcuno possa scompaginare il suo patrimonio. Perciò odia i cambiamenti in genere, e guarda con molta diffidenza all'intrusione di estranei nel suo piccolo mondo: gli estranei, si sa, ne possono combinare di ogni colore e non si può mai prevedere che razza di sconvolgimenti siano in grado di provocare.

Comunque, se l'estraneo se ne sta tranquillo e non disturba, il bimbo lo tollera, e anzi arriva spesso a concedergli un'attenzione notevole, specie se si tratta di un altro bambino. Arriva al punto da mettersi a piangere se il compagno se ne va e talvolta cerca di seguirlo. In breve, il suo atteggiamento è questo: io faccio i fatti miei, ma la tua compagnia mi è gradita e in fin dei conti mi dispiace quando te ne vai; questo, s'intende, se resti al tuo posto e mi lasci lavorare. Altrimenti. . . altrimenti il bimbo può sentirsi minacciato, o aggredito, o perseguitato, e allora può rispondere con accessi furibondi di collera, così come fa quando un adulto tenta di modificare una situazione contro la sua volontà; collera che il bimbo esprime in attività piuttosto violente, come calci, pugni, schiaffi, eccetera, non però diretti contro l'importuno (che potrebbe anche rispondere con altrettanta violenza), bensì contro le cose: pedate alle porte, pugni ai vasi, e così via. A un anno e mezzo il bambino dunque accetta gli altri con molta parsimonia e molte riserve e non se ne fida molto, al punto che preferisce sfogare la sua ira sugli oggetti.

All'età di due anni vostro figlio comincia a staccarsi dalle gonne materne e si avventura in qualche contatto più disinvolto con gli altri bambini; di solito non gioca insieme a loro, lavora ancora per conto suo, ma spesso interrompe le proprie attività per osservare con molta concentrazione ciò che fa il compagno e sembra trovarci un autentico interesse. E' sempre pronto però a fare marcia indietro e a nascondersi dietro di voi se qualcuno non gli ispira molta fiducia. Per la verità qualche volta « si lancia » anche a intraprendere delle attività insieme ai coetanei, ma molto frequentemente le cose vanno a finire maluccio perché il compagno non resiste alla tentazione di carpirgli un giocattolo e allora il piccino reagisce come se cercassero di strappargli la testa e dà le più ampie dimostrazioni di credere che l'intero universo, cattivo e sopraffattore, si sia messo contro di lui per calpestare i suoi diritti. A quest'età, fra i due e i tre anni, egli poi non si accontenta più di dirigere la propria collera contro le cose, ma la riversa decisamente sulle persone, sull'aggressore, sul « ladro », distribuendo con generosità e con fermezza colpi di cucchiaio in testa, spintoni, ceffoni, pedate e morsi. Nel complesso il bambino di due-tre anni sembra oscillare fra un'accettazione tendenzialmente passiva, anche se attenta, degli altri, e una non-accettazione o addirittura una ripulsa non di rado colorata di violenza e di aggressività.

All'età di tre anni il bambino dà spesso l'impressione di aver superato una barriera: egli è notevolmente più sicuro di sé e ha raggiunto una certa capacità di controllo su se stesso e sui suoi rapporti con gli altri. Per usare l'espressione di alcuni studiosi, egli ha raggiunto una meta e può fermarsi a « tirare il fiato ». A questo punto il bambino manifesta in modo più chiaro il suo desiderio di piacere agli altri, cioè di farsi accettare, e comincia a rispettare alcune regole della comunità, come quella di attendere il proprio turno per fare qualcosa. Arriva anche a inserirsi in una primitiva forma di collaborazione con altri bambini, ma si tratta generalmente di una collaborazione assai incostante, approssimativa e capricciosa. Non di rado preferisce ritirarsi in un suo splendido isolamento e abbandonarsi a misteriose conversazioni con un compagno di giochi immaginario, creato dalla sua fantasia. A conti fatti, è ormai socializzato, o pronto per esserlo; voglio dire che è disposto in linea di massima ad accettare gli altri, ed è inoltre disposto ad affrontare dei piccoli sacrifici per rendersi gradito ed essere accettato dagli altri. La chiave della socializzazione ce l'ha in mano. Fra poco la userà per entrare nel nuovo mondo della Scuola Materna, cioè nella prima comunità umana della sua vita, al di fuori della famiglia.

L'affetto e la simpatia

Il contatto sempre più frequente con gli altri esseri umani, grandi e piccoli, suscita nel bimbo di due o tre anni un complesso di reazioni impostate sostanzialmente sui due atteggiamenti di base: accettare o non accettare. Davanti al rapporto umano il bambino può, in altre parole, nutrire sentimenti positivi o negativi, e comportarsi in conseguenza. Molta parte di questi sentimenti dipende dall'aspetto e dal modo di agire delle persone che il bambino incontra, dal suo stato fisico di benessere o di malessere e dalle circostanze più svariate; ma la disposizione d'animo fondamentale deriva dal clima familiare e dalle cariche affettive fornite dai genitori, e dalla mamma in particolare.

La *capacità di amare* sta ovviamente alla base di ogni rapporto sociale, anzi di ogni tipo di civiltà. Il nostro problema è dunque questo: come insegnare l'amore ai nostri figli, che saranno i responsabili della società di domani. Ebbene, diciamo subito che l'amore non si insegna: l'amore si dà. Chi riceve affetto è capace di darne, e di solito non ne è capace chi non ne riceve. Ho detto nei capitoli precedenti che a un certo punto della sua evoluzione il bambino si identifica con l'oggetto d'amore, cioè con la mamma, al punto che un male sofferto dalla madre diventa un male per il bambino stesso; questo atteggiamento porta il bambino ad accettare sacrifici per salvare dal male l'oggetto del suo amore, quindi se stesso. Di qui nasce la capacità di amare.

E' ormai un luogo comune dire che un bimbo non è in grado di amare veramente e che il suo affetto ha sempre un contenuto egoistico: il bambino, si dice, vuole bene alla mamma perché della mamma ha bisogno. Questo è vero, ma sarebbe un errore pensare che le cose siano così semplici. A due o tre anni il bambino ha probabilmente delle potenzialità di amore, di autentica dedizione, di generosità, che noi nemmeno sospettiamo. No, non si tratta soltanto di « egoismo »; non nel senso che noi diamo a questa parola. Il bimbo ama in quanto la persona amata rappresenta per lui la vita, ed è disposto a molte cose, a grandi cose, per difendere il suo Bene. Non credo che questo si possa liquidare con l'etichetta di egoismo.

Se l'amore è la base della società, il sentimento della *simpatia* ne è l'impalcatura. Le prime manifestazioni di simpatia compaiono già nei bambini al di sotto dei due anni, e dipendono largamente dalla comprensione del piccino per le disgrazie altrui; la quale dipende a sua volta dalle esperienze fatte dal bambino: se egli è stato pubblicamente umiliato perché si è fatto la pipì addosso, sarà in grado di simpatizzare con un compagno che si trovi nella medesima situazione; se è stato rinchiuso per punizione nello stanzino buio, parteciperà del dolore e dello spavento di un coetaneo punito nello stesso modo; se si è fatto male a una manina, capirà la sofferenza di un ferito; e così via. Naturalmente il dispiacere degli altri, per suscitare la simpatia del bambino, deve essere compreso da lui: lo spettacolo di un terremoto alla televisione, per esempio, lascia il piccolo piuttosto freddo nei confronti delle vittime, delle quali lui forse non sospetta nemmeno l'esistenza. Egli vede uno spettacolo grandioso di rovina e distruzione, e basta. Ma può rimanere sconvolto se sullo schermo appare l'immagine di un bambino abbandonato e piangente, perché questa è una realtà della quale può rendersi perfettamente conto.

Davanti alle manifestazioni di simpatia di un bambino di due o tre anni si è di solito combattuti fra il divertimento e la commozione: vedere un piccoletto di quest'età che s'ingegna di dare una mano a un compagno in difficoltà, o che si sforza di allontanare dal fratellino una persona ritenuta pericolosa, o che si dà da fare per consolare un amichetto che piange, o che aggredisce coraggiosamente qualcuno che secondo lui ha commesso un'ingiustizia contro un altro bimbo, o che corre dalla mamma a chiedere aiuto per conto di un coetaneo in pericolo, son tutti spettacoli che dovrebbero però non solo commuoverci, ma anche aprirci gli occhi sulla vera natura del bambino.

Dalla simpatia, come è noto, nasce spesso l'amicizia. Anche fra i bambini di due o tre anni. Qualche volta sono amicizie superficiali e fugaci, ma qualche volta si tratta di un attaccamento profondo e duraturo. Questo tipo di rapporti credo che vada incoraggiato. L'amicizia è fonte di grandi ricchezze interiori anche per i bambini, e anche per loro penso che l'amico sia veramente un tesoro.

La gelosia

La gelosia è quel sentimento che si prova quando un bene che vorremmo per noi viene dato ad altri. Ovviamente questa situazione si verifica molto più facilmente per il bambino: il bambino ha bisogno di tutto, ogni cosa gli deve essere data dall'adulto, l'affetto come la stima, il cibo come il giocattolo, e la giustizia distributiva dell'adulto lascia in genere molto a desiderare: succede spesso che un bimbo sia lodato e premiato perché è « buono e bravo », e un altro rimproverato e punito perché è « cattivo »; che uno abbia più giocattoli perché è ricco, e un altro meno perché è povero; che uno sia trattato con simpatia perché è pulito e ordinato, e un altro canzonato perché porta gli abiti smessi del fratellino maggiore. E chi potrà stupirsi se il « cattivo », povero e malvestito, nutre sentimenti di gelosia per il bambino più fortunato di lui?

Ma non di rado alcuni genitori contribuiscono anche per un'altra via a fomentare la gelosia del bimbo: questa via è quella della mania della competizione. Molte persone non stanno bene se non sono sempre in gara con qualcun altro: spendono le loro migliori energie per fare carriera e ne parlano continuamente, fanno di tutto per avere l'automobile più grossa di quella del vicino, ci tengono moltissimo a sfoggiare la loro cultura, la loro prestanza fisica, la loro eleganza, il loro quadro d'autore, il loro impianto « alta fedeltà », le loro conoscenze importanti e il loro televisore ultimo modello. E inoltre pretendono che anche il loro bambino si metta sulla stessa strada: egli dovrebbe essere più grande degli altri, più bello degli altri, più evoluto e loquace degli altri, e in generale più bravo degli altri in ogni cosa. E se per caso il bambino non corrisponde a questo ideale, ecco i confronti, i paragoni, le manifestazioni di delusione, di irritazione e di scontentezza. E il bimbo, in questo clima di perenne competizione, finisce col sentirsi un verme, un incapace e un inetto, e guarda con rancore a quelli più bravi, belli, forti, intelligenti, eccetera, di lui.

Così il bambino, per un motivo o per l'altro, viene spesso travolto dall'ira per i torti subìti, o dall'avvilimento per non essere all'altezza della situazione, o da entrambe le cose. La sua gelosia esplode talora in forme di rivalità, di provocazione e di violenza contro il competitore e contro le persone che hanno dato più all'altro che a lui. Altre volte il bambino si limita ad affermare a parole la propria superiorità assoluta in qualsiasi campo, con frasi categoriche dalle quali risulta che lui « è più grande », che il suo papà « è più forte », che il suo carrettino « è più bello », eccetera. Altre volte ancora la gelosia non si manifesta per nulla, o almeno non in forme appariscenti, esplicite e clamorose: resta dentro, cova nella mente del bimbo, diventa un'ossessione, arriva poco a poco a mutare il suo carattere. Questa è senza dubbio la condizione peggiore: non poche volte le tracce del rancore e del senso di inferiorità « si stampano », per così dire, nella personalità del bambino, e si tradurranno poi, quando sarà grande, in un atteggiamento di egoismo, di rifiuto dei propri simili e di arrogante presunzione. E' una eventualità che deve darci da riflettere, a noi genitori, e che deve indurci a stare bene attenti prima di umiliare un bambino.

La gelosia per il nuovo fratellino

Ho parlato finora della gelosia in generale, a livello dei rapporti sociali che il bambino può avere con chiunque. Parlerò ora di una gelosia particolare, molto più frequente e molto più caratteristica nelle sue manifestazioni: la gelosia contro un nuovo fratellino.

Quando nasce un fratellino, il bimbo di due o tre (o più) anni riceve un duro colpo: lui si era creato un suo mondo, aveva ottenuto una certa sistemazione dei suoi « interessi » in seno alla famiglia, si era adattato a certe abitudini, godeva del monopolio dell'affetto dei genitori. E adesso, ecco che arriva un minuscolo urlante incomprensibile e fastidiosissimo individuo che mette a soqquadro tutto quanto. Tutti si agitano per il nuovo venuto, si fanno in quattro per mille cose di cui quell'affarino sembra avere bisogno, gli stanno intorno dalla mattina alla sera, e trascurano lui, il più « vecchio », quasi come se non esistesse più. E, cosa peggiore ancora, il neonato sembra volersi accaparrare tutto l'amore della mamma: le sta sempre in braccio, strilla quando lei non gli sta vicino, ha sempre qualche pretesa in serbo per attirare l'attenzione materna.

Il più delle volte il bambino reagisce a questa situazione esprimendo a parole e a fatti proponimenti mortiferi nei confronti del neonato: se appena appena può farlo, lo picchia in testa col cucchiaio, lo punge con una matita, gli stringe una gamba con fiera virulenza, gli dà dei pizzicotti, lo disturba in mille modi. Se proprio non può fare nulla contro il nuovo arrivato perché il servizio di sorveglianza è troppo efficiente, il bimbo si sfoga facendo dispetti alla madre, colpevole di averlo tradito: sporca i tappeti, pianta scenate terribili in mezzo alla strada, rovescia apposta i vasi da fiori, rompe la zuccheriera, e in complesso si dedica con fredda determinazione alla sua missione di vendetta. Nel frattempo non perde occasione per consigliare ai genitori di riportare il neonato dove l'hanno preso oppure, più sbrigativamente, di gettarlo via.

Naturalmente le cose non assumono sempre una piega così drammatica: certe volte il sentimento della gelosia non è così bruciante da spingere il bambino sulla strada dell'esecrazione e della rappresaglia. Però non si deve credere che la mancanza di manifestazioni evidenti significhi che la gelosia non c'è per niente. Spesso il bambino *sembra* innamorato del neonato, ma sotto sotto lo detesta, e recita la parte del « fratello maggiore buono » solo per non svelare la sua vera disposizione d'animo. Spesso il bambino si controlla di fronte al neonato e ai genitori, ma poi si sfoga rovesciando la propria collera su oggetti che in qualche modo rappresentano per lui l'odiato rivale. E spesso egli adotta una forma di machiavellismo, cercando di mettere in ombra il neonato col proprio comportamento brillante, mansueto, servizievole, conciliante, sottomesso, ed esemplare sotto ogni profilo.

Forse la manifestazione più comune della gelosia è quella del « ritornare piccolo ». Il « ragionamento » del bambino è semplice: se il neonato è diventato il centro di attrazione perché è più piccolo di me, allora mi comporterò anch'io come se fossi piccolo quanto lui, e così tutti torneranno a occuparsi di me. Ed ecco che il bambino di tre anni riprende a succhiarsi il pollice, vuole essere preso in braccio dalla mamma, bagna il letto di notte e si sporca di giorno, vuole farsi imboccare, vuole il latte col poppatoio, smette di vestirsi da solo, si sveglia trecento volte per notte invocando la presenza della madre coi più inverosimili pretesti. Poi, un po' per volta, le cose si sistemeranno; ma intanto la situazione mette a dura prova i nervi dei genitori. Più tardi vedremo come ci si debba comportare in questi frangenti, però vorrei dire subito ai papà e alle mamme che le malefatte del bambino, quand'è preda della gelosia, bisogna cercare di capirle e di valutarle nella loro giusta prospettiva. Ricordate che in queste circostanze il bambino soffre davvero. Egli non è « cattivo »; ha soltanto paura di perdere la mamma.

La bugia

Spesso ci scandalizziamo quando un bambino di due o tre anni dice una bugia. Non è il caso. Come abbiamo già visto nel paragrafo dedicato allo sviluppo del linguaggio, il bimbo fa molte volte delle affermazioni assurde e incredibili senza rendersene minimamente conto; egli confonde semplicemente la realtà con la fantasia, e lo fa in tutta buona fede. Questo non ha nulla a che vedere con la slealtà e con l'inganno.

Succede tuttavia che in certe occasioni il piccino sostenga il falso sapendo di farlo, ma nemmeno allora dobbiamo giudicarlo un mentitore. Semmai, dobbiamo sottoporre a giudizio noi stessi e fare un bell'esame di coscienza; infatti, al di fuori dei suoi racconti fantastici, il bambino mente in genere solo per difendersi, per difendersi da noi. Se qualche papà è troppo severo, se qualche mamma è nervosa, se esiste comunque una situazione tale da intimorire il bambino, allora il piccolo ricorre alla bugia per cercare di evitare il peggio. E bisogna capirlo: lui è inerme, non può fare niente per sfuggire all'aggressività dei grandi, e inoltre molto spesso non ha le idee chiare su che cosa voglia dire essere buoni o cattivi, così che certe azioni che secondo lui sono indegnità restano impunite o vengono addirittura lodate, mentre degli incidenti del tutto involontari provocano urla e scapaccioni. Perciò, a ogni buon conto, quando gli sembra che qualcosa possa metterlo in crisi, lui se la cava con dichiarazioni tendenti a escludere ogni sua responsabilità: la pipì a letto l'ha fatta il gatto (anche se in casa di gatti non ce ne sono), la macchia sul tappeto l'ha fatta il papà (il quale forse è presente e rimane allibito di fronte all'evidente calunnia) e così via.

C'è un altro tipo di bugia: quella che il bambino dice per apparire diverso da quello che è, più forte, più bravo, più buono. A noi questa menzogna può sembrare una vanteria sciocca e insensata, ma invece si tratta anche in questo caso di una manovra difensiva. Il bambino ha bisogno cioè di difendere la propria reputazione, la propria dignità, il proprio prestigio, i quali molto spesso vengono sconsideratamente calpestati dalla disattenzione, dalla noncuranza e dal costume tradizionale del mondo adulto. I vari miti del bambino docile e sottomesso, che « non risponde » ai grandi, che obbedisce, che « non tocca mai niente », e via dicendo, sopravvivono ancora; la pessima abitudine di fare dei paragoni e di mostrare al bimbo « come è bravo il suo compagno Peppino che non fa mai dispiacere alla sua mamma », c'è ancora; l'idea che l'emulazione nel campo della « bontà » sia un incentivo a migliorare, esiste ancora. E il bambino di solito non si sente all'altezza della situazione, anzi frequentemente il sentirsi continuamente « misurato » sul metro di quelli più buoni di lui lo spinge a sentirsi un miserabile e un malfattore. Allora cerca di tutelare se stesso e di procurarsi l'approvazione e l'ammirazione altrui spacciandosi per ciò che non è. In fondo, quale altra risorsa gli rimane?

La collera

I rapporti sociali si trasformano frequentemente in conflitti e scontri, come ben sappiamo; ed è naturale che ciò accada più facilmente per i *primi* rapporti sociali, quelli di un bimbo di due o tre anni il quale sta imparando ad avere a che fare con gli altri. Proprio a questa età, fra i due e i tre anni, compaiono infatti le prime manifestazioni di conflitto sotto forma di collera. Una collera diversa da quella del neonato e del lattante, che era diretta contro l'universo in generale; una collera « personalizzata », potremmo chiamarla, rivolta contro un essere umano con gesti di aggressione e minaccia. Insomma, una *collera sociale*.

Il bambino può arrabbiarsi per molte ragioni: la proibizione di fare qualcosa, la costrizione ad andare in un certo luogo o ad agire in un determinato modo, il rifiuto di un oggetto o di un'attività, un rimprovero, una punizione, o anche semplicemente il fallimento di un suo tentativo di raggiungere un qualche obbiettivo. E ci sono poi molte circostanze che favoriscono l'insorgenza della collera: un bimbo che ha dormito troppo poco, o che non sta bene, o che ha fame, o che ha appena superato una malattia, generalmente è più irritabile, e la sua ira esplode più facilmente.

Spesso siamo noi adulti a favorire inconsapevolmente gli accessi d'ira nel bambino: i visitatori importuni, che lo obbligano a recitare la parte del bambino prodigio, buono, servizievole, gentile e mansueto, o che interrompono le sue attività, possono predisporlo a crisi di rabbia violentissime. Così i genitori che misurano tutto quello che fa il bimbo in termini di « buono » e di « cattivo » lo mettono nella condizione di doversi controllare continuamente, di essere sempre in tensione, di essere costantemente incerto sulla bontà o cattiveria delle proprie azioni, fino a che il piccino manda al diavolo il mondo intero con espressioni di collera che sembrano, ma non sono, sproporzionate all'incidente che le ha provocate. Né bisogna infine dimenticare che se il clima familiare è ansioso, tetro e pessimista, se i genitori non sono capaci di ridere e di divertirsi, se si concede troppo spazio alle preoccupazioni di ogni giorno, il bambino diventerà a sua volta scontroso e iracondo, intollerante e permaloso.

Qui si deve ritornare ancora una volta su quello « stimolo » che un tempo si considerava utilissimo per far progredire i bambini: la emulazione, la competizione, la gara. Nessun bambino è bravo in tutto, nessuno è perfetto; c'è sempre il compagno più bravo, più forte, più abile, più « buono ». Ora, se si spinge il bambino a stabilire ogni momento dei paragoni fra se stesso e gli altri, lo si sottoporrà a continue delusioni, invidie e rancori, e quindi si creeranno in lui le più spiccate predisposizioni a nutrire i suoi rapporti sociali di rabbiosa aggressività.

Un atteggiamento abbastanza comune, ma non per questo meno discutibile, che è proprio di alcuni genitori e che può far esplodere nel bambino crisi fragorosissime di rabbia, è quello dell'iperprotezione. Pensate a un bambinetto covato perennemente da due genitori adoranti, sempre tesi a cogliere il suo più piccolo desiderio, a evitargli le più minuscole contrarietà, a prodigarsi in mille maniere per fugare il suo più lieve malumore; due genitori che si comportino come servitori obbedientissimi e contemporaneamente come vigilantissime guardie del corpo, e che ricoprano incessantemente il figlio di paroline, abbracci, carezze, e altre manifestazioni di caramellosa venerazione. Questo bambino si convincerà poco a poco di essere una specie di imperatore dell'universo e non avrà dubbi sul fatto che il mondo intero sia tenuto a strisciare ai suoi piedi. Ma ecco che un bel giorno si verifica l'avvenimento catastrofico: il bimbo si trova alle prese con qualcuno che non ha la più piccola intenzione di strisciare. Si trova, per esempio, ad avere a che fare col medico, il quale in un modo o nell'altro deve visitarlo indipendentemente dalla sua condiscendenza. Per il bambino la cosa ha il sapore di un delitto di lesa maestà. Lui, padrone e signore di tutto e di tutti, essere trattato in questo modo! E allora la sua ira non conosce limiti. Grida agghiaccianti, divincolamenti ferocissimi, insulti, sputi, morsi, pugni e calci, graffi, vomito, c'è da aspettarsi di tutto. Il bambino, mortalmente offeso dalla irriverente intrusione della plebe nella sua reggia, reagisce con una furia spaventosa.

Poi c'è l'atteggiamento autoritario dei genitori: un papà che creda di essere « padrone » in casa sua, che si esprima a furia di comandi, imposizioni, castighi, restrizioni, divieti, eccetera, o una mamma intransigente e severa, oppressiva e pignola suscitano sempre nel bimbo sentimenti di ostilità. L'autorità per il bambino non è altro che vile e insensata violenza, e di solito non la perdona: prima o poi si ribella, e allora la sua ribellione è smisurata e totale. Un bambino che sia trattato senza comprensione e senza indulgenza finisce col convincersi di essere odiato, e risponde all'odio con l'odio.

Ma qualche volta no. Qualche volta il bambino non reagisce. E allora si pensa che il piccolo, anche trattato duramente e con poca o nessuna considerazione per le sue esigenze, possa sopportare e digerire tutto per il suo buon carattere; egli non protesta, ubbidisce, tace. Ma non si creda che egli abbia accettato la sua condizione. No: egli ha semplicemente imparato che le manifestazioni esterne dell'ira, come le urla, i morsi, i calci, le violenze contro le persone e contro le cose vengono punite e quindi sono svantaggiose. Perciò tiene tutto dentro di sé. Ma questo non è un bene, né per lui né per i genitori. Per lui, per il bambino, il non poter « proiettare » sull'ambiente le proprie cariche aggressive crea uno squilibrio interiore che porta ad una esasperazione e a un consolidamento del rancore; egli corre in tal modo il rischio di diventare un individuo saturo di esecrazione e di disprezzo per i propri simili, sempre all'erta contro tutti, sempre pregiudizialmente nemico di tutti. Ai genitori, poi, il fatto che il bambino non esterni la sua ira impedisce di capire quando c'è qualcosa che non va, e perché qualcosa non va. Impedisce loro, in altre parole, di comprendere a fondo il loro bambino.

Per concludere questo paragrafo dedicato alla collera, dobbiamo dire che esiste anche una collera « positiva », generosa, ammirevole e utile. Un bambino che perda le staffe perché la sua dignità personale è stata violata, si comporta da uomo e dà prova di una giusta fierezza. Un bambino che esprima la propria indignazione perché le persone da lui amate vengono aggredite e offese, si comporta da individuo generoso e leale. E in questo caso la collera può essere qualcosa di realmente nobile.

1.6. A questo punto può entrare in crisi

Fra l'età di un anno e quella di tre anni il bambino percorre un lungo cammino sulla strada dello sviluppo e dell'evoluzione; un cammino forse più lungo di quello che percorrerà in tutto il resto della vita. Dovete riconoscere che vostro figlio di tre anni non ha pressoché nulla in comune con quello che era a dodici mesi: in questi due anni ha imparato a camminare, a correre, a dedicarsi ad acrobazie di ogni genere, a parlare, a disegnare, a vivere con gli altri, a difendersi, a respingere e ad amare. Si è trasformato completamente. Il che, com'è chiaro, gli è costato uno sforzo notevole e ha richiesto un impiego enorme di energie: la sua scalata è stata, minuto per minuto, una ininterrotta serie di equilibri faticosamente conquistati e di adattamenti successivi. Niente di strano che a un certo punto il piede del vostro piccolo scalatore possa scivolare, che egli perda l'equilibrio e ricada indietro, o che non sia più capace di andare avanti. Il progresso del bimbo è stato così grande da poter provocare una crisi, una vera crisi di « stanchezza », proprio in prossimità del traguardo.

Diciamo per prima cosa che non tutti i bambini trovano sulla via dello sviluppo le stesse difficoltà, gli stessi ostacoli, o le stesse fortune. Alcuni procedono tranquilli di tappa in tappa, altri possono trovarsi in condizioni più favorevoli che permettono loro di bruciarle, le tappe, e altri invece possono aver trovato mille cose contro di loro. In generale si può dire che lo sviluppo di un bambino è normale se sono normali le sue esperienze. Ma queste, talvolta, normali non sono. Prendete l'esempio di un bambino che sia stato molto ammalato e che sia rimasto per lungo tempo in un ospedale o in un istituto, lontano dai genitori, confinato in un lettino; o di un bambino tormentato da angosce, paure e risentimenti provocati da qualche avvenimento drammatico che lo ha profondamente sconvolto; o di un bambino che abbia subìto una « educazione » oppressiva, che sia stato sempre tenuto sotto controllo in tutte le sue attività, che non abbia mai potuto prendere un'iniziativa; in tutti questi casi le esperienze del piccino *non possono* essere state normali, e quindi non può essere stato regolare il suo sviluppo. Forse, a tre anni, non sa ancora muoversi e camminare con sicurezza, o non sa parlare, o fare giochi creativi, o accettare la compagnia degli altri. Il cammino è stato troppo difficile per le sue risorse, ed egli è rimasto indietro, sta ancora arrancando mentre gli altri hanno già superato il traguardo. Ma questi casi fortunatamente non sono frequenti. Esistono invece delle crisi che sono frequentissime e che travolgono molti bambini prossimi ai tre anni di età. Tali crisi si possono dividere in due grandi gruppi: le crisi del linguaggio e le crisi del comportamento.

Le crisi del linguaggio

□ I *ritardi del linguaggio* non sono sempre dei veri ritardi. Come ho detto più sopra, ci sono bambini che parlano prima e altri dopo, alcuni che parlano bene e altri meno bene. Non tutti seguono esattamente lo stesso ritmo. Ma certe volte i ritardi ci sono effettivamente, e di solito sono dovuti proprio a difficoltà troppo grandi che il bimbo ha dovuto superare nel suo sviluppo generale. Se egli è stato gravemente e lungamente ammalato, per esempio, o se ha dovuto adattarsi a diversi cambiamenti di ambiente, o se ha dovuto impegnarsi più del normale nell'imparare a camminare, può darsi che la conquista della parola sia stata ostacolata anche in misura notevole. Qualche volta la causa del ritardo sta negli stessi genitori i quali, pieni di buone intenzioni e di buona volontà, si affannano a perseguitare il figlio con mille insistenze perché impari « le paroline » e le ripeta poi davanti al pubblico plaudente degli amici. Così il bambino finisce col ribellarsi a questa opprimente seccatura e col considerare la parola non più come uno strumento di comunicazione, ma come una medicina cattiva e detestabile. Comunque, fra i due anni e mezzo e i tre, ogni difficoltà è per lo più già superata e il bambino parla regolarmente; non sempre benissimo, non sempre abbondantemente, ma parla. Se ciò non accade bisogna naturalmente consultare uno specialista per escludere che alla base del difetto ci possa essere una malattia del sistema nervoso o una sordità o qualche altro disturbo.

□ La *balbuzie* è abbastanza frequente nei bambini di due o tre anni, e in verità la cosa non dovrebbe sorprenderci troppo. Come abbiamo già visto, a quest'età il bambino è impegnato nel difficile compito di adeguare il suo linguaggio a quello dei grandi, quindi a perfezionare la sua pronuncia, a imparare nuovi suoni e nuove associazioni di suoni, a mettere insieme lettere e sillabe in combinazioni molto complicate; più che logico dunque che egli si inceppi di continuo sull'inizio di una parola che vorrebbe dire, ma che non riesce a pronunciare. E' così che nasce di solito la balbuzie cosiddetta « fisiologica ». Facciamo un esempio: nello sforzo di dire « coprire », parola che per lui è difficilissima, il piccolo può arenarsi già sulla prima lettera e andare avanti a dire c - c - c - c . . . finché non si sblocca. Questo naturalmente mette in agitazione tutta la famiglia, la quale immediatamente si precipita dal più vicino specialista per appurare quale terrificante trauma può avere reso balbuziente il piccino. E invece lui non è balbuziente; è soltanto tenace, e non rinuncia ai suoi tentativi fin che non riesce a pronunciare quella determinata parola.

Qui occorre tuttavia una precisazione: se è vero che questa forma di balbuzie, nata dallo sforzo del bimbo di « parlare bene », non deve preoccupare i genitori, è anche vero che certe situazioni e certi atteggiamenti degli stessi genitori possono aggravare il difetto e persino trasformarlo in balbuzie autentica. Un ambiente familiare, per esempio, che mantenga il bambino in uno stato di ansia o di tensione può benissimo rappresentare un elemento consolidatore della balbuzie, e così la pretesa che il bambino dia continuamente spettacolo della propria bravura e della propria arte oratoria. Ma l'elemento di gran lunga più pericoloso sotto questo punto di vista è la severità dei genitori, la rigidezza, la tendenza a punire, l'atteggiamento troppo esigente. Mettiamoci nei panni di un bimbo di circa tre anni che, con qualche esitazione, si accinga a pronunciare una parola difficile: naturalmente l'esito del suo tentativo non sarà brillantissimo, la parola sarà storpiata, imperfetta, forse incomprensibile. Supponiamo ora che il papà, di fronte a questo fallimento, si mostri seccato e minacci il bambino di punizioni se la prossima volta « non dirà la parola per bene ». E' ovvio che da questo momento il bambino avrà paura a dire quella parola, perché lui sa di non essere all'altezza della situazione, e sa anche che la sua inettitudine gli procurerà rimproveri e castighi; perciò, quando quella parola antipatica dovrà essere pronunciata di nuovo, essa riuscirà ancora peggio della prima volta e sarà origine di altre rampogne e minacce da parte del padre. In breve, la parola diventerà una specie di incubo per il piccino, il quale *la rifiuterà*. E se proprio dovrà dirla, saranno le sue stesse labbra a rifiutarsi di pronunciarla, smozzicandola, tagliandola, inceppandosi sempre sulla stessa sillaba senza riuscire ad andare oltre. Ed ecco nata la balbuzie.

Le crisi del comportamento

Le crisi del comportamento, se così possiamo chiamarle, si manifestano col dire di no a tutto e con la resistenza a oltranza, contro tutto e contro tutti, si direbbe per partito preso. Dopo i diciotto mesi, ma specialmente fra i due e i tre anni, sembra che il bambino sia in opposizione col mondo intero. Contraddice sempre e tutti, persino se stesso. Dice di voler fare una cosa, ma se lo invitate a farla si rifiuta immediatamente e recisamente. S'infuria contro chiunque osi intervenire nei fatti suoi. Pianta scenate terribili per qualsiasi piccolezza; ogni tentativo di influire su di lui per indurlo ad agire in un certo modo suscita tempeste di collera apocalittiche. Si ha la netta sensazione che egli rifiuti per principio ogni suggerimento, ogni indicazione, ogni proposta; e che, sempre per principio, intenda far tutto a modo suo, stando bene attento però che questo modo non vada d'accordo coi desideri degli altri. E le cose stanno realmente così. In questo periodo il bimbo è tanto impegnato ad affermare se stesso, la propria personalità, la propria volontà e la propria indipendenza, che guarda agli altri come a dei disturbatori contro i quali bisogna in ogni caso mettere in atto la più strenua e fiera resistenza, qualunque cosa dicano o facciano.

Questo atteggiamento, com'è logico, è tanto più spiccato e intransigente quanto più oppressivi e imperiosi sono i genitori; il bambino, cioè, più si sente represso, e più avverte il bisogno di affermare se stesso e quindi di resistere all'oppressione.

L'opposizione del bimbo di due o tre anni contro il mondo può assumere le forme più svariate: egli può adottare una posizione di rifiuto incrollabile di fronte a qualsiasi richiesta, anche la più dolce e ragionevole; può fingere di non sentire quando gli si parla; può respingere all'improvviso e senza alcuna ragione apparente le più elementari regole di vita, come gli orari dei pasti o del sonno; può addirittura sforzarsi di « bloccare » le sue funzioni fisiologiche trattenendo urine e feci fino all'inverosimile, rifiutandosi di mangiare o vomitando il cibo, e in certi casi trattenendo il respiro fino a diventare tutto blu; può cercare il litigio, la discussione, l'alterco, con una passione inesauribile; può arrivare a rifiutare la realtà e gli avvenimenti inevitabili. Una situazione tipica è la seguente, che tutti noi possiamo osservare ogni giorno in un parco o per la via: il bambino vuole, poniamo, un palloncino, la mamma cerca di spiegargli che non è possibile averlo perché lì intorno non c'è nessuno che ne venda, il bambino dichiara che lo vuole egualmente, la mamma non sa che pesci pigliare, il bambino esplode in una tempestosa crisi di furore con urla agghiaccianti, pugni e calci alla madre, accessi di soffocazione, vomito, eccetera. E' una sequenza di fenomeni che di solito atterrisce i genitori, ma che invece vuol dire solo questo: il bambino cerca di rafforzare la propria personalità dominando l'ambiente, senza rendersi conto però che certe realtà non possono essere modificate dalla volontà umana.

Questo atteggiamento del bambino è dunque un fatto normale ed entra a far parte dei suoi processi evolutivi. Ma, ed è qui che possiamo parlare di crisi, non è del tutto normale né tanto meno obbligatorio che la resistenza del piccino arrivi alle clamorose manifestazioni di isterismo che ho appena descritto. A questo punto il bimbo ci arriva quando ve lo spingono circostanze particolari, e soprattutto il comportamento dei genitori. Uno degli errori più comuni in questo campo è quello di voler ragionare su tutto, di voler convincere il bambino a fare una cosa perché è ragionevole il farla, lo spiegargli che il dottore va trattato con riguardoso affetto perché è « quello che fa passare la bùa », l'affogare il bimbo fra spiegazioni, vezzeggiamenti, complimenti, adulazioni, eccetera. Qui s'impongono due osservazioni: primo, non tutto ciò che è ragionevole per noi lo è anche per il bambino, anzi di solito non lo è per nulla; secondo, il bambino non è uno stupido, e si accorge benissimo che certe forme di corteggiamento da parte dell'adulto nascondono una macchinazione intesa a fargli accettare qualcosa che lui altrimenti non accetterebbe mai. La reazione del piccolo sarà dunque di rifiuto categorico e sistematico, e pregiudiziale.

Un secondo tipo di politica che può avviare il piccino sulla strada della resistenza e della ribellione è quello, ancora una volta, della rigidezza, della disciplina ferrea, dell'ordine imposto attraverso regole inflessibili. Se il bambino si sente dire continuamente di no a tutto, se viene sepolto sotto torrenti di proibizioni, di imposizioni, di ostacoli alle sue attività, di costrizioni, di norme e di interferenze, egli non potrà che difendersi col rifiutare tutto, in blocco e d'abitudine. A conti fatti, se ci pensate bene, sono molto meno i « no » di un bambino dei « no » dei genitori. Invece dovrebbero essere almeno alla pari, perché se i genitori hanno spesso le loro ragioni, non dimentichiamo che di ragioni ne ha anche il bimbo. Ciò che è inammissibile per noi, non è detto che lo debba essere anche per un bimbo di due o tre anni; e viceversa.

In conclusione, la mancanza di ragionevolezza è altrettanto sbagliata della troppa ragionevolezza: il bambino non comprende, e giustamente, né l'una né l'altra. Perché lo accetti, il mondo deve essere ragionevole e logico *per lui*. Non basta che lo sia per noi.

1.7. La sua nuovo frontiera

A tre anni il vostro bambino raggiunge la frontiera che lo separa dalla vita sociale: ancora un passo, ed egli diventerà un cittadino nel vero senso della parola. Ormai è pronto per muovere questo grande passo, questo passo decisivo. Ha imparato a usare quasi perfettamente il proprio corpo, si è impadronito delle principali tecniche di esplorazione e di conoscenza attraverso il gioco, ha appreso il linguaggio della comunità in cui vive e può farsi intendere da tutti, si è impegnato nei suoi primi rapporti sociali, ha conquistato una sua autonomia e una notevole indipendenza. Tutto questo è riuscito a fare grazie alla vostra presenza e al vostro affetto, facendo continuamente riferimento a voi genitori come a modelli ideali. Mediante il vostro aiuto egli è arrivato al termine di un lungo cammino e alle soglie di quel nuovo mondo che si chiama società. Avrà molto da scoprire in questo nuovo mondo, molto da affrontare, molto da combattere, molto da imparare, molto da superare con fatica. Avrà dunque molto bisogno di voi. Non perché gli allontaniate gli ostacoli dal cammino, ma perché lo aiutiate a superarli. E adesso parleremo proprio di questo.

2. PROTEGGETELO MA NON TROPPO

2.1. Lasciate che si goda la vita

La libertà di giocare

Poniamoci subito una domanda: di che cosa ha bisogno un bambino per giocare? E vediamo subito la risposta: per giocare il bimbo ha bisogno fondamentalmente di tre cose: spazio, materiali di gioco e libertà. Consideriamo con attenzione questi tre punti:

1. **lo spazio**: confinare il bambino in uno spazio ristretto, in cui possa muoversi poco, che gli impedisca le sue attività esplorative, che chiuda i suoi orizzonti, che gli conceda un campo visivo limitato sempre alla stessa parete, al medesimo lato di un mobile, a una prospettiva che non cambia mai, vuol dire impoverire di molto le sue esperienze di gioco. E qui ritorna fuori il discorso del recinto: che in qualche caso l'uso del recinto sia indispensabile per ragioni di sicurezza, ammettiamolo; ma, in primo luogo, questo « confinamento » deve essere il meno frequente e il meno prolungato possibile; in secondo luogo il recinto deve essere tale da rappresentare per il bambino più una struttura da esplorare che non un confine di tipo carcerario (abbiamo parlato precedentemente, se ben ricordate, di « recinti fantasia », improvvisati, realizzati con oggetti diversi e interessanti); in terzo luogo il recinto deve essere abbastanza ampio da permettere al piccino di muoversi di qua e di là con sufficiente larghezza e di poter cambiare il panorama. Man mano che vostro figlio cresce egli ha comunque bisogno di muoversi sempre di più e la sua area di interessi e di curiosità si allarga: la stanza, l'intera casa, il giardino, il prato, un magazzino, eccetera. Le vecchie ampie soffitte erano degli autentici paradisi per i bambini. Oggi non ci sono più. Cerchiamo almeno di mettere a disposizione dei nostri figli la maggior parte possibile dell'appartamento, o almeno un locale abbastanza vasto, se ce n'è uno disponibile. In questo senso non c'è dubbio che i bambini che abitano in campagna sono molto avvantaggiati rispetto a quelli che abitano in città

2. **i materiali di gioco**: ciò che serve di più al bambino è del materiale semplice, che possa venire utilizzato in qualsiasi modo e che possa venire trasformato, con la fantasia, in qualunque cosa. Con dei pezzi di legno o di stoffa, con degli oggetti di uso casalingo (tazze di plastica, rocchetti, assicelle, cassette, scatole, barattoli, eccetera), con della plastilina, del Pongo, della terra, della carta, della

acqua, il bambino può creare un intero universo, può fare ogni cosa: treni, case, personaggi, vascelli spaziali, aeroporti, macchine misteriose, torte, autocarri, castelli, e via dicendo. Un meraviglioso trenino elettrico, è un treno e basta. Non può essere niente altro e non può essere trasformato in niente altro. E inoltre il bambino non è capace di usarlo; a parte il fatto che spesso il papà sarà tentato di non lasciarglielo nemmeno toccare, « con quello che costa ». Ma una serie di barattoli può essere un treno, una torre, una flotta di bastimenti, una città, un plotone di soldati. Perciò date al vostro bimbo tante cose, di ogni genere, anche quelle che a voi sembrano proprio inutilizzabili; lui le utilizzerà, statene certi. E se di tanto in tanto gli regalerete un giocattolo *vero*, non meravigliatevi se lui lo spacca immediatamente « per guardarci dentro »; è inevitabile. E probabilmente i pezzi gli saranno molto più utili del giocattolo intero

3. la libertà: questa è naturalmente la cosa più importante. Badate: libertà non significa abbandono. Lasciare il bambino da solo non è la stessa cosa che lasciarlo libero. Vostro figlio ha spesso bisogno di voi per fare certe cose, per compiere certe imprese, per raggiungere certi risultati. Ma aiutarlo quando lui lo chiede o mostra di averne bisogno è una cosa, e interferire nelle sue attività un'altra. Noi adulti, quando giochiamo coi bambini piccoli, tendiamo a commettere diversi errori: vogliamo rendere il gioco più « interessante », e cioè più complicato, perché non riusciamo a capire che gusto ci sia a mettere in fila una serie di legnetti, poi disperderli, poi rimetterli in fila, e così via: e perciò imponiamo al piccino giochi che lui non apprezza e che non lo attirano per niente. Cerchiamo di trasferire nel gioco del piccolo le nostre regole di grandi: l'ordine, la logica (la *nostra* logica, naturalmente), la credibilità, eccetera, regole che per il bimbo sono nient'altro che ostacoli noiosi e insensati. Cerchiamo di « sveltire il gioco » facendo noi delle cose che il bimbo vorrebbe fare lui, o sollecitandolo a sbrigarsi, col bel risultato di impedirgli delle utili esperienze o di convincerlo che lui è un incapace e un inetto perché non sa fare in fretta. Vogliamo insegnargli a giocare, mentre lui sa benissimo come si fa, e anzi lo sa molto meglio di noi. Pretendiamo che continui a progredire nel suo gioco, che continui a diventare sempre più abile, più intelligente, più « logico », mentre il bambino può presentare arresti, regressioni, o progressi rapidissimi e stupefacenti, senza alcuna ragione apparente: oggi, per esempio, può saper costruire una casetta, domani non esserne più capace, e fra dieci giorni può essere imprevedutamente in grado di erigere un castello straordinariamente complicato. Cerchiamo di imporre al bambino una sequenza di gioco predeterminata:

fai così e così per arrivare a questo o a quest'altro. E invece il bambino di solito fa il contrario: ottiene più o meno casualmente un risultato, e poi torna indietro e cerca di migliorare le proprie azioni allo scopo di perfezionarlo. Egli, in altri termini, non lavora tanto sulla base di una programmazione, quanto sulla base dell'esperienza. Tutti questi diversi tipi di intromissione nel gioco del bambino finiscono col limitarne gravemente la libertà di espressione. Vostro figlio ha bisogno di compagnia, di assistenza, di un aiuto intelligente e discreto, non di oppressione, di direttive che hanno sapore di comandi, e di sterili interventi « organizzativi ».

Vorrei qui riprendere, proprio a proposito del gioco, il discorso del *mancinismo*. Che cosa si deve fare con un bambino che nel corso delle sue attività di gioco dimostra di tendere al mancinismo? Molti ritengono ancora che il mancinismo rappresenti un vero e proprio svantaggio, o per lo meno un'anomalia, oppure addirittura una « scorrettezza sociale ». Qualcosa che « non va bene ». E perciò sono convinti che si debba correggerlo con ogni mezzo, ricatto e castighi inclusi. « Ti dò il cioccolatino se fai la tal cosa con la manina *bella* », « Se adoperi ancora la manina *brutta* non ti porto ai giardini », e altre frasi del genere, si sentono ancora abbastanza spesso. Purtroppo. Diciamo subito che si tratta di un atteggiamento sbagliato. Questi sistemi di « rieducazione » fanno più male che bene: il bambino si sente anormale, colpevole, cattivo. Forse si sforzerà di adoperare la manina « bella », forse anche ci riuscirà, ma pagherà questo relativo successo con disturbi di altro tipo, in genere ben più gravi del mancinismo: disturbi del carattere, disturbi del comportamento, disturbi del linguaggio. La balbuzie, per esempio, sembra che compaia con notevole frequenza in questi casi.

Se il bambino passa dall'uso della sinistra a quello della destra, lo deve fare per *motivi suoi*, personali: per comodità, per imitazione spontanea dei compagni e degli adulti, per « diventare come gli altri ». Ma in ogni caso deve essere lui a scegliere e a decidere. Si può aiutarlo dandogli la possibilità di usare la mano che vuole (per esempio porgendogli gli oggetti in modo che lui possa afferrarli indifferentemente con una mano o con l'altra), ma non si può *imporgli* l'uso della destra. E non si deve nemmeno dargli l'impressione che l'uso della sinistra sia « sbagliato ».

Può darsi, ripeto, che il bambino un po' per volta impari da solo a usare la destra invece che la sinistra. Può anche darsi di no. E in questo caso non c'è alcun motivo di disperarsi. Sotto certi punti di vista il mancinismo può costituire un modesto svantaggio, ma non dimentichiamo che in talune attività può invece rappresentare un vantaggio: per esempio in alcuni sport, come la scherma o il tennis. Comunque, il mancinismo non è *mai* un ostacolo alla normale evoluzione del bambino. Secondo l'esperienza di alcuni pediatri sembra che il numero dei bimbi mancini sia attualmente in notevole aumento, forse perché essi vengono « corretti » con meno frequenza e con meno rigidezza di un tempo. Forse, chissà, fra un secolo o due vivremo in una società di mancini. Il che dimostrerebbe che l'uso della mano destra altro non è che una convenzione sociale.

La libertà di riposare

Come il bambino deve avere la libertà di giocare, di operare, di lavorare a modo suo, così deve avere anche la libertà di riposare a modo suo. Sembra persino inutile dirlo. Ma non è inutile. Molti genitori, eccellenti sotto ogni punto di vista, costringono il bimbo a dormire *a modo loro*, convinti naturalmente di far bene. Pensano che il figlio *debba* dormire per tanto tempo, che *debba* riposare in certe ore e in altre no, che *debba* stare a letto in un certo modo, e così via. Vorrei qui elencarvi alcune norme che dovrebbero essere rispettate per consentire al bambino un riposo veramente efficace da un lato, e per non sottoporlo alla « schiavitù del letto » dall'altro. Eccole:

1. tenete presente che la quantità di sonno di cui un bimbo ha bisogno diminuisce con l'aumentare della sua età. Verso i diciotto mesi un bambino necessita, per esempio, di *circa* tredici ore e mezza di riposo, sui due anni di tredici ore, sui tre anni di dodici ore e mezza. Ho scritto delle cifre *medie*, s'intende: per alcuni occorre dormire di più, per altri di meno

2. fra l'età di un anno e quella di due quasi tutti i bambini cambiano le loro abitudini in fatto di sonno: alcuni si addormentano alle nove del mattino dopo essersi svegliati alle sei, altri fanno tutto un sonno fino alle dieci di mattina e poi fanno un riposino alle sei di sera, altri ancora fanno il sonnellino verso mezzogiorno o nelle prime ore del pomeriggio. Ci sono anche quelli che di abitudini sembra non ne abbiano affatto e che cambiano i loro orari tutti i giorni. In generale si può dire che fra gli uno e i tre anni tende a scomparire l'abitudine del sonnellino durante la mattinata, mentre permane quella del pisolino pomeridiano; ma non è sempre così. E' importante che i genitori si adattino a questi

mutamenti: eventualmente si potranno spostare di un poco gli orari dei pasti o della passeggiata per permettere al piccino di riposare quando ne sente il bisogno. E si ricordi che a questa età il bimbo può avere, per così dire, *l'abitudine di non avere abitudini*, come ho detto or ora, specialmente per quanto riguarda i sonnellini durante il giorno: oggi fa la sua dormitina dopo mangiato, domani no, dopodomani sì, e così via. Fino a che, un po' per volta, il bambino dormirà solo di notte. Ma questo accadrà più tardi, verso i quattro o cinque anni, o anche dopo. L'importante è non lasciarsi prendere dalla idea fissa che il bambino debba dormire il più a lungo possibile « perché gli fa bene », e quindi di non costringere il piccino a letto anche quando lui non ha nessuna voglia di restarci: questo non farebbe che irritarlo, e produrrebbe in definitiva un effetto esattamente contrario al riposo autentico

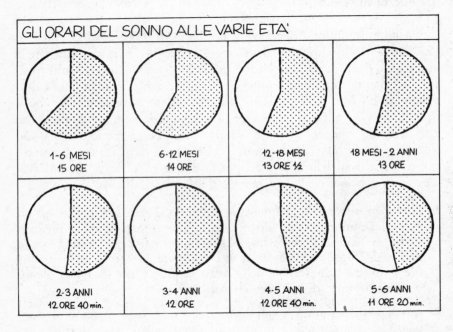

GLI ORARI DEL SONNO ALLE VARIE ETÀ

1-6 MESI
15 ORE

6-12 MESI
14 ORE

12-18 MESI
13 ORE ½

18 MESI – 2 ANNI
13 ORE

2-3 ANNI
12 ORE 40 min.

3-4 ANNI
12 ORE

4-5 ANNI
12 ORE 40 min.

5-6 ANNI
11 ORE 20 min.

3. non fate del sonno del vostro bambino un problema opprimente: se un giorno dorme un'ora meno, o se diversamente dal solito non vuole dormire dopo pranzo, non accadrà nulla di drammatico. Ciò che conta è che, nel complesso, il piccolo possa avere una sua relativa regolarità, un certo ritmo di riposo; ci potranno essere spostamenti di orari, ci potrà essere o no la siesta pomeridiana, ci potrà essere un ritardo nell'ora di andare a letto alla sera. Pazienza. Ma non ci dovrebbe essere un giorno in cui il piccino si svegli alle undici di mattina e vada a letto a mezzanotte, e un altro in cui vada a letto alle sei di sera per alzarsi poi alle cinque del mattino seguente. E questo dipende anche dai genitori: se oggi vi portate il bambino di due o tre anni al cinema alle dieci di sera e domani pretendete che vada a dormire alle sette, è chiaro che finirete col mettere in crisi il suo ritmo. Occorre una grande tolleranza, questo sì, ma occorre anche coerenza e regolarità. In altre parole, se è il bambino a cambiare i propri ritmi, niente di male; ma non dovete in alcun caso cambiarli voi

4. rendete piacevole, serena e festosa l'ora di andare a letto alla sera: per il bambino, l'andare a dormire dopo una giornata di intensa attività deve essere una gioia, non una specie di reclusione, di confinamento, di esilio. Portate il vostro bambino a letto come se lo accompagnaste su un magico vascello in partenza per lo spazio, o come se si trattasse di entrare in un castello incantato nel quale gli appariranno, in sogno, fate bellissime e nani buontemponi; raccontategli degli splendidi viaggi che farà, delle prodigiose scoperte che potrà effettuare, dei mondi fantastici che potrà visitare. Lasciate che porti con sé un compagno di viaggio, il bambolotto preferito, il cane di pezza, un oggetto qualunque che gli tenga lontano il senso della solitudine e dell'isolamento. Tutto questo naturalmente renderà necessarie delle cerimonie, le quali si ripeteranno tutte le sere con una monotonia che a voi sembrerà esasperante, ma che darà al vostro bimbo un notevole senso di rassicurazione: dovrete, per esempio, portarlo a letto in ispalla, metterlo giù in un determinato modo, salutarlo sempre con le stesse parole e i medesimi gesti, dargli il bacio della buona notte sempre sulla fronte, o sulla guancia, senza sbagliare mai. I bambini stanno molto attenti a queste cose. E, del resto, anche noi adulti abbiamo i nostri riti che precedono il sonno: lavarci i denti, leggere, fumare l'ultima sigaretta della giornata, bere un sorso di acqua, e via dicendo; e se non possiamo compiere quelle determinate azioni, spesso fatichiamo a prendere sonno. Perché allora meravigliarci o spazientirci se i bambini fanno lo stesso?

5. non pretendete che vostro figlio si addormenti, a ogni costo, nel suo lettino. Molte volte per il bimbo il letto è una specie di carcere, una cella di segregazione nella quale egli viene incomprensibilmente rinchiuso al termine di ogni giornata; molte volte il bambino crolla per il sonno, non ne può più, ma rifiuta tenacemente il lettino. Perché? Semplice: perché il letto rappresenta per lui l'isolamento, l'abbandono da parte dei genitori, la solitudine, la fine della libertà di giocare, la separazione dalle cose che lo interessano. È meglio non rafforzare queste sgradevoli sensazioni costringendo

il bambino ad andare a letto, eventualmente con la violenza e con le minacce. E' meglio lasciare che il piccolo si addormenti dove vuole, sul tappeto o sul divano del soggiorno, in cucina, fra i suoi giocattoli. E poi portarlo a letto. A questo proposito voglio dirvi ancora una cosa: l'ambiente nel quale il bimbo dorme dovrebbe essere lo stesso ambiente in cui di solito gioca e si diverte. L'essere allontanato dai suoi balocchi, dai suoi cubi di legno, dai suoi pezzi di carta, dai suoi « treni » e dai suoi pupazzi, cioè da un ambiente « vivo », per essere trasferito in un luogo che serva solo per dormire, e cioè in un luogo freddo ed estraneo, può dare veramente al bambino l'idea di essere messo in prigione. Mi pare abbastanza logico che questo non gli piaccia

6. se il vostro bambino si alza venti volte per notte, o vi chiama in continuazione con le scuse più strane, cercate di non perdere la pazienza, ma fategli capire con fermezza e con decisione che i suoi trucchi sono inutili e che lui deve dormire in un *suo* posto e non nel vostro letto: dategli da bere se ha sete, ma non dieci volte di fila; rincalzategli le coperte, ma non ogni cinque minuti; fategli fare la pipì, ma non se già l'ha fatta sei minuti prima. Badate piuttosto che non ci sia o non ci sia stato qualcosa che impedisca al bambino di dormire tranquillamente: può darsi che egli abbia paura, e allora potrete lasciargli una piccola luce nella stanza e fargli compagnia fin che non si è addormentato; può darsi che uno spettacolo televisivo o un gioco particolarmente eccitante, i quali abbiano preceduto immediatamente l'ora del sonno, lo mantengano in uno stato di tensione che gli impedisce un riposo sereno; può darsi che abbia troppo caldo, che sia troppo coperto, che la temperatura della stanza sia troppo elevata. Ricordate che il bambino, specie a quest'età e specie durante il sonno, soffre molto il caldo

7. non interrompete il sonno del bimbo senza un valido motivo: se tutte le mattine si sveglia tardissimo, verso mezzogiorno per esempio, per addormentarsi poi a mezzanotte, allora un po' per volta cercate di cambiare il suo ritmo svegliandolo ogni giorno qualche minuto prima, fino a riportarlo a orari adatti alla sua età; ma se una mattina, di tanto in tanto, vostro figlio dorme più a lungo del solito, questo significa semplicemente che quel giorno ha bisogno di riposare di più. E poi non svegliatelo in base al principio che, secondo voi, « ha dormito abbastanza »; voi non potete sapere se vostro figlio ha dormito abbastanza o no. Lo sa lui; e quando ha riposato a sufficienza si sveglia. Infine, se e quando doveste interrompere il suo sonno, fatelo dolcemente, con garbo, eventualmente con qualche musica a basso volume trasmessa dalla radio o da un giradischi.

La libertà di curare la propria persona

Verso l'anno e mezzo, o anche prima, il bambino manifesta di solito in vari modi la sua precisa intenzione di aver cura di sé, o per lo meno di collaborare alla manutenzione della sua persona: quando lo si veste porge le braccia, allunga il collo, si gira di qua 'o di là, e fa tutto questo con l'evidente scopo di favorire le operazioni. A due anni pretende già di prendere in mano lui la situazione, allontana talvolta con piglio baldanzoso la mamma, e provvede ad attuare diversi tentativi di svestizione o di vestizione, con mediocre successo per i primi, senza successo per i secondi: infila a casaccio una gamba nella manica del golfino, cerca di indossare i pantaloncini a partire dalla testa, e compie altre imprese di questo genere. Si lava anche le mani, cospargendo il bagno d'acqua, calpestando gli asciugamani, e arrivando al risultato di avere le mani molto più bagnate che pulite. Dopo i due anni compie progressi considerevoli: nello svestirsi diventa rapidamente maestro e, se incoraggiato, comincia a concludere qualcosa anche nell'attività del vestirsi. A tre anni riesce quasi sempre a vestirsi da solo; con qualche piccola imperfezione, questo è vero, come l'indossare i pantaloni alla rovescia o la camicia sopra il pullover, ma insomma nel complesso ce la fa. Il suo incubo è rappresentato per lo più dai bottoni, che spesso sono troppo piccoli perché lui possa maneggiarli con disinvoltura, o non entrano bene nelle asole, o entrano nelle asole sbagliate originando bellissimi effetti di pieghe, spostamenti, e varianti di ogni tipo nella sistemazione degli indumenti.

Naturalmente non dovete scoraggiare queste iniziative del vostro bambino, anzi dovete lodarlo, congratularvi con lui e aiutarlo. E il primo modo per aiutarlo è lasciargli molto tempo a disposizione: può darsi che per lavarsi la faccia e le mani ci metta tre quarti d'ora, o che per tentare di vestirsi impieghi un'oretta buona. Non importa. Lui deve studiare la situazione, procedere sperimentando diverse soluzioni, ritornare indietro e ricominciare daccapo. Per ora non deve timbrare il cartellino alla fabbrica o all'ufficio, e il tempo per lui ha un valore diverso da quello che ha per noi. Lasciate che se la prenda comoda. Però non abbandonatelo nei pasticci: quando vedete che proprio non riesce ad andare avanti, un vostro piccolo intervento o un consiglio lasciato cadere lì, come per caso, possono risolvere il problema. Una cosa molto utile è quella di dirigere le operazioni a distanza, indicandogli l'ordine in cui deve indossare i diversi indumenti: prima le mutandine, poi le calze, poi la camicia, eccetera. Inoltre, fornite a vostro figlio dei vestiti semplici, coi quali possa orientarsi, possibilmente con le abbottonature sul davanti, in modo che abbia la possibilità di distinguere la parte anteriore da quella posteriore e non sia costretto ad allacciarsi dei bottoni sulla schiena.

A proposito di vestiti, ho un'altra raccomandazione da farvi: «l'abbigliamento del bambino deve essere confortevole, pratico, non di riguardo». Seguite pure la moda, ma a patto che essa non arrivi a mettere a disagio il bambino o a costituire un ostacolo per le sue attività. Un bimbo di due o tre anni striscia per terra, pasticcia con l'acqua e col fango, dipinge coi pennarelli, si pulisce le mani sudice sui pantaloni: non si può e non si deve esigere che sia sempre lindo e sfavillante. La pulizia dei vestiti diventa per lui un'intollerabile seccatura, una vera e propria oppressione. E lo stesso dicasi per l'«ordine»: fiocchi, cravattine, colletti, e altri simili aggeggi, non servono ad altro che a rendergli difficile la vita. L'abbigliamento ideale, sia per i maschi che per le bambine, è costituito da un paio di pantaloncini (meglio corti) e una maglietta per l'estate, e la tuta per l'inverno. Fortunatamente la moda attuale è abbastanza intelligente, anche per i bambini, e permette soluzioni accettabili sia sul piano estetico che su quello della praticità.

Già che siamo sull'argomento, vorrei richiamare la vostra attenzione su un discorso che ho già fatto: non coprite troppo vostro figlio. Meglio troppo poco che troppo. Verso i due-tre anni il bambino è spesso in movimento, e perciò il suo organismo produce molto calore e ha bisogno di disperderlo. Ma non può disperderlo se è avviluppato in strati e strati di lana. A quest'età la canottiera di cotone va benissimo sia d'estate che d'inverno, e si può fare a meno anche di quella. Se fa molto freddo, fate indossare al piccino un maglione in più quando esce di casa, ma non infliggetegli il tormento della maglietta di lana permanente, sulla pelle.

La libertà di provvedere alla cura della propria persona, alle pulizie del proprio corpo, al proprio abbigliamento, è molto importante per un bambino. Sarebbe bene che vostro figlio potesse, almeno entro certi limiti, scegliere lui stesso i vestiti da indossare e persino da comperare. Prendergli una maglietta rossa o una verde, per voi, in fondo, è lo stesso; ma per lui, il poter decidere per l'una o per l'altra è qualcosa di entusiasmante. Il pensare a se stesso gli darà fiducia nelle proprie capacità, lo aiuterà a rendersi indipendente, favorirà la maturazione di un certo senso della responsabilità. Non impediteglielo.

La libertà «vigilata»: il pericolo in casa vostra

Avendo conquistato la capacità di muoversi per conto suo, di aprire le porte e di cacciarsi dappertutto, di arrampicarsi su qualsiasi cosa, di aprire sportelli, scatole, barattoli e rubinetti, il vostro bambino è ormai in grado di portare in ogni angolo della casa la sua attività esplorativa, e quindi anche di entrare in contatto con tutti i pericoli che si nascondono fra le pareti domestiche. Sì, perché in casa vostra di pericoli ce ne sono, e tanti. Molte volte i genitori a questo non pensano: tremano di paura quando il loro piccino esce all'aperto, temono che vada a finire sotto una macchina, che venga malmenato dai monelli, che venga rapito, o più semplicemente che prenda un colpo d'aria o che si sporchi con la polvere del marciapiede o con la terra del giardino; e si sentono invece tranquilli e beati quando lo intraprendente pargoletto è chiuso in casa, senza correnti d'aria, senza automobili, senza sudicerie per terra e senza malintenzionati. « Al sicuro », dicono questi genitori. No, non è al sicuro. La vostra calda e accogliente casetta può essere una trappola mortale per il bambino, anzi *è* una trappola, sempre pronta a scattare. Ho già fatto un breve cenno a questo problema nel capitolo precedente; ora vediamo insieme che cosa minaccia vostro figlio fra le mura domestiche, e come potete fare per difenderlo.

Le principali cause delle disgrazie che possono colpire il bimbo in casa sono le seguenti:

1. *scottature:* questo, secondo certe indagini condotte recentemente, sembra davvero essere il pericolo più grave. Pentole in ebollizione lasciate incustodite anche solo per un attimo, stufe arroventate, caminetti accesi, materiali infiammabili dimenticati vicino al fuoco, tinozze per il bucato piene di acqua ad alta temperatura, sono altrettanti trabocchetti nei quali il vostro bimbo può cadere in ogni istante. e si tratta sempre di incidenti gravi, badate bene. Talora gravissimi. Non di rado mortali. Incidenti, fra l'altro, che colpiscono con assoluta predilezione proprio i bambini fra uno e tre anni

2. *cadute*: sono abbastanza frequenti anche queste, ma quasi mai provocano lesioni tanto gravi quanto quelle provocate dalle ustioni

3. *avvelenamenti*: penso che il rischio dell'avvelenamento, dopo quello della scottatura, debba essere considerato come il più minaccioso. Vostro figlio non sa leggere ciò che c'è scritto su una scatola o sull'etichetta di una bottiglia, non sa che quelle belle palline rosse sono un veleno, non sa che quello sciroppo dolciastro che lui beve a garganella è riservato agli organismi adulti e va preso a poche gocce per volta, non sa che quella polvere bianca è un prodotto chimico pericolosissimo, che quel liquido gli perforerà lo stomaco e quell'altro è un acido micidiale. Lui vede una cosa, la assaggia, e se gli va la manda giù. E poi succede il guaio, un guaio grossissimo quasi sempre, e talora irrimediabile. I principali tipi di avvelenamento che possono colpire un bimbo sono due:

☐ avvelenamento da medicamenti: in particolare gli studiosi hanno attirato l'attenzione sui cosiddetti « tranquillanti » e sugli « eccitanti », che spesso vengono dimenticati sul tavolo, sul comodino, su una seggiola, e che vengono ingeriti accidentalmente dai bambini con una frequenza sempre maggiore e sempre più preoccupante da qualche anno in qua

☐ avvelenamento da sostanze di uso domestico: soprattutto è stato sottolineato il pericolo rappresentato dalla naftalina, dagli acidi corrosivi, dall'alcool denaturato, dai detersivi, dal petrolio, dall'acetone, dagli insetticidi; sembra che gli incidenti dovuti all'ingestione di queste sostanze siano enormemente aumentati negli ultimi anni: forse di otto o dieci volte, o anche più

4. *soffocazione e asfissia da gas*: un bambino può soffocarsi con un oggetto inghiottito incidentalmente e che gli si fermi in gola bloccando le vie respiratorie (tappi, bottoni, palline, eccetera), oppure può asfissiare aprendo la chiavetta del gas senza che nessuno se ne accorga. Una fuga di gas può verificarsi in verità anche senza l'intervento del piccino: una pentola in ebollizione dalla quale trabocchi il liquido può provocare lo spegnimento della fiamma e permettere quindi al gas di invadere l'appartamento. E' successo, e non una sola volta

5. *folgorazione*: fortunatamente sembra che la corrente elettrica faccia un numero molto limitato di vittime fra i bambini. Tuttavia, il pericolo esiste e non va sottovalutato. Prese di corrente non protette, lavori sull'impianto elettrico lasciati a metà, fili scoperti, collegamenti difettosi possono da un momento all'altro provocare una tragedia. Ricordate che il bambino non ha la più pallida idea della minaccia che si nasconde in quel bel filo lucente che sta lì, alla portata della sua manina, davanti a lui, o nei due forellini circondati da un dischetto o da una piastrina che lo incuriosiscono tanto. Dovete pensarci voi.

Dovete pensare a far sì che la vostra casa non diventi una trappola per il vostro bimbo. A questo punto debbo riferirvi un altro dato che è emerso dalle ricerche più recenti: nella maggior parte dei casi di infortuni accaduti ai bambini i genitori hanno rivelato di essere « incapaci di comprendere le necessità dei bambini » stessi (cito testualmente le parole degli studiosi) o di essere « instabili » o preda di « stati di tensione ». In altre parole, se i genitori non si rendono conto che il bambino *ha bisogno* di esplorare, di toccare tutto ciò che vede, o se sono troppo preoccupati, inquieti, agitati, tesi, nervosi, le probabilità di incidenti aumentano vertiginosamente. Questa è dunque la prima regola: ricordate che tutto quanto è alla portata di un bimbo può diventare un pericolo per lui; ricordate che basta un attimo di disattenzione perché la disgrazia piombi su di voi; e ricordate che la tensione psichica, la preoccupazione eccessiva, l'agitazione emotiva possono provocare in voi proprio quel momento di disattenzione che può essere fatale.

A parte questa considerazione generale, dovrete naturalmente attenervi a una serie di misure precauzionali particolari:

1. non lasciate mai liquidi bollenti alla portata del bimbo, nemmeno per un istante, nemmeno se siete presenti anche voi. Potreste non fare in tempo a fermare un gesto improvviso del vostro piccolo

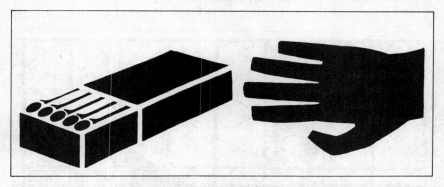

2. non lasciate mai in giro materiali infiammabili e potenziali fonti di fuoco (fiammiferi, accenditori, eccetera)

3. isolate eventuali oggetti infuocati (stufe, caminetti, fornelli elettrici, eccetera) con adeguate protezioni che impediscano al bambino di raggiungere la fonte di calore

4. fate in modo che il bambino non possa arrampicarsi su scale, mobili molto alti, sostegni pericolanti

5. munite finestre e balconi di reti metalliche di protezione

6. non lasciate mai in giro medicinali, prodotti chimici, sostanze varie di uso domestico; conservate questi prodotti sotto chiave, così che il bambino non possa in alcun modo arrivarci

7. non lasciate mai in mano al bambino oggetti abbastanza piccoli da poter essere ingoiati; in particolare fate attenzione ai bottoni, mal cuciti e penzolanti, che il piccolo potrebbe strappare e cacciarsi in bocca

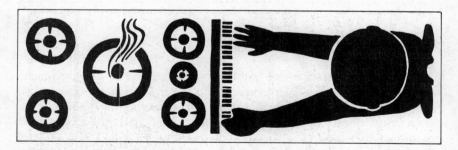

8. fate in modo che il bambino non possa mai avvicinarsi ai rubinetti del gas

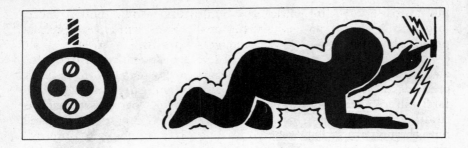

9. tenete sempre in ordine l'impianto elettrico, e coprite le prese di corrente o comunque fate in modo che il bambino non possa raggiungerle

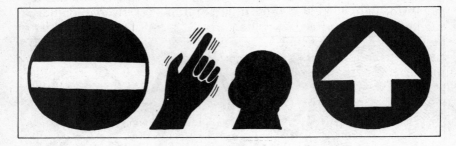

10. fate capire chiaramente al bambino, con poche ma decise indicazioni, quali sono i punti della casa che lui non può esplorare. Naturalmente questi punti debbono essere ridotti al minimo, altrimenti il bambino non può ricordarli tutti; e inoltre non debbono cambiare da un giorno all'altro. Il posto delle medicine deve essere sempre quello; il fornello deve essere *sempre* zona proibita, e non solo di tanto in tanto, e così via.

2.2. Lasciatelo mangiare in pace

Fra l'età di uno e due anni sorge in genere la maggior parte dei problemi alimentari. In primo luogo il bambino comincia a manifestare dei gusti proprio *suoi*, per lo più differenti da quelli che ha avuto fino a questo momento: finora la sua principale preoccupazione era quella di rimpinzarsi di cibo, di qualunque cibo, anche di cose che al nostro palato di adulti sarebbero parse orrende, come la minestra di verdura con lo zucchero; ma adesso non è più travolto da un appetito così primitivo, e comincia a distinguere assai bene fra i piatti più gustosi e quelli insignificanti o addirittura cattivi. Inoltre, anche in questo campo la sua nascente personalità si fa sentire, e il piccolo prende abbastanza spesso delle irremovibili decisioni su ciò che gli va e ciò che non gli va. Così può succedere che un bimbo di quest'età stabilisca che per lui va bene il formaggio, e che per un certo periodo pretenda di riempirsi di mozzarella o di robiole in quantità tali da farci rabbrividire, salvo cambiare idea dopo una o due settimane e rifiutare tutto ciò che non è carne, o carote, o riso bollito. Un bambino che fino a ieri beveva mezzo litro di succo di pomodoro, improvvisamente può respingerlo definitivamente e bere solo latte, uno che impazziva per il fegato di vitello può di colpo dedicarsi anima e corpo alle uova sode, e via dicendo.

Tutto questo non deve preoccupare i genitori: probabilmente il bambino si sente attirato da ciò che gli serve di più in quel determinato momento, da ciò che gli è più utile per la sua crescita, e quindi la miglior cosa da fare è di accontentarlo. Può darsi che per un certo periodo non mangi verdura; pazienza, riprenderà a mangiarla fra qualche tempo, e intanto può benissimo tirare avanti con la frutta. Bisogna ricordare inoltre che verso l'anno e mezzo o i due anni l'appetito del bambino tende *normalmente* a diminuire, per il semplice motivo che in questo periodo sono diminuite le richieste del suo organismo.

Se accetterete serenamente questi cambiamenti di gusti e di appetito, senza farvene un'ossessione, tutto andrà liscio. Ma guai se vorrete imporvi e costringere vostro figlio a ingoiare contro voglia una qualsiasi cosa: allora comincerà un vero dramma alimentare, che potrà anche prolungarsi per anni e anni.

Di che cosa non ha bisogno

La prima cosa di cui vostro figlio non ha bisogno è di essere ingozzato come un cappone. Egli è ormai capace di una certa indipendenza alimentare, bene o male sa nutrirsi da solo, o almeno ritiene di poterlo fare. Non ha nessun bisogno che la mamma gli cacci la pappa in bocca in una rapida successione di cucchiaiate fino a « completare il carico ». Può farcela da solo, quasi sempre gli piace farcela da solo, ed è un bene che ce la faccia da solo. Il che non significa naturalmente che, a costo di fargli saltare il pasto, si debba abbandonarlo totalmente al suo destino. Ma fra i dodici e i diciotto mesi, quando lui prova il massimo interesse per il cibo *come giocattolo*, non si deve scoraggiarlo nei suoi tentativi, anche se ci mette venti minuti per trasferire nella propria bocca una quantità irrilevante di minestrina. Un piccolo aiuto si può darlo, ma senza parere, quasi di nascosto, con apparente noncuranza, in modo che il piccino abbia sempre l'impressione di mangiare da solo.

Forse, viste le difficoltà presentate dall'uso del cucchiaio, e soprattutto spinto dalla curiosità per il cibo considerato come *materiale di gioco*, il bimbo a un certo punto metterà le mani nel piatto, schiaccerà nel suo piccolo pugno il passato di verdura per vederlo uscire di tra le dita, si spalmerà la faccia di puré, e si avventurerà in altre iniziative del genere. Va benone. Anche il cibo, come ogni altra cosa, è occasione di esperienze per il bambino; esperienze non solo alimentari, ma anche tattili, visive, ambientali, sociali. L'unica cosa che dovrete fare sarà di premunirvi contro l'alluvione di pappa che si abbatte in questi casi intorno al bambino: mettete un grande foglio di plastica sotto di lui, in modo che il pavimento venga risparmiato dalla pioggia di minestra, carne trita e succo di frutta; fate indossare al piccolo un « mangiapappa », uno di quei bavaglini giganti che coprono tutta la zona esposta, o semplicemente un grande tovagliolo, così da non essere costretta a cambiarlo da capo a piedi dopo ogni pasto; e difendete anche voi stessa con un grembiule vecchio. Insomma, organizzatevi. E poi lasciatelo fare, senza mettergli fretta e senza interferire continuamente nelle sue operazioni.

Per evitare che la pappa si raffreddi durante le laboriose e prolungate manovre di vostro figlio, potrete eventualmente usare uno di quei piatti a doppio fondo che si riempiono di acqua calda detti « scaldapappa ».

Può darsi che a un certo punto il bambino perda interesse al cibo, si distragga, cominci a discorrere indicandovi questo o quello, voglia muoversi, si strappi il bavaglino. Questo è il momento di concludere il pasto. Non importa se a voi sembra che il bimbo abbia mangiato troppo poco, non importa se ha lasciato indietro la frutta, e non importa se, più che mangiare, si è trastullato col contenuto dei piatti. Il pasto è finito. Ogni ulteriore manovra per prolungarlo o completarlo non può che risultare negativa a tutti gli effetti.

Una seconda cosa di cui vostro figlio non ha assolutamente bisogno è che voi mettiate in atto un preciso e inflessibile programma su che cosa e quanto lui debba mangiare. Siamo al solito discorso: forti delle nostre conoscenze, sicuri del fatto nostro, incoraggiati dai manuali, dalle prescrizioni mediche e dai rotocalchi, ciecamente fiduciosi nella nostra « esperienza », siamo portati a stabilire in ogni dettaglio la dieta del bambino « per il suo bene ». Invece lui sa molto meglio di noi qual è il suo bene. Dategli da scegliere fra diverse possibilità: ci vuol poco a mettergli davanti tre o quattro piattini, ognuno con un contenuto diverso, invece che mescolare tutto in un unico pastone. Offritegli, per esempio, un piatto di riso, uno di carne trita, uno di carote, e uno di patate bollite; e poi lasciate che se la veda lui. Credo che non ci sia niente di più desolante per un bimbo che vedersi davanti tutti i santi giorni lo stesso miscuglio, senza nessuna alternativa e nessuna variante.

E poi, guardatevi dalle tradizioni, dai costumi, dalle abitudini di famiglia, dai pregiudizi: molti credono che la carne sia una specie di veleno se non è accompagnata dalla verdura, che la frutta debba per forza essere mangiata alla fine del pasto, che il pasto non sia valido se non comprende la minestra, che la pasta sia « di sostanza » e il riso no, e altre sciocchezze del genere. Il badare a tutte queste superstizioni è uno dei modi più efficaci per rovinare l'appetito del bambino e il suo gusto per la tavola. Lasciate che vostro figlio se la sbrighi come vuole. Certi bambini amano riempirsi la bocca di minestrina con una mano e tenere con l'altra una banana da intercalare alla pastina in brodo; altri trovano eccellenti le carote con la marmellata; altri versano il succo di limone sugli spaghetti. Perché no, tutto sommato?

E infine c'è una terza cosa che proprio non serve al vostro bambino: essere indotto a mangiare con trucchi e raggiri. Se gli va di mangiare, che mangi; se no, ne faccia a meno. Ma guai se cominciate a nutrirlo « a tradimento ». Certe case, all'ora del pasto, sembrano un circo equestre: la televisione accesa a pieno volume, il papà che fa i giochini coi bicchieri e le posate, la mamma che canta canzoncine, la zia Elvira che accorre con giornaletti, il nonno che fa balenare visioni di cioccolatini e dolciumi vari, e tutti con cucchiai ricolmi di pappa pronti a essere fulmineamente introdotti nella bocca del bimbo non appena questi, in un momento di distrazione, la apra. Questo è un autentico massacro, dal punto di vista alimentare. Quella mezza dozzina di cucchiaini di cibo che riuscirete a far ingoiare al bimbo con questi espedienti, saranno pagati con mesi di inappetenza, di resistenza sempre più accanita e di rifiuto sistematico. E saranno pagati inoltre col ricatto: infatti il bambino scoprirà ben presto di avere a disposizione un'arma infallibile per piegare l'intera famiglia ai suoi voleri, *l'arma di non mangiare*. Gli viene in mente di bere il vino di papà? Bene, si rifiuterà di mangiare fino a che non avrà avuto il vino. Vuole vedere la televisione? Basterà respingere il piatto e il televisore si accenderà immediatamente. E così via. Il mangiare non sarà più un piacere, la soddisfazione di un bisogno fondamentale; sarà solo una moneta di scambio, un prezzo che il bambino accetterà di pagare per ottenere l'asservimento dei genitori e dei parenti.

Di che cosa ha bisogno

Vediamo ora che cosa non dovete lasciar mancare a vostro figlio. Ripeto innanzitutto quello che ho detto prima: gli alimenti di cui tratteremo sono tutti necessari, ma non è detto che debbano entrare tutti contemporaneamente nello stesso pasto, e nemmeno nella dieta giornaliera o settimanale. Un bambino può stare benissimo otto o dieci giorni senza latte, o senza carne, o senza verdure; ognuno di questi cibi può essere sostituito da qualcos'altro, almeno entro certi limiti e per un certo tempo, e si può aspettare tranquillamente che i gusti del bimbo cambino e che lui ricominci a mangiare ciò che aveva tenacemente rifiutato anche per mesi interi.

☐ *Il latte* è importante perché è un alimento completo e perché rappresenta sostanzialmente l'unica fonte di calcio. Credo che un quarto di litro di latte al giorno sia sufficiente per un bambino di due o tre anni, purché nella dieta entrino anche formaggi o ricotta. Se al bimbo il latte non piace, potrete aggiungervi un po' di cacao, oppure introdurre il latte nella puré, o negli sformati di carne o di verdure, o in certi tipi di minestra, o in qualche dolce. Oppure potrete sostituirlo con formaggi freschi (mozzarella, crescenza, eccetera) o con ricotta.

☐ *Le uova* non costituiscono, come molti credono, un pericolo mortale per il fegato; a vostro figlio potrete dare benissimo anche un uovo al giorno, crudo e mescolato con lo zucchero, o nella minestra, o nel latte, o preparato alla coque, o bollito. Anche qualche frittata può entrare nella dieta, ma non troppo spesso. Le uova possono sostituire in parte la carne se il vostro bimbo attraversa un periodo di gusti strettamente vegetariani.

☐ *La carne e il pesce* sono alimenti fondamentali perché riforniscono l'organismo di proteine « nobili » complete e cioè di quei « mattoni » che servono all'organismo stesso per auto-edificarsi e quindi per crescere. Ma certi bambini detestano la carne presentata come tale, per esempio ai ferri, o cruda, o anche bollita. In tal caso sarà bene ricorrere ai soliti espedienti dello sformato contenente carne trita, o dei condimenti per la pasta o per il riso mescolati a carne frullata, e simili. In linea di massima, la dose quotidiana di carne dovrebbe aggirarsi sui cento-centocinquanta grammi.

☐ Di *formaggio* sarà bene darne sui cinquanta o sessanta grammi al giorno se si tratta di formaggi freschi, sui trenta grammi se sono fermentati. *Il burro* crudo deve essere introdotto gradualmente nella dieta; anch'esso ha una sua funzione perché contiene delle importanti **vitamine**.

GLI ALIMENTI NECESSARI ALL'ALIMENTAZIONE DEL BAMBINO

LATTE

CARNE

PESCE

FORMAGGI

UOVA

BURRO

VERDURE

FRUTTA

☐ *Le verdure crude* possono entrare nella dieta del bambino di età superiore a un anno, naturalmente *ben lavate* e sminuzzate, condite con olio e limone. Ricordate che la verdura, se proprio non è gradita al piccino, può essere sostituita con una maggiore quantità di frutta.

Molti genitori si preoccupano del come distribuire i diversi alimenti nella giornata. Vi suggererei a questo proposito di tenere presenti i seguenti criteri:

1. al mattino cercate di dare del latte, preparato in qualsiasi modo: con un po' di cacao, o con orzo, o con cereali o semolino o fiocchi d'avena, o quello che volete; e inoltre biscotti, o pane biscottato, o crackers, con miele, burro o un po' di marmellata. Ottimo complemento un po' di succo di frutta

2. a mezzogiorno non fissatevi sul primo piatto. Potete anche saltarlo. Essenziale invece la carne o il pesce; e inoltre verdure e frutta

3. a merenda basta qualcosa di leggero: té con biscotti, o un dolce di frutta, o spremute di frutta con biscotti, o frutta cotta, o un po' di latte

4. alla sera minestra asciutta o in brodo, formaggi, uova, verdure e frutta.

Queste sono naturalmente indicazioni di massima e costituiscono semplicemente uno schema: nulla vieta che un bambino, per esempio, possa avere l'uovo al mattino invece che alla sera, o che per un certo periodo possa prendere il formaggio a mezzogiorno al posto della carne.

Da che cosa deve essere protetto

L'alimentazione del vostro bambino deve essere difesa da un buon numero di pericoli. Esaminiamo insieme i più importanti:

1. errori di composizione della dieta: la nostra mania per i cibi che riteniamo sostanziosi ci spinge molto spesso a gonfiare il bambino di troppi farinacei, di troppi grassi (formaggi grassi, burro, panna), di troppo zucchero, e spesso di troppo cibo in senso assoluto. Molti bambini, molti di più di quanto non si creda, mangiano troppo. Non per loro volontà, ma perché vi sono costretti con minacce e violenze. E' un errore molto grave. Viceversa, a molti piccoli, intasati di pasta e minestrone, si danno troppo poche verdure, poca frutta e poca carne (la quale, chissà perché, da molti è ritenuta « pesante »). E' il caso di sottolineare qui l'impiego smodato di pastasciutta che è tipico del nostro paese. Fin da piccolissimo il bambino viene « addestrato » agli spaghetti, o simili, con le parole, coi fatti e con l'esempio. Egli vive in un mondo alimentare in cui la pastasciutta è regina incontrastata. E così, molto spesso, finisce col mangiare solo quella, respingendo con incrollabile fermezza tutto ciò che pasta non è: carne, verdura, frutta, uova, pesce, formaggio, eccetera. Questo « regime monofagico », basato cioè sul consumo di un unico alimento, la pasta appunto, non è certo l'ideale. A lungo andare il piccolo diventa troppo grasso, anemico, e nel complesso malnutrito. Non ho niente contro la pasta, ma essa deve restare quello che è: *una* delle componenti della dieta. Non la sola

2. eccessiva somministrazione di liquidi: se il bambino ha sete, deve bere. Su questo non c'è dubbio. Se suda, deve bere di più, e subito, non dopo mezz'ora o un'ora di sete atroce perché l'acqua potrebbe « fargli venire una congestione ». L'acqua non provoca mai nessuna congestione. Tuttavia bisogna tener conto di questa possibilità: molti bambini concepiscono un odio feroce per il cibo in quanto sono stati costretti in questa o quella circostanza a mangiare contro voglia. Allora, quando avvertono il disagio provocato dallo stomaco vuoto, si riempiono d'acqua, a tutte le ore del giorno. Questo continuo « lavaggio gastrico » produce naturalmente una ulteriore diminuzione dell'appetito, quindi una sempre minore ingestione di cibo e di conseguenza un sempre maggiore desiderio di bere. È un circolo chiuso, dal quale è difficile liberare il piccino, tanto più che i soliti genitori e i soliti nonni allarmisti si affannano molte volte a riempire il bambino di bevande aromatizzate, « così almeno manda giù qualcosa che non sia solo acqua ». In tal modo il piccino perde anche quel poco gusto di mangiare che aveva, perché in confronto alle sue belle bibite dolci e aromatiche ogni cibo gli sembra insulso e repellente

3. somministrazione sregolata di dolciumi: un pezzetto di cioccolato a mezza mattina o una caramella di tanto in tanto non possono certo provocare disastri irreparabili. Penso che sia ingiusto e crudele negare ai bambini queste piccole gioie. Però non si deve esagerare: alcuni si portano una scorta di dolci in tasca e li somministrano al bambino a getto continuo, per tutta la giornata, « perché è l'unico modo di tenere buona quella piccola peste ». Sbagliatissimo, è chiaro. La dieta del bimbo ne risulterà gravemente sbilanciata, l'appetito potrà diminuire fino a scomparire del tutto, il bambino potrà abituarsi ai dolciumi fino a diventare una specie di drogato, e la patina di sostanze zuccherine che rivestirà in permanenza i suoi denti favorirà in modo notevole la comparsa della carie

4. bevande « sbagliate »: le bevande gasate, che mandano in visibilio quasi tutti i bambini, vanno date con molta parsimonia. L'ideale sarebbe non darle per niente. E non parliamo del caffè. Ma il « nemico liquido numero uno » è l'alcool. Ne abbiamo già fatto un cenno, se ben ricordate, ma vorrei dirvi ancora qualcosa su questo temibilissimo avversario della salute dei bambini. I motivi per cui un bambino beve alcool (di solito vino, ma qualche volta persino liquori!) sono sostanzialmente quattro:

☐ al bambino l'alcool piace, quasi sempre

☐ la tradizione in certe comunità, specie nelle zone vinicole, spinge a considerare l'alcool come una normale componente della dieta, anche per il bambino piccolo

☐ il bambino tende a imitare l'adulto

☐ la superstizione fa credere seriamente a molti genitori che « buon vino faccia buon sangue ».

Ora sarà bene ricordare che su cento bambini che bevono il famoso e fatale « goccino », da uno a sette diventeranno alcolizzati in età adulta. Queste sono le cifre agghiaccianti che ci hanno fornito le ricerche in proposito. Ma non occorre aspettare che il bimbo diventi grande per constatare i danni provocati dall'alcool: l'accrescimento e lo sviluppo del piccino vengono poco a poco compromessi, la sua evoluzione mentale finisce col diventare insufficiente, le capacità dell'organismo di difendersi contro le malattie infettive, e specialmente contro la tubercolosi, diminuiscono in modo allarmante. Purtroppo in questo campo siamo i detentori di un triste primato: in nessuna nazione del mondo i bambini consumano tanto alcool quanto nei paesi latini e tedeschi. E solo la Francia consuma complessivamente più alcool dell'Italia. Non c'è davvero da stare allegri. E pensare che tutto comincia da lì, da quel « goccino » che noi diamo ai nostri figli quasi per gioco!

2.3. L'educazione non è oppressione

Il dovere

La maggioranza degli adulti è ancor oggi convinta, senza dubbio in buona fede, che fin da piccolissimo il bambino debba sottostare al *dovere*. Egli avrebbe il dovere di essere buono, servizievole, obbediente, rispettoso, pulito, ordinato, eccetera eccetera. Vi confesso che questa parola «dovere» mi fa un po' paura. È una parola ambigua. Spesso viene usata in modo assolutamente staccato dalla realtà e per giustificare certe prese di posizione che non hanno alcuna base ragionevole. Facciamo degli esempi: se dite a un bambino di tre anni di obbedire, di stare zitto, di non sporcare il pavimento o di riporre i suoi giocattoli perché questo è il suo dovere, non gli avete detto nulla. Nulla che lui possa comprendere. Che cos'è, per lui, questo dovere? Ovviamente niente. Solo una parola vuota che serve ai grandi per fargli fare certe cose e impedirgli di farne altre. E del resto lo stesso discorso vale anche per gli adulti: un dovere scaturisce dai nostri rapporti con gli altri esseri umani, oppure non c'è. Non esiste un dovere come tale. E nostro dovere non fare del male agli altri, anzi far loro del bene; è nostro dovere rispettare i nostri simili, non offenderli, tenere conto delle loro esigenze, eccetera, ma sarebbe ridicolo pensare che possa essere un dovere quello di alzarci dal letto mettendo fuori il piede sinistro prima del destro, o quello di dormire col pigiama rosso, o quello di morire con la camicia nera, come ai tempi del fascismo. Così il bambino, se dovrà fare o non fare questo o quello, sarà per ragioni di affetto, di simpatia, di collaborazione, di rispetto, e non semplicemente perché « è suo dovere ».

Questa considerazione elementare è di fondamentale importanza per stabilire col vostro bimbo dei rapporti cordiali, amichevoli e affettuosi, e non rigidi, freddi e impersonali. A noi pediatri càpita si può dire ogni giorno di vedere bambini svogliati, pigri, sciattoni, indifferenti a tutto. Che cosa li ha fatti diventare così? Proprio questo, proprio il « dovere » imposto continuamente dai genitori con una infinita serie di comandi, rimproveri, sollecitazioni, imposizioni. Se continuate a dire al vostro bimbo, con tono perentorio: « Lavati! », « Mangia! », « Gioca! », « Sbrigati! », « Va' a letto! », « Sveglia! », « Dormi! », « Parla! », « Sta' zitto! », come se lui non fosse un essere umano, ma una specie di robot tenuto a fare quello che dite voi perché questo è il suo dovere, egli finirà col diventare un robot davvero e non farà più niente di sua iniziativa. Si rassegnerà poco a poco ad aspettare che gli altri gli dicano che cosa deve fare, e poi arriverà a non fare più nulla del tutto, nemmeno su comando. Il cosiddetto « senso del dovere », astratto e sterile, avrà ucciso in lui il senso della vita. Oppure potrà accadere che egli diventi uno di quegli individui aridi e sostanzialmente infelici che fondano la loro intera esistenza sul « senso del dovere », cioè su ciò che *si deve fare* e che generalmente è sgradevole, e non sul piacere e sull'affetto. Uno di quelli che consumano la loro vita sacrificandosi, anche quando non ce n'è nessun bisogno, covando dentro di sé la ferma convinzione di dover essere ripagati dei loro sacrifici, innanzitutto con la gratitudine di tutta l'umanità, e poi col paradiso.

Ma se invece darete a vostro figlio l'impressione che il suo aiuto sia prezioso per voi, che la sua collaborazione sia insostituibile, che se il pavimento è bello lucido e la mamma non deve pulirlo questo si deve alla sua attenzione, che se non c'era lui a porgervi il cucchiaio non avreste saputo come cavarvela con la frittata, se insomma gli farete capire che il suo buon comportamento vi fa piacere e vi è di grande utilità, allora il bambino accetterà di fare qualsiasi cosa per amor vostro. O per lo meno molte cose. In breve: non chiedetegli mai qualcosa con tono imperioso e staccato, ma invitatelo a fare questo o quello con motivazioni precise, che lui possa capire e apprezzare.

Prendiamo un altro esempio, quello delle « buone maniere »: pretendere che un bimbetto faccia inchini e reciti frasi fatte quando viene presentato a un adulto, pretendere in altri termini che offra spettacolo con la sua buona educazione, significa irritarlo e metterlo in imbarazzo. Ma se l'adulto saluta il bimbo con la stessa serietà con cui saluta le altre persone grandi, se gli porge la mano come la porge al conoscente o all'amico, il piccino sarà ben lieto di adeguarsi a questo costume: si sentirà più importante, più rispettabile, più dignitoso.

Ora bisogna dire un'altra cosa: se il nostro atteggiamento verso il bambino è ansioso, o intollerante, o troppo rude, o impaziente, o imperioso, questo deve indurci a sospettare che dentro di noi ci sia qualche cosa che non va. Probabilmente, se metteremo in atto una leale autocritica, scopriremo che siamo insicuri, pessimisti e sostanzialmente delusi di noi stessi, e astiosi, diffidenti ed egoisti nei nostri rapporti con la società. Il che vuol dire che ognuno di noi, prima di saper trattare un bambino, deve risolvere i propri problemi. Altrimenti l'ambiente che daremo a nostro figlio sarà molto più somigliante a quello di una caserma che non a quello di una famiglia; una caserma ordinata, pulita, forse lussuosa, ma una caserma. Con uno che comanda e gli altri che obbediscono. Cadremmo infine nel classico ambiente patriarcale, in cui i rapporti familiari si reggevano sulla sudditanza e non sull'affetto e sulla reciproca comprensione. Il che, credetemi, sarebbe veramente disastroso per la futura evoluzione del bambino. Perché se al bambino piccolo si insegna a essere un servo, più che un uomo, egli uomo non diventerà mai più.

La disciplina

Alle persone tradizionaliste vorrei porre una domanda: perché un bambino deve essere disciplinato? A parte le solite risposte (che non sono risposte), che « è per il suo bene », che « è necessario per la sua formazione », che « non si impara a comandare se non si impara prima a obbedire », eccetera, non saprei proprio che cosa potrebbero dirmi. Un argomento valido in favore della disciplina io non l'ho mai sentito esporre da nessuno. Ma anche qui dobbiamo intenderci bene sulle parole: « disciplina », come « dovere », è un vocabolo poco chiaro e molto discutibile.

Per cercare di mettere a fuoco il nostro discorso cominciamo col chiederci *perché* certe persone sostengano la necessità della disciplina e perché la applichino in casa loro. Nella maggior parte dei casi si tratta semplicemente di questo: il bambino è arrivato in un momento inopportuno, non era desiderato, è capitato per sbaglio in un ambiente che non era preparato per riceverlo. I genitori allora reagiscono in uno di questi due modi: o si prosternano davanti al figlio e diventano i suoi schiavi, allo scopo di riscattarsi da un senso di colpa che provano nei suoi confronti; oppure cercano di « metterlo in riga » subito, in modo che non dia fastidio e occupi con la sua personalità il minore spazio possibile. Questa seconda soluzione viene comunemente detta « disciplina ».

Se i motivi della disciplina sono quelli che ho schematicamente esposti (e dei quali i genitori di solito non si rendono minimamente conto), è chiaro che gli scopi della disciplina stessa non potranno essere che i seguenti: primo, far sì che il bambino si comporti in casa come una macchinetta docile e poco ingombrante; secondo, che impari alla svelta le regole « ufficiali » della comunità, in modo da non creare domani grattacapi e seccature con prese di posizione rivoluzionarie, anticonformiste, ribelli e contestatrici.

Scendiamo ora sul piano pratico: come viene applicato di solito il concetto di disciplina? Ovviamente in una serie di provvedimenti repressivi: per esempio impedire al bambino non solo di esprimere, ma anche di nutrire delle emozioni « sconvenienti », come la collera o l'indignazione; pretendere che faccia una quantità di cose presto e bene, persino quelle che egli non è ancora capace di fare; esigere che stia fermo e zitto per non disturbare i grandi; imporgli una pulizia eccessiva che gli impedisce di giocare e di agire secondo le sue necessità; costringerlo a una puntualità meticolosa e persino assurda; e via dicendo. Tutto questo naturalmente non può essere accettato dal bambino con serena e bonaria rassegnazione: il piccolo, e con ragione, si sentirà ingiustamente perseguitato e oppresso, e con tutta facilità si porterà in cuore per il resto della vita un sentimento di rancore che sfogherà su chiunque gli capiterà a tiro. La nostra società è piena di individui del genere: gente che si sente perennemente sfruttata e truffata (il cosiddetto « cittadino che protesta »), gente che « non si fida di nessuno », gente che « fa i fatti suoi », come se l'occuparsi degli altri e delle loro necessità fosse un errore pericolosissimo, gente che vive pavidamente rinchiusa nel proprio guscio, gente che divide l'umanità in « dritti » e « fessi », eccetera. Forse non sempre, ma certo molto frequentemente alla base di queste posizioni antisociali c'è un'educazione di tipo repressivo, basata sulla disciplina tradizionale, rigida e disumanizzata.

È stato detto che « la buona educazione di un bambino è il prodotto di cattivi genitori ». Per quanto questa affermazione sembri paradossale, essa contiene una parte di verità. Se per « buona educazione » intendiamo la supina e passiva accettazione di ogni regola, la rassegnazione all'obbedienza senza riserve, allora l'affermazione è vera. Il bambino non può essere considerato come un detenuto o un alienato che debba sottostare a un regolamento carcerario. Il bambino è un essere umano, e come tale libero e indipendente. Il bambino deve essere partecipe e responsabile, mai soltanto obbediente. La disciplina, intesa come condizionamento all'obbedienza e basta, è un sistema condannabile ed essenzialmente negativo.

Le punizioni

Dopo quanto ho detto a proposito della disciplina sarebbe del tutto inutile un discorso sulle punizioni corporali, sulle sberle, gli sculaccioni, le busse in genere e i castighi di ogni tipo. Sarebbe inutile, se non ci fossero ancora molti i quali credono fermamente che il bambino abbia bisogno della punizione come delle vitamine, e che non possa crescere bene se non ha la sua razione quotidiana di scapaccioni. In questa opinione non c'è naturalmente nulla di vero. Non solo, ma alla domanda: « Quando sono necessarie o utili le punizioni? » la risposta è: « Mai ». Le punizioni non servono a niente. I bambini sono di solito animati dalle migliori intenzioni e, se sono trattati con rispetto e comprensione, non chiedono di meglio che di rendersi utili e di collaborare. Certe volte s'incaponiscono su qualche resistenza « per principio », come abbiamo visto, oppure esplodono in violente proteste e feroci attacchi contro una cosa o l'altra, ma si tratta di normali manifestazioni emotive che non devono essere interpretate come « cattiveria ». Se non lo si considera come tale, il bambino non è mai cattivo: egli è normalmente contento di far piacere agli altri e di vivere in buona armonia con tutti. A meno che non lo si punisca: allora le cose cambiano.

Un bimbo che venga picchiato non smetterà certo di amare i genitori, ma al suo affetto si mescoleranno due sentimenti del tutto negativi: il risentimento e la paura. E il guaio è che saranno proprio questi a guidare le sue azioni: egli non diventerà buono e rispettoso, ma sempre più caparbio e ribelle, sfiderà i genitori-nemici, assumerà atteggiamenti di antagonismo e di guerra aperta. Il suo carattere non migliorerà di un capello. Il timore del castigo darà al suo comportamento sfumature di violenza e di aggressività, ma non lo indurrà certo a rispettare le regole. Un bambino è « buono » quando è guidato dall'affetto, non dal terrore. Potrà sforzarsi a non malmenare i fratellini e i compagni, a non mettere la casa a soqquadro, a essere educato e gentile, perché vi vuole bene e non desidera mettersi contro di voi, ma non lo farà mai soltanto per la paura della punizione.

A tutto ciò si aggiungono spesso i sensi di colpa. Vostro figlio vi ama e ha fiducia in voi e, quando viene punito, può credere che non siate stati voi a perdere la calma, a comportarvi in maniera incivile e scorretta, a usare metodi violenti e persecutori, ma lui. Lui che ha fatto qualcosa di così grave da guastare il rapporto coi genitori e da non meritarsi più il loro affetto. Riuscite a capire l'enormità del suo dispiacere? Anzi, addirittura della sua angoscia? Tanto più che lui non sa rendersi conto dei suoi "crimini". Forse non si è lavato le mani, ha rotto qualcosa, ha rovesciato il latte per terra, si è fatto la pipì addosso. Ma non pensava mai di aver commesso un delitto tanto esecrabile da dover essere ripagato con l'inimicizia della mamma e del papà. Come farà d'ora in poi? E se sbagliasse ancora? E se i genitori finissero con l'abbandonarlo? Che brutta faccenda. Ma è raro che un adulto ci pensi.

Molti, pur ammettendo che non ci si deve lasciar prendere dalla ira e picchiare il piccino nel momento della rabbia, sostengono la necessità della punizione in sé e per sé; costoro dicono che bisogna castigare il bambino « a freddo », oppure chiuderlo nello stanzino buio, o minacciarlo di abbandono, di prigione (« chiamerò il vigile! ») o di interventi diabolici (« verrà il lupo a mangiarti! », oppure « chiamerò l'uomo nero! »). Tutti questi sistemi sono assolutamente sbagliati: picchiare un bambino con calma, con freddezza, è soltanto crudele, anzi mostruoso, e l'effetto che ne deriva può essere addirittura tragico; chiudere il bimbo in un locale senza luce significa semplicemente torturarlo e terrorizzarlo, tagliare i ponti con lui, escludere ogni forma di reciproca comprensione; cercare di intimorirlo con guardie, uomini neri e lupi, vuol dire dar corpo ai fantasmi persecutori e divoratori che già popolano la sua fantasia e in definitiva mettere le basi di una serie di disturbi della mente e del carattere.

Non si deve d'altra parte trascurare il fatto che il bambino interpreta la punizione, specialmente quella corporale, dal *suo* punto di vista. E per il bambino questo genere di castighi presenta sicuramente tre caratteristiche fondamentali:

1. è un atto di viltà: il papà può picchiarmi perché è più grande di me e io non posso difendermi. Su questo nessun bimbo ha dei dubbi

2. è un'applicazione della legge della giungla: il piccino finisce col convincersi che si possa, o si debba, imporre la propria volontà con la violenza

3. è un alibi morale, una giustificazione: visto che ho preso gli scapaccioni, pensa il bambino, ho pagato il mio debito alla « giustizia », e quindi sono a posto con la mia coscienza, sono « pulito », e posso ricominciare daccapo. Vuol dire che tornerò a pagare. E questo, onestamente, non mi sembra molto educativo.

In sostanza la punizione può produrre i seguenti effetti: irritare il bimbo, renderlo furioso per quella che lui considera un'ingiustizia; oppure addolorarlo profondamente per essere stato aggredito dalle persone dalle quali lui si aspettava solo affetto, protezione e aiuto; oppure ancora scaricarlo di ogni responsabilità, perché la sua condotta non sarà più determinata da un giudizio personale sulle proprie azioni, ma solo dal rancore o dalla paura o dai sensi di colpa. In altre parole, il bambino non farà una cosa perché gli sembra giusto farla, ma per il timore del castigo e di essere abbandonato. Nessuno di questo effetti, mi pare, può essere considerato positivo.

L'educazione oppressiva

Mi è capitato, come credo sia capitato a tutti voi, di vedere dei genitori lanciati in una educazione intensiva del figlio: essi emettono ininterrottamente ordini, istruzioni, inviti, raccomandazioni, divieti, regole, intimazioni e richieste. « Fa' questo », « Non fare quello », « Si deve fare così e così », « Questo non si fa », « Non toccare », « Sta' fermo », « Lascia stare la tal cosa », « Soffiati il naso », « Non parlare », « Non interrompere », « Rispondi », « Alzati », « Resta dove sei »; di queste frasi il bambino se ne sente ripetere centinaia al giorno, e nella massima parte dei casi non ne capisce per niente la ragione. Per lui sono soltanto comandi o proibizioni incomprensibili e ingiustificabili. E in ogni modo si trova nell'impossibilità materiale di ricordarli tutti. Così a un certo punto rinuncia e non ne tiene a mente nemmeno uno. E' inutile gridare contro un bimbo « Te l'ho detto mille volte di non fare questo! ». Appunto: se lo si fosse detto una volta sola, forse il bambino ne avrebbe preso nota. Ma in un oceano di norme, positive e negative, egli si perde. Credo fermamente che tutti i genitori dovrebbero seguire questi due principi:

1. ridurre i comandi e i divieti al minimo indispensabile: è chiaro per esempio che non si può permettere a un bambino di attraversare di corsa una strada piena di traffico, così come non si può concedergli di mangiare dalla scodella del cane

2. essere coerenti: una volta dato un ordine, non rimangiarselo più, mai più; e una volta posto un divieto, non ritornare sulla decisione presa. Se oggi proibite a vostro figlio di giocare coi cucchiaini del servizio buono, e domani glielo permettete pur di non sentirlo più frignare, lui non saprà più se l'uso dei cucchiaini è vietato o no. Il bambino ha bisogno di chiarezza e di coerenza, altrimenti non può riuscire a orientarsi.

A questo proposito debbo dire un'altra cosa: molti genitori pensano di dover spiegare in dettaglio al bimbo tutti i motivi che stanno dietro ogni comando, ogni regola e ogni proibizione. Ma il bambino questi motivi non riesce di solito a capirli, per la semplice ragione che per lui non sono validi. Se gli dite che non può mangiare la pappa del cane perché ci sono dentro i germi, questo non lo convincerà affatto, perché i germi non li conosce; se gli dite di non mangiarla perché gli fa male, lui non ci crederà, dato che al cane non fa male per niente; se gli dite di non mangiarla perché è cattiva, lui si precipiterà ad assaggiarla per vedere se è vero. In effetti il bambino non desidera spiegazioni; egli si limita a respingere le imposizioni. Specialmente a questa età, la sua risposta abituale a ogni genere di comandi e divieti è « No ». Perciò, ripeto, imponetegli meno cose che potete, e quelle poche imponetele con serena fermezza, senza inutili e interminabili discussioni che porterebbero solo a una reciproca irritazione. Imponetele più coi fatti che con le parole: se, per tornare all'esempio della pappa del cane, il bambino vuole a tutti i costi ingoiarla, portate via la scodella e, sempre con calma e serenità, cercate di offrire al bimbo qualcos'altro che possa interessarlo.

Il bambino può sentirsi oppresso non solo da troppe regole e intimazioni, non solo da spiegazioni che per lui sono insensate, non solo da discussioni su ogni più piccola cosa, ma anche da un eccesso di dolcezza e di mansuetudine. Certi genitori amano recitare la parte dei buoni, dei pazienti, dei cortesi, dei garbati: il bambino sputa loro in faccia, fracassa deliberatamente lo specchio della mamma, fa la pipì sul tappeto con aria truce e provocatoria, getta al suolo la pappa, e loro niente, continuano a sorridere dolcemente e a spiegare con mille vezzeggiativi che queste brutte cose non si fanno. Ricordo una signora che, in mia presenza, chiamò la figlia di tre anni con queste parole: « Claretta, vieni qui dal tuo amico dottore a far vedere la tua bella linguetta! ». La bimba le lanciò uno sguardo torvo e rispose con una sola parola: « Cacca! ». Che cosa credete che abbia fatto la gentile signora? Mi guardò con un sorriso che non esito a definire di orgoglio e, con studiata soavità e armoniose intonazioni di voce, disse alla piccola peste: « Ma Claretta! E' questo il modo di rispondere alla mammina? ». Al che Claretta ci si avvicinò, mi guardò fisso negli occhi, e ripeté con gelida determinazione: « Cacca, cacca e cacca! ». Dopo di che se ne andò maestosamente sbattendosi la porta alle spalle. Era una bambina oppressa dalla dolcezza, soffocata in un mare di melassa, di sciropposa arrendevolezza, di frasi zuccherine. Intorno a lei era tutto falso, superficiale e, per così dire, imbellettato. I rapporti autentici coi genitori erano sepolti sotto montagne di finte tenerezze. D'accordo, è un caso limite. Ma situazioni di questo genere non sono rare. E la conclusione è che il bambino si abitua a un mondo che striscia ai suoi piedi, così che, quando entrerà nel mondo vero, ne rimarrà atterrito e disorientato. E sfuggito da tutti, perché nessuno vorrà avere a che fare con un piccolo despota come lui.

Credo che la soluzione migliore sia questa: trattare il bambino con la stessa serietà, la stessa dignità, lo stesso rispetto con cui si tratta di solito un adulto. Trattarlo da pari a pari insomma, senza assumere posizioni di superiorità né di inferiorità. E soprattutto, non cadere nel grossolano errore di credere che noi, noi genitori, possiamo fornire ai bambini la felicità bell'e confezionata, come un pacchetto natalizio, semplicemente applicando questo o quest'altro « sistema educativo ». La felicità non si può raggiungere, e tanto meno dare, mediante una tecnica. Ognuno se la conquista a modo suo, vivendo a modo suo. Il vostro bambino si procura la sua felicità in ogni momento della giornata, a meno che voi non gliela impediate mediante quell'oppressione organizzata che chiamiamo educazione. La educazione vera, in fondo, consiste solo nel dare affetto; tutti i sistemi, le teorie, le regole, i metodi, non sono altro che intrusioni nefaste nel processo evolutivo del bambino. Anche i metodi apparentemente più liberali e aperti. Spesso i genitori indulgenti si sentono « in credito » coi loro figli, ne pretendono la riconoscenza, come se avessero fatto loro chissà quale regalo. Questa non è certo educazione. Essere indulgenti o severi, dolci o duri, arrendevoli o rigidi, non significa nulla, e non ha nulla a che vedere con l'educazione; si tratta solamente di scappatoie che eludono il problema di fondo: quello di rispettare il bambino, di amarlo senza riserve e di aiutarlo a realizzare se stesso.

L'educazione al vasino

Il nostro modo tradizionale di educare i bambini, che consiste essenzialmente nel costringerli a comportarsi secondo i costumi e le convenzioni, e che interferisce perciò nella loro normale evoluzione, genera problemi anche là dove non ce ne sarebbero. Un esempio molto dimostrativo di questa verità è quello dell'uso del gabinetto o del vasino. Una volta che il bambino ha imparato a controllare il proprio intestino e la vescica urinaria, ciò che accade per lo più fra l'anno e mezzo e i due anni di età, egli è naturalmente portato a imitare gli altri e a soddisfare i suoi bisogni così come fanno i genitori o i fratelli più grandi. Invece no: di questa faccenda siamo riusciti a farne un problema di stato, una fonte perenne di ansie e preoccupazioni. Se il bambino ha degli incidenti, se si bagna, se si sporca, pare che caschi il mondo; se non svuota subito l'intestino, appena seduto sul vasetto, la madre entra in crisi; se il figlio dell'amico, di diciotto mesi, si serve già del gabinetto, e il proprio figlio di due anni non lo fa ancora, il padre subito pensa che si tratti di una forma di cretinismo o anche di peggio. In realtà, ripeto, il problema non esiste. L'importante è tenere presenti i seguenti punti:

1. in generale il bambino impara, come ho detto, a controllare l'intestino e la vescica fra i diciotto mesi e i due anni; tuttavia, probabilmente si bagnerà di notte ancora per parecchio tempo, anche fino all'età di tre anni e mezzo o quattro

2. se il bimbo comincia a non sporcarsi più e a chiedere il vasino quando ha bisogno di scaricarsi, questo non significa che d'ora in poi tutto andrà di bene in meglio; ci potranno essere degli arresti sulla via del progresso, degli incidenti, delle apparenti regressioni, dei periodi critici. Non è il caso di preoccuparsene, né di farsene un cruccio: si tratta di cosa normalissima e legata alle infinite circostanze della vita del bimbo, come una malattia, l'eruzione di un dente, l'aver bevuto o mangiato un pochino troppo, e così via

3. se il bambino vive in un clima sereno e tollerante finisce col diventare orgoglioso di poter emettere le feci quando vuole, nel posto giusto e al momento giusto: egli le considera come una sua produzione personale, come un qualcosa « fabbricato » da lui, e ne va spesso tanto fiero da regalarle alla mamma

4. la normale evoluzione di questa funzione può naturalmente essere ostacolata più o meno gravemente da diversi fattori: può darsi per esempio che l'emissione delle feci risulti dolorosa per un bambino stitico, o che il fare la pipì provochi bruciore a una bimba con una infiammazione delle vie urinarie; oppure che il bambino sia troppo occupato in altre cose e non abbia voglia di sprecare il suo tempo al gabinetto; oppure che l'insistenza dei genitori a farlo restare per delle mezz'ore intere seduto sul vaso, « fin che non abbia fatto

BAGNO PER BAMBINI

PRIMO STUDIO DISTRIBUTIVO E DIMENSIONALE. GLI ELEMENTI IGIENICI SONO A MISURA DEL BAMBINO ANCHE PSICOLOGICAMENTE: PER ESEMPIO IL W.C. E' COLLOCATO IN MODO CHE IL BAMBINO POSSA SGUAZZARE CON I PIEDI IN ACQUA E GLI PERMETTE DI OSSERVARE LE PROPRIE FECI. QUANDO IL BAMBINO NON E' PIU' TALE, IL GRUPPO BIDET-PAVIMENTO-W.C. PUO' ESSERE RIMOSSO E IL LAVABO DIVENTA UN BIDET PER ADULTI.

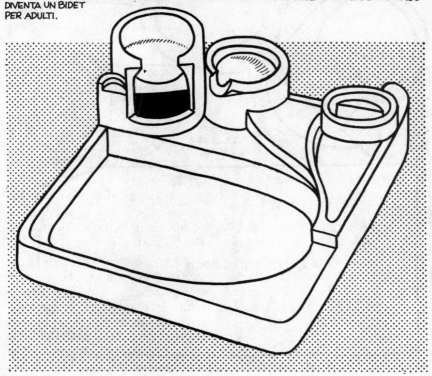

quello che deve fare », l'abbia indotto a considerare il gabinetto o il vasino come una specie di carcere; oppure che abbia paura di cadere nel « buco nero » e di essere trascinato giù dall'acqua, insieme alle feci; e può darsi infine che il piccino stia attraversando un periodo critico, per esempio per la nascita di un nuovo fratellino, che abbia paura di *perdere* qualche cosa, per esempio i suoi privilegi o l'amore della mamma, e che perciò sia inconsapevolmente portato a *trattenere* tutto, anche le feci. Ho conosciuto un bambino di tre anni che, dopo l'arrivo di una sorellina, si è rifiutato fermamente di svuotare l'intestino, proprio a *oltranza*; il piccolo riusciva a trattenere le feci anche per otto o dieci giorni, e bisognava ricorrere a ogni genere di rimedi per fargli evacuare di tanto in tanto i prodotti intestinali

BAGNO PER BAMBINI (PIANTA) · STUDIO DEL TEAMDESIGN · ARCHITETTI L. BERTOLINI · A. SCARZELLA · M. UBERTAZZO

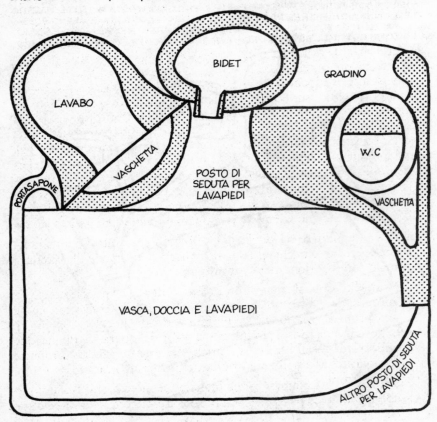

5. un'educazione rigida e intransigente dell'intestino, basata sulla solita minaccia « resterai lì fin che non la farai », produce sempre risultati scoraggianti. In primo luogo il bambino si sente defraudato delle proprie feci: se è costretto a scaricarsi in base alla volontà altrui e non secondo il suo desiderio, egli perde la sensazione di *fare* qualcosa, e arriva a considerarsi quasi come una vittima di un furto. Al che ovviamente si ribella, respinge con tutte le sue forze e talora con incredibile virulenza l'« operazione gabinetto », oppure se ne sta seduto rassegnatamente per ore senza fare nulla per poi scaricarsi immediatamente non appena la mamma gli ha tirato su i calzoncini. E' come se dicesse: « Le feci sono roba mia e ne faccio quello che voglio ». Inoltre, l'essere costretto a sedere sul gabinetto può accrescere nel bambino l'odio per quella prigione detestabile e la paura della voragine che si apre sotto di lui. Nel complesso, se si vuol fare un tentativo, lo si faccia con garbo, con gentilezza, eventualmente restando accanto al bimbo perché non si annoi e non abbia paura, limitando le « sedute » a pochi minuti, scegliendo l'ora in cui il piccino si scarica abitualmente, e cominciando l'esperimento quando il bambino ha almeno diciotto-venti mesi

6. l'atteggiamento migliore da tenere è quello di permettere al bimbo di educarsi da solo: se non ci sono conflitti particolari, come la nascita di un fratellino, o il rifiuto di abbandonare anche per un solo istante il gioco, o altre complicazioni di questo tipo che in genere vengono superate senza inconvenienti di sorta dopo un certo tempo, il bambino lasciato a sé comincerà un po' per volta a controllarsi, ad assumere delle abitudini igieniche normali e ad accettare tranquillamente quelle regole di comportamento che egli impara per imitazione dai genitori. Tutt'al più si potrà incoraggiarlo su questa via con manifestazioni di approvazione quando tutto si svolge per bene; ma non si dovrà svergognarlo se le cose vanno male. Sarà il bambino stesso ad accorgersi che non può ignorare all'infinito le norme igieniche comunemente adottate nella società

7. sarà bene eliminare da quella che abbiamo chiamato l'operazione-gabinetto tutto ciò che possa distogliere il bimbo dalla piena e normale soddisfazione dei suoi bisogni:

   ☐ è meglio che il bambino possa vedere le proprie feci, e apprezzarle; abbiamo visto prima che egli le considera come una propria creazione, con intimo soddisfacimento, e quindi è bene che egli possa ammirare la propria opera. Sarà dunque opportuno che il bimbo si scarichi nel vasino o in un gabinetto che permetta la contemplazione del materiale evacuato

   ☐ durante lo svuotamento dell'intestino è meglio che il bambino abbia modo di passare il tempo piacevolmente, così da evitare che si annoi e che consideri questa necessaria funzione solo come una seccatura da sfuggire tutte le volte che sia possibile; nulla vieta, per esempio, che il piccino continui a giocare mentre sta seduto sul vasino

☐ bisogna far sì che lo scroscio dell'acqua non lo impressioni: se la caduta d'acqua del vostro gabinetto è molto violenta, meglio allontanare il bambino prima di metterla in azione

☐ il gabinetto non deve in nessun caso diventare per il bimbo uno strumento di contenzione, un carcere, una cella; non importa se il piccolo si alza a metà operazione per andare a prendere una cosa o per chiamare qualcuno, e non importa se a un certo punto pianta tutto e se ne va. Un po' per volta imparerà a fare le cose con precisione e diligenza; ma non pretendete che impari tutto in quattro e quattr'otto

8. si deve evitare di far credere al bambino che la funzione di eliminare le feci e le urine sia qualcosa di sporco e di indecente; questo potrebbe far sorgere in lui dei problemi di pudore che non contribuirebbero certo a favorire un normale progresso in questo campo.

Le sue emozioni

Una delle convinzioni più largamente diffuse, e della quale proprio non riesco a trovare spiegazioni plausibili, è che i bambini non debbano avere dei sentimenti e delle emozioni; o meglio, che debbano avere un solo sentimento e un solo stato d'animo: volere bene ai genitori ed essere sempre contenti e felici. Ma il bambino non è sempre contento e felice; spesso è irritato, incollerito, deluso, addolorato, sconvolto, impaurito. E questo ci disturba. Vorremmo che la vita di un bimbo fosse tutta rose e fiori, un po' perché lo amiamo, ma un po' anche per essere tranquilli con noi stessi e non sentirci sulla coscienza alcun torto verso il piccolo. Così, quando il bambino è disperato, piange, si arrabbia o mostra paura e repulsione per qualche cosa, ci affrettiamo a spiegargli che non bisogna arrabbiarsi, che non c'è motivo di disperarsi, che non si deve avere paura, eccetera.

Ora devo cercare di eliminare un equivoco: molti sostengono che l'imparare a dominare le proprie emozioni porti il bambino a *evitare* le emozioni stesse, come appunto l'ira, il terrore, il dolore morale, e via dicendo. Questo sarebbe naturalmente un grosso guaio. Se al bambino si insegna a reprimere i propri impulsi, a controllare la propria spontaneità, a soffocare i sentimenti, si finirà col distorcere e impoverire la sua natura umana. In effetti, non avere emozioni è contro il carattere dell'uomo. Le emozioni vanno dunque accettate:

un bambino ha tutti i diritti di provare dentro di sé collera, paura, vergogna, antipatia, eccetera. Anzi è bene che lui si renda conto delle passioni che tumultuano nella sua mente, che sappia riconoscerle e che sappia ammetterle come una realtà.

Ma il bambino non ha solo il diritto di avere delle emozioni; ha anche il diritto di esprimerle. Non c'è niente di più assurdo e dissennato di quell'imperioso invito che tanto spesso gli adulti rivolgono ai bambini: « Non piangere! ». Ma se il piccolo si è fatto male, se è afflitto, se è adirato, se è infelice, perché mai non dovrebbe piangere? Perché mai dovrebbe fingere di essere contento come una pasqua? La verità è che poche cose riescono insopportabili a un adulto quanto il pianto di un bimbo. Sarà che quel pianto ci richiama alla mente i nostri lontani dolori, i nostri dispiaceri di quando eravamo piccoli, i ricordi meno lieti della nostra infanzia, velati ma non cancellati dal tempo; o sarà che il pianto del piccino suscita in noi oscuri sensi di colpa nei suoi confronti; il fatto è che non riusciamo a tollerarlo. E allora, per non sentirci a disagio, imponiamo al bimbo di non piangere. Bella pretesa, in verità!

Ciò non significa tuttavia, e qui sta l'equivoco di cui parlavo, che il bambino debba abbandonarsi continuamente a manifestazioni clamorose di collera, di disperazione o di terrore. Che egli non sia costretto a soffocare le proprie emozioni, d'accordo; che egli abbia tutto il diritto di esprimerle, d'accordo; ma che egli venga addirittura incoraggiato ad abbandonarsi per ogni nonnulla a delle crisi isteriche, questo è un altro affare. I propri sentimenti si possono esternare anche in maniera dignitosa e civile, ed è bene che il bambino questo lo sappia. Non occorre urlare e scatenare un finimondo tutte le volte che un gioco non riesce bene, e non occorre lasciarsi prendere dalle convulsioni davanti a ogni più piccolo imprevisto. Autocontrollo non significa nascondere o respingere un'emozione, significa soltanto esprimerla con moderazione.

Non vorrei a questo punto essere frainteso: l'autocontrollo, la dignità e la misura nell'espressione dei propri sentimenti, non si insegnano con regole oppressive, imposizioni, rimproveri, canzonature; si insegnano con l'esempio, e solo con questo. E' inutile intimare a un piccino di non piangere, di non fare i capricci, di fare il bravo, eccetera, se poi gli si offre il quotidiano spettacolo di adulti che si lasciano trasportare dall'ira o sconvolgere dalla paura. Nostro figlio impara dal nostro comportamento, non dalle nostre parole. Facciamo un esempio fra i più banali: il bimbo cade in preda a una crisi di collera per un qualsiasi motivo, urla e strepita, si getta al suolo, « tiene il fiato », si fa venire il vomito, aggredisce i genitori. Ecco un'ottima occasione per educarlo alla civiltà. Prima di tutto, se la rabbia del bambino è stata provocata da una vostra presa di posizione, per esempio dall'avergli negato qualcosa che gli sarebbe stato nocivo, guardatevi bene dal cedere e dall'accontentarlo. In secondo luogo non ingolfatevi in giustificazioni, spiegazioni e discussioni, che in questo momento il bambino non è proprio in grado di apprezzare né di accettare. E infine non arrabbiateci anche voi, perché sarebbe come dirgli: «Fai bene a fare una scenata, tant'è vero che la faccio anch'io». Dovrete invece continuare a occuparvi delle vostre cose con la massima serenità, come se nulla fosse, fargli un gesto di tenerezza, come se lui stesse semplicemente giocando, mantenervi insomma tranquilla e imperturbabile. A lungo andare il bambino capirà che le crisi isteriche non servono a niente, finirà col vergognarsene, e vi rinuncerà del tutto. Viceversa, se il vostro bimbo vi chiede consolazione per un dispiacere, o se vi chiede aiuto perché ha paura, non cercate di risolvere il problema col solito perentorio «Non piangere». Lasciate che pianga invece, e fategli sentire che voi siete dalla sua parte e che lui può contare su di voi senza riserve.

Gli eroi, Babbo Natale e Gesù Bambino

Gli eroi del vostro bimbo di due o tre anni siete voi, i genitori. Voi siete per lui gli esseri più perfetti, infallibili, onnipotenti, buoni e generosi. L'eroe, come è noto, simboleggia i valori in cui ognuno crede: per il soldato l'eroe è colui che si sacrifica sul campo di battaglia, per il religioso l'eroe è il martire della fede, per lo scienziato l'eroe è colui che si vota interamente alla ricerca. Per il bambino l'eroe è colui che sa dare più affetto e più sicurezza. Cioè i genitori. Vostro figlio vi ammira al punto che vorrebbe essere come voi, e qui comincia per voi una grossa responsabilità: un padre brontolone, scortese, impaziente, scorretto nel linguaggio, farà credere al bambino che per fare bene nella vita bisogna essere villani e scorbutici, e che un largo uso di espressioni volgari è segno di forza e di autorevolezza. E una madre che si lamenti di continuo, che spettegoli e critichi dalla mattina alla sera indurrà nella bambina l'opinione che questo sia il compito della donna nella società.

C'è poi un'altra specie di eroi, degli eroi che potremmo definire «di serie B», e cioè i grandi personaggi fantastici: principi azzurri, guerrieri invincibili, magnanimi monarchi, maghi e fate, angeli e cavalieri. E, naturalmente, Babbo Natale; o, secondo il costume di altre regioni, Gesù Bambino.

Molti genitori mi hanno chiesto: si deve dire subito ai bambini, già all'età di due o tre anni, che Babbo Natale è una favola e che in realtà non c'è, o è meglio aspettare? La risposta è semplicissima: il problema non esiste. Qualunque cosa voi diciate a un bimbo di quest'età, egli rimarrà fermamente convinto della realtà di Gesù Bambino o di Babbo Natale. Se gli direte che non ci sono, in fondo al suo cuore non vi crederà. Non dimentichiamo che per il bimbo di due o tre anni il mondo è una cosa viva, magicamente viva, che il mare, la luna, il bruco e l'acqua sono delle « persone ». E' dunque inevitabile che il piccino dia una personalità umana anche a quegli esseri misteriosi che volano nei gelidi cieli d'inverno a portare per tutto il mondo il loro bagaglio di doni e di bontà; potrà essere il simpatico e barbuto vecchione vestito di rosso, o il tenero bambinello coi biondi capelli luminosi, o la solerte Befana, ma qualcuno che passa di casa in casa c'è sempre, per il bambino.

Il vero problema è un altro: non servirsi di questi personaggi per ricattare il bambino. Non dite per favore a vostro figlio che se sarà buono Gesù Bambino gli porterà i doni e se sarà cattivo no; non cercate di estorcergli sottomissione e rinunce con l'inganno del Natale. Ben presto il vostro bambino scoprirà che Babbo Natale o Gesù Bambino sono stati strumentalizzati da voi, e allora si sentirà truffato. Questo non deve accadere. Per il bimbo i personaggi natalizi sono il simbolo dell'amore, e l'amore, quello vero, non fa distinzioni fra buoni a cattivi. L'amore, in questo caso sotto forma di regali, c'è per tutti. Ci deve essere per tutti. Anche per il bambino che fa i capricci, che non vuole andare a letto alla sera e che non finisce la pappa. Non crediate che sia la perdita di un dono a dare al vostro bambino il senso della responsabilità. Al contrario: sarà semmai un dono che forse lui pensa di non aver meritato, ma che ha avuto egualmente. L'uomo, nel senso più nobile della parole, non si fa col ricatto; si fa solo ed esclusivamente con l'affetto.

L'informazione e la censura

Mamma e papà non sono soltanto degli eroi, per il bambino, e dei modelli da imitare, sono anche delle preziose e inesauribili fonti di informazione. Come ho già detto, non appena impadronitosi del linguaggio il bimbo se ne serve per bombardare i genitori di *domande*. Che cosa si deve fare? Rispondere, naturalmente. Rispondere innanzitutto con attenzione: è vero che molte volte il bimbo pone il suo interrogativo quasi automaticamente passando subito a un altro argomento senza nemmeno aspettare la risposta; ma in numerosi altri casi egli la risposta la vuole, e vuole una risposta a tono, coerente, precisa. È bene non deluderlo. Non cercate di accontentarlo con una frase qualunque, distrattamente, pensando palesemente ad altro. Se il vostro bambino troverà in voi un interlocutore diligente e interessato, egli stabilirà un dialogo utilissimo per il suo sviluppo mentale, e inoltre si sentirà apprezzato, stimato e rispettato, cosa che farà maturare in lui il senso della responsabilità; se invece si accorgerà di parlare a vuoto, finirà con l'abbandonare l'impresa, e qualcosa fra voi verrà a mancare.

Dovrete inoltre dare al bimbo delle risposte rassicuranti: se lui vi chiederà informazioni sui genitori che abbandonano i bambini, ditegli che queste cose succedono molto raramente e per circostanze straordinarie, e che comunque a lui non accadrà; se s'informerà sulla possibilità di incendi, terremoti o alluvioni, tranquillizzatelo per quanto riguarda le persone coinvolte, parlategli degli immediati soccorsi, della solidarietà umana, e ditegli pure che la sua casa non corre nessun rischio. Ricordate che la serenità e il senso di sicurezza del vostro bimbo dipendono sostanzialmente da voi, dal tono della vostra voce, dal vostro atteggiamento.

Infine, rispondete sempre sinceramente e chiaramente a tutto ciò che vostro figlio vi domanda: non c'è niente da tenergli nascosto, niente da « addolcire » o da modificare. A un bambino si può, e si deve, dire veramente *tutto*. Bisogna però dirlo in modo che lui lo capisca. Se il piccino vi domanda perché gli uomini fanno la guerra, non potrete certo spiegargli i problemi degli equilibri di potere, delle pressioni di mercato, delle aree di influenza economica, politica, ideologica, e roba del genere; ma potrete benissimo dirgli che gli uomini si accapigliano stoltamente perché sono divisi in tanti gruppi, razze, paesi, popoli, e ognuno di questi gruppi vorrebbe essere più forte e poter comandare a tutti gli altri. Questo il bimbo può capirlo perché sa che cosa significa « essere più forte » o « comandare », in quanto si tratta di concetti che rientrano nelle sue personali esperienze. Oppure, per fare un altro esempio, se il piccino vi chiede perché le stelle brillano, non sarà molto utile spiegargli il fenomeno della fusione dei nuclei di idrogeno, ma se gli direte che le stelle sono brillanti come il sole e che si vedono piccole piccole perché sono lontanissime, questo gli sarà chiaro e probabilmente lo soddisferà.

Veniamo ora al problema di gran moda: la *televisione*. Sì o no alla televisione? Il teleschermo è un dono del cielo o uno strumento del demonio? Anche questa volta la soluzione del problema è piuttosto semplice: non c'è dubbio che la televisione è un veicolo di conoscenza e quindi deve venire utilizzata per fornire ai bambini informazioni di ogni genere. In linea di massima, dunque, *sì* alla televisione, anche per i bimbi di uno, due o tre anni. Però... con buon senso. Molti bambini, se ne avessero la possibilità, se ne starebbero per sei ore di fila piazzati davanti al teleschermo sciroppandosi tutto, dalla pubblicità allo sport, dai resoconti parlamentari ai films, da tribuna sindacale al telegiornale. Questo non è ovviamente molto consigliabile. Un'oretta al giorno va benissimo, o abbastanza bene; due o tre ore no. Per quanto riguarda l'uso della televisione consiglierei di seguire i seguenti criteri:

1. la televisione non deve distogliere il bambino dalle attività più importanti della sua giornata, come il gioco o la passeggiata
2. la televisione non deve sconvolgere gli orari dei pasti o del sonno
3. la televisione può essere usata nel pomeriggio, ma non alla sera, in quanto certe trasmissioni turbano il piccino o lo eccitano provocando disturbi del sonno
4. la televisione è utile quando susciti nel bimbo un reale interesse, ma non deve essere impiegata semplicemente « per tenerlo buono ».

Un altro canale di informazione assai vantaggioso per il bambino è la *lettura*. Può sembrare paradossale parlare di lettura per un bimbo di due o tre anni, e in effetti è paradossale se ci si riferisce alla lettura così come la intendiamo noi adulti. Ma per il bambino esiste un modo diverso di sfruttare la carta stampata, un modo che potremmo chiamare *lettura dell'immagine*. Il guardare le figure di un libro o di un fumetto, il riconoscervi personaggi, oggetti, luoghi e situazioni costituisce un'esperienza preziosa per il piccolo. L'interesse per la lettura, e cioè per la cultura, nasce di qui, e proprio a questa età. Più immagini ha a disposizione il bambino e meglio è. Qualunque tipo di immagine: fotografie, disegni, riproduzioni di opere d'arte, fumetti, grafici, qualsiasi cosa. Tutto può servire a stimolare la sua curiosità e a farlo progredire sulla strada della conoscenza. L'ideale, naturalmente, è che ci sia un adulto disponibile per spiegare, rispondere alle richieste di chiarimenti del bambino, raccontare le storie di quei personaggi, di quelle cose, di quegli animali. I bambini sono di solito affascinati dalle storie, specialmente se poi hanno la possibilità di riprendere contatto coi loro eroi sfogliando per proprio conto il libro o il giornaletto.

A proposito di informazioni da dare a un bambino mi sembra necessario a questo punto togliere di mezzo un malinteso che dura in verità da troppo tempo. Voglio riferirmi qui alla *censura*; alla censura familiare beninteso, quella che ognuno di noi crede opportuno applicare (o non applicare) in casa propria. Molti credono ancora che « certe cose » il bambino non le debba sentire, né vedere, né conoscere, e che si debba operare una scelta accurata dei libri illustrati, dei fumetti, dei programmi televisivi, delle risposte da dare e delle spiegazioni da fornire. Questo è sostanzialmente sbagliato. Il bambino può tranquillamente ricevere ogni tipo di informazione o di messaggio senza risentirne affatto, né sul piano morale né su quello psicologico. In altri termini, *la censura è sempre un male*. Essa non fa che alimentare nel bambino arbitrarie distinzioni fra bene e male, dubbi, curiosità insoddisfatte, ansie e confusioni. In tema di censura, desidero proporvi alcuni suggerimenti:

1. rispondete sempre con assoluta sincerità alle domande del vostro bambino, anche alle più scabrose; egli non si scandalizzerà, perché non è ancora deformato dai nostri pregiudizi. Se le vostre spiegazioni supereranno le sue capacità di comprensione (per esempio, circa il complesso fenomeno della prostituzione) egli semplicemente non ne terrà conto e le dimenticherà

2. non preoccupatevi di ciò che il bambino vede alla televisione: le gambe delle ballerine o i doppi sensi di questo o quel presentatore non gli faranno il minimo effetto

3. lasciate che vostro figlio guardi le illustrazioni di qualsiasi pubblicazione, anche di quelle « solo per adulti » o che comunque a voi sembrano sconvenienti; non dico di fornirgli solo riviste di nudo o fumetti dell'orrore, ma desidero avvertirvi che nemmeno questo tipo di « letteratura » può essere dannoso per lui, sotto nessun aspetto. In realtà la fotografia di una ragazza nuda non gli farà tutto sommato un effetto diverso da quello che gli potrebbe fare la pubblicità di un formaggio. Inutile quindi, anzi dannoso, fargli intendere che quella determinata immagine è « proibita »

4. la regola della non-censura ha qualche eccezione, soprattutto per quanto riguarda la televisione: gli spettacoli troppo crudeli, violenti o eccitanti, come certe immagini di incidenti o di conflitti che talora sono inserite nel telegiornale, possono sconvolgere il piccino e rimanergli per lungo tempo incise nella mente, mobilitando in lui autentici sentimenti di angoscia e arrivando persino a disturbargli il riposo. Una seconda eccezione va fatta per la pubblicità: se, come succede spesso, il bambino assiste quotidianamente a questo tipo di trasmissioni, finirà col prendere per buono quel mondo falso e grottesco di gente superficiale e costantemente sorridente, dalle chiome fluenti o dritte incollate e gli abiti impeccabili, e penserà sul serio che la felicità sia fatta dai detersivi, dai digestivi, dalle lacche, dalle bottigliette di profumo, dai dadi per fare il brodo, dalla lavatrice superautomatica o dalla benzina con superadditivi. Egli finirà col credere in quel mondo fittizio, stupido e vuoto, finirà col credere nella cosiddetta « civiltà del benessere », e finirà con l'inserirsi in una concezione assurda, egoistica e alienata della vita. Difendete il vostro bambino contro queste distorsioni della realtà che sembrano del tutto innocue, e che invece contengono una spaventosa potenza diseducativa. Non permettete che la personalità di vostro figlio venga intossicata, proprio ora che sta sviluppandosi, dal tremendo veleno della « persuasione occulta », come è stata definita la pubblicità.

2.4. Non abbandonatelo se ha dei problemi

I suoi problemi personali

Il più grave problema per un bimbo di età compresa fra uno e tre anni, nel campo strettamente personale, credo sia quello della *paura*. Abbiamo già visto che cosa sia la paura per il bambino; vediamo ora che cosa si può fare per aiutarlo.

Cominciamo dalla *paura dei fantasmi*, cioè da quella forma di terrore che scaturisce dalla fantasia e che diventa sempre più spiccata man mano che il bambino cresce: orchi, streghe, uomini neri, spettri, mostri feroci, e altri personaggi di questo tipo si aggirano torvi e minacciosi nel buio intorno al letto del bimbo e si annidano per ogni dove quand'egli è solo e indifeso. E' inutile di solito spiegare al piccino che tutti questi individui malefici non esistono: quando lui rimarrà solo i fantasmi torneranno puntualmente a terrorizzarlo. Peggio ancora sarà tuttavia dare al vostro bambino l'impressione che i fantasmi cattivi esistano davvero: se gli direte, per esempio, che chiamerete l'uomo nero o l'orco, il quale lo mangerà perché lui, il piccolo, è stato cattivo, non farete altro che aumentare la sua angoscia e ingigantire il suo problema. Non minacciate mai vostro figlio ricorrendo a diabolici personaggi divoratori; potreste veramente far nascere in lui delle tensioni così gravi e sconvolgenti da compromette-re l'equilibrio della sua personalità e del suo carattere. Dovrete invece dargli la sensazione che voi siete sempre a sua disposizione per neutralizzare ogni minaccia, per fantastica che sia.

La paura dei fantasmi è indubbiamente una cosa seria per un bambino, ma è uno scherzo in confronto alla *paura di essere abbando-nato*. L'ho già detto, ma voglio ripeterlo: la prospettiva dell'abbando-no è agghiacciante, è la peggiore cosa che un bimbo possa immagina-re. Bisogna fare di tutto perché egli non sia travolto da una simile angoscia. Tutto sommato, credo che ci siano due tipi di considerazio-ne da fare in proposito. La prima considerazione è questa: ogni avvenimento, ogni incidente, ogni situazione che possa più o meno direttamente dare al bambino la sensazione che la sua famiglia non sia stabile e sicura, provoca in lui l'oscuro timore di perdere la protezione e l'assistenza della famiglia stessa. Genitori che diano spettacolo del loro disaccordo, delle loro divergenze di carattere, della loro reciproca disistima, della loro disunione, sono fonte di un disagio estremamente penoso per il figlio, e producono in lui il senso di un crollo imminente, di un prossimo inevitabile disfacimento del suo nido. E badate che quando dico « dare spettacolo » non alludo solo a litigi, a scenate clamorose e a esplicite testimonianze di intolleranza o di antipatia; basta la freddezza, l'indifferenza, la mancanza di calore e di affetto perché il bimbo provi l'uscuro timore della dissoluzione familiare e quindi dell'abbandono.

La seconda considerazione è questa: il vostro bambino vi prende sempre sul serio, e prende sul serio tutte le vostre parole. Perciò guardatevi dal dirgli che lo lascerete se lui non si comporterà bene. Succede spesso che una mamma formuli minacce di questo genere: « Se continui così me ne vado », oppure « Sono stufa dei tuoi capricci e ti lascerò da solo », oppure « Se non sarai più buono non ti voglio più ». Non fatelo. Probabilmente il bambino non riuscirà a essere « più buono », e vivrà nel terrore che manteniate la parola e che lo lasciate davvero, il che per lui costituirebbe la più spaventosa delle disgrazie.

I suoi problemi familiari

□ *La gelosia per il nuovo fratellino.* Ho già parlato di questo problema, che è uno dei più importanti per un bambino. Ora esaminiamo le possibili soluzioni, vediamo cioè in che maniera dovreste orientare il vostro comportamento per aiutare efficacemente il piccolo geloso.

Come al solito, cercherò con chiarezza e semplicità di raggruppare i diversi suggerimenti in alcune regole fondamentali:

1. non create problemi dove non ce ne sono: che un bambino di due o tre anni sia geloso del fratellino neonato è piuttosto normale e non è il caso di farne un dramma. Certi genitori, mesi e mesi prima della nascita, cominciano a preoccuparsi e a chiedersi che effetto farà la cosa al figlio più grande; temono inoltre di essersi resi colpevoli di una specie di tradimento nei suoi confronti e passano buona parte del loro tempo a escogitare mille provvedimenti che valgano a neutralizzare, per quanto possibile, la loro « colpa ». Credetemi, non conviene a nessuno prendere le cose in questo modo. Aspettate che il bimbo nasca, e poi vedrete il da farsi. Con un po' di buon senso e di pazienza tutto si accomoderà, probabilmente in modo assai più semplice di quanto voi pensiate

2. una cosa da fare subito, tuttavia, c'è: avvertire lealmente vostro figlio di ciò che sta per accadere. Non dico di promulgare una specie di editto e di dare all'annuncio la solennità di un proclama imperiale; ditegli soltanto che la mamma fra un certo tempo farà un altro bambino, e ditelo con naturalezza e serenità. Non tenete nascosto nulla, e rispondete a ogni domanda che il piccolo potrà farvi

3. quando il neonato arriva a casa, fate in modo che l'attenzione e l'attività dell'intera famiglia non si concentrino esclusivamente su

di lui: anche il più grande ha i suoi diritti. Se egli vede che tutti si agitano per il nuovo arrivato, che tutti si occupano del neonato e della sua salute, che chiedono notizie del neonato, che portano regali al neonato, che vanno a vedere il neonato, che parlano del neonato, che lodano il neonato, che vanno in estasi davanti al neonato, lui, il più grande, finirà col sentirsi un estraneo in casa sua, un escluso, un individuo che di colpo non conta più niente. Ma soprattutto si sentirà trascurato o addirittura dimenticato dalla mamma, totalmente accaparrata dal nuovo fratellino. Questa sensazione, di aver perduto la mamma, potrà acuirsi se la vedrà allattare il neonato: egli avrà l'impressione che il piccolo intruso « mangi la mamma ». Non voglio dire con questo che dobbiate andarvi a nascondere per nutrire il piccino, ma ritengo sia meglio non dare alla poppata il carattere di una esibizione. Se il più grande vi vede mentre porgete il seno al più piccolo, poco male; sarà anzi una buona occasione per spiegargli che cos'è l'allattamento materno. Ma evitate di far mostra orgogliosamente di questa funzione; la quale è nobilissima, certo, ma appare piuttosto sospetta a un bambino di due o tre anni. Insomma, comportatevi con spontaneità e naturalezza, attribuendo all'allattamento il valore che effettivamente esso ha: quello di una normale prestazione fisiologica

4. non dimenticate di dare al figlio maggiore quei vantaggi e quei compensi che logicamente gli spettano in virtù della nuova situazione familiare:

   ☐ conservategli innanzitutto il suo posto in casa: non cacciatelo dalla sua stanza, per esempio, per far luogo al neonato, non mandatelo ad abitare dalla zia per qualche tempo, non affidatelo a un asilo-nido; se questi provvedimenti sono necessari, adottateli qualche tempo *prima* dell'arrivo del nuovo fratellino, in modo che il più grande non li prenda come una detronizzazione, come un esilio imposto dal nuovo piccolo Re

   ☐ dategli la sensazione che il sopraggiungere del neonato significa per lui una « promozione »: per esempio il diritto a un lettino più grande, o una nuova coperta (« quella vecchia e piccola la utilizzeremo per il fratellino »), o a dei piatti più belli « da bambino più grande »

   ☐ preparate un angolo proprio *suo*, riservato a lui, che è il più vecchio: non sarà necessario che si tratti di una stanza, basterà una scatola, un armadietto, uno scaffale; uno spazio comunque, del quale lui, e solo lui, sia padrone

5. stimolate la sua collaborazione nell'opera di assistenza al neonato: se lui vi si mostra ben disposto, fatevi aiutare a preparare il poppatoio, o a predisporre gli oggetti per il bagnetto, o a sistemare

i pannolini; questo lo farà sentire un pochino « papà », o « mamma », anche lui, o lei. A questo fine farete bene a mostrare che vi fidate di lui perché lui ormai è grande, sa vestirsi da solo, non bagna il letto, mangia da solo, e in complesso è un individuo forte e indipendente. Attenzione però: non dovete *spingerlo* a essere forte e indipendente, dovete solo *fargli capire* che apprezzate molto il fatto che lo sia (anche se poi, in realtà, non sempre lo è). Badate in ogni modo a non opprimerlo con continui richiami ai suoi « doveri di grande »: « Non ti vergogni a bagnare il letto, tu che sei così grande? », « Tu, che sei grande, non devi fare questo o quello », « Questo, da te che sei grande, non me lo sarei mai aspettata ». Frasi come queste non dovrebbero mai essere pronunciate. In effetti non fanno che caricare le spalle del bimbo di un impegno opprimente e insopportabile

6. non aggredite il figlio maggiore per la sua *naturale* gelosia: non svergognatelo se esprime la sua rivalità, non punitelo per le malefatte che ovviamente gli sono state suggerite dal rancore. Meglio lasciar perdere, e anzi assicurarlo che l'arrivo del neonato non ha cambiato nulla, e che gli volete più bene di prima

7. non illudetevi, nemmeno per un attimo, di riuscire a cancellare la gelosia dalla mente del vostro bambino: qualunque cosa facciate, non potrete eliminare un sentimento normale e per lo più inevitabile. Ciò che dovete fare è di non esasperare questo sentimento, di non farlo arrivare alle fosche tinte della tragedia. Come in qualsiasi altra circostanza, anche in questa, buon senso, serenità ed equilibrio costituiscono le chiavi d'oro per la soluzione di ogni problema.

☐ *La gelosia nei confronti del papà* è un'altra questione da tenere presente; essa riguarda naturalmente solo i figli maschi. In poche parole, la situazione che si può verificare è la seguente: verso i tre anni le bambine tendono a « innamorarsi » del papà, che per loro è l'uomo ideale, e i maschietti si innamorano della mamma, a sua volta donna ideale. Questa condizione viene definita dagli psicologi col termine di « complesso di Edipo ». Ora, mettiamoci nei panni di un bimbo invaghito della mamma: come ho detto nei capitoli precedenti, il bambino prova verso la mamma un grande amore, ma anche qualche sentimento aggressivo, originato dal fatto che non sempre la mamma stessa è fonte di soddisfazioni e piacere. Qualche volta essa può infatti diventare anche fonte di delusione e dispiacere, come quando rimprovera o punisce. Il bambino avverte allora delle tendenze aggressive sotto forma di impulsi a distruggere la madre. In un primo tempo queste oscure tensioni « offensive » riempivano di angoscia il piccino, che si sentiva « pericoloso » per la creatura più amata, per la mamma. Ma adesso che è più grande, il bambino trova qualcuno su cui

trasferire i propri impulsi distruttivi, trova qualcuno da « sentire colpevole » al posto suo: questo colpevole è il papà. Nella mente del bambino si profila così un dramma con tre personaggi: la mamma-vittima (che i grandi simbolizzano nella patria o nella principessa-vergine delle favole), il papà-nemico (simbolizzato nello straniero invasore o nel drago divoratore della fiaba) e il bambino-difensore della madre (simbolizzato nell'eroe che difende la madre patria o nel San Giorgio che uccide il drago), illustrati alla pagina precedente. E' chiaro che questo dramma, vissuto inconsciamente dal bambino, mobilita in lui sentimenti di esecrazione, di inimicizia e di gelosia nei confronti del papà. Il padre, in altri termini, non solo è « colui che possiede la mamma » (che il bimbo vorrebbe avere tutta per sé, e vorrebbe persino sposare), ma è anche « colui che fa del male alla mamma ». Tutto questo rientra nell'ordine naturale delle cose e non deve scandalizzare nessuno, ma ciò non toglie che sia fonte di angoscia per il piccino.

A questo punto il problema è il seguente: come aiutare il figlio a superare tale stato di angoscia o, al limite, a non avvertirlo nemmeno? Come al solito la soluzione è molto più semplice di quanto non si possa pensare: se i rapporti fra papà e mamma sono tesi, bruschi, poco cordiali, o addirittura violenti, il dramma si farà più evidente alla coscienza del bambino, in quanto confermato dalla realtà dei fatti. Il papà sarà davvero sentito come nemico della mamma, e come tale detestato. Se invece i genitori si amano e si trattano con simpatia e tenerezza, il conflitto immaginario, *non confermato* dalla realtà, rimarrà relegato nell'inconscio e poco a poco si dissolverà.

Lasciatemi fare ora una breve riflessione: io so che quando si parla di queste cose si corre il rischio di non essere creduti e di essere giudicati degli spacciatori di fandonie e di frottole. Ma, credete, non si tratta di fandonie. Chi abbia esperienza di bambini sa bene quali angosce, quali terrori, e quali sensazioni sconvolgenti passino nello sguardo di un piccino i cui genitori vivano in disaccordo, se non addirittura in conflitto fra loro. E qui ritorniamo al discorso che abbiamo già fatto: se la disarmonia del clima familiare spinge il bambino a sentirsi nemico del padre, ma nemico sul serio, non solo a livello inconscio, il piccolo potrà anche indossare idealmente la corazza dell'eroe-guerriero, del difensore della madre, ma sarà sempre un debole e fragile eroe, sconvolto dal terrore di perdere i genitori. Cioè di essere abbandonato.

□ *Il problema del figlio unico* rappresenta in un certo senso l'altra faccia del problema della gelosia per il fratellino. Su questa faccenda del figlio unico si è fatto un gran parlare e sono state avanzate le opinioni più pessimiste e catastrofiche. In certi libri di pedagogia, di psicologia e di educazione di qualche tempo fa esistevano interi capitoli dedicati alla « patologia del figlio unico ». A un certo punto sembrava che l'essere figli unici costituisse un pericolo di gran lunga più temibile di quanto non fosse il pericolo della broncopolmonite o della tubercolosi. Il figlio unico era un « segnato »: qualunque disturbo presentasse, dal mal di denti alla diarrea, dall'insonnia alla anemia, veniva immediatamente attribuito alla « mancanza di fratellini ». Oggi si va un po' più cauti in queste affermazioni, e la questione sembra essere rientrata nei suoi limiti normali.

Che il figlio unico corra determinati rischi è innegabile, ma è non meno certo che molti genitori temono di fermarsi a un solo bambino per motivi che col benessere del bambino stesso hanno poco a che fare. Molte volte si vogliono due, tre o quattro figli semplicemente perché il costume lo impone: in certe comunità l'avere soltanto un bambino è considerato come qualcosa di vergognoso, quasi come una colpa. In altri casi i genitori non hanno abbastanza fiducia in se stessi e sono convinti di non riuscire a educare per bene il figlio senza l'aiuto di fratelli e sorelle. Altre volte ancora si ha paura che il bambino senza fratelli debba cercare compagnia fuori di casa, e cioè nel mondo esterno che è « cattivo » e « pericoloso »; si ha paura, in altre parole, di perdere il possesso assoluto del figlio.

Tutte queste motivazioni, e altre del medesimo genere, sono naturalmente prive di qualsiasi valore: lasciamo perdere la questione del costume o della tradizione, che è semplicemente ridicola, e vediamo se è vero che gli individui provenienti da famiglie numerose sono davvero più equilibrati, più sociali e più « sani » dei figli unici. Per quanto ci permette di constatare la nostra esperienza quotidiana, e in particolare l'esperienza di noi pediatri, si direbbe di no. Fra i nostri genitori, cioè fra i nonni dei nostri figli, ben pochi erano figli unici: la maggioranza apparteneva a famiglie che sembravano eserciti, con cinque, sei, dieci e persino dodici bambini. Allora infatti si usava così. Eppure non direi proprio che si trattasse di una generazione molto equilibrata e socialmente valida: i tipi stravaganti, asociali o antisociali, si sprecavano, c'era una quantità di maniaci, di « fissati », di « fanatici », l'atteggiamento più diffuso nei confronti degli altri uomini era di intolleranza, di intransigenza, di inimicizia. Un bel po' di guerre, di massacri, di genocidi e di campi di eliminazione sono stati attuati proprio da questi figli non-unici. E guardiamo invece i figli unici di oggi: ci vuole davvero molta buona volontà per dire che sono differenti dai bambini con fratelli e sorelle. Sostanzialmente differenti, voglio dire. Qualcuno potrà obiettare che sono cambiati i tempi. E' vero. Ma è proprio questo il punto: l'evoluzione di un bambino, mi pare, non dipende tanto dall'avere o non avere dei fratelli, quanto dal clima familiare e sociale in cui cresce. Un figlio unico con genitori sereni e sensati avrà molte più probabilità di crescere bene di quante non ne abbia un bimbo con sei fratelli e due genitori nevrotici ed esauriti.

In ogni modo, come ho già detto, riconosco che il figlio unico è esposto a determinati rischi; vediamo dunque che cosa si può fare per neutralizzarli:

1. **non proteggerlo troppo**: è una tentazione irresistibile quando si ha un figlio solo. Lo si conserva sotto lana, gli si danno i medicamenti più costosi e che si trovano solo in Svizzera, lo si porta continuamente dal pediatra, anzi da diversi pediatri, gli si sta sempre addosso perché non si faccia male, non gli si lascia mancare nulla. Si vuole a ogni costo farlo felice. E invece si costruisce, giorno per giorno, la sua infelicità

2. **non dategli solo la compagnia degli adulti**: questa regola è la conseguenza logica della precedente. Se si ha paura di tutto, se si vuole difendere il bambino dai « cattivi » compagni, dagli inevitabili scontri con altri bambini, lo si farà diventare un insicuro, un disadattato, e un pauroso

3. **non pretendete che sia di più di quello che è.** Mi spiego: quando si ha un figlio solo, tutte le speranze, le ambizioni e i sogni dei genitori convergono ovviamente su di lui. Per lui si vorrebbe un avvenire roseo, prospero e glorioso: il primo della classe a scuola, il più brillante all'università, il più celebre professionista, il più potente dirigente d'azienda, il più fortunato uomo politico, eccetera eccetera. Ma forse lui, il bambino, è un individuo normalissimo e per niente arrivista, forse i suoi ideali saranno completamente differenti da quelli dei suoi genitori, forse vorrà diventare un artista libero anche se non famoso, o un filosofo, o un ferroviere. Forse non condividerà per niente i sogni di gloria della mamma e del papà. E allora?

4. **non opprimetelo con mille imposizioni.** Il figlio unico, inutile dirlo, è il bersaglio predestinato di tutte le manifestazioni autoritaristiche dei genitori: infatti c'è solo lui a disposizione. Non bisogna approfittarne. Egli deve poter godere di una dose di libertà, di indipendenza e di autonomia non meno grande di quella di cui godono gli altri bambini, e forse maggiore. Questa è una cosa da non dimenticare mai.

☐ *La mamma che lavora*: è un problema o no per un bambino di età compresa fra uno e tre anni? Dipende. Dipende innanzitutto dal *perché* una madre lavora. Se lavora perché deve farlo, perché il suo contributo finanziario è necessario alla famiglia, oppure perché una attività particolare soddisfa veramente certe esigenze della sua personalità, allora il problema non c'è. In questi casi infatti la donna non perde nulla delle proprie qualità materne, anzi, nella maggior parte dei casi riesce a dare al figlio più di quanto non diano altre mamme che rimangono in casa tutto il giorno. Viceversa, se la donna lavora per ambizione, per potersi pagare dei capricci, per non essere da meno dell'amica, o per altri motivi di questo tipo, il problema c'è. Bisogna dire tuttavia che in quest'ultimo caso il problema ci sarebbe comunque, anche se la madre stesse tutto il santo giorno fra le mura domestiche: le sue cure sarebbero sempre distaccate, poco amorevoli e distratte. In complesso, come ho già detto nel primo capitolo, il problema non è quello del lavoro materno, ma bensì quello della soddisfazione, della generosità, della gioia, e infine della *qualità* materna. Si può essere mamme eccellenti assistendo il proprio bimbo due ore al giorno, e mamme mediocri assistendolo per ventiquatt'ore.

Conviene in ogni caso ricorrere a qualche piccolo accorgimento per non far sentire al bambino l'assenza della madre:

1. qualche settimana prima di cominciare il lavoro avvertite lealmente il vostro bambino che la mamma starà fuori di casa un po' di tempo ogni giorno; abituatelo poco a poco a questa idea, in modo che lui non si senta improvvisamente abbandonato quando, per la prima volta, non vi vedrà più per ore e ore di seguito

2. è importante che alla sera, quando tornate a casa, siate allegra e sorridente: questo deve essere un momento felice per il vostro bambino; non guastatelo con un atteggiamento irritato, con rimproveri e con una specie di processo sui guai che il piccino può aver combinato durante la vostra assenza

3. fate tutto il possibile per dedicare interamente il vostro tempo libero al bambino; egli è stato senza di voi per parecchie ore, e ha bisogno della vostra presenza. Non rientrate in casa solo per cambiarvi e andare al cinema. Se potete, cenate insieme a lui, accompagnatelo a letto, e rimanetegli accanto per un po' a chiacchierare del più e del meno e a farvi raccontare le sue avventure vissute mentre voi non c'eravate. Questi pochi minuti di intimità valgono molto di più di un giorno completo passato materialmente insieme, ma senza una vera comunicazione, senza scambi di parole, senza il calore di un rapporto effettivo

4. in qualche speciale circostanza la vostra presenza assume una importanza enorme per il bambino: la sua festa, per esempio, o lo inizio di una malattia, o un avvenimento che lo ha sconvolto, possono rappresentare per lui dei momenti *da vivere con voi*. In questi casi sacrificate senz'altro il lavoro. E' di gran lunga preferibile affrontare qualche noia in ufficio piuttosto che far vivere al bimbo in solitudine un momento importante della sua esistenza.

I suoi problemi sociali

☐ *La paura del medico.* I contatti sociali fuori di casa o comunque con persone estranee non sono di solito molto frequenti e molto intensi per un bambino di età inferiore ai tre anni; però esistono, sia pure in misura limitata, e qualche volta diventano fonte di preoccupazione o addirittura di angoscia. Credo che il rapporto più delicato sia quello fra il bambino e il medico. Oltre a tutto è un rapporto inevitabile: si può fare in modo che il piccino non si incontri con lo zio che lo spaventa o con la signora che gli è antipatica, ma non si può eliminare ogni contatto col dottore. Come ho già detto precedentemente, il più delle volte il bambino non manifesta alcun entusiasmo per il medico, anzi dimostra chiaramente di non apprezzarne affatto la presenza né, tanto meno, l'opera. Questo è piuttosto comprensibile e naturale, ma non di rado la visita medica arriva a essere per il bimbo qualcosa di raccapricciante, di orrendo e di temibilissimo. Si può fare qualcosa per attenuare l'importanza della tragedia? Sì, si può. Basta che voi genitori facciate esattamente il contrario di quello che vorreste fare e che fate di solito. Dico sul serio. Esaminiamo la situazione in dettaglio: siete nello studio del medico, voi due da una parte del lettino o comunque nelle vicinanze, il dottore dall'altra parte, e sul lettino vostro figlio che urla, si dimena, piange e protesta. Che cosa vi sentite portati a fare? Probabilmente quanto segue:

1. assicurare a vostro figlio che non c'è nulla da temere, che il dottore è « buono », che è amico del papà, che non farà assolutamente nessun male. Sbagliato. Vostro figlio non vi crederà. Inoltre la vostra premura a rassicurarlo confermerà i suoi sospetti che effettivamente ci sia qualcosa da temere, e lui raddoppierà i suoi sforzi per sottrarsi alla visita

2. consolarlo con promesse di gelati, di passeggiate in automobile, di regali, eccetera. Sbagliato. Il fatto che voi siate disposti a « pagarlo » perché lui si faccia visitare non farà che accrescere la sua paura: egli sentirà oscuramente che voi gli state promettendo un piacere per compensarlo di un *dispiacere*, cioè appunto della visita medica

3. cercare di distrarlo con canzoncine, con giocattoli vari, con le chiavi della macchina, col quadro appeso alla parete. Sbagliato. In primo luogo il piccino non si lascerà distrarre: egli è troppo preoccupato per ciò che sta accadendo. In secondo luogo impedirete al medico una buona auscultazione, costringendolo a prolungare la visita

4. minacciare il bambino di castighi e rappresaglie se non la smette di « fare il cattivo ». Sbagliato. Non otterrete altro risultato che quello di esasperare la sua impotente indignazione e di convincer-

lo di essere vittima vostra oltre che del dottore

5. abbracciarlo, pulirgli il naso, asciugargli le lacrime. Sbagliato. Le vostre attenzioni saranno interpretate dal bambino come una seconda aggressione, aggiunta a quella del medico, e inoltre disturberete l'azione dello stesso medico

6. andarvene via perché « non potete vederlo piangere ». Sbagliato. Il bambino si sentirà abbandonato proprio nel momento del pericolo e la sua furibonda disperazione non conoscerà più limiti.

Naturalmente ora mi chiederete che cosa vi resta da fare, visto che tutte le consuete manovre sono inutili o dannose. E' presto detto: nulla. Il bambino non ha bisogno di essere rassicurato a parole, ma ha bisogno di un clima rassicurante. Siate sereni, tranquilli, sorridenti; chiacchierate col medico di cose varie, dell'ultimo film che avete visto, della crisi governativa, del costo della vita. Comportatevi insomma come nel salotto di un amico. Se vostro figlio urla e strepita fategli pure una carezza, domandategli pure se desidera qualche cosa, ma non andate più in là; e soprattutto continuate a essere disinvolti e allegri, come se ogni cosa andasse per il meglio. Poco a poco il bambino si renderà conto che, se i genitori non manifestano alcun nervosismo e non pensano neppure lontanamente a consolarlo, non c'è davvero niente da temere e niente che richieda consolazione. In breve, si sentirà sicuro. Molte volte, credete, il bambino ha paura degli estranei (e non soltanto del dottore) solo perché i genitori pensano che lui abbia paura e cercano di incoraggiarlo. Molte volte basta rimanere indifferenti e placidi, e il problema si risolve da solo. Forse non immediatamente, ma quasi sempre finisce col risolversi. L'importante è che vi sentiate tranquilli voi genitori; poi lo diventerà anche il vostro bimbo.

□ *I rapporti sociali con gli altri bambini* non sono dominati tanto dalla insicurezza e dalla paura, quanto dall'aggressività e dalla sopraffazione. C'è chi aggredisce e chi viene aggredito, chi riesce a sopraffare gli altri e chi ne rimane sopraffatto. In linea di massima è meglio non intervenire in questo genere di problemi e lasciare che il bimbo se la cavi per conto suo, come può e come sa.

Anche in questo campo c'è tuttavia qualche piccola regola da tenere presente:

1. se il vostro bambino si accapiglia con un compagno perché costui gli ha strappato il suo giocattolo, la cosa migliore è aspettare per vedere come va a finire. Spesso la contesa si esaurisce da sola dopo pochi minuti, per la spontanea ritirata di uno dei due avversari. In ogni modo non intervenite mai per difendere la *proprietà*. Semmai, per difendere la *giustizia*. Insistere sul *mio* e il *tuo* non serve che a

favorire l'egoismo e la grettezza. Molto meglio avviare le cose sulla strada della *collaborazione*, invitando i bambini a sfruttare insieme quel determinato oggetto: se si tratta di un trenino, un bambino potrà fare il macchinista e l'altro il capostazione, se si tratta di un carrettino uno potrà fare il pilota e l'altro il passeggero, se si tratta di una palla i due potranno tirarsela a vicenda, e così via

2. se vostro figlio è costantemente aggressivo nei confronti dei compagni, cercate se possibile di farlo giocare con bambini più grandi di lui, che si sappiano difendere. E inoltre, beninteso, cercate di capire la causa del suo atteggiamento (vedi al punto quattro). Evitate sempre di umiliarlo e di fargli fare la figura del delinquente davanti agli altri bambini

3. se, viceversa, vostro figlio sembra essere la vittima degli altri, se i compagni lo malmenano o lo rifiutano, cercategli eventualmente un'altra compagnia; ma solo nel caso che la faccenda sia davvero grave. Altrimenti, aspettate. Può darsi che il bimbo affronti coraggiosamente la situazione e finisca col farsi rispettare e persino benvolere. Pe lui sarebbe una vittoria di enorme valore. Comunque, guardatevi bene dall'intervenire continuamente in sua difesa: da un lato egli si sentirebbe umiliato, e dall'altro finirebbe con l'affidarsi totalmente a voi perdendo con ciò la sua autonomia

4. se in casa vostro figlio è troppo represso, sottoposto alla cosiddetta disciplina, educato rigidamente, è abbastanza probabile che egli sfoghi sui compagni tutti i sentimenti che si accumulano dentro di lui e che diventi violento e attaccabrighe

5. se il vostro bambino non è mai stato abituato ad avere contatti con coetanei, può averne paura e considerarli tutti più come nemici che come compagni. Fin dai primi tempi di vita, fin dall'età di un anno o poco più, fate perciò in modo che per vostro figlio la presenza di altri bimbi sia cosa consueta e regolare.

Esiste un mezzo che dovrebbe essere alla portata di tutti per favorire i contatti fra il vostro e gli altri bambini: l'asilo-nido. Sull'asilo i genitori spesso chiedono consiglio al pediatra: sì o no? Mandarci il bimbo o non mandarcelo? Gli farà davvero bene, o non sarà per lui un terribile « trauma » da separazione? E il bambino di un anno non è troppo piccolo per mandarcelo? Come sempre la risposta è largamente condizionata da molte circostanze, e in particolare dalle caratteristiche dell'ambiente umano in cui il piccolo vive abitualmente. Voglio dire che per un bambino inserito in una famiglia « allargata », per esempio in una delle superstiti famiglie di campagna nella quale vivono insieme a lui cuginetti, fratellini, amichetti, eccetera, o in una comunità di qualche genere in cui vi siano diverse persone grandi e piccole oltre ai genitori, questo bambino non avrà un gran bisogno di un ulteriore ampliamento dei suoi confini sociali, almeno per ora; ma ne avrà probabilmente bisogno un bimbo che viva rinchiuso in un microappartamento di città, in compagnia della sola madre o di una nonna baby-sitter. Inoltre bisogna anche vedere com'è l'asilo disponibile: potrebbe essere buono, effettivamente rispondente alle esigenze del bambino, ma potrebbe anche essere una specie di deposito, di parcheggio più o meno rigidamente organizzato e più o meno scoraggiante per il piccolo ospite. In generale comunque un graduale e paziente inserimento del bambino in un asilo-nido è da prendere in considerazione con favore. Sia perché contribuisce a introdurre il piccolo nel mondo extrafamiliare, sia (e forse soprattutto) perché aiuta i genitori a rendersi conto che il figlio non è una loro proprietà da custodire gelosamente, ma un uomo che ha il diritto, e il bisogno, di stare con altri uomini.

I suoi problemi di comunicazione

Il grande problema del vostro bambino, nel campo della comunicazione, è quello di riuscire a farsi capire da tutti, cioè di *socializzare* il suo linguaggio. Abbiamo già visto che cosa significa per il bambino questa impresa: uno sforzo veramente gigantesco, incessante e pieno di difficoltà. Accanto a questo problema di fondo ne esistono poi altri due: quello della balbuzie, al quale ho accennato prima, e quello del bilinguismo, dell'imparare eventualmente una seconda lingua. Per quanto riguarda la *socializzazione del linguaggio* potrete aiutare validamente il bimbo nei modi seguenti:

1. incoraggiatelo a imitarvi: un bambino che sta conquistando il linguaggio è come uno di noi che stia imparando una lingua straniera: deve ascoltare chi parla meglio di lui e imitarlo. Noi, per studiare l'inglese, ascoltiamo i dischi della BBC; lui, per imparare a parlare, ascolta voi. E vi imita. Non importa se ricorda solo l'ultima sillaba di quello che avete detto, e non importa per ora che capisca tutto; importa solo che ripeta, che si impadronisca delle cadenze, delle associazioni di suoni, delle sequenze di sillabe. E importa che voi lo aiutiate in questo lavoro

2. leggete per lui: specialmente fra i due e i tre anni di età il bambino impara ad ascoltare; non solo, ma *ascolta per imparare*. Le parole che gli vengono lette producono quasi sempre grandi effetti sull'evoluzione del suo linguaggio: è stato dimostrato che la lettura ad alta voce favorisce progressi talora stupefacenti nel modo di esprimersi dei bambini

3. non siate troppo compiacenti: molti genitori, per andare incontro al bambino, cercano di mettersi al suo livello: il papà non dice

« Ora ti porto a passeggio », ma « Il papà ora porterà a passeggio il suo bambino »; quando chiama sua moglie dice « mamma » invece che « Teresa » o « Caterina ». Di sua madre parla come della « nonna ». E al bambino, invece che dirgli « tu », si dice « Carletto » o « Giacomino », usato in terza persona (« Carletto è stato cattivo » invece che « sei stato cattivo »). Tutto questo può facilitare dapprima la comprensione del bambino, ma poi produrrà una gran confusione di nonne che sono mamme, di papà che sono mariti, e di Terese che sono mogli e mamme, e inoltre ritarderà un uso corretto dei pronomi « io » e « tu », per mancanza di esercizio

4. non incoraggiatelo a sbagliare: è quello che fanno certi genitori quando imitano il linguaggio del loro bambino; quando un papà, per esempio, parlando col piccolo dice « ba-ba » invece che acqua, « nanne » invece che dormire; « tle » invece che tre, e così via. Il bambino, che già sta per impadronirsi del linguaggio sociale e corretto, crederà che questi infantilismi siano parole esatte, e continuerà a usarle chissà fino a quando. E' lui che deve imitare il vostro linguaggio, non voi il suo

5. non siate « severi »: non c'è niente di peggio. Se lo punirete o lo sgriderete quando sbaglia, se vi mostrerete poco comprensivi con lui, se applicherete insomma dei metodi « duri » di insegnamento, di sicuro vostro figlio imparerà a parlare con ritardo, e probabilmente meno bene. Ricordate che una punizione, anche relativamente leggera, inflitta a un bambino perché non sa ripetere alla perfezione una parola, può provocare danni irrimediabili

6. non forzate la correzione dei suoni sbagliati: il bambino in genere si corregge da solo, prima o dopo. Non forzatelo a sostituire il suono sbagliato con quello giusto; correreste il rischio di fornirgli semplicemente un suono nuovo, che lui userà in modo scorretto. Egli è in continua lotta contro le vecchie espressioni del suo linguaggio personale; lasciate che impari da solo a sostituirle coi suoni nuovi, giusti, del linguaggio sociale. Non obbligatelo a fare progressi più rapidi di quelli che lui sa fare. Non solo non lo aiutereste, ma probabilmente gli rendereste più difficile un lavoro che è già abbastanza duro

7. fatelo giocare con altri bambini: fatelo giocare coi cuginetti, coi figli dei vicini. Con « estranei » insomma. Per farsi capire da loro vostro figlio dovrà per forza abbandonare poco a poco il suo linguaggio personale, casalingo, e adoperare quello che può essere capito da tutti, cioè quello sociale.

Per quanto riguarda la *balbuzie* c'è una sola regola da seguire: ignorarla. Il cercare di correggere il bambino, l'incaponirsi a fargli ripetere una parola finché non la pronunci correttamente, il mostrarsi preoccupati, non solo non aiuta per niente il piccino a superare lo scoglio, ma al contrario peggiora la situazione: il bimbo può sentirsi anormale, quasi affetto da una malattia vergognosa, inetto, menomato, la sua tensione aumenta, e con essa aumentano inevitabilmente le difficoltà a parlare con fluente disinvoltura. Ogni parola diventa per lui un conflitto, una battaglia perduta, una sconfitta umiliante. Viceversa, se i genitori riescono a non dare alcun peso alla cosa, il piccino, lasciato a risolvere con calma i suoi problemi, poco a poco ce la fa. Basta avere pazienza, non mettergli fretta, non tormentarlo, non essere esigenti e severi con lui. Tutto qui. In questo campo il bambino è indubbiamente il miglior medico di se stesso.

Rimane la questione del *bilinguismo*: si può o non si può insegnare al bambino una seconda lingua già nel secondo o terzo anno di vita? Sì, si può benissimo. Molti credono che il duplice sforzo di socializzare la lingua madre e di imparare contemporaneamente un'altra lingua impedisca al bambino l'uso corretto di entrambe; in altri termini, egli non parlerà mai bene né l'una né l'altra. Se la caverà, poniamo, con l'inglese, e parlerà un italiano detestabile; oppure farà una gran confusione e si esprimerà con un inglese italianizzato o con un italiano anglicizzato. In ogni caso, si dice, non avrà una vera lingua madre, di cui essere perfettamente padrone. Sia ben chiaro che in tutto questo non c'è nulla di vero. Vostro figlio può agevolmente imparare due lingue invece di una, e potrà usarle entrambe alla perfezione. In effetti molti bambini che sono nati e vivono in zone bilingui si valgono con assoluta indifferenza di due diversi linguaggi, e non eccezionalmente diventano abilissimi nell'uso di tutti e due. Personalmente ritengo addirittura che l'imparare due lingue insieme faciliti, anziché ostacolare, il corretto uso sia dell'una che dell'altra. Non sottovalutiamo le capacità dei bambini, l'ho già detto più volte. Nei primi tre anni di vita il bimbo è capace di imprese che a noi sembrano prodigiose. Se non le porta a compimento, è perché noi glielo impediamo.

3. LE SUE MALATTIE «SPECIALI»

3.1. I dolori addominali

Il « mal di pancia » è una vera malattia? Molte mamme pensano che, in fondo, non lo sia. E così alcuni medici. In realtà dobbiamo riconoscere che questo sintomo sembra tanto frequente che non esiste bambino, penso, al quale prima o dopo non sia stato attribuito. Le mamme tendono a interpretare come mal di pancia tutti gli stati di irrequietezza, agitazione o sofferenza del bimbo, così che alla fine non vi concedono più molta attenzione. Il dottore, d'altra parte, si sente ripetere che il piccino ha mal di pancia con tale ossessionante frequenza che arriva anche lui a non badarci nemmeno più. E non dimentichiamo poi che il bambino è portato a indicare la pancia tutte le volte che gli si chiede se ha male in qualche posto. Perciò ciascuno parla del mal di pancia con una certa indifferenza e, tutto sommato, di solito non ci crede neppure. E, diciamolo subito, spesso con ragione. Ma non sempre; questo è il punto. Accanto ai dolori « falsi », inventati dal bambino per determinati scopi (per esempio per non essere lasciato solo, alla sera), o denunciati dal piccino al posto di disturbi di tutt'altra natura e che lui non riesce a descrivere; accanto ai dolori « immaginari » riferiti dalle mamme più in base a un'abitudine, a un costume, a un preconcetto, che in base a elementi validi di giudizio; accanto ai dolori che non sono dolori e che in effetti sono soltanto un modo di dire, esistono anche i dolori veri e reali. Il guaio è che molte volte risulta piuttosto difficile, in questo campo, distinguere il vero dal falso. Specialmente per la mamma.

Alcune malattie, come l'appendicite, certe forme infiammatorie dell'intestino o della vescica urinaria (queste ultime molto più frequenti nelle bambine), le ernie, e così via, provocano un autentico mal di pancia, e anche molto violento. Come distinguerlo da quello « finto »? Non c'è un modo sicuro per fare questo accertamento, però ci sono molti modi per arrivare al dubbio e quindi per giungere alla decisione di consultare il medico. Supponiamo che un bimbo di due anni si lamenti e risponda affermativamente quando gli si chiede se gli fa male il pancino. Naturalmente può darsi che lui voglia soltanto attirare l'attenzione, o che abbia mangiato un po' troppo, o che abbia l'intestino ingombro e debba scaricarsi. Ma può anche darsi che la cosa sia più seria. Ecco allora i particolari che dovete prendere in considerazione: il bambino ha la febbre? i dolori sono forti, e non cessano per incanto non appena gli avete dato quello che vuole? vomita? c'è qualche rigonfiamento sospetto nelle regioni inguinali? è pallido? ha l'aspetto realmente sofferente? ha il viso affilato, « diverso » dal solito? è molto abbattuto? Se dovete rispondere di sì anche a una sola di queste domande, non esitate: rivolgetevi al medico. In questi casi il mal di pancia è probabilmente verissimo, e bisogna chiarirne al più presto la natura.

Bisogna ricordare a questo punto che esistono diversi tipi di dolore addominale vero e proprio che *non dipendono* direttamente da disturbi degli organi contenuti nel ventre: non di rado, per esempio, il mal di pancia si accompagna a malattie dei polmoni o a tonsilliti. Non meravigliatevi perciò se vostro figlio con la tosse e la febbre, o col mal di gola, o col raffreddore, a un certo momento accusa anche dolore al ventre. Può darsi benissimo che sia vero. Non si sa bene quale sia il rapporto fra i due fenomeni, l'infiammazione delle vie respiratorie e il dolore all'apparato digerente; però si sa che questo rapporto esiste. Il vostro compito, in queste circostanze, sarà evidentemente quello di informare il medico di tutta la faccenda e di somministrare al bimbo, in attesa di istruzioni dettagliate, una dieta leggera.

C'è poi un mal di pancia che non si sa bene se sia vero o falso: è il cosiddetto « dolore addominale periodico », che si ripete a intervalli variabili, dura di solito un giorno o due, e si manifesta con crisi apparentemente improvvise e piuttosto violente talora accompagnate da vomito. Questo disturbo compare di solito verso i due anni di età e poi va gradatamente diminuendo di frequenza fino a cessare del tutto verso i sette anni. Ho detto che non si sa se sia vero o falso non già perché debba essere messa in dubbio la sua esistenza, ma perché non si conoscono le ragioni del disturbo: in altri termini, il dolore pare proprio che ci sia davvero, ma non è affatto certo che corrisponda a una autentica malattia. Potrebbe trattarsi, per esempio, di una semplice disfunzione, eventualmente dovuta a particolari stati d'animo del bimbo, a certe emozioni o a certe ansie.

Ora vorrei attirare la vostra attenzione su una forma di dolore addominale piuttosto frequente e che secondo me dovrebbe essere sempre tenuta presente dai genitori in quanto dipende in modo notevole dal loro atteggiamento. Si tratta di una forma che, a quanto pare, non si presenta mai prima del terzo anno di vita: essa comprende segni di nervosismo, inappetenza, stitichezza, e di tanto in tanto attacchi di mal di pancia e acetone. Il bambino che soffre di questa malattia in genere viene qualificato come « cattivo », ed effettivamente è spesso capricciosissimo, pigro, sregolato, geloso. Non si conosce ancora perfettamente il meccanismo di questo disturbo, ma si è osservato che nella stragrande maggioranza dei casi l'ambiente familiare del piccolo ammalato è « difettoso»: i genitori sono in disaccordo fra loro, oppure sono troppo preoccupati, o seguono dei metodi educativi troppo severi e oppressivi.

In conclusione, se il vostro bambino accusa con una certa frequenza dolori alla pancia, dovrete:

1. assicurarvi dell'eventuale esistenza di altri sintomi (febbre, tosse, vomito, malessere, eccetera) e consultare il medico se questi altri segni sono presenti

2. riesaminare con sincerità il vostro atteggiamento verso il bambino e cercare di capire se per caso nel vostro modo di comportarvi non ci sia troppa ansia, o troppa rigidezza, o troppo poca comprensione.

3.2. L'acetone

L'acetone è una specie di malattia-fantasma che riempie di sgomento le mamme, qualcosa come uno spirito malefico al quale si attribuiscono i disturbi più svariati, dalla febbre al vomito, dal malessere generale ai dolori di ogni tipo e di ogni localizzazione. In realtà lo acetone, o più esattamente l'acetonemia, è piuttosto un sintomo che una causa, una conseguenza più che un movente. Si tratta di questo: le molecole degli alimenti che ingeriamo vengono demolite nel nostro organismo e i loro « pezzi » utilizzati per diversi scopi; ora, accade che, in certi casi e per ragioni che vedremo in seguito, questa operazione di « smontaggio » delle molecole non arriva fino alla fine, ma si arresta a un certo punto, e i frammenti che ne risultano, incompletamente smontati, non possono essere normalmente sfruttati dai tessuti. Così questi pezzi, questi resti non utilizzabili, vanno in giro nel sangue e disturbano in varie maniere il funzionamento del nostro corpo. Sono cioè dei *veleni*. Il principale di questi veleni viene comunemente chiamato acetone.

Vediamo ora *perché* lo smontaggio delle molecole di alimento, e specialmente di quelle dei grassi, si arresta a un certo punto con formazione di acetone. Le situazioni che possono mettere i bastoni fra le ruote dell'ingranaggio demolitore delle molecole sono parecchie e apparentemente molto differenti l'una dall'altra: il digiuno o, viceversa, il mangiare troppo (specialmente troppi grassi), la febbre, la fatica intensa, una grave infezione, uno shock di qualsiasi natura, certe malattie del fegato e del ricambio, e in generale tutte le situazioni che impegnano l'organismo in un lavoro particolarmente duro. S'intende che, in tutti questi casi, non è che l'acetone sia inevitabile: può prodursi o no. Ma è certo che si produce con una certa facilità.

Ci sono poi dei bambini nei quali l'acetone si forma periodicamente senza alcuna causa apparente, senza che ci sia stata febbre, o una indigestione, o un digiuno prolungato, o fatica o altro. E' un acetone, per così dire, *costituzionale*, ed è quello che fa ammattire i genitori, i quali non riescono a capire come e perché il disturbo perseguiti il loro bambino. In questi casi, a differenza di quanto accade per le forme di acetone da febbre, digiuno, eccetera, molte volte non ci sono sintomi evidenti; si riesce però a capire che qualcosa non va, e l'esame delle urine mostra la presenza della sostanza tossica.

A questo proposito, diciamo subito che l'esame delle urine rappresenta il modo più sicuro, anzi in pratica l'unico modo, per riconoscere con certezza la « malattia ». Gli altri sintomi, come il malessere generale, l'abbattimento, il pallore, l'alito « acetonemico » e il vomito, possono esserci o non esserci. Solo l'esame delle urine taglia, per così dire, la testa al toro. Perciò è senz'altro consigliabile fare eseguire questa analisi tutte le volte che il bambino non sta bene, per qualsiasi motivo. In particolare l'esame non deve essere tralasciato in caso di febbre elevata che si prolunghi per qualche giorno, di indigestione, di vomito ripetuto, di una inconsueta mancanza di appetito, di dolori addominali. Vi ricordo che sono stati realizzati dei prodotti che permettono un rapido esame delle urine in casa, senza ricorrere a un laboratorio, con un procedimento veloce e semplice. Bisogna tuttavia di tanto in tanto ricorrere egualmente alla conferma di un laboratorio, perché i prodotti in questione, se non vengono usati in modo più che corretto, possono trarre in inganno e svelare l'acetone anche quando l'acetone non c'è o c'è in misura trascurabile.

E veniamo alla parte pratica: che cosa fare per combattere lo acetone? La prima cosa da fare è naturalmente quella di prendere tutti i provvedimenti atti a evitare che l'acetone si produca. La causa più comune e più diretta di questo disturbo è costituita dai grassi della dieta, e perciò sarà necessario controllarli attentamente, specie quando il bambino si trovi in una situazione che già di per sé potrebbe provocare la comparsa dell'acetonemia: quando ha la febbre alta, per esempio, o quando è affetto da un disturbo intestinale. Così la panna va usata con estrema cautela nei bambini piccoli, o addirittura eliminata dalla dieta; il burro, il lardo, i formaggi grassi, e persino il latte, debbono pure essere somministrati con prudenza se il piccolo non è in perfette condizioni. Meno pericoloso l'olio, che come è noto è il più digeribile dei grassi.

Questi stessi provvedimenti vanno presi, ancor più radicalmente s'intende, nel caso che l'acetone sia già comparso. E il perché è chiaro: come abbiamo visto prima, l'acetone deriva soprattutto da una difettosa utilizzazione dei grassi; occorre dunque innanzitutto eliminare queste sostanze dalla dieta. In tal modo la materia prima per la formazione dell'acetone viene a mancare, e quindi la produzione di questo veleno nell'organismo deve per forza diminuire. Sarà bene inoltre somministrare al bambino cibi dolci, zucchero, miele, frutta cotta, in quantità superiori a quelle abituali; gli zuccheri infatti sono delle specie di contravveleni dell'acetone. Date inoltre al bimbo abbondanti liquidi dolcificati e con citrosodina o alcalosio. E infine, ovviamente, consultate il vostro medico, il quale vi prescriverà il prodotto antiacetone più adatto al vostro bambino.

Ma per i bambini che soffrono di acetone « costituzionale », per quei bambini che vanno soggetti all'acetone sempre, anche quando stanno fisicamente bene, che cosa si deve fare? Non si può certo tenere un bimbo senza grassi, latte, uova, eccetera, per tutta la vita! Ecco, qui dobbiamo fare un passo indietro e riparlare un pochino delle cause di acetone: nei bambini particolarmente sensibili la crisi di acetone è provocata il più delle volte da emozioni, delusioni, impeti di collera, punizioni, contrarietà, eccessi di paura, e via dicendo. Tutti questi stati d'animo, attraverso meccanismi assai complessi e non facilmente individuabili, bloccano la demolizione delle molecole alimentari al livello dei cosiddetti « corpi chetonici », che è il nome che gli scienziati dànno all'acetone. Basta che la mamma sia nervosa, o il papà troppo preoccupato o troppo severo, ed ecco che l'acetone fa la sua comparsa. In altre parole, non sono solo gli errori di alimentazione o gli shock di natura varia (febbre, infezioni, traumi, eccetera) che scatenano l'acetone, ma anche i turbamenti psichici, le paure, gli spaventi, la rabbia, il dispiacere, le preoccupazioni. Anzi, queste sono forse le cause più frequenti di quella forma di acetone che abbiamo chiamato « costituzionale ».

La cura, in questi casi, non può dunque che essere la seguente: adottare tutte quelle misure e precauzioni che abbiamo visto sopra e che sono valide per qualsiasi forma di acetone, ma soprattutto non preoccuparsi troppo e far vivere il bambino in un ambiente sereno e disteso, armonico, tranquillo, non oppressivo. Che possa essere difficile non lo nego, ma so che è assolutamente necessario.

3.3. Il « linfatismo »

Sotto qualche punto di vista il linfatismo può essere paragonato all'acetone, non perché le due forme abbiamo qualcosa in comune nelle loro caratteristiche mediche, ma perché suscitano nei genitori su per giù lo stesso tipo di preoccupazioni.

In primo luogo debbo chiarire che nemmeno il linfatismo può essere considerato come una vera e propria malattia. Dire che un individuo è linfatico è press'a poco come dire che è magro, snello o biondo. Di bambini magri, snelli e biondi ce ne sono di centomila tipi, e ognuno ha le sue propie caratteristiche. E lo stesso è per i linfatici. In effetti sotto questa vaga espressione si comprendono diverse forme costituzionali frequentissime nei bambini; forme spesso non bene definite e spesso neppure ben conosciute, che sfumano con una certa frequenza l'una nell'altra, e che non sempre sono facilmente individuabili. In molti casi, nel linguaggio corrente, con la parola "linfatismo" si definiscono le varie manifestazioni allergiche e tutte quelle forme che i medici chiamano "atopie".

Potremmo dire che il linfatismo è un certo tipo di atteggiamento dell'organismo, un certo modo di comportarsi di organi e tessuti, un certo modo di reagire delle cellule. In altre parole, nel bimbo linfatico c'è di solito una specie di turbamento nell'equilibrio nervoso e anche in quello della vita cellulare. Un cambiamento di stagione, per esempio, può non disturbare per nulla un soggetto normale, e provocare invece fenomeni infiammatori o di altro genere in un linfatico.

Perché alcuni bambini si comportino in questo modo, perché siano cioè dei linfatici, non sempre lo sappiamo. Di sicuro c'entrano fattori ereditari, ma non si può escludere che anche talune condizioni ambientali possano avere la loro importanza. Il figlio di un linfatico sarà probabilmente linfatico a sua volta, anche se potrà presentare manifestazioni completamente diverse da quelle del padre o della madre; ed è inoltre più facile che determinati sintomi facciano la loro comparsa se il bimbo vive in un clima umido e inquinato, come quello di certe grandi città.

C'è poi un secondo punto di contatto con l'acetone: anche il linfatismo è un disturbo che colpisce soprattutto i bambini fra i due e i cinque anni di età. Di solito finisce con l'attenuarsi in corrispondenza della pubertà, anche se lascia delle tracce, di ben poca importanza dal punto di vista clinico, nell'adulto.

Un terzo aspetto che il linfatismo ha in comune con l'acetone è quello del terrore che la parola suscita nei genitori: il terrore che si tratti di una oscura terribile minaccia, di una malattia che non perdona, di un destino nefasto, di una mortale forma di esaurimento o di anemia, o di tubercolosi. Una volta certamente si credeva che fosse così, e forse, in parte, era anche così. Ma oggi no. Oggi, si può dire, tutti i bambini che vivono nelle regioni settentrionali, inquinate dallo smog e povere di sole, sono dei linfatici. Tutti, o quasi tutti. Anche quelli che stanno benone e che vivranno in eccellente salute fino a cent'anni. Il linfatismo, come ho detto, non è altro che un modo di reagire all'ambiente, e si manifesta con qualche disturbo curabilissimo e nient'altro. Nulla, comunque, che comprometta seriamente l'accrescimento del bambino, che ne minacci lo sviluppo o che ne indebolisca la salute.

Quali sono i sintomi del linfatismo? Vi dico subito che elencarli tutti è praticamente impossibile, tanta è la loro varietà e il loro differente modo di presentarsi in rapporto alle caratteristiche di ciascun bambino. In sintesi, comunque, il quadro è questo: si tratta per lo più di bimbi che cadono facilmente in preda a processi infiammatori delle mucose: del naso, della gola, dei bronchi. Raffreddori a ripetizione, periodi febbrili frequenti con mal di gola, tosse e catarro, che certe volte durano settimane e settimane. Non di rado questi bambini presentano anche una certa tendenza alle congiuntiviti, eventualmente con formazione di pus vero e proprio, e non mancano i casi in cui i raffreddori, le influenze e i mal di gola si complicano con otiti, sempre dolorose anche se non gravi. Naturalmente il ripetersi di fatti irritativi e infiammatori a carico delle prime vie aeree produce molte volte un ingrossamento permanente di tonsille e adenoidi, o addirittura una irrimediabile devastazione del tessuto di cui tonsille e adenoidi sono costituite. D'altra parte, un certo grado di « ingrossamento » di questi tessuti (che sono per l'appunto tessuti linfatici) è abituale per i soggetti in questione, anche se non ci sono state molte infiammazioni. E ciò vale anche per le ghiandole linfatiche periferiche, quelle del collo, delle ascelle, dell'inguine.

Nei bambini linfatici dunque si hanno frequentemente fatti infiammatori a carico delle mucose. Ma ricordiamo che non ci sono soltanto le mucose del naso, della gola, dei bronchi, degli occhi. C'è, per esempio, anche la mucosa che riveste l'intestino. E infatti è tutt'altro che eccezionale osservare nei linfatici episodi ricorrenti di dolori addominali, diarree, scariche mucose, eccetera. Non solo, ma càpita talvolta di dover fare i conti anche con una irritazione dell'appendice, la quale è fatta dello stesso tessuto (linfatico) di cui sono fatte le tonsille.

Anche la pelle, sia pure molto meno spesso, può presentare manifestazioni di linfatismo: lesioni che si formano dietro le orecchie e che producono una specie di secrezione sierosa (si chiamano « intertrigine retroauricolare »), ragadi delle labbra, arrossamenti di vario genere e di varia localizzazione, e infine quel grosso e non ancora risolto problema che è l'eczema, in tutte le sue varietà.

Molte volte i linfatici sono bambini tendenzialmente pallidi, con una certa facilità all'anemia. Non che siano sempre degli individui gracili, esili, diafani. Tutt'altro. Ci sono anche i magri, naturalmente; ma spesso si tratta di bambini addirittura grassi, anche troppo grassi, ben nutriti, « pastosi ».

Il vero problema del linfatismo è, naturalmente, quello della sua cura. Se si tratta di un atteggiamento dell'organismo più che di una malattia, se si tratta in altre parole di una *costituzione*, come si potrà cambiare la costituzione di un bambino? Cambiarla, nel senso stretto della parola, evidentemente non si può. Però è possibile guidare verso una certa direzione il modo di comportarsi dell'organismo e collaborare col tempo a modificare lentamente le caratteristiche dell'individuo. Tanto per cominciare, e questo è ovvio, occorre mantenere costantemente questi bambini in un adeguato equilibrio vitaminico. Particolarmente importanti sono le vitamine A e D, specie per quei piccini che passano tutto l'anno in una grande città, e cioè praticamente senza sole. Ma anche tutte le altre vitamine debbono essere somministrate con un'attenta regolarità: la C per esempio, che aiuta a combattere le infezioni; o il complesso B che agisce come regolatore intestinale.

Un altro punto da non trascurare nel trattamento dei bambini linfatici è quello della dieta. Ricordiamo che si tratta di organismi non di rado tendenti alle forme dispeptiche e ai disturbi intestinali, che qualche volta non tollerano molto bene gli zuccheri e i farinacei, o le proteine del latte, che possono essere troppo grassi (« pastosi » ho detto prima), e infine che hanno comunque bisogno di una nutrizione tale da metterli in condizione di resistere validamente ai frequenti episodi infiammatori che li colpiscono. Sarà bene perciò non esagerare con le minestre, la pastasciutta, i dolci e gli intingoli, e cercare invece di dare la preferenza alla carne, al fegato crudo (che è un efficace preventivo della anemia), al pesce. Abbondate pure con l'olio, non troppo col burro. Molta frutta, beninteso, e molte verdure fresche.

Ma tutto questo non è sufficiente. Quello che per i bambini linfatici è veramente prezioso, anzi necessario, è l'aria pura, il sole, la vita a contatto con la natura. Lo so che per chi abita in città la natura è solo un sogno, un miraggio, un paradiso irraggiungibile. Ma almeno portate il bambino fuori di casa, al parco, ai giardini, sia d'estate che d'inverno. Non abbiate paura che prenda il raffreddore e la tosse. Tanto, li prenderà egualmente, anche restandosene tappato in casa. Anzi, è meno facile che ammali all'aria aperta piuttosto che trascorrendo le giornate sotto la proverbiale campana di vetro.

E poi, non appena possibile, portate vostro figlio lontano dalla città. L'ideale, per la maggioranza dei casi, sarebbe il mare: la temperatura relativamente costante dei litorali, le leggere brezze, la forte irradiazione solare, l'acqua di mare nebulizzata nell'aria che si respira, son tutte cose assai utili per il trattamento del linfatismo. Anche la montagna porta indubbiamente beneficio, specie se si tratta di un clima asciutto e con molto sole. Se non potete andare né al mare né in montagna, andate in campagna, in collina, dovunque vi sia del verde, del sole e dell'aria pura. Dovunque non ci siano i veleni che ci regalano con tanta generosità gli scappamenti delle automobili e gli scarichi industriali.

Va da sé che l'intensità delle cure, la frequenza e la durata dei soggiorni climatici, in una parola tutto il trattamento del bambino dovrà in un certo senso essere proporzionato all'entità delle manifestazioni linfatiche. C'è il bimbo che presenta solo qualche modesta tumefazione ghiandolare, o che si limita ad avere qualche raffreddore di tanto in tanto, e allora praticamente non c'è nulla di speciale da fare, nulla di diverso da quello che si fa per qualsiasi altro bambino. E c'è il bambino che viene colpito di continuo da violente tonsilliti, che soffre di raffreddori purulenti a ripetizione, che cade in preda a bronchiti prolungate, che presenta un decadimento periodico anche grave delle sue condizioni generali; e allora le cure dovranno evidentemente essere codotte con particolare diligenza e sempre sotto controllo medico.

Il quale controllo medico poi, sempre per questi bambini « più linfatici », dovrà essere approfondito e costantemente esteso a un certo numero di controlli specialistici: molto importante sarà la visita, per esempio, dell'otorinolaringoiatra, il quale dovrà tenere sotto osservazione lo sviluppo delle tonsille e delle adenoidi e inoltre accertarsi che l'orecchio non venga coinvolto nelle infiammazioni della gola. Un esame di sangue di tanto in tanto, per còcliere eventualmente una anemia al suo primo accenno, può essere consigliabile. Il parere del dermatologo potrà essere utile in caso di lesioni della pelle. E così via. Tutto sommato, si può dire che il cosiddetto linfatismo non richiede cure veramente speciali: basterà fare quello che si fa per qualunque bambino, solo con una frequenza e una puntualità più precise e più diligenti.

Settimo Capitolo

L'ETÀ DEL NOVIZIATO
da tre a sei anni

1. IL SUO CORAGGIOSO SFORZO DI ENTRARE IN SOCIETÀ

Una volta mi capitò di domandare a un importante personaggio, papà di un mio piccolo paziente, quale fosse il ricordo più vivo della sua infanzia. Mi rispose immediatamente: « Il mio primo giorno allo asilo ». Ricordava tutto: il vecchio atrio un po' lugubre affollato di mamme e bambini, il sorriso accattivante della maestra, il frastuono, le piastrelle ottagonali rossicce e polverose del pavimento, la lampadina che pendeva dal soffitto, le lunghe finestre che davano sul giardino. E l'angoscia. Una angoscia che, dopo più di quarant'anni, non aveva perduto ancora nulla della sua drammatica evidenza.

A noi sembra forse che sia una cosa da nulla questo primo ingresso del bambino nella scuola materna. Ma non è una cosa da nulla. E' un grande momento, che si può anche ricordare dopo quarant'anni, che si può ricordare per tutta la vita. E lo si può ricordare con tenerezza, con nostalgia, con piacere, con letizia; oppure con tristezza. Si può riviverne l'emozione, la gioia e l'eccitamento; oppure l'ansia e la paura. E' proprio un grande giorno questo, per il vostro bambino, e lui lo affronterà felicemente o infelicemente a seconda del grado di evoluzione, di autonomia e di indipendenza che voi gli avrete permesso di raggiungere.

1.1. Le risorse di cui dispone: sviluppo fisico ed evoluzione del comportamento

Il suo accrescimento

Al momento di « entrare in società » vostro figlio è già un individuo dotato di una sua personalità, di un corredo di risorse fisiche e mentali piuttosto notevole, e di un suo modo di progredire. Il suo corpo va assumendo delle caratteristiche sempre più spiccate e peculiari man mano che si sviluppa. Fra i tre e i sei anni di età il bambino passa da una statura di novanta centimetri circa a una di centodieci circa; più precisamente, le sue misure in altezza si aggirano in media intorno ai novantacinque centimetri a quattro anni, intorno ai cento-centocinque a cinque anni, e intorno ai centodieci-centoquindici a sei anni. Insisto ancora una volta sul fatto che si tratta di valori *medi*: un bambino può benissimo essere anche dieci centimetri al di sopra o al di sotto dei valori che ho indicato ed essere tuttavia perfettamente normale. Ciò che conta non è tanto la statura in sé e per sé, quanto il ritmo di accrescimento: se un bimbo cresce con una certa regolarità, tutto va bene; ma se a un determinato momento si arresta, o rallenta di molto nel suo aumento staturale, allora sarà bene ricorrere al medico per appurare la causa del fenomeno.

Lo stesso discorso si può fare naturalmente per il peso: importa un regolare accrescimento, e non il peso in senso assoluto. E importa il rapporto fra peso e statura: se un bambino cresce solo di peso e non di statura, o viceversa, c'è evidentemente qualcosa che non va. Farete bene perciò a controllare ogni sei mesi circa l'altezza e il peso di vostro figlio, per assicurarvi che le due curve procedano in accordo fra loro.

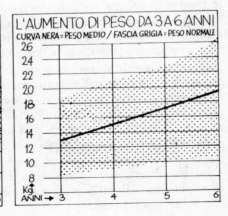

Va fatta qui una precisazione: come dicevo prima, in questo periodo che possiamo chiamare « pre-scolare », ogni bambino assume una sua personalità, anche fisica, ben spiccata. Può diventare lungo lungo e relativamente magro, oppure rotondetto e non troppo alto, oppure robustone e massiccio, oppure esile e snello, e così via. E può accadere che si sviluppi in modo diverso da quello che i genitori vorrebbero. Ebbene, è del tutto inutile, anzi dannoso, cercare di modificare l'evoluzione fisica del bimbo, in qualsiasi senso. Se sognavate un piccolo Ercole, e vostro figlio è invece un cosino tendenzialmente magro, e se speravate che la vostra Mariella fosse minuta e agile, e invece diventa una « bombolotta » fiorente e pacioccona, non potete farci nulla. L'essenziale, ripeto, l'unica cosa veramente importante, è che lo sviluppo complessivo sia armonico e compreso nei limiti (molto ampi, del resto) della normalità. D'altra parte, e questo lo dico a consolazione di quei genitori che aspirano ad avere figligranatieri, la statura media dell'umanità è aumentata parecchio negli ultimi anni; in altre parole, è molto probabile che vostro figlio (o figlia) sia più alto di voi. Solo che, per il momento, non si può dire di quanto.

Mentre si sviluppa, il bambino porta praticamente a termine la impresa di padroneggiare il proprio corpo: conquista un efficiente senso dell'equilibrio, perfeziona tutti i movimenti, si destreggia con agilità, s'impadronisce di tecniche motorie sempre più raffinate, impara a usare la bicicletta, a nuotare, a ballare, a saltare con un certo stile, e a fare una quantità di altre cose. Egli ha impiegato il suo primo anno di vita ad apprendere come si cammina, i due successivi a scoprire tutte le risorse del suo corpo, e ora, in altri due o tre anni, conclude la sua fatica perfezionando ciò che aveva imparato prima. Questo periodo, fra i tre e i sei anni, è per lui una specie di corso di specializzazione in movimenti.

Nel campo della *dentizione* i progressi del bimbo sembrano invece arrestarsi. In effetti apparentemente non succede nulla: i denti che c'erano all'età di tre anni ci sono anche a cinque anni. Solo fra i cinque e i sei anni circa càpita una novità: i denti diventano... di meno. Cadono infatti gli incisivi mediani per lasciare il posto ai loro fratelli maggiori, agli incisivi permanenti, che fanno capolino dalle gengive col loro margine tutto seghettato.

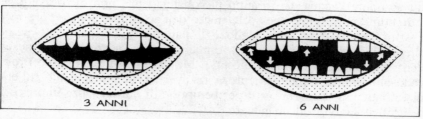

3 ANNI   6 ANNI

Le sue nuove abitudini di vita

Quasi automaticamente, giunto alle soglie della sua vita sociale, il bambino adegua il proprio comportamento e le proprie abitudini alle esigenze della nuova situazione. Basta lasciarlo fare, come ho già detto tante volte, senza interferire nei suoi processi di adattamento e senza turbare l'evoluzione dei suoi ritmi.

Cominciamo col dire due parole sul *sonno*. Crescendo, naturalmente, il bimbo dorme sempre meno:

☐ circa dodici ore fra i tre e i quattro anni

☐ undici ore e mezza o poco più fra i quattro e i cinque

☐ undici ore fra i cinque e i sei.

Con ampie variazioni individuali, beninteso. In compenso, mentre finora si svegliava qualche volta durante la notte, adesso comincia a fare « tutta una tirata », come dicono con grande soddisfazione i genitori, dalla sera al mattino. Quello che abbastanza spesso « salta » è il pisolino pomeridiano. Va da sé che la tranquillità e la durata del sonno dipendono largamente dal clima psicologico in cui il bimbo trascorre la sua giornata: è chiaro che un ambiente sereno e disteso favorisce il riposo, e un ambiente ansioso e nevrotico no. Ma può anche accadere che il bambino reagisca a una situazione familiare satura di elettricità e di insicurezza cercando scampo proprio nel sonno. Come se dicesse: « Ora mi addormento, e non penso più a tutte queste storie ». Càpita anche a noi grandi del resto, e non tanto raramente. In linea di massima si può dire comunque che il sonno cessa di costituire un problema; a meno che, come vedremo più avanti, non ci pensino gli adulti a farlo rimanere tale.

Anche la questione del *controllo degli sfinteri* è già superata a quest'età, eccezion fatta per alcuni casi particolari che vedremo in seguito. A quattro anni il vostro bambino sa ormai sbrigarsela egregiamente da solo in ogni circostanza, o quasi egregiamente. Va al gabinetto quando « è arrivato il momento », fa pipì e popò senza bisogno di assistenza, si riveste, e qualche volta si ricorda persino di far scendere l'acqua. Ci saranno piccoli incidenti, non dico di no: le mutandine porteranno spesso le tracce dell'accaduto, non sempre feci e urine centreranno il bersaglio e il pavimento del gabinetto accoglierà i materiali « dispersi », la camicia resterà mezza fuori e mezza dentro i pantaloncini, e via dicendo. Ma nell'insieme il piccolo provvede abbastanza diligentemente a risolvere i suoi problemi. All'età di cinque anni ormai fa tutto per benino, e di norma senza imprevisti o inconvenienti di alcun genere.

Il suo comportamento generale

Ho definito questo periodo dello sviluppo del bambino, fra i tre e i sei anni, come « età del noviziato ». Ora credo di dovervi spiegare perché ho scelto tale definizione. A tre anni vostro figlio è praticamente in possesso di tutto ciò che gli serve per inserirsi nella vita sociale e gli rimangono da compiere solo due operazioni: perfezionare le proprie capacità e i propri strumenti, e adattare se stesso alla compagnia degli altri, coetanei e adulti. Fatto questo, il piccolo potrà finalmente partecipare di fatto e con vantaggio alle attività comunitarie, potrà cioè vivere pienamente la propria vita di uomo: passerà, in altri termini, da una fase di apprendistato, di noviziato, a una fase di « professionismo ». Di questa avanzata verso quello che potremmo chiamare il « mestiere di uomo » voi potrete prendere atto ogni giorno seguendo le attività del gioco del vostro bambino.

Le caratteristiche del gioco cambiano, e certe volte cambiano notevolmente, dopo i tre anni di età. A quattro anni circa arriva di solito la passione per il dramma, per la recitazione, per lo spettacolo: il bambino si identifica col papà che va in ufficio, col cacciatore, col pilota, con l'astronauta, e si muove, parla e lavora in armonia col personaggio scelto. Solo che l'estrema vivacità delle sue iniziative lo fa uscire da una stanza come presidente della repubblica ed entrare nella stanza vicina come paracadutista. Dopo un anno è cambiato tutto: se comincia una cosa cerca di finirla, e si abbandona molto meno a varianti impreviste suggerite dall'estro del momento; si prefigge determinate imprese, per esempio la costruzione di una casetta, e non le abbandona se non dopo averle realizzate... o quasi. Insomma, è più serio, più coerente, più tenace.

Ci sono, evidentemente, infinite differenze fra un bambino e l'altro: un bimbo può fare tutto da solo, o almeno tutto quello che può, e un altro chiedere continuamente l'intervento e l'aiuto della mamma; uno può essere compiacente e riguardoso, e l'altro assolutamente indifferente alle esigenze altrui; uno concentrato e riflessivo, e l'altro incostante e dispersivo. Le bambine dimostrano a quanto pare un maggiore interesse per le persone, i maschietti per le cose. E, fra le cose, c'è chi preferisce i veicoli (treni, carrettini, automobiline, bicicletta, eccetera) e c'è chi preferisce i materiali da costruzione. Ma tutti orientano progressivamente le loro attività verso una sempre maggiore socializzazione, cioè verso il lavoro in compagnia, in gruppo.

Abbiamo visto che il bambino di quattro anni ama il dramma e la recitazione, e quello di cinque la concretezza e la realizzazione; questo si può notare anche nelle espressioni artistiche: a quattro anni il bimbo disegna con una tale forza di immaginazione da trasformare di continuo e imprevedibilmente la propria opera, la rende più viva raccontandola, ne fornisce interpretazioni cariche di « suspense »; ama le canzoncine drammatizzate, vissute attraverso atteggiamenti a azioni. A cinque anni si concentra molto di più sulla realizzazione effettiva, cura i particolari del disegno, sceglie attentamente i colori, disegna cose reali e progettate in anticipo, bada alla cadenza della musica, si occupa molto delle cause e degli scopi di ciò che avviene.

Il medesimo tipo di progresso si verifica naturalmente anche nel comportamento generale del bimbo: quando vostro figlio è sui quattro anni, avete a che fare con un individuo molto baldanzoso, piuttosto enfatico, un po' « sputa-sentenze », chiacchierone, che parla perennemente di se stesso, volubile e travolgente; quando arriva sui cinque anni vi trovate invece di fronte a un « ometto » alquanto savio, responsabile, equilibrato, un po' conformista, più ordinato e preciso di quanto non fosse solo pochi mesi prima, non di rado appassionato di collezioni, passeggiate istruttive e lavori domestici, e molto spesso notevolmente attento al proprio abbigliamento e preoccupato per la propria eleganza. Intendiamoci, non dico che tutti i bambini di quattro anni siano degli scapestrati e dei dirompenti inesauribili seccatori, e tutti quelli di cinque dei modelli di assennatezza e di virtù casalinghe; dico soltanto che fra i tre e i sei anni di età vostro figlio tende a seguire questo percorso, dalla sfrenata e sregolata vivacità a un sempre più preciso autocontrollo e a un sempre maggiore senso di responsabilità.

Un tale tipo di progresso si traduce nella conquista di un'autonomia sempre più spiccata. È finito il tempo in cui la mamma doveva correre ogni momento per slacciare bottoni, raccogliere cucchiai, mettere ordine, asciugare pavimenti, tirare su calzoncini, soffiare nasi, eccetera. Già a quattro anni il vostro bambino sa vestirsi e svestirsi da solo con un certo successo, pur senza raggiungere le vette della perfezione; si pettina, sia pure secondo un suo stile che a certi *coiffeurs* potrebbe sembrare un tantino troppo personale; si lava i denti. . . mangiando metà del dentifricio e spalmandosi sulla faccia l'altra metà; pretende di uscire da solo, di andare dal giornalaio, e persino di attraversare la strada, rifiutando con sdegno e irritazione la mano offerta dall'adulto. E il bello è che ci riesce, se non si tratta di una strada troppo congestionata e pericolosa. All'età di cinque anni, poi, siamo già a livello del virtuosismo: non solo si veste senza aiuti, ma lo fa anche con ricercatezza, con una notevole attenzione per la propria eleganza. Le bambine in particolare sembra che raggiungano prestissimo un'abilità enorme in questo campo. Sempre sui cinque anni il bimbo sa inoltre pettinarsi con discreta efficienza, lavarsi i denti davvero, badare alle proprie cose, riporle in bell'ordine, attraversare le strade con cautela e ponderazione.

Fra poco, a sei anni, il suo noviziato sarà finito. È stato un periodo duro, impegnativo, che lo ha indotto a uno sforzo di adattamento tutt'altro che trascurabile. Vostro figlio ce l'ha fatta adeguando senza riposo le proprie risorse e il proprio comportamento alle richieste del suo nuovo ruolo sociale. Sia ben chiaro, però, che non avrebbe retto alla fatica, o non avrebbe retto altrettanto bene, se alle sue spalle non ci foste stati voi genitori. Voi, che ora avete un bimbo di tre anni il quale sta per cominciare il suo noviziato, ricordatevi che lui se ne va alla scuola materna, fuori di casa sua per la prima volta, ma resta legato a voi, come un astronauta al veicolo spaziale, da quel cordone ombellicale che si chiama affetto, comprensione e sicurezza.

1.2. La revisione e l'aggiornamento del suo linguaggio

Il monologo

Per entrare a far parte di una comunità, nel caso nostro per entrare nella scuola materna, occorre avere la possibilità di comunicare, di trasmettere e ricevere messaggi, di parlare. Abbiamo visto che verso i tre anni il bambino ha « socializzato » la forma del suo linguaggio, lo ha reso cioè comprensibile a tutti. Ora deve imparare a usarlo. Di materiale a disposizione ne ha, e in quantità: all'età di tre anni dispone di circa un migliaio di parole, all'età di quattro anni ne possiede su per giù millecinquecento. Millecinquecento parole che egli emette con irruenza inarrestabile. L'età dei quattro anni è l'epoca dell'abbondanza, in fatto di linguaggio: il bimbo parla sempre, avvolge gli altri in una rete di parole, sembra che sia costantemente intento a sommergere i presenti sotto una fiumana di discorsi. E' garrulo, facondo, loquace oltre ogni dire, inventa vocaboli coi quali ritiene di divertire il suo uditorio, storpia i nomi delle cose a fini umoristici, esprime giudizi e commenti su tutto e tutti, racconta interminabili storie complicatissime mezze vere e mezze fantastiche. E fa domande. In nessun altro momento della vita un essere umano fa altrettante domande di quante ne fa a quattro anni. Domande per le quali non si aspetta nemmeno una risposta, ma che gli servono più che altro come esercizio.

In realtà, a parte l'esibizionismo che spinge il bambino di questa età a recitare la parte del piccolo buffone, il bimbo di quattro anni parla soprattutto a se stesso; e questo per varie ragioni. Innanzitutto perché fra parola e azione non c'è per lui una gran differenza: egli accompagna il suo gioco, la sua attività, con la parola; descrive a se stesso ciò che fa, comunica a se stesso le proprie intenzioni, commenta i risultati ottenuti o i fallimenti, sostituisce addirittura un'azione con un discorso, per sua comodità. Qualche volta arriva a non fare niente, e a descrivere semplicemente ciò che ha in animo di fare. La parola ha per lui un effetto magico, e può benissimo in talune circostanze rimpiazzare i fatti in modo del tutto soddisfacente. Se non riesce, per esempio, a costruire una torre alta quanto vorrebbe, dichiara sbrigativamente che la sua torre è *alta*, e questo lo soddisfa pienamente. A conti fatti questo monologo rappresenta un esercizio di comunicazione, non una comunicazione vera e propria. Il bambino parla, parla chiaro, e può essere compreso da tutti; ma egli non ha nessuna intenzione di discorrere con gli altri. Potremmo dire che il suo linguaggio è socializzato nella forma, ma non lo è nella sostanza. Egli lo usa per conto proprio, non per un rapporto sociale in senso stretto.

C'è da chiedersi a questo punto perché mai il bimbo parli più a se stesso che agli altri. Illustri studiosi hanno avanzato l'opinione che le cause di questo fenomeno siano sostanzialmente due: primo, non esiste una vita sociale stabile per i bambini di età inferiore ai sei anni, in quanto fino a quest'epoca il piccolo è portato a lavorare da solo e non possiede ancora il senso della collaborazione; secondo, quando si verifichi la necessità di comunicare coi compagni, il bambino di meno di sei anni preferisce ricorrere ai gesti piuttosto che alla parola. Io non sono del tutto sicuro che queste spiegazioni siano valide ancor oggi. Certo, lo sono state. Ed è assai verosimile che se molti bambini parlavano (e parlano) soprattutto o quasi esclusivamente con se stessi, questo fosse dovuto proprio ai motivi che ho detto. Ma i tempi sono cambiati, e molto. Mi sembra che si debbano prendere in considerazione almeno tre fatti:

☐ esiste attualmente una maggiore e più accurata organizzazione della vita associata dei bambini in seno alla scuola materna

☐ i mezzi di comunicazione di massa contribuiscono probabilmente a una accelerazione dello sviluppo mentale dei bambini, forse soprattutto nell'epoca che ci interessa, e cioè fra i tre e i sei anni

☐ gli stessi mezzi di comunicazione di massa, e in particolare la televisione, insegnano ai bambini a parlare, a parlare con gli altri, a ricevere e a trasmettere notizie mediante le parole, a sostenere dei dialoghi, e cioè a fare un uso *sociale* del linguaggio.

In effetti, chi ha a che fare coi bambini non può sottrarsi alla impressione che i piccoli di tre, quattro o cinque anni parlino oggi sempre di più con gli altri e sempre meno da soli. Il monologo, in altri termini, perderebbe terreno a vantaggio del dialogo, e questo a un'età sensibilmente inferiore a quella indicata dai testi classici.

Non vorrei però dare ai genitori la sensazione che il monologo, il parlare a se stessi, rappresenti qualcosa di assolutamente inutile, o serva soltanto come esercizio, come allenamento alla parola. Non è così. Anche il parlare da solo ha una sua funzione sociale per il bimbo, a patto che egli . . . non sia solo. Voglio dire questo: se un bambino gioca in presenza della madre, egli riflette ad alta voce, racconta le proprie azioni, non rivolgendosi direttamente alla stessa madre, ma con la profonda e precisa sensazione della presenza di lei. I suoi discorsi sono allora rivolti a se medesimo, ma contemporaneamente creano un'atmosfera di comunicazione con la madre. In certo qual modo il piccino parla a se stesso e insieme alla madre: direttamente a se stesso, indirettamente alla madre. Ma questo rapporto di fiducia, di sicurezza, che il bambino crea con la madre attraverso il monologo, *questo sentire che la madre lo sente*, questo rendersi conto che la madre lo ascolta, anche se le parole non sono rivolte a lei, è pur sempre un rapporto sociale. Anzi, si tratta di un rapporto particolarmente profondo, di una vera e propria unione fra il bambino che pensa ad alta voce e la madre che, lui lo sa, lo ascolta e lo segue con amorevole attenzione. In questo senso perciò il monologo non è un fatto limitato al bambino, ma costituisce un « ponte di parole » fra lui e la mamma. Costituisce dunque un'autentica comunicazione, e quindi qualcosa di sociale.

Il dialogo

Non si deve credere che il bambino di tre o quattro anni faccia soltanto dei monologhi, e che solo eccezionalmente e in caso di imprescindibile necessità si rivolga direttamente alle altre persone. Ho detto prima che il piccolo parla *soprattutto* a se stesso, ma certo *non soltanto* a se stesso. Diciamo che il monologo costituisce la parte maggiore dei suoi discorsi, non la totalità.

In effetti il bambino nei primi tempi della sua vita in comunità, nella scuola materna o altrove, continua per un bel po' a parlare per conto suo, senza occuparsi molto dei compagni. Se osservate un gruppo di bimbi che giocano in un'aula o in un giardino, vi accorgerete che tutti chiacchierano con molto impegno, ma che spesso discorrono loquacemente senza badare affatto agli eventuali ascoltatori. I bambini, in altri termini, si abbandonano a un *monologo collettivo*: parlano tutti insieme, ma ciascuno per conto proprio.

Poco a poco tuttavia le cose cambiano: il bimbo comincia a usare sempre di più il linguaggio per comunicare coi compagni, e al monologo si sostituisce gradatamente il *dialogo*. Sono dialoghi, quelli di quest'età, invero assai curiosi: di primo acchito sembra che due bambini discutano fra loro di problemi estremamente seri e importanti, che stiano decidendo le sorti del mondo o cose del genere. Poi ci si avvicina per ascoltarli e si scopre che l'uno parla di treni e l'altro di gelati, argomentando, l'uno e l'altro, con gran calore, per sostenere cose che non hanno assolutamente nulla in comune fra loro. Ecco un dialogo di questo tipo:

« Io ho un treno che va da solo »
« Il treno va adagio. Il mio papà va con l'aeroplano » (rumore di aereo)
« Il mio treno non va adagio. Va da solo »
« Sull'aeroplano danno i gelati »
« Sul treno ci sono tanti bambini. Il mio corre e corre e corre ... » (sirena del treno)
« Non danno gelati sul treno »
« Il mio corre e corre. Da solo »
eccetera.

Voi direte che questo scambio di vedute non vale molto, a livello culturale. Ma non è vero. Si tratta in realtà di un primo abbozzo di cooperazione, di un primo tentativo di arrivare a qualcosa parlandone insieme: ognuno dei due bambini cerca di far capire all'altro il proprio punto di vista, e riesce comunque a trasmettergli il proprio pensiero. E questa è autentica *informazione*. Che poi si tratti di informazioni gratuite, di affermazioni non giustificate da alcun fatto, né giustificabili sul piano della logica, questo è un altro conto. In seguito verrà anche il vero e proprio ragionamento, ma per ora è importante che i bambini arrivino a *comunicare* fra loro, a darsi reciprocamente delle notizie, delle opinioni, delle idee. In breve, che arrivino a *socializzare* il loro linguaggio, cioè a usarlo per creare e mantenere dei rapporti fra loro.

Il linguaggio socializzato dei bambini fra i tre e i sei anni di età comprende sostanzialmente le seguenti categorie:

1. *critiche e accuse*. Bisogna dire che in questo come in ogni altro campo il bambino è molto più « pulito », più esplicito e in definitiva più leale dell'adulto: egli non ricorre a machiavellismi né a insinuazioni, egli non usa nemmeno l'espressione di censura solo per constatare o affermare il difetto o la colpa dell'altro; egli lancia letteralmente la parola accusatrice contro l'avversario come un'arma distruttiva e con lo scopo di sottolineare la propria superiorità in quel determinato settore. Un'arma, quindi, a effetto im-

mediato, senza secondi fini o calcoli sulle possibili conseguenze collaterali. La critica del bimbo potrebbe essere cioè paragonata alla carica di tritolo, mentre quella dell'adulto avrebbe piuttosto le caratteristiche di un'arma batteriologica, meno clamorosa ma infinitamente più esiziale

2. *ordini.* « Dammi quello », « Fai questo », eccetera. La grande abbondanza di comandi e ingiunzioni che si trova nel linguaggio del bimbo ha un preciso significato: egli usa le parole non tanto per discutere, dimostrare, ragionare, quanto per arrivare a dei risultati concreti. La sua è una comunicazione a fini pratici. Perciò, senza tante cerimonie, egli dice semplicemente quello che vuole

3. *domande e risposte.* Anche queste sono di carattere pratico, concreto. Man mano che il piccino supera il monologo, man mano che si allontana dagli atteggiamenti verbosi ed esibizionisti tipici della età dei quattro anni per avvicinarsi a quelli più « realistici » dei cinque anni, egli ridimensiona sempre più domande e risposte, rendendole più succinte, più essenziali, più utili. Non domanda più, per esempio, perché la bicicletta ha due ruote, ma come si fa ad andarci sopra

4. *affermazioni.* Ne abbiamo parlato prima, e abbiamo visto che si tratta molto spesso di dichiarazioni piuttosto incoerenti e strane, e non molto sfruttabili ai fini dell'azione concreta. Infatti le affermazioni sono forse *la parte meno sociale del linguaggio sociale,* cioè i discorsi con effetti pratici meno evidenti. Tuttavia, si tratta pur sempre di espressioni molto legate alla realtà dei fatti e delle cose, non più relative a esseri e situazioni immaginari, ma riguardanti la vita quotidiana, come il lavoro del papà, la benzina, l'ascensore, il negozio, il dottore.

Verso i cinque anni di età il bambino non ha praticamente più nulla di importante da imparare, in fatto di linguaggio: il suo modo di parlare è completo e perfezionato sotto tutti gli aspetti, e la parola viene usata secondo le regole, le esigenze e i dettami della comunità. Anche il bagaglio di vocaboli è ormai ricchissimo, e comprende oltre duemila parole. Più che sufficienti per scrivere un libro. La formidabile arma che noi chiamiamo *la lingua* è, o dovrebbe essere, saldamente nelle sue mani. Potrà usarla a suo piacimento, nel bene o nel male. Dipenderà da ciò che il mondo degli adulti vorrà fare di lui, da ciò che gli insegneremo, dagli esempi che gli daremo, dal clima in cui lo faremo vivere, dal rispetto che avremo per lui.

1.3. Che cosa succede dentro di lui

La paura

A parte le emozioni legate al rapporto con altre persone, come l'affetto, la simpatia, l'antipatia, eccetera, delle quali parlerò più avanti, l'emozione fondamentale del bambino rimane, anche nel periodo della scuola materna, la paura. Essa va assumendo una dimensione diversa, questo è vero, ma resta. C'è sempre la paura dei cani, per esempio, delle « guardie », dell'incendio, dell'acqua, e di molte altre cose concrete e reali che, dal punto di vista del bimbo, rappresentano più o meno chiaramente una minaccia. La misteriosa e glauca profondità di un lago, forse popolata di mostri, e comunque pronta a inghiottire inesorabilmente qualsiasi cosa; l'uomo in divisa che può punire e portare in prigione; il cane divoratore; il fuoco ruggente e distruttore; tutte queste cose, o alcune di esse, non cessano di erigersi davanti al bambino come entità persecutorie e temibili.

Questo non significa beninteso che il piccolo si rassegni senza combattere alla loro incombente malevolenza: no, egli frequentemente insorge « in armi » e cerca di smantellare la potenza del nemico. E per fare questo, come abbiamo già visto, ricorre al gioco. Si figura di navigare oceani procellosi e di dominarli, affronta ferocissimi animali di pezza e li annienta, provvede a domare incendi immaginari, eccetera. E una certa forma di rassicurazione, in realtà, riesce non di rado a raggiungerla.

Poi c'è, naturalmente, la *paura dell'ignoto*. Ora che esce di casa e vive buona parte della sua giornata alla scuola materna o comunque in una nuova situazione, sempre meno limitata dalle mura domestiche, il bambino incontra sempre più spesso condizioni, fatti, persone, oggetti e avvenimenti nuovi, sconosciuti, strani e imprevisti. E' logico che possa rimanerne qualche volta sconcertato, intimorito, o addirittura terrorizzato.

Un terzo tipo di paura è quello delle *punizioni*. Certi bambini, a quanto è risultato da minuziose ricerche, vivono oppressi dall'incubo di castighi, rimproveri, rimorsi, sensi di colpa, angosce di sbagliare, di rattristare i genitori, di « non essere buoni ». E' chiaro che in questi casi l'ambiente familiare è direttamente responsabile della ansia che perseguita il piccino.

Una paura « nuova », relativamente tipica di quest'età che va dai tre ai sei anni, è la *paura della castrazione*. Si tratta di questo: quando un maschietto vede una bimba nuda, e questo prima o poi succede inevitabilmente ˙(ed è bene che succeda), si accorge subito che alla piccina *manca* il pene. Oh bella!, penserà allora il bambino, come mai io ho il « pirillino » e la Giannina no? E la sua conclusione non potrà essere che questa: che anche lei ce l'aveva, ma che poi per qualche oscuro motivo, forse un incidente o una punizione, l'ha perduto. A questo punto sorge nella mente del bimbo un atroce sospetto: non potrei perderlo anch'io? In genere, questa prospettiva atterrisce il piccolo fino al midollo delle ossa e suscita in lui le più angosciose preoccupazioni. La bambina, da parte sua, quando arriva a scoprire che il maschietto possiede quel « cosino » che lei non ha, arriva alla medesima convinzione, alla certezza cioè di essere stata mutilata. Quindi di essere in qualche modo « inferiore » al compagno maschio. Entrambi dunque, maschio o femmina, sono attanagliati dall'ansia che qualcosa di importantissimo, che c'è sempre e ci deve essere, possa venire loro tolto o sia stato già tolto. Vivono cioè l'ansia della mutilazione. Della castrazione, appunto.

La *paura della morte*, non del personaggio col teschio e la falce, ma della morte vera e propria, fa anch'essa la sua comparsa in genere fra i tre e i quattro anni. Può darsi che il bambino veda un morto, o senta parlare di qualcuno che è morto, e allora vuol vederci chiaro. Egli non sa bene di che cosa si tratti, ma la faccenda suscita in lui molti e gravi dubbi; e non appena riesce a capire su per giù qual è la natura del fenomeno, e come la morte sia qualcosa di irrimediabile e di definitivo, egli comincia ad applicare a se stesso la nuova spaventosa scoperta. Dunque, pensa il piccino, dovrò morire anch'io, e dovrò abbandonare la mamma e il papà, i giochi, i compagni, il mio vestitino nuovo, il trenino rosso, il cane, le gite in automobile, tutto. Ed ecco che, con agghiacciante evidenza, sorge davanti alla sua mente lo spettro del distacco, dell'abisso misterioso in cui si precipita definitivamente, soli, isolati, senza aiuto. Allora egli si pone la seconda domanda: *quando*? Presto? O fra un po' di tempo? O fra moltissimo tempo? O subito? Non è facile, per noi adulti, renderci conto dell'enorme carica di angoscia che questi interrogativi possono contenere per un bimbo di tre o quattro anni. Certo deve essere smisurata.

Non molto diversa dalla paura della morte è la *paura dell'inferno*. Bisogna dire che fortunatamente ai nostri giorni la pessima abitudine di minacciare i bambini con prospettive di efferati ed eterni tormenti, di tenebre sconfinate rotte dal sinistro balenare delle fiamme, va rapidamente scomparendo. Ma non è scomparsa del tutto. Ora, bisogna tenere sempre presente che per il bambino l'inferno significa: persecuzione da parte di un dio incollerito e implacabile, cioè da parte di un mostro; perdita di ogni speranza di ritorno, e per sempre; prigionia in un luogo spaventevole; dolore fisico insopportabile; e soprattutto irrimediabile separazione dai genitori i quali, ovviamente, andranno in paradiso. Che cosa si può immaginare di peggio?

Il suo nuovo modo di pensare

La mente del bambino, in questo periodo di noviziato, rimane ancorata a una concezione egocentrica dell'universo. Ma qui bisogna che ci intendiamo bene su questa parola: egocentrismo. Noi, nel nostro linguaggio di adulti, chiamiamo egocentrico un individuo che vede il mondo in funzione di se stesso, che vorrebbe il mondo al suo servizio, che è incapace di mettersi nei panni altrui. Per noi egocentrico vuol dire press'a poco egoista. Debbo chiarire che l'egocentrismo del bambino è tutt'altra cosa: il piccino conosce solo una piccolissima parte dell'universo, quella che ha sotto gli occhi; egli non si rende ben conto che oltre i limiti dell'ambiente in cui vive, al di là della sua casa, della sua scuola, del suo paese, c'è uno spazio sconfinato, una umanità con mille aspetti diversi, mille problemi diversi, mille costumi diversi. Egli conosce soltanto ciò che sta intorno a lui, e giudica e misura e interpreta ogni cosa su ciò che lui conosce. Il suo egocentrismo è dunque un difetto di conoscenza e un conseguente difetto di interpretazione: egli conosce imperfettamente il mondo, e quindi lo interpreta imperfettamente. Se un uomo vivesse, supponiamo, per i primi trent'anni della sua vita rinchiuso in una profonda caverna, non potrebbe certo farsi un'idea molto chiara del cielo, delle nuvole, dell'oceano, delle metropoli. Così il bambino: le sue poche nozioni sulle cose e sugli uomini gli permettono di valutare le une e gli altri soltanto sul metro limitatissimo della sua esperienza, rudimentale e primitiva.

Si potrebbe dire che l'esperienza, vale a dire ciò che il bimbo vede, sente e tocca, costituisce a quest'età la base e l'impalcatura di ogni suo ragionamento. Supponiamo che il piccino veda due mucchietti, il primo di sei palle grosse, e il secondo di otto palline più piccole; il primo è più grande del secondo, anche se comprende un numero minore di palle. Se domandate al bambino in quale mucchio ci sono più palle, egli probabilmente indicherà il primo, perché è più grande. Egli, in altri termini, si fida di ciò che vede: il primo mucchietto è più grande, quindi *è di più*. Di più in senso assoluto, anche come numero di componenti. Solo in un secondo tempo, quando avrà imparato il concetto di numero e quando riuscirà a scomporre il mucchio nei suoi elementi, si accorgerà che nel mucchietto più piccolo c'è una maggiore quantità di palline.

Questo modo di concepire il mondo, basato sostanzialmente sulla esperienza concreta, si rivela chiaramente nelle attività del bimbo: egli non è ancora in grado di progettare, di calcolare *prima* come una cosa debba essere fatta, di anticipare col pensiero il risultato di un'operazione. Perciò, quando costruisce qualcosa, o quando dipinge, egli va avanti secondo l'ispirazione del momento: fabbrica un vagone con quattro ruote di dimensioni diverse, si accorge che non funziona, e continua a cambiare ruote fin che arriva a impiegare quelle giuste; vernicia i legni con cui realizzerà una panchina prima di metterli insieme, così li graffierà tutti e poi dovrà riverniciarli di nuovo; erige una casetta e poi si accorge alla fine che non c'è la porta; e così via. In poche parole, egli fonda la sua azione sui fatti, anzi solo sui fatti che *lui* può percepire direttamente.

Una seconda prova di questo atteggiamento del bambino la si può avere ascoltandolo quando parla con qualcuno: egli *afferma* sempre, categoricamente, e *non dimostra* mai nulla. E infatti, dal suo punto di vista, la dimostrazione di qualcosa non serve: il bimbo vede un oggetto o un fenomeno, ne constata la realtà, quindi ci crede. Perciò afferma senza esitazioni ciò che ha osservato. L'idea che qualcun altro possa mettere in dubbio una verità che lui ha personalmente constatato non lo sfiora nemmeno. Per lui non avrebbe senso. Quella certa cosa è così perché lui ha visto che è così, e basta. Egli non può immaginare che lo stesso fatto possa essere rilevato in prospettive differenti, o interpretato in diversi modi. La realtà è quella che scaturisce dalla sua esperienza, e non ha bisogno di essere dimostrata a chicchessia.

Quello di cui ho parlato fino a questo momento può essere considerato come il punto di partenza del pensiero del bambino: è vero che fin verso i sei anni il piccolo, come ho detto prima, rimane essenzialmente legato a tale tipo di pensiero egocentrico, ma è anche vero che questo legame si va gradatamente allentando col passare del tempo. In altri termini, dal pensiero egocentrico puro il bimbo parte per passare un po' per volta, nel corso di questi tre anni, a un altro genere di pensiero: quello che tiene conto della realtà autentica delle cose e del pensiero altrui. Si potrebbe dire che nella mente del bambino si comincia a insinuare il dubbio che la sua propria esperienza non sia l'unico criterio per interpretare il mondo, e che altri possano pensare, e pensare diversamente da lui. Inutile dire che un simile cambiamento rappresenta un progresso gigantesco che porta il bambino, proprio fra i cinque e i sei anni, a raggiungere una profonda e genuina capacità non solo di vivere con gli altri, ma anche di operare con gli altri. Cioè di collaborare. Cioè di *vivere socialmente*.

La condizione indispensabile perché tale progresso si realizzi è che il bimbo viva insieme ai coetanei. Ecco la funzione della scuola materna. Un bambino che passi buona parte della giornata insieme ai compagni finirà evidentemente con l'avere degli interessi in comune con alcuni di loro, il che lo porterà non solo a sempre nuove conoscenze, ma soprattutto alla scoperta del pensiero altrui e alla constatazione di una realtà che non sarà più soltanto sua, ma bensì collettiva.

Una realtà, dunque, più *vera*. L'evoluzione del bimbo inserito nella vita collettiva si rivela in due modi:

1. attraverso il gioco: il bimbo si dedica sempre meno a un gioco solitario, fantastico e irreale, e sempre più a un gioco in comune, regolato da norme che debbono essere rispettate da tutti i partecipanti. Prendiamo ad esempio il gioco del volo spaziale: in un primo tempo il bambino entra nella sua « astronave » (che può essere una seggiola rovesciata), si racconta da solo la sua avventura, parla con personaggi immaginari, passa con la fantasia attraverso le più imprevedibili vicende. Poi, poco a poco, il gioco si estende a diversi compagni: uno sarà il pilota, un altro lo scienziato, un terzo l'ufficiale addetto alle comunicazioni, e tutti faranno la loro parte secondo accordi presi in precedenza

2. attraverso il linguaggio: se prendiamo lo stesso esempio, è evidente che nel gioco solitario il bambino parlerà soltanto a se stesso o a esseri partoriti dalla sua immaginazione, e userà pertanto un *linguaggio di tipo egocentrico*. Nel gioco collettivo invece i diversi partecipanti comunicheranno fra loro, si scambieranno ordini e informazioni, si daranno vicendevolmente delle direttive; useranno cioè un vero e proprio *linguaggio sociale*.

Verso i sei anni l'egocentrismo del bambino sta per essere sostanzialmente superato: egli ha trovato fra i suoi simili un tesoro estremamente prezioso, egli ha trovato una nuova dimensione del suo pensiero.

1.4. Il suo nuovo mondo

L'ingresso nella scuola materna

Spesso diciamo che per un bimbo di tre anni la scuola materna è un nuovo mondo. Effettivamente è così: in un certo senso la scuola materna si può paragonare a ciò che era un nuovo continente per gli esploratori dei secoli passati, o a ciò che sarà un nuovo pianeta per gli esploratori spaziali del futuro. Un mondo pieno di incognite e di imprevisti, per molti attraente, per altri temibile, ma per tutti un passaggio obbligato verso la piena realizzazione di se stessi.

Che cos'è la scuola materna? E' una scuola che accoglie i bambini fra i tre e i sei anni di età, e che integra l'opera della famiglia nel fornire al piccolo tutti i mezzi per la sua evoluzione mentale, affettiva e sociale. Per tornare al nostro paragone, potremmo dire che la scuola materna è un continente che permette all'esploratore di andare più oltre a scoprire altri continenti, o un pianeta che consente allo astronauta di volare più lontano, verso le stelle. La scuola materna, in altre parole, inserisce il bambino in una piccola società per prepararlo a entrare più tardi nella grande comunità umana.

È chiaro che ogni bambino affronterà quest'esperienza in modo diverso a seconda del suo carattere, del clima familiare, del suo livello evolutivo, delle sue doti fisiche e mentali, e di molti altri fattori: alcuni ci vanno subito con entusiasmo, e sono gli esploratori per vocazione; altri con paura, e sono i sedentari e i nostalgici; altri ancora con entusiasmo prima e con molte riserve poi, e sono quelli che potremmo definire gli esploratori insicuri e incostanti. Insomma, ognuno vede il nuovo ambiente a modo suo: come un mondo incantevole da scoprire, o come un mondo pericoloso da cui guardarsi, o come una via di mezzo fra le due cose. Molto, naturalmente, dipende dalla persona che accoglie il bambino, dalla « maestra », che in realtà si chiama *educatrice*. Se l'educatrice è di tipo « liberale », se soddisfa le esigenze del bambino e presenta le caratteristiche di una persona benevola, comprensiva, tollerante e utile, allora l'inserimento del bimbo nella scuola sarà probabilmente abbastanza facile; viceversa, se l'educatrice è di tipo « repressivo », rigida osservatrice di regolamenti e sempre pronta a proibire, minacciare o punire, allora l'ingresso del piccolo nel mondo scolastico sarà pieno di problemi. Non sarà tanto, dunque, la preparazione puramente tecnica dell'educatrice ad aiutare il bambino, quanto la sua preparazione « umana ». Vale a dire la sua capacità di comprendere le necessità, i bisogni, gli stati d'animo del piccolo scolaro.

Un secondo elemento che può agevolare l'adattamento del bimbo al nuovo ambiente è l'aspetto estetico della scuola: le pareti coperte di decorazioni, di figure semplici e vivacemente colorate, di riproduzioni di opere d'arte accuratamente scelte, possono naturalmente stimolare la curiosità del piccino e suscitare in lui un compiaciuto interesse. Ma quello che conta di più è il *materiale da gioco*. Praticamente nessun bambino può avere a casa sua tutto ciò che offre la scuola materna: sabbia, terra, acqua, barili, scale a pioli, strumenti musicali, carriole, altalene, scivoli, piani inclinati, e molte altre cose, difficilmente si hanno a disposizione in un appartamento, specie in città, sia per ragioni di spazio, sia per ragioni di pulizia, sia per ragioni di convivenza e di opportunità. Credo che siano veramente pochi, per esempio, i genitori disposti a regalare al proprio bambino di tre o quattro anni un tamburo!

Nel nuovo mondo della scuola materna il bimbo impara a conoscere un ambiente umano che potremmo definire « ideale »: un ambiente in cui ricchi e poveri, fortunati e no, intelligenti e mediocri, belli e meno belli, buoni e meno buoni, figli di uomini potenti e figli di umili lavoratori vivono insieme, su un piano di assoluta parità. O almeno dovrebbe essere così; e la realtà di questa condizione di genuina democrazia dipende ovviamente dalla direzione della scuola e dall'educatrice, le quali non dovrebbero in nessun caso fare delle differenze fra bambino e bambino. Cosa importantissima, anzi fondamentale, ai fini educativi, perché la prima cosa che il vostro bambino dovrà imparare nell'uscire dal guscio familiare è che tutti gli uomini sono eguali.

E già che siamo su questo tema, parliamo di un altro tipo di eguaglianza che la scuola materna deve assicurare a tutti i bambini: quella della lingua. Cioè la capacità di usare correttamente e di comprendere la lingua italiana. E' naturalmente inammissibile che un piccolo calabrese e un piccolo bergamasco non possano intendersi fra loro, o comunicare con l'ambiente che li circonda, perché ciascuno di essi parla esclusivamente il proprio dialetto. Abbiamo già visto quanto sia grande l'importanza del linguaggio sociale per l'evoluzione del bambino; ebbene, il diritto al linguaggio sociale, comune a tutti, è uno dei principali che la scuola materna deve garantire.

Bisogna sottolineare a questo punto che la scuola materna esercita un potente influsso sullo sviluppo del bambino; non solo, ma rappresenta uno stimolo insostituibile. In questo suo primo ambiente sociale « esterno », fuori della famiglia, il piccino impara a partecipare attivamente alla vita altrui, impara a superare poco a poco la sua eventuale timidezza, impara ad accettare gli altri. Il che, badate bene, non vuol dire affatto che egli debba diventare un individuo con una personalità meno spiccata, cioè una semplice ruota dell'ingranaggio. L'entrare a costituire coi compagni un gruppo sociale sviluppa in lui le sue peculiari caratteristiche, nonché la sua capacità ad affermare se stesso e a capire e a difendere i suoi e gli altrui diritti. Inoltre la vita sociale lo mette in grado di badare a se stesso e lo rende più indipendente. Insomma, la scuola materna lo spinge a conquistare la condizione di essere umano libero e responsabile. Naturalmente c'è anche la fatica dell'adattamento, la fatica, appunto, della conquista. Ma dopo tutto è proprio questa fatica che fa dell'uomo quello che è, che costituisce il segno della sua nobiltà.

Il suo nuovo comportamento sociale

Alcuni genitori credono ancora di poter sostituire se stessi alla scuola materna. « Il migliore amico del bambino », si dice, « è sempre la mamma ». D'accordo, ma è un'amicizia che da sola non basta. Per il bambino l'adulto è qualcosa di molto grande, potente e ammirevole, specialmente i genitori. I due atteggiamenti principali del bimbo verso il papà e la mamma sono il desiderio di essere come loro e il desiderio di essere protetto; il che vuol dire tendenza all'*identificazione* e alla *dipendenza*. Non sono certo solo queste le basi per una sana e normale conquista della propria personalità e della propria autonomia. Ciò che occorre al bimbo per ritrovare se stesso e per affermare se stesso è un altro individuo debole come lui, bisognoso come lui, piccolo come lui; un individuo col quale potersi misurare, un suo pari col quale poter entrare in collaborazione o in conflitto. Cioè un compagno.

Anzi, diversi compagni, perché i rapporti sociali veri e propri sono per definizione molteplici e debbono implicare un gruppo di persone su un piano di parità. Questo è ciò che offre al bambino la scuola materna. Parliamo dunque adesso di questo problema: come affronta il bimbo la vita in gruppo e quali reazioni si possono verificare, rispettivamente, nel bambino e nel gruppo. Nel primo periodo, fra i tre e i quattro anni, il piccolo comincia poco a poco ad abbandonare il gioco solitario per dedicarsi ad attività varie in compagnia di un paio di amici, anzi in collaborazione con loro; ma i suoi contatti sociali non sono sempre improntati all'affiatamento e alla buona volontà. Al contrario, spesso il bambino assume un atteggiamento provocatorio, studiatamente urtante, fondato non di rado sulla contraddizione a oltranza; è sistematicamente contrario a tutto, e per principio si mette in urto con gli altri. Non per autentica cattiveria, beninteso; ma probabilmente perché vuole in tal modo sondare le reazioni dello ambiente e, se possibile, imporvi il proprio dominio.

Fra i quattro e i cinque anni il piccolo novizio rinuncia un po' per volta a queste prese di posizione: si è già orientato meglio nel gruppo sociale e gradisce sempre più il gioco in cooperazione con gli altri, anzi arriva fino a lavorare insieme a quattro o cinque coetanei, specie se si tratta di costruire qualcosa, come aeroplani, misteriosi palazzi o città. Contemporaneamente accetta più di buon grado le regole e i costumi e nel complesso diventa un pochino conformista.

Questo, s'intende, se tutto va liscio. Ma non sempre tutto va liscio. Si possono verificare, e si verificano con una certa frequenza, delle situazioni di conflitto, talvolta anche drammatiche. Può darsi per esempio che un bambino sia più evoluto dei compagni, e che perciò li abbandoni in quanto si annoia a stare insieme a loro; molte volte poi il bimbo scopre nelle reazioni degli altri un'immagine sconsolante di se stesso, e si sente ripetere mille volte al giorno che lui è un « bamboccio », un « seccatore », un « antipatico », un « guastafeste »; oppure può accadere che un piccino non venga immediatamente accolto nella comunità perché è un « terrone » o, viceversa, un « polentone », o perché ha un modo di fare diverso, o perché sa parlare solo il dialetto del suo paese. Non c'è dubbio che questa condizione di rifiuto deve essere molto dolorosa per un bambino. Tuttavia, se una scuola è bene organizzata, gli inconvenienti di questo tipo vengono in genere risolti con diversi accorgimenti dalla stessa educatrice, la quale cercherà di inserire il piccolo paria in un gruppetto che gli sia più favorevole, o agirà in modo da far apprezzare da tutti le doti meno palesi dell'escluso.

Ciò che non si può e nemmeno si deve evitare è il nascere di conflitti fra i bambini. Ognuno ha la propria personalità e il proprio carattere, ed è bene che sia così. I bisticci fra i bimbi di una scuola materna sono incredibilmente frequenti: secondo certe indagini sembra che ogni bambino litighi coi compagni in media una volta ogni cinque minuti! Le bimbe si limitano il più delle volte (ma non sempre) a piangere, i maschietti passano più facilmente a vie di fatto. Entrambi, femmine e maschi, tendono comunque a usare di più le mani fra i tre e i quattro anni, e di più la lingua, con insulti e minacce, fra i quattro e i sei anni. Ma si tratta di regole molto, molto generali, in realtà ogni bimbo ha un suo modo di aggredire e di difendersi, non di rado assai curioso e originale. Alcuni si gettano a capofitto nella mischia come degli autentici uragani, e altri si ritirano in un angolo a guardare biecamente l'universo con l'aria di progettare una carneficina di proporzioni cosmiche.

Ho detto poco fa che i conflitti, i litigi, gli scontri fra i bambini non si debbono impedire; aggiungo ora che non sarebbe nemmeno possibile farlo. Mettetevi nei panni di un bambino di quattro o cinque anni che gioca in mezzo a numerosi coetanei: man mano che si familiarizza con l'ambiente egli diventa sempre più attivo, e pertanto aumentano le occasioni di disaccordo con gli altri; si moltiplicano i legami affettivi con questo e quello, e quindi aumentano le occasioni di contrasto coi nemici dell'amico, nonché le occasioni di gelosia e di rancore verso l'amico stesso, che può aver « tradito » in qualche modo la fiducia che gli era stata data; ci sono oggetti che piacciono a tutti, e che perciò vengono fieramente contesi; nascono con sempre maggiore frequenza i desideri di sopraffazione, di dominio e di imposizione. Tutto questo è normale, e anzi è sempre più normale man mano che il bambino cresce: due piccini di tre anni possono anche ignorarsi a vicenda, ma due di cinque entrano quasi inevitabilmente in competizione e in conflitto l'uno contro l'altro, per questo o quel motivo. Così scoppiano le crisi di collera e di gelosia, con minacce di sterminio e di strage, progetti di vendetta, dichiarazioni di odio. Tutto normale, ripeto. Un bambino di quattro anni che manifesti la intenzione di dar fuoco alla casa del nemico e di farvi bruciare dentro lui e tutta la sua famiglia non deve allarmare nessuno. La sua collera è « globale », annientatrice, ed è logico che sia così.

Non vorrei avervi dato l'impressione, a questo punto, che la vita sociale del bambino sia fatta solo di odio, di esecrazione, di guerre più o meno dichiarate e di malevolenza. Mai più. Tutti questi aspetti negativi vanno considerati come occasionali e accettati come normali componenti dell'ambiente comunitario; ma non sono affatto la base della società infantile. La base vera, genuina, è l'amicizia. L'amicizia personale innanzitutto, quella che lega fra loro due compagni, e che è già possibilissima nella scuola materna; se due bimbi scoprono interessi comuni, hanno più o meno le stesse aspirazioni e gli stessi gusti, oppure dei problemi analoghi, è facile che fra loro sorga un'intesa anche molto profonda. Ma più importante ancora è l'amicizia che si estende a un gruppo di coetanei e che li aiuta a risolvere insieme certi quesiti, a superare insieme certe difficoltà, a prendere insieme certe decisioni, a creare un'area riservata di indipendenza nella quale gli adulti non sono autorizzati a cacciare il naso. Questo senso di amicizia scaturisce ovviamente dalla simpatia, la quale a sua volta dipende dalla capacità del bimbo ad avere degli interessi sociali, cioè dalla sua propensione a capire i problemi altrui e ad aiutare chi ha dei problemi. Non ditemi per favore che il bambino è incapace di questo tipo di sensibilità. Non è vero. Tutti quelli che si sono dati la pena di comprendere davvero i bambini sono giunti alla stessa conclusione: il bimbo è *molto* più incline alla comprensione, alla pietà, alla simpatia, all'amicizia e alla collaborazione di quanto non sia all'ostilità, alla competizione e al conflitto. Il bambino è portato più a voler bene che a voler male. Il bambino è molto più capace di donarsi di quel che noi pensiamo.

Il suo nuovo problema del sesso

In quella che abbiamo chiamato « l'età del noviziato », cioè nella età della scuola materna, vostro figlio si trova di fronte a due grandi fenomeni che scuotono il suo mondo: il primo fenomeno è quello della socializzazione, e ne abbiamo già parlato ampiamente; il secondo fenomeno è quello del *sesso*. Verso i tre anni il bambino scopre il sesso. Lo scopre coscientemente, voglio dire, lo scopre a livello mentale, si rende conto che c'è, e che è importante. E' a quest'età infatti che il bimbo comincia a porre a se stesso, e a voi, degli interrogativi precisi: da dove vengono i bambini? dove sono prima di nascere? e come nascono? e qual è la parte del papà nel « fare » un bambino? e che differenza c'è fra bambini e bambine, e fra la mamma e il papà? Il corpo umano diventa per il piccino qualcosa di misterioso, di appassionante, e di attraente. Così fanno la loro comparsa quelli che noi definiamo « giochi proibiti », come il celebre gioco del dottore, che ha lo scopo di poter esplorare da vicino e « dal vivo » gli eccitanti segreti dell'anatomia sessuale. Si tratta sostanzialmente di giochi « scientifici », praticati col fine di appagare legittime e normalissime curiosità; ma è probabile che per il bambino siano anche piuttosto emozionanti. Niente di male. Le cose si fermano a livello della « scoperta », e basta. In realtà si può dire che, a quest'età, il bimbo si sente sessualmente emozionato più dal *corpo* umano che non dalla *persona*. Tant'è vero che le amicizie si stabiliscono di preferenza fra maschi e maschi, o fra femmine e femmine. In altri termini, non si può parlare di attrazione sessuale fra bambine e bambini, ma piuttosto di curiosità sessuale reciproca.

Con ciò non voglio dire che nei bambini fra i tre e i sei anni il piacere sessuale non esista. Esiste, ma è limitato alla propria persona e si manifesta con la *masturbazione*: il bambino, maschio o femmina che sia, prende coscienza del piacere prodotto dalla manipolazione dei propri genitali. Anche questo è del tutto normale, s'intende.

Guardiamo adesso le cose un po' più in profondità: fra i tre e i sei anni, come abbiamo visto, il bambino raggiunge il pieno possesso del proprio corpo, lo usa come vuole, lo muove come vuole, lo sfrutta come vuole. Egli diventa, dal punto di vista fisico, completamente padrone di se stesso; egli *si sente* padrone di se stesso. Quindi anche del proprio sesso. E' il momento culminante della cosiddetta « fase genitale ». In questo momento evolutivo il bambino si rende conto di avere qualcosa in comune coi grandi, i genitali appunto, e quindi di essere « grande » lui stesso. Ma nel medesimo tempo deve prendere atto della « inutilità » dei suoi genitali, che non lo fanno diventare, a seconda che si tratti di un maschietto o di una bimba, né papà né mamma. Fierezza e delusione si mescolano dunque nella sua mente, e naturalmente non fanno che riproporgli in termini sempre più acuti il tema della sessualità.

Ora, se dal punto di vista della funzione genitale vera e propria il bambino è oppresso dalla sensazione di un fallimento, dal punto di vista del suo comportamento generale invece la nascente sessualità lo spinge ad assumere degli atteggiamenti piuttosto ben definiti. I maschi tendono a *penetrare* nell'ambiente che li circonda, sia con attacchi fisici verso cose e persone, sia con grida (che si definiscono per l'appunto « penetranti »), sia con movimenti, con intrusioni negli affari altrui, con iniziative di ogni tipo, e sia infine con una sempre maggiore intolleranza verso ogni forma di repressione. Le femmine tendono da parte loro a *ricevere* qualcosa dall'ambiente, per esempio l'ammirazione, le adulazioni, i doni, il prestigio, il rispetto. Bisogna però tenere presente che se tutto questo è vero in linea teorica, nella pratica il comportamento dei bambini di entrambi i sessi spesso risulta pressoché identico, con qualche sfumatura appena di diversità, dato che l'ambiente scolastico e familiare va giustamente sottolineando sempre meno la tradizionale separazione sociale fra femmine e maschi.

2. DATEGLI LA SICUREZZA

2.1. Sicurezza è buona salute

I controlli sanitari

Prima che un astronauta parta per un volo spaziale, o prima che un atleta affronti una competizione, vengono praticati su di essi i più minuziosi controlli sanitari. Ebbene, lo stesso deve essere fatto su un bambino che stia per affrontare il grande viaggio nel mondo della scuola: egli deve venire controllato con ogni cura. Egli deve essere, come si usa dire, in perfetta forma. Benissimo, mi direte, ma quali sono i controlli da fare? Eccoli:

1. *controllo pediatrico*: molti credono che dopo i primi due o tre anni il controllo pediatrico sia inutile. Niente affatto: è sempre necessario. Tocca al pediatra valutare l'accrescimento del bimbo e controllarne l'armonioso sviluppo; e inoltre tocca al pediatra indicare di volta in volta ai genitori gli esami e le visite specialistiche che possono rivelarsi indispensabili. Direi che, se tutto va bene, un controllo pediatrico ogni sei mesi ci vorrebbe

2. *controllo ortopedico*: ci può essere una tendenza troppo accentuata al piede piatto o al ginocchio valgo (« ginocchia a X »), o alla prominenza del ventre. Tutte queste deviazioni sono, fino a un certo punto, normali nei bambini di età prescolare; ma voi non potete sapere qual è quel « certo punto ». E non lo può sapere nem-

meno il negoziante di scarpe ortopediche. Occorre perciò senz'altro il parere di un *medico* ortopedico, almeno un paio di volte fra i tre e i sei anni di età. Senza dire che non troppo raramente si verificano reali deformazioni scheletriche, sia pure non vistose, che vanno adeguatamente curate; per esempio le scoliosi, le cifosi e le cifoscoliosi, che sono tutte delle incurvature anormali della colonna vertebrale

3. *controllo del sangue*: l'insorgenza di un'anemia in quest'epoca evolutiva è tutt'altro che eccezionale. Essa può rivelarsi, come abbiamo già visto, con pallore, diminuzione dell'appetito, facile stanchezza. Un *esame emometrico*, cioè un conteggio dei globuli con determinazione della quantità di emoglobina, può essere opportuno

4. *controllo dei denti*: a questo proposito debbo innanzitutto rassicurare i genitori. Spesso i primi dentini, quelli cosiddetti « da latte », vanno incontro a ingiallimento, erosioni o addirittura fenomeni distruttivi. Tutto ciò non compromette per nulla la salute dei denti definitivi. Tuttavia, anche i denti « provvisori » è bene non trascurarli troppo. Altrimenti potreste venirvi a trovare nella necessità di doverli far togliere, cosa che in linea di massima è sconsigliabile in quanto i primi dentini servono da guida per quelli permanenti

5. *controllo otorinolaringologico*: questa è l'età in cui tonsille e adenoidi cominciano a poter dare dei fastidi, talora anche abbastanza seri. Ma di questo parleremo più avanti. Una cosa importantissima della quale invece voglio farvi un cenno subito è l'*udito*. Da una ricerca condotta qualche anno fa nella provincia di Milano è emerso che circa due bambini su dieci esaminati presentavano difetti dello udito, e non abbiamo nessun valido elemento per poter affermare che da allora la situazione sia migliorata. E il guaio è che non sempre ci si accorge che un bambino ci sente poco. Anzi, si può dire che la sordità parziale passa quasi sempre inosservata nei bambini di quest'età se i genitori non vi prestano particolare attenzione.

Un controllo periodico dell'otoiatra credo sia senz'altro consigliabile, specie per i piccoli che vivono in grandi città e che sono quindi sottoposti al duplice danno dell'inquinamento atmosferico (che provoca infiammazioni delle mucose, infiammazioni che non di rado coinvolgono l'orecchio) e del rumore eccessivo (che può portare a una diminuzione della sensibilità uditiva). Comunque, se vi pare che il vostro bambino non vi senta quando lo chiamate, o che certi suoni li avverta solo da vicino, o che non parli mai a bassa voce, consultate senza esitare lo specialista

6. *controllo oculistico*: sempre dalla ricerca alla quale ho accennato, svolta nella provincia di Milano, si è scoperto che il quindici per cento dei bambini che vanno a scuola ci vede male. Se vostro figlio guarda le cose troppo da vicino, se dice che gli fanno male gli occhi, se ha spesso mal di testa, se stringe le palpebre quando guarda un oggetto lontano, fatelo controllare. Per il bimbo è un grosso svantaggio affrontare la scuola materna con una vista imperfetta, anche sul piano morale: egli si sente inferiore ai compagni, può addirittura sentirsi meno intelligente degli altri, e può soffrirne notevolmente.

Una vita igienica per il corpo e per la mente

Una volta tutti i libri per genitori dedicavano interi capitoli alla vita all'aperto, alla necessità di sole, di aria e di moto che ha il bambino, all'elogio della natura, eccetera. Oggi, grazie al cielo, questo tipo di esortazioni non serve più. Tutti i genitori sanno benissimo che l'aria pura, il sole, il verde, il correre per i prati, son cose assolutamente indispensabili. Il problema, oggi, è un altro: dove trovare i prati, il sole, l'aria pura? Per i bambini che abitano nei piccoli centri o in campagna la questione è risolta in partenza. Ma per quelli che abitano in città? Ecco, io vorrei qui richiamare l'attenzione dei genitori su un certo tipo di soluzioni che a mio parere non sono soluzioni, o diventano addirittura a loro volta dei problemi.

Prendiamo l'esempio di un bambino che viva appunto in una città: i genitori, consapevoli dell'effetto benefico che avrà sul loro piccolo l'atmosfera marina, o montana, o campestre, imbarcano coscienziosamente bambino e bagagli sull'automobile ogni sabato pomeriggio e portano il tutto in uno dei tanti luoghi consacrati al fine-settimana. Risultato: dalle due alle sei ore di viaggio all'andata, una notte e la mattina successiva trascorse in pensioni e alberghi superaffollati e rumorosi, altre due-sei ore di viaggio per il ritorno. Arrivo a casa in condizioni di estrema stanchezza, con nei polmoni tre o quattro ore di aria buona o semi-buona e dalle sei alle dodici ore di gas di scarico e di esalazioni d'autostrada, nelle orecchie dodici-ventiquattro ore di frastuoni vari, e nelle gambe una passeggiatina e mezza giornata di immobilità nell'abitacolo di una macchina. Certuni poi, invasi dal sacro fuoco del viaggio in automobile, costi che costi, trascorrono nello stesso modo anche le vacanze di Natale, quelle di Pasqua e quelle estive. E poi, al rientro, riferiscono orgogliosamente di aver fatto tremila chilometri in una settimana. E il bambino?

Già, il bambino. Lui, indubbiamente, per iniziare nel miglior modo la sua vita sociale ha bisogno di vedere tante cose, di conoscere, di andare a contatto con quella grande maestra che è la natura, di fare continuamente nuove esperienze, di fortificare il proprio corpo nell'acqua del mare, sulla neve, nei boschi. Ma non ha nessun bisogno di venire inscatolato in un'automobile. Questo è il punto: se la macchina rimane lo strumento per portare il bimbo lontano dallo smog e dal trambusto delle città, tutto bene; ma se diventa un fine, un contenitore in cui passare buona parte del periodo di riposo, tutto male.

Ora parliamo un po' delle *vacanze*, delle vacanze in generale. I bambini ne hanno una grande necessità, questo è evidente. Tutti noi abbiamo visto dei piccoli che, appena arrivati dalla città, sembrano davvero impazziti davanti a un prato, a una spiaggia, a un campo di neve: vanno in visibilio di fronte a un insetto, a un fiore, a una stella marina, a un uccellino, a un coniglio, a un albero. Il bambino trabocca di amore per la natura, e la natura lo ripaga con quel preziosissimo dono che si chiama salute. E adesso che il piccino si è inserito, spesso con fatica, nel mondo della scuola, di vacanze e di natura ha doppiamente bisogno. Dovrete fare di tutto perché ne possa godere nel modo migliore.

Queste sono le regole che vi propongo:

1. trascorrete almeno quindici giorni nello stesso luogo così che vostro figlio possa acclimatarsi, familiarizzarsi con l'ambiente, stringere amicizie e trarre tutto il beneficio possibile dal clima locale

2. cercate di mantenere un minimo di regolarità nella vita giornaliera del vostro bambino. La vacanza è piena di tentazioni: cinema alla sera, movimento, orchestre, gente che gremisce le strade fino a tarda notte. E ai bambini piace fare tardi. Va bene, che vadano a letto più tardi del solito, questo è ragionevole. Ma entro certi limiti. Andare a dormire a mezzanotte o anche più tardi, prendere sonno a ore sempre diverse, fare i « recuperi » al mattino quando la natura è più bella, l'aria più fresca e il clima migliore, ridurre le ore di riposo per sacrificarle a divertimenti notturni in genere poco benefici per i bambini, trascinarsi appresso giorno dopo giorno la stanchezza originata dalla mancanza di sonno, tutto questo è veramente meglio non farlo. Inoltre, badate che l'alimentazione del piccolo sia sempre semplice e sana; nella maggioranza dei casi si può benissimo ottenere una dieta accettabile per un bambino in qualsiasi albergo, o attuarla senza grandi difficoltà e con poca perdita di tempo in casa propria. E poi così come si deve rispettare il ritmo del sonno, si deve rispettare anche quello dell'alimentazione, cioè dei pasti. Evitate troppe concessioni di gelati, bibite

fantasia, dolcini, eccetera, fuori dei pasti, e cercate di mantenere un minimo di ordine anche negli orari

3. non opprimete il bambino con la mania dell'ordine e della pulizia: « Non mettere le mani per terra! », « Non toccare quello! », « Non sporcarti le ginocchia! », « Non macchiare il vestito! », « Non mettere i piedi nelle pozzanghere! », « Guarda come ti sei conciato! »... Mi pare di sentirle queste voci di madri, persecutorie, implacabili, incessanti, onnipresenti. Io non credo che sia piacevole per un bambino sentirsi ripetere un milione di volte al giorno che non deve fare questo o che deve fare quello. Lui ha voglia di divertirsi, di muoversi in libertà, di rotolarsi sul prato, di pasticciare con la terra, con la sabbia, con l'acqua, di giocare alla sua maniera. E dei suoi vestitini non gliene importa proprio niente. Dunque, almeno in vacanza, vestitelo in modo da non costringerlo ad avere riguardi per il suo abbigliamento. E che possa tranquillamente imbrattarsi di terra senza dare origine a una tragedia familiare

4. non ostacolate i rapporti sociali di vostro figlio: molte mamme sono perseguitate dal terrore che in vacanza, in mezzo a tutta quella gente che non si sa chi sia né di dove venga, il bimbo si trovi in mezzo a delle « cattive » compagnie. Ma quali sono le compagnie cattive? I bambini troppo turbolenti, o quelli che usano un vocabolario un po' troppo spinto, o semplicemente quelli che appartengono a una classe sociale « inferiore »? Io direi nessuno di questi. Penso che in realtà i compagni poco raccomandabili siano piuttosto rari, e comunque in linea di massima assai difficilmente identificabili: gli ipocriti, i furbi, i « dritti », i bugiardi. Ma, ripeto, non è frequente che un bambino arrivi a queste gravi deformazioni del carattere. In definitiva ritengo che le proporzioni del problema delle cattive compagnie siano davvero modestissime e che non sia il caso di interferire nelle amicizie di vostro figlio per il timore che i compagni malvagi lo possano traviare.

Il suo riposo

Certe volte, per abitudine, o per tradizione, o per disattenzione, ci comportiamo in modo davvero incoerente e contraddittorio coi nostri bambini. E non dico soltanto noi genitori, ma anche noi adulti in generale, noi società. Nei confronti del riposo del piccino, per esempio, non si può certo dire che ci regoliamo ragionevolmente: da un lato ci rendiamo ben conto che egli ha bisogno di dormire più tranquillamente ora che è impegnato nel duro compito di adattarsi alla scuola materna, ma d'altro lato turbiamo la serenità del suo sonno con l'imporgli degli orari inflessibili. Il bambino odia gli orari, specie per quanto riguarda il riposo. Noi li riteniamo indispensabili. E di qui nasce un conflitto che di solito esplode in manifestazioni più o meno violente alla sera, quando si avvicina l'ora di andare a letto. Un conflitto che noi cerchiamo di vincere col costringere il bimbo a starsene a letto più di quanto lui non voglia e oltre le sue necessità; il che provoca in lui altre difficoltà e altri problemi. Non equivochiamo: altra cosa è un certo rispetto per un ritmo e una ragionevole regolarità, e altra cosa il fissarsi su orari che *secondo noi* sono giusti, inalterabili e fatali come il destino.

Ma la resistenza al sonno da parte del piccolo scolaro nasce anche da altre e più profonde ragioni, che in parte abbiamo già visto altrove: il rifiuto di abbandonare un gioco o un'attività interessante, il senso di essere escluso dal mondo segreto ed eccitante degli adulti, il distacco dalle persone amate, la paura del buio e della solitudine. In sostanza, tutti questi motivi possono essere riassunti in uno solo: la differenza fra *l'ambiente diurno*, in cui il bimbo gioca, sta in compagnia, partecipa alla vita comune, si diverte, e *l'ambiente notturno*, deserto, chiuso, oscuro, opprimente. Il giorno, in breve, significa per il bimbo libertà e vita, la notte carcere e reclusione. E' proprio questo il punto che vorrei sottolineare qui: come fare per non sottoporre il bambino alla « prigionia » del riposo notturno. Gli accorgimenti da adottare a questo fine sono essenzialmente i seguenti:

1. evitare il tradizionale lettino, con la sua struttura di tipo carcerario (sbarre), con la sua immobilità nel tempo e nello spazio, con le scarse o nulle risorse di illuminazione che implicano ovviamente un isolamento visuale del bambino; questo tipo di lettino appare di primo acchito come la soluzione meno idonea a promuovere l'accettazione, da parte del piccolo, del sonno come normale soddisfacimento di un bisogno. Esso assume piuttosto le caratteristiche di uno strumento di contenzione; spesso, fra l'altro, usato con atteggiamenti punitivi (« Se non stai bravo ti mando a letto! », eccetera)

2. fornire al bambino una possibilità di scelta circa la collocazione di se stesso in rapporto all'ambiente. E' senz'altro sconsigliabile che il bimbo *debba sempre* dormire nello stesso luogo, a meno che non sia lui stesso a volerlo. In linea di massima si può dire che la scelta del luogo da parte del bambino si orienta sempre secondo due soluzioni di fondo:

   ☐ l'autoisolamento in un riparo liberamente scelto (la casetta, la caverna, eccetera) secondo un impulso regressivo di ritorno all'utero materno, cioè sulla base di una ricerca di rifugio

☐ la ricerca di una dominazione visiva del mondo (la cima della torre, la vetta della montagna, eccetera) sulla base di un desiderio di esplorare l'ignoto.

È naturalmente possibile che i due atteggiamenti si fondano, come nel caso del vascello spaziale, dell'aeroplano, della cesta di un aerostato, eccetera

3. permettere al bambino la massima mobilità durante il sonno, eliminando la necessità di coperte rincalzate, fermacoperte, briglie, eccetera, con un adeguato abbigliamento notturno (ovviamente adatto alla temperatura del locale) e preparando un lettino rigido nel quale il bimbo non « affondi »

4. dare all'ambiente notturno, dedicato al sonno, le stesse caratteristiche dell'ambiente diurno, dedicato al gioco; o, al limite, far giocare il bambino di giorno, e farlo dormire di notte, nel medesimo ambiente. In ogni caso l'ambiente riservato al sonno dovrebbe dare al bimbo la maniera di far lavorare la sua fantasia, di agire, di comunicare e di giocare subito prima di dormire e subito dopo il risveglio.

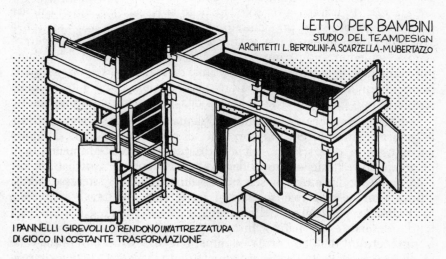

LETTO PER BAMBINI
STUDIO DEL TEAMDESIGN
ARCHITETTI L. BERTOLINI - A. SCARZELLA - M. UBERTAZZO

I PANNELLI GIREVOLI LO RENDONO UN'ATTREZZATURA DI GIOCO IN COSTANTE TRASFORMAZIONE

Mi rendo conto perfettamente che le soluzioni che vi ho proposto la fanno a pugni con le nostre abitudini, ma, credete, si tratta di soluzioni attuabili, attuabilissime, e anche abbastanza semplici. Non occorre molto; solo un po' di fantasia, di comprensione e di buona volontà. Dopo tutto, basta rinunciare all'idea, che è ormai diventata un'idea fissa, che per dormire sia indispensabile il letto con tutti i suoi accessori tradizionali. Non è vero, o per lo meno non è vero per il bambino.

2.2. Sicurezza è vivere in armonia con se stessi

L'evoluzione della sua mente

Per essere in armonia con se stesso il vostro bambino ha bisogno di due cose: essere aiutato a risolvere i suoi problemi, ma soprattutto *essere libero* di risolvere i suoi problemi. Egli non ha bisogno di direttive prefabbricate dall'adulto, né di teorie, metodi, sistemi, indirizzi e tecniche. Egli ha bisogno soltanto di poter sfruttare liberamente le proprie risorse. Ma affinché il bambino sia libero, noi adulti dobbiamo rassegnarci a non fare delle scelte e a non prendere delle decisioni per conto suo. Vediamo dunque che cosa significa in concreto questo atteggiamento di « non-intervento ».

Prendiamo l'esempio della *lettura*. Immediatamente sorge il primo problema: *quando* si deve insegnare a leggere a un bimbo? prima della scuola elementare? o è meglio che impari a scuola? e se si deve insegnargli prima, a che età si deve cominciare? a quattro anni? o a cinque? Ebbene, la risposta a tutti questi interrogativi vi sorprenderà per la sua assoluta semplicità: *al bambino non si deve insegnare a leggere mai*. Egli impara da solo. E, se lo si lascia fare, impara molto prima di quanto non possiamo prevedere. Il pregiudizio che sia la scuola a dover insegnare la lettura è assurdo. Capacità di leggere e scuola elementare non hanno nessun legame obbligatorio: il bambino può imparare a leggere tre anni prima di andare a scuola, se gli si permette di farlo, e può imparare mesi e mesi dopo l'inizio della scuola se non gli si concede la libertà di lavorare per conto suo.

Esaminiamo ora il secondo problema: *che cosa* si deve dare da leggere al bambino? Su questo punto di solito i genitori si dividono ancor oggi in due schiere: gli « antifumettisti » e i « fumettisti ». I primi dicono che le « troppe figure » distruggono irrimediabilmente l'interesse per la lettura, i secondi sostengono che l'interesse per la lettura non ci sarà mai se non si parte dalle figure. Poi ci sono naturalmente i partigiani delle fiabe, i quali affermano che i bambini le desiderano e ne hanno bisogno, che servono al bambino per intrattenere un dialogo con la mamma, che stimolano la fantasia, che ravvivano il desiderio di leggere, che aiutano il piccino a strutturare il linguaggio; e ci sono i nemici delle fiabe, i quali asseriscono che le fiabe sono crudeli, perverse e antieducative. Infine intervengono gli « esperti », i quali compilano lunghi elenchi di pubblicazioni « adatte » ai bambini di tre anni (« Le parole », « I mestieri », « I numeri », « Gli animali » eccetera), a quelli di quattro anni (« Storia di Argento vivo », « Storia del coniglietto », « Storia del cucciolo », eccetera), a quelli di cinque anni (« Le meraviglie del mare », « Le meraviglie di Roma », « Le meraviglie degli alberi », e altre meraviglie), e così

via. E tutti dimenticano che il vero esperto in fatto di letteratura per bambini è il bambino, e che per il bambino può andare bene ogni cosa; egli sa trarre buon frutto da ciò che gli va in quel momento, da ciò che lo stimola in quel determinato istante, dal fumetto, dal sillabario, dalle fotografie, dalle lettere dell'alfabeto, dai manifesti pubblicitari, dalle fiabe, dai libri di divulgazione scientifica, dai pieghevoli di una agenzia di viaggi, da Playboy e dal Corriere della Sera. Certo, esistono pubblicazioni più utili, di cui il bimbo si può servire con maggiore immediatezza; ma questo non è un buon motivo per impedirgli di prendere contatto con qualsiasi altro tipo di pubblicazione. In breve, se gli adulti non gli mettono bastoni fra le ruote, il bambino può benissimo imparare a leggere fra i tre e i quattro anni. Potete aiutarlo in due modi: mettendogli a disposizione quelle pubblicazioni che sono state create apposta per facilitarlo, e permettendogli di guardare e studiare tutto quello che gli va.

Consideriamo ora un secondo esempio: quello della *matematica*. Qui, lo riconosco, è ancora più difficile riuscire a superare i nostri punti di vista tradizionali: per noi, per molti di noi almeno, la matematica è una specie di tecnica, praticamente immutabile o quasi, e così la vogliamo insegnare ai nostri figli. « Da che mondo è mondo », diceva un tale, « due e due fa quattro, e farà sempre quattro ». Invece no: la matematica può essere qualcosa di diverso, può essere un linguaggio, uno strumento di cultura, adattabile a qualsiasi tipo di discorso e a qualsiasi aggiornamento tecnologico. Questo secondo tipo di matematica, noto col nome di *insiemistica*, può essere affrontato anche da un bambino di quattro o cinque anni; egli può impadronirsene, imparare a usarla, proprio come si usa uno strumento, evidentemente con enorme vantaggio per la sua futura formazione culturale. E' complicata? No, è semplicissima. Tanto semplice che il bambino può apprenderla quasi da solo, se nessuno glielo impedisce e se qualcuno gli dà un piccolo aiuto. Eppure, nelle nostre scuole si discute ancora se utilizzarla o no. Non solo, ma non appena il bimbo è in grado di comprendere il nostro insegnamento tradizionale, ci affrettiamo a condizionarlo in modo da bloccare letteralmente le sue facoltà, cristallizzandolo nel celebre « due e due fa quattro ». In altre parole, tutti i bambini potrebbero diventare dei matematici se noi non li fermassimo sulla strada della conoscenza.

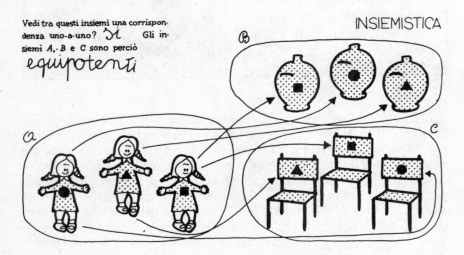

Vedi tra questi insiemi una corrispondenza uno-a-uno? Gli insiemi A, B e C sono perciò *equipotenti*

INSIEMISTICA

Per concludere, vorrei dire questo: se al bambino si permette un libero sviluppo dei suoi naturali processi di evoluzione, egli diventa immediatamente un conquistatore. E la prima cosa che conquista è il senso delle proprie possibilità, cioè la soddisfazione di fare, cioè la sicurezza.

L'evoluzione del suo gioco

Quanto ho detto per la lettura e la matematica si può dire naturalmente anche per il *gioco*. L'ho già ripetuto più volte nei capitoli precedenti: per il bambino il gioco non è riposo o evasione. Al contrario, lo si potrebbe definire *la vitamina della mente*. Perciò va rispettato, favorito, incoraggiato. Per quanto riguarda in particolare il gioco del bambino fra i tre e i sei anni di età, dovreste ricordare sempre questi punti fondamentali:

1. qualunque gioco faccia il vostro bambino, non scandalizzatevi mai. Il gioco serve al bimbo per ristabilire un'armonia dentro di sé: il bambino, supponiamo, cova dei desideri di vendetta, di aggressione, di ribellione, di violenza, desideri che egli non riesce a sopprimere né a ignorare, ma che non osa manifestare apertamente. Allora li esprime nel gioco: picchia le bambole, brucia casette, fa crollare castelli, recita la parte del « maestro cattivo », del dinamitardo, dell'assassino. In tal modo egli « butta fuori » i suoi problemi e, da un lato, riconquista un certo equilibrio interiore, mentre dall'altro vi dà modo di capire che ha dei problemi. Perciò, qualunque gioco faccia, non intervenite. Limitatevi a osservarlo, se vi pare che si tratti di giochi strani. Poi, eventualmente, rivolgetevi per consiglio a un esperto

2. il bambino deve potersi abbandonare anche a giochi movimentati, sfrenati, sregolati. Se ne ha voglia, beninteso. La ginnastica, lo sport e le passeggiate non possono sostituire il gioco « scatenato »

3. lasciate che vostro figlio si scelga da solo i suoi giocattoli. Non cercate di influenzarlo perché scelga un giocattolo che piacerebbe *a voi*, che corrisponda alla vostra mentalità di adulto. Certi giochi « educativi » o « didattici » non suscitano alcun interesse nel bambino, anzi l'annoiano. Certi giocattoli meccanici lo lasciano del tutto indifferente. Altri gli piacciono per dieci minuti, e poi non gli dicono più niente. Un po' di attenzione ai gusti di vostro figlio, al suo modo di divertirsi, alle sue preferenze, vi consentirà di fornirgli ciò che gli serve *realmente* per giocare. Lasciatevi guidare da lui. E se gli piacciono le cosiddette armi-giocattolo, non andate in crisi e accontentatelo. L'idea che un individuo debba diventare un violento perché gioca alla « guerra » o a guardie e ladri, è semplicistica e superficiale. Non si è mai visto un assassino che sia diventato tale perché da piccolo si divertiva con un fucilino di plastica. La propensione alla vera violenza, a quella violenza nutrita di rancore e di odio che devasta il nostro mondo, nasce da cose ben più serie delle armi-giocattolo. Nasce dalla sfrenata sete di potere e di danaro, dalla mentalità razzista e intollerante, dalle posizioni moralistiche, dalla celebrazione di certi « valori » assurdi e disumani

che di volta in volta sono stati chiamati Patria, Onore, Tradizione, eccetera. Tutta una paccottiglia di suggerimenti negativi che il mondo in cui viviamo rovescia generosamente sul capo dei bambini. Al bambino fa molto peggio una frase sprezzante nei confronti dei « terroni » che il regalo di cento pistole finte.

Non creategli dei problemi

È chiaro che per vivere in armonia con se stesso il vostro bambino ha bisogno non solo di esprimere i suoi problemi mediante il gioco, ma anche di risolverli. Spesso ci riesce da solo, qualche volta gli occorre il vostro aiuto, quasi mai punta esclusivamente su di voi. Però . . . attenzione a non creargli voi i problemi! Credete che non sia possibile? Pensate che nessun papà e nessuna mamma potrà mai creare dei problemi al proprio figlio? Ebbene, sbagliate. E' possibilissimo, e anche il genitore più avveduto può cadere in qualche errore. D'altronde, è umano. Nessuno di noi è perfetto. Tuttavia, mi pare logico che in questo delicatissimo campo si debba cercare di sbagliare meno che si può. Detto questo, vediamo insieme quali sono i principali problemi di un bambino di età compresa fra i tre e i sei anni.

□ *Essere troppo grasso.* Tralasciando i casi dovuti a disfunzioni ghiandolari, che del resto sono una minoranza, un bimbo di solito è « ciccione » perché mangia troppo e si muove troppo poco. Il fatto è che, essendo grassottello, egli si muove malvolentieri perché fa fatica e perché teme di essere deriso dai compagni. Così ingrassa ancora di più. Perde fiducia in se stesso, si considera un « bombolo », quasi un deforme, e per consolarsi si dedica alle delizie della tavola e dei dolciumi. E continua a ingrassare. Qui il compito dei genitori è chiaro:

1. non canzonare il bimbo perché è troppo grasso

2. incoraggiarlo a muoversi con qualsiasi mezzo: passeggiate, bicicletta, giochi movimentati, eccetera; senza tuttavia opprimerlo continuamente, altrimenti si correrà il rischio di fargli odiare il moto ancora di più

3. mettere a dieta tutta la famiglia. Già, perché sarebbe proprio disumano riempirsi di sugose pastasciutte, intingoli, torte e dolci vari, lasciando il piccolo alla sua bistecca con insalata, col cuore pieno di invidia e di risentimento di fronte allo spettacolo degli altri che mangiano tutto quello che lui vorrebbe e non può avere. Per quanto riguarda la composizione della dieta, farete bene naturalmente a chiedere consiglio al vostro medico. Posso dirvi comunque che sono da evitare i farinacei (specialmente la pasta e le patate), il burro, la panna e i dolci in genere.

☐ *Fare la pipì a letto*. Quando questo inconveniente si verifica spesso, senza che il bambino riesca a evitarlo, anche dopo il quarto anno, si parla di *enuresi*. È un disturbo piuttosto frequente: sembra che colpisca circa un bambino su dieci. Qualche volta è dovuto a una malattia (e sarà perciò il caso di consultare il medico, per essere sicuri che non ci sia sotto nessun difetto organico vero e proprio), ma nella massima parte dei casi è dovuto a turbamenti dell'atmosfera familiare, come un disaccordo frai genitori, un'assenza prolungata della mamma, la gelosia per un nuovo fratellino, la paura di essere abbandonato dai genitori. Spesso l'enuresi viene provocata anche dall'ansia collegata all'inizio della scuola materna. Ed ecco ciò che potete fare per aiutare il vostro bimbo a superare questo inconveniente:

1. non siate proprio voi a creargli dei problemi, come dicevo all'inizio di questo paragrafo: non turbate il clima di casa, siate rassicuranti ed equilibrati, nei limiti dell'umano e del ragionevole. Nessuno pretende che siate sorridenti e festosi ventiquattr'ore su ventiquattro; questo non sarebbe proprio né umano né ragionevole. Tutti abbiamo diritto di avere i nostri momenti di cattivo umore. Ciò che conta è che anche le discussioni e gli inevitabili scatti di irritazione avvengano in un clima di unione e di reciproco affetto

2. non svergognate il bimbo: per lui l'enuresi è una disgrazia della quale non ha nessuna colpa. Col mettere in ridicolo il suo disturbo non farete che aumentare i suoi problemi e le sue preoccupazioni, e quindi provocherete un peggioramento della situazione

3. al contrario, non date peso alla faccenda: cambiatelo senza commenti, come se si trattasse di ordinaria amministrazione

4. cercate di farlo bere poco nell'ultima parte della giornata.

☐ *La paura*. Questo rimane uno dei problemi più gravi del bimbo, ed è proprio un esempio classico di problema creato o aggravato dal comportamento dei genitori. In sintesi, voi che desiderate equilibrio e tranquillità per vostro figlio, dovreste attenervi a tre orientamenti:

1. non provocate la paura: abbiamo visto prima che a quest'età bambini e bambine sono frequentemente perseguitati dalla *paura della castrazione*. Il maschietto ha paura che gli « taglino il suo pisellino », la bimba teme di essere stata mutilata. Attenzione: l'essere imbarazzati o evasivi quando si arriva a parlare di questo argomento, il rifiutare di rispondere alle domande del bambino, o, peggio, il mostrarsi seccati o scandalizzati, sicuramente farà aumentare nel piccolo questo terrore. Dovrete invece essere chiari ed esaurienti nelle vostre spiegazioni sul sesso, sulle differenze fra femmina e maschio, e su tutti gli argomenti che vostro figlio vorrà sottoporvi. Anche la *paura dell'inferno* può scaturire da certe minacce dei

genitori, buttate lì senza pensarci. Pensateci invece. Lo abbiamo già visto: il bimbo prende molto sul serio tutto quello che dite, e se gli raccontate dell'inferno « dove vanno i bambini cattivi », lui prenderà tutto per oro colato e ne resterà sconvolto, forse anche per molto tempo. Lo stesso dicasi per la *paura della morte*, che nasce per lo più da un malinteso senso religioso di tipo lugubre e macabro, cioè da un atteggiamento superstizioso della famiglia. Il quale oggi, in verità, è fortunatamente sempre meno frequente. La *paura da insicurezza* può tormentare il bambino dal quale si pretende troppo, che viene trattato in modo incoerente, o che è oppresso da una disciplina troppo severa e intimidatoria

2. non costringetelo a essere coraggioso: tanto, non serve a nulla. Dire a un bimbo che *non si deve* aver paura, o che non c'è motivo di averne, o che avrà un premio se *nasconde* la sua paura; oppure deriderlo per la sua « viltà », o non badare ai suoi timori, come se si trattasse di sciocchezze; oppure ancora obbligarlo ad affrontare la situazione che lo spaventa; o infine prepararlo con vari incoraggiamenti a sostenere impavido il « pericolo », son tutte manovre destinate a fallire. Il bambino si sentirà un vigliacco, o un individuo vergognosamente debole, o un perseguitato, o uno sciocco, o si sentirà ingannato, e non riuscirà davvero a superare i suoi timori

3. aiutatelo a superare la paura: per quanto riguarda il timore della castrazione è evidente, come ho detto prima, che l'unico modo di dissiparlo è quello di spiegare chiaramente e senza falsi pudori al bambino che le femmine sono *fatte* diversamente dai maschi, e che non c'è stata nessuna mutilazione, nessun « castigo »; insomma, che non è stato tagliato via niente. Per quanto riguarda la paura dell'inferno e quella della morte, penso che sia meglio dire al bambino che l'inferno *non c'è*, che Dio è buono e che vuole bene a tutti, anche ai cattivi, e che non gli passa nemmeno per la mente di mandare la gente a soffrire per sempre; e poi, come vedremo più avanti, che la morte è solo un passaggio da un modo di vivere a un altro, una cosa del tutto naturale, e comunque per lui lontanissima. Io non dico, badate bene, che *voi* dobbiate pensarla così. Voi avete il diritto di credere in ciò che vi pare meglio. Io dico soltanto che al vostro bambino dovreste mettere le cose in questo modo, se non volete che sia perseguitato da incubi inutili e angosciosi. Per quanto riguarda infine le altre paure, sarà bene comportarsi così:

☐ favorite in ogni modo e con ogni mezzo le conoscenze e le esperienze del vostro bambino. Più un individuo sa, più esperienza ha, e meno è perseguitato dalla paura. La paura è figlia dell'ignoranza. Se un bambino conosce tante persone, sarà meno intimorito dagli estranei; se gioca abitualmente nell'acqua non avrà paura dell'acqua; se ha a che fare con cani, non scapperà a gambe levate appena ne vede uno; e via dicendo

☐ cominciate col non essere apprensivi e ansiosi voi stessi: se il bimbo si accorge che il papà ha paura dell'influenza, ne sarà terrorizzato anche lui; se vede che la mamma impallidisce per un tuono, i temporali lo riempiranno di spavento. Siete *voi* che dovete dare sicurezza e coraggio a vostro figlio, non dimenticatelo

☐ dimostrate coi fatti, e non con le parole, che non c'è nulla da temere in quella certa situazione: accarezzate con aria sorridente il cane che ringhia, tuffatevi con disinvoltura e indifferenza nell'acqua, andate fischiettando in locali bui e misteriosi, fate conto di non accorgervi nemmeno che fuori c'è la tempesta ed eventualmente mandate esclamazioni ammirative per l'accavallarsi delle nuvole, le luci del cielo, i lampi; ma guardatevi bene dall'invitare il vostro bambino a imitarvi: in questo caso lui penserebbe subito che voi avete indossato la maschera del coraggio per fare coraggio a lui. Invece no: semplicemente comportatevi come se non vi passasse neanche per la mente che quella determinata cosa possa incutere paura

☐ cercate di far nascere in lui il cosiddetto « mito dell'eroismo ». Questo si può fare raccontando storie di personaggi ammirevoli e assolutamente intrepidi e facendogli capire che il disprezzo del pericolo, pur senza essere obbligatorio, è una dote caratteristica dell'uomo più evoluto. Parlate di lui, del bimbo, quando dimostra di saper superare qualche timore, come di « uno che non ha paura di niente »; egli si sentirà molto lusingato e invogliato a proseguire sulla strada del coraggio.

In conclusione, se volete che il vostro bambino sia soddisfatto di se stesso, cioè che abbia in sé la necessaria quantità di sicurezza, non fategli sorgere in cuore inutili timori. O, se i timori ci sono già, aiutatelo a superarli con tutta la vostra comprensione e la vostra ragionevolezza.

☐ *Il problema del sesso.* La prima cosa da chiarire è che questo problema non esisterebbe affatto se non ci avessimo pensato noi adulti a dargli consistenza. Voglio dire che per i bambini il sesso sarebbe quello che è, vale a dire qualcosa di perfettamente naturale e limpido, se noi non avessimo fatto di tutto per trasformarlo in una questione paurosamente intricata e sconcertante. Comunque, oggi il problema c'è, e dobbiamo prenderne atto. Per un bimbo fra i tre e i sei anni di età il sesso presenta due facce:

1. l'aspetto scientifico: ne abbiamo parlato prima, se ben ricordate. Per il bimbo il sesso rappresenta un nuovo campo da esplorare; egli desidera sapere. Sapere tutto. Ebbene, voi dovete fargli sapere tutto. Dovete cioè rispondere con totale sincerità, con chiarezza estrema e in modo soddisfacente a *tutte* le sue domande. Non solo: le vostre risposte debbono essere tali da mettere bene in chiaro che nel sesso, e nel corpo umano in generale, non c'è proprio nulla di sporco o di vergognoso. Per quanto riguarda i « giochi proibiti » (il gioco del dottore), astenetevi sempre dall'intervenire. Almeno dall'intervenire direttamente e bruscamente. Sempre che, naturalmente, il « malato » non sia costretto a recitare la sua parte contro voglia, non sia cioè vittima del « dottore ». In questo caso il vostro intervento sarà giustificato, in quanto difenderete la vittima stessa contro un atto di sopraffazione

2. il piacere: cioè la masturbazione. Anche per questo fenomeno, che è *normale*, la regola è sempre la stessa: non intervenire. Sappiate che la masturbazione *non è dannosa, sotto nessun punto di vista*. Perciò, lasciate perdere. Sgridando il bambino, minacciandolo, castigandolo, non fareste che convincerlo che certe parti del suo corpo e certe sensazioni sono « cattive », spregevoli, condannabili, sporche. Lo convincerete in altri termini che il sesso è qualcosa di poco pulito e di « sbagliato ». E avviereste vostro figlio sulla buona strada per diventare un puritano moralista e nevrotico. Non è certo questo che desiderate per lui.

2.3. Sicurezza è vivere in armonia coi genitori

Il clima familiare

Permettetemi di ritornare a un paragone che ho già sfruttato diverse volte: quando si parte per una spedizione esplorativa, si deve avere alle spalle una base sicura ed efficiente, sulla quale poter contare. Anche il bambino, quando esce di casa per entrare nella scuola materna, intraprende una spedizione esplorativa; e anche lui ha bisogno di una base sicura e fidata. Questa base siete voi, i genitori, e il clima della vostra unione familiare. In casa vostra ci deve essere affetto, serenità, armonia. Non dico che non si debbano verificare divergenze di vedute, discussioni, piccoli dissapori: queste sono cose umane e inevitabili, s'intende. Ma la base, il clima appunto, deve essere moralmente confortevole e rassicurante per vostro figlio. Egli non potrà ovviamente essere in armonia coi genitori se i genitori sono incapaci di armonia. In particolar modo dovrete concedere tutta la vostra attenzione ai seguenti punti:

1. andate d'accordo fra voi, fra mamma e papà. Badate, quando due genitori vivono in conflitto fra loro essi tendono inconsapevolmente a *usare* il figlio per difendere la propria posizione e la propria coscienza. Forse le ragioni del dissidio sono di natura puramente personale, ma sia il padre che la madre mettono in campo di solito questioni che riguardano il bambino: sistemi educativi, la salute, la scelta della scuola, eccetera. Così il bimbo si sente *colpevole* del disaccordo fra i genitori. Non solo: ognuno dei due, padre e madre, cerca di « tirare il figlio dalla sua ». Ma il bambino, che ama entrambi i genitori, non riesce di solito a mettersi con l'uno contro l'altro, e si viene a trovare in uno stato di lacerazione affettiva molto doloroso. Qualche volta invece la manovra del genitore ha successo, e il bambino impara a detestare il genitore "nemico". E così il piccino impara a rifiutare la mamma e a sostenere il papà, o viceversa. Il che finisce col privare il bambino dell'apporto educativo di uno dei due genitori, finisce col far credere, per esempio, alla bimba che « tutti gli uomini siano detestabili » (quante volte abbiamo sentito dire da una donna delusa: « Gli uomini sono tutti eguali! »), o al maschietto che « tutte le donne sono delle pettegole ». Finisce, in altre parole, col far nascere nel bambino il *rifiuto del sesso*, con conseguenze estremamente gravi sullo sviluppo della sua personalità

2. non comportatevi verso il bambino in modo contraddittorio: se la mamma compera un gelato al figlio, il papà non deve assolutamente intervenire affermando che il gelato fa male. Forse avrà anche ragione, ma deve egualmente restarsene zitto. Ne parlerà poi, con la moglie, da solo a sola, ma non deve far credere al bimbo che la mamma ha torto e il papà ha ragione. O viceversa, beninteso. Per il bambino entrambi i genitori hanno sempre ragione, e quando questa fiducia s'infrange egli è portato a non credere più a nessuno dei due

3. non basate interamente la vostra vita sulle dichiarazioni d'amore di vostro figlio. Certi genitori si abbandonano al più profondo e disperato sconforto se non vengono abbracciati, baciati, accarezzati e blanditi mille volte al giorno dal loro bambino. Questo è ridicolo ed estremamente negativo. Gli uomini e le donne di questo tipo non sono felicemente uniti: il loro matrimonio è un naufragio che essi tentano di salvare cercando consolazione nelle manifestazioni esteriori di affetto dei figli. Ma i figli se ne accorgono, perdono ogni fede nella stabilità della loro famiglia, si sentono da un lato incerti e privi di appoggio, e dall'altro arbitri della situazione. Cioè in condizione di esercitare dei ricatti. Cosa che di frequente fanno

senza esitazione: « Se non mi porti al cinema non ti do il bacino » dicono al papà, e il papà li porta al cinema. « Comprami il gelato, se no non ti voglio più bene » dicono alla mamma, e la mamma si precipita ad acquistare dozzine di gelati. Ma non è così che si dà sicurezza e protezione a un bimbo. Così si creano degli individui antisociali, tirannici e nevrotici. E' inutile chiudere gli occhi davanti a certe situazioni. Questo è un discorso molto serio: se il vostro matrimonio è fallito, se la vostra unione si è dissolta, non risolverete nulla recitando la parte dei genitori amorevoli, « che vivono per il figlio ». Il bambino vivrà in un clima artificiale, falso, inconsistente. Non risolverete né i suoi problemi né i vostri

4. abbiate fiducia in voi stessi: il bambino vi chiede delle indicazioni e degli indirizzi precisi, non dubbi, perplessità e crisi di nervi. Poche cose riescono a cancellare letteralmente l'armonia da una famiglia quanto l'apprensione, le varie nevrosi, l'ansia perenne, il senso di colpa dei genitori. Una mamma o un papà che trascorrano la loro intera esistenza ponendosi la domanda: « Ma sono proprio sicuro di aver fatto del mio meglio? » sono destinati a trasformare la loro casa in una specie di manicomio. E il clima di una clinica neuropsichiatrica non è il più indicato per il bambino.

Rispettate il vostro bambino

L'accordo e l'armonia sono possibili, in senso veramente umano, solo fra individui di pari dignità. Non fra padrone e servo, nel quale caso si tratterebbe di paternalismo da una parte e di devozione dall'altra, né fra governante e governato, fra capo e gregario, fra potente e debole, fra privilegiato e diseredato, fra ricco e povero. Perciò, se volete che il vostro bambino viva in armonia con voi, dovete metterlo alla pari con voi. Cioè dovete rispettarlo, come va rispettato ogni essere umano, di qualunque età e di qualunque condizione. In pratica, tale rispetto può tradursi nelle seguenti norme:

1. prestategli tutta la vostra attenzione: quando ascoltate un vostro superiore o una persona di riguardo state bene attenti a ogni sua parola. Ebbene, il vostro bambino è una persona di riguardo. Anzi, la più importante della vostra vita. Non rispondetegli a casaccio, non fategli vedere che pensate ad altro quando lui vi racconta qualcosa, non interrompetelo, non manifestate indifferenza per i suoi problemi e i suoi sentimenti; egli finirebbe col sentirsi sciocco, trascurato, inutile e, nel complesso, realmente « inferiore »

2. cercate di comprenderlo: ma che cosa vuol dire *comprensione*? Ec-

co, vuol dire *accettare* una persona così com'è, con tutte le sue caratteristiche, comprese quelle che possono esserci sgradite o disturbanti. Nel caso nostro vuol dire accettare le caratteristiche e le esigenze del bambino: accettare che sia irruente e vivace, o timido e chiuso, accettare che sia maldestro o meticoloso, ordinato o no, curioso, insaziabile, goloso, svagato, ingenuo, imprevedibile. Pretendere che veda e faccia le cose a modo nostro è irragionevole e ingiusto; pretendere, per esempio, che sia abile e avveduto quanto un adulto in questa o quella operazione, nel vestirsi o nel lavarsi o nel riporre i suoi abiti, pretendere in altre parole che sia efficiente come noi, non è certo comprensione. « L'efficienza », è stato detto, « è la nemica dell'infanzia ». Qui va fatta però una riserva: accettare il bambino per quello che è non significa affatto accettare indiscriminatamente tutto quello che fa. Certi genitori sono talmente terrorizzati dall'idea di non essere abbastanza comprensivi che si profondono in elogi sperticati davanti a tutto ciò che fa il figlio: essi ripetono in continuazione al bimbo che lui è bello, buono, intelligente, spiritoso, simpatico; che il suo disegno è meraviglioso, la sua costruzione meravigliosa, il suo pupazzo di argilla meraviglioso, il suo comportamento meraviglioso. Così il povero bambino perde completamente ogni facoltà di giudizio e ogni criterio di valutazione: che lui sia davvero meraviglioso in tutto come dicono i genitori ben presto arriva a metterlo seriamente in dubbio, si rende conto che non è vero, che qualche difetto deve pur esserci nella sua perfezione, ma non riesce più a capire dove sia questo difetto. Perché nessuno gliel'ha mai detto. E adesso, nell'ambiente della scuola materna, scopre improvvisamente che di difetti ne ha a dozzine, che a molti può anche essere antipatico, o addirittura insopportabile. Perché a scuola i compagni non si fanno scrupolo alcuno a dirgli chiaro e tondo quali sono i suoi difetti. Cosa sconvolgente oltre ogni dire per un bimbo di tre o quattro anni, vissuto sempre nell'alone protettivo dell'ammirazione familiare

3. non pretendete di « farlo » come volete voi: ognuno è fatto a modo suo, col proprio carattere, le proprie inclinazioni, i propri gusti, le proprie attitudini. Forse voi desiderate un figlio riflessivo e tranquillo, e invece il vostro bambino è vivace e sempre in movimento; oppure, al contrario, preferireste un piccolo scavezzacollo, mentre avete un bimbo sedentario e appassionato di pittura. Non cercate di farlo cambiare, ma adattatevi piuttosto alle sue tendenze. In particolare, prendetelo sul serio e manifestate il vostro apprezzamento per le sue realizzazioni, anche se sono diverse da quelle che piacerebbero a voi. Voi vorreste, supponiamo, che il piccolo fosse molto bravo nello sci, e lui invece ama dipingere: ebbene, interessatevi alla sua produzione artistica, aiutatelo e incoraggia-

telo, e non opprimetelo per farlo diventare a tutti i costi uno specialista di slalom gigante

4. non obbligatelo ad assumersi degli impegni che non potrà rispettare: farsi promettere da un bimbo che « sarà buono », che « non si insudicerà più », che « starà più attento » e simili, vuol dire solo farlo vivere perennemente in conflitto con se stesso. Egli non può mantenere promesse di questo genere. Nessun bambino lo potrebbe. Sarà semplicemente angosciato dal fatto di essere sempre, inevitabilmente, più « cattivo » di quanto dovrebbe essere in base alla parola data. Questo tipo di ansia non porta a nessun progresso e a nessun miglioramento

5. non fategli nemmeno voi delle promesse che sapete di non poter mantenere: i bambini hanno la memoria buona e non dimenticano. Inoltre non amano essere ingannati, specialmente dai genitori, che sono le persone perfette per definizione. Un bimbo che veda regolarmente smentite le assicurazioni del papà e della mamma, che veda continuamente tradite le proprie aspettative, finirà per forza col perdere la fiducia nei genitori, finirà col credere che la parola dei grandi conti solo per i grandi, e non per i piccoli. E finirà col convincersi che i piccoli sono tenuti in nessun conto, come esseri poco importanti, come esseri inferiori

6. non minacciatelo: avvertire pacatamente un bambino di non fare una certa cosa perché sareste costretti a impedirgliela è un conto, minacciarlo è un altro conto. L'avvertimento è una semplice informazione, una regola: « È pericoloso lanciare pietre contro la gente. Dovrò impedirti di uscire se lo farai ancora ». Questa è una norma, perfettamente logica: lancio di sassi = pericolo, il pericolo si deve evitare, se non lo evita il bambino dovrete evitarlo voi, per evitarlo dovrete tenere il bambino in casa. La minaccia è tutt'altra faccenda, essa contiene in sé ostilità, vendetta, ritorsione, punizione, aggressività: « Se ti ci provi ancora, ti faccio vedere io! », « Non fare questo o quello, altrimenti faremo poi i conti! ». Queste frasi sono insultanti per un bambino: a questo punto egli sarà perfettamente giustificato se vorrà constatare che cosa « gli farete vedere voi », o come « farete poi i conti ». La sua dignità lo esige. Egli non potrà mai ammettere di fronte a se stesso di doversi piegare. E non si piegherà. Si sentirebbe un vigliacco, un verme, un essere abietto. Non vorrete certo metterlo in questa situazione!

7. non offendetelo: chiunque può andare in collera, anche il genitore più paziente e controllato. Ma in nessun caso si deve permettere che la collera si esprima in crisi di comportamento, con insulti, ingiurie, accuse, minacce. Dire a un bambino che è uno stupido,

un buono a nulla, un delinquente, un disgraziato, o peggio, non serve certo a favorire l'armonia dei suoi rapporti coi genitori, né a migliorarne il carattere. Serve solo a generare in lui rancore e angoscia. Il bambino insultato arriva spesso a giudicare il papà, o la mamma, come un nemico, e per di più come un nemico ingiusto, sleale e vile. Naturalmente questo sentimento di disprezzo e di ostilità entra in conflitto con l'affetto, suscitando profonde angosce nel bimbo e portandolo non di rado alla più dolorosa disperazione. Certo nessuno di noi sarebbe disposto a tollerare un'offesa dal nostro migliore amico. E perché dovrebbe tollerarla il bambino?

Dategli il senso della responsabilità

L'unica strada che conduce a rapporti umani realmente soddisfacenti e armoniosi è il *senso della responsabilità*. Questo è ciò che dobbiamo dare ai nostri figli. D'accordo, questa è anche la cosa più difficile. Tuttavia non si deve esagerare col timore delle difficoltà: molti pensano che un individuo nasca responsabile o irresponsabile, che si tratti di un aspetto fisso e immutabile del carattere, e che sostanzialmente non ci si possa fare nulla. Ci sono dei bambini, affermano costoro, che sono incoscienti « per natura », così come altri, sempre « per natura », sono pieni di consapevolezza e di capacità alla riflessione. Non è così. Se è vero che l'essere umano eredita certi caratteri e certe propensioni, è anche vero che l'ambiente può provocare in lui cambiamenti sensazionali. Non si nasce disadattati, lo si diventa; non si nasce antisociali, lo si diventa; non si nasce criminali, apostoli, sfruttatori, o rivoluzionari: lo si diventa. Gandhi e Martin Luther King non sono nati apostoli della non-violenza, così come Hitler non è nato assassino e genocida. Il senso della responsabilità si conquista, e lo si conquista proprio a quest'età, su per giù fra i tre e i sei anni. Voi, genitori, dovete semplicemente permettere al vostro bambino di conquistarselo. E qui dobbiamo ancora mettere in chiaro alcuni punti fondamentali:

1. il senso della responsabilità non ha nulla a che vedere con l'ordine, la disciplina, la sottomissione. I generali che mandano tranquillamente al massacro le loro truppe, gli aguzzini dei campi di tortura e di eliminazione, gli imprenditori che sfruttano il lavoro dei bambini, tutti questi signori possono essere ordinatissimi (e in genere lo sono), disciplinatissimi (e sono anche questo), rispettosissimi delle gerarchie e degli ordinamenti. Ma che abbiano dentro di sé un autentico senso della responsabilità, c'è da dubi-

tarne. Anzi è certo che non ce l'hanno, perché il senso della responsabilità vieterebbe loro di fare quello che fanno

2. senso di responsabilità vuol dire infatti: essere capaci di rispondere alle richieste e ai bisogni altrui, e vuol dire quindi rispetto per la vita, la libertà, il benessere e i diritti in generale di tutti gli altri uomini. Vuol dire regolare le proprie azioni in base a tale rispetto. Vuol dire rendersi conto che le proprie azioni possono recare vantaggio o danno agli altri. Vuol dire sapere quello che si fa. La responsabilità quindi viene « dal di dentro »

3. ci sono due modi per favorire nel bambino il senso della responsabilità:

   ☐ dargli, come si usa dire, il buon esempio. Se i genitori si comportano da persone civili e consapevoli, se sono rispettosi delle esigenze altrui, se agiscono a ragion veduta e preoccupandosi sempre di non recare danno agli altri, il bimbo tenderà ovviamente a imitarli. Ma questo non basta. Occorre qualcos'altro, e precisamente

   ☐ dargli il più spesso possibile l'opportunità di fare delle scelte, di decidere lui, da solo, che cosa fare o non fare. Se a un bambino si danno solo ordini, imposizioni e direttive perentorie, egli imparerà forse a obbedire, ma non certo ad assumersi delle responsabilità. Se i genitori decidono tutto per lui, se gli ammanniscono sempre delle scelte già bell'e fatte, egli non potrà mai impegnarsi in un libero atto di volontà. In altri termini, non potrà fare delle esperienze personali e continuerà ciecamente ad affidarsi a quelle altrui. Lasciate che decida lui se andare a passeggio in un posto o in un altro, se comperare questo o quel giornaletto, se indossare il golfino azzurro o quello marrone; di tanto in tanto lasciate persino che sia lui a decidere se andare o non andare a scuola, al cinema, allo zoo, a fare la gita in macchina, al bar a mangiare le paste, a trovare la zia Agostina o al luna park

4. tutti i bambini conquistano prima o poi il senso della responsabilità; a meno che, come al solito, i grandi non glielo impediscano. In questo caso il bimbo di solito passa attraverso due fasi: in un primo tempo combatte rabbiosamente, senza quartiere, per difendere il proprio diritto all'autonomia, all'indipendenza e all'autodecisione. Egli si difende, ha detto un illustre psicologo, « con la stessa forza sorprendente di cui danno prova gli animali improvvisamente costretti a difendere la propria vita ». In un secondo tempo si arrende, lascia che gli altri facciano tutto al posto suo, decidano per conto suo, scelgano per conto suo; poco a poco di-

venta un semplice ingranaggio, uno strumento, un automa. Diventa quell'« uomo qualunque » che molti anni fa arrivò, per certe correnti « politiche », a rappresentare miserabilmente il cittadino medio, succube, rassegnato e obbediente. Diventa fra l'altro un egoista. Essere responsabile significa infatti sostanzialmente *essere capace di rispondere* ai bisogni e alle esigenze altrui e perciò l'egoista, incapace di questa risposta, è per definizione un irresponsabile. Ma per gli adulti il bambino docile e sottomesso, il bambino che si fa i fatti suoi badando bene a non attirarsi disapprovazione e castighi contraddicendo in qualche maniera i grandi, in definitiva il bambino egoista, è un bambino modello. Invece è un individuo che pensa solo a se stesso e che dice sempre di sì soltanto perché non è più capace di dire di *no*. A questo punto fra il bambino e i genitori non c'è più un rapporto umano; c'è una specie di collegamento elettrico, né armonico né disarmonico, né positivo né negativo. Mi direte che a questa tenera età il bambino non può prendere delle decisioni, quindi non può permettersi di dire di no ai genitori. Deve obbedire e basta. Questo infatti sostiene l'educazione tradizionale. Ma non si deve dimenticare che per il bambino i concetti astratti di giustizia, di lealtà e di bontà non hanno alcun valore; egli deve sperimentarli nella realtà di ogni giorno. Deve cioè poter constatare in concreto che cosa vuol dire essere giusti, leali e buoni, e che cosa vuol dire non esserlo. Le parole « giustizia sociale » egli non le capisce; ma quando vede un compagno ricco che ha tutto quello che vuole, e un povero che soffre la fame, capisce benissimo che questo non è giusto. La sua morale, per dirla in due parole, nasce dall'esperienza. E l'esperienza, ripeto, si può fare solo quando si possano fare *personalmente* delle scelte: per esempio decidere se regalare o no la propria merenda al compagno povero. Se noi comandiamo al bambino di regalarla, non gli abbiamo insegnato la giustizia, gli abbiamo semplicemente dato un ordine. Dobbiamo invece far nascere in lui il desiderio di dare, o, meglio, non impedire che questo desiderio nasca in lui. La morale è fatta di decisioni autonome, di scelte indipendenti, non di obbedienza. Altrimenti è conformismo e non morale.

Il mammismo

C'è un altro punto che mi sembra di dover toccare a proposito dei rapporti fra bambino e genitori, in questo caso soprattutto fra bambino e madre: il cosiddetto *mammismo*. Purtroppo si tratta di un fenomeno tutt'altro che eccezionale. Desidero mettervi in guardia contro questo pericolo. Tutto comincia da un malinteso senso di affetto: la mamma considera il bambino come qualcosa di *suo*, come qualcosa che le appartiene indissolubilmente, più che come un individuo libero e indipendente. Ricorre infatti molto spesso la frase: « La mia creatura . . . ». Cioè l'essere che ho *creato* io, e che quindi è *mio*. Naturalmente si tratta di un atteggiamento assolutamente sbagliato, anche se comprensibile. Il bambino non è di nessuno. Egli appartiene soltanto a se stesso.

Mi rendo conto di quanto possa essere difficile per una madre accettare questa realtà. Noi pensiamo che la madre partorisca il figlio una sola volta, ma non è vero: l'espulsione dall'utero è soltanto la prima di una serie di separazioni, e nemmeno la più dolorosa. Poi viene la separazione del divezzamento, poi quella dell'indipendenza motoria del bambino, che può andare in giro per conto suo lontano dalle braccia materne, poi quella della scuola; e poi tante altre, fisiche, affettive, intellettuali, di ogni tipo e di varia intensità emotiva. La vita del bambino, del ragazzo e del giovane consiste in un progressivo allontanamento dalla figura materna, e in una parallela conquista della indipendenza. Credo che la più difficile e la più vera espressione di amore di una mamma consista proprio nell'accettare questo distacco, o meglio questa rinuncia alla proprietà del figlio. D'altronde, è una rinuncia necessaria e inevitabile.

Che cosa succede se la madre rifiuta di separarsi dal figlio, e se riesce a coltivare in lui l'idea che l'« abbandono » della madre sia una colpa e che un « bravo » bambino non *deve* staccarsi *mai* dalla sua mamma? Innanzitutto il bimbo sentirà i suoi normali desideri di indipendenza e di evasione come degli impulsi di inimicizia e di ingratitudine verso la mamma, e perciò, non potendosene liberare, si verrà a trovare in una perenne condizione di conflitto e d'ansia. L'ansia lo porterà a sua volta, potremmo dire « per reazione », a un disperato attaccamento alla madre, cioè a una vita in comune con lei, in stato di totale reciproco legame. Il bambino acconsentirà a essere controllato in ogni cosa, anzi arriverà in qualche caso persino a esigerlo; la madre cercherà di fare tutto al posto del figlio, di pensare a tutto, di provvedere a tutto, impedendo al bambino di imparare a badare a se stesso e di fare utili e necessarie esperienze; cercherà tutto sommato di vivere al posto del figlio. Il figlio, naturalmente, in queste condizioni non potrà evolvere e sviluppare in modo normale la sua personalità, né assumersi delle responsabilità alle quali non sarà preparato, né prendere delle decisioni, né avere delle idee sue, né condurre un ragionamento coerente. E soprattutto non riuscirà a staccarsi materialmente dalla madre e ad inserirsi nella comunità umana *fuori* di casa sua, lontano dal grembo materno protettore. Non riuscirà in conclusione ad accettare la società e cioè, nel caso suo, la scuola materna. Questa condizione di legame anormale e dannoso fra madre e figlio costituisce appunto il cosiddetto mammismo. Ripeto, guardatevene. Vostro figlio ha bisogno di voi, ma ha bisogno anche di separarsi da voi, di diventare solo ed esclusivamente se stesso, e non una vostra appendice. Vostro figlio, in breve, deve vivere la *sua* vita, e non una vita in comune con voi.

I genitori separati

Bambini mammisti, isterici, piagnoni, piantagrane, noi pediatri ne vediamo tutti i giorni. E spesso nella storia di questi piccoli c'è la separazione, o il divorzio, dei genitori. Bisogna dire subito però che il punto di partenza di tutte le disgrazie che colpiscono il bambino *non è* la separazione, ma *il modo* in cui la separazione è vissuta dai genitori.

Cominciamo col chiederci che cosa sono i genitori per un bambino. Penso si possa dire senz'altro che sono fonte di sicurezza. Non sono dei piloti che guidano quella piccola barchetta che è il figlio attraverso le insidiose acque della vita, e non sono i proprietari di quella barchetta. Il pilota è il bambino, la barca è sua, e i genitori sono la presenza rassicurante che permette al piccolo di lanciarsi nel mare aperto a cercare nuove rotte e nuovi continenti. Cioè nuove esperienze.

Il problema, nel caso nostro, sta nel fatto che queste presenze sono due. E siccome il figlio ama entrambi i genitori in egual misura, anche se in modi diversi, è evidente che la validità di ciascun genitore sussiste fin che non intervenga una contraddizione che ponga il bambino di fronte alla necessità di scegliere uno dei due. Se il piccolo è costretto dalle circostanze a schierarsi in favore di un genitore e contro l'altro, egli si sente dilacerato fra due pulsioni affettive di pari forza ma incompatibili fra loro. Non riuscirà, né lo potrebbe, a cancellare dal proprio cuore una delle due persone che ama, e finirà in preda all'angosciosa sensazione che nessuna delle due possa essere accettata pienamente, perché questo vorrebbe dire rifiutare l'altra. I genitori dunque avranno perduto, tutti e due, la loro validità e la loro credibilità.

Questa è veramente una tragedia che si deve evitare a ogni costo. Per il bambino è essenziale che i due genitori, separati o no, divorziati o no, vadano d'accordo fra loro e mantengano reciproci rapporti di civiltà e, se non d'amore, almeno di rispetto. Questo è ciò che conta davvero: la stima, la benevolenza, la comprensione fra i due genitori, e non tanto l'unione. Dell'unione, e specialmente di quella unione giuridica chiamata matrimonio, al bambino non importa niente. Nemmeno il fatto che i genitori vivano in case diverse costituisce un grosso problema per lui. Purché essi gli siano vicini, accessibili e disponibili. E purché possa liberamente manifestare il proprio affetto all'uno e all'altro senza suscitare dei conflitti. Non occorre dilungarsi oltre per

arrivare alle conclusioni: due genitori possono separarsi fin che vogliono, ma non devono far ricadere sul figlio le loro frustrazioni, i loro
rancori, le loro delusioni e la loro eventuale solitudine.

Troppo frequentemente, per esempio, il genitore cui il figlio è
stato affidato tende a riempire con lo stesso figlio il vuoto lasciato
dal coniuge, tende cioè a fare del bambino un sostituto del partner perduto e si comporta nei suoi confronti in maniera possessiva e sdolcinata. Il bambino, che più o meno chiaramente percepisce il formarsi di
questo nuovo rapporto, viene allora a trovarsi in una condizione di
rivalità verso il genitore assente e del quale ha preso il posto, mentre
vive come figlio-amante il legame col genitore presente. Le conseguenze non possono essere che catastrofiche, ma c'è di peggio.

Il peggio è che in caso di separazione o di divorzio si cerca, quasi
sempre, di usare il figlio come strumento per risolvere i problemi
emergenti dalla crisi coniugale. Molti sono turbati da sensi di colpa,
non sempre chiaramente avvertiti, per il disfacimento del nucleo familiare, e allora ricorrono al bambino per giustificarsi: il marito non era
un buon padre, non si interessava ai figli, non giocava con loro, era
autoritario, o permissivo, o indifferente, pensava solo al lavoro e alla
partita, eccetera eccetera. Oppure era la moglie che trascurava i bambini, che non li sapeva educare, non li seguiva a dovere, e così via.
Si crea così un clima di ostilità in cui il bambino è profondamente
coinvolto e che produce in lui la sensazione, sia pure confusa, di essere
da un lato la vittima del genitore accusato e dall'altro lato il colpevole, o almeno la causa, della discordia fra madre e padre.

Se siete giunti a questo punto, cari genitori, ci metterete poco
ad arrivare a quelle deplorevoli manovre che mirano a fare del figlio
un alleato nella lotta contro l'altro genitore. Badate: sono manovre
sottilmente nascoste sotto l'apparenza di gesti amorevoli, di atteggiamenti protettivi o di tenere effusioni, ma che in concreto finiscono col
porre dinanzi al piccolo il più odioso dei « doveri »: quello di amare
il genitore buono e di esecrare quello cattivo. E come se questo non
bastasse, ci si spinge fino a valersi del bambino come arma contro
l'altro coniuge, in tribunale. E il povero ragazzino, sballottato fra consulenti, esperti, periti, assistenti sociali e magistrati, assiste sbalordito
alla guerra che si è scatenata fra due genitori ai quali vuole bene,
e che si odiano fra loro. Agghiacciante.

Ci sarebbe poi molto da dire sui disaccordi che spesso esistono
fra due genitori non separati giuridicamente, ma separatissimi affetti-
vamente. Il discorso non cambia. « Per il bene dei bambini » si è
rimasti fedeli al vincolo matrimoniale, si sta insieme e si è fatta salva
la famiglia, ma si vive in un perenne clima di dissidio, di intolleranza,
di incompatibilità e di rancore. Anche in questo caso il figlio è sconvolto e turbato dall'antagonismo dei genitori, anche in questo caso

si sente straziato dal non capire chi deve amare e chi può amare, e anche in questo caso viene molte volte impiegato come strumento a vantaggio di uno dei contendenti e a scapito dell'altro. Meglio allora la separazione legale dei coniugi, meglio il divorzio, purché ci si mantenga nei limiti suggeriti dalla civiltà e dal reciproco rispetto.

In conclusione, se avete deciso di separarvi badate ad alcuni punti fondamentali:

1. sarà bene che siate voi due insieme, madre e padre, a dare la notizia a vostro figlio

2. ognuno di voi eviti di elencare a vostro figlio i torti subiti dall'altro o di parlare di lui (o lei) con astio

3. spiegate a vostro figlio tutta la situazione, semplicemente ma con chiarezza. Non usate giri di parole o frasi ambigue. Dite francamente, s'intende con la dovuta delicatezza, che la mamma e il papà non stanno più bene insieme, ma che non si odiano affatto

4. chiarite nel modo più esplicito che la separazione non cambia niente per quel che riguarda lui, il bambino; che l'amore dei genitori non cambia, e che semmai sarà più grande di prima. E in ogni caso ditegli che sarete sempre e in qualsiasi momento vicini a lui, e che non gli mancherete mai. La paura più grande per un bambino, ricordatelo, è quella di essere abbandonato

5. spiegate a vostro figlio che non è lui la causa della vostra separazione.

Il problema della morte

Si esita sempre a parlare coi bambini della morte, ma qualche volta bisogna pur farlo. La morte può colpire qualcuno che il bambino conosce bene, qualche familiare o un amico. Il discorso allora va affrontato. Ma di solito non si sa come, perché nel nostro costume parlare della morte non sta bene, è di cattivo gusto e persino, almeno secondo alcuni, poco educato. Ma per i bambini non è così. Per loro la morte è una tremenda realtà inesplicabile, alla quale però si deve trovare una spiegazione. Il bambino vuole sapere, anche se qualche volta l'angoscia in lui sale a livelli così elevati da fargli rifiutare l'argomento. E' un rifiuto apparente, ricordiamocelo. Dentro di sé il piccolo non trova pace se noi non siamo in grado di dipanare la nebbia di terrori che lo soffoca, se non sappiamo risolvere il suo problema. E noi non lo sappiamo fare perché non abbiamo risolto il *nostro* problema.

Occorre dunque per prima cosa guardare bene a fondo dentro di noi e cercare di capire in che modo sentiamo il fenomeno della morte.

Ciò che ci terrorizza sopra ogni altra cosa è l'idea di perdere con la morte il nostro IO, la nostra personalità attuale, e di rientrare in qualche modo in una esistenza cosmica. Noi amiamo troppo noi stessi, e troppo poco il mondo. Noi vogliamo sopravvivere così come siamo, col nostro nome, le nostre qualità, i nostri rapporti, la nostra intelligenza, il nostro sesso, tutti i nostri attributi anagrafici, costi quel che costi; noi non tolleriamo il pensiero di dissolverci in un grande atto di amore universale. E questo ci toglie ogni serenità davanti alla morte e ci riempie di incontrollabile sgomento. Che poi trasmettiamo ai bambini, com'è logico, e che ci impedisce di dar loro quell'aiuto di cui hanno bisogno quando la morte entra nel loro campo di percezione.

Spero di no, ma può accadere anche a voi di avere un lutto in famiglia. Il bambino risente di questa situazione fin dal secondo anno di vita e presenta diversi disturbi: vuol vedere la persona scomparsa, con una insistenza quasi isterica, dorme male, si comporta in modi strani, con manifestazioni di morboso attaccamento a un genitore alternate a crisi di apparente esecrazione, si lascia travolgere da sorprendenti accessi di collera o di abbattimento, e via dicendo. Evidentemente soffre e ha bisogno di aiuto. E voi potete darglielo in due modi.

In primo luogo comportatevi così da dimostrargli che la scomparsa di una persona si può accettare con tranquillità e senza disperazione, dato che la morte è una cosa naturale. La sostanza di tutto il vostro atteggiamento e delle vostre parole (parole che naturalmente dovranno essere adatte all'età del bambino) dovrebbe essere press'a poco questa: ci sono diversi modi di vivere, il genere di vita che conosciamo noi è uno dei tanti, la persona che noi diciamo morta è passata invece a un altro tipo di esistenza, e non importa molto se noi non possiamo più vederla né udirla né toccarla perché essa può egualmente comunicare con noi attraverso il ricordo, l'amore, il pensiero. Sarà bene anche spiegare che a quella persona non servono più le cose che servono a noi, ma altre, per noi forse difficili da capire e da sentire, ma vere e importanti, come appunto l'affetto di chi è rimasto a vivere in questo tipo di mondo. E da ultimo dovrete dire chiaramente al bambino che il passare a un'altra vita non significa affatto essere infelici, o meno felici. Tutto questo, a me pare, può andare bene per credenti e non credenti. Nessun materialista, per quanto convinto, può essere *sicuro* che l'unica esistenza possibile sia quella legata alla materia. E comunque non mi sembra giusto mettere in crisi o turbare un bambino in omaggio alle nostre personali convinzioni. E, d'altra parte, oso sperare che nessun credente, per quanto ortodosso, voglia far diventare isterico il proprio figlio raccontandogli che il defunto sta passando sette secoli e sette quarantene tra le fiamme del purgatorio.

Ed ecco il secondo modo di affrontare il problema. Noi siamo soliti circondare il fenomeno della morte di un duplice terrore: quello che si riferisce alla morte biologica e quello che riguarda il destino dell'anima. Sepolcri, decomposizione, putredine, colorazioni macabre di ogni sorta ammantano abitualmente la cessazione di una vita nei nostri discorsi e nei nostri atti: lugubri preghiere, tristissime e tediose litanie, lagrimevoli pellegrinaggi fra i cipressi e le pietre tombali, racconti pregni di orrore, deprimenti accenni al caro estinto il cui nome viene regolarmente preceduto dalla parola « povero », come se a lui, e a lui solo, fosse capitata la sciagura di concludere il suo viaggio terreno. Tutto ciò non rimane senza effetto su vostro figlio. Inevitabilmente egli imparerà che la morte è qualcosa di orrendo e temibilissimo. E una simile impressione non viene certo neutralizzata dalla consueta storiella che il defunto sta « lassù », contento come una pasqua, a guardarci dall'alto e a benedirci. E' il clima della paura e della desolazione che dovrebbe essere risparmiato al piccolo. Alberto Savinio ha scritto: « Si tratta di arrivare alla morte trionfalmente, come la capitana di un'armata vittoriosa che entra nel porto a bandiere spiegate ». Questo è lo spirito giusto. La persona morta è quella che ha finito, vittoriosamente, la sua grande battaglia.

L'altro terrore, come dicevo, è quello che troppo spesso si proietta sul futuro ultraterreno. Queste nostre tetre premonizioni di atroci castighi, di fuoco eterno ed eternamente divoratore, di diavoli carnefici, di tenebre senza speranza, di pene che nel migliore dei casi sono destinate a durare secoli o millenni, di giudizi universali che assomigliano ai verdetti di un insegnante particolarmente malevolo, non sono di sicuro il meglio per rasserenare il bambino davanti alla morte. E, ancora una volta, è inutile cercare di riequilibrare le cose favoleggiando di beatitudini paradisiache e contemplazioni di Dio che si prolungheranno per un tempo senza fine. Il solo concetto di eternità, ovviamente incomprensibile per lui (e anche per noi, del resto), atterrisce il bambino.

Bisogna insomma che il vostro comportamento riesca a dimostrare al bambino che la morte non è una spaventevole disgrazia, ma qualcosa di normale che fa parte della vita. Questo è il punto: la vita è sempre vita, anche quando biologicamente passa attraverso quelle trasformazioni alle quali abbiamo dato il nome di morte.

2.4. Sicurezza è vivere in armonia con tutti

I rapporti coi fratelli

La prima occasione di imparare a vivere in armonia col mondo viene offerta al bambino da fratelli e sorelle: sono loro che gli insegnano, in un certo senso, a crearsi una base su cui sviluppare in seguito dei rapporti sociali soddisfacenti. Andare d'accordo con gli altri, affrontare gelosie, timori, conflitti, collera e risentimento, condividere piaceri e dispiaceri, compiti e responsabilità, rispettare diritti ed esigenze altrui, tutto questo e altro ancora il bimbo lo impara innanzitutto dai fratelli. Se li ha, beninteso.

È chiaro che questo tirocinio non si svolge di regola in una paradisiaca atmosfera di pace e di tranquillità, ma bensì attraverso innumerevoli tempeste, più o meno turbolente. Ma questo è normale e, fino a un certo punto, utile. Non è assolutamente il caso di drammatizzare i diverbi e gli scontri fra i bambini, di considerarli come manifestazioni di odio e di esecrazione, di restarne atterriti come di fronte a una tragedia greca. I fratelli si vogliono bene e sono sempre pronti a far comunella e a difendersi l'un l'altro, ma ciò non impedisce loro di litigare e di affermare la propria personalità, eventualmente con la violenza. Il che è tanto vero che nella maggior parte dei casi i litigi si risolvono da soli, e spesso tanto più rapidamente quanto meno intervengono i genitori.

Ecco un punto importante: non di rado sono proprio i genitori a dar fuoco alle polveri e a far detonare, come una carica di esplosivo, le rivalità e i rancori fra i fratelli. Gli interventi del papà e della mamma, infatti, non sempre sono giusti, equilibrati e sereni. Talora c'è un beniamino, un prediletto, uno che è più « simpatico » (forse perché ha gli stessi gusti del padre) o più « caro » (forse perché è più coccolone e mammoso) o più « buono » (forse perché ha un carattere meno forte); e l'altro, o gli altri, i meno simpatici, i meno cari, i meno buoni, si sentono trascurati, incompresi e perseguitati. Cosa che li spinge logicamente su posizioni di antagonismo e di rappresaglia verso il « cocco di mamma » (o di papà). È più che evidente che i genitori debbono comportarsi nello stesso modo con tutti i figli, possibilmente senza fare continui paragoni fra buoni e cattivi, senza proteggere sistematicamente gli uni e condannare sistematicamente gli altri, senza creare il partito degli eletti e quello dei reprobi. E, in generale, senza intervenire nei rapporti fra i bambini se non per imperativa necessità.

Essere imparziali dunque . . . ma non troppo. La giustizia, contrariamente a quanto ci fanno credere certi bassorilievi che adornano le facciate dei tribunali, non si distribuisce mediante una bilancia. E tanto meno l'amore. Fare a tutti i figli un regalo del medesimo valore o trascorrere con ciascuno di essi esattamente lo stesso numero di ore e di minuti, o comperare il gelato a tutti, anche a quello che ha il mal di pancia, non significa affatto essere giusti e imparziali. Essere giusti e imparziali significa soltanto amare tutti i propri figli con ogni fibra e col medesimo trasporto, comprenderli tutti, aiutarli tutti a seconda delle necessità di ciascuno. Nient'altro che questo.

La scuola materna: perché è necessaria

I fratelli, abbiamo detto, rappresentano il primo gradino della scala che porta alla vita sociale. Ma: primo, i fratelli possono anche non esserci e il bimbo può essere figlio unico; secondo, si tratta di un gradino non indispensabile e non sufficiente. Ciò che occorre, per tutti, per i figli unici e non unici, ciò che occorre veramente è il contatto quotidiano con coetanei che non appartengano alla famiglia, con bambini « di fuori »; vale a dire, in pratica, la scuola materna. Diciamolo in chiare lettere: la scuola materna è sostanzialmente necessaria. Come ho già sottolineato precedentemente, essa rappresenta l'autentico noviziato per ogni bambino, la vera preparazione alla scuola dell'obbligo, la palestra in cui ogni bimbo impara la non sempre facile arte del vivere insieme. Di questa verità, d'altronde, si è perfettamente resa conto ormai la maggioranza dei genitori: secondo un'inchiesta condotta dal comune di Milano il settantasette per cento delle famiglie ritiene che sia necessario mandare il figlio alla scuola materna « perché il bambino deve imparare a vivere con gli altri bambini ».

Rimane naturalmente un buon numero di papà e di mamme che di scuola materna non vogliono sentir parlare. « Si prenderà tutte le malattie » dicono questi genitori, « Sarà troppo faticosa per lui », « Gli daranno da mangiare male », « Lo maltratteranno », « Soffrirà troppo ». Certo, il contatto con molti altri bimbi aumenta le occasioni di contagio: un piccolo che vada alla scuola materna potrà prendersi l'influenza, la varicella, il morbillo e la pertosse. E poi ... guarisce. A parte il fatto che queste malattie ormai hanno perduto tutta o quasi tutta la loro gravità (come vedremo nell'apposito capitolo), e a parte il fatto che per evitare davvero il contagio si dovrebbe mantenere costantemente il bambino sotto una campana sterile e condizionata, bisogna vedere se sia peggio affrontare un raffreddore o una rosolia, oppure condannare il bambino a diventare un disadattato, un antisociale e in complesso un infelice. Perché questo è il rischio che corre un piccino mantenuto in uno stato di isolamento sociale.

E veniamo alla seconda obiezione: la scuola materna è troppo faticosa. Qui non c'è nulla di vero. Il bambino è praticamente instancabile, purché non lo si carichi di impegni che non lo interessano o che lo annoiano. E non vale nemmeno l'obiezione che il piccolo soffrirà: sì, soffrirà, almeno qualche volta e in qualche misura. L'abbiamo detto: la scuola materna costituisce tutto sommato una crisi per il bimbo, e tutte le crisi fanno soffrire. Ma senza crisi non c'è progresso. E poi, come vedremo fra poco, sta proprio ai genitori far sì che il loro figlio non soffra o soffra pochissimo per questa prova.

Sulle altre considerazioni degli avversari della scuola materna non mi soffermo neppure. È vero purtroppo che anche recentissimamente sono scoppiati scandali di ogni sorta e si sono avute rivelazioni agghiaccianti sui maltrattamenti inflitti a bambini « ospiti » di questo o quell'istituto, asilo o opera « pia », ma è anche vero che nella maggioranza dei casi si trattava di istituzioni private e basate sul profitto, che erano riuscite a sottrarsi in qualche modo alla sorveglianza delle autorità competenti. Nelle scuole pubbliche, rigidamente controllate come sono dagli organi amministrativi, parlare di maltrattamenti, sul piano fisico, è azzardato.

La scuola materna: come affrontarla

In ogni modo, ripeto, la scuola materna è sicuramente una prova per il bimbo, e spesso un'autentica crisi. Perciò bisogna aiutarlo. Ed ecco come:

1. abituate gradualmente il vostro bambino alla scuola materna: durante le prime settimane portatecelo per esempio soltanto tre o quattro giorni su sei; andate a prenderlo a mezzogiorno, se la direzione lo permette, invece che lasciarlo lì fino alle quattro del pomeriggio; accompagnatelo e andate a prenderlo personalmente, invece che affidare quest'incarico alla sorella maggiore o a un'altra persona. Poco a poco il bambino avrà sempre meno bisogno di queste precauzioni, resterà con piacere a scuola da mane a sera, e non ci saranno più problemi. Ma all'inizio non si deve essere troppo rigidi. Ci vuole un po' di comprensione e di pazienza

2. non sentitevi « colpevoli » perché « vi siete sbarazzati » di vostro figlio mandandolo alla scuola materna: ce l'avete mandato perché è un *suo* diritto quello di andarci, e non perché è un *vostro* capriccio. Eppoi, se vi sentirete colpevoli probabilmente finirete con l'opporvi inconsapevolmente all'idea che il bambino abbia un suo mondo del quale voi non fate più parte. Vi sembrerà quasi di

averlo abbandonato. Questo sarebbe sbagliatissimo. Il bimbo si accorgerebbe dei vostri sentimenti, anche se voi credete di tenerli gelosamente nascosti, e arriverebbe a convincersi di essere davvero vittima di una specie di tradimento da parte vostra

3. preparate vostro figlio alla scuola materna: questo significa in pratica favorire in ogni maniera la sua indipendenza e la sua autonomia, non stargli continuamente addosso con mille inutili e opprimenti attenzioni, non stare costantemente in pensiero per pericoli più o meno immaginari, non voler fare tutto al posto suo senza mai permettergli di prendere un'iniziativa personale. Un bambino che sia stato lasciato libero di agire, di vivere a modo suo, di badare entro certi limiti a se stesso, affronterà la nuova avventura con sicurezza e intraprendenza. Inoltre, un po' di tempo prima dell'apertura della scuola, portate vostro figlio a visitare la scuola stessa, fategli vedere i locali, i giardini, i giocattoli; e fategli conoscere, se possibile, la sua futura educatrice. Tutto questo servirà a familiarizzarlo col nuovo ambiente e a fargli sentire meno il distacco dall'ambiente di casa

4. non mostratevi preoccupati e angosciati per l'inizio della vita scolastica del vostro bambino: se lui, andando a scuola, vi vedrà con facce lunghe e pallide, espressioni tese, lacrime agli occhi e via dicendo, penserà che lo stiate mandando al macello. E probabilmente non ne sarà per niente soddisfatto

5. non mandate il bambino alla scuola materna come se lo mandaste ai lavori forzati: certi genitori annunciano l'inizio della scuola con frasi minacciose e talvolta persino vendicative: « Vedrai adesso come ti faranno rigare diritto! », « È finita la baldoria! Ora ci penseranno loro a metterti a posto! », « Finalmente dovrai ubbidire, eccome! », « Adesso, a scuola, la finirai di fare tutto di testa tua! », eccetera eccetera. Lasciatemelo dire: sono frasi sciagurate. Spesso, alle radici di un ostinato rifiuto del bimbo alla scuola ci sono proprio minacce di questo tipo. La scuola non è e non deve essere una galera: è un posto dove si va a divertirsi, non a soffrire, dove si va per essere liberi, non per essere prigionieri. Un premio, semmai; certo non un castigo

6. non considerate la scuola materna come un corso di specializzazione: la scuola materna non è fatta per insegnare a leggere e a scrivere, ma per permettere ai bambini di vivere insieme, di collaborare, di inserirsi in una comunità. A leggere e a scrivere, come ho già detto, il bambino impara da solo, se vuole. E se non vuole, non è proprio il caso di costringerlo

7. non fate pesare al vostro bambino la sua eventuale timidezza: l'ultima cosa da fare, per aiutare un bimbo timido, è quella di fargli credere che la sua timidezza sia un difetto o, peggio, una colpa. È un aspetto del carattere, esattamente come la baldanza e il coraggio, e null'altro che questo. Spesso un bambino timido cessa poco a poco di essere tale se nessuno gli fa sentire questa sua caratteristica come una condizione di inferiorità. Viceversa, se i genitori gli rimproverano la sua timidezza, questa finisce frequentemente col trasformarsi in ansia, o addirittura in angoscia

8. ho detto prima che all'inizio dell'esperienza scolastica può essere utile concedere al bambino dei brevi intervalli di vacanza. Però non si deve esagerare: se un bimbo va alla scuola materna per tre giorni e poi rimane a casa per quindici, dovrà ovviamente riadattarsi al nuovo ambiente come se non ci fosse mai stato prima. Perciò, qualche assenza sì, ma la più breve possibile

9. mantenetevi in contatto con l'educatrice del vostro bambino: un contatto frequente e cordiale. Ricordate, e questo lo dico specialmente alle mamme che sono un po' gelose, che la maestra è una vostra preziosa collaboratrice, non una nemica che cerca di rubarvi il vostro bimbo. Ora che vostro figlio muove i suoi primi passi nel grande universo umano, egli ha bisogno di qualcun altro, oltre a voi. E questo qualcuno è appunto la sua maestra. Dovete accettare questa idea e dare tutta la vostra cooperazione. È veramente necessario, credete. L'educatrice riuscirà a comprendere meglio il bambino e le sue esigenze, e voi capirete meglio il nuovo mondo di vostro figlio

10. sopportate di buon grado le reazioni « negative » del bambino alla scuola materna: indubbiamente l'ambiente della scuola procura piccole delusioni, dispiaceri e contrarietà al bambino. Non solo non ci sono più i genitori, pronti a correre a ogni sua chiamata, ma la presenza dei compagni e delle educatrici lo costringe a un autocontrollo notevole, cioè a uno sforzo. Così, molto spesso, quando torna a casa il bambino si scatena, scarica tutto quello che ha dovuto tenere dentro di sé fino a quel momento e, come dicono molte mamme, diventa un'insopportabile « peste ». E non basta: può succedere che insieme ai suoi piccoli compari egli abbia fatto collezione di « parolacce » che poi, a casa, « spara » sui genitori e sui fratellini con proterva virulenza. Non fateci caso. O almeno non troppo. L'usare parole « proibite » dà al bambino una sensazione di libertà e di potere, le parolacce diventano per lui l'espressione di una conquistata indipendenza; e diventano inoltre degli strumenti di aggressione contro gli altri, dei proiettili da scagliare sulla gente per intimorirla, per impressionarla e per informarla della propria forza. Nulla di strano in tutto questo. Non credo che sia molto utile combattere le parolacce coi mezzi tradizionali. Minacce e castighi confermano agli occhi del bambino il valore delle sue parole-proiettile. « Se cercano di impedirmi l'uso della parolaccia », pensa il bimbo, « vuol dire che si tratta di un'arma efficace ». Perciò continuerà a usare quest'arma. Meglio lasciar cadere la cosa. Il bambino non è particolarmente affezionato alle « brutte parole ». Se nessuno ci bada, finisce col dimenticarle. Ne imparerà delle altre e dimenticherà anche quelle. E in conclusione parlerà come di solito si parla in casa sua: bene o male, a seconda dell'esempio dei genitori.

La scuola materna: dove e quando

Abbiamo parlato finora del *come* i genitori dovrebbero affrontare il problema della scuola materna. Ora dobbiamo esaminare gli altri due aspetti della questione: il *dove* e il *quando*.

E cominciamo dal *dove*. Dove mandare il bambino? in che tipo di scuola? privata o pubblica? in quella vicino a casa o in quella raccomandata dall'amica? In altre parole, su quali criteri ci si deve basare per scegliere la scuola materna? Non c'è dubbio che i principali elementi di giudizio sono i seguenti:

1. la scuola deve disporre di educatrici e assistenti qualificate, preparate sia sul piano tecnico che su quello umano. In generale questo tipo di personale è più facilmente reperibile nelle scuole dipendenti da un'amministrazione pubblica, locale o nazionale, meno facilmente nelle scuole private. Fanno eccezione alcune scuole specializzate che seguono particolari metodi (per esempio quelle di indirizzo montessoriano, per la verità alquanto superato), le quali sono dotate di personale estremamente esperto e perfettamente addestrato. Queste scuole sono però pochissime, ricercatissime, e pertanto molto poco accessibili

2. la scuola deve disporre di locali sufficientemente ampi e igienici, di giardini, campi-gioco e di attrezzature abbondanti in ogni settore, oltre che di servizi efficienti, come cucine, stanze da riposo, bagni, eccetera

3. il numero di bambini affidati a ogni educatrice dovrebbe essere il più piccolo possibile: circa una dozzina, in condizioni ideali

4. lo « spirito » della scuola dovrebbe essere adeguato alle nostre attuali conoscenze in fatto di psicopedagogia. Per dirla in due parole: meno ordine, meno disciplina, e più assistenza attiva ai bambini.

Pensate che, secondo ricerche condotte una trentina d'anni fa negli Stati Uniti, circa la metà, e forse più, delle azioni delle educatrici in una scuola materna era diretta a mettere ordine e a insegnare l'ordine ai bambini; e solo l'altra metà, scarsa, veniva riservata all'educazione vera e propria e all'assistenza.

Parliamo ora del *quando*: a che età si dovrebbe mandare un bambino alla scuola materna? A questa domanda è stata già data una esauriente risposta nelle parti precedenti di questo capitolo. Comunque, ripetiamolo: l'età migliore per l'ingresso nella scuola materna sembra essere quella dei tre anni. Dico *sembra* perché i bambini d'oggi evolvono più rapidamente di quanto non pensiamo, e non si può escludere affatto che entro breve tempo si arrivi a scoprire che l'età migliore sia quella di due anni. In ogni caso, non quattro anni. S'intende che sarà sempre meglio mandare un bambino a scuola a quattro anni piuttosto che non mandarcelo per nulla, ma debbo sottolineare che a tre anni il bimbo ha molto più bisogno di vivere coi coetanei di quanto non ne abbia a quattro. Voglio dire che se si aspettano i quattro anni si arriva tardi. Non succederà una tragedia, d'accordo. Ma si saranno sciupate inutilmente molte possibilità del piccino, gli si sarà rubato qualcosa.

La scuola materna: situazione attuale

Ora ho il dovere di fare una precisazione importante: finora ho parlato dei criteri in base ai quali dovreste scegliere una scuola materna per il vostro bambino, ma non ho detto che il più delle volte non potrete scegliere. Questa impossibilità o difficoltà di scelta, è giusto dirlo, non dipende dalla mancanza di scuole materne. Negli ultimi anni ne sono state allestite in grande numero, praticamente su tutto il territorio nazionale, e si può dire che oggi c'è posto per tutti i bambini, grazie soprattutto all'impegno delle amministrazioni locali in questo settore. Il problema non è di quantità, ma di qualità. Voglio dire che le scuole materne presentano, tutte quante, più o meno le stesse deficienze, e cioè scarsità di personale, locali inadeguati, attrezzature carenti e inadatte alle esigenze dei bambini, mentalità arretrata di molte delle persone che ci lavorano, scorrettezze dietetiche. Qua e là le cose vanno meglio, e questo succede specialmente nei piccoli centri, dove i genitori, il personale e gli amministratori hanno di solito rapporti e contatti più stretti fra loro; altrove le cose vanno peggio, e questo succede specialmente nei grossi centri, dove la scuola è affidata interamente agli addetti ai lavori e alle inaccessibili amministrazioni che governano le città, e i genitori rimangono sostanzialmente degli estranei. Non si tratta dunque, almeno nella maggior parte dei casi, di scegliere una scuola « buona » e scartarne una « cattiva », ma si tratta invece di participare attivamente alla conduzione della scuola stessa, di entrarci, se occorre di imporre la propria presenza e un giusto controllo. Che non vuol dire rompere ogni giorno le tasche al prossimo, ma solo occuparsi del problema, o meglio dei problemi, del bambino, e difenderne i diritti. Civilmente, educatamente, ma fermamente. Senza il vostro intervento, cari genitori, ogni più piccolo progresso si farà aspettare a lungo. In genere troppo a lungo. Ognuno di voi, ognuno di noi ha il dovere di intervenire, di parlare, di reclamare a gran voce che il diritto del bambino a poter disporre degli strumenti necessari alla sua evoluzione sia rispettato.

3. LE SUE MALATTIE

3.1. Tonsille e adenoidi

« Ha le tonsille ingrossate ». Questa frase, credo, se la sente dire dal medico almeno il settanta per cento dei genitori che abbiano un bambino di età superiore ai tre anni. E i genitori a loro volta pongono invariabilmente la domanda, un po' ansiosa e un po' rassegnata: « Saranno da togliere? ». Al che nella maggioranza dei casi il dottore risponde con un « Mah!... vedremo! » poco compromettente, ma che può benissimo essere il preludio all'intervento. Tre battute che si ripetono ogni giorno in ogni studio pediatrico e che contengono sostanzialmente il problema sanitario di base di ogni bambino fra i tre e i sei anni di età. Esaminiamole dunque una per una.

Ha le tonsille grosse. È vero, il medico ha ragione. E non solo le tonsille, ma anche le adenoidi sono probabilmente ingrossate. Verso i tre anni infatti, talora anche prima, i tessuti linfatici (di cui tonsille e adenoidi fanno parte) cominciano a svilupparsi rigogliosamente, e continueranno a mantenersi abbondanti fin verso i dieci o dodici anni; perfettamente logico perciò che tonsille e adenoidi aumentino di volume, e qualche volta in modo più che notevole. Su questo fenomeno naturale se ne impianta poi un secondo, artificiale, specie nei bambini che vivono in città o in zone industrializzate: l'irritazione da inquinamento atmosferico. Così, fra una cosa e l'altra, tonsille e adenoidi

cominciano a produrre dei piccoli disturbi e i genitori entrano un po'
per volta nell'ordine di idee di « togliere tutto ».

Eccoci quindi al secondo problema: togliere o non togliere? A
questo punto però si devono fare due discorsi differenti: uno per le
adenoidi e uno per le tonsille.

Le adenoidi, che stanno dietro le cavità nasali, o meglio fra le
cavità nasali e la gola, hanno un grande difetto: quando ingrossano
bloccano delle importanti vie di comunicazione e provocano apprezzabili difficoltà respiratorie, arrivando in alcuni casi a ostacolare i normali rifornimenti di ossigeno a certe zone e a certi tessuti; e quando
si infiammano tendono a coinvolgere i settori circostanti, e in particolare il naso e l'orecchio. Non solo, ma questo tipo di infiammazione
facilmente si ripete, anche con frequenza notevolissima, e non di rado
diventa cronico. In questi casi i bambini assumono una particolare
espressione detta « facies adenoidea », hanno sempre il naso « pieno »,
la bocca aperta e la voce alterata; respirano a fatica, specie durante
il sonno, e frequentemente accusano male alle orecchie, il che vuol
dire che soffrono di otiti, più o meno gravi e più o meno dolorose,
ma sempre importanti in quanto a lungo andare possono alterare anche
permanentemente il senso dell'udito. Se le cose arrivano a questo punto
è praticamente impossibile evitare l'intervento di asportazione delle
adenoidi. Ma, prima di arrivare a questo rimedio estremo, occorre far
seguire il bimbo dall'otorinolaringoiatra, il quale potrà consigliare delle
inalazioni o altre cure locali atte a ridurre, nei limiti del possibile, la
tumefazione dei tessuti linfatici. Sarà poi lo stesso specialista, meglio
se in collaborazione col pediatra, a stabilire se il momento dell'intervento sia arrivato o no.

Per le tonsille la faccenda è diversa: queste due « palline » linfatiche che stanno ai lati della gola sono state accusate di crimini e di
malefatte di ogni sorta, ma non sempre sono realmente colpevoli. Bisogna chiarire prima di tutto che tonsille grosse non significa necessariamente tonsille da togliere. In secondo luogo è bene andar cauti
nell'attribuire alle tonsille ogni guaio che potrebbe sì essere in rapporto con questi organi, ma che potrebbe anche non esserlo. Un esempio fra i più abituali è quello del soffio al cuore: quando un bambino
ha due tonsille grosse (che forse non si sono nemmeno mai ammalate
davvero) e un soffio al cuore, subito si collegano le due cose, si
addossa cioè alle tonsille la colpa del soffio, e si strappano immediatamente le « responsabili ». Naturalmente, non si ottiene proprio
niente, perché in genere i soffi cardiaci dei bambini non hanno nulla
a che vedere con le tonsille; sono soffi cosiddetti « funzionali », dovuti
a certi fenomeni di accrescimento, e non traggono nessun beneficio
da un intervento chirurgico portato su un organo del tutto innocente.

Un altro esempio è quello delle « influenze », delle malattie da raffreddamento, dei mali di gola, eccetera. Qui dobbiamo fare una puntualizzazione di estrema importanza: molte volte il ripetersi di infiammazioni a carico del naso, della gola, della trachea, dei bronchi, significa semplicemente che l'organismo reagisce in modo sproporzionato e troppo violento a stimoli del tutto normali. Significa in altre parole che il bambino è *allergico*, e non che ha le tonsille ammalate. Ora, l'allergia è ereditaria. Se andate a cercare minuziosamente nella storia dei vostri parenti, potreste trovare un prozio che aveva l'eczema, o un cugino col raffreddore da fieno, o la madre che « non tollerava » le fragole o i pesci, o il bisnonno che aveva l'orticaria. Se scovate qualche caso del genere, attenzione: le « influenze » di vostro figlio potrebbero essere il primo segnale di una condizione allergica, ed essere perciò del tutto indipendenti dalle tonsille.

Sarà anche così, potrebbero pensare alcuni, ma a ogni buon conto le tonsille a mio figlio le faccio togliere egualmente, così vado sul sicuro. Eh no, questo è il grosso errore. Non si va per niente sul sicuro. A parte il fatto che le tonsille hanno una loro precisa funzione, e che quindi vanno tolte solo quando sia realmente necessario, l'intervento può scatenare in un bambino allergico delle manifestazioni morbose ben più gravi di un semplice mal di gola, e in particolare può provocare la comparsa dell'*asma*. Questa constatazione è stata fatta ormai da molti medici, e con frequenza tutt'altro che trascurabile. Perciò, se il vostro bimbo « soffre di gola », procedete così:

1. fatelo visitare da uno specialista in otorinolaringologia per accertare se le tonsille sono *veramente* ammalate

2. informatevi accuratamente sulle malattie e sui disturbi di *tutti* i vostri parenti, allo scopo di escludere che in famiglia ci siano o ci siano stati casi di allergia

3. se avete dei sospetti, rivolgetevi a uno specialista in malattie allergiche, il quale potrà confermare o no l'esistenza di queste forme nel vostro bambino.

Chiariti questi punti, starà ai medici decidere, dopo essersi consultati a vicenda.

3.2. Gli ossiuri

I bambini di quest'età giocano sul pavimento, mettono continuamente le mani per terra e se le sporcano in mille altri modi, evitando, se possono, di lavarsele. Poi se le mettono in bocca. Vivendo insieme ad altri, ancora di più. Può capitare così che ingeriscano uova di vermi, i quali poi si moltiplicano nell'intestino del ragazzetto. I più comuni sono gli *ossiuri*. Sono vermetti piccolini, lunghi un centimetro o anche meno, e li si vede muoversi nelle feci del bambino infetto.

E' una scoperta, quella dei "vermi", che spesso manda in crisi i genitori. Ma non è il caso di preoccuparsi troppo. Gli ossiuri infatti sono praticamente innocui. Forse il sintomo più frequente prodotto da questi non graditi ospiti è il prurito anale. Succede talvolta che il bambino si gratti furiosamente, fino a provocarsi delle piccole lesioni, le quali possono essere invase da germi. Questo è il pericolo più temibile, perché un'infezione della regione anale è sempre una cosa dolorosa e non semplicissima da curare, specie in un bambino piccolo. Inoltre, grattandosi, il ragazzino si riempie le mani di uova, cosicché se poi si porta le mani alla bocca ingerisce un altro carico di materiale infettante e prolunga la malattia.

Sono da ricordare quattro cose:

1. che gli ossiuri escono dall'intestino, attraverso l'ano, specialmente di notte. Le lenzuola sono quindi un veicolo importante di contagio

2. che le uova degli ossiuri sono piuttosto resistenti, durano abbastanza a lungo nell'ambiente, vive e vitali, e quindi è facile che i familiari vengano infettati toccando il letto o gli indumenti del bambino

3. che ci sono degli individui che portano gli ossiuri dentro di sé e li distribuiscono intorno a sé, ma non presentano alcun sintomo e quindi non sanno di essere infetti. Però sono contagiosi

4. che l'infestazione da ossiuri può durare molto a lungo, eventualmente scomparire per un certo periodo di tempo e poi ricomparire. E questo sia perché i vermi sono duri a morire, sia perché ci sono i portatori sani non individuabili, sia perché le uova si spargono dappertutto, per terra, nel letto, negli indumenti, sui cibi, eccetera, sia perché come abbiamo visto, il bambino può continuare a reinfettarsi da solo.

Ci sono delle medicine, che vengono somministrate in una dose unica, capaci di paralizzare completamente gli ossiuri. Questi vengono poi eliminati con le feci e muoiono. Se il medico lo ritiene necessario, la stessa dose può essere ripetuta dopo una quindicina di giorni. La cosa più importante resta comunque la prevenzione, e cioè il *lavarsi le mani*. Spesso. E comunque sempre dopo aver toccato persone o cose sospette, come la terra, la biancheria da letto, gli apparecchi igienici, gli animali, eccetera.

Ottavo Capitolo

L'ETÀ DELLA SCUOLA
da sei a tredici anni

1. DIVENTA UN LAVORATORE

L'inizio della scuola cambia tutto, una volta ancora, nella vita di vostro figlio. Ora egli entra nella mentalità e nella rassegnata accettazione del lavoratore « che timbra il cartellino ». Se ha già frequentato la scuola materna le cose saranno certamente più semplici per lui: avrà l'abitudine di adattarsi a un ritmo di vita, troverà naturale alzarsi al mattino a una determinata ora, uscire di casa, ritornarci in un preciso momento della giornata, disporre di tanto tempo per giocare, tanto per andare a passeggio e tanto per mangiare, andare a dormire presto alla sera, eccetera. Ma, comunque, d'ora in poi tutto sarà diverso: orari più rigidi, minore disponibilità di tempo per ogni cosa, incombere di impegni, di doveri e di responsabilità, imposizioni più severe, possibilità di castighi e rappresaglie in caso di infrazioni alle regole stabilite. Per alcuni ragazzi tutto questo non costituisce un gran problema, ma per altri sì. E per questi ultimi la giornata di scuola può veramente diventare una ininterrotta serie di piccole e grandi ansie.

Fino al primo giorno di scuola vostro figlio si svegliava con comodo, mangiava con comodo, andava a letto con comodo, faceva tutto con comodo. Ora fa tutto di fretta: salta giù dal letto all'ultimo momento, si veste (o si fa vestire) alla bell'e meglio, corre fuori di

503

casa col panino in mano, trascorre un numero predeterminato di ore e minuti a scuola, ritorna a casa, mangia in un tempo programmato, gioca per un periodo programmato, fa i compiti secondo direttive programmate, deve dormire, e quindi essere còlto dal sonno, in un momento programmato. È diventato una vittima della programmazione.

Inevitabile, direte voi. Ci siamo passati tutti, direte ancora. Non si può fare diversamente, direte infine. Giusto. Ma ciò non toglie che per il ragazzino questa serie di attività prefissate dalla volontà dei grandi possa rappresentare in complesso una bella seccatura. Anzi una crisi.

1.1. Chi è lo scolaro

La sua mente

Se vi ho parlato dell'inizio della scuola come di una crisi non è stato certo per spaventarvi, ma solo per convincervi, posto che abbiate bisogno di esserne convinti, che per vostro figlio si tratta di un passo molto serio. In realtà lui, il bambino, non va incontro alla vicenda scolastica come un piccolo essere inerme e sprovveduto. Si può dire anzi che proprio a quest'età, verso i sei anni, egli realizza progressi sbalorditivi e s'impadronisce di armi intellettuali e morali di formidabile potenza che gli permettono di fronteggiare, perfettamente agguerrito, la sua nuova condizione di lavoratore. Cercherò ora di dirvi che cosa succede dentro di lui.

Come ricorderete, il bambino credeva, a un certo momento della sua evoluzione, che tutte le cose fossero state « fatte »: le montagne erano state fatte per andarci sopra, il mare per i pesci e i bastimenti, gli alberi per gli uccellini, e così via. Ora egli ha elaborato una nuova teoria, quella della *trasformazione della materia*: niente è stato semplicemente fatto, ma ogni cosa viene da un'altra, per trasformazione appunto. L'aria si trasforma in nuvole, la terra si trasforma in albero, un pezzo di sole si è trasformato in luna, eccetera.

A questo primo passo verso l'interpretazione della realtà ne segue ben presto un secondo: verso i sette anni, secondo lo studioso svizzero Piaget, il bambino tende a pensare che tutte le cose siano fatte di piccolissime particelle. Se le particelle sono tante la cosa è più grossa e più pesante, se le particelle sono molto « attaccate » fra loro la cosa è solida, se lo sono meno è liquida, se esse si allontanano l'una dall'altra la cosa si scioglie, se si riavvicinano la cosa riprende forma, e via dicendo.

Da questa idea il bambino ne ricava una seconda, estremamente importante: la cosa non scompare mai, ma semplicemente può dissolversi nei granellini che la compongono. Questo significa che la materia, il peso e il volume *rimangono*, anche se la cosa non si vede più. Si tratta di una teoria che in termini filosofici potrebbe essere chiamata *atomismo*, in quanto la materia viene considerata come composta da *atomi*, cioè da particelle, da granellini, da polvere.

Ora fate attenzione: se ogni cosa è fatta di particelle che *rimangono* anche quando la cosa si è dissolta, ciò vuol dire che la cosa può essere ricostituita, e poi disfatta nuovamente e nuovamente rifatta. Non solo, ma la forma di una cosa si può trasformare in una forma diversa, per poi essere riportata, se si vuole, allo stato di partenza. Insomma, ogni cambiamento della realtà può *ritornare indietro*, ogni operazione è *reversibile*. E' una scoperta enorme: quello che vedo e tocco, osserva fra sé il bambino, non mi dà più nessuna garanzia. Non mi posso fidare delle apparenze: se sciolgo un cucchiaino di zucchero nell'acqua io non lo vedo più, ma le sue particelle ci sono ancora. Non è più il mondo che *vedo io* quello che conta, ma bensì il mondo delle particelle, delle unità *costanti,* che ci sono sempre anche quando sfuggono alla mia percezione.

Non so se sono riuscito a darvi un'idea del significato di tutto questo: per dirla in due parole, il bambino ha superato il proprio egocentrismo, si è accorto che l'universo è fatto in un modo completamente differente da quanto gli suggeriscono i suoi sensi, che esistono valori costanti, categorie di particelle, operazioni di composizione e di scomposizione. In breve, siamo alle soglie del *pensiero logico.* Il che vuol dire inoltre che il bambino è riuscito a *dissociare il soggetto dall'oggetto,* è riuscito a dissociare il suo io, i suoi punti di vista, le sue percezioni, dalle altre cose e dalle altre persone. Persone e cose che esistono indipendentemente da lui e dalle sue sensazioni. Il mondo non è più una sfera che ha lui, il bambino, come centro; ma è qualcosa in cui egli esiste, come tutti gli altri. Ciò significa infine che il bambino, ponendosi sullo stesso piano delle altre persone, può avere con queste persone dei *rapporti reciproci:* l'affetto che lui prova per un altro, un altro lo può provare per lui, l'informazione che lui dà a un altro, un altro può darla a lui, e così via.

A partire da questo momento l'attività mentale del bambino può ritenersi sostanzialmente identica a quella dell'adulto: lo scolaro è entrato in possesso dello strumento intellettuale che gli consentirà di percorrere a suo piacimento le strade della conoscenza. Pensateci un momento: solo un paio d'anni fa vostro figlio vi poneva delle domande impossibili, chiacchierava da solo con un suo fantastico linguaggio, viveva in un suo privato universo pieno di cose e situazioni illogiche, strane e assurde. Ora conduce dei ragionamenti logici, ricorda il passato e ne sfrutta le esperienze, stabilisce programmi coerenti per il futuro, anticipa avvenimenti con l'immaginazione, usa dei simboli (per esempio i numeri), è capace di impostare dei discorsi su argomenti astratti, come l'amicizia, la legge, la pace, la sincerità, eccetera. Non solo, ma poiché l'attività della mente è una specie di reazione a catena che più si sviluppa e più accelera la propria evoluzione, d'ora in poi il ragazzino accumulerà conquiste su conquiste: il suo lavoro intellettuale diventerà sempre più organizzato ed efficiente, il suo interesse si allargherà anche ad argomenti che non lo toccano personalmente ma che riguardano l'intera umanità, la sua personalità sarà sempre più aperta verso lo scambio di idee, la comprensione delle idee altrui e la discussione dei punti di vista di tutti, il suo modo di concepire le cose sarà sempre meno frammentario e limitato, così che un po' per volta non si porrà più il problema di come procurarsi un gelato o delle matite a colori, ma più razionalmente si porrà il problema di procurarsi dei soldi con cui comperare quello che vuole.

E' chiaro che una « rivoluzione mentale » di così vasta portata non mancherà di farsi sentire nel campo che interessa di più alla maggioranza dei genitori: *l'imparare*. Disponendo di una capacità di ragionamento maggiore, di un modo di pensare più coerente e di più grandi facoltà di ricordare e di prevedere, il bambino potrà ovviamente imparare di più e meglio. Non bisogna però cadere nell'errore di credere che lo scolaro impari semplicemente perché gli si insegna qualcosa. L'insegnare, contrariamente a quello che molti ancora pensano, non produce automaticamente l'imparare. L'insegnamento, da solo, non basta; passa sul bambino come l'acqua su uno specchio, senza lasciare tracce permanenti. Se voi insegnate a vostro figlio la storia della vostra città a furia di nomi e date, quasi certamente domani mattina lui avrà già dimenticato tutto o quasi tutto; ma se lo portate a vedere la casa più antica, se gli mostrate il ritratto del fondatore della città stessa, se gli raccontate che dove adesso lui va a scuola una volta c'era un castello, allora qualcosa certamente ricorderà. Accanto all'insegnamento occorre dunque l'*esperienza*, un'esperienza personale del bambino, occorrono degli elementi che lui possa percepire coi suoi sensi e che riguardino eventualmente lui stesso, la sua famiglia, la sua vita. Secondo lo studioso Brunner, infatti, i bambini ricordano:

☐ il venti per cento di ciò che ascoltano

☐ il trenta per cento di ciò che vedono

☐ il cinquanta per cento di ciò che vedono e ascoltano

506

- [ ] il settanta per cento di ciò che ascoltano e che li diverte
- [ ] il novanta per cento di ciò che viene contemporaneamente detto e *fatto* davanti ai loro occhi.

Cioè: se voi *insegnate* semplicemente dieci cose al vostro bambino, lui ne ricorderà due; se invece voi *fate* dieci cose, e facendole le spiegate, il piccolo le ricorderà tutte o quasi. Perché le ha sperimentate, le ha viste fare, *ha partecipato* in qualche modo all'insegnamento. Lo stesso ricercatore è riuscito inoltre a stabilire questi dati:

metodo di insegnamento	cose ricordate dal bambino	
	dopo 3 ore	*dopo 3 giorni*
spiegazione a voce	7 su 10	1 su 10
spiegazione di figure	8 su 10	6-7 su 10

Come ben potete vedere, al bambino la sola spiegazione a voce, vale a dire l'insegnamento tradizionale, non serve molto: dopo tre giorni ha dimenticato ogni cosa. L'esperienza visiva invece gli *stampa* nella mente l'informazione ricevuta, quando gli venga spiegata a voce. E, del resto, non è la medesima cosa anche per gli adulti? Ecco perché la storia, insegnata come di solito la si insegna, riesce tanto difficile allo scolaro. Che cosa volete che gliene importi delle Idi di Marzo o del pontificato di Avignone? Queste pennellate storiche, dette così, senza nessun aggancio con la realtà, sono per lui delle parole vuote e del tutto indifferenti. Perciò praticamente impossibili da ricordare. Ma provate a interrogare un individuo che, da bambino, abbia seguito alla televisione il primo sbarco sulla Luna: probabilmente vi dirà tutto, nome e cognome del primo astronauta che ha messo piede sul suolo lunare, ora dell'allunaggio, nome in codice del veicolo spaziale, e persino il numero dei gradini della scaletta dalla quale Armstrong è sceso sul Mare della Tranquillità. Voglio dire con questo che le capacità del bambino sono davvero enormi, talvolta impressionanti, e che sono i nostri metodi di insegnamento a doversi adeguare alle caratteristiche della mente umana, e non la mente ai metodi di insegnamento. Perché l'occhio ci veda occorre la luce, e non si può certo pretendere che sia l'occhio ad adattarsi alla visione nel buio più completo. Il bambino sta facendo passi da gigante, ma non li può fare se non gli diamo una strada su cui camminare.

Grandi progressi, dunque. Ma anche grandi contraddizioni. Un bambino che ha da poco conquistato la logica, si direbbe, non farà che studiarsi di inquadrare *logicamente* tutti gli aspetti del mondo che lo circonda. Il possesso di una nuova arma, si sa, è di per sé un invito a usarla. Invece no. Curiosamente, proprio in questa fase così « intelligente » della sua evoluzione il bambino si lascia prendere da suggestioni tutt'altro che logiche e razionali. Basta che un compagno gli dica autorevolmente che l'acqua fa crescere le rane nella pancia, ed egli rifiuterà con fermezza, anche per settimane, di bere acqua. Un ragazzo di dieci anni, che andò in villeggiatura in un luogo in cui si era svolta una famosa battaglia del risorgimento, per un mese intero bevve solo vino perché aveva sentito dire che l'acqua « conteneva ancora particelle di cadavere ». Insomma, nonostante il suo ingresso trionfale nel regno della razionalità, lo scolaro resta un credulone, pronto a prestare orecchio alle panzane più inverosimili.

Forse questo atteggiamento di accettazione indiscriminata per tutti i fenomeni del mondo materiale, anche per i più incredibili, corrisponde proprio a un bisogno del bambino di quest'età: il bisogno di sapere tutto, di conoscere tutto, di interpretare tutto circa l'universo fisico. Lo scolaro è uno « scienziato materialista ». Gli piacciono gli esperimenti di fisica, le combinazioni di sostanze, le scoperte nel regno della natura, le esplorazioni spaziali, i congegni, il funzionamento delle macchine, e così via. Mentre non gli interessa molto quello che c'è « dentro » all'uomo, le questioni della mente, dello spirito, della vita interiore. Non gli interessa nemmeno quello che c'è nella sua propria personalità. Egli non è portato in genere all'interpretazione, allo studio di se stesso. Può avere dei problemi, ma tende a risolverli « fuori », all'esterno: tende ad avere successo, per esempio, non ad avere la capacità di raggiungere il successo. E' il bel voto che conta, non la propria attitudine allo studio.

Questo non significa che il ragazzetto fra i sei e i tredici anni sia un noioso individuo che non stacca mai i piedi da terra. Tutt'altro. Ho detto che di norma egli non è incuriosito dai problemi psicologici, ma non ho detto che è incapace di allontanarsi dalla concretezza delle cose. Anzi, la sua fantasia galoppa. Egli immagina il proprio futuro, ne anticipa con la mente i piaceri e le soddisfazioni, spesso senza nessuna base ragionevole. Ma questo non è soltanto qualcosa di negativo: l'immaginare un successo lo spinge a darsi da fare per conseguirlo, l'immaginare una gioia mantiene viva in lui la speranza di raggiungerla, e quindi lo stimola. Naturalmente può accadere che le sue speranze vadano deluse, e questo può spiegare certe reazioni apparentemente esagerate di un bambino al quale sia negata una qualsiasi cosa. Se egli aveva pregustato con l'immaginazione un certo divertimento, se era vissuto per giorni e giorni in attesa di quella gita o di quello spettacolo godendoselo dentro di sé, il frantumarsi del suo sogno sarà tremendamente duro da digerire. E la sua reazione a un imprevisto divieto potrà essere di una violenza inaudita. Per contro, l'immaginazione può compensare il bambino delle sue delusioni regalandogli un mondo fantastico, nel quale tutto gli va bene ed egli è eroe potente e temuto, genio creatore, personaggio brillante e invidiato da tutti. Specialmente verso i dieci anni questi « sogni a occhi aperti » hanno gran parte nella vita di un ragazzo, e possono essere il punto di partenza di iniziative anche assai valide, di nuovi interessi e di impegni molto seri.

Queste due caratteristiche dello scolaro, e cioè l'amore per la conoscenza dell'universo fisico da un lato, e la sfrenata immaginazione dall'altro, si riflettono inevitabilmente sulle sue letture. I ragazzi leggono qualsiasi cosa, purché non sia « sdolcinata », e cioè non si dilunghi sui « drammi dell'anima »: leggono libri di divulgazione scientifica, di viaggi, di esplorazioni, di avventure, di fantascienza, di pirati, di pionieri, polizieschi, storici, astronomici. Le ragazze invece, pur non rifiutando la letteratura tradizionalmente ritenuta « maschile », cominciano assai prima dei loro coetanei a occuparsi anche della mente e dello spirito umani. L'epoca dei romanzetti « rosa » per fanciulle, grazie al cielo, è tramontata da un pezzo; i sentimenti « d'appendice », con tragedie della gelosia, amori disperati e contrastati e cuori più o meno spezzati, non si usano più. Ma le scolare si occupano della persona umana sotto ben altre prospettive: leggono il Diario di Anna Frank, i libri di don Milani, quelli di Danilo Dolci, il diario di Che Guevara, i romanzi di Levi e quelli di Bassani. In una prima media di una scuola pubblica alla periferia di Milano, *tutte* le allieve avevano letto il Diario di Anna Frank, mentre *nessuno* degli allievi maschi lo conosceva.

Una cosa sola è sicura: noi adulti non ci rendiamo conto di quanta strada abbiano fatto e stiano facendo i nostri figli. Pretendiamo di dire loro: leggi questo e non quello, questo ti servirà e questo no, questo ti piacerà e quest'altro ti annoierà. Ebbene, sapete una cosa? Anni fa un gruppo di apposite commissioni selezionò negli Stati Uniti un certo numero di libri « adatti » ai ragazzi: fu un fallimento. Dei libri « adatti » ben pochi furono accettati dai giovani lettori, alcuni furono senz'altro respinti. Noi non sappiamo e non possiamo sapere. Per il semplice motivo che i nostri figli vanno avanti più velocemente di noi.

Il linguaggio

L'« avanzata mentale » che il bambino comincia verso i sei anni corrisponde a un'ulteriore evoluzione del suo linguaggio. Ora che egli ragiona di più, pensa di più, prevede, ricorda, programma, pianifica, immagina, ora ha una maggiore necessità di comunicare coi compagni e con gli adulti. Il monologo va definitivamente scomparendo. Quando lo scolaro parla, egli parla di solito per trasmettere il suo pensiero agli altri. Secondo lo studioso Piaget, che ho già ricordato, la grande svolta nel linguaggio del bambino si verifica verso i sei-sette anni: « a partire da quest'età », afferma l'insigne ricercatore, « i bambini cercano di realizzare un migliore scambio e una migliore comprensione reciproca ». Non bisogna dimenticare però che Piaget scriveva circa mezzo secolo fa. Credo che oggi le cose stiano diversamente; credo cioè che anche nel linguaggio, come in molti altri campi, il bambino evolva più rapidamente. Non saprei dire *quanto* più rapidamente. Ma vedendo ogni giorno dei bambini, e parlando ogni giorno con loro, ho avuto e ho l'impressione che già a sei anni essi usino un linguaggio perfettamente socializzato: *essi parlano per comunicare.*

Sta di fatto che a sei anni i bambini discutono fra loro e coi grandi. Questo è molto importante. Per discutere occorre avere degli elementi in comune sui quali, appunto, discutere. Non si può portare avanti un discorso se si hanno concezioni differenti sulla natura degli argomenti trattati. Se due bambini, supponiamo, discutono sulle virtù dell'eroe di una storia a fumetti, essi dovranno mettersi d'accordo sul concetto di *virtù*. Per uno la virtù potrebbe identificarsi con la prepotenza e l'aggressività, per l'altro con la cortesia e la generosità. E' abbastanza chiaro che con queste premesse non sarà facile che i due arrivino a una conclusione qualsiasi. Però a un risultato ci arriveranno: ciascuno dei due si renderà conto che, per discutere, bisogna prima chiarirsi le idee, raggiungere una certa uniformità di concetti, dare una certa sistemazione alle proprie opinioni. La discussione impone quindi la *riflessione*. Una volta tanto, possiamo proprio dire che sono le parole che contano, e non i fatti: le parole, lo scambio di parole, la chiarificazione delle parole, l'uso delle parole. La parola, lo sappiamo, è il veicolo del pensiero. Ed è un veicolo che ha bisogno di un lungo rodaggio. In verità, non lo si usa mai abbastanza. E pensare che noi adulti qualche volta ci irritiamo quando sentiamo due bambini discutere fra loro!

Le emozioni

Ritorniamo adesso a guardare « dentro » al bambino che va a scuola.

Abbiamo parlato prima della sua mente, del suo pensiero.

Parliamo ora delle sue emozioni.

L'emozione principale resta sempre la *paura*. Ma una paura diversa, una paura che potremmo chiamare « sociale ». Certo, il bambino può provare ancora timore davanti a un cane che ringhia, o quando si trova da solo in un luogo buio e misterioso, o al cospetto di un personaggio dall'aspetto poco rassicurante. Ma la sua paura principale nasce dall'idea di non essere in grado di affrontare certe situazioni, o di essere circondato da un ambiente sfavorevole, nemico, maldisposto verso di lui, infido e minaccioso. O da entrambe le cose. Si tratta quindi di una paura basata sostanzialmente su un'insicurezza dei suoi rapporti con gli altri. Più che di paura, forse, si potrebbe parlare di *ansia*.

Lo scolaro è frequentemente perseguitato dal terrore di fare brutte figure, di essere antipatico, di essere respinto dai compagni, di essere deriso, di prendere brutti voti, di essere bocciato, di essere umiliato dall'insegnante. Certi bambini, anche intelligenti e preparatissimi, non aprono bocca davanti al maestro per timore di dire qualcosa di sbagliato; altri non osano giocare a palla nel dubbio di apparire maldestri; altri passano notti insonni e si augurano la morte perché non sono riusciti a ultimare i compiti per il giorno dopo.

Quando l'ambiente che circonda il bambino provoca in lui un aumento notevole dello stato d'ansia, egli tende a reagire in uno di questi tre modi:

1. la paura di entrare in conflitto con gli altri, di essere disapprovato o di essere respinto, spinge il piccolo a una *resa incondizionata*: egli è disposto a tutto pur di compiacere gli altri. Rinuncia ai propri gusti, alle proprie aspirazioni, alle proprie esigenze; si rassegna a subire qualsiasi cosa « per amor di pace »; diventa un piccolo servitore obbediente, rispettoso, sollecito, premuroso. E così, un po' per volta, smantella letteralmente la propria personalità

2. per evitare scontri e dispiaceri il bambino si ritira in se stesso. La *indifferenza* diventa la sua legge. Lascia che il mondo vada per i fatti suoi, purché non disturbi il suo « splendido isolamento ». I problemi altrui non lo toccano, il senso della simpatia, della solidarietà, della comprensione, muore in lui. E così diventa il « bambino in grigio », che sarà domani l'« uomo in grigio », staccato dal suo ambiente sociale, soddisfatto delle sue piccole personali conquiste di livello puramente materiale

3. il bambino rifiuta ogni forma di rassegnazione, e la sua stessa paura lo induce al coraggio. Egli affronta l'ambiente ostile e cerca di sopraffarlo. Sviluppa pertanto in se stesso una forma di *aggressività*, e assume un atteggiamento di perenne sfida. Entra in competizione con tutti, si considera rivale di tutti, cerca con qualsiasi mezzo di dominare tutti. Probabilmente imboccherà la strada buona per diventare uno sfruttatore e un astuto dittatore.

☐ La *noia* rappresenta un secondo frangente per un ragazzino in età scolare. Il bambino, come del resto anche l'adulto, ha bisogno di imprevisti, di piccole avventure, di qualche avvenimento che rompa la monotonia della sua vita. Perché la vita della scuola, specie della scuola di tipo tradizionale, è per la verità spaventosamente monotona. E un'esistenza sempre eguale finisce col far sì che il bambino cominci a riflettere su se stesso. Ma questo, di solito, non gli piace. Facilmente egli può trovare nella propria personalità dei conflitti, dei rimorsi, dei sensi di colpa, dei rancori, dei sentimenti negativi prodotti in lui da un insegnante poco comprensivo o da genitori troppo duri ed esigenti o da compagni antipatici. Così lo spettacolo del proprio io, travagliato e deluso, lo disturba; ed egli cerca distrazioni, qualunque tipo di distrazione, dall'incidente stradale all'incendio della casa accanto, dalla rottura di un rubinetto che allaga l'appartamento a uno scontro fra dimostranti e polizia. Tutto gli va bene, pur di interrompere il suo insopportabile tran-tran.

□ La *gioia*, viceversa, sembra diventare meno frequente e meno intensa man mano che il piccolo progredisce nella sua carriera scolastica. Fino a un certo punto questo è ben comprensibile: il mondo, per lui, è diventato più un cumulo di doveri, di obblighi, di compiti e di legami che non un meraviglioso universo da scoprire. E' di comune osservazione il fatto che un bambino di sei anni ride meno di uno di cinque. E, se ride, lo fa spesso per recitare una parte, per suscitare l'ilarità e quindi l'approvazione degli altri, e non tanto perché lui sia veramente felice. Comunque, non voglio certo dire con questo che un bambino in età scolare sia sempre scontento e tormentato. Anche lui ha i suoi momenti di gioia genuina. Specialmente quando può appagare il suo desiderio di azione e di conoscenza, quando si rende conto di certe sue capacità, quando riesce a misurare le proprie forze, quando supera determinate difficoltà, quando trova validi argomenti per avere stima di sé. In breve, quando trova modo di affermare la propria personalità.

Il sesso non è più un problema?

Molto spesso, quando un bambino comincia la sua carriera scolastica, i genitori si accorgono che i problemi sessuali sembrano passare in secondo piano o addirittura scomparire. E di solito prendono atto di questo apparente disinteresse con un senso di sollievo: non più domande imbarazzanti, non più giochi « del dottore », non più curiosità « morbose ». In effetti, comincia verso i sei anni quello che viene definito il « periodo di latenza » sessuale. Il fenomeno è abbastanza facilmente spiegabile: i problemi di fondo, quelli per esempio riguardanti la provenienza dei bambini e il rapporto fra femmina e maschio, hanno già avuto in un modo o nell'altro una risposta;

l'« amore » del maschietto per la mamma e della bimba per il papà, cioè il complesso di Edipo, è stato sostanzialmente superato; e con esso sono stati superati tutti gli angosciosi interrogativi sull'« aggressione » del papà verso la mamma, sulla « rivalità » fra mamma e bambina per il possesso del papà, eccetera; le più grandi emozioni legate al sesso vengono in parte cancellate dalle nuove conquiste e dai nuovi interessi, sia sociali che scientifici, resi possibili dall'evoluzione della mente e dalla vita comunitaria della scuola. Lo scolaro, tutto sommato, sembra avere ben altro da pensare. Il sesso pare quasi che abbia cessato di esistere per lui.

Ma è proprio così? A giudicare dal comportamento degli scolari fra i sei e i dieci anni si direbbe senz'altro di sì. I maschi preferiscono avere a che fare coi maschi, e le femmine con le femmine. E se un maschio gioca con delle bambine non bada affatto al loro aspetto fisico, al loro abbigliamento, ai loro vezzi. Non solo, ma preferisce di gran lunga giocare con una donna adulta, la quale ovviamente può collaborare con lui più efficacemente e aiutarlo meglio di quanto non possa fare una sua coetanea.

Questo appare dal modo di fare del bambino. Ma sotto la mascheratura delle azioni visibili il « fuoco del sesso » arde sempre. Molti ritengono che il cosiddetto periodo di latenza in realtà non esista e che si tratti di una interpretazione superficiale dei comportamenti del ragazzino o, peggio, di una invenzione dell'adulto che avrebbe lo scopo inconfessato di mettere tranquilli i genitori, gli insegnanti, e gli educatori in genere. Mi sembra che questa ipotesi sia da prendere in seria considerazione: la « latenza » verosimilmente non c'è. Gli interessi sessuali permangono vivi e potenti nel bambino di età scolare, anche se « dal di fuori » se ne vedono poco i segni. Anche se lo scolaro sembra assorbito da preoccupazioni che nulla hanno a che fare col sesso.

Verso i dieci anni, o poco prima, le cose cominciano però a cambiare: la consapevolezza del proprio sesso si fa sempre più evidente, specie nelle ragazze. Le femmine di quest'età mostrano di gradire la compagnia dei maschi, o almeno *anche* la compagnia dei maschi, soprattutto se riescono a ottenere da loro qualche testimonianza, sia pure primitiva e grossolana, di omaggio e di devozione. D'altra parte, esse rivelano sempre più chiaramente di risentire delle convenzioni sociali: evitano di trovarsi sole in un gruppo di maschi, e detestano ogni contatto fisico coi compagni. I maschi, dal canto loro, cominciano a fare i « galletti », si pavoneggiano davanti alle loro compagne e non di rado si abbandonano a iniziative di tipo scherzosamente aggressivo, come pizzicotti, solletico o simili, che secondo il codice italico del perfetto conquistatore sono non soltanto ammissibili, ma addirittura encomiabili. Alla fine delle scuole elementari e all'inizio delle medie l'epoca di latenza sta dunque per tramontare. Il sesso ritorna timidamente alla ribalta.

Il comportamento

Com'è questo personaggio, ragionatore ma un po' sempliciotto, materialista ma fantasioso, ansioso e protervo, filosofo e vanesio, provocatore, scostante, curioso e sognatore? Com'è questo scolaro? Com'è vostro figlio in questo periodo che va dai sei ai tredici anni? Certe volte, anzi molto frequentemente, non è facile capirlo. Egli ha sempre bisogno della vostra presenza, del vostro appoggio e del vostro aiuto, su questo non c'è alcun dubbio. Ma contemporaneamente egli si allontana da voi. Egli ha una sua nuova dignità che lo spinge, irresistibilmente, verso l'indipendenza. Intendiamoci: come ho detto ripetutamente, il bambino ha sempre, a tutte le età, una dignità da difendere, una personalità che cerca di proteggere contro le varie sopraffazioni dei grandi. Ma ora che si è inserito nel suo ambiente di lavoro, nella scuola, ora che ha dei compiti da svolgere, un preciso posto nella sua società, degli impegni e delle responsabilità, ora che ha dei rapporti sociali stabili e ben definiti, il bambino ha una dignità diversa, più consapevole e decisa. Con l'andare a scuola il bambino sa di assumersi dei doveri; in cambio, vuole che gli siano riconosciuti dei diritti. E fra questi diritti ci sono il rispetto, la considerazione, l'eguaglianza coi grandi, la libertà. L'essere sbaciucchiato in pubblico, come un cagnolino da salotto, lo infastidisce terribilmente. L'accettare per buone tutte le opinioni dei genitori gli riesce praticamente impossibile. Ora egli ha, o crede di avere, le *sue* opinioni.

In realtà lo scolaro non dispone ancora di sufficienti risorse personali per poter impostare la propria vita in modo assolutamente indipendente, senza alcun suggerimento da parte di quelli più grandi di lui. Però è rilúttante ad ammetterlo, e in ogni modo non vuole che siano sempre e solo i genitori a dargli delle direttive, delle indicazioni e degli orientamenti. Così presta più volentieri orecchio al parere di altri, di amici già adolescenti per esempio, o di qualche insegnante. Non dovete stupirvi di questo, né sentirvene offesi. I genitori restano sempre i genitori, ma non è detto che essi debbano rimanere per sempre anche gli unici modelli da seguire. Un papà brillante, comunicativo, genialoide ed estroso può avere un figlio riflessivo, chiuso, « quadrato » e freddo ragionatore; e l'ideale del figlio, l'esempio da seguire, prima o dopo cesserà inevitabilmente di essere il papà per diventare Galileo o Einstein, o più semplicemente il professore di matematica. E così la figlia di una mamma bonaria, tollerante e soddisfatta potrà essere una ragazzetta inquieta, ribelle e contestatrice, che troverà il proprio ideale in Carlotta Corday o in Simone de Beauvoir. E' naturale che sia così. Con l'estendersi dei propri interessi e col consolidamento della propria personalità il ragazzo fa delle scelte indipendenti; e guai se ciò non accadesse. Per tradurre il fenomeno in cifre, si ritiene che all'età di sette anni un bambino su tre consideri ancora il papà o la mamma come il proprio ideale, mentre all'età di dieci anni nove ragazzi (o ragazze) su dieci troverebbero la figura ideale in un personaggio della storia passata o contemporanea, e comunque fuori della famiglia. E se per caso il ragazzo conserva delle idee corrispondenti a quelle dei genitori, egli esita ad ammettere che tali idee vengano proprio dalla madre o dal padre e preferisce considerarle come idee sue. Il che dopo tutto è un bene, se si tratta di idee sane e giuste.

Questa ennesima guerra di indipendenza che il bambino conduce, spesso avvilito quotidianamente dall'incomprensione degli adulti, fa crescere smisuratamente dentro di lui un sentimento forse non del tutto nuovo, ma nutrito di una nuova potenza: l'*orgoglio*. Lo scolaro è spesso orgogliosissimo. Davanti a un mondo che tende a sminuire la sua figura di lavoratore e a sottovalutare i suoi sforzi, egli cerca con ogni mezzo di affermare e di valorizzare se stesso, di giustificare il proprio comportamento, di difendere la propria dignità e il proprio prestigio. Se si sente grossolano, scortese e aggressivo, il ragazzo cerca di stuzzicare gli altri in modo che la loro reazione possa rendere logica e accettabile la *sua* reazione; se si accorge di non valere che poco o nulla in fatto di agilità, robustezza e prestanza atletica, cerca disperatamente di polverizzare i compagni nel profitto scolastico; se si considera poco spiritoso e poco simpatico, si vanta di ogni più piccola manifestazione di stima e di simpatia che riesce a raccogliere, nella illusione di essere dopo tutto molto più gradito agli altri di quanto non si possa pensare; se sa di essere bugiardo, si sforza di sviare il giudizio altrui facendo gran mostra di lealtà e di intransigenza morale; se qualcuno lo critica per certi suoi difetti, attribuisce immediatamente la critica stessa a un deliberato malanimo nei suoi confronti; se commette degli errori, fa di tutto per addossarne la responsabilità alle circostanze, agli insegnanti o ai compagni; al limite, se non gli rimane altra difesa, egli si rifiuta semplicemente di ascoltare l'osservazione o il rimprovero che potrebbero intaccare la sua « onorabilità ».

Tutto ciò può anche sembrare antipatico e fino a un certo punto persino disonesto, ma non si può dimenticare quale sia la condizione da cui questo tipo di comportamento salta fuori: durante il periodo della scuola il ragazzo è profondamente, vorrei dire angosciosamente impegnato nel creare la propria figura sociale, nel consolidare la propria identità. Non è una cosa tanto semplice. E molto dipende dal carattere. C'è il tipo sicuro di sé, baldanzoso e intraprendente che affronta ogni cosa con allegra disinvoltura, che si ritiene all'altezza di qualsiasi situazione, che si butta in ogni prova con noncuranza e ottimismo; egli può avere molta fiducia in se stesso per aver conseguito dei successi notevoli in diversi campi, e quindi non gliene importa nulla se fa una magra figura in qualche particolare attività, da lui considerata marginale; oppure può essere un tipo deciso, ben determinato a imparare quella certa cosa, a costo di qualsiasi smacco; oppure può aver bisogno di rassicurare se stesso attraverso la dimostrazione delle proprie capacità in qualsiasi attività. C'è invece il tipo timido, terrorizzato dall'idea che gli altri lo giudichino goffo e incapace, e che quindi non fa niente se non è perfettamente sicuro del fatto suo; un ragazzo del genere può covare in fondo al cuore la paura degli altri, di tutti gli altri, e la convinzione di dover continuamente difendere la propria dignità e il proprio decoro contro una società che sostanzialmente gli è nemica; ma può anche trattarsi di un individuo molto equilibrato e ragionatore che non vuole esporsi inutilmente al ridicolo e che affronta ogni impresa con la ferma determinazione di raggiungere un certo livello di abilità prima di esporsi alla critica altrui. Tutte queste varietà di carattere si traducono ovviamente in altrettanti tipi di comportamento, in differenti modi di affermare la propria identità e di configurare la propria personalità. E non è detto che nel corso di queste varie battaglie il ragazzo riesca sempre a essere simpatico, coerente e sincero. Anzi, lo sforzo costante di autodeterminarsi, potremmo dire di « creare un nuovo se stesso », lo può portare a usare espressioni e modi che non vanno affatto d'accordo col nostro concetto di « buona educazione » e di correttezza: egli può diventare sfrontato, spaccone, bugiardo, violento, sarcastico, villano e seccatore.

Eppure, proprio in questo periodo, verso gli otto anni, nel ragazzo si sviluppa un senso morale straordinariamente rigido, una specie di moralismo che lo perseguita col terrore di commettere chissà quali crimini. In realtà, non sa bene neppure lui quali crimini. Ma egli è continuamente sotto l'impressione che ogni suo gesto, anche il più insignificante, possa provocare spaventose catastrofi. Arriva al punto da ritenere che la sorellina non guarirà dall'influenza, e ne morrà, se lui non percorre quel certo tratto di strada con un preciso numero magico di passi, per esempio sette volte sette più sette, o tre alla terza più nove più tre, e così via; oppure resta convinto, al di là di ogni buon senso, di dover toccare tutte le pietre dispari di quel dato muro, pena la bocciatura a fin d'anno; oppure ancora pensa di doversi lavare le mani tre volte di seguito a determinate ore, altrimenti cadrà ammalato di qualche orrenda infezione. E' impossibile immaginare tutte le stravaganze alle quali un ragazzo può abbandonarsi in questo periodo di superstizione moralistica. Il mondo, per lui, diventa una specie di pallottoliere sul quale si debbono assolutamente ripetere le medesime operazioni con un ritmo minuziosamente prestabilito; un pallottoliere dal quale dipende il destino del ragazzo stesso, della sua famiglia e del mondo intero.

In un mondo così schematico, e che va manovrato con tanta

meticolosa precauzione, non è difficile che il ragazzo arrivi inconsapevolmente a ritualizzare certi movimenti, a farne delle minuscole e rapidissime cerimonie che si fissano nel suo comportamento e che diventano i famosi *tic*. Il fenomeno, naturalmente, è più frequente nei soggetti ansiosi. I tic possono prendere il via da una qualsiasi piccolezza, da un'irritazione della congiuntiva che provoca lo sbattere delle palpebre, da un po' di mal di gola che produce la tosse, da una giacca nuova che richiede un certo movimento delle spalle per essere indossata, da un prurito in testa che richiede una grattatina; e poi lo « schiacciare gli occhi », il colpetto di tosse, l'alzata di spalle e il grattarsi in testa diventano dei gesti quasi inevitabili, poi « doverosi », poi automatici. Ed ecco i tic. I quali aumentano per intensità e frequenza tutte le volte che il ragazzo è agitato, o irritato, o innervosito, e possono sostituire le esplosioni di collera o le manifestazioni di dispiacere.

Un personaggio curioso e sconcertante dunque, questo scolaro. Ma comprensibile, se ci si dà la pena di comprendere il suo mondo.

1.2. Il mondo dello scolaro

Che cos'è la scuola

Il mondo dello scolaro, cioè la scuola, dovrebbe fornire a tutti i bambini e ragazzi quel minimo di istruzione sul quale ciascuno di essi possa poi costruire la propria personale cultura, e che servirà a ciascuno di essi come base per inserirsi nella società moderna. Ma questo, di istruire, è un compito secondario. Il principale è quello di dare agli scolari una *coscienza civile*, di dare loro l'opportunità di imparare a vivere insieme, in un clima di reciproco rispetto. La scuola, per essere precisi, *dovrebbe* essere questo. O almeno dovrebbe esserlo da quando è stata istituita l'attuale « scuola dell'obbligo », vale a dire dal 1963. In questo senso si sono espressi gli uomini politici responsabili, i quali, secondo il rapporto del Comitato Regionale per la Programmazione economica della Lombardia (1970), « ...antepongono il problema della socializzazione del preadolescente come compito inderogabile della scuola dell'obbligo ». Nello stesso rapporto si legge che la scuola va « intesa come una compartecipazione, una cogestione fra tre soggetti partecipanti: insegnanti, famiglia e studenti ». Più semplicemente, si potrebbe dire che la scuola è *dello scolaro*, e che nel farla funzionare egli è assistito dai genitori e dagli insegnanti.

Le autorità competenti in campo scolastico, a cominciare da quelle ministeriali, pare si comportino come se la scuola fosse una fabbrica di pistoni. Con la differenza che la fabbrica dovrebbe essere efficiente, e la scuola non occorre che lo sia. O meglio, ognuno pretende dalla scuola un'efficienza diversa. Lo stato pretende il rispetto della burocrazia, cioè l'efficienza dell'inefficienza. L'industria vuole lavoratori qualificati e dirigenti di alto livello, e quindi aspira all'efficienza tecnologica. I genitori mirano al successo scolastico, e in seconda battuta al successo sociale del figlio, e quindi badano all'efficienza dell'insegnamento. Tutti vogliono l'ordine, la disciplina, l'obbedienza, la sottomissione. Insomma si direbbe che alla scuola si pensi come a un luogo dove si deve imparare a *fare* qualcosa, più che a un posto dove si possa imparare a *vivere* con gli altri. Il che non va molto d'accordo con la ragione e col buon senso, e nemmeno con la legge.

Diciamolo allora una volta di più, e il più chiaramente possibile: a scuola non ci si va tanto per imparare, quanto per sviluppare le proprie attitudini a vivere in comunità. Il primo scopo della scuola è la *socializzazione*.

Che cos'è la socializzazione

Prendiamo un gruppo di bambini che lavorino insieme: uno è più bravo a disegnare, un altro a modellare personaggi d'argilla, un altro a scrivere, un altro a costruire palazzi coi cubi di plastica, un altro a leggere, un altro a fare qualunque cosa e un altro a non fare niente tranne che a giocare a palla. Ognuno di questi piccoli personaggi impara poco a poco ad apprezzare le abilità altrui: il costruttore si rivolge allo scultore per popolare di re e di dame i suoi castelli, il pittore si rivolge al letterato per farsi leggere una storia, il meno bravo si appoggia al più bravo, tutti giocano volontieri alla palla col « campione ». Di qui nasce un secondo tipo di apprezzamento: quello delle qualità interiori. Un bimbo pasticcione che coi suoi pennarelli riesca soltanto a fare delle macchie, potrà trovare molto simpatico e generoso il compagno pittore che gli dà una mano; lo studioso sedentario e maldestro potrà trovare magnanimo e cortese il calciatore che lo ammette nella sua squadra; il più grande potrà sentire l'impulso a difendere il più piccolo e a diventargli amico; e così via. Nasce in tal modo una reciproca valutazione delle doti, delle buone e cattive qualità, delle virtù e dei difetti, nonché delle esigenze di ciascuno. E ogni bambino impara a rispettare l'altro, o almeno a tener conto della sua esistenza, dei suoi desideri e dei suoi bisogni.

Dal reciproco rispetto scaturisce inevitabilmente un tipo di *morale* che è nuovo per il bambino: egli sente che per vivere insieme è necessaria qualche regola, e contemporaneamente si rende conto che questa regola non può essere tutta a suo vantaggio e a svantaggio altrui. Il piccolo, come ho detto, ha imparato a rispettare i compagni, quindi anche i loro diritti. La regola perciò deve essere *eguale per tutti*. E' un progresso rivoluzionario. Finora la regola era basata sull'atteggiamento dei genitori, discendeva da loro, come i dieci comandamenti da Dio. Ora la regola nasce *nel bambino*, come esigenza di rispetto verso i compagni. L'obbedienza, quella cieca inutile pericolosa « virtù » che tanti ancora sostengono e cercano d'imporre, è definitivamente superata dalla nuova morale dello scolaro.

A questo superamento, d'altronde, contribuiscono frequentemente gli stessi genitori e gli adulti in generale: è facile comportarsi ingiustamente con un bambino, rimproverarlo per errori involontari, per mancanze che non sono vere mancanze, per sbagli che non ha commesso o che ha commesso in buona fede, per dimenticanze o incidenti che possono capitare a tutti. E lo scolaro, che comincia a « ragionare », comincia anche a capire che una persona ingiusta non può pretendere di essere obbedita. Il mito dell'infallibilità degli adulti si sgretola sempre più, vacilla, si dissolve; e con esso si dissolve la loro autorità.

Ecco allora che lo scolaro si trova al cospetto di tre fenomeni: l'ingiustizia degli adulti, la mancanza di logica dell'obbedienza, la necessità del rispetto per tutti e quindi di una regola eguale per tutti. E' nato in lui il concetto di *giustizia*. E' nata in lui una morale nuova, una morale che potremmo definire *logica*. Una morale umana, per dirla in una parola sola.

Dobbiamo riconoscere che per i bambini la socializzazione è un fatto molto serio, nel quale essi si impegnano con ogni loro risorsa. Verso i sei-sette anni lo scolaro, come ho già detto, sviluppa una considerevole capacità di riflessione: egli discute con se stesso, si pone dei problemi, cerca delle soluzioni. E poi, naturalmente, discute i medesimi problemi con gli altri e cerca negli altri una verifica delle proprie conclusioni. Questa è la base della collaborazione. Nei primi tempi di scuola compaiono cioè i due fenomeni fondamentali di ogni civile convivenza: la *riflessione* e la *cooperazione*. Ne deriva, potremmo dire automaticamente, una capacità di vedere se stessi in una luce nuova, di confrontare se stessi agli altri, di « ridimensionare » il giudizio sulla propria persona. Ogni bambino comincia a guardarsi « con gli occhi degli altri », e comincia a percepire con chiarezza sempre maggiore quello che gli altri pensano di lui. Il che vuol dire d'altro lato comprendere meglio gli altri, tollerare entro certi limiti i loro difetti, accettarli per quello che sono. E', tutto sommato, una specie di scambio: i miei compagni trovano delle manchevolezze in me, io le trovo in loro. Perciò siamo pari, ed è inutile farne un dramma. Questo, molto all'ingrosso, l'atteggiamento del bambino. Un atteggiamento che si manifesta in pratica con una diminuzione degli scontri personali, delle liti, dei diverbi. Non che scompaiano del tutto, si intende. Questo sarebbe veramente pretendere troppo. Però si fanno sempre meno frequenti e meno accaniti. In sostanza il bambino impara a vivere in una società di eguali, di esseri umani mezzo buoni e mezzo cattivi, come lui. Impara, con la socializzazione, il senso profondo della fratellanza.

Mi sembra opportuno sottolineare questa verità. A un Convegno Nazionale di Pediatria Sociale tenutosi alcuni anni fa, un illustre e per altro benemerito studioso disse fra l'altro: « Riconoscere ed accettare, da parte del bambino, l'autorità del padre significa fare il primo passo per comprendere e quindi inserirsi nella struttura, sia pur democraticamente *piramidale*, della società ». Io credo che non sia così. Primo: il fenomeno della socializzazione, come abbiamo visto, tende proprio a indebolire l'autorità (paterna o non) per sostituirla con la regola eguale per tutti che nasce dal reciproco rispetto. Secondo: la socializzazione, ripetiamolo ancora, insegna al bambino a vivere in una società di *eguali*, quindi *non piramidale*, non con un vertice (il capo) e una base (i gregari). Io credo che sia vero esattamente il contrario di quanto ha asserito il relatore di cui ho parlato: il bambino impara a inserirsi in una società umana, cioè libera, cioè non piramidale, se impara a fare a meno dell'autorità dei grandi. Questo, appunto, *dovrebbe essere* uno dei compiti principali della scuola.

Gli strumenti della socializzazione

Voi dunque mandate il vostro bambino a scuola non tanto perché impari la poesia a memoria o l'ortografia, ma perché impari a diventare un individuo libero e indipendente vivendo insieme agli altri. I suoi primi e più importanti progressi egli li realizza *giocando*. Man mano che cresce il bambino concepisce il gioco in un modo diverso: non si disperde più in mille attività differenti, abbandona in buona parte le scorribande, i salti, le arrampicate, le acrobazie, le corse, le imprese movimentate, a meno che non siano organizzate in certe regole sportive, si entusiasma sempre meno nelle recitazioni più rudimentali, come quelle di guardia, o bandito, o cow boy, o soldato del settimo cavalleria. Ma non perde affatto l'interesse alla recitazione in sé e per sé. Solo che ora vi si dedica con maggiore raffinatezza. Di questa passione del ragazzino per lo spettacolo, di questa sua spontanea propensione a interpretare, la scuola moderna si vale per promuovere la cosiddetta « drammatizzazione ». Si tratta di questo: a un gruppo di scolari viene affidato l'incarico di descrivere, con qualsiasi mezzo, una certa situazione, o un avvenimento, o uno stato d'animo. Qualunque cosa può essere drammatizzata: una poesia, una favola, un fatto immaginario, una canzone, un fatto storico. E qualunque tipo di espressione può essere impiegato dai piccoli interpreti: le parole, la musica, i gesti, il disegno, la danza, la mimica. L'essenziale è che il protagonista della rappresentazione sia lo scolaro stesso. Anzi *gli scolari*, un gruppo di bambini, che agiscano in collaborazione per cercare strumenti espressivi, inventare soluzioni, cercare idee nuove. Una volta la poesiola di Natale veniva gelidamente recitata da un allievo, fra la noia mortale di tutti gli altri. Oggi no: ognuno partecipa all'impresa. Chi è san Giuseppe che guarda rapito il suo magico figlio, chi il bue che riscalda il neonato col suo respiro, chi il pastore che porta i doni e chi l'angelo che dà fiato alle trombe. E la poesiola stucchevole e monotona si trasforma in qualcosa di sentito, di vissuto, di *vero*. E soprattutto in qualcosa *creato da tutti*, prodotto da una cooperazione *sociale*, nel senso più genuino della parola.

Oltre al lavoro in comune, la scuola apre davanti al bambino un'altra porta di enorme importanza: l'occasione di fare delle *amicizie*. Le amicizie più valide, quelle che spesso durano anche una vita intera, si fanno a scuola. Se un ragazzino di sei o sette anni rimanesse confinato in casa sua, avrebbe ben poche possibilità di contatti coi suoi coetanei. Forse il figlio del vicino di casa, che potrebbe anche essergli antipatico, o il figlio della custode del palazzo, che potrebbe anche avere dei gusti completamente diversi dai suoi. A scuola invece gli amici ognuno se li può scegliere: il compagno che fa pure lui la raccolta di francobolli, quello che è bravo in una certa cosa e si presta volentieri a dare una mano, quello che ha bisogno di essere aiutato, quello che protegge e quello che deve essere protetto, quello spiritoso e divertente, quello riflessivo e organizzatore, o semplicemente quello simpatico. Badate che l'amicizia è una grande cose per vostro figlio, come per tutti gli esseri umani. Se un individuo diventa socievole e ben disposto verso gli altri, spesso lo diventa in virtù dell'amicizia. L'avere un coetaneo che sta dalla sua parte, un compagno su cui poter contare, uno di cui potersi fidare, dà al bambino quella carica di ottimismo e di sicurezza che gli permette di affrontare positivamente gli eventuali conflitti sociali. L'affetto protettivo dei genitori e la benevolenza degli insegnanti non gli bastano più. Il suo mondo si va dilatando in senso orizzontale, cioè fra persone della sua età. Ed è fra queste che il bambino ha bisogno di trovare un nuovo tipo di rassicurazione, di appoggio e di aiuto.

Gli ostacoli alla socializzazione

Non si deve credere che al bambino basti mettere piede nella scuola perché tutti i suoi problemi vengano automaticamente risolti. Difficoltà ce ne sono sempre, e non poche, e non piccole. Mi limiterò ora a indicarvene due, che mi sembrano le più notevoli.

La prima difficoltà sta nella scuola: accade talvolta che il bambino ci si senta spersonalizzato, ridotto a un'entità anonima, trasformato in un gregario senza volto, senza caratteristiche e senza interesse. Gli pare di essere diventato una « cosa », una cosa qualunque, priva di importanza, la cui esistenza risulta soltanto dalle pagine dei registri. Egli può avere la netta impressione che se d'un tratto scomparisse, nessuno se ne accorgerebbe. E' soprattutto la scuola di tipo tradizionale, rigida e schematizzata, che può suscitare nel bambino questo sgradevolissimo stato d'animo. Là dove si coltivano ancora « ideali » di disciplina, di obbedienza, di inquadramento para-militare, di ordine puntiglioso, è ovviamente facile che lo scolaro venga sopraffatto e schiacciato. In questo caso egli non dispone che di due soluzioni: o accettare le cose così come stanno e rassegnarsi a essere un qualsiasi *nessuno*, o imporre la propria presenza con la ribellione, l'aggressività e la guerra dichiarata. Si deve dire però che questo genere di scuole si va estinguendo. Ce n'è ancora, ma sempre meno, e si può sperare che fra non molto non ce ne saranno più.

La seconda difficoltà sta nella famiglia: se in casa sua il bambino è stato troppo protetto, se gli è stata sistematicamente negata ogni possibilità di fare da solo e di badare a se stesso, una volta arrivato a scuola egli manifesterà nel modo più clamoroso la propria inettitudine ad affrontare la vita. Avrà paura dei compagni, del lavoro scolastico, persino del gioco in compagnia degli altri. Resterà aggrappato all'insegnante, che bene o male sostituisce ai suoi occhi la figura protettiva dei genitori, e così rifiuterà in partenza ogni opportunità di socializzazione.

La socializzazione tradita

Debbo sottolineare ancora una volta che l'evoluzione di un bambino progredisce di solito regolarmente, sia pure con qualche incertezza e qualche difficoltà, quando non vi sia un'interferenza da parte degli adulti. Ma purtroppo quest'interferenza spesso c'è; e allora si possono verificare distorsioni e deviazioni di ogni genere. Questo è particolarmente grave nel campo della socializzazione. Quali sono le conseguenze dell'influsso negativo degli adulti? Ecco una domanda alla quale si potrebbe rispondere con un elenco lungo pagine e pagine. Limitiamoci ai punti essenziali:

1. *la politica*. Il significato della parola "politica" si è esteso fino a comprendere la maggioranza degli atteggiamenti e dei comportamenti umani e a diventare uno stile di vita. Politica è l'abilità nel conquistare qualcosa che altri vorrebbero negarci, politica è l'arte del non compromettersi, politica è andare d'accordo con tutti cercando di imbrogliare tutti, politica è non dire mai ciò che si pensa o ciò che si vuole, politica è arrivare a un certo traguardo senza che gli altri se ne accorgano, e via dicendo. Questo genere di politica può talvolta entrare nella scuola e dare una certa impronta ai rapporti fra insegnante e bambini, fra bambini e bambini e fra insegnanti e insegnanti. L'impronta della prudenza, della sfiducia, del timore, della chiusura, magari anche della slealtà. Il bambino può imparare che non conviene mai esprimere apertamente i propri sentimenti, né di amicizia né di inimicizia, che non conviene mai ricorrere al grossolano sistema del confronto diretto, eventualmente dello scontro, e che non conviene mai sbilanciarsi troppo. Ne potrebbero venir fuori dei dispiaceri. Meglio giocare d'astuzia, badare al proprio tornaconto, seguire strade indirette. Meglio essere più "politici", più furbi, meno aggressivi e meno espansivi. Si va più sul sicuro

2. *il successo*. Chi vuole andare incontro all'insuccesso e al fallimento? Nessuno, evidentemente. Tutti, quando cominciano a fare qualcosa, si augurano di riuscirci. Cioè di avere successo. Anche gli scolari. Ma qualche volta l'adulto riesce ad avvelenare questa legittima e lodevole aspirazione. Ci riesce, a mio avviso, in due modi. Primo, facendo del successo un mito, un valore assoluto, un segno del destino, un irrinunciabile obiettivo, un marchio sociale. Per gli adoratori del successo è del tutto inutile che un ragazzino si diverta a scrivere o a leggere. Deve diventare uno scrittore di grido, un poeta, un letterato famoso. E' inutile giocare al pallone, occorre diventare campioni. Non serve la passione per il disegno, serve diventare un celebre pittore. Qualcuno ha detto che il baciare una bella donna perde la metà del suo fascino se non lo si può raccontare in giro. Tale è la mentalità dei cultori del successo. Il secondo tipo di veleno è quello della rivalità. Ci sono delle persone alle quali non importa niente che il bambino verifichi le proprie capacità e i propri progressi paragonandoli alle capacità e ai progressi altrui, in spirito di collaborazione e di amicizia. Questo non conta. Conta solo la battaglia per essere il più bravo, possibilmente senza esclusione di colpi. Queste persone, c'è da credere, non aiutano molto un bambino a stabilire i suoi primi rapporti sociali

3. *l'immagine*. Si può pensare che certi nostri comportamenti tendano a insegnare al bambino che, a questo mondo, non importa molto ciò che si è, ma che importa moltissimo ciò che *si sembra*. Bisogna dunque sviluppare quelle qualità che, da sempre, fanno il destino dei primi della classe, dei capoclasse e dei fuoriclasse: il cosiddetto look, la prontezza di parola, l'adattabilità alle esigenze dell'ambiente, la furberia, e anche una giusta dose di arroganza e di prepotenza. Uno scolaro studioso e intelligente, ma dimesso, può essere talvolta apprezzato e incoraggiato meno del compagno, pigro e mediocre ma brillante. Cosa che accade frequentissimamente nella vita, come ci insegna la variopinta costellazione dei presentatori televisivi, dei "creativi" di varia estrazione e degli altri venditori di aria fritta. Ma fin che tutto ciò riguarda gli adulti, pazienza. La faccenda si fa più seria quando simili lezioni di arrembaggio sociale le dà la scuola, a gente che, come il bambino, crede ancora che le cose debbano essere fatte seriamente

4. *l'isolamento.* Sono molte le cose che i bambini prendono sul serio. E sono molti gli attentati degli adulti alla serietà dei bambini. Prendiamo l'esempio della solidarietà, che credo sia un'importante qualità sociale. Ebbene, per quanto ho potuto vedere io il bambino tende a essere solidale con tutti, specie coi suoi coetanei. Si preoccupa se qualcuno sta male, cerca di aiutare chi non riesce in qualcosa, suggerisce, se è bravo lascia che gli altri copino dai suoi quaderni, si interessa alle vicende altrui, liete o tristi. Ma poi, qualche volta, arriva l'adulto. "Tu pensa ai fatti tuoi e gli altri si arrangino!". "Non immischiarti di cose che non ti riguardano!". "Se vuoi andare avanti non devi guardare in faccia a nessuno!" E altre variazioni sullo stesso tema. Il bambino allora, che prima prendeva molto seriamente la solidarietà, poco a poco può arrivare a prendere altrettanto seriamente il suo contrario, l'egoismo, l'insensibilità, la rigida e intransigente difesa dei propri interessi. Invece che sulla strada della socializzazione camminerà su quella di uno squallido isolamento

5. *la contraddizione.* Certo nessuno vuole che il proprio figlio rimanga isolato, privo di amici, sfuggito da tutti. Però è innegabile che talora ci si comporta come se questo fosse l'obiettivo finale da raggiungere. L'adulto, ammettiamolo, molte volte agisce in maniera curiosamente contraddittoria. Predica la buona educazione, ma non esita a dare del cretino al figlio, a urlare, a fare delle scenate. Parla di perdono, ma ripete continuamente che il tale la dovrà pagare, parla di armonia e di buon accordo e vive di invidia e di rivalità, parla di generosità e dimostra in mille circostanze il proprio egoismo, parla di pace e fa la guerra, parla di onestà e ruba, parla di sincerità e mente, parla di rispetto per gli altri e rispetta solo i propri comodi. Così i bambini finiscono col pensare che le virtù le debbano avere solo i bambini, e i grandi no. Ma perché, potrebbero chiedersi i ragazzini, solo noi dobbiamo essere

virtuosi? Non sarà che, potrebbero chiedersi i ragazzini, i grandi dicano delle cose alle quali non credono nemmeno loro? E, se si chiedono questo, i ragazzini potrebbero arrivare alla conclusione che le parole dei grandi non valgono niente, e che a questo mondo non c'è da fidarsi di nessuno. Il che non costituirebbe un grande progresso verso la socializzazione

6. *le opinioni.* Ognuno ha il diritto di avere le proprie opinioni, ma nessuno ha il diritto di imporle agli altri. Pare che questa sia una legge fondamentale per una società civile. Però è una legge non molto rispettata. Le persone religiose cercano di convertire quelle non religiose, i seguaci di certe dottrine impediscono ai figli di mangiare carne, o di essere vaccinati, o di prendere medicine, i "verdi" insolentiscono e perseguitano i cacciatori, i non-violenti aggrediscono i violenti, fra i quali comprendono i fisici atomici, i poliziotti, i ricercatori e lavoratori di altri tipi, e tutti, naturalmente, si sentono superiori agli "altri". Cioè ai nemici, a quelli che hanno opinioni diverse, ai non-illuminati. Intendiamoci, anch'io sono convinto che bisogna difendere la vegetazione del pianeta, che l'inquinamento è il flagello del nostro tempo, che i medicinali usati troppo e male sono nocivi, che l'automobile è diventata uno strumento di devastazione, che le bombe atomiche vanno eliminate e che è meglio non picchiare il prossimo. Ma non mi sentirei di obbligare un bambino a diventare vegetariano, né di esporlo al rischio del tetano perché *io* sono contrario alla vaccinazione, né di condannarlo a morte per leucemia perché *io* sono contrario al trapianto di midollo, nè di castigarlo perché *a lui* piace il tiro a segno o il judo. E non mi sento inferiore né superiore ai vegetariani, ai naturisti, ai pugilatori, ai cattolici o ai buddisti. Anch'io sono convinto che ognuno di noi debba combattere per le cose in cui crede, e contro *le cose* che considera dannose. Ma non contro *le persone*. Sono abbastanza vecchio da aver potuto odiare il fascismo, con tutte le mie forze, ma credo di non aver mai odiato un fascista. Ma questa antica malattia del confondere una fede (un'opinione) con le persone che la professano, sembra ci sia ancora. Forse più virulenta di prima. Una volta la microsocietà scolastica era disturbata dal razzismo, dalle differenze sociali, economiche e culturali. Ora non più, o molto meno. Ma è disturbata dalle differenze di opinione che qualche adulto ha promosso a religione. Il figlio di genitori religiosi e praticanti può trovarsi a malpartito in una classe composta da bambini con famiglie agnostiche, marxiste o anticattoliche. O viceversa. Il figlio di genitori non-violenti si sentirà fuori posto in mezzo a compagni che giocano alla guerra o a guardie e ladri. Il figlio di genitori rigidamente vegetariani si sentirà imbarazzato alla mensa scolastica, dove gli altri mangiano tranquillamente la carne. Ognuno di questi bambini potrebbe arrivare a vergognarsi dei propri genitori e di se stesso, oppure a pensare che siano tutti gli altri che si devono vergognare. Che brutta cosa, in fatto di socializzazione.

La nuova scuola

La funzione primaria della scuola, abbiamo visto, è quella di far uscire il bambino dall'isolamento culturale e sociale delle mura domestiche e di fornirgli un ambiente che favorisca il passaggio dalla famiglia alla comunità. La scuola deve dunque dare nuovi interessi, nuovi contatti umani, divertimenti nuovi, compagnie, giochi, attività di gruppo, nuove possibilità di esplorazione, e così via. La scuola deve essere per il bambino un piacere e uno stimolo. E deve costituire una via aperta per la socializzazione. Ora, dopo le riforme, gli aggiornamenti, le nuove impostazioni, i progressi sociali e culturali, la nuova scuola dà tutto questo ed è tutto questo? Credo che la risposta sia: non sempre e non tutto.

Indubbiamente dei grandi passi avanti sono stati fatti. Ma non dovunque, qualche volta con risultati modesti, qualche volta in modo inadeguato, e qualche volta più sul piano formale che su quello della sostanza. La scuola all'antica, quella di un rigido inquadramento spersonalizzante degli alunni, quella del nozionismo sterile e sganciato dalla realtà, quella fondata sul profitto e la selezione, sulla disciplina paramilitare, sulle punizioni e sull'obbedienza cieca, pronta e assoluta, quella scuola non c'è più. O quasi più. Però ci sono ancora bambini che a scuola ci vanno malvolentieri e che soffrono di disturbi prodotti dalla scuola, come vedremo dopo. Il che significa che qualcosa non funziona proprio bene, che forse c'è pur sempre un distacco troppo sensibile fra la scuola e la vita privata del bambino, o forse che certe persone sono rimaste devote a metodi e schemi superati, o che certe forme di coercizione sopravvivono col loro seguito di ansie e di disagi. Insomma, si è andati avanti ma non ci si può fermare.

Vediamo allora, dalla parte del bambino, che cosa si è fatto e che cosa resta da fare. E ancora prima vediamo da che punto si è partiti per il rinnovamento della scuola.

1. *la legge*. Il punto di partenza è la legge numero 477 del 30 luglio 1973. In essa vengono espressi due concetti fondamentali: nell'articolo 2 si parla della scuola come di una comunità "nella quale si attua non solo la trasmissione della cultura ma anche il continuo e autonomo processo di elaborazione di essa, *in stretto rapporto con la società* (il corsivo è mio), per il pieno sviluppo della personalità dell'alunno...", e nell'articolo 4 si garantisce la "libertà di insegna-

mento, intesa come autonomia didattica...". Si stabilisce dunque che la funzione della scuola è socializzante e che l'attività dell'insegnante è libera da legami burocratici, da imposizioni gerarchiche, da interventi politici, religiosi, culturali, eccetera.

Ed ecco che, il 31 maggio 1974, fanno la loro comparsa i decreti applicativi della legge 477, i cosiddetti "decreti delegati", dei quali uno, il numero 416, contiene dettagliate indicazioni per la realizzazione degli Organi Collegiali, cioè degli organi del governo scolastico. Sono questi:

Organi collegiali di governo della scuola

CONSIGLIO DI INTERCLASSE (scuole elementari)

composto da:	docenti dei gruppi di classi parallele un rappresentante dei genitori
presieduto da:	direttore
funzioni:	proposte sull'attività didattica, educativa e sperimentale

CONSIGLIO DI CLASSE (scuola media inferiore)

composto da:	docenti della classe quattro rappresentanti dei genitori
presieduto da:	preside
funzioni:	proposte sull'attività didattica, educativa e sperimentale

COLLEGIO DOCENTI

composto da:	docenti dell'istituto
presieduto da:	direttore o preside
funzioni:	decisioni sul funzionamento didattico (*non* sull'opera di ciascun docente) proposte sull'organizzazione della scuola (composizione delle classi, orari, ecc.) adozione dei libri di testo promozione di sperimentazioni, aggiornamenti, ecc.

CONSIGLIO DI CIRCOLO O DI ISTITUTO

composto da: 6-8 rappresentanti dei docenti dell'istituto
6-8 rappresentanti dei genitori
1-2 rappresentanti del personale non insegnante
direttore o preside

presieduto da: un membro del Consiglio eletto dai rappresentanti dei genitori

funzioni: decisioni sul regolamento interno della scuola (biblioteca, attrezzature sportive, ecc.)
decisioni sull'acquisto di materiali, libri, attrezzature, ecc.,
decisioni su attività libere, anche extrascolastiche (viaggi, visite guidate, gite, manifestazioni sportive, ecc.)

CONSIGLIO SCOLASTICO DISTRETTUALE

composto da: 3 rappresentanti del personale direttivo delle scuole del distretto
5 rappresentanti dei docenti delle scuole del distretto
7 rappresentanti dei genitori delle scuole del distretto
circa una ventina di rappresentanti di: organizzazioni sindacali, forze sociali, amministrazione provinciale e comunale

presieduto da: un membro del Consiglio eletto dai componenti

funzioni: elaborazione del programma annuale delle attività extra- e parascolastiche, dei servizi di medicina scolastica e di assistenza socio-psicopedagogica, delle attività sperimentali, ecc.
proposte per la localizzazione delle scuole e per l'utilizzazione del personale scolastico

CONSIGLIO SCOLASTICO PROVINCIALE

composto da:

provveditore
rappresentanti del personale direttivo
rappresentanti dei docenti
rappresentanti del personale non insegnante
rappresentanti degli uffici amministrativi scolastici
rappresentanti dei genitori
rappresentanti dei comuni
assessore provinciale alla Pubblica Istruzione
un rappresentante del Consiglio regionale
rappresentanti dei lavoratori
(il numero dei vari rappresentanti cambia in rapporto alla popolazione scolastica della provincia, al numero delle scuole, al numero dei docenti)

presieduto da:

un membro del Consiglio eletto dai componenti

funzioni:

parere vincolante sulla localizzazione e sullo sviluppo delle scuole della provincia
accertamenti e indicazioni per l'edilizia scolastica
parere sulla ripartizione dei fondi destinati a spese scolastiche

Come potete vedere nella tabellina, che per forza di cose è semplificata e riassuntiva, nel governo della scuola sono entrati anche i genitori (nelle scuole superiori persino gli studenti), i rappresentanti dei sindacati, delle forze sociali, dei comuni, eccetera, oltre agli addetti ai lavori, presidi, direttori, assessori, insegnanti, amministrativi, e via dicendo. Si è parlato di democrazia della scuola, persino di rivoluzione. Quali ne sono stati gli effetti?

2. *il nuovo*. Diciamo subito che di cambiamenti in meglio ce ne sono stati. Facciamo qualche esempio.
In primo luogo i genitori hanno il diritto di partecipare all'organizzazione e alle attività della scuola. Un diritto non contestabile, almeno sulla carta. Che poi non se ne valgano, o se ne valgano poco e male, o che incontrino mille difficoltà a valersene, questa è un'altra questione, e ne parleremo in seguito. Però il diritto c'è, e costituisce una porta aperta per entrare nella scuola e collaborare al suo rinnovamento, se lo si vuole.

Seconda conseguenza della legge: un aumento, in qualche caso molto notevole, delle attività "libere", parascolastiche ed extrascolastiche, di tipo culturale, sportivo, eccetera. Non dappertutto, si capisce. C'è persino chi è andato indietro invece che avanti, ci sono scuole più chiuse di prima, scolari che non possono mai mettere il naso fuori dell'aula, insegnanti che respingono con orrore qualsiasi tipo di evasione o di novità. Altrove invece si è voluto fare e si è fatto. Ormai sono parecchie le scuole che restano aperte fuori orario, anche di sera, per consentire a genitori e alunni l'utilizzazione della piscina, o della palestra, o del giardino, o delle aule. Sono parecchie le scuole in cui una proficua collaborazione fra insegnante, collegio docenti e consiglio di classe promuove attività creative, sperimentazioni, iniziative culturali, e in generale operazioni che favoriscono il contatto del bambino col mondo che sta fuori, quello del lavoro, dell'arte, della natura, dello sport, del gioco. Tutto sommato, sembra che la scuola si vada aprendo verso la società, almeno qua e là.

Un terzo, e a mio parere importantissimo, effetto della riforma è stato quello di trasformare l'impalcatura gerarchica della scuola. La gerarchia resta, ma è meno rigida, meno indiscutibile, meno soldatesca. Il preside, o il direttore, non è più un colonnello da accademia militare. Spesso gli scolaretti danno del tu all'insegnante e la (lo) chiamano col nome di battesimo. Grazie anche al costume che è cambiato, certo, ma grazie anche alla legge. La quale, con l'istituzione dei vari consigli e del collegio docenti, ha reso possibile la discussione, il dibattito, lo scambio di opinioni, e una certa distribuzione di responsabilità. Una volta l'insegnante convocato dal preside tremava. Oggi credo tremi un po' meno. E anche l'alunno.

Si arriva così al quarto punto, anche questo di grande interesse: la libertà di insegnamento. Ogni docente può seguire un suo metodo, può cercare di adattare il proprio lavoro alle esigenze dei bambini, può valersi dei programmi fin dove lo ritenga opportuno, può agire da professionista e non da semplice esecutore. Può, se vuole e se ne è capace. Non tutti sono all'altezza e non tutti vogliono esserlo. Come in ogni altro campo, del resto. Ma qui la riforma non c'entra.

Ultimo ed essenziale progresso dovuto alla legge: l'abolizione del voto. Quando andavo a scuola io, parecchio tempo fa, il voto era una specie di marchio sociale, indelebile. C'erano due tipi di voto: quello in profitto e quello in condotta. Chi aveva cinque in profitto era guardato con compassione, quasi come un minorato, un demente, un sottosviluppato, un deficiente. Ma chi aveva sette in condotta era guardato come un criminale, un pericolo pubblico, un nemico della società, un corruttore di costumi. I compagni lo sfuggivano, i genitori dei compagni non lo invitavano alle festicciole, gli insegnanti lo mettevano nell'ultimo banco. Apparteneva senza ombra di dubbio alla categoria dei cattivi, con la quale la categoria dei buoni non aveva niente da spartire. Questo genere di classificazioni, nella scuola dell'obbligo, è finito. Per legge. Oggi si valuta, si esprimono giudizi, si considerano le diverse attitudini dello scolaro, ma senza voti e senza graduatorie di merito. Si valuta più o meno bene, con maggiore o minore attenzione, più o meno giustamente, ma insomma alla divisione netta fra bravi e imbecilli, e fra buoni e cattivi, non ci si arriva. O non ci si dovrebbe arrivare.

3. *il vecchio.* Ogni medaglia, si dice, ha il suo rovescio. E la medaglia della riforma scolastica di rovesci ne ha dozzine. Abbiamo visto che cosa c'è di nuovo e di meglio nella scuola, vediamo adesso che cosa è rimasto di vecchio e di peggio. Perché bisogna riconoscere che molte cose sono rimaste sulla carta, e qualcuna non c'era nemmeno sulla carta. Fra il dire e il fare, recita un altro proverbio, c'è di mezzo il mare. E questo credo che valga per tutti i paesi del mondo. Ma da noi, di mezzo, non c'è il mare. C'è un oceano, uno spazio cosmico. Facciamo ancora una volta qualche esempio.

Uno dei nemici più temibili di ogni progresso e di ogni rinnovamento è la burocrazia. Ora, in Italia la burocrazia è di proporzioni gigantesche e il suo continuo sviluppo è floridissimo. Questo ha ostacolato gravemente, o ha del tutto impedito, il funzionamento degli organi di governo scolastico, specie per quanto riguarda la partecipazione dei genitori. I genitori discutono, criticano, qualche volta forse a sproposito, chiedono, forse qualche volta l'impossibile, propongono, forse qualche volta avventatamente. In ogni modo, molto spesso la loro voce si disperde fra una selva di interferenze amministrative e di ostacoli economici, nei meandri di un apparato organizzativo, o disorganizzativo, che a quanto pare non ha perso nulla della propria improduttiva complessità. Ne conseguono il disinganno, la delusione, la sfiducia, e poi l'indifferenza e il disimpegno. Perciò, molto spesso, i genitori non partecipano al governo della scuola.

Gli insegnanti, e di questi parleremo fra poco, non hanno dal canto loro molte ragioni per occuparsi più attivamente dell'andamento scolastico. In fatto di aggiornamento professionale, per esempio, non si è andati molto avanti. E neppure per quel che riguarda la preparazione ad affrontare situazioni difficili, come quelle create dagli alunni caratteriali, psicotici, disturbati e disturbatori. Molte volte, per quel che ho potuto vedere io, un bambino vivace, o disattento, o irrequieto, o indisciplinato, viene segnalato ai genitori come bisognoso di "cure" non meglio specificate, e poi viene spedito dal medico, o addirittura dallo psicologo, il quale non sa che cosa farci. Anche perché di solito non c'è niente da fare. Magari basterebbe che l'insegnante fosse più appoggiato, più agguerrito, meglio equipaggiato tecnicamente e culturalmente. Invece talora non lo è, e allora tutti vanno in crisi: l'insegnante, che non sa che pesci pigliare, i genitori che non sanno a che santo rivolgersi, e il ragazzino che si sente trattato come uno psicopatico.

In più c'è la faccenda del cosiddetto "precariato". Qui forse, invece che avanti, si è andati indietro. Ci sarebbe da pensare che quando un docente ha l'incarico di occuparsi della classe seconda B dell'Istituto Dante Alighieri di Pontealto, se ne occupi e continui a occuparsene. Non è così. Ci sono di mezzo concorsi che non si fanno, assunzioni provvisorie, sedi provvisorie, mansioni provvisorie, destinazioni provvisorie. Tutto precario, appunto. Gli scolari di quella seconda B possono avere una maestra fino a Natale, poi un'altra fino a Carnevale, una supplente fino a Pasqua e una nuova fino a giugno. E un insegnante può lavorare per qualche mese a Milano, poi a Como, e poi a Bari. Sempre in attesa del concorso e della sistemazione definitiva. Veramente qualche ministro ha detto che il fenomeno del precariato non c'è più, ma i ministri, si sa, sono frequentemente dei burloni.

Secondo alcuni, che forse non hanno proprio tutti i torti, fra le anticaglie che potrebbero essere vantaggiosamente modificate, o sostituite, o eliminate, ci sono i libri di testo. La loro adozione, mi dicono, è obbligatoria. Tale obbligo si riferisce non eccezionalmente a massicci volumi compilati con un linguaggio inadeguato e pieni di storie noiose, di schemi indecifrabili, luoghi comuni e considerazioni moraleggianti. In compenso, una quantità di fotocolor inseriti spesso a casaccio, insulsi e insignificanti. Ammettiamo pure che il libro di testo sia ineliminabile, ma allora c'è da augurarsi che, da un lato, la sua stoffa migliori, e che, dall'altro lato, non rimanga l'unico strumento a disposizione dell'insegnante e dello scolaro.

E parliamo infine della scuola come edificio, come muri, come locali e servizi. Questo, dell'edilizia scolastica, è un problema che nel nostro paese sembra non si possa risolvere mai. Qualcuno potrebbe credere che la scuola debba mettere a disposizione di tutti i bambini ciò che non tutti hanno a casa loro: giardini, campi-gioco, magari la piscina, e poi locali spaziosi e palestre, attrezzature varie, servizi igienici numerosi e confortevoli, biblioteche e così via. Il tutto possibilmente pulito, ordinato e gradevolmente arredato. Bene, quel qualcuno sarebbe in errore. Negli ultimi anni sono state costruite molte scuole nuove. Qualcuna anche con degli spazi verdi, nei quali di solito gli scolari non possono andare; qualcuna con la piscina, nella quale non sempre gli scolari possono nuotare; molte con enormi palestre, spesso poco utilizzate; moltissime con corridoi sterminati, immense sale per riunioni, locali per gli uffici, segreterie, direzioni, presidenze, eccetera; tutte rapidamente adeguate allo stile tradizionale dell'edificio pubblico italiano, squallido, grigio, anonimo e scarsamente stimolante. Le scuole vecchie rimangono come monumenti all'irrazionalità edilizia e alla disfunzionalità, e non di rado sono rese ancor meno praticabili da lavori di restauro che si prolungano per anni, grazie alla nota efficienza degli apparati amministrativi. Poi ci sono le scuole vecchissime, quelle cadenti, quelle senza vetri alle finestre, senza riscaldamento, senza servizi, senza acqua. In questo campo c'è di tutto, manca solo quello che servirebbe. E quando non manca, quasi nessuno se ne serve.

4. *gli insegnanti*. Che cosa ha fatto la nuova scuola in favore degli insegnanti? Non molto, per dire il vero. La riforma ha influito su parecchie cose, sul piano organizzativo, didattico, amministrativo, eccetera, ma non ha giocato gran che in favore del più importante interlocutore dello scolaro, l'insegnante.

Nel suo sforzo per inserirsi in un nuovo tipo di vita il bambino ha ovviamente bisogno d'aiuto. E non basta più l'aiuto dei genitori.

Occorre che un'altra figura di adulto si affianchi allo scolaro *nella* scuola, quella dell'insegnante. Un adulto che dovrebbe conoscere bene i bambini, capirli e divertirsi con loro. Ma non sempre lo scolaro si trova di fronte questa figura di insegnante-compagno.

Troppo spesso trova una persona delusa e scoraggiata. Si può dire senza timore che nel nostro paese gli insegnanti costituiscono una categoria di persone derubate dei loro entusiasmi e della loro professionalità. Qualche volta, lasciatemelo dire, anche da voi genitori, quando pensate di dover interferire nei metodi didattici o di dover fare il processo alle intenzioni. Pensate, e lo ripeto volutamente, che l'insegnante è la prima e più importante figura adulta che vostro figlio incontra fuori della sua famiglia. E' un professionista su cui gravano grosse responsabilità e che esercita, o potrebbe esercitare, una enorme influenza su una società civile. Ma pare che non tutti si rendano conto di questo. Meno di tutti i detentori del potere. Si largheggia, a volte scandalosamente, nelle retribuzioni di funzionari, burocrati, portaborse, consulenti, politici e amministrativi, e ci si comporta con una inflessibile parsimonia, scandalosa sempre, nei confronti degli insegnanti. Se si devono praticare dei tagli al bilancio dello stato, si praticano nella pubblica istruzione (e nella sanità), non negli armamenti, non nell'apparato amministrativo-burocratico, non nello sconfinato campo degli sprechi governativi. Si direbbe proprio che le persone cui affidiamo i nostri bambini non contino molto, per noi. Contano di più i presentatori televisivi, che guadagnano in un mese quello che un insegnante guadagna in una vita, o i giocatori di pallone, comprati e venduti a colpi di miliardi.

5. *i compiti.* Il compito a casa costituisce, a mio parere, una delle eredità più discutibili della vecchia scuola. Molti insegnanti ritengono che il compito, affrontato fuori della scuola, in assenza dell'insegnante e dunque in piena autonomia, offra al bambino l'opportunità di riflettere, di rimasticare per proprio conto ciò che gli hanno spiegato in classe, di rielaborare, di ricordare meglio, di far suo l'insegnamento ricevuto. Penso sia un'opinione logica e accettabile. Però, se il compito deve avere questo significato e questa funzione, deve corrispondere a determinati requisiti.

a) Essere interessante, e magari anche divertente per il bambino. Così per uno scolaro che stia imparando a scrivere può essere fonte di soddisfazione e di autentico piacere il trovare da solo paroline diverse, forse sbagliate ma proprio sue, farle vedere alla mamma, addentrarsi coi suoi mezzi nel mondo dei simboli grafici, scoprire e inventare. Ma scrivere dieci volte la stessa parola lo divertirà probabilmente assai meno. E' un utile allenamento, certo, ma che si può fare benissimo a scuola, insieme agli altri

b) Essere chiaramente collegato a quel che si è fatto a scuola. Se oggi, mettiamo, la maestra ha parlato di insiemistica, può riuscire abbastanza sterile un compito sulle parole che contengono la *gl.* Il bambino di solito è un individuo pratico, gli piace andare a fondo dei problemi attuali, di giornata, e non di quelli trattati la settimana scorsa. E comunque un lavoro staccato dall'esperienza immediata gli costerà più fatica e gli renderà meno

c) Non richiedere troppo tempo. Un ragazzino, anche se va a scuola, ha pur sempre bisogno di giocare e di fare quello che gli piace, almeno per qualche ora. Non può e non deve occupare tutto il proprio tempo facendo i compiti. C'è chi è più svelto, e c'è chi è più lento, ma tutti hanno il diritto di sbrigarsela entro un tempo ragionevole

d) Per tale ragione il compito non può essere rigidamente imposto in termini quantitativi. Se si deve trattare di una autonoma elaborazione di ciò che si è imparato, deve trattarsi per l'appunto di una operazione autonoma, che ognuno possa affrontare coi propri ritmi, le proprie attitudini e il proprio stile

e) Infine il compito dovrebbe essere tale da richiedere, per lo svolgimento, le sole forze del bambino. Se per lui è troppo difficile, o troppo lungo, o troppo noioso, a che serve? Necessariamente entreranno in gioco i genitori, e il lavoro sarà svuotato del suo significato e si risolverà solo in una perdita di tempo, di fatica e di interesse.

Nella realtà, se debbo giudicare dalle storie dei miei piccoli clienti, i compiti a casa sono generalmente assai poco aderenti a questi princìpi, che mi sembrano piuttosto importanti. Ho a che fare con ragazzini che passano le ore, interi pomeriggi e fine-settimana, sui libri e sui quaderni, che sono oppressi dall'incubo dei compiti, che si stiracchiano svogliatamente davanti a cose che non vorrebbero fare e che li annoiano a morte. Ho a che fare con genitori che perseguitano i figli con paginette da scrivere o da leggere, coi conticini, le poesiole, e non so che altro. Non tutti e non sempre, naturalmente. Ma per molti le cose vanno così, col sapore di una condanna e di un'ossessione. In questi casi non credo che i compiti a casa servano a molto. Si può pensare che servano essenzialmente a suscitare l'odio verso la scuola, o a rinfocolarlo, se l'odio c'è già.

6. *problemi speciali.*
   a) I servizi psicopedagogici. In una scuola che è ancora lontana dalla perfezione, in una società che è lontanissima dalla comprensione delle esigenze infantili, in un costume tradizionalmente antieducativo quale è il nostro, nulla di strano che qualche scolaro presenti talora dei problemi, per così dire, psicologici. Lo strano è che di problemi non ce ne siano di più. Bisogna proprio dire che i bambini e i ragazzi hanno qualche santo che pensa a loro e che li difende contro società, costume, tradizioni, eccetera. Ma certe volte non c'è santo che tenga e i problemi esplodono, drammaticamente. Può accadere per esempio che un bambino, inesplicabilmente, non riesca a imparare nulla, non legga, non scriva, non arrivi alle più semplici operazioni. Oppure può darsi il caso che un ragazzino sia divorato da un'ansia apparentemente ingiustificata, o che si dimostri pericolosamente aggressivo verso i compagni, o che rubi e mentisca per abitudine, o che non riesca in alcun modo a inserirsi nella compagnia dei coetanei, o addirittura che non parli, come se fosse muto. In tutte queste situazioni la scuola ha bisogno di aiuto. Per questo esistono i servizi psicopedagogici, che di tanto in tanto cambiano il loro nome. Per ora si chiamano SIMEE (Servizi di Igiene Mentale per l'Età Evolutiva). Difficile dire come funzionino e che cosa ci si possa aspettare dal loro intervento. Probabilmente qualche volta costituiscono un valido aiuto per lo scolaro, l'insegnante e i genitori, e qualche volta si

riducono a un puro e semplice raccoglitore di problemi scomodi e ritenuti insolubili. Nel qual caso questi servizi diventano un espediente per lo scaricabarile, e non risolvono niente. A questo proposito va chiarito un punto che riguarda da vicino anche i genitori. E' una questione di fondo che deve essere detta in modo esplicito: tutti questi strumenti "di soccorso" ai bambini in difficoltà non hanno, non devono avere il compito di curare dei matti o dei deficienti, come qualcuno potrebbe ancora credere, ma di aiutare le famiglie a risolvere dei problemi comunissimi, per niente patologici, problemi che solo per un concorrere di circostanze sfavorevoli hanno assunto una certa gravità. Non bisogna quindi rivolgersi agli esperti con l'idea di far curare un figlio "anormale", ma semplicemente per ottenere un appoggio e dei consigli da chi, in quel campo, ha più esperienza e preparazione.

b) Gli handicappati. La legge 118 (marzo 1971) della Repubblica Italiana stabilisce che l'handicappato debba essere accolto nelle scuole normali. Bisogna dire che qualcuno guarda con sospetto, se non con esplicita ostilità, a questo provvedimento. Si teme che l'handicappato "ritardi" lo svolgersi dei programmi, che rallenti il ritmo degli studi, che leghi a sè gli altri, i "normali", frenando il loro progresso. Si teme inoltre che certi suoi comportamenti, strani e imprevedibili, possano in qualche modo influenzare i compagni inducendoli ad azioni antisociali, o indecorose, o disturbanti. Credo che si tratti di un timore infondato. A ben pensarci, la categoria degli handicappati è stata inventata dagli adulti. Per i bambini non esiste l'etichetta di handicappato, ma solo una realtà che riguarda quel certo compagno, le sue necessità, il suo modo di esistere. E non esiste, penso, una realtà umana traumatizzante per un bambino, se non è l'adulto a farla diventare tale. Il bambino, di solito, non ritiene che il suo coetaneo handicappato appartenga a una categoria umana diversa dalla sua, né che esistano categorie inferiori. E poi, bisognerebbe anche vedere *chi è* l'handicappato. Noi diamo per certo che egli sia comunque un *diverso*. Ma diverso quanto, e in che cosa? Su questo problema mi pare ci sia confusione. E' chiaro, per esempio, che un focomelico, un ragazzino senza un braccio, è diverso da un bambino mongoloide, che un piccolo portatore di una paralisi non ha gli stessi problemi di un sordomuto, che un cieco ha delle caratteristiche ben differenti da quelle di un cerebroleso. Ma tutte queste diversità sono tali solo in quanto richiedono provvedimenti diversi e specifici, e non significano affatto che l'handicappato appartenga a una razza a parte. Il vero problema non riguarda i bambini, ma la scuola. Una scuola che non dispone di mezzi adeguati né di personale sufficiente per assicurare a tutti i bambini quella individualizzazione del lavoro che, per adesso, rimane l'eccezione. Va da sè che un insegnante gravato di lavoro difficilmente potrà dedicarsi a ciascun alunno, studiandone la personalità e i bisogni, e mettendo a sua disposizione quegli specifici strumenti che gli servono per andare avanti. Per tale ragione le classi in cui sia presente un handicappato vengono attualmente fornite di un "insegnante di sostegno". Il compito di costui (costei) è quello di collaborare con l'insegnante ordinario nella soluzione dei problemi che il bambino handicappato può creare. Giusto provvedimento. Ma sembra che vi siano ancora delle difficoltà. In primo luogo è palese che l'insegnante di sostegno dovrebbe essere particolarmente qualificato per un così delicato lavoro. Invece molte volte non lo è, e si arrangia come può. In secondo luogo il sostegno viene concesso solo per l'handicappato che sia riconosciuto e definito come tale, e non per bambini che soffrano di altri disturbi, magari più gravi di certi handicaps, come le nevrosi, o le forme prepsicotiche, o addirittura psicotiche. Comunque, se non altro è stato chiarito un punto: che bisogna dare agli insegnanti i mezzi idonei per svolgere serenamente e bene il loro lavoro, e non escludere dalla scuola una certa categoria di bambini in nome del progresso degli altri.

c) Gli scolari superdotati. Anch'essi rappresentano un problema. Molto spesso questi scolari particolarmente intelligenti perdono il loro tempo e si annoiano in una scuola in cui hanno poco da imparare e quel poco lo imparano in quattro e quattr'otto. Potrebbero andare molto più avanti, ma la scuola deve procedere con un ritmo che vada bene per tutti, e non solo per loro. Far saltare loro un anno? Sì, forse in qualche caso sarebbe una soluzione. Ma una soluzione un po' rischiosa perché il ragazzo si verrebbe a trovare con compagni più grandi di lui, coi quali non è detto che riesca ad affiatarsi. In ogni caso, la questione di uno scolaro superdotato non può essere affrontata e risolta solo dai genitori. Se vostro figlio ha veramente un'intelligenza fuori del comune, parlatene con l'insegnante, eventualmente sentite anche il parere degli specialisti, e poi decidete. Cioè: decidete di parlarne con vostro figlio. Forse lui sta benone nella sua classe e trova modo di sfruttare le proprie capacità in altri campi, oltre che in quello scolastico; o può darsi invece che nella classe superiore abbia degli amici e che quindi desideri saltare un anno. Dopo tutto è lui il più diretto interessato.

La scuola che ferisce

Quando vostro figlio non vuole andare a scuola, quando non vuole studiare e fare i compiti, quando porta a casa dei brutti voti o delle note per la sua cattiva condotta, prima di rimproverarlo o castigarlo pensate a quanto ho detto fin qui. La colpa non è tutta sua. Ho affermato prima che la scuola dovrebbe essere per il bambino un piacere e uno stimolo. Si deve riconoscere che qualche volta non lo è, e che qualche volta è il contrario: un obbligo fastidioso, forse oppressivo, forse angosciante. Il che non è privo di conseguenze. Le principali sono tre:

1. *perdita della fiducia in se stessi.* Quando la scuola è troppo rigida, troppo esigente, troppo frustrante, il ragazzino è portato a considerarsi un fallito perché non arriva mai a essere « bravo » in tutto, o perché non riesce a evitare tutti gli insuccessi, o perché c'è sempre qualcuno che vale più di lui in qualche cosa

2. *malattie.* Sì, proprio. Noi pediatri vediamo dalla mattina alla sera delle malattie, autentiche malattie, provocate dalla scuola. Ne parleremo più avanti, ma già fin d'ora desidero avvertirvi di questo inconveniente, tutt'altro che trascurabile. Posto di fronte alle difficoltà, ai conflitti, alle incoerenze, alle minacce, alle delusioni, alle ansie, ai dispiaceri, alle mortificazioni, alla noia, alle apprensioni della scuola tradizionale, il bambino frequentemente ha paura. E la paura produce la malattia. Ci sono bambini che stanno benissimo durante le vacanze, sia d'estate che d'inverno, e che si prendono immediatamente raffreddori, tossi, bronchiti e influenze appena comincia la scuola. Non si tratta solo di contagio. Si tratta anche di paura. Sembra incredibile ma è così: ormai i medici sanno perfettamente che le disposizioni d'animo rafforzano o indeboliscono l'organismo davanti ai microbi e ai virus. Un'infezione che non farebbe niente a un ragazzo felice e contento può far ammalare un altro, ansioso e terrorizzato. E non parliamo della perdita dell'appetito, della nausea, del vomito al mattino, dei disturbi intestinali, del mal di testa, del mal di pancia, delle febbrette, tutti sintomi che ogni mamma, ogni papà, e ogni pediatra, conoscono bene. Si chiama « fobia della scuola » questa specie di malattia dai molti volti, ed è prodotta appunto dalla scuola. Da una scuola che non è all'altezza del suo compito

3. *disadattamento scolastico.* Questo si verifica quando il bambino non riesce ad accettare la scuola così com'è: egli si oppone a tutto e a tutti, diventa aggressivo e violento, insolente, villano, fannullone, marina la scuola, scappa di casa, fa disperare gli insegnanti, molesta i compagni, ruba. Alla fine, naturalmente, si fa bocciare. Ma non si arrende. Perde un anno dopo l'altro, diventando sempre più ribelle, finché abbandona la scuola. La cosiddetta « mortalità scolastica », cioè appunto l'abbandono della scuola, ha non di rado queste origini. E badate che non si tratta per niente di un fenomeno eccezionale: oggi si calcola che in Italia il cinque per cento circa dei ragazzi abbandoni prematuramente la scuola dell'obbligo.

La scuola. Dovrebbe essere il gioioso ingresso nella comunità, viva e operante, degli uomini. Invece, troppe volte, è una specie di carcere. Peggio, una specie di meccanismo che produce individui rassegnati, servili, obbedienti alle imposizioni di un sistema disumano, nevrotici, ansiosi. E' vero che si è fatto un tentativo di cambiarla, questa scuola. Ma, come vedremo più avanti, con successo relativo. Per ora essa rimane un enorme campo di concentramento sul quale la società, incapace di affrontare le proprie responsabilità nei confronti dei bambini, scarica tutti gli impegni educativi di cui vuole sbarazzarsi. Ma la scuola non è attrezzata per sostenere un simile peso: non ha abbastanza spazio, né materiali, né soldi. Ma soprattutto non ha ancora la mentalità adatta. Il mistero dell'educazione resta un mistero per chi regge i destini della nostra scuola. Un mistero di cui in molti casi non si sospetta nemmeno l'esistenza.

2. DIFENDETELO MA NON OSTACOLATELO

2.1. Difendete il suo benessere

Alimentazione, riposo e controlli sanitari

La scuola è una fatica. Su questo non c'è nessun dubbio. È una fatica anche se il bambino ci va volentieri, anche se ci si diverte, anche se sembra non poterne fare a meno. Il doppio impegno di inserirsi in una comunità di lavoro e di digerire, più o meno volonterosamente, una enorme quantità di nuove informazioni, non può non essere faticoso. Tutto l'organismo dello scolaro è sottoposto a un considerevole logorio, a un consumo notevole di energie, e naturalmente occorre dargli una mano.

☐ Prima di tutto con l'*alimentazione*. Non voglio qui riprendere un discorso che abbiamo già fatto, ma debbo sottolineare ancora qualche aspetto del problema. Credo che la chiave di volta di tutta la faccenda stia nella risposta a questa domanda: « Il bambino che va a scuola, che è ormai cresciuto, può finalmente mangiare di tutto? ». No, non può. Ora più che mai la sua alimentazione deve essere razionale, sana, completa e digeribile, e questo significa che certe orge a base di fritture, di creme, di salse più o meno piccanti, di salumi, di manicaretti che metterebbero in crisi lo stomaco di uno struzzo, vanno assolutamente evitate. Con ciò non voglio dire che la dieta dello scolaro debba essere una perenne penitenza. Al contrario, dovreste fare di tutto perché vostro figlio mangi volontieri, con gioia. Cercate di seguire i suoi gusti, di cambiare spesso il suo menu, di preparargli cose appetitose e invitanti. Ma non avvelenatelo. Ricordate che il cibo inadatto è un veleno ad azione lenta. Prima o poi le conseguenze della sua azione subdola e sovvertitrice saltano fuori, e poi ci vuole una quantità di tempo e di pazienza per riparare i guasti. Penso che fareste bene a seguire queste sei semplici regole:

1. cercate di fare in modo che vostro figlio mantenga un certo ritmo nella sua alimentazione: non importa che faccia o no lo spuntino a mezza mattina, che mangi molto a mezzogiorno e poco alla sera o viceversa, che faccia un'abbondante colazione o che vada a scuola quasi digiuno; ma importa molto che non pasticci con panini un quarto d'ora prima del pranzo, che non cambi l'orario dei pasti tutti i giorni, che non salti la cena per poi fare una scorpacciata di olive farcite guardando la televisione, eccetera

2. fate in modo che nella dieta giornaliera di vostro figlio ci sia di tutto: latte, uova, carne o pesce, verdure, frutta, formaggi, pane. Certi bambini non vorrebbero mai assaggiare il latte, altri odiano la carne, altri detestano la verdura. E allora sta a voi « contrabbandare » l'alimento rifiutato, mescolandolo ad altri più graditi, confezionandolo in un modo nuovo, cambiandogli il sapore con sapienti aggiunte. Chi vi proibisce, per esempio, di preparare uno sformato di carne col latte, o di aggiungere le uova al condimento della pastasciutta?

3. evitate i cibi « pesanti », gli intingoli elaborati che cuociono per ore e ore, le fritture complicate, gli alimenti molto grassi, eccetera

4. ricordate che i farinacei (pasta e riso) vanno cotti il più possibile, e gli altri cibi il meno possibile

5. escludete dalla dieta il caffè e qualsiasi tipo di alcool

6. salvo restando quanto detto fin qui, lasciate che vostro figlio mangi quando vuole, come vuole, quello che vuole e quanto vuole, poco o tanto che sia.

☐ Anche sul *sonno* ho qualche cosa da aggiungere a quanto ho già detto nei capitoli precedenti. La questione è molto semplice: lo scolaro, cioè il bambino e il ragazzo fra i sei e i tredici anni, ha bisogno in media di dieci-undici ore di sonno. E siccome deve alzarsi più o meno verso le sette del mattino per andare a scuola, dovrebbe addormentarsi fra le otto e le nove di sera. Diciamo alle nove e mezza, per essere larghi. Temo però che questa saggia abitudine esista ancora soltanto nelle campagne o nei piccoli centri. Nelle città direi di no. Alla sera si mangia sempre più tardi, frequentemente dopo le nove; c'è il fatale rito della televisione, che spesso si prolunga ben oltre gli orari previsti; c'è il papà che rincasa a sera inoltrata; c'è un ritmo generale di vita che si sposta sempre più verso le ore notturne. Ma, al mattino, la scuola comincia sempre alla stessa ora. Così, giorno dopo giorno, il bambino accumula arretrati di sonno che poi « esplodono » d'improvviso, in genere verso la fine del secondo trimestre. E allora il bambino diventa « nervoso », irascibile, scontento, noioso e annoiato, svogliato, pallido, ansioso. Penso proprio che questo sia un problema da risolvere. A uno scolaro può mancare tutto, al limite persino un'alimentazione sufficiente, ma il sonno no. E invece questa è proprio la cosa alla quale diamo meno importanza. Ecco che cosa vi propongo di fare:

1. fate cenare il bambino a un'ora decente, per esempio verso le sette-sette e mezza; se non potete mangiare tutti insieme, pazienza. Il piccolo potrà essere assistito durante il suo pasto da una persona di casa. Qualcuno potrà bene, con un po' di volontà, dedicargli una mezz'ora

2. non fategli mai fare i compiti dopo cena. Meglio non farli per niente

3. se ci riuscite, abolite il cerimoniale televisivo dopo cena; semmai, lasciate che si veda qualcosa prima

4. non disturbate il primo sonno di vostro figlio con discussioni ad alta voce, televisore a tutto volume, luci accese dappertutto, eccetera. La propria casa si può godere anche con luci attenuate e senza baccano.

☐ I *controlli sanitari* conservano ovviamente tutta la loro importanza durante il periodo della scuola. Periodicamente è bene sottoporre lo scolaro a un esame di sangue (esame emometrico) per accertare che non vi siano segni di anemia, a una visita oculistica per scoprire e correggere in tempo eventuali difetti della vista, a un controllo ortopedico per prevenire o curare le diverse deformazioni schelettriche, che sono tutt'altro che rare a quest'età, specie per quanto riguarda la colonna vertebrale. Importantissima infine una visita ogni sei mesi al dentista: verso i sei anni inizia la dentizione permanente, a cominciare dai molari e dagli incisivi, ed è molto facile che la carie attacchi subito i nuovi denti. Bisogna fare di tutto per prevenirla o bloccarla sul nascere. Ricordate che un dente permanente che venga intaccato in questo periodo rimarrà ammalato per sempre. E' necessario inoltre fare in modo che la dentatura cresca ben distribuita e diritta, senza accavallamenti, deviazioni, spostamenti anormali. Fra i sei e i tredici anni si può fare molto per correggere eventuali difetti, dopo si può fare poco o nulla.

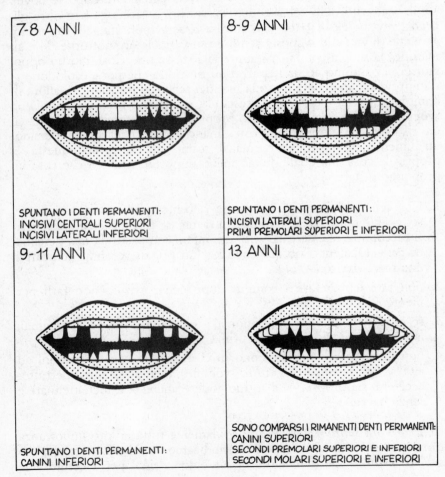

7-8 ANNI

SPUNTANO I DENTI PERMANENTI:
INCISIVI CENTRALI SUPERIORI
INCISIVI LATERALI INFERIORI

8-9 ANNI

SPUNTANO I DENTI PERMANENTI:
INCISIVI LATERALI SUPERIORI
PRIMI PREMOLARI SUPERIORI E INFERIORI

9-11 ANNI

SPUNTANO I DENTI PERMANENTI:
CANINI INFERIORI

13 ANNI

SONO COMPARSI I RIMANENTI DENTI PERMANENTI:
CANINI SUPERIORI
SECONDI PREMOLARI SUPERIORI E INFERIORI
SECONDI MOLARI SUPERIORI E INFERIORI

Lo sport

Allo sport dei ragazzi dovrebbe pensare la scuola. Ma, beninteso, la scuola non ci pensa. Anzi non può pensarci, non potrebbe nemmeno volendo, dato che, come abbiamo visto, mancano locali, attrezzature, spazi aperti, e ogni altra cosa. Dovete perciò occuparvene voi genitori. Il primo e più naturale di tutti gli sport, e anche il meno costoso, è il semplice movimento all'aria aperta: correre e giocare coi compagni, camminare, andare per i boschi e per i prati. Per quanto riguarda lo sport nel senso più stretto del termine, occorre fare qualche distinzione: a sei anni il bambino può dedicarsi allo sci, al nuoto, al judo, all'alpinismo, all'equitazione, al calcio, alla bicicletta; il ragazzo di dieci-dodici anni può cominciare a coltivare seriamente gli sport che impegnano in modo particolare un solo lato del corpo, come il tennis o la scherma. A tutte le età consiglierei di evitare le seguenti cose:

1. l'impegno eccessivo di tempo. Certi scolari vivono una vita da incubo: escono dalla scuola per entrare in palestra o in piscina, corrono a casa a fare i compiti ancora sudati e stanchi, debbono recuperare dopo cena il tempo trascorso a fare ginnastica o a nuotare o a esercitare altre attività sportive, non hanno mai una domenica libera e nemmeno mezz'ora per abbandonarsi a una qualunque cosa di loro gusto, compreso il non fare nulla. Sono sempre sotto pressione. Questo è logorante per il corpo e per la mente. Ogni essere umano, e soprattutto un bambino, ha bisogno di disporre di un po' di tempo libero. Ma libero davvero, non programmato, non legato a orari o ad attività prefissate

2. la troppa fatica fisica. Lo so che la fatica fisica fa bene, ma non si può esagerare. Il miglior giudice in questa materia è il bambino stesso. I genitori molte volte hanno paura anche degli sforzi più modesti, gli insegnanti di ginnastica e gli allenatori viceversa vedono tutto in funzione del rendimento sportivo, al quale, secondo loro, tutto dovrebbe venire senz'altro sacrificato. Lo sport per il bambino dev'essere un'attività piacevole, non una condanna ai lavori forzati

3. l'agonismo. Non è necessario che vostro figlio diventi un campione. Potrà anche diventarlo, se ne ha la stoffa e la volontà; ma questo dipende da lui, e da nessun altro. È un errore spingerlo ad allenamenti troppo impegnativi per fargli guadagnare una coppa o una medaglia. Lo sport, quello vero, non ha niente a che vedere con le graduatorie e i premi. Queste cose sollecitano l'amor proprio dei genitori, ma dubito che siano realmente utili per il bambino

4. la paura. La paura che affligge i genitori, intendo dire. Molti papà e molte mamme sono talmente terrorizzati dal pensiero che il loro piccolo possa farsi del male che gli impediscono ogni attività diversa dal restarsene seduto. Se il bambino nuota, pensano questi tremebondi genitori, potrebbe annegare; se scia, potrebbe rompersi una gamba; se fa ginnastica, potrebbe prendersi una slogatura; se corre, potrebbe cadere; se si muove, suda; se toglie il cappotto, prende freddo; se non lo toglie, ha troppo caldo. Eccetera. Vorrebbero che il figlio venisse coltivato in una incubatrice, come una pianta preziosa. Così il figlio cresce a sua volta pieno di paure, rimane isolato dai compagni più attivi, diventa fragile e delicato . . . e alla fine si rompe una gamba scendendo dal marciapiede.

Un'attività che mi sembra particolarmente consigliabile è quella del *judo*. Veramente il judo non è esattamente uno sport. È anche un eccellente allenamento fisico, questo sì, che rende il corpo elastico e forte, e i movimenti precisi, armonici ed eleganti. Ma si tratta di una pratica che va molto al di là delle conquiste di tipo atletico. Il judo, quando sia insegnato da un buon istruttore naturalmente, è estremamente educativo: educa alla collaborazione, al rispetto per gli altri, all'autodisciplina, alla benevolenza, alla generosità. Contrariamente a quello che si crede di solito, non ha nulla di violento, ma anzi insegna l'autocontrollo e la tolleranza. E, cosa molto importante anche questa, non spinge il ragazzino sulla via della competizione e del « campionismo », ma piuttosto su quella di un costante miglioramento di se stesso.

L'abbigliamento

Qualche volta, animati dalle migliori intenzioni, rendiamo veramente la vita difficile a nostro figlio. Egli, come abbiamo visto, deve affrontare con la scuola un numero ragguardevole di problemi e di fastidi, che vanno dagli orari ai compiti, dall'adattamento scolastico all'ansia per l'insuccesso, dalla frequente mancanza di sonno a quella, più frequente ancora, di tempo libero. E noi, invece di aiutarlo, non di rado aggiungiamo al suo fardello altri problemi e altre seccature. Una di queste seccature è rappresentata dall'abbigliamento. Chissà perché, siamo convinti di essere giudici infallibili sul modo di vestire dei bambini e dei ragazzi. Invece siamo giudici pessimi. Anche in questo, come in moltissimi altri campi, chi può decidere meglio e più ragionevolmente è l'interessato, è lo scolaro stesso.

In sintesi, mi pare che il vestiario del bambino e del ragazzo debba rispondere ai seguenti requisiti:

1. essere comodo. Il bambino gioca, corre, cade a terra, si sporca, si dimena, si strofina sui muri, fa la lotta coi compagni. Come fa, se è inguainato in giacchettine attillate, stretto da nodi di cravatte, imprigionato in pantaloni impeccabili e delicatissimi? Eliminate dunque tutto ciò che non serve, tutto ciò che richiede « riguardo », tutto ciò che limita la libertà di movimento del bambino

2. essere adatto alle esigenze di vostro figlio. C'è chi soffre il freddo e chi il caldo, chi non può sopportare il maglione e chi detesta la giacca, chi preferisce i pantaloni lunghi e chi corti, chi ha bisogno di molte tasche e chi di nessuna, e così via

3. essere conforme ai gusti di vostro figlio. Rispettare le sue preferenze. Certe volte potranno sembrarvi assurde, ma non importa. Non dovete fare di vostro figlio una specie di bandiera di famiglia; il vostro prestigio e il lustro della casata non dipendono dai pantaloni del ragazzo. Ho conosciuto una fanciulletta dodicenne, bionda come l'oro, che si vestiva sempre di arancione e rosa. Orribile. E per di più era figlia di un celebre pittore! Ma era un pittore di buon senso, che non si occupava affatto delle stravaganze cromatiche della figlia. Così lei era felice, anche se per guardarla occorrevano gli occhiali affumicati. E il padre continuò a essere stimato e rispettato, anche se la figlia costituiva un'offesa al più elementare buon gusto

4. non essere ridicolo. Uno scolaro può vestirsi in modo strano e grottesco, eppure, se ciò corrisponde alla sua personalità, non essere ridicolo. Ridicolo diventa immediatamente quando entrano in gioco i gusti dei genitori. Certi poveri bambini avviluppati in preziosi tessuti inglesi, con cappelli di pelo e scarpe lucidissime, fanno veramente pietà; specie quando siano circondati da compagni in jeans, tuta, pantaloni di velluto, maglietta e scarpe da tennis

5. non essere legato a schemi tradizionali. Non è affatto necessario che una ragazzina debba indossare gonne, nastri e camicette più o meno adorne di pizzi, così come non è affatto necessario che un maschio abbia i capelli a spazzola e la cravatta. Oggi fortunatamente va di moda l'*unisex*, anche per i bambini. I pantaloni vanno bene per tutti, femmine e maschi, e vanno bene per tutti le borse a tracolla, i maglioni e i capelli lunghi o corti. Questo ha eliminato molti problemi di vestiario. Perché mai si dovrebbe fare marcia indietro?

Le vacanze

Tutti abbiamo bisogno delle vacanze. Lo scolaro di più. Non ne avrebbe bisogno se la scuola fosse quello che dovrebbe essere, una libera comunità, un campo di attività avvincenti, uno stimolo vitale. Non ne avrebbe bisogno se la scuola fosse meno rigida, meno inquadrata in regole tanto convenzionali quanto inutili e scoraggianti, meno persecutoria e opprimente. Ma, stando le cose come stanno, la vacanza è indispensabile. La vacanza è il periodo in cui lo scolaro può ritrovare se stesso, riscoprire i propri autentici interessi e dedicarsi ad attività liberamente scelte e quindi costruttive. Per questo motivo credo che le vacanze di uno scolaro vadano prese molto, ma molto seriamente.

Ecco cosa significa prendere sul serio le vacanze di vostro figlio:

1. scegliere un tipo di vacanza che piaccia al bambino o al ragazzo. O almeno che piaccia *anche* a lui. Ci sono dei ragazzini che in montagna si immalinconiscono e altri che si annoiano mortalmente al mare, alcuni che amano la campagna e altri che la detestano, alcuni che si divertono di più nell'acqua, altri nei boschi, altri ancora sulla neve. Prima di prendere delle decisioni, mi sembra giusto che si pensi anche a questo aspetto del problema. Certo, le cose si fanno più difficili quando i figli sono due o tre, ognuno con gusti differenti. Allora bisogna per forza ricorrere ai compromessi, al mare con le montagne vicine, alla montagna col lago, eccetera. Ma l'essenziale è che il figlio non si senta escluso da una scelta che, dopo tutto, lo riguarda molto da vicino

2. fare in modo che durante le vacanze il bambino abbia compagnia. Potrete andare in villeggiatura insieme a un'altra famiglia in cui ci siano bambini della stessa età del vostro, o andare in un luogo in cui sapete di trovare degli amici di vostro figlio, o invitare un suo compagno a trascorrere parte delle vacanze con voi. Ci sono mille soluzioni, se ci si mette un po' di buona volontà. Ricordate che a quest'età il bambino ha un enorme bisogno di stare con dei coetanei. La sua famiglia non gli basta più, ed è giusto che sia così

3. fare in modo che durante le vacanze il bambino sia libero da impegni. Si dice che durante le vacanze lo scolaro dimentichi tutto, se non si tiene in esercizio. Non è vero. Lo scolaro non dimentica niente. Niente di importante, almeno. Invece ha bisogno di staccarsi dai legami scolastici, di non doverci pensare, di sentirsi libero. Il rimandare una gita, o l'interrompere un gioco, o il distogliere il bambino dalla compagnia degli amici per confinarlo davanti a un tavolo, non è affatto una buona idea

4. trascorrere le vacanze a contatto con la natura. Naturalmente qualche viaggetto, o la visita a una città importante, o un giro in macchina di pochi giorni in una regione interessante, sono bellissime cose, utili e stimolanti. Ma non è ammissibile che un bambino trascorra gran parte delle sue vacanze fra i gas delle autostrade e quelli dei centri urbani. Egli ha bisogno di moto, di aria pura, di verde, di mare, e non di essere rinchiuso in un contenitore di metallo, come l'automobile, o di cemento, come un albergo.

2.2. Non ostacolate la sua sete di imparare

. Il vostro più grande desiderio, l'ambizione di tutti i genitori, è che il bambino impari molte cose. Giusto desiderio e giusta ambizione ... se si permette allo scolaro di imparare quello che vuole lui. Qui sta il grosso equivoco. Noi adulti siamo irresistibilmente presi dalla tentazione di scegliere noi stessi le nozioni da imprimere nella mente dei bambini, e lo facciamo in buona fede, forti della nostra esperienza. Ma dimentichiamo due cose: primo, che l'esperienza ha un valore strettamente personale e che non può essere estesa a nessun altro, nemmeno ai figli (non ricordo più chi ha detto che l'esperienza è come lo stuzzicadenti: serve a una persona sola); secondo, che fra noi e i nostri figli c'è di mezzo una generazione, e che una buona parte di ciò che è stato utile per noi sarà probabilmente del tutto inutile per i bambini dell'era atomica e spaziale. E' dunque giusto aiutare il bambino a imparare, ma bisogna sapersi adattare al suo modo di apprendere e non cristallizzarsi su programmi, piani di studio e tipi di insegnamento tradizionali.

Domandiamoci allora: *come impara* il bambino, lo scolaro? In tutti i modi, anche in quelli più bizzarri e apparentemente insensati. Per esempio andando in giro per le strade. E' ormai vecchia di parecchi anni una ricerca che ha dimostrato come i ragazzi fra i sei-sette e i tredici anni amino moltissimo passeggiare per le strade, così, senza far niente, solo guardandosi attorno, osservando il traffico, il lavoro dei vigili urbani, il comportamento della gente, i negozi, i manifesti, le case, i segnali. Ecco un eccellente modo di imparare. Certo non s'impara chi era Quinto Fabio Massimo, né che cosa sia una preposizione articolata, ma s'impara che cos'è la vita. La vita degli uomini. Il che forse non è meno importante di un generale morto venticinque secoli fa o di una definizione grammaticale. Nella misura in cui lo permette il traffico, talora davvero micidiale, credo perciò che sia bene non opporsi alle passeggiate esplorative del bambino. C'è sempre qualcosa da imparare, anche su un marciapiede.

Esistono poi diverse altre vie attraverso le quali il bambino può procurarsi delle informazioni; vie più o meno classiche, più o meno valide, più o meno gradite agli adulti. *La musica*, per esempio. La musica alla radio, sui giradischi, mangianastri. Ai bambini più piccoli, di sei-otto anni, piace spesso la musica sinfonica; e naturalmente è bene incoraggiarli, e non interromperli continuamente « perché perdono tempo ». Verso i dieci-dodici anni scoppia di solito la mania delle canzonette, in verità quasi sempre piuttosto mediocri per non dire scadenti. A quest'età i ragazzi, femmine e maschi, mangiano a suon di musica, si lavano a suon di musica, leggono a suon di musica, studiano a suon di musica. Coi loro risparmi si comprano un buon numero di cassette, e vivono coi loro cantanti preferiti nelle orecchie, ininterrottamente. Questo non è certo altrettanto utile della musica classica, ma direi che non va egualmente scoraggiato. A parte il fatto che la musica, per quanto atroce, fa parte del modo di vivere del ragazzo, non va dimenticato che anche le canzonette più cretine possono contenere qualcosa di utile. Qualcosa che vostro figlio non avrebbe mai l'occasione di imparare, se non fosse per quel microsolco che forse voi odiate tanto.

E *il cinema*? Anche per il cinema non posso che ripetere lo stesso discorso: è sempre un canale d'informazione, una fonte di conoscenza. Ci sono evidentemente film buoni o addirittura ottimi, altri mediocri, altri scadenti, altri ancora pessimi. Ma anche i pessimi possono servire. Purché non siano tanto crudeli e impressionanti da sconvolgere profondamente il bambino. Ma questo accade di rado. Qui mi pare il caso di ritornare ancora una volta su un concetto fondamentale: noi giudichiamo la « bontà » di un film con la nostra mentalità di adulti, cioè con un metro che non vale nulla per i ragazzi. Crediamo che un film sexy sia pernicioso e sconsigliabilissimo, e invece può essere utile; oppure pensiamo che un film storico sia di grande vantaggio, e invece per il bambino è stucchevole e repellente. Credo che la strada migliore sia quella di seguire i gusti di vostro figlio. Egli sa ciò che gli serve; ha delle curiosità da appagare, dei problemi da risolvere, delle emozioni da sfogare. Non vedo perché non si debba accontentarlo. Ovviamente si impara molto di più dalle cose che piacciono di quanto non si impari da quelle che annoiano.

La televisione presenta due grossi pericoli. Il primo pericolo è insito nella sua costante disponibilità. L'apparecchio è sempre lì; basta schiacciare un bottone. In altri termini il bambino può appiccicarsi al teleschermo quando vuole e per quanto tempo vuole, e questo può sconvolgere il ritmo della sua giornata, rubargli delle ore di sonno, distoglierlo dalla compagnia degli amici e da quel po' di vita all'aria aperta che gli è tanto salutare. Il secondo pericolo sta nei programmi pubblicitari. La grottesca fatuità di questo tipo di trasmissioni nasconde un'insidia molto grave: fornisce, sì, delle informazioni, ma generalmente delle informazioni false. Il mondo della pubblicità è un mondo superficiale, sciocco, che ride sempre, che suggerisce la pericolosissima idea che la felicità e il benessere siano la medesima cosa. Consiglierei perciò ai genitori di stabilire una certa regola nell'uso della televisione e di evitare, per quanto possibile, troppe trasmissioni pubblicitarie. A parte questo, è fuor di dubbio che la televisione rappresenta un eccellente aiuto per lo scolaro. È veramente una finestra sul mondo. Ogni tipo di programma può dare qualche cosa di buono, anche la partita di calcio, anche i romanzi sceneggiati, e persino le cronache parlamentari. È bene anzi che il bambino veda un po' di tutto, in modo che possa farsi un'idea generale della faccenda e che quindi possa poi scegliere consapevolmente la sua trasmissione.

Parliamo ora della *lettura*. È il più antico e il più classico dei mezzi di informazione, e rimane tuttora in primo piano, nonostante l'avvento dei mezzi audiovisivi. Gli scolaretti leggono di tutto e, a quanto pare, leggono più dei loro genitori. Ma possono proprio leggere di tutto? Io credo di sì. In generale il bambino va a cercare ciò che gli serve, in qualsiasi campo, e non mi pare legittimo distoglierlo dalle sue scelte, né ostacolarlo, né imporgli qualche cosa. Ci sono ragazzini che concentrano la loro attenzione sul manualetto di istruzioni per l'uso del televisore o del computer, altri che si dedicano ai libri sugli animali, o di viaggi ed esplorazioni, di geografia e di storia, altri ancora che leggono storie fantastiche, vicende di mostri e vampiri, o racconti di avventure, moltissimi restano fedeli alla tradizione e divorano il CUORE, PINOCCHIO, PICCOLE DONNE e simili. Strano ma vero.

Poi c'è la questione dei fumetti, e anche qui si scopre che il bambino può scegliere qualsiasi cosa. Fumetti attuali, o sentimentali, o avventurosi, o "istruttivi", scienza a fumetti, storia d'Italia a fumetti, storia antica a fumetti, religione a fumetti. C'è chi preferisce il paleofumetto di Topolino o di Flash Gordon, chi scova fra i ricordi paterni gli album di Super Man e Diabolik, chi predilige l'aristocratica produzione di Schulz, o di Hart, o di Quino. L'unico genere di fumetto che sembra interessare relativamente poco lo scolaro è quello pornografico. Per ora. Ma è questione di tempo. Se l'evoluzione delle nuove generazioni proseguirà col ritmo attuale, fra poco sarà la volta anche di quello.

Vorrei raccomandare ai genitori di non preoccuparsi delle scelte del loro figlioletto. È importante solo che il piccolo lettore *possa* scegliere. Non pensate ad altro, non interferite, non censurate. La censura, vecchio discorso, non ha mai prodotto buoni frutti. Non censurate nemmeno se vostro figlio si dedica ai fumetti tratti dagli

spettacoli televisivi, per lo più di origine giapponese, che di giapponese non hanno nulla se non i finanziamenti, e non hanno neppure qualcos'altro, essendo esempi abbastanza classici di un totale vuoto creativo. Pazienza. Così come nessuno è diventato criminale leggendo il vecchio Kriminal, né pistolero leggendo storie di Tex, così nessun bambino diventerà imbecille leggendo stolide vicende grondanti lacrimose melasse. E non lo diventerà nemmeno dedicandosi ai fumetti costruiti sulle figure di cantanti alla moda, che generalmente non sono dei fulgidi rappresentanti delle migliori qualità umane. Il bambino, che non è ancora devastato dalla dilagante stupidità, si vale di tutto per edificare se stesso. E di norma ci riesce bene.

B.C.
DI JOHNNY HART

ECCO UNA GUSTOSA SATIRA DEL "SISTEMA", SIMBOLIZZATA DA UN CARTELLO DI DIVIETO. BASTA UN NULLA, E LE ARBITRARIE NORME DELL'UOMO TECNOLOGICO POSSONO ESSERE ADDIRITTURA SOVVERTITE.

QUESTI CONTADINI CHE PLAUDONO AL LORO RE E PADRONE QUANDO L'HANNO DI FRONTE, MA LO CONTESTANO NEL LORO CUORE (SUL RETRO DEI CARTELLI), RAPPRESENTANO TUTTI NOI: ANCHE SE LE CIRCOSTANZE CI VIETANO DI MANIFESTARLO, L'AMORE PER LA LIBERTÀ DEVE SOPRAVVIVERE NEL NOSTRO SPIRITO. DICE PAOLO DE BENEDETTI: "QUANDO UN UOMO NON È PIÙ UN UOMO, UN RE SEGRETO REGNA DENTRO DI LUI".

The Wizard of Id
by Brant parker and Johnny hart

551

2.3. Difendete la sua felicità

Invito a un esame di coscienza

Voi volete che vostro figlio sia felice. Tutti vogliono la felicità per i loro figli. Eppure tutti, *quasi* tutti per la precisione, si comportano in modo da porre mille ostacoli al raggiungimento della felicità stessa da parte del bambino. Ho asserito prima che la condizione emotiva dello scolaro è dominata dall'ansia, dal timore di non riuscire, di essere un buono a nulla, di non essere gradito agli altri, eccetera. E questo è particolarmente vero oggi, in questa nostra epoca di grandi crisi morali, sociali e politiche. I bambini e i ragazzi, l'ho detto poco fa, sono arrivati a prendere coscienza della loro situazione di individui socialmente «inferiori», pieni di doveri e privi di diritti. Alcuni anni fa un giurista specializzato in problemi familiari e un giudice tutelare hanno preso in esame la Carta dei Diritti del Fanciullo elaborata dall'UNESCO e l'hanno confrontata con la nostra legislazione e il nostro costume. Ebbene, ne è saltato fuori che *nessuno* dei diritti del bambino viene rispettato nel nostro paese, né dalla legge né dal costume. Di questo i ragazzi cominciano a rendersi conto, e stanno ingaggiando una battaglia contro gli adulti rappresentanti della legge e del costume. Una battaglia perduta in partenza, beninteso, che finisce con lo scoraggiare i piccoli ribelli, con l'aumentare le loro ansie e le loro paure, con l'inasprire il loro carattere, con l'ingigantire il loro senso di inferiorità. In breve, col renderli più infelici. E la responsabilità di questo risale a noi tutti, a tutti gli adulti, che non sappiamo capire che cosa vogliono i ragazzi. A me pare che sia arrivato il momento di fare un bell'esame di coscienza.

Per prima cosa cerchiamo di chiarire quali sono i motivi dell'atteggiamento repressivo e ostile di molti adulti nei confronti dei bambini e dei ragazzi. Parlavo poco tempo fa con una giornalista intelligente e preparata, parlavo degli scioperi nelle scuole, dell'irrequietezza, dei conflitti fra scolari e insegnanti, del clima di confusione che si è venuto creando negli ultimi anni, delle rivendicazioni dei ragazzi, e via dicendo. A un certo punto questa donna, colta, raffinata, evoluta, sensibile, saltò fuori con una frase che mi lasciò di gelo. Disse: «Ci vorrebbero delle squadre di sculacciatori, così questi mocciosi la finirebbero con le loro inciviltà!». Ripeto, rimasi di gelo. Mi venne subito in mente una frase scritta da uno psicologo americano: «Alcuni adulti, di fronte ai problemi infantili, negano che si tratti di disturbi emotivi e asseriscono che tutto dipende da un'educazione troppo poco energica; e affermano inoltre che gli psicologi, i quali naturalmente non la pensano così, sono degli imbecilli». Roba scritta decenni fa, si badi bene; e oggi siamo ancora alle prese con chi vuole le squadre di sculacciatori. E' veramente incredibile. Dov'è la radice del male? Perché molti adulti invocano una educazione « più energica » invece che pensare alla soluzione dei problemi dei loro figli? Credo che le cause di questo inesplicabile e assurdo atteggiamento siano di due ordini:

1. nel momento in cui l'adulto prende contatto coi problemi del bambino, con le sue angosce, coi suoi terrori, le sue sofferenze, le sue delusioni, ne rimane mortalmente spaventato. Come, ma se pensavamo che questa fosse l'età della beata incoscienza, della gioia, della serenità! Com'è possibile che invece nella mente di un ragazzino ci siano tanti conflitti e così tempestose emozioni? In effetti si tratta di una rivelazione sconcertante. Ma irrefutabile. L'indagine psicologica non lascia posto ad alcun dubbio. Così l'adulto, più o meno consapevolmente, rimane atterrito di fronte a questa scoperta e, più o meno volutamente, tende a respingerla, a ignorarla, a sfuggirla. Tanto più ch'egli si sente, e con ragione, largamente colpevole del dramma che agita il ragazzo. E' sempre molto difficile accettare la propria colpevolezza. L'adulto dunque cerca di sottrarsi ai propri sensi di colpa negando tutto, spesso in buona fede. Afferma che i problemi infantili sono stati inventati dagli psicologi, che « sono tutte storie », che da che mondo è mondo non si sono mai sentite cose simili, eccetera. E immediatamente si aggrappa alla soluzione più semplice, e più dissennata: quella dell'educazione « energica », della repressione. In realtà così facendo l'adulto non cerca affatto di risolvere i problemi, ma tenta semplicemente di impedirne le manifestazioni, di non averli più davanti agli occhi, di annullare il dito accusatore che si punta su di lui. Mette la testa sotto terra, come lo struzzo

2. l'adulto è portato inconsciamente a rovesciare sul bambino le sue pene e le sue sofferenze. « Ho sofferto io quando ero bambino, ed è giusto che soffra anche mio figlio ». Nessun genitore sarebbe naturalmente disposto ad ammettere che dentro di lui esista questo atteggiamento sado-masochista; ma l'atteggiamento c'è, senza che noi ce ne rendiamo conto. Esistono molti e sensazionali esempi storici di questa realtà: uno dei più agghiaccianti è quello dello zar Ivan il Terribile, che faceva torturare orrendamente i suoi sudditi, li faceva bruciare vivi, a grappoli, chiusi in gabbie di ferro davanti alle porte del suo palazzo, e poi si presentava al popolo piagnucolando e raccontando com'era stato infelice lui, da bambino. Certo, nessun genitore arriva a queste inaudite atrocità. Ma quanti esempi di violenza verso i ragazzi vengono riportati dai giornali? Centinaia ogni anno. E quanti non vengono riportati? Probabilmente migliaia, decine di migliaia. Ognuno di noi, confessia-

molo, davanti a un dispiacere del proprio figlio è subito tentato di rifiutarne la responsabilità con la scusa che anche noi, da piccoli, abbiamo sofferto. Come se il figlio di un carcerato dovesse per forza andare in prigione a sua volta, il figlio di un tubercolotico avere la tubercolosi, il figlio di un pazzo andare in manicomio. E per risolvere il problema senza accettarne la responsabilità non troviamo di meglio che sopprimere il problema stesso, con la violenza.

Se abbiamo avuto il coraggio e l'onestà di fare questo esame di coscienza, se siamo stati abbastanza sinceri da riconoscere che le tradizionali soluzioni repressive non possono assolutamente essere ammesse, dobbiamo fare un secondo passo: cercare quale sia la strada migliore per risolvere i problemi del ragazzo e per assicurargli tutta la felicità che è in nostro potere di dargli. Desidero proporre alla vostra attenzione i seguenti suggerimenti:

1. sforzatevi di crescere insieme a vostro figlio. E' possibilissimo, sapete. Anche gli adulti possono crescere. Anche i vecchi. Possono abbandonare certi pregiudizi, accettare le nuove realtà, accogliere nuove idee, adattarsi a differenti modi di vivere. Non si può aiutare un bambino se non lo si capisce, e non si può capire un bambino se non ci si studia di capire il suo mondo. Ripeto, possiamo farlo. Basta partecipare alla vita dei nostri figli, entrare nei loro problemi, riesaminare con loro le soluzioni, prendere coscienza dei loro diritti

2. non restate aggrappati ai sistemi educativi che erano in uso quando eravate bambini voi, come se si trattasse di leggi assolute e immutabili. Se i vostri genitori, i vostri insegnanti, i vostri educatori sono stati rigidi e severi con voi, se, come si usa dire, vostro padre « non vi ha risparmiato la sferza », non è questo un buon motivo perché voi oggi vi comportiate nello stesso modo, e commettendo gli stessi errori, con vostro figlio. Un tempo certe cose sull'evoluzione del bambino non si sapevano, ma oggi si sanno. E non si può più ignorarle. I metodi educativi di qualche decennio fa hanno prodotto una generazione di esseri tormentati, alienati, sofferenti, incoerenti e intolleranti: la nostra generazione. Credo che abbiamo il preciso dovere di cambiare rotta, e di dare ai nostri bambini tutte quelle opportunità che a noi, sia pure in buona fede, sono state negate

3. non cedete alla tentazione di mettervi sul pulpito a fare la predica. Prediche e sermoni non servono a niente. Quasi tutti i genitori, nella lodevole intenzione di aiutare i figli, di consolarli, di correggerli e di rassicurarli, si abbandonano a fiumi di parole. E i figli,

quasi tutti i figli, non li ascoltano nemmeno. Per loro la voce del papà o della mamma che spiega come si deve fare questo o quello, che dimostra come la tal cosa sia giusta e la tal'altra sbagliata, che fa elenchi di regole e di consigli, non è una voce. E' un rumore. Un rumore molesto. Il bambino non vuole consigli, né ammonimenti, né spiegazioni, né dimostrazioni, né dettami vari. Vuole soltanto comprensione. Le prediche non fanno che aumentare in lui l'ansia, il timore, lo scoraggiamento. Egli si rivolge al papà per averne simpatia e appoggio morale, e trova una filastrocca di sentenze; ricorre alla mamma per trovare un po' di calore, e trova una litania di querimonie. Credete che tutto questo gli sia molto utile?

4. non aggredite mai vostro figlio con rimproveri e valutazioni negative della sua persona. Non ditegli mai che è un pigrone, uno sciocco, un incapace, un maldestro, un cattivo, un malfattore, un ingrato, e così via. Può anche darsi che lui in effetti sia un maldestro o un pasticcione, ma col dirglielo non arriverete a niente di buono. Il rimprovero produce di solito questi tre effetti:

☐ trasforma una cosa da nulla in un dramma familiare, con seguito di angosce, inutili sofferenze, incomprensioni, eccetera

☐ offende il bambino e suscita in lui risentimento e odio contro chi l'ha offeso; ora, siccome chi l'ha offeso siete voi, e lui vi vuole bene, in fondo si sente terribilmente colpevole per il rancore che non può non provare nei vostri confronti; e da questo conflitto, inevitabilmente, scaturisce l'ansia

☐ tende a distruggere la fiducia del bambino in se stesso: a furia di sentirsi dire che è stupido, inetto, buono a nulla, antipatico, scocciatore, noioso e destinato al fallimento, egli finirà col crederci, e si comporterà di conseguenza: si chiuderà in se stesso, eviterà ogni attività che possa mettere alla prova le sue capacità, e in complesso sarà travolto dalla paura di fronte al mondo

5. non ricompensate vostro figlio. Proprio così, non ricompensatelo mai. Parlo naturalmente della ricompensa così come viene di solito concepita: come un *pagamento*. In generale il bambino viene ricompensato, cioè pagato, perché è stato buono, bravo a scuola, docile, obbediente, sottomesso. Per dirla in parole più brutali, si compera dal bambino la sua libertà, la sua indipendenza, la sua stessa personalità. E la si paga col premio, col regalo, col giocattolo, o più economicamente con un gelato. Tutto ciò è veramente miserevole. Non solo, è anche pericolosissimo. Il bambino, se non ha un carattere più che forte, arriverà tranquillamente ad accettare questo commercio esercitato sulla sua persona, cercando di trarne il più

grande profitto possibile. A un certo punto il rapporto fra genitori e figlio diventerà un semplice rapporto mercantile, svuotato di affetto, di stima, di collaborazione, di reciproco appoggio. E, come risultato finale, il bambino sarà più insicuro e ansioso che mai. Fate a vostro figlio tutti i regali che volete, ma non mai come pagamento per la sua « bontà ».

Educazione dello scolaro

Ciò che noi chiamiamo educazione può aiutare il bambino a essere felice, ma può anche renderlo estremamente infelice. Dipende appunto da che cosa intendiamo per educazione, e dal come la mettiamo in pratica.

Cominciamo dall'*educazione del comportamento*. Abbiamo visto che lo scolaro è un personaggio ruvido, impaziente, intollerante, stravagante, irritabile, scortese. O almeno lo è frequentemente. Ed è dominato dall'orgoglio. Molti ritengono di dover « domare » questo piccolo ribelle, di doverlo ricondurre entro i binari di un comportamento « civile » con le buone o con le cattive. E' un grosso errore, e ne ho accennato già nel paragrafo precedente. Le imposizioni esterne, i provvedimenti repressivi, le punizioni e le misure disciplinari non risolvono mai nessun problema. Anzi, inevitabilmente acuiscono i problemi che già esistono, producono conflitti e risentimenti, e nel complesso fanno molto più male che bene. La prima e migliore regola da seguire di fronte a un ragazzo turbato e scontroso è quella del silenzio. Lo so che in concreto è difficile riuscire a rimanere zitti, specie davanti a certe manifestazioni provocatorie, ma certamente è la miglior cosa da fare. Dire a un ragazzo di non essere villano è semplicemente ridicolo. Prima di tutto egli non sa di esserlo, e quindi trova l'esortazione dei genitori assolutamente gratuita e fuori luogo. E poi egli si sente offeso da questo invito a comportarsi « bene », invito che sottintende chiaramente che lui si sta comportando « male ». Infine egli non arriva a capire perché mai lui debba essere gentile e corretto, mentre i genitori sono villani; tanto villani da svergognarlo e metterlo in imbarazzo criticando, forse anche davanti a persone estranee, la sua educazione. No, non è con le parole e con le rampogne che si può aiutare un ragazzo a diventare cortese e gradito a tutti. Non con le parole, ma con l'esempio. Il rispetto, anche formale, per gli altri e per le loro cose, il ragazzo lo impara dal comportamento degli adulti. Quanti di noi, maschi adulti, si tolgono il cappello in ascensore? quanti di noi adulti, maschi e femmine, si studiano di evitare in ogni occasione frasi poco riguardose o addirittura insultanti? quanti mangiano senza i gomiti sul tavolo? quanti badano a non disturbare i vicini con il televisore a tutto volume? quanti si ricordano di dire « grazie » o « prego » o « scusi »? quanti rispettano la precedenza e i piccoli diritti altrui? E poi pretendiamo che i nostri figli siano dei perfetti gentiluomini. Ma da chi mai possono imparare, di grazia, se non da noi? Non dalle nostre parole, ma proprio da noi, dalle nostre persone. Comportarsi bene e tacere: due regole d'oro, che purtroppo quasi nessun adulto rispetta. Nella maggioranza dei casi il bambino si sente messo sotto accusa da adulti che farebbero molto meglio a mettere sotto accusa se stessi, e questo alimenta in lui rancori, impulsi vendicativi, insicurezza nei suoi e negli altrui confronti.

Veniamo ora all'*educazione morale*. Discorso ancora più difficile e delicato. E' evidente, e questo va detto subito, che non si può fornire al bambino un chiaro indirizzo morale se non si ha la chiarezza dentro di sé. « Io bado ai fatti miei, e gli altri badino ai loro », « Ognuno per sé e Dio per tutti », « Mi sono arrangiato io, si arrangino anche gli altri »: sono frasi orribili, spaventosamente immorali, che non dovrebbero essere pronunciate mai alla presenza di un bambino o di un ragazzo. Così si insegna l'egoismo, l'insensibilità, l'aridità dei sentimenti, la grettezza, e quel tremendo difetto che si chiama *furbizia*, tipico del nostro paese. Certo non si insegna la morale. Se vogliamo che i nostri figli diventino dei veri uomini, dobbiamo cominciare con l'esserlo noi.

Premesso questo, vorrei affrontare lo spinoso problema della « doppia morale ». Mi spiego: spesso noi grandi, noi genitori, tuoniamo e predichiamo contro la bugia e l'inganno, però poi diciamo ai ragazzi che in certi casi l'inganno è necessario, anzi raccomandabile. Anzi lodevole. Per esempio quando si tratta di evitare una seccatura, una contravvenzione, un incontro sgradito, eccetera. Oppure raccomandiamo ai nostri figli la cortesia e la benevolenza verso tutti, ma poi ci affrettiamo a chiarire che questi « tutti » non comprendono gli zingari, i mendicanti, le prostitute, i monelli, il ragionier Rossi, i negri, e gli ebrei. Con questo tipo di morale a doppia faccia si mette il ragazzo in una brutta situazione: o egli rifiuta con sdegno la palese ingiustizia dell'insegnamento che gli viene impartito, e allora entra forzatamente in polemica coi genitori e perde ogni stima nei loro confronti; oppure accetta ciò che gli viene detto, lo fa proprio, e poco a poco diventa un individuo intollerante, chiuso, pieno di pregiudizi, razzista e, tutto sommato, profondamente immorale.

A questo punto il nostro discorso diventa ancora più complicato. Esiste infatti un secondo genere di doppia morale, e questa volta mi pare che si tratti di una doppia morale obbligatoria. Voglio dire questo: la regola etica che voi vi sforzate di dare a vostro figlio è basata sulla generosità, sul disinteresse, sull'eguaglianza, sulla libertà, sull'amore. Ma la società che sta intorno a noi è basata invece sulla regola dell'egoismo, del profitto, della gerarchia, del dominio e dello odio. Tutto il contrario di quello che voi vorreste. Voi dite al bambino che è giusto e lodevole dividere ciò che si possiede con i bisognosi, i poveri e i derelitti; la società invece difende con accanimento il diritto, anzi il dovere, alla proprietà, al guadagno illimitato, alla capitalizzazione, alla conquista del potere economico. Si può fare della beneficenza, dice la società, ma rinunciare alla proprietà, per colossale che sia, questo mai. Voi dite che si deve fare ciò in cui si crede, ciò che arricchisce la propria personalità, ciò che è utile a se stessi e agli altri; e la società invece afferma che si deve fare soltanto ciò che produce danaro. Voi dite che tutti gli uomini sono eguali, e la società sostiene che *debbono* essere diseguali, chi capo e chi suddito, chi ricco e chi povero, chi potente e chi debole, chi libero e chi servo. Voi dite che si debbono amare tutti gli uomini, e la società ha reso obbligatorio l'odio contro i nemici della patria, contro i nemici della religione, contro i nemici dell'ordine pubblico, e contro una quantità di altri nemici, più o meno immaginari.

Ci sono dunque due morali: una vera, la vostra, e una ignobilmente falsa, quella sociale. Che cosa si deve dire allo scolaro, al bambino che finora ha conosciuto solo la morale che c'è nella sua famiglia e che ora, di bòtto, si trova a contatto con la morale corrente, cioè con quella della società, del tutto diversa da quella dei genitori? Evidentemente non c'è che una cosa da fare: dire la verità. La regola che conta è la vostra e non quella del meccanismo sociale. La regola che conta è quella dell'altruismo e non quella dell'egoismo, quella del rispetto e non quella della sopraffazione, quella della lealtà e non quella dell'astuzia, quella della dedizione e non quella del profitto.

A proposito del profitto mi sembra utile fare qui una breve considerazione su un argomento assai serio: lo « stipendio » del ragazzo. E' bene o male affidare un po' di danaro al ragazzo? Io credo che sia un bene. No, non penso di essere in contraddizione con quanto ho detto poco fa. Il disporre di una piccola somma di danaro, innanzitutto, favorisce nel ragazzo lo svilupparsi del senso della responsabilità. Nel nostro mondo i soldi esistono, ed è inutile fingere di ignorarli. Piuttosto, bisogna imparare a usarli bene, vorrei dire *umanamente*. Ma non si può imparare a usare ciò che non si ha. Inoltre, il possesso di qualche moneta mette il ragazzo in condizioni di poter *dare*: di fare un regalino alla mamma o al papà, di comperare qualcosa per un amico, di aiutare qualcuno in stato di bisogno. In breve, di essere generoso. Questo mi sembra davvero molto importante. Ma perché lo stipendio di vostro figlio sia uno strumento educativo occorre che voi rispettiate alcune regole:

1. dategli uno stipendio *regolare*, non importa se mensile o settimanale, ma puntualmente, e sempre nella stessa misura, indipendentemente dal comportamento del ragazzo. Non deve trattarsi di un premio, di un riconoscimento, di una ricompensa, ma di uno stipendio vero e proprio

2. l'entità dello stipendio non deve essere troppo differente da quella che sapete essere abituale per i compagni di vostro figlio: se gli darete molto di più di quanto non abbiano gli altri lo farete sentire un'privilegiato, e questo è male; se gli darete molto meno lo farete sentire una vittima, e questo è pure male

3. se non potete dargli nulla perché le vostre condizioni economiche non ve lo permettono, non preoccupatevi. Dite sinceramente a vostro figlio come stanno le cose, spiegandogli con chiarezza che non c'è proprio nulla di vergognoso nell'essere poveri. Anzi. Quasi tutti gli uomini veramente grandi, potrete dirgli, erano poveri, o comunque vivevano poveramente

4. non occupatevi *mai* del modo in cui vostro figlio utilizzerà i suoi soldi, non chiedetegli rendiconti, non obbligatelo a fare risparmi, non domandategli come ha speso il suo danaro. Altrimenti tutto il vantaggio educativo dello stipendio va a farsi benedire. La responsabilità del suo piccolo peculio deve essere esclusivamente di vostro figlio, e di nessun altro.

Per quanto la cosa possa sorprendervi, devo dire che anche l'*educazione all'umorismo* rientra nel campo della morale. Ma vediamo prima di tutto di chiarire che cosa intendiamo con la parola «umorismo». Umoristico non è semplicemente ciò che fa ridere. Anche il più grossolano degli incidenti (subìto da altri) può far ridere, ma molto di rado, o quasi mai, appartiene all'umorismo. Il ridere può essere una espressione di malignità, o di rozzezza, o anche di intelligenza, e, d'altra parte, l'umorismo può far ridere o no. L'umorismo è in fondo un fenomeno culturale, la risata è solo una reazione comportamentale. C'è da credere che il senso dell'umorismo sia piuttosto scarso nella società attuale, specialmente nel nostro paese. Esso si fonda essenzialmente sulla capacità di provare piacere a dissacrare, a demitizzare, a profanare. Perciò appare di solito scandaloso ai moralisti di ogni estrazione. E noi siamo tendenzialmente dei moralisti. Esso è inoltre una forma di critica. Qualcuno ha detto che l'umorismo è rivoluzionario, e io credo che questa opinione sia molto giusta. Il rassegnato non ha il senso dell'umorismo. E noi siamo tendenzialmente dei rassegnati. Se gli italiani fossero stati sufficientemente forniti di senso dell'umorismo un fenomeno come il fascismo non avrebbe avuto ventiquattr'ore di vita.

C'è da aggiungere che per lo più l'adulto, nel suo dialogo col bambino, non è affatto umorista. L'umorismo, come dicevo, implica la capacità di critica, ma implica anche, e mi sembra ovvio, la capacità di subire una critica e quella dell'autocritica. Ora, ben pochi adulti accettano di essere giudicati e criticati dal bambino. Il bambino invece il senso dell'umorismo ce l'avrebbe, almeno per quel che posso dedurre dalla mia esperienza, ma poi lo perde a seguito dell'educazione «seria» cui è sottoposto da genitori che umoristi non sono. Il discorso dunque non va fatto, secondo me, su una educazione all'umorismo, che sarebbe inutile, ma bensì su una educazione che non uccida l'umorismo. E in che cosa consiste questa educazione?

La prima cosa da non fare è quella di conficcare nel cranio dei bambini la nostra cultura del peccato, della paura, della rassegnazione e della morte. Per noi individuo bene educato è colui che si sente pregiudizialmente colpevole, che ha bisogno di essere continuamente perdonato e che si inchina reverente e timoroso davanti a qualsiasi «superiore». Chi non è divorato da qualche rimorso, chi si permette di criticare, chi conserva un minimo di autonomia e di fierezza, costui è un maleducato. E quindi è maleducato chi osa prendere in giro i miti, i «valori», e tutto ciò che è stato consacrato dalla tradizione. Cioè chi fa dell'umorismo.

Ed ecco la seconda cosa da non fare: la censura. Tutto ciò che potrebbe direttamente o indirettamente offendere i «valori» tradizionali, anche i meno plausibili, viene nascosto con ogni cura al bambino. Egli non deve sapere che di certe cose, costruite, conservate e perpetuate dall'adulto, ci si può anche far beffe. Egli deve abituarsi a prendere tutto sul serio. Quindi che non rida, per favore. O meglio, rida, sghignazzi, cinguetti, singulti, si sbellichi, ma solo delle sciocchezzuole che gli vengono elargite dai suoi educatori. Rida della facezia stupidotta e dello scherzotto cretino, ma non della Patria. Rida del compagno grasso, ma non della Maestra, del Padre, dell'Eroe.

E arriviamo alla terza cosa da non fare: proporre continuamente modelli venerabili che assolutamente non devono essere presi in giro. Il Professore, per esempio, che di solito porta gli occhiali essendosi rovinato la vista sui libri, ed è munito di fluente barba non avendo il tempo di radersi. Oppure l'Eroe, muscoloso e mascelluto. O il Governante, insonne e travagliato. O il Costruttore infaticabile, il Navigatore audace e inesausto, il mistico Santo protettore, il sofferente magico Poeta, il grande Maestro, e così via.

Mi si dirà che in qualcosa bisogna pur credere, che a furia di distruggere non si arrivi all'umorismo ma al cinismo. Certo, una fede è indispensabile. Ma la vera fede, a mio parere, può essere solo il frutto di una meditata analisi del reale. Un'analisi critica, naturalmente. E la critica, ripetiamolo, è il fondamento dell'umorismo. Credo perciò che l'umorismo sia testimonianza di civiltà. E perciò un fatto morale.

2.4. Non ostacolate il suo inserimento nella scuola

La vostra parte nella sua socializzazione

Alcuni bambini possono incontrare notevoli difficoltà a inserirsi nella comunità scolastica; molti debbono compiere un certo sforzo di adattamento. Tutti hanno dei problemi, grandi o piccoli. Tutti, compreso vostro figlio. Non sono problemi che potete risolvere voi al posto suo, ma potete aiutare lui a risolverli. È vero che l'interferenza dell'adulto nel processo di socializzazione del bambino produce normalmente degli effetti negativi, ma non dimentichiamo che si può benissimo *aiutare senza interferire*. Ed ecco come:

1. un bambino riesce più facilmente a entrare nella comunità scolastica quando abbia una certa fiducia nelle proprie capacità, nelle proprie attitudini a fare qualche cosa di speciale che non tutti sanno fare. Un bravo nuotatore, per esempio, o uno che sappia suonare uno strumento musicale, o che sappia dipingere, o che parli correntemente una lingua straniera, o che sia un esperto di apparecchi elettrici, sa di avere un certo valore agli occhi dei compagni: essi, in quel determinato campo, lo considereranno un « esperto », una guida, uno che può insegnare, aiutare e dirigere. Un elemento valido, insomma, da accettare. E questo rappresenta una bella apertura verso la socializzazione. Sarà bene perciò incoraggiare queste attività « secondarie » di vostro figlio, seguire i suoi gusti, spianargli la strada, e non ostacolarlo col pretesto che queste cose gli fanno perdere tempo e che « farebbe meglio a studiare »

2. lasciate che vostro figlio si scelga gli amici che vuole. Può darsi che il suo amico del cuore sia, secondo voi, troppo turbolento e scatenato, troppo scapestrato e irriducibilmente rompicollo; ma forse è proprio quello che ci vuole per vostro figlio. Ogni ragazzo tende istintivamente a cercare la compagnia di qualcuno che lo aiuti a rafforzare la propria personalità, a completarla e a renderla più definita. Così allo scolaro riflessivo e tenace, per esempio, può essere utilissima l'amicizia di uno fantasioso e irruente, sia per completare in un certo senso se stesso, sia per poter meglio identificare le proprie doti confrontandole a quelle, differenti, dell'altro. Il ragazzo « sente » qual è l'amico che va bene per lui, mentre assai difficilmente possono arrivare a capirlo i genitori

3. aprite la vostra casa agli amici di vostro figlio. Vi sporcheranno i pavimenti, s'intende, faranno disordine e chiasso, impiastricceranno di marmellata le maniglie delle porte. Ma ne salterà fuori una più grande cordialità di rapporti fra i ragazzi. L'aver mangiato una buona merenda in casa del compagno, l'essere stati accolti bene-

volmente dalla sua mamma, l'aver potuto giocare col suo trenino elettrico o l'aver visitato il suo allevamento di api, sono cose che contano molto per i bambini e per i ragazzi. Sono cose che creano un legame, o che aiutano a crearlo

4. non opponetevi alle « società segrete » cui vostro figlio appartiene o desidera di appartenere. Forse qualche volta queste associazioni potranno anche spaventarvi un poco: può succedere che un certo gruppo di ragazzi fondi una società segreta per distruggere un altro gruppo, o per fare la guerra a un insegnante antipatico, o per diffondere il culto di un cantante alla moda. Non spaventatevi: l'insegnante ne uscirà indenne e il cantante non sostituirà Bach nella storia della musica. La società serve più che altro ad appagare certe esigenze dei ragazzi, che amano sentirsi uniti sotto dei simboli, con delle regole, e da comuni finalità. E amano moltissimo il segreto, che in certo qual modo li affranca dalla dipendenza dai grandi. Tutto qui. E aggiungerei che queste società segrete vanno considerate, a conti fatti, molto più utili che dannose

5. ricordate che l'atteggiamento autoritaristico, repressivo, rigido, ipercritico nei confronti dello scolaro, oltre a provocare molti altri guai, rende anche difficile la sua socializzazione. Il ragazzo che viene trattato duramente può diventare altrettanto duro coi compagni, anzi non di rado addirittura crudele; il ragazzo continuamente umiliato da critiche e rimproveri può diventare scontroso, scostante e antipatico; il ragazzo oppresso e guidato senza cordialità può diventare a sua volta incapace di ogni cordialità verso gli altri

6. non impicciatevi nei litigi e negli scontri che si possono verificare fra vostro figlio e i suoi compagni. L'intervento dell'adulto ha sempre un sapore antipatico: se l'adulto prende le parti di un ragazzo, gli altri si sentono vittime perché contro l'adulto, ovviamente, non possono farcela; se invece la persona grande non prende le parti di nessuno e coinvolge tutti in una predica o in una ramanzina, sarà giudicata all'unanimità ingiusta e intrigante. A parte il fatto che il piccolo eventualmente difeso dal grande fa la figura del bamboccio e del vigliacco davanti ai compagni, i quali d'ora in poi lo eviteranno sdegnosamente. In ogni caso l'interferenza dell'adulto non giova affatto a migliorare i rapporti fra i ragazzi

7. non fate che vostro figlio si senta per qualche verso differente dagli altri. Se avete delle convinzioni, o ideologie, o pregiudizi, che vi spingono a rifiutare determinate categorie di persone, teneteveli per voi. Credo sia inopportuno e pericoloso consegnare al bambino una bandiera da difendere contro i "nemici". Quasi di sicuro a vostro figlio non importa nulla di quella bandiera, le sue convinzioni sono diverse dalle vostre, non conosce la cosiddetta ideologia e non ha pregiudizi. Non è un crociato, non sa chi siano gli infedeli, i

nemici della patria, gli evasori fiscali, i padrini e i padroni. Non è ancora permeato dal concetto di categoria umana, cattiva o buona. Con ciò non voglio dire che non dobbiate esprimere il vostro giudizio sui fatti del mondo e sulle azioni altrui. Ma mi sembra che il condannare un certo tipo di comportamento, ritenuto disonesto, sia un conto, e condannare una categoria di persone, ritenuta disonesta, sia un altro conto. I bambini non si sentono diversi fra loro perché appartengono a categorie diverse. E non penso sia una buona idea l'avviarli fin da principio sulla strada della discriminazione e dell'intolleranza. Perché mai il figlio di un magistrato non potrebbe essere amico del figlio di un malfattore, o il figlio di un cattolico del figlio di un ateo, o il figlio di un colonnello del figlio di un obiettore pacifista? I bambini, in fondo, si sentono socialmente tutti eguali. Se noi facciamo sì che essi si sentano diversi, corriamo il rischio di scoraggiare la loro spontanea propensione all'amicizia. E, alla lunga, di farne degli isolati.

La vostra parte nel suo lavoro

Permettetemi di ritornare ancora una volta su quanto ho detto all'inizio di questo capitolo: la scuola, per vostro figlio, rappresenta una crisi. Una crisi che può essere superata quasi inavvertitamente, in poco tempo, ma che può anche prolungarsi per mesi, per anni, o per sempre. Certi adulti che non riescono ad adattarsi a nessun tipo di lavoro stabile e organizzato hanno trovato nella scuola uno scoglio insuperabile: da quel momento, da quei primi giorni di vita scolastica, hanno riportato un'avversione permanente verso ogni forma di legame lavorativo, verso ogni tipo di orario, di ritmo, di impegno. Per superare felicemente la crisi della scuola vostro figlio ha bisogno di voi, della vostra collaborazione e della vostra comprensione. Riassumerò in alcuni punti fondamentali ciò che i genitori, secondo me, possono fare:

☐ *Il clima familiare.* Ricordiamo sempre che la famiglia costituisce per il bambino la base di appoggio, il porto che lo ripara dalle tempeste della vita, il rifugio sicuro; l'avere alle spalle la consolante certezza di un volto sorridente o di un gesto di affetto e di solidarietà è per lo scolaro cosa di enorme valore. Nessuno può partire allegramente per un'impresa qualunque se non può contare sulle proprie retrovie. Il clima di casa vostra, in questo delicato periodo dell'avventura scolastica, deve essere sereno, disteso, tranquillo, rassicurante. Se i genitori sono disuniti, se la vita familiare è una sequela di litigi e di lamentele, se l'atmosfera di casa è satura di preoccupazione, se esiste la minaccia di una dissoluzione della famiglia, se non c'è un pofondo affetto reciproco, se si profila lo spettro dell'abbandono da parte di uno dei due genitori, come volete che il bambino possa affrontare con successo gli innumerevoli problemi dell'inserimento nella scuola e del lavoro scolastico? Da ricerche condotte abbastanza recentemente risulta che i due terzi degli scolari che vanno male a scuola hanno dietro di sé una famiglia che a sua volta va male. Un bambino nervoso, preoccupato, angosciato non può lavorare serenamente. Questo mi sembra più che evidente.

☐ *I rapporti dei genitori con la scuola.* Innanzitutto dovete decidere con quale scuola avere dei rapporti, dovete cioè *scegliere una scuola* per vostro figlio. Pubblica o privata? Molti tendono a concedere le loro preferenze alla scuola privata, in genere gestita da religiosi, perché le classe sono meno affollate, gli scolari sono più seguiti, i compagni sono più selezionati, il comportamento morale degli alunni più controllato, l'educazione religiosa più efficiente, il contatto con gli insegnanti più agevole. Cedo di dover prendere senz'altro partito *contro* questa soluzione. In primo luogo non è sempre vero che il numero di allievi per classe sia inferiore a quello delle scuole pubbliche, né che gli scolari siano più « seguiti ». Ma questo è secondario. Ciò che rappresenta davvero un pericolo gravissimo è la cosiddetta « selezione » degli alunni. La scuola, l'abbiamo detto e ripetuto, ha fra le altre la funzione di insegnare al bambino che tutti gli esseri umani sono eguali. Ebbene, la scuola privata fa spesso il contrario: insegna che gli uomini sono diversi. Con un fatto in particolare: che la scuola privata è di solito costosa, quindi non alla portata di tutti come quella pubblica, che è gratuita. Quindi la scuola privata è frequentata da gente con determinate possibilità economiche. Il bambino di queste cose se ne accorge, e corre il rischio di considerare se stesso un po' "superiore" a quegli altri, meno privilegiati, o forse meno bravi?, che vanno in una scuola qualunque. Poi c'è la faccenda di un maggiore controllo morale degli scolari. Non ho mai capito bene che cosa s'intenda per « controllo morale ». Se con queste parole si vuole alludere al solito atteggiamento repressivo nei confronti degli argomenti sessuali, diciamo subito e chiaramente che si tratta di un tipo di controllo assolutamente negativo e antieducativo. Ogni psicologo e ogni pedagogista serio va predicando da anni, anzi da decenni, che la repressione delle manifestazioni sessuali non fa che deviarle, distorcerle e pervertirle. Per il resto, non è certo un ambiente di privilegiati che può efficacemente insegnare la morale, quella vera, quella della libertà, dell'amore e dell'eguaglianza. Mi pare ovvio. A proposito infine dell'educazione religiosa, debbo riferire soltanto un'esperienza che non è solo mia, ma di tutti coloro che si occupano di problemi dell'età evolutiva: i più feroci e irriducibili avversari di ogni religione vengono in genere da scuole religiose. La religione, quando c'è, nasce *dentro* all'uomo; non può essere imposta dal di fuori, come una divisa.

Se, come spero, sceglierete una scuola pubblica, vi prego di ricordare la definizione che ho riportato prima: la scuola è il frutto di una cooperazione degli scolari, degli insegnanti e *della famiglia*. In altre parole, la scuola non può esistere e funzionare a dovere senza di voi. La vostra partecipazione è indispensabile.

☐ *Una scuola nuova?* I promettenti Decreti Delegati non hanno prodotto tutti i risultati sperati. Perché? Qui, cari genitori, occorre un bell'esame di coscienza. E' vero che la legge era imperfetta, che le leggi successive erano altrettanto imperfette, che c'è stata e c'è la invadenza della burocrazia, che mancavano e mancano i mezzi per attuare in pieno le disposizioni legislative, ma è anche vero che alcuni di voi, forse i più, non hanno saputo approfittare delle possibilità offerte dalla riforma. Molti sono entrati nella scuola per parlare di cose poco importanti, come la gita scolastica o l'imbiancatura dei corridoi, e non di quelle importanti, come gli scopi dell'attività scolastica, i problemi educativi, eccetera. Molti si sono serviti dei Consigli di classe o di istituto per accapigliarsi con altri genitori o con insegnanti giudicati troppo di destra o troppo di dinistra, e non per fare qualcosa di serio insieme. Molti hanno partecipato a riunioni e assemblee per risolvere i propri problemi personali, e non quelli della collettività scolastica. E il risultato è stato quello di soffocare la vera collaborazione tra famiglia e scuola, di scoraggiare i più ottimisti, e tutto sommato di lasciare le cose più o meno com'erano prima.

Invece la possibilità di modificare sul serio la scuola e di farne qualcosa di più utile e di più umano c'è ancora. E gli strumenti previsti dalle leggi possono ancora essere utilmente impiegati. Secondo il parere di persone che vivono nella scuola e per la scuola e che si impegnano veramente per migliorarla, i genitori dovrebbero entrare nei Consigli e farvi sentire la loro voce, ma con uno spirito diverso. In particolare, affermano queste persone (e mi sembra giusto), si devono evitare i seguenti errori:

1. non affidate alla scuola ciò che compete a voi. Il mestiere di genitore lo deve fare il genitore, non l'insegnante. Le questioni educative, posto che ne dobbiate risolvere, potrete affrontarle *insieme* all'insegnante, ma non scaricarle interamente sulle sue spalle

2. non fate nemmeno il contrario, e cioè non mettetevi nella posizione di « nemico » della scuola e dell'insegnante. Ne riparleremo nel prossimo paragrafo, ma intanto voglio insistere sulla necessità di una leale e cordiale collaborazione. Questa è l'*unica* maniera di aiutare realmente il vostro bambino

3. non occupatevi solo dei vostri problemi privati, e specialmente non manovrate per far fare bella figura a vostro figlio a danno degli

altri. Certi genitori, il cui bambino è bravo, intelligente, diligente e studioso, vorrebbero che la scuola restasse a un livello ottocentesco tale da garantire al loro erede successi, medaglie e bei voti, nonché il rango di « primo della classe », con automatica degradazione dei suoi compagni « meno bravi » a ultimi. A scuola, come dovunque, si lavora per il bene di tutti, non di uno solo. Anche se quell'uno è nostro figlio. Fra l'altro, una scuola antiquata, fondata sulle graduatorie, sul culto del successo, sulla competizione, eccetera, finisce sempre col diventare una scuola autoritaria e con l'annientare l'indipendenza e la capacità di autonomia di tutti i bambini, compreso quello che si voleva far emergere sopra gli altri

4. non controllate ciò che non spetta a voi controllare, per esempio le tecniche seguite dall'insegnante. Andare a ficcare il naso nei libri scelti per gli scolari, nel modo di far lezione, nel come l'insegnante stimola la curiosità dei ragazzini, eccetera, è semplicemente fare dei pettegolezzi e turbare inutilmente il clima della scuola. Bisognerebbe invece chiarire bene, con l'insegnante e anche con presidi e direttori, quali sono gli obiettivi che si vogliono raggiungere: se una libera evoluzione dei bambini, o un condizionamento di stampo tradizionale. E poi controllare, questo sì, i risultati

5. non fate della scuola un campo di battaglia fra le opposte ideologie. Genitori militanti di sinistra che mettono sotto accusa un insegnante definito « borghese », genitori cattolici che denunciano all'autorità giudiziaria una insegnante ritenuta « immorale », genitori conservatori che insolentiscono una insegnante sospetta di bieco « progressismo », e genitori di ogni colorazione pseudopolitica che si azzuffano fra loro ricorrendo non di rado all'insulto e alla minaccia, son cose di tutti i giorni. Badate bene a non lasciarvi coinvolgere in conflitti di questo genere. A vostro figlio non importa nulla degli scontri ideologici fra adulti. Gli serve una scuola umana, ragionevole, possibilmente divertente, e che comunque sia al suo servizio. Indipendentemente dalle etichette che i genitori applicano a se stessi e agli altri. A scuola, se ci andate, dovrete affrontare i problemi che riguardano l'interesse di vostro figlio, e non del partito o del gruppo o della parrocchia cui appartenete

6. non considerate gli organi di partecipazione scolastica come organi governativi, con tanto di poltrone per ministri e sottosegretari, con pubblico più o meno plaudente e con fazioni in lotta fra loro. Voi non andate al Consiglio di classe o di istituto per ottenere un successo personale e coprirvi di gloria. Ci andate per aiutare vostro figlio e i figli di tutti.

Se tutti i genitori partecipassero sinceramente alla vita della scuola, evitando con ogni cura gli errori che ho elencato, i cosiddetti

Decreti Delegati potrebbero ancora servire a qualcosa.

□ *I rapporti dei genitori con gli insegnanti.* Lo scolaro vive in due mondi diversi: la casa e la scuola. Se volete che vostro figlio progredisca nel modo migliore dovete far sì che questi due mondi siano il più vicini possibile. Voi dovete avvicinarvi alla scuola e la scuola deve avvicinarsi a voi. Questo si può ottenere soltanto con un regolare rapporto fra voi genitori e gli insegnanti del bambino. Lo scolaro ha bisogno soprattutto di comprensione, ma voi non potete comprenderlo a fondo se non conoscete anche il suo universo scolastico, e l'insegnante non può comprenderlo se non conosce il suo ambiente familiare. Perciò dopo qualche settimana dall'inizio dell'anno scolastico, andate a parlare con l'insegnante di vostro figlio; e poi andateci regolarmente, almeno ogni tre mesi, e comunque tutte le volte che l'insegnante vi manda a chiamare. Andateci possibilmente tutti e due, mamma e papà; credo che il lavoro di vostro figlio vi riguardi entrambi, e credo che il bambino abbia diritto all'attenzione e alla collaborazione di entrambi. Vorrei qui fare una considerazione: voi andate dall'insegnante di vostro figlio per collaborare con lui (o con lei), per scambiarvi informazioni e idee, per aiutarvi a vicenda, e soprattutto per aiutare il bambino, e non per fare delle polemiche. Non dite mai all'insegnante che i suoi metodi sono sbagliati, che è troppo esigente o troppo tollerante, che il problema era troppo difficile, il tema troppo facile, e cose del genere. Se effettivamente avete gravi motivi per credere che l'insegnante non sia valido potrete sempre discutere il problema con gli altri genitori, e poi prendere delle decisioni. Il vostro giudizio potrebbe non essere sereno, né tecnicamente esatto. E in ogni caso non portate mai la faccenda sul piano del diverbio personale. E un'altra cosa: non date a vostro figlio l'impressione che il suo insegnante non vi piace, che non lo stimate o che non siete d'accordo con lui. Lo scolaro deve avere fiducia sia nei genitori che nell'insegnante, un minimo di fiducia almeno. Non deve essere messo nell'angosciosa situazione di dover scegliere, di dover decidere se ha ragione il papà o la maestra, la mamma o il professore. Infine c'è un altro punto assai delicato: se, dopo un colloquio con l'insegnante, voi tornate a casa e dite a vostro figlio: « La maestra mi ha riferito che disturbi i tuoi compagni » oppure « Il professore si è lamentato per il guaio che hai combinato ieri », egli arriverà subito alla conclusione che questi incontri fra voi e l'insegnante non sono altro che sgradevoli « spiate ». Avrà la sensazione di vivere in un clima da polizia politica, in un regime di schedature segrete, di sorveglianza speciale, di « servizio informazioni ». Questo sarebbe orribile. Naturalmente dovrete riferire al vostro bambino la verità sul vostro scambio di idee, ma senza dargli l'impressione che lui sia sottoposto a un controllo poliziesco. Infine vorrei pregarvi di non cedere alla tentazione di polemizzare con l'insegnante di vostro figlio per ragioni

« politiche ». Forse voi siete di opinioni progressiste e pensate che quelle dell'insegnante siano reazionarie; oppure, viceversa, ritenete che i metodi dell'insegnante siano troppo rivoluzionari. Può darsi che abbiate ragione, ma certamente avrete torto se pretenderete di interferire nei metodi della maestra o del maestro. Se l'insegnante sbaglia può provocare qualche danno, ma un eventuale scontro con voi può produrre danni enormemente più grossi. E poi, un'insegnante « reazionaria » può avere un ottimo e utile rapporto col bambino, e un'altra, « progressista », potrebbe non averlo. O al contrario. Non sempre le persone valide e per bene militano nel vostro stesso gruppo politico.

□ *La vostra valutazione del profitto scolastico*. Non mi sembra giusto né utile un quotidiano processo all'attività scolastica di vostro figlio. Meglio che la famiglia non diventi per lui una specie di tribunale, più o meno temibile. Questo però non significa affatto che possiate disinteressarvi dei suoi progressi o dei suoi fallimenti. La vostra indifferenza sarebbe deludente per lui. Forse anche offensiva. Vostro figlio infatti lavora, e naturalmente ha piacere che i genitori apprezzino quello che lui fa. Penso che fareste bene a tenere presenti queste tre piccole norme:

1. mostrate interesse per le attività scolastiche di vostro figlio, per i suoi problemi, per le sue amicizie, per le sue avventure e disavventure, ma non asfissiatelo con mille domande. Dategli tutta la vostra attenzione se lui ha voglia di raccontare, ma non fateglielo il terzo grado se non ne ha voglia

2. non trasformate il vostro interesse in un bombardamento di incitamenti, consigli, stimoli, pretese assillanti, suggerimenti. Il bambino potrebbe reagire con una totale rinuncia a fare ciò che si pretende da lui, se si pretende troppo. Egli può essere preso dallo scoraggiamento di fronte alla continua richiesta di « fare di più » e di « fare di meglio ». Molte forme di pigrizia e di assenteismo in bambini intelligenti e vivaci nascono proprio da questa opprimente scocciatura dell'ininterrotto « incoraggiamento » dei genitori

3. se il vostro bambino vi porta a casa un giudizio scadente, o una nota di biasimo sul diario, non esprimete una valutazione negativa sulla sua persona, non ditegli che è uno sciagurato, un parassita, un fannullone, uno stupido, un incapace. Non fareste che avvilirlo. E poi, si può essere buoni, onesti, leali, altruisti, e in complesso persone eccellenti anche se si va male in aritmetica. Non fate paragoni fra vostro figlio e il compagno più bravo, non prendetelo in giro, non umiliatelo, non ricattatelo con la solita detestabile frase « Così ripaghi i nostri sacrifici? ». Davanti a un insuccesso il bambino ha bisogno di essere sostenuto, non demolito. Ha bisogno

di sentire che i genitori gli vogliono sempre bene e stanno dalla sua parte.

☐ *I compiti a casa.* Per vostro figlio il compito può essere utile, forse interessante, qualche volta persino divertente. E' comunque una cosa seria, ed è una cosa *sua*. Può darsi che il compito interferisca coi vostri programmi per la serata o per il fine-settimana, o col vostro lavoro, ma è pur sempre una parte del *suo* lavoro, e come tale va rispettato. D'altra parte, il compito non può e non deve trasformarsi in una condanna o in una specie di marchingegno persecutorio. Altrimenti la sua utilità si riduce a zero, o quasi. Vediamo allora che cosa possono fare i genitori per dare una mano allo scolaro in questa attività scolastico-casalinga. Direi che i punti più importanti, e delicati, siano i seguenti:

1. non mettetevi in testa di programmare *voi* il momento e il modo di fare i compiti. Vostro figlio sa meglio di voi ciò che gli interessa, ciò che lo appassiona di più, ciò che vale la pena di essere maggiormente approfondito. Può darsi che un problema di aritmetica lo assorba per tre ore di seguito, e che poi non gli resti più tempo per la grammatica, della quale non gli importa nulla. Va benissimo. La grammatica la imparerà più avanti, non temete. Per ora ha portato avanti il suo ragionamento matematico, e questa è una base che gli resterà. Costringendolo a pianificare rigidamente il suo tempo, senza tenere conto delle sue preferenze e delle sue attitudini, lo farete diventare un buon esecutore, un equilibrato realizzatore di programmi, ma ucciderete in lui la passione e l'entusiasmo, che sono le fondamenta della conoscenza e della creatività

2. non interferite nell'esecuzione dei compiti se non è vostro figlio a domandarvelo. L'essere continuamente corretto, stimolato, consigliato a fare così e non così può fargli scappare quella poca voglia che ha di mettersi al lavoro. Procurate piuttosto che lui se ne possa stare tranquillo, senza essere disturbato mille volte da chi gli dice di non mettere le dita nel naso, chi lo invita a non masticare la matita, chi gli passa continuamente davanti per sbrigare qualche faccenda, chi gli chiede se non ha ancora finito, e chi lo disturba . per prendere le forbici o la colla o il giornale di ieri

3. se il piccolo vi chiede di aiutarlo, cercate di usare le medesime espressioni e gli stessi metodi che vengono impiegati a scuola. Ecco un motivo di più per avere dei rapporti con l'insegnante. Anche una semplice addizione può essere eseguita in maniere diverse, e lo scolaro non capisce più nulla se si usano termini e procedimenti che non corrispondono a quelli ai quali è abituato.

3. LE SUE MALATTIE

3.1. Le cosiddette malattie psicosomatiche

Spesso affermiamo con compiacimento che le più temibili malattie dei bambini sono state neutralizzate dalla medicina moderna, dai vaccini, dagli antibiotici, dai chemioterapici, e da molti altri farmaci ignoti fino a qualche anno fa. È vero. Oggi capita ben di rado di avere a che fare con le terribili infezioni che funestavano il mondo dell'infanzia solo pochi decenni or sono. Il «croup» difterico, la poliomielite, la tubercolosi, molte forme di meningite, eccetera, sono ormai un lontano ricordo. Ma il nostro compiacimento non è poi molto giustificato: le malattie che uccidevano il corpo dei bambini hanno lasciato libero il campo a quelle che minacciano la loro mente. Non sono più forme mortali, e nemmeno molto pericolose, se vogliamo, e generalmente ben curabili, ma in compenso sono estremamente diffuse, insidiose, tenaci, complicate e debilitanti. Con un termine un po' discutibile dal punto di vista clinico noi siamo soliti definire questi disturbi come *malattie psicosomatiche*. Ma le potremmo anche chiamare le *malattie dello scolaro*, perché proprio nelle ansie, nelle paure e nei conflitti generati dalla scuola esse trovano la loro prima radice.

Le cose vanno press'a poco così: uno stato psichico anormale, come appunto l'ansia, si accompagna a un certo disordine dei meccanismi destinati a mantenere in equilibrio le infinite funzioni dell'organismo. Se l'ansia dura a lungo, o si ripete spesso, anche il disordine permane o si ripete. Ora, un disordine permanente o ripetuto porta prima o poi a una vera e propria sofferenza di questo o quell'organo, con alterazione dei tessuti, e quindi a un'autentica malattia. Una malattia che prende le mosse dall'emozione e arriva alla lesione di un organo. Come se dalla mente turbata partisse un proiettile verso quel determinato organo, che noi chiamiamo infatti «organo bersaglio». Il quale può essere lo stomaco, l'intestino, la pelle, il cervello, l'apparato respiratorio, e via dicendo.

Naturalmente, a seconda dell'organo colpito, la malattia psicosomatica si manifesta in modo differente: così si possono avere forme di colite, di asma, di eczema, di orticaria, di mal di testa, di vomito, di stitichezza ostinata, di acetone, di disturbi urinari e persino di «influenza». Ai medici, per esempio, succede molto spesso di vedere dei bambini perfettamente sani che vomitano con estrema puntualità tutte le mattine prima di andare a scuola, e che non vomitano mai se a scuola non ci vanno; così come accade spesso di vedere bambini che soffrono di mal di testa o di mal di pancia nei giorni di scuola e non nei giorni di vacanza; oppure ragazzi che hanno una crisi d'asma o di acetone dopo un rimprovero o un insuccesso scolastico; e così via.

Molte volte il primo passo verso la malattia psicosomatica del bambino viene compiuto, paradossalmente, dall'amorevole solerzia dei genitori: supponiamo che un papà e una mamma si preoccupino in modo esagerato del benessere del bambino; lo tengono riguardato, lo studiano da mane a sera, lo portano dal dottore per ogni sciocchezza, lo imbottiscono di medicine, lo sottopongono a continui esami, analisi, prove, radiografie. Un po' per volta il bambino comincerà inevitabilmente a pensare di essere un rottame; la costante preoccupazione dei genitori gli si trasmetterà e si trasformerà dentro di lui in un'ansia continua per la propria salute. L'ansia produrrà il disordine funzionale che andrà a coinvolgere l'organo bersaglio, ed ecco che il bambino, sano come un pesce, diventa davvero ammalato.

Ma nella maggior parte dei casi il disturbo psicosomatico dipende dallo sforzo di adattamento che una scuola antiquata impone ancora a molti bambini e ragazzi. Secondo una recente ricerca, in una grande città un ammalato su tre soffre di disturbi provocati da un mancato adattamento all'ambiente di lavoro. Cioè: su cento persone che si ammalano di qualcosa, circa trenta-trentacinque non sono colpite da infezioni, mal di fegato, mal di cuore, cancro o altro, ma semplicemente da condizioni di vita avverse. In altre parole ancora, il difettoso adattamento all'ambiente è una causa di malattia così grave da produrre un terzo di tutti i disturbi che si verificano. Credo che queste cifre si possano tranquillamente applicare anche agli scolari. Credo che la scuola, la scuola all'antica intendo, sia responsabile di un buon terzo di tutti i malanni che colpiscono abitualmente i bambini e i ragazzi.

Da quanto ho detto fin qui emerge in modo chiarissimo l'indicazione della *cura* di questi disturbi. È inutile correre ogni momento dal medico, far eseguire esami e analisi di mille tipi e spendere quattrini a palate in farmacia. La strada giusta è un'altra, e l'ha indicata uno dei più autorevoli specialisti in questo campo, il professor Michael Balint: primo, bisogna restituire all'ammalato la sua dignità di essere umano; secondo, bisogna rispettare le sue personali esigenze. Tutto qui. Ma, guarda caso, sono proprio le due cose che la scuola spesso non fa. Perciò tocca a voi, ai genitori, aiutare lo scolaro disturbato. Che cosa posso dirvi di più? Rileggete, se lo credete opportuno, questo capitolo. Ci troverete la cura per le malattie psicosomatiche di vostro figlio, se ne soffre. E se non ne soffre ci troverete, forse, quanto serve per non fargliene venire.

Su questo tema vorrei dire ancora due parole a proposito dell'*appetito*. Anche la mancanza di appetito può essere considerata una malattia psicosomatica. E anche in questo caso i medici e le medicine servono a poco. Serve il non dare troppo peso al profitto scolastico, il non fare un dramma per un fallimento, il non stimolare un'assurda competizione, il permettere al bambino di giocare all'aperto, anche sacrificando i compiti, il mantenere in casa un'atmosfera serena, il favorire gli interessi più genuini del ragazzo, il dargli tutto l'appoggio e la comprensione di cui egli ha bisogno. E poi serve moltissimo il non trasformare le ore dei pasti in altrettanti processi dietetici: il sorvegliare ansiosamente la quantità di cibo consumata dal ragazzo, l'opprimerlo perché mangi sempre qualcosa in più, il perseguitarlo con incessanti offerte di alimento, l'indagare sul perché oggi ha mangiato meno di ieri, il minacciarlo di rappresaglie se non mangia o il ricattarlo con promesse di premi se mangia, sono altrettanto manovre destinate a fargli andar via l'appetito se ce l'ha, e a impedire che gli ritorni se non ce l'ha.

Anche sul *mal di testa* vale la pena di fermare la nostra attenzione un po' di più. In primo luogo debbo dirvi che una serie di ricerche molto recenti ha dimostrato che lo scolaro soffre di mal di testa come l'adulto, con la stessa frequenza e la stessa intensità. Pare che circa un ragazzino su tre sia perseguitato da questo disturbo. A parte il dolore provocato da malattie cerebrali, fortunatamente abbastanza rare, va preso in considerazione quello prodotto da altre forme morbose, come l'anemia, i disturbi a carico del naso, delle orecchie e della gola, i difetti della vista, le malattie dei denti, eccetera. La prima cosa da fare dunque, quando lo scolaro soffre di mal di testa, è quella di consultare il medico, ed eventualmente gli specialisti che il pediatra consiglierà. Ma in moltissimi casi dal controllo del dottore non salta fuori nulla. Il bambino sembra sano come un pesce, ma il mal di testa ce l'ha. E allora? Allora bisogna pensare a quei problemi di cui dicevo prima: preoccupazioni, ansie, dispiaceri scolastici, iperprotezione dei genitori, e così via. Tutti questi guai provocherebbero secondo gli studiosi una contrazione involontaria e costante di certi muscoli della nuca, e proprio da questa tensione dipenderebbe il mal di testa. Sta di fatto che quando uno scolaro soffre di un simile inconveniente un attento esame dell'ambiente in cui vive rivela praticamente sempre l'esistenza di un problema non risolto, causato dalla scuola o dalla stessa famiglia.

È chiaro dunque ciò che dovrete fare in circostanze di questo genere: innanzitutto cercare con serietà e sincerità che cosa c'è che non va nella vita del bambino. Se non ce la fate da soli, ed è logico e umano che talvolta non ci si riesca, ricorrete a qualcuno che conosca bene vostro figlio e voi, all'insegnante, o al medico. In qualche caso anche allo psicologo. Può servire. Oltre a questa operazione, che evidentemente è fondamentale, ci sono anche dei rimedi per aiutare subito il piccolo sofferente quando ha le sue crisi: qualche massaggio delicato alla nuca, applicazione di panni caldi nella stessa zona o in testa, eventualmente, ma dopo aver sentito il pediatra, qualche medicina. Anche della semplice aspirina. Spesso basta una doccia tiepida, specialmente se è preceduta da una passeggiata distensiva. In ogni modo, la cosa essenziale rimane la coscienziosa ricerca delle *cause prime* del mal di testa, le quali, come abbiamo già visto, stanno, nella maggior parte dei casi, in qualche comportamento sbagliato dell'adulto.

3.2. Le disfunzioni ghiandolari e il criptorchidismo

Quando il bambino maschio arriva agli otto-dieci anni gli occhi scrutatori di molti padri e di molte madri si dirigono con perseverante sospetto alla bilancia. E se il poverino supera anche di poco i valori medi, se è un po' grassottello, se pesa un poco di più della norma, immediatamente la famiglia entra in stato di allarme: «Cielo! non avrà delle disfunzioni ghiandolari?» Questo, delle «disfunzioni ghiandolari», è un guaio del quale siamo largamente responsabili noi medici. A furia di parlare e di scrivere sulla tiroide, sull'ipofisi, sui surreni, sulle ghiandole genitali, a furia di spiegare che cosa succede se questa o quella ghiandola non funziona, a furia di illustrare deficienze o arresti di sviluppo, siamo riusciti a convincere un buon numero di genitori che l'avere un figlio sano e normale è quasi un miracolo. Così, se il ragazzo di otto o dieci anni è appena un po' troppo paffuto, ecco che i genitori si precipitano dal medico a reclamare pillole e iniezioni di ormoni, nel terrore che il loro figlio «non diventi uomo».

La paura dei genitori scaturisce di solito da due fatti: i genitali sono troppo piccoli; i testicoli «non ci sono» (si parla in questo caso di *criptorchidismo*) o ce n'è uno solo. Nessuno di questi due fatti è generalmente vero. I genitali, specie nei ragazzi grassocci, *sembrano* piccoli in quanto sono circondati da due cosce delle dimensioni di due grossi prosciutti; ma in realtà sono quasi sempre del tutto normali. Per quanto riguarda i testicoli, poi, si deve ricordare che questi organi frequentemente «si ritirano» verso l'alto a ogni più piccola sollecitazione, e «scompaiono», cioè non si sentono più nella loro borsa (la *borsa scrotale*); molto spesso, perché ciò avvenga, è sufficiente un po' di freddo, o il contatto di un oggetto sulla borsa scrotale o uno sfregamento sulla faccia interna delle cosce, o uno stato di tensione del ragazzo. Basta aspettare un poco, lasciando il ragazzo tranquillo e al caldo, e i testicoli ricompaiono.

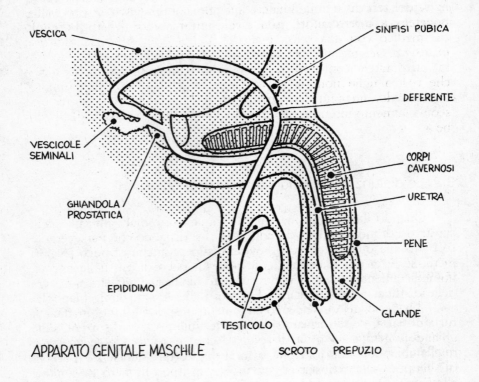

APPARATO GENITALE MASCHILE

Qualche volta può accadere però che effettivamente i testicoli (o più frequentemente uno di essi) non siano scesi nella borsa scrotale. Se vostro figlio è stato regolarmente seguito dal pediatra, è probabile che costui abbia già constatata l'anomalia e abbia già preso gli opportuni provvedimenti. Questi, infatti, si impongono abbastanza precocemente, nel secondo anno di vita. Ma se invece la scoperta viene fatta in età scolare, dovete senza indugio consultare il medico. Egli dovrà individuare le cause della mancata discesa dei testicoli, potrà ritenere opportuna la somministrazione di ormoni, o potrà suggerire un intervento chirurgico (che è di modesta entità).

In ogni caso ciò che può dare le peggiori conseguenze, in questa faccenda delle disinfunzioni ghiandolari e del criptorchidismo, è la eccessiva preoccupazione dei genitori. Non c'è niente di peggio per un ragazzo che il sentirsi sessualmente anormale, ed è proprio questo che certi genitori arrivano a ottenere con le loro inutili ansie. Se anche vi sembra che vostro figlio sia troppo grasso, o che i suoi genitali siano troppo poco sviluppati, o che i suoi testicoli non siano al loro posto, non parlatene con lui, non esaminatelo continuamente, non sottoponetelo a interrogatori, non rivelategli i vostri dubbi. Portatelo dal medico con una scusa qualsiasi, e poi fatevi dire dal dottore, *in assenza del ragazzo*, come stanno le cose. Se è necessaria una cura, affrontatela con serenità, vorrei dire con noncuranza, in modo che vostro figlio non sia portato a pensare di essere un minorato, un invalido, un ammalato grave, un mostro. Potrebbe averne uno sconvolgimento interiore ben più grave della tanto temuta « disfunzione ».

3.3. I soffi al cuore

I soffi «falsi»

Ogni pediatra sa che è frequentissimo trovare un piccolo rumore di soffio ascoltando il cuore di un bambino. Di solito si tratta di soffi di modesta entità che il medico riesce a individuare soltanto nei momenti in cui il piccolo sta in silenzio, e che non di rado variano di intensità al punto che in certi casi oggi ci sono e domani non ci sono più. O meglio, non si sentono più. Sono soffi, inoltre, ai quali non si accompagnano altri segni di malattia. Il bambino è del tutto normale, gioca, corre, salta, va in montagna, nuota, scia, senza mai manifestare disturbo alcuno. C'è questo lieve rumore, che solo il medico in particolari condizioni riesce ad apprezzare, e basta. Che cosa significano questi soffi?

Nulla. Li chiameremo soffi « falsi ». Il rumore di soffio si produce quando il sangue scorre in modo irregolare all'interno del cuore o all'imboccatura delle arterie che dal cuore partono. Ora, questo fenomeno, questa irregolarità nel « traffico » del sangue, si verifica abbastanza spesso durante l'accrescimento, senza che esistano vere e proprie alterazioni degli organi circolatori. Non solo, ma queste irregolarità, questi vortici, questi reflussi, non compromettono per niente la normale funzionalità della circolazione. Spesso anzi, quando il cuore lavora di più e più velocemente, come dopo uno sforzo, il soffio scompare.

Nella grande maggioranza dei casi dunque il soffio al cuore, in un bambino, non vuol dire niente, non è sintomo di alcuna malattia e di alcun difetto, e non richiede nessuna precauzione né, tanto meno, delle cure. Perciò, quando il pediatra vi dice che vostro figlio ha un soffio ma che non c'è motivo di preoccupazione, dategli retta e non preoccupatevi. Non è il caso di abbandonarsi a un'orgia di esami e di visite specialistiche. Molti genitori pensano che una precauzione in più, una verifica in più, una radiografia in più, non guasta mai. Invece sì, guasta. Pensate a come si deve sentire un bambino perfettamente normale, che fino a oggi poteva muoversi liberamente, al quale improvvisamente si proibisca di correre, di giocare coi compagni, di nuotare, di andare a fare delle passeggiate in montagna, di praticare dello sport; al quale si impongano dieci visite mediche, con corredo di radiogrammi, elettrocardiogrammi, esami di sangue, e via dicendo; al quale diecimila volte al giorno si chieda come si sente, se « respira bene », se « non ha male al cuore », se « non gli manca il fiato ». Probabilmente lui, sano come un pesce, finirà col sentirsi un menomato, un rudere, uno che è vivo per miracolo e solo grazie ai medici e alle loro cure. Finirà col diventare un bambino infelice e terrorizzato. Il che, ancora una volta, costituirebbe una malattia ben più grave di un innocuo soffio al cuore.

I soffi «veri»

Esistono naturalmente anche i soffi « veri », quelli che segnalano la reale presenza di una malattia di cuore. Come si possono distinguere dai soffi « falsi »? Ebbene, il criterio fondamentale è questo: i soffi « falsi », come ho detto prima, non sono accompagnati da altri segni di sofferenza dell'organismo: il bambino non presenta nessun disturbo particolare, cresce regolarmente, ha un colorito normale e svolge senza inconvenienti le solite attività più o meno movimentate di tutti i bambini. I soffi « veri » invece spesso sono preceduti o accompagnati da altri segni di malattia, o meglio sono accompagnati da altri segni di malattia quando sono di una certa gravità. Perché anche questo va chiarito: esistono dei soffi derivanti da malformazioni o alterazioni di altro tipo, quindi soffi « veri », che non incidono minimamente sul rendimento dell'organismo e sulla salute del bambino. Esistono soffi « veri » che uno si porta dietro, senza saperlo, fino a novant'anni, senza essersi mai curato né riguardato in alcun modo. In generale il medico, in base a una serie di considerazioni, arriva a sospettare la natura patologica di un soffio anche in assenza di disturbi collaterali, e in questo caso sì che potrà consigliare un accertamento specialistico. In conclusione si può affermare che l'esistenza di un soffio senza altri segni di compromissione dell'organismo, non deve destare preoccupazioni: quasi sempre si tratta di un soffio « falso », in qualche caso si tratta di un soffio « vero » ma non grave.

Le due cause principali di soffio « vero », cioè di malattia di cuore, sono l'infezione reumatica e le malformazioni congenite. Prendiamole brevemente in esame una per una.

Il cosiddetto *reumatismo* è una malattia che difficilmente può sfuggire all'attenzione dei genitori: tonsilliti ripetute, febbri ricorrenti, dolori alle articolazioni, decadimento dello stato generale del bambino, tutta una serie di sintomi clamorosi inducono sempre a richiedere la opera del medico, il quale prescrive determinati esami, che a loro volta portano praticamente nella totalità dei casi alla scoperta della malattia. Stabilito che si tratta di reumatismo, il dottore provvede a un adeguato controllo del cuore. L'infezione reumatica infatti può raggiungere le valvole cardiache, e specialmente una, può produrvi delle lesioni e in definitiva può alterarne la funzione. Bisogna però guardarsi dalle conclusioni troppo affrettate: non basta che un bambino abbia sofferto di un paio di tonsilliti e accusi un doloretto a un ginocchio perché si possa parlare di reumatismo. E non basta che le tonsille del piccolo siano « brutte » e che il suo cuore presenti un leggero rumore di soffio per stabilire che quel soffio è certamente il segno di una lesione provocata dalla malattia reumatica. Può darsi benissimo, anzi di solito è proprio così, che il bambino non soffra di una forma reumatica e non abbia alcunché al cuore, ma che le sue tonsille siano semplicemente un po' grosse e il suo soffio sia « falso ». Inoltre si deve ricordare che le tonsilliti sono frequentissime, il reumatismo assai meno frequente, e le lesioni cardiache di origine reumatica ancora meno frequenti; quelle gravi poi si possono senz'altro definire piuttosto rare. Il che significa che mal di gola non vuol dire necessariamente reumatismo, che reumatismo non vuol dire necessariamente lesione al cuore, e che lesione al cuore non vuol dire necessariamente lesione grave. Debbo dire infine che il soffio di origine reumatica, se scoperto per tempo e ben curato, nella maggioranza dei casi finisce con lo scomparire: il cuore cioè « compensa » il difetto e riprende una funzione del tutto regolare.

Le *malformazioni cardiache* costituiscono anch'esse, fortunatamente, un fenomeno tutt'altro che frequente. Secondo ricerche molto recenti svolte in Inghilterra, su mille bambini nati vivi circa *sei* presentano malformazioni al cuore. Ora, siccome circa il novanta per cento dei bambini che presentano problemi di natura cardiaca sono affetti da malformazioni, ne deriva che non più di un bambino su cento soffre realmente di una malattia di cuore. Se si tiene conto della elevatissima frequenza dei soffi durante l'accrescimento, si deve concludere che la stragrande maggioranza dei soffi stessi *non indica la presenza di una malattia di cuore*.

Nei pochi casi in cui il soffio è espressione di una malattia abbastanza importante, esiste una serie di segni che non possono sfuggire nemmeno al profano. Il bambino mangia poco, cresce poco, si muove poco, presenta bronchiti ripetute, spesso soffre di una certa difficoltà respiratoria. Questi non sono segni specifici, ma sono sufficienti a far capire che « qualcosa non va ». Un segno specifico invece è il colorito bluastro intorno alla bocca o addirittura su tutto il volto o, nei casi più gravi, in tutto il corpo.

È inutile dire che la presenza di tutti i sintomi che ho descritto impone senz'altro la visita del medico, il quale provvederà agli accertamenti del caso e quindi a indirizzare il bambino agli specialisti competenti. Si può ben dire che oggi sono davvero pochi i casi di malattia cardiaca che non possano essere fronteggiati, spesso con risultati brillanti e definitivi, dalle équipes di specialisti.

Nono Capitolo

L'ETÀ INGRATA

Abbiamo percorso insieme un lungo cammino: tredici anni di vita. I primi tredici anni della vita di ogni essere umano, i primi tredici anni della vita di vostro figlio. Da questo momento egli non è più solo un bambino. Comincia di qui la sua tumultuosa trasformazione in individuo adulto.

La chiamano "l'età ingrata", questa fase di trasformazione. In effetti *è* ingrata, per il ragazzo, per i genitori e per tutti. È difficile negare che l'adulto guardi all'adolescente con una certa curiosità venata di stupore. Le imprese del giovanotto (giovanotta) suscitano meraviglia, sono imprevedibili e sconcertanti. Di lui (lei) si riesce a capire poco o niente. Per il semplice motivo che l'adulto, genitore compreso, ha solo dei vaghi e confusi ricordi della *propria* adolescenza, ricordi spesso respinti perché spiacevoli, inconsciamente rifiutati, sepolti sotto montagne di storie ed esperienze, di sconfitte, di delusioni, di cambiamenti d'ogni sorta. L'adulto, di solito, non conosce affatto l'adolescente. Non conosce nemmeno il bambino, questo è vero. Ma il bambino dichiara apertamente ciò che è, quindi non ci preoccupa. L'adolescente invece non dichiara nulla, e ci preoccupa. Qualche volta, oltre che preoccuparci, ci irrita, ci infastidisce, suscita in noi la rabbia e lo sdegno. Sempre perché noi non ricordiamo com'eravamo e che cosa facevamo. Oppure lo ricordiamo nebulosamente, come attraverso uno schermo roseo, soffice e pietoso, che lascia passare solo gli struggimenti e gli entusiasmi, ma non le contraddizioni, le lacerazioni, le pulsioni aggressive, i sensi di colpa e di disfatta.

Anche voi, di fronte a vostro figlio, vi sarete forse chiesti, o vi chiederete: ma insomma, che cosa è diventato costui? Chi è questo individuo bizzarro e molesto, che fino a ieri sembrava tanto amabile, tenero e soave? Semplice: è un bambino che sta combattendo la sua battaglia per diventare adulto, è un po' bambino e un po' adulto, ma contemporaneamente non è più bambino e non è ancora adulto, e in più è qualcosa di *diverso*. E cercheremo di capire che cosa. Ma per ora una cosa possiamo dirla chiaramente: è uno che ha bisogno di voi. Anche se non lo dimostra, anche se non lo riconosce, anche se lo nega, ha bisogno di voi. Come alleati, compagni e amici, e non come guardiani, giudici e predicatori. Forse questo, per voi, è un brutto momento. Ma è il *vostro* momento. I genitori, si dice, mostrano la loro vera stoffa nell'istante in cui il figlio li abbandona, o vorrebbe abbandonarli. Dunque forza. È arrivata l'ora di far vedere chi siete.

1. IL DISAGIO DELLA CRESCITA

Ragazze e ragazzi si svilupperanno d'ora in poi in un modo molto "personalizzato". Alcuni ingrasseranno fino a sfiorare l'obesità, altri diventeranno secchi come chiodi; alcuni si allungheranno, si direbbe, di un palmo al giorno, altri rimarranno piccoletti; ogni parte del corpo sembrerà che si sviluppi per conto suo; l'organismo assumerà forme strane; certe ragazze presenteranno una rapidissima comparsa di seni prosperosi su un fisico ancora quasi infantile, altre, più rotonde, resteranno piatte come una tavola solo sul petto, alcune avranno delle gambe magrissime e legnose, altre gambe simili a colonne; dei maschi qualcuno avrà la voce da basso profondo e qualcuno parlerà come un canarino, uno in pochi mesi si coprirà in faccia di un barbone ispido e folto e l'altro rimarrà liscio come una mela, uno darà l'idea di far scoppiare i vestiti e l'altro si conserverà esilino e filiforme. Potrà succedere veramente di tutto.

Spesso i genitori si preoccupano di questo "terremoto evolutivo" nel quale non si raccapezzano, ma quelli che si preoccuperanno di più saranno i ragazzi stessi: le femmine in genere per ragioni estetiche, i maschi per la loro virilità. Inoltre, femmine e maschi, si sentiranno goffi, "fuori posto", maldestri, impacciati. Muoveranno le mani come palette, inciamperanno nei propri piedi, non sapranno mai che posizione assumere. Avrete quasi l'impressione che il ragazzo sia dentro a un corpo non suo, e che non sappia come maneggiarlo. E in un certo senso sarà davvero così: lo sviluppo puberale, esplosivo e spesso repentino, toglierà al ragazzo la padronanza del suo proprio corpo.

Tutto ciò non rimane senza conseguenze. La "perdita del proprio *io corporeo*" produce nell'adolescente, non sempre ma spesso, un senso di smarrimento e di insicurezza. Il ragazzo, o ragazza, non capisce più nemmeno *chi è*, come lo vedono gli altri, che cosa deve fare, in che maniera deve agire nel nuovo mondo che gli si spalanca davanti, il mondo sociale. E allora, non di rado, cerca di tornare indietro, all'universo più sicuro dell'infanzia, al regno dei manicaretti preparati dalla mamma, delle leccornie comperate dal papà, dei gelati avidamente divorati insieme ai compagni, magari di nascosto, dei dolciumi trafugati da qualche cassetto segreto. Ed ecco dei ragazzi già muniti di barba, e delle ragazze piene di sex-appeal, che si abbandonano alla più sfrenata voracità. Ecco i paninari e i consumatori frenetici di Coca-Cola, gli insaziabili divoratori di merendine e i succhiatori di barattoli variopinti. Oppure succede il contrario. Cibo e bevande sono considerati dall'adolescente come malevoli spettri emergenti da una infanzia che lui (o lei) vorrebbe superare, come intollerabili legami che impediscono la conquista, o riconquista, di se stessi. Allora tutto viene respinto con orrore. Cosa che accade specialmente alle ragazze, che in questo periodo possono ridursi a mangiare come una formica di scarso appetito. O anche meno.

Le burrascose trasformazioni del corpo inducono inoltre maschi e femmine a dubitare di se stessi, delle proprie attitudini, delle proprie qualità, delle proprie forze e delle proprie capacità. Molto spesso l'adolescente è perseguitato dalla paura di "non farcela". In tutti i campi: sessuale, sociale, sportivo, eccetera. Egli può essere schiacciato dal timore della propria inadeguatezza. In questo caso, egli cade talora in preda a una profonda disistima per la propria persona, si convince di non poter affrontare nessuna prova, cerca di sfuggire ogni confronto, evita ogni tipo di nuova esperienza.

Quando un simile atteggiamento investe la sfera sessuale, l'adolescente si affanna certe volte a cercare delle giustificazioni razionali per la propria fuga: ostenta disprezzo per la sessualità ricorrendo a motivazioni di ordine religioso o mistico, abbraccia teorie sul primato della castità, diventa un intransigente sostenitore della purezza dei costumi.

Nel campo della sessualità e in ogni altro campo volta le spalle alla realtà e si rifugia nella fantasia, sognando se stesso in veste di grande conquistatore (conquistatrice) che non si abbassa a sfruttare il proprio fascino. Oppure immagina di essere un grande campione (campionessa), eroe (eroina), trascinatore di folle o supremo artista. Ma non pratica alcuno sport, si sottrae a ogni conflitto, si allontana dai compagni più esuberanti e aggressivi.

Altre volte succede proprio l'opposto: l'adolescente cerca di superare le incertezze e i dubbi che nutre su se stesso affermando con forza la propria superiorità sugli altri. Allora va disperatamente in cerca di occasioni per dimostrare che lui (o lei) è sicuro di sé e non ha paura di niente e di nessuno. Sfida continuamente la realtà, anziché sfuggirla. Si getta a capofitto in attività sportive, meglio se rischiose, e si abbandona alla febbre del campionismo. Oppure va in caccia del successo scolastico, ma non càpita spesso. Oppure, più frequentemente, si dedica a un indefesso esercizio della sessualità, in qualsiasi occasione e con chiunque, nell'intento di dimostrare a tutti, e anche a se medesimo, il proprio indiscutibile valore.

In un modo o nell'altro, negando la realtà e isolandosi nel sogno, oppure sfidando la realtà e cercando di dominarla, l'adolescente arriva molte volte a concentrare su di sé, e solo su di sé, la propria attenzione. Egli può arrivare a convincersi di essere la cosa più importante dell'universo. Può arrivare a nutrirsi del culto della propria potenza, che considera smisurata, ma anche del culto della propria sofferenza, che può sentire come eroica, mirabile e grandiosa. Ma, come vedremo, sotto questo cumulo di atteggiamenti e di comportamenti egocentrici, talora francamente irritanti, esiste il più delle volte una condizione di disagio profondo, che non può essere ignorata e che richiede l'aiuto dei genitori per essere superata.

2. IL CATACLISMA AFFETTIVO

Quando vostro figlio era uno scolaro andava tutto liscio. O abbastanza liscio. Lui studiava, con più o meno entusiasmo, giocava, guardava la televisione. Coi genitori andava d'accordo, mamma e papà erano il suo rifugio, il suo punto d'appoggio, il suo conforto, la sua guida. C'era quello che alcuni studiosi hanno chiamato l'"idillio familiare". Adesso, con le prime avvisaglie della maturazione sessuale, il giovanotto (o la giovinetta) è cambiato di colpo. "Si è allontanato da noi", "Ci tratta come estranei", "Non ci parla più", "Non si riesce più a capirlo", sono le frasi che dicono molti genitori, più o meno spesso e più o meno amaramente. Eh sì, cari genitori, l'idillio è finito, e voi non siete più gli unici oggetti d'amore per vostro figlio, o figlia. Spunta all'orizzonte, o spunterà presto, la ragazzina del cuore. O,

rispettivamente, il ragazzino. Non solo, ma le vostre figure, che fino a ieri erano il punto di riferimento sicuro e fidato, stanno diventando un intralcio, una specie di ostacolo sulla via dell'indipendenza. Vostro figlio adolescente vuole evadere dal nido familiare, ma, per uscirne, deve passare sopra di voi. Deve, in un certo senso, respingervi. Questa è la norma, e non deve sorprendere né offendere nessuno.

D'altra parte, il ragazzino sa benissimo che senza di voi non può stare, sa benissimo che continua a volervi bene, anche se in modo diverso, e sa benissimo che voi gli volete bene come prima. Però sa anche che vuole e deve staccarsi da voi, o almeno cominciare a imparare come staccarsi. Un'impresa difficile, credete. In fondo al cuore dell'adolescente, sotto il piglio insolente e le azioni provocatorie, sotto le ribellioni e le apparenti freddezze, c'è di solito il terrore di essere disapprovato, respinto o abbandonato da voi, di perdere il vostro affetto e di restare solo davanti alla vita.

Su questo accavallarsi di contraddizioni e di conflitti si scatena impetuosamente l'uragano della emergente sessualità. L'adolescente cade abbastanza frequentemente in uno stato di depressione per la paura di essere respinto dai genitori, e dagli adulti in generale, e per il contemporaneo impulso a respingerli. In tale situazione può succedergli di trovare, o di credere di trovare, nell'innamoramento la soluzione e il significato di tutta la sua esistenza. La persona amata diventa l'ombelico del mondo. Per i ragazzi di quest'età non ci sono mezze misure, Amore e Morte dominano la scena. Il che naturalmente contribuisce a rendere sempre meno attraente la famiglia d'origine, che può essere considerata un intollerabile ancoraggio alla superata infanzia, oltre che un ingombro sulla strada della nuova grande Passione.

Il fatto è che i genitori servono sempre, anche in queste cose. Vostro figlio ha, per esempio, un gran bisogno di informazioni sulla sessualità, su che cosa fare e come. Ma non vuole consigli né interferenze. E allora? Allora si creano situazioni delicatissime, che vanno affrontate con estrema circospezione e con un grande equilibrio. Ne parleremo più avanti. Per ora limitiamoci a renderci conto di quello che accade o che può accadere, in modo da evitare prese di posizione preconcette, o troppo rigide, o sostenute dal rancore e dalla delusione.

3. IL PROBLEMA SOCIALE

Questo è un problema relativamente nuovo. Da che mondo è mondo tutti gli esseri umani hanno attraversato la cosiddetta crisi dell'adolescenza, hanno visto il proprio corpo trasformarsi in modi strani, sono stati turbati da sensi di insicurezza e di paura, si sono trovati in conflitto coi genitori e sono stati sommersi dalle emozioni del primo amore. Tutto normale e tutto vecchio quant'è vecchia la nostra specie. La *crisi sociale* dell'adolescente invece è nuova, almeno in parte. Per l'ovvia ragione che il ragazzo ha a che fare con una società nuova, che è cambiata radicalmente nel giro di pochi decenni.

L'adolescenza, da un punto di vista sociale, è il passaggio dal gioco, libero e fondato sulla ricerca del piacere, al lavoro, non libero, programmato e governato da regole ferree, fondato sulla ricerca del profitto. Dal mondo della spontaneità, degli impulsi affettivi e del divertimento si passa a quello della razionalità, del calcolo e del dovere. È una transizione piuttosto penosa in quanto il ragazzo, che in buona parte è ancora bambino, deve lasciarsi alle spalle il piacere e affrontare il dovere senza avere nulla in cambio. Deve inserirsi nel mondo della disciplina e della rinuncia senza poter avere ciò che gli adulti dalla disciplina e dalla rinuncia ottengono, e cioè il profitto. Danaro, potere, carriera, prestigio, eccetera, sono fuori portata per l'adolescente, però lui deve faticare lo stesso. Dunque faticare a vuoto. Spiacevole. Sopportabile fin che dura poco, sempre meno sopportabile col passare del tempo. Ora, una delle caratteristiche della società moderna è proprio questa: di allungare smisuratamente questo periodo di logorante ambiguità. Mettetevi nei panni di vostro figlio: egli fra poco sarà capace di lavorare, di produrre, di creare e di procreare, sarà perfettamente in grado di vivere come gli adulti. Ma la società non glielo concederà. Lo terrà al bando, in una specie di limbo fatto di irresponsabilità obbligatoria e di sterili attese. Prima la scuola, poi l'università, poi la ricerca del posto di lavoro, poi la ricerca della casa, eccetera. L'"adolescenza sociale" può durare fino a trent'anni, o più. La crisi dell'adolescenza, acuta e perciò relativamente breve, è stata trasformata in una malattia cronica.

Oltre a ciò, l'organizzazione sociale sta rapidamente diventando sempre più invadente, concede sempre meno spazio e sempre meno tempo all'iniziativa individuale, anche dei ragazzi, anche dei bambini, e diventa sempre più coercitiva e implacabile. E la colpa di questo è anche della mentalità dominante, di tipo produttivistico-consumistico, per cui ciò che non serve al mercato viene progressivamente accantonato. La regola del gioco sta nel guadagno e basta, e s'impone a tutti. Così il panorama umano si va livellando in una pianura omogenea e scolorita, priva di modelli originali, una pianura in cui si confondono i ministri coi mafiosi, i preti coi banchieri, i medici coi mercanti, i professori coi filibustieri, gli artisti coi truffatori. Una società nuova, la nostra, nella quale l'ex-bambino, non ancora adulto, può trovare delle difficoltà a orientarsi.

Ora, mettete insieme questi problemi di natura sociale agli altri, di natura fisica, psicologica e familiare, e avrete un'idea della situazione di vostro figlio. Che cosa farà? Come si comporterà? Che strada imboccherà? Se voi saprete fare la vostra parte, tutto sarà probabilmente superato abbastanza bene e senza danni. Questione di pazienza. Ma vediamo brevemente quali sono oggi le tentazioni per un adolescente, quali pericoli corre, e che cosa può accadere se per qualche motivo i vari problemi non vengono adeguatamente risolti.

In certi casi il ragazzo, intimorito e disorientato dall'ambiente sociale che va scoprendo, può tentare inconsapevolmente di allontanarsene. Per esempio cercando la compagnia di ragazzini più piccoli di lui, coi quali rifugiarsi nel mondo del gioco. Oppure rimanendo il più possibile insieme agli adulti, dai quali si sente protetto. Oppure ancora ritirandosi nella solitudine e rinchiudendosi in un suo universo ristretto e rinunciatario. Ma il più delle volte si unisce invece ai coetanei, coi quali forma ciò che è stato chiamato la "classe degli adolescenti", in opposizione più o meno dichiarata alla classe degli adulti. Tutte reazioni prevedibili e abbastanza normali, se non superano certi limiti. Un ragazzo che tenda a isolarsi, per esempio, può anche non avere problemi particolarmente gravi. Ma se diventa un maniaco della solitudine, se non vuole mai stare insieme a nessuno, se è del tutto privo di amici e compagni, se si sottrae abitualmente a ogni attività di gruppo, allora è probabile che qualche problema ce l'abbia. E lo stesso può dirsi per il ragazzo che vuole stare *solamente* con bambini piccoli, o *solamente* con adulti.

È sempre normale e del tutto logica invece la propensione dell'adolescente a stare coi suoi coetanei e a formare con loro, con alcuni di loro, un gruppo compatto. Conseguenza naturale del conflitto coi genitori. Il gruppo, costituito da adolescenti in antagonismo con genitori e adulti in genere, può reggersi su qualsiasi impalcatura che serva da contraltare al sistema dominante: modi di comportarsi, o di vestirsi, o di parlare, o di mangiare, ideali politici, posizioni religiose, eccetera. Ci sono i gruppi dei motociclisti, quelli che si tingono i capelli di rosso o viola, quelli che si vestono di arancione, quelli dei non-violenti, quelli dei tifosi violenti, quelli dei neo-cattolici di sinistra, quelli degli ex-cattolici di destra, quelli dei buddisti, quelli degli adoratori di Geova, o di un cantante, o di un presentatore. Ce n'è di ogni colore. Nella maggioranza dei casi si tratta di gruppi del tutto innocui, anzi forniti di una loro utilità per il ragazzo. Un individuo che, come l'adolescente, veda franare tutto intorno a sé e dentro di sé, ha naturalmente un bisogno disperato di riferimenti, di sostegno, di guida. Difficile trovare tutto questo. Voi genitori, rassegnatevi, avete in buona parte perduto il vostro fascino di persone perfette e insuperabili, avete perduto la vostra qualità di protettori e di battistrada. Per vostro figlio la famiglia è sempre meno un rifugio e sempre più una trappola. Lo stesso vale, in un certo senso, per la scuola, che può essere considerata più come un campo di reclusione che come un aiuto. Il gruppo dei coetanei riempie questo vuoto, dà al ragazzo la sensazione di essere più forte e più difeso, e anche meglio capito. È logico che sia così.

Però attenzione: il gruppo può anche diventare matrice di comportamenti distruttivi o autodistruttivi, di comportamenti antisociali e persino di comportamenti criminali. Basterebbe ricordare il teppismo, le competizioni dissennate, la tossicodipendenza, il vagabondaggio, la criminalità minorile. Fenomeni di cui, purtroppo, sono piene le cronache.

Nel complesso si può ben dire che la società non fa molto per aiutare l'adolescente a uscire dalla sua crisi. Pare anzi che faccia di tutto per inchiodarcelo, e per rendergliela più scabrosa e impervia. Il ragazzo, già incline per conto suo alla depressione, può essere spinto in fondo a un baratro. Qualche volta, sempre più spesso, arriva al suicidio. Le ragazzine, sempre più spesso, arrivano a drammatiche gravidanze precoci, volutamente ricercate per colmare vuoti affettivi, veri o presunti. Problema delicato, questo dell'adolescente, e oggi ancor più delicato di ieri. Cerchiamo allora di vedere come affrontarlo.

4. LE AMATE SPONDE

Si potrebbe dire che l'adolescente è un navigante inesperto, munito di un'imbarcazione che non conosce, in balìa di un mare infido e mutevole. Ogni tanto gli va tutto bene, progredisce sulla rotta giusta, raggiunge quello che voleva raggiungere. Ogni tanto gli va male, viene trascinato indietro dalla corrente, perde la bussola, l'orientamento, il coraggio, le forze. Un intelligente studioso ha detto che l'adolescente è un individuo costantemente in bilico fra il progresso e il regresso, fra la conquista trionfale e il lutto della disfatta. Poi uscirà da questa angosciante altalena e arriverà in porto. A una condizione: di essere sempre abbastanza vicino alla riva da poterci trovare soccorso, in caso di necessità. Questa sponda soccorritrice, cari genitori, siete ovviamente voi. E a voi proporrei, se me lo permettete, alcune considerazioni sui seguenti argomenti.

Sulla serietà

Prendere sempre seriamente l'adolescente e i suoi problemi non è facilissimo, ma credo sia necessario. A nessuno piace essere preso in giro, e all'adolescente meno che a chiunque altro. Il ragazzo è già abbastanza angosciato dalla sua insicurezza, dalla paura, talvolta dalla solitudine, per tollerare la leggerezza, la noncuranza o, peggio, l'irrisione. E questo vale anche quando sia proprio lui, vostro figlio, ad aggredire gli altri con l'ostentazione di un cinismo sfrontato e insultante, o con le forme più triviali di dissacrazione e col dileggio verso certi valori cari all'adulto. Sappiamo che sotto questi comportamenti c'è ben altro. E per arrivare a quest'altro, alla vera sostanza del problema, anche il cinismo (di solito apparente), la provocazione e la volgarità vanno presi sul serio. Non ignorati, non derisi, non vituperati, non brutalmente repressi. Disapprovati, questo sì, ma con serietà e civile fermezza.

Quando poi si tratti di preoccupazioni legate alla salute, allo sviluppo, ai sentimenti, ai rapporti interpersonali, quando si tratti delle mille forme di entusiasmo, di avvilimento, di sogno, di disperazione, di utopia, di sconforto, di rapimento, attraverso cui l'adolescente esprime se stesso, allora la più rigorosa e attenta considerazione, da parte dell'interlocutore adulto, s'impone in assoluto. Per quanto bislacchi e risibili possano sembrare certi atteggiamenti del ragazzo, non è mai il caso di seppellirli sotto una indifferenza che a lui potrebbe sembrare offensiva.

Sulla morale

Ognuno di noi segue una sua propria etica e generalmente pretende, più o meno consapevolmente, che gli altri vi si adeguino. Tanto più se questi altri sono considerati immaturi e inesperti, come i ragazzi. E ancor più se si tratta dei propri figli, dei quali ci si sente responsabili. Difficilmente un genitore sa resistere alla tentazione di esprimere giudizi morali sulla condotta del figlio, e ancor più difficilmente sa trattenersi dall'enunciare, eventualmente imporre, delle norme. Dimenticando in primo luogo che l'impostazione morale di un adolescente è quasi sempre, per questioni di età, di costume, di cultura, abbastanza diversa da quella della generazione che l'ha preceduto. Per certi versi l'adolescente può sembrare del tutto amorale, ma per certi altri può sembrare dotato di un moralismo rigidissimo e persino ridicolo. Pensate per esempio alle norme che regolano il comportamento di certi gruppi, o meglio di certe bande, in cui alla sbalorditiva disinvoltura con cui si commettono illeciti di ogni sorta fa riscontro una specie di legislazione scrupolosissima per quel che riguarda la solidarietà e la reciproca lealtà. Oppure pensate al rigore con cui altri gruppi conservano, e pretendono dagli altri, la più totale castità. E si potrebbe continuare a lungo.

Il genitore dimentica inoltre, molto spesso, che la sua figura è il bersaglio preferito di ogni contestazione da parte del figlio adolescente, e che tale contestazione viene quasi sempre rinvigorita dagli atteggiamenti autoritari o repressivi dello stesso genitore. Ciò significa che il giudizio morale, e ancor più la norma, espresso dal padre o dalla madre, rimarrà quasi di sicuro senza effetto, oppure produrrà l'effetto opposto a quello desiderato, rendendo in ogni caso ancor più critico il già precario rapporto tra genitori e figlio.

Con ciò non voglio dire che nessun giudizio debba essere dato, in alcun caso. Approvare o disapprovare, operazioni ineliminabili da qualsiasi relazione umana, significa pur sempre dare un giudizio. Ma credo sia opportuno che il vostro giudizio riguardi l'azione di vostro figlio, non la sua persona. Dire a un ragazzo che quella sua determinata condotta è incivile non è come dirgli che lui è uno screanzato villano. Inoltre, penso sia meglio che il vostro giudizio resti sempre sereno, non aggressivo e ragionevolmente accettabile.

Sulla sessualità

In questo campo, lo so, vorreste fare di tutto. Preparare vostro figlio, o figlia, a una sessualità matura e felice, informarlo, indirizzarlo, guidarlo, difenderlo da incidenti indesiderabili, aiutarlo a trovare il compagno (compagna) ideale, e possibilmente far sì che rimandi le sue prime esperienze a data da destinarsi. Invece, probabilmente, potrete fare relativamente poco. Il nascere dell'attenzione e dell'attrazione per l'altro sesso, e ne abbiamo già fatto cenno, si accompagna per lo più a un certo distacco dai genitori, e talora a una specie di diffidenza nei loro confronti. La sessualità viene vissuta come un modo, forse il più importante, di rendersi indipendenti da papà e mamma. Perciò, anche se in realtà ne ha un gran bisogno, non aspettatevi che vostro figlio chieda a voi che cosa fare, e come, e con chi. Magari lo farà, ma sarà meglio aspettare la sua richiesta senza imporgli alcunché di vostra iniziativa. Comunque, se vi chiede delle informazioni, dàtegliele. Senza falsi pudori e, possibilmente, senza imbarazzi. E senza meravigliarvi della stranezza delle sue richieste. Egli potrà domandarvi, per esempio, come si fa a sapere se si è omosessuali o no, oppure se si è innamorati o no, o se si può essere innamorati contemporaneamente di due persone, se facendo troppo sport si diventa impotenti o se facendo l'amore si perdono le gare. Cercate di rispondere sempre, con franchezza, con serenità, e senza scandalizzarvi. Se non sapete rispondere, e può accadere, dite a vostro figlio di rivolgersi a 'qualcuno che ne sa più di voi, per esempio al medico. Mai, in nessun caso, fate che vostro figlio si vergogni o si penta di avervi rivolto una domanda.

Qui si riapre un po' il discorso sulla morale. L'adolescente ha bisogno di conoscenze, e quindi di sicurezza, non di princìpi morali. Almeno in materia di sessualità. La sua morale se la farà lui, o lei, faticosamente, e certe volte dolorosamente. Una morale costituita da norme somministrate dall'esterno, come uno sciroppo contro la tosse, non farà che allontanarlo da voi.

Sullo sport

La pratica di uno sport farà indubbiamente del bene a vostro figlio, maschio o femmina che sia. Lo aiuterà a impadronirsi del suo corpo, potrà costituire per lui una salutare evasione dall'impegno scolastico, lo abituerà a misurarsi con gli altri e a rispettarli, gli potrà dare, nella figura dell'istruttore o dell'allenatore, un certo appoggio psicologico, gli insegnerà a collaborare coi compagni per raggiungere un determinato risultato. Però, se posso esprimere il mio parere, guardatevi bene dall'imporre un'attività piuttosto che un'altra. Scelga lui, vostro figlio. Qualsiasi sport, non portato a livelli estremi, può andare bene. Avrei qualche esitazione solo per il pugilato. In ogni modo, se avete dei dubbi, potrete rivolgervi al medico. Meglio se si tratta di un medico che a sua volta pratica uno sport. L'essenziale è che il ragazzo trovi piacere e soddisfazione nell'attività che ha scelto. E che si trovi bene coi suoi compagni. Certamente un gruppo sportivo va meglio di un gruppo fondato su una moda o sul teppismo, o sulla droga.

Debbo chiarire a questo punto che con le parole "gruppo sportivo" intendo un gruppo di persone che *praticano* uno sport, e non un'orda di individui che fanno il tifo per una squadra composta da altri. Andare allo stadio con la bandiera, o col manganello, non significa appartenere a un gruppo sportivo, ma solo a una congrega di esaltati o di mentecatti.

Sul medico

Anche l'adolescente ha bisogno di un suo medico. Ma quale? Innanzitutto un medico di cui vostro figlio si fidi. Ormai sta anche a lui, e non più solo a voi, scegliere la persona cui rivolgersi per i problemi della salute, fisica e psichica. Molte volte questo medico di fiducia è lo stesso pediatra che ha seguito il ragazzo finora. Va benissimo. Perché conosce bene il suo giovane cliente, perché è professionalmente preparato nel campo dell'età evolutiva, perché c'è una storia vissuta insieme da ragazzo e dottore, perché il pediatra ormai sa tutto, o quasi, sulla famiglia e in genere sull'ambiente del giovanotto (giovinetta). Inoltre è solitamente in grado di dare una prima risposta anche alle domande di tipo psicologico, data la sua confidenza con genitori e figlio. Domande sui reciproci rapporti in casa, sui comportamenti sessuali e sociali, sugli atteggiamenti educativi, eccetera. Qualcuno ha definito il pediatra come "psichiatra di primo livello", e forse è una definizione abbastanza corrispondente ai fatti.

È evidente che il medico, proprio per questo suo lavoro di consulente familiare, deve avere anche la vostra fiducia, oltre a quella di vostro figlio. Ci saranno problemi che dovranno essere trattati in privato, fra ragazzo e medico, ma altri richiederanno anche la partecipazione dei genitori, e altri ancora riguarderanno solo voi, voi genitori. Insomma, il medico dovrà andare bene per tutti, se si vuole averne un valido aiuto.

Su di voi

Abbiamo visto che l'adolescente tende a "disfarsi dei genitori", e sappiamo anche il perché: il bisogno di indipendenza, il conflitto fra una generazione e l'altra, l'irrompere di una tumultuosa sessualità e la nascita dei primi amori, eccetera. Tutto previsto. Ma certe volte i poveri genitori ci restano male lo stesso. Hanno fatto tutto il possibile per andare d'accordo col figlio, sono stati comprensivi, tolleranti e persino generosi, gli hanno dato tutto quello che voleva, gli hanno concesso ogni cosa, sono stati discreti e rispettosi, dei genitori esemplari infine. Ma lui, o lei, seguita a respingerli. Vi dirò che anche questo è previsto e non deve provocare rammarico né risentimento. Il fatto è che questa "guerra di liberazione" di vostro figlio contro il giogo familiare è qualcosa di proprio inevitabile. Potrà essere una guerra silenziosa, bene educata e civile, senza scontri violenti, senza battibecchi, senza accuse esplicite, senza prese di posizione insultanti e villane, ma divamperà comunque. Ora, si sa, per combattere una guerra si deve avere un nemico. Ma se il nemico si comporta da amico, la situazione diventa imbarazzante, e si cerca di smascherare il nemico e di costringerlo ad assumere la sua parte di avversario. Ecco allora lo strano fenomeno di ragazzi che diventano tanto più aggressivi verso i genitori quanto più i genitori sono aperti e benevoli. Cercano, questi ragazzi, di crearsi un nemico che finora non hanno trovato.

Con questo non voglio certo incoraggiarvi a essere brutali e ostili con vostro figlio. Dico solo che c'è da aspettarsi anche questo tipo di reazioni, che non c'è da scandalizzarsi, e che la cosa migliore da fare è comportarsi come si ritiene giusto, senza pretendere un immediato riconoscimento delle proprie virtù. In altri termini, se mi permettete un consiglio, non ostinatevi a farvi accettare da vostro figlio, a qualunque costo. Fra l'altro, non dimenticate che se in questo momento vostro figlio sta combattendo la sua guerra di liberazione, la stessa cosa la state facendo anche voi. Anche voi vi state liberando da vostro figlio. Cosa necessaria. Solo che la sua è una battaglia diretta, combattuta contro un "nemico" per "spezzare le catene", e la vostra è una battaglia indiretta, combattuta contro voi stessi per accettare che quelle catene vengano spezzate. Cosa, ripeto, necessaria.

Comunque, lo sapete bene, non saranno mai spezzate del tutto. Resterà sempre l'affetto, tanto più profondo quanto meglio sarete disposti a capire che vostro figlio è cresciuto e che il vostro rapporto con lui è cambiato. Ma voi resterete le rive del suo mare tempestoso, pronte ad accogliere il navigante in pericolo. Resterete le sue sponde. Sempre amate.

Decimo Capitolo
LE MALATTIE INFETTIVE

Sembra che pochissime cose riescano a spaventare papà e mamme quanto le « malattie dei bambini ». Quando il piccolo ha un po' di febbre, o anche quando non ce l'ha, basta una macchietta rosa, una irritazione della pelle, un sospetto di eruzione, ed ecco che la famiglia entra in crisi. «Avrà il morbillo? la rosolia? la varicella? o forse, bontà divina, la scarlattina? ». Telefonate frenetiche, domande angosciate, voci tremule di paura, come se fosse fatalmente in gioco la vita del bambino. La tosse di un bimbo fa poca impressione, ma guai se sorge l'idea che possa trattarsi di pertosse! E il gonfiore vicino all'orecchio? Orecchioni! Ecco lo spettro che incombe. Ora domandiamoci: è giustificato tutto questo terrore?

La risposta al nostro interrogativo va divisa in due parti. La prima parte della risposta è NO: la preoccupazione non è giustificata. Non è giustificata per quanto riguarda le malattie dei bambini più comuni, e cioè per il morbillo, la rosolia, la varicella, la parotite (gli orecchioni) e persino la pertosse e la scarlattina. Come vedremo dopo, queste forme hanno perduto buona parte dei loro caratteri più pericolosi e decorrono per lo più in modo del tutto benigno, tanto che spesso non richiedono nemmeno una cura vera e propria.

La seconda parte della risposta è SI: la preoccupazione è giustificatissima. E' il caso della difterite e della poliomielite, entrambe malattie di gravità estrema. Ma entrambe praticamente scomparse o in via di estinzione grazie all'impiego obbligatorio del vaccino.

In conclusione, se vostro figlio è regolarmente vaccinato, niente paura. La sua vita non è in pericolo per un po' di macchie rosse o per un gonfiore sotto l'orecchio. Dovrete consultare il dottore, beninteso, ma vedrete che con ogni probabilità egli si limiterà a tranquillizzarvi e a prescrivere un po' di vitamine, o tutt'al più un antibatterico per prevenire le complicazioni.

Vediamo ora quali sono le caratteristiche classiche, quelle descritte dai libri, delle principali malattie infettive dei bambini.

1. RITRATTO «CLASSICO» DELLE MALATTIE DEI BAMBINI

1.1. Il morbillo

☐ *Tipo di contagio*: il morbillo si trasmette direttamente da un individuo all'altro mediante il respiro; non si diffonde attraverso terze persone.

☐ *Incubazione*: da dieci a quattordici giorni; più spesso quattordici. Talora qualche giorno di più.

☐ *Sintomi e decorso*: il morbillo comincia con febbre, talora molto elevata, che non diminuisce apprezzabilmente coi comuni medicamenti. Compaiono tosse stizzosa, raffreddore e irritazione agli occhi. Spesso al bambino dà fastidio la luce (*fotofobia*). Dopo tre o quattro giorni, qualche volta anche dopo cinque o sei, compare l'eruzione sulla pelle che consiste in macchie rosse, irregolari per forma e dimensioni, che frequentemente si uniscono fra loro. Le macchie si fanno evidenti dapprima dietro le orecchie, poi invadono la faccia e il corpo. Nel momento culminante della malattia il viso del bambino è gonfio, rosso e tumefatto, con gli occhi piccoli e arrossati. La febbre raggiunge di solito il massimo quando compare l'eruzione, e cade un paio di giorni dopo. Col diminuire della temperatura ritorna rapidamente il benessere e il bambino riprende la sua vivacità.

☐ *Periodo di contagiosità*: il morbillo è estremamente contagioso specie nel periodo che va dalla comparsa della febbre fino a cinque giorni dopo la comparsa delle macchie. Si ritiene che la contagiosità sia praticamente terminata circa venti giorni dopo l'inizio della malattia.

☐ *Complicazioni*: la complicazione più frequente del morbillo è la bronchite, che può manifestarsi qualche giorno dopo lo sfebbramento. Se dopo la fine della malattia il bambino presenta di nuovo febbre o tosse, insistente, è senz'altro il caso di consultare il medico. Altra complicazione non rara è l'otite, che non deve destare preoccupazioni ma che impone comunque il controllo del dottore. La complicazione più temibile è naturalmente l'encefalite, che però fortunatamente è molto rara.

☐ *Come si può evitarlo*: il bambino sano deve naturalmente essere tenuto lontano da altri piccoli ammalati di morbillo. Si può inoltre proteggere il bambino mediante la vaccinazione.

☐ *Cura*: se il bambino è abbattuto, come spesso accade, è consigliabile il riposo a letto, in un ambiente in penombra (la luce, come abbiamo visto, di solito disturba il piccolo). Contro il pruito provocato dalla eruzione potrete usare del talco mentolato. La dieta deve essere leggera ma gustosa, povera in grassi; in ogni caso non è assolutamente opportuno forzare il piccolo ammalato a nutrirsi contro voglia. E' bene invece che beva quanto vuole, specialmente acqua con limone, tè leggero, camomilla; in tutti i liquidi, 'specie nel periodo febbrile, sarà bene aggiungere delle piccole quantità di citrosodina o di alcalosio. Sempre utili le vitamine C e del gruppo B.

1.2. La rosolia

☐ *Tipo di contagio*: la malattia si diffonde da individuo a individuo col respiro, o per mezzo di oggetti contaminati.

☐ *Incubazione*: da quattordici a venti giorni circa; in genere sui diciotto giorni.

☐ *Sintomi e decorso*: qualche volta la rosolia comincia con febbre, molto alta oppure modestissima, ma più frequentemente di febbre non ce n'è per niente. Possono manifestarsi diversi fenomeni premonitori: un po' di raffreddore e mal di gola, una leggera irritazione agli occhi, mal di testa. Ma questi segni iniziali sono anch'essi tutt'altro che obbligatori e molte volte mancano completamente. Dopo un giorno o due compare l'eruzione, la quale, ripeto, può anche saltare fuori in pieno benessere, senza essere preceduta da alcun segnale di allarme. Le macchie, che sono in genere più chiare di quelle del morbillo, cominciano per lo più dietro le orecchie, sulla fronte e sulle guance, e poi si diffondono sul rimanente del corpo. Càpita abbastanza spesso che l'eruzione della rosolia sia quasi eguale a quella del morbillo o a quella della scarlattina. Talora, ma non sempre, si gonfiano le ghiandole sulla nuca, e meno spesso al collo, alle ascelle e agli inguini. Si tratta insomma di una malattia in cui non c'è quasi nulla di obbligatorio: l'unico segno può essere l'eruzione, e anche questa come abbiamo visto può trarre in inganno. La durata della rosolia è assai breve: dopo due o tre giorni il bambino può essersi perfettamente ristabilito.

☐ *Periodo di contagiosità*: da tre giorni prima dell'eruzione a cinque o sei giorni dopo.

☐ *Complicazioni*: si tratta di una malattia benigna che generalmente non dà complicazioni.

☐ *Come si può evitarla*: evitando la vicinanza a soggetti ammalati. Anche contro la rosolia esiste un vaccino.

☐ *Cura*: nulla di particolare, tranne le solite vitamine e un po' di talco contro il prurito.

1.3. La scarlattina

☐ *Tipo di contagio*: la malattia è causata da un'infezione che si trasmette da individuo a individuo. Il germe responsabile è lo streptococco. Si badi bene che anche una persona in ottima salute può portare in sé questo germe e infettare un'altra persona, la quale può ammalare di scarlattina: questi individui apparentemente sani che portano con sé lo streptococco della scarlattina si chiamano appunto « portatori sani ».

☐ *Incubazione*: dai due ai sei o sette giorni.

☐ *Sintomi e decorso*: la scarlattina, nella sua forma classica, inizia bruscamente con febbre elevata, anche sui quaranta gradi e oltre, mal di gola, vomito, talvolta dolori addominali, lingua ricoperta da una patina biancastra. Dopo ventiquattro-trentasei ore compare l'eruzione, che parte di solito dal torace e si estende poi a tutto il corpo, ma *non al viso*. Il viso può essere arrossato per la febbre, non per l'eruzione; spesso quando il viso è arrossato rimane una zona pallida che comprende il naso e le labbra, zona che viene chiamata col nome di « maschera scarlattinosa ». L'eruzione è composta da numerosissime e minuscole macchiette rosse, leggermente rilevate e tanto vicine tra loro da dare l'impressione che tutto il corpo sia uniformemente arrossato. Questa manifestazione della pelle è evidente specialmente alle pieghe inguinali, ascellari e dei gomiti, dove possono comparire altre piccole macchie rosso scuro (le cosiddette « petecchie »). Qualche volta si ingrossano le linfoghiandole ai lati del collo. La lingua, che prima era patinosa, diventa rossa scarlatta, a puntini: è la « lingua a lampone », tipica di questa malattia. Dopo cinque o sei giorni, spesso anche dopo un paio di giorni soltanto, l'eruzione scompare. Dopo quindici-venti giorni la pelle delle palme delle mani e delle piante dei piedi si stacca a squame più o meno grandi.

☐ *Periodo di contagiosità*: probabilmente la malattia è contagiosa ancora prima della comparsa dei sintomi iniziali e lo rimane fin dopo la desquamazione.

☐ *Complicazioni*: l'unica complicazione veramente temibile è la *nefrite*, che compare di solito verso il ventesimo giorno di malattia. E' perciò buona norma far controllare le urine, almeno una volta alla settimana, per circa un mese o un mese e mezzo a partire dall'inizio della forma morbosa.

☐ *Come si può evitarla*: praticamente in nessun modo, dato che non è possibile individuare ed evitare tutti gli eventuali portatori sani. Non esistono vaccini efficaci.

☐ *Cura*: riposo, specie nel periodo di febbre elevata, dieta leggera, vitamine (molto importante la vitamina C). Il medico dovrà decidere se impiegare o no gli antibiotici.

1.4. La varicella

☐ *Tipo di contagio*: la varicella si trasmette attraverso l'aria, anche a distanza di parecchi metri in ambiente chiuso. E' molto contagiosa.

☐ *Incubazione*: fra i quattordici e i ventuno giorni.

☐ *Sintomi e decorso*: la malattia non è preceduta da alcun segno premonitore. Comincia con un po' di febbre, sui trentotto (ma non sempre), e con l'eruzione. Sulla pelle del viso, fra i capelli, sul tronco e ai genitali, meno sulle braccia e le gambe, compaiono delle macchie rosse di varie dimensioni (da una capocchia di spillo a una lenticchia), che in parte si trasformano in vescichette. Queste poi si rompono ricoprendosi di una crosta, o si essicano. Nel frattempo si formano altre macchie che vanno incontro alla medesima evoluzione. In tal modo si hanno contemporaneamente elementi a diversi stadi: macchie rosse, vescichette e croste. Questi elementi possono essere poche decine o diverse centinaia, e sono distribuiti senza alcuna regolarità. L'eruzione della varicella colpisce frequentemente anche le mucose della bocca. Dopo tre o quattro giorni dall'inizio della malattia le macchie cessano di comparire. L'eruzione dà spesso un notevole prurito.

☐ *Periodo di contagiosità*: la varicella va considerata contagiosa dal momento in cui fanno la loro comparsa i primi elementi sulla pelle fino al momento in cui sono cadute tutte le croste.

☐ *Complicazioni*: la complicazione più frequente è l'infezione delle vescicole, provocata in genere dal fatto che il bambino si gratta con le mani sporche. Molto rare invece le complicazioni a carico del sistema nervoso (meningite, encefalite, eccetera).

☐ *Come si può evitarla*: non esistono vaccini. L'unica precauzione valida è quella di stare lontano dagli ammalati.

☐ *Cura*: come sempre, vitamine e dieta leggera. Contro il prurito talco mentolato. Sulle croste, vasellina borica. E' comunque opportuno interpellare il medico.

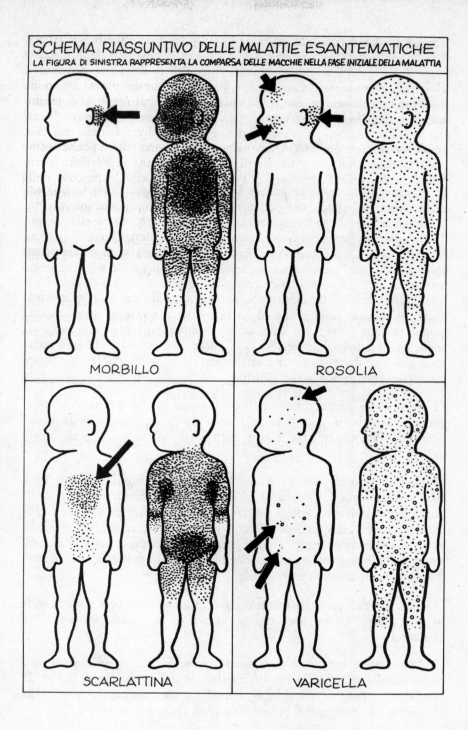

SCHEMA RIASSUNTIVO DELLE MALATTIE ESANTEMATICHE

LA FIGURA DI SINISTRA RAPPRESENTA LA COMPARSA DELLE MACCHIE NELLA FASE INIZIALE DELLA MALATTIA

MORBILLO

ROSOLIA

SCARLATTINA

VARICELLA

1.5. La parotite (orecchioni)

☐ *Tipo di contagio*: la malattia è provocata da un virus che viene trasmesso direttamente da un individuo all'altro col respiro, le goccioline di saliva, la tosse, eccetera.

☐ *Incubazione*: dai quattordici ai ventotto giorni; di solito diciotto-venti giorni.

☐ *Sintomi e decorso*: in genere la forma inizia con febbre sui trentotto-trentanove gradi, che per lo più scompare dopo quarantotto ore. In qualche caso la temperatura può tuttavia mantenersi elevata per diversi giorni. Ben presto compare una tumefazione sotto e davanti a un orecchio, così che l'orecchio stesso sembra « affondare » nel collo ingrossato; questa tumefazione può verificarsi contemporaneamente sui due lati, o prima da una parte e poi dall'altra, oppure limitarsi a un lato solo. Il bambino può anche accusare un certo dolore alla parte tumefatta, dolore che si fa più vivo durante la masticazione e specialmente in seguito all'assunzione di un cibo o di una bevanda acidi, per esempio limone. Se la malattia si manifesta da una parte sola, guarisce di solito in una settimana; se si manifesta in due tempi può arrivare ai dieci-dodici giorni.

☐ *Periodo di contagiosità*: da quattro-otto giorni prima dell'insorgere della malattia a qualche giorno dopo la scomparsa della tumefazione. Vengono più facilmente colpiti i bambini e i ragazzi in età scolare.

☐ *Complicazioni*: la meningoencefalite da orecchioni è molto rara. Essa si manifesta con febbre alta, mal di testa, vomito, rigidità della nuca, verso l'ottavo-decimo giorno di malattia. Anche l'*orchite*, cioè l'infiammazione dei testicoli, è rara nei bambini e ragazzi di età inferiore ai quattordici-sedici anni. Quando si verifica, questa complicazione si manifesta verso l'ottavo-decimo giorno di malattia, con febbre, dolore e tumefazione dei testicoli.

☐ *Come si può evitarla*: esiste un vaccino, che però non sembra utile in tutti i casi. La miglior cosa da fare è di restarsene lontani dagli ammalati.

☐ *Cura*: dieta leggera e non acida, impacchi decongestionanti sulla parte tumefatta (meglio farseli consigliare dal medico), vitamine. E' senz'altro il caso di consultare il medico, specie quando si verifichi un ritorno di febbre, mal di testa, vomito, dolore ai testicoli.

1.6. La pertosse

☐ *Tipo di contagio*: il contagio si verifica direttamente da un individuo ammalato a uno sano, pel tramite dell'aria, le gocce di saliva o di muco espulse con la tosse o anche semplicemente col respiro.

☐ *Incubazione*: da cinque a ventuno giorni.

☐ *Sintomi e decorso*:

1. periodo catarrale: all'inizio sembra che il bambino soffra di una tosse banale, come quella provocata da un qualsiasi raffreddore o mal di gola. Il sospetto di pertosse può tuttavia sorgere quando la tosse sia più frequente di notte che di giorno e si accompagni a una leggera tumefazione delle palpebre con arrossamento degli occhi. Poco a poco, nonostante le cure, la tosse si fa più insistente, più tormentosa, più violenta. Questa fase dura di solito una o due settimane

2. periodo accessuale: compaiono i veri e propri *accessi* di pertosse. Questi accessi possono anche verificarsi un paio di volte soltanto nelle ventiquattr'ore, ma possono anche ripetersi decine di volte al giorno e specialmente nelle ore notturne. Essi sono frequentemente preceduti da agitazione del bimbo, sternuti, malessere e manifestazioni di angoscia. Poi cominciano i colpi di tosse, sempre più ravvicinati, che impediscono all'ammalato di respirare. A un certo punto la tosse si interrompe per un attimo e il piccolo riesce finalmente a inspirare dell'aria. Questa, passando dalla gola contratta, produce un rumore caratteristico: il cosiddetto « urlo ». Dopo questo atto respiratorio l'accesso riprende, e non di rado si conclude con emissione di mucosità o con vomito. Durante l'accesso il bambino diventa rosso o addirittura bluastro in faccia, ha le labbra gonfie, gli occhi arrossati e lacrimosi, la pelle coperta di sudore. Nel lattante si possono verificare anche veri e propri episodi convulsivi. Dopo l'attacco il piccolo rimane abbattuto per qualche istante, ma poi si riprende rapidamente e ricomincia le sue attività come se nulla fosse accaduto. Durante questa fase accessuale, che dura due o tre settimane circa, la forma si fa progressivamente più violenta, fino a un massimo di intensità che si mantiene stazionario per un certo periodo di tempo

3. periodo di defervescenza: poco a poco gli accessi perdono le loro caratteristiche più impressionanti, la tosse si trasforma di nuovo in ciò che era nel periodo catarrale: una tosse banale, qualunque, senza componenti clamorose. In due o tre settimane la malattia va un po' per volta estinguendosi. Bisogna però ricordare che un

bambino il quale abbia superato una pertosse può, per mesi e mesi, e anche per anni interi dopo la malattia, presentare nuovamente degli accessi pertossici tipici, come se la malattia fosse ritornata. Invece non è ritornata. Ma basta un'influenza, un mal di gola, un raffreddore, per scatenare un attacco il quale si svolge attraverso gli stessi meccanismi che si verificano durante la pertosse autentica.

☐ *Periodo di contagiosità*: l'ammalato di pertosse è contagioso sin dall'inizio, anzi soprattutto durante il periodo catarrale. Poi la contagiosità si va attenuando, per estinguersi circa tre settimane dopo la comparsa degli accessi. Bisogna ricordare a questo proposito che i neonati e i lattanti possono essere infettati con grande facilità, e che in questi bambini di poche settimane o di pochi mesi la malattia può assumere caratteri di particolare gravità. Anche gli adulti sono recettivi alla pertosse, e in special modo i vecchi.

☐ *Complicazioni*: le più importanti sono a carico dell'apparato respiratorio. Se nel corso di una pertosse il bambino presenta febbre, *diminuzione* di intensità e di frequenza degli accessi, cambiamento delle caratteristiche della tosse, difficoltà di respiro permanente, anche quando la tosse non c'è, allargamento e restringimento alternati delle narici in corrispondenza dei movimenti respiratori, pallore, colorito bluastro delle labbra, si deve consultare subito il medico perché è probabile che si sia sviluppata una broncopolmonite.

☐ *Come si può evitarla*: innanzitutto evitando la vicinanza a soggetti ammalati; esiste anche un vaccino contro la pertosse, che può essere praticato insieme a quello antidifterico e antitetanico. Ne parleremo a proposito delle vaccinazioni.

☐ *Cura*: spetta naturalmente al medico la decisione se attuare o no un trattamento antibiotico. Molto importante la somministrazione di vitamina C. Il soggiorno in alta montagna esercita di solito un effetto favorevole sull'andamento della malattia. Durante l'attacco di pertosse sollevate a sedere il bambino e reggetegli la fronte; la somministrazione di un piccolo sorso di un liquido fresco può qualche volta facilitare una più rapida risoluzione dell'accesso. E' di grande importanza evitare che il bambino ammalato venga contagiato da persone affette da raffreddore, influenza, eccetera; queste infezioni potrebbero infatti dar luogo a quelle complicazioni broncopolmonari di cui ho fatto cenno. Tuttavia, non è affatto necessario che il piccolo pertossico rimanga tappato in casa; al contrario, sembra che l'aria libera produca sostanzialmente un effetto benefico sull'andamento della malattia.

1.7. La difterite

Fortunatamente questa grave malattia è praticamente scomparsa, grazie alla vaccinazione obbligatoria.

Penso sia opportuno tuttavia dare qualche informazione anche su questa "ex-malattia".

La difterite può essere trasmessa anche da portatori sani, cioè da persone che portano nel loro organismo i germi vivi e virulenti, pur non essendo ammalate. Il *contagio* si verifica col respiro, con le gocce di saliva o col muco, ma anche attraverso oggetti su cui siano depositati dei germi.

L'*incubazione* varia da poche ore a cinque o sei giorni.

I *sintomi* principali sono: placche biancastre in gola, talora difficoltà respiratoria, ingrossamento delle ghiandole ai lati del collo, compromissione delle condizioni generali. La febbre non è un sintomo obbligatorio.

La difterite può dare *complicazioni* gravissime, anche a distanza di parecchi giorni, e persino settimane, dall'inizio.

Con la *vaccinazione*, della quale parleremo nell'apposito capitolo, si ottiene la pressoché totale certezza di non ammalare.

1.8. La poliomielite

Anche questa terribile malattia va rapidamente scomparendo per merito della vaccinazione. E' prevedibile che, se tutti i bambini saranno regolarmente vaccinati, la « paralisi infantile », come la si chiamava un tempo, scomparirà del tutto e per sempre. Ne viene segnalato ancora qualche caso, rarissimo, nei paesi occidentali, ma rappresenta invece una minaccia piuttosto seria in diversi paesi del terzo mondo. Si tratta ovviamente di una malattia che non può essere curata a domicilio. E' necessario cioè il ricovero in un ospedale specializzato. Mi limiterò pertanto a esporne le caratteristiche essenziali, che tutti debbono conoscere.

☐ *Tipo di contagio*: il virus della poliomielite viene eliminato con le feci dal portatore, il quale può anche non manifestare i sintomi classici della malattia. Dalle feci il virus può passare alla terra, alla acqua, al sudiciume di qualunque specie, e viene ingerito casualmente da un individuo che sia venuto a contatto col materiale infetto.

☐ *Incubazione*: quattordici giorni circa.

☐ *Sintomi e decorso*: febbre, diarrea, vomito, sonnolenza, mal di testa, rigidità del collo e della schiena. In molti casi, dopo circa una settimana, questi sintomi vanno scomparendo e l'ammalato guarisce. Succede così che nessuno sappia che c'è stata una poliomielite. Ma in altri casi, dopo un periodo di febbre variante da uno a quattro giorni, compare improvvisamente la paralisi, che può estendersi a qualsiasi gruppo muscolare e che in seguito può scomparire di nuovo, più o meno completamente.

☐ *Periodo di contagiosità*: si ritiene che l'ammalato rimanga contagioso per almeno otto o dieci giorni a partire dall'inizio dei primi sintomi.

☐ *Complicazioni*: l'eventualità più grave è quella di una paralisi che colpisca i muscoli respiratori, il che impone l'impiego immediato del polmone d'acciaio.

☐ *Come si può evitarla*: con la vaccinazione (vedi capitolo « Le vaccinazioni »).

☐ *Cura*: come ho già detto, è senz'altro consigliabile il ricovero in un reparto specializzato. Il medico raccomanderà le precauzioni da prendere per eventuali altri bambini che siano stati a contatto con l'ammalato.

2. CONSIDERAZIONI PRATICHE

2.1. Il riconoscimento della malattia e la sua gravità

· Leggendo quanto sta scritto fin qui vi sarete fatti probabilmente due convinzioni: primo, che sia facilissimo distinguere una malattia dall'altra; secondo, che a conti fatti tutte queste malattie siano piuttosto pericolose o addirittura pericolosissime. Ebbene, nessuna di queste due convinzioni è esatta.

Cominciamo dal primo punto: il riconoscimento della malattia, cioè la *diagnosi*. Esistono delle forme di morbillo che sono molto leggere e fugaci, tanto da passare talvolta inosservate o da essere confuse con una modesta rosolia; e d'altra parte non di rado la rosolia può far pensare a un morbillo attenuato. Qualche volta la stessa rosolia può decorrere senza eruzione cutanea, o con un'eruzione limitata al viso, oppure diffusa al torace come quella della scarlattina.

La quale scarlattina, a sua volta, può decorrere senza macchie né arrossamenti della pelle, senza febbre o con febbre modestissima, senza mal di gola, senza compromissione delle ghiandole. Come se tutto questo non bastasse, certe medicine, come il piramidone, l'aspirina, i sulfamidici, eccetera, possono provocare delle reazioni che assomigliano moltissimo alla scarlattina, o al morbillo, o alla rosolia. Mi è capitato una volta di avere in cura un bambino che ammalò tre volte di morbillo e due volte di scarlattina nel giro di diciotto mesi. Evidentemente, un paio di morbilli e una scarlattina erano « falsi ». Anche la varicella può presentare un'eruzione tanto scarsa da passare inosservata, e persino la pertosse può verificarsi in totale assenza di attacchi tipici e decorrere come una tosse qualunque, solo particolarmente insistente e stizzosa. E lo stesso può dirsi della parotite, che abbastanza spesso è tanto leggera, fugace e benigna da non poter essere riconosciuta.

E veniamo al secondo punto, quello della gravità delle malattie dei bambini. Credo, in proposito, di dover proprio tranquillizzare i genitori: l'impiego degli antibiotici ha indubbiamente cambiato, e di molto, la situazione. Sarebbe lungo e complesso un discorso a proposito dell'influenza esercitata dagli antibiotici sulle malattie infettive, e non credo che possa interessarvi poi tanto. Ciò che importa sono i fatti. E i fatti sono questi: che in moltissimi casi, probabilmente nella maggioranza, le malattie dei bambini presentano oggi sintomi attenuati, decorsi relativamente brevi, evoluzioni per lo più benigne. In particolare possiamo constatare ogni giorno una enorme diminuzione dei pericoli legati alle complicazioni. Le forme broncopolmonari del morbillo e della pertosse, le nefriti da scarlattina, l'infezione degli elementi varicellosi, son tutti inconvenienti che si osservano sempre più di rado e che si possono affrontare con sempre maggiore sicurezza. D'altra parte, l'obbligo delle vaccinazioni sta sgomberando il campo dalle malattie più pericolose, che sono la difterite e la poliomielite.

2.2. L'« urgenza »

Ora vorrei concludere il discorso col quale abbiamo iniziato questo capitolo: a prescindere dalla poliomielite, che fortunatamente sta estinguendosi, le malattie dei bambini sono preoccupanti? richiedono cure immediate? rappresentano in altri termini dei « casi urgenti »? Ovviamente no. Un morbillo, una rosolia, una varicella, una pertosse, una parotite, e persino una scarlattina possono benissimo essere curate con calma e serenità, senza angosciose precipitazioni. Anzi, molto spesso non richiedono alcun trattamento specifico, ma solo un'attenta sorveglianza da parte del medico.

Con una eccezione: la difterite. Abbiamo già visto che questa malattia è praticamente scomparsa. Ma l'esperienza ci insegna che tutto è possibile, e che nulla è definitivo. Occorre dunque ricordare che la difterite, se per caso si verificasse, sarebbe un caso urgente, anzi *urgentissimo*, e che un ritardo di poche ore potrebbe essere fatale. Perciò attenzione, specie se l'ammalato non è stato vaccinato a suo tempo.

A questo proposito apriamo una parentesi, sulla quale ritorneremo più avanti: è davvero incomprensibile che alcuni genitori sottraggano i loro figli all'obbligo della vaccinazione. E che fondino questa loro decisione su convincimenti, idee, superstizioni e paure che non hanno nulla di ragionevole, né di sensato, né di umano. E che sull'altare delle loro discutibili opinioni sacrifichino allegramente non la propria sicurezza, ma quella altrui. Quella di un bambino che non ha possibilità di difesa.

Undicesimo capitolo

LE VACCINAZIONI

Fin dal giorno della sua comparsa sulla faccia del nostro pianeta l'uomo è sempre stato in guerra contro un nemico invisibile, spietato e micidiale: i microbi. E chi ha perduto la partita è sempre stato l'uomo. I microbi, cioè le epidemie e le pestilenze, hanno sempre spazzato a loro piacimento la faccia della Terra, hanno sconvolto la nostra storia, hanno cancellato popoli interi, hanno fatto crollare degli imperi, hanno cambiato il volto del mondo. Finché un bel giorno, il quattordici maggio del 1796, un medico inglese che si chiamava Edward Jenner provò a inoculare in un bambino il contenuto di una pustola vaiolosa di una vacca; e quando il piccolo si infettò davvero di vaiolo, poco tempo dopo, egli non ammalò. Era *immune*. Che cosa era successo?

Per comprendere meglio l'essenza del fenomeno immaginiamo che il nostro organismo sia una grande e meravigliosa città. Il nemico di questa città, come abbiamo visto, è l'armata invisibile dei microbi. Se costoro attaccassero in forze, essi travolgerebbero agevolmente la resistenza della città impreparata e produrrebbero devastazioni e rovine, talora così gravi da provocare l'arresto di tutte le attività organizzate, e cioè la morte. Ma supponiamo che l'attacco alla città non venga sferrato da un esercito agguerrito e potente, ma soltanto da

UNA PACIFICA CITTA' VIENE INVASA DA UN ESERCITO...

GLI ABITANTI COMBATTONO CON MEZZI DI FORTUNA, MENTRE CERCANO CONTEMPORANEAMENTE DI CO-STRUIRE ARMI,...

...MA INVANO; GLI INVASORI SONO TANTI E LE ARMI POCHE.

un piccolo drappello di mercenari male equipaggiati e peggio armati. In questo caso la città riuscirebbe bene o male a difendersi e a neutralizzare l'invasore; non solo, ma, messa in allarme da questa esperienza, mobiliterebbe tutte le proprie risorse difensive per fronteggiare vittoriosamente ulteriori eventuali aggressioni. Così, quando arriverà l'assalto massiccio dell'armata vera e propria dei microbi, essa si troverà davanti una città ben preparata, armata coi mezzi più moderni ed efficaci, e piena di munizioni, riserve, vettovaglie, truppe

MA SE GLI INVASORI SONO POCHI...

GLI ABITANTI DELLA CITTA' RIESCONO A TENERLI A BADA, MENTRE LE ARMI VENGONO FABBRICATE...

...E A SCONFIGGERLI, RIMANENDO CON UN ARSENALE. COSÍ...

di rincalzo. E l'attacco verrà respinto. Ebbene, il piccolo drappello male armato che ha messo in allarme la città e che l'ha indotta a mobilitare le sue forze difensive non è altro che il *vaccino*.

Il vaccino, in altri termini, è una specie di microbo disarmato o quasi, il quale è capace di promuovere la produzione di sostanze difensive da parte dell'organismo, cioè di creare uno stato di *immunità*, ma non è capace di scatenare la malattia. È qualcosa che mette l'organismo in grado di combattere e vincere la guerra contro i microbi.

609

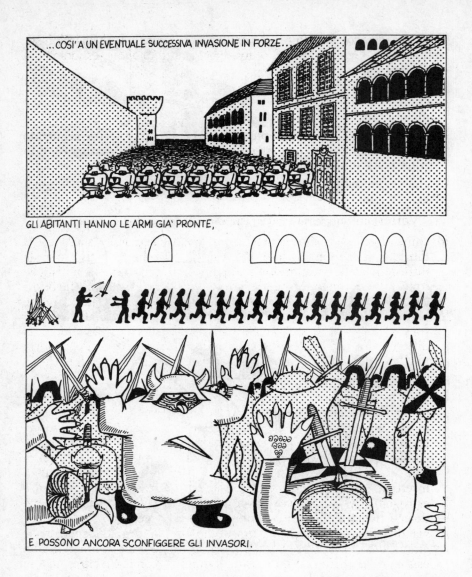

...COSI' A UN EVENTUALE SUCCESSIVA INVASIONE IN FORZE...

GLI ABITANTI HANNO LE ARMI GIA' PRONTE,

E POSSONO ANCORA SCONFIGGERE GLI INVASORI.

Pensate che prima della scoperta della vaccinazione il vaiolo mieteva in Europa molte più vittime di qualsiasi altra catastrofe, guerre comprese; pensate che fino a settant'anni fa la difterite, solo in Italia, uccideva decine di migliaia di persone ogni anno, e che la poliomielite è stata il terrore di intere nazioni fin quasi ai nostri giorni. E pensate che, per merito della vaccinazione, queste malattie sono praticamente scomparse.

Questa realtà non è però stata sufficiente a convincere tutti dell'opportunità di vaccinare i bambini. È ancor viva una polemica sostenuta da diversi gruppi di persone, "naturisti", antivivisezionisti, testimoni di Geova, mistici o mistiⅽⱨeggianti di varia estrazione, i quali sostengono:

a) che la vaccinazione fa male e che fa venire la malattia (difterite inclusa) anche a chi non ce l'ha

b) che ci si può difendere di più e meglio contro le malattie seguendo una vita naturale e consumando cibi naturali, non sterilizzati, non conservati, non irradiati, eccetera

c) che l'obbligo di vaccinazione è una lesione della libertà personale.

Vorrei qui dare una breve risposta a queste obiezioni:

a) come si spiega la rapidissima scomparsa della poliomielite e della difterite (per non parlare del vaiolo) che ha coinciso con la diffusione delle vaccinazioni? Alcuni affermano che le statistiche sono false e vengono manipolate dalle industrie che producono i vaccini. Può darsi. Però la mia esperienza personale darebbe ragione alle statistiche. Quando ero un giovane pediatra vedevo spesso dei casi di poliomielite, parecchie decine all'anno, e la difterite era tutt'altro che eccezionale. Ora non ne vedo proprio più, né dell'una né dell'altra. Da quando c'è la vaccinazione obbligatoria

b) anch'io vorrei fare una vita "naturale". Il problema è: dove? Nelle città inquinate dal traffico automobilistico? O nelle campagne intossicate dai pesticidi e dalle piogge acide? O sulle rive del mare, trasformate in bastioni di cemento armato? Forse in alta montagna. Andiamoci tutti allora, che ci vuole? E chi non vorrebbe nutrirsi di cibi "naturali"? Il problema è: quali? Quelli del mercato, saturi di insetticidi, diserbanti, eccetera? E la carne senza antibiotici e senza estrogeni, dove la trovo? E poi vi dirò che ho seguito e seguo diversi bambini allevati con diete naturali, vegetariane, integrali, e via dicendo. Vi posso assicurare che stanno peggio degli altri e ammalano di più, forse perché il cibo genuino e incontaminato non esiste, e le diete naturali sono inquinate come le altre, ma in compenso sono sbilanciate e carenti

c) d'accordo, gli obblighi sono sempre antipatici, anche quelli che difendono il benessere, o la vita, delle persone. Per esempio attraversare la via col semaforo verde e non rosso. Io posso, se voglio, farmi investire da un autotreno attraversando col rosso e dimostrare così che sono un uomo libero. Ma non so se sia il caso di indurre un bambino a fare lo stesso. Come medico, ho visto delle persone morire di tetano. Non vaccinate, per loro volontà. Una brutta morte. Sono autorizzato a far correre lo stesso rischio a mio figlio? Non sarebbe meglio che, quando prendo delle decisioni sulla pelle altrui (del bambino, che non può far nulla), mi procurassi qualche altro elemento per scegliere, oltre alle mie personali opinioni?

Pare di no. Pare che per alcuni sia meglio fidarsi ciecamente dell'unica Verità concepibile, la propria. Se poi il bambino ammala, o muore, pazienza. È stato per volontà di Dio, o di un qualche suo sostituto. E il bambino, di che idea sarà?

1. LE VACCINAZIONI OBBLIGATORIE

1.1. La vaccinazione antidifterica

Ho detto nel capitolo precedente che la difterite è praticamente scomparsa. Resta tuttavia un dubbio: che possa riapparire se si abbandonasse la vaccinazione di massa. Sarebbe una sgradevolissima sorpresa. Perciò la vaccinazione antidifterica è ancora obbligatoria, e secondo me giustamente.

☐ *A che età va praticata*

In base alla legislazione vigente la vaccinazione antidifterica va praticata nel primo anno di vita. La prima somministrazione deve aver luogo nel terzo mese, la seconda nel quinto, la terza fra il decimo e il dodicesimo.

☐ *Come viene praticata*

Il vaccino viene somministrato mediante iniezione intramuscolare o sottocutanea. La vaccinazione comprende tre inoculazioni: le prime due vengono praticate alla distanza di 6-8 settimane l'una dall'altra, la terza sei mesi circa dopo la seconda.

☐ *Reazioni*

Di norma questo tipo di vaccinazione non provoca reazioni di alcun genere. Qualche volta può verificarsi una fugace reazione febbrile, o una reazione locale sotto forma di arrossamento e indurimento nella zona di inoculazione. Solo in casi rarissimi la reazione può assumere caratteri di reale gravità, con eventuale compromissione del sistema nervoso.

☐ *Che cosa si deve fare*

Non sono necessari provvedimenti né precauzioni di alcun genere. In caso di reazione febbrile, o di una reazione locale, o di reazioni di altra natura, avvertire il medico.

☐ *Risultati*

La vaccinazione, praticata secondo la norma, conferisce un'immunità quasi assoluta contro la malattia.

☐ *Ostacoli alla vaccinazione*

L'antidifterica non dovrebbe essere praticata nel corso di una malattia infettiva acuta. Particolare prudenza è necessaria nei bambini allergici ed eczematosi. Un po' di raffreddore o una gola rossa non impediscono in modo categorico la vaccinazione.

☐ *Complicazioni*

Praticamente non esistono complicazioni all'antidifterica, eccezion fatta per le reazioni alle quali ho accennato prima. Solo nei bambini allergici si possono avere disturbi di una certa gravità, per altro assai poco frequenti.

☐ *Richiami*

Secondo il parere della maggioranza degli specialisti deve essere praticata una inoculazione di richiamo a cinque o sei anni, e un'altra a dieci anni circa.

Come vedremo in seguito, la vaccinazione antidifterica è di solito abbinata all'antitetanica. Essa deve essere praticata *dal medico*.

1.2. La vaccinazione antitetanica

Esistono dei batteri che organizzano una specie di servizio segreto per penetrare nel corpo umano. Gli agenti di questo servizio segreto in linguaggio medico si chiamano *spore*. Il batterio del tetano è appunto un produttore di spore. Queste ci sono dappertutto, dovunque ci sia un po' di terriccio o di polvere, persino nelle sale operatorie più nuove, pulite e sterilizzate; restano lì, per mesi e anni, apparentemente inerti, in agguato. In condizioni normali non riescono a entrare nel nostro organismo perché la pelle e le mucose rappresentano per loro barriere invalicabili. Ma le spore non hanno fretta. Aspettano. L'occasione buona per loro è una ferita, specie una ferita profonda, anche se piccolissima: una puntura di spillo per esempio, o, meglio ancora, la lesione prodotta dal chiodo di una scarpa, o da un ferro arrugginito o da qualcosa che sia sporco di polvere o di terra. Da questa porta aperta, certe volte così minuscola da sfuggire alla attenzione, le spore entrano nell'organismo umano.

All'inizio, per un periodo di tempo assai variabile e spesso abbastanza lungo, non succede nulla. Ma le spore intanto lavorano, generano bacilli vivi e virulenti, e questi cominciano a produrre un veleno che va a intossicare certi settori del sistema nervoso. Dopo qualche settimana, talora dopo qualche mese, la malattia si manifesta clamorosamente: convulsioni, rigidità, spasmi muscolari, paralisi, talora blocco della respirazione e minaccia di asfissia. A questo punto la battaglia, per l'organismo, è mezza perduta: nella migliore delle ipotesi l'ammalato ha sette probabilità su dieci di cavarsela, ma spesso non ne ha più di due o tre.

□ *A che età va praticata*

La vaccinazione antitetanica va praticata alla stessa età dell'antidifterica e insieme a questa. Esistono in commercio prodotti che contengono nella stessa fiala il vaccino antidifterico e quello antitetanico.

□ *Come viene praticata*

Ovviamente come l'antidifterica.

□ *Reazioni*

Anche le reazioni alla vaccinazione antitetanica sono molto rare, similmente a quanto accade per l'antidifterica, e sono su per giù dello stesso tipo: reazione infiammatoria nel punto di inoculazione, o reazione generale di tipo febbrile. Di solito, quando ci sono, queste reazioni compaiono e si estinguono nel giro di ventiquattro-quarantotto'ore dal momento della vaccinazione. Nei soggetti allergici si possono verificare fenomeni più gravi, che però sono quasi eccezionali: orticaria, asma, gonfiore generalizzato, mal di testa, malessere, senso di soffocazione, dolore nel punto iniettato.

□ *Che cosa si deve fare*

Per la vaccinazione antitetanica dovrete prendere esattamente gli stessi provvedimenti che abbiamo visto per la vaccinazione antidifterica, cioè praticamente nessuno.

□ *Risultati*

Una efficace protezione contro il tetano si ottiene dai tre ai cinque giorni dopo la seconda inoculazione. Per avere un'idea del vantaggio legato all'antitetanica si pensi che nei feriti vaccinati i casi di malattia son circa *cinquanta volte* meno numerosi che nei non vaccinati. Cioè: se un bambino non è vaccinato e si ferisce ha, supponiamo, cento probabilità di ammalare, se invece è vaccinato ha solo due probabilità di ammalare. In altri termini, la vaccinazione dà una immunità quasi totale contro il tetano.

☐ *Ostacoli alla vaccinazione*

L'antitetanica, come ogni altra vaccinazione, non dev'essere praticata nel corso di malattie infettive o febbrili acute. Particolare cautela va usata, come ho già accennato, nei bambini allergici. Non esistono altri ostacoli.

☐ *Complicazioni*

Nessuna, a parte le reazioni di cui ho parlato prima.

☐ *Richiami*

Come per l'antidifterica, un richiamo a cinque o sei anni e un altro a dieci anni; in seguito conviene praticare un richiamo, *per il solo tetano*, ogni cinque-otto anni circa.

1.3. La vaccinazione antipoliomielitica

Nel capitolo dedicato alle malattie infettive dei bambini vi ho già parlato, sia pure brevemente, della poliomielite. Come abbiamo visto, la vaccinazione sta ormai cancellando definitivamente questa malattia dal nostro paese; e pensate che una vittoria così radicale è stata ottenuta in pochi anni. Solo nel 1967 la vaccinazione antipolio è stata infatti resa obbligatoria per legge. Non si è però proprio sicuri che la malattia sia definitivamente stata debellata nell'intera Europa. Qualche caso è stato segnalato anche recentemente, e proprio nei paesi a più alto livello sociale e sanitario, come la Finlandia. Eccezioni, si capisce. Ma eccezioni che impongono ogni possibile precauzione. A parte il fatto che la poliomielite esiste ancora, e non è esattamente eccezionale, in diversi paesi del terzo mondo, nei quali sarebbe imprudente soggiornare senza un'adeguata protezione.

☐ *A che età va praticata*

Le prime tre somministrazioni di vaccino antipolio vanno eseguite contemporaneamente all'antidifterica e antitetanica.

☐ *Come viene praticata*

Attualmente in Italia si usa di norma il vaccino tipo Sabin, che è costituito da virus vivi ma innocui. Il vaccino Sabin viene preferito a quello tipo Salk (a virus morti) per le seguenti ragioni: maggiore durata dell'immunità, maggiore efficacia protettiva contro la malattia, maggiore rapidità di azione, minore probabilità di reazioni, maggiore facilità di somministrazione. Non tutti ritengono però che il vaccino Sabin debba essere preferito in ogni caso al Salk. In determinate circostanze quest'ultimo può essere utilmente impiegato, o addirittura rappresentare l'unica possibilità di immunizzazione. È chiaro comunque che la scelta spetta al medico. Come è noto il vaccino Sabin va somministrato per bocca: esso consiste semplicemente in alcune gocce di prodotto che si fanno cadere nella bocca del bambino o che si danno sopra una zolletta di zucchero. Bisogna ricordare che, al momento della vaccinazione, il bimbo deve essere digiuno da almeno due ore, e che deve restare digiuno per almeno altre due ore dopo la vaccinazione stessa. Il preparato viene di solito somministrato direttamente a cura del comune di residenza (dall'ufficio d'igiene o dal medico condotto), ma può anche essere acquistato in farmacia e somministrato dal medico di fiducia.

□ *Reazioni*

Di solito la vaccinazione antipolio non dà reazione alcuna. Talora, tre-cinque giorni dopo la vaccinazione, il bambino può presentare una alterazione della temperatura e qualche modesto disturbo intestinale.

□ *Che cosa si deve fare*

Attuare una dieta leggera nel caso che il bimbo presenti reazioni a carico dell'intestino. Null'altro.

□ *Risultati*

Il bambino vaccinato ha venti volte meno probabilità di ammalare di uno non vaccinato. In pratica, si può dire che la vaccinazione completa dà la certezza quasi assoluta di non ammalare.

□ *Ostacoli alla vaccinazione*

Il vaccino Sabin non può essere somministrato a breve distanza dall'antivaiolosa: fra le due vaccinazioni deve passare almeno un mese. La vaccinazione tipo Sabin non può inoltre essere praticata nei bambini che presentino una estrema sensibilità alla penicillina.

□ *Complicazioni*

Nessuna.

□ *Richiami*

Dopo le prime tre dosi, somministrate come ho già detto contemporaneamente alla vaccinazione antidifterica e antitetanica, va praticato un richiamo all'età di due anni circa.

1.4 La vaccinazione antiepatite B

È obbligatoria dal maggio 1991.

☐ *A che età va praticata*

La vaccinazione antiepatite B va praticata ai neonati (3 mesi) e agli adolescenti di 12 anni perché a rischio questi ultimi di trasmissione sessuale o attraverso il sangue.

☐ *Come viene praticata*

Essa consiste di un ciclo di tre iniezioni (ciclo di base).

☐ *Risultati*

La vaccinazione assicura una copertura-protezione per un periodo di circa 5 anni.

☐ *Complicazioni*

La vaccinazione contro l'epatite B - così come quella attuale contro la pertosse - è molto sicura per la tecnica di ingegneria genetica impiegata nella produzione del vaccino. Sono pochissimi gli effetti collaterali.

☐ *Richiami*

Dopo il ciclo base, va somministrato un richiamo a distanza di circa un anno.

2. LE VACCINAZIONI FACOLTATIVE

2.1. La vaccinazione antipertossica

La pertosse non è attualmente una malattia molto temibile, come abbiamo già visto. Può tuttavia presentare certi rischi, anche gravi, specie nei lattanti di pochi mesi. Vale la pena perciò di prendere in considerazione il problema della vaccinazione.

☐ *A che età va praticata*

Essendo la pertosse particolarmente grave, come ho detto, nei primi mesi di vita, la vaccinazione va praticata al più presto possibile; ove si decida di attuarla, s'intende. Di norma il vaccino antipertossico viene somministrato contemporaneamente a quelli contro la difterite e contro il tetano. Esistono infatti dei prodotti che comprendono tutti e tre i tipi di vaccino nella medesima fiala. In ogni caso la vaccinazione antipertossica va praticata prima dei due anni di vita.

☐ *Come viene praticata*

L'immunizzazione contro la pertosse si ottiene usando il cosiddetto «vaccino trivalente» (contro pertosse, difterite e tetano); si effettuano tre somministrazioni per iniezione intramuscolare o sottocutanea, alla distanza di sei-otto settimane l'una dall'altra, a partire dal terzo mese di vita. Una quarta iniezione di richiamo viene praticata a 13 mesi circa. Questo ciclo di vaccinazioni non interferisce con l'antipolio, che può essere eseguita normalmente alle età prescritte.

☐ *Reazioni*

Solitamente la vaccinazione antipertossica, associata o no a quella antidifterica e antitetanica, non dà reazioni di rilievo. Esistono tuttavia dei casi, descritti da diversi medici, in cui si sono avuti rialzi febbrili e accessi convulsivi nei primi due o tre giorni dopo l'inoculazione. Si tratta comunque di inconvenienti molto rari.

☐ *Che cosa si deve fare*

Nei giorni successivi alla vaccinazione sarà bene sorvegliare il bambino con speciale attenzione e avvertire il medico di qualsiasi fenomeno inconsueto.

☐ *Risultati*

I bambini vaccinati ammalano più difficilmente di pertosse e, se ammalano, presentano in genere una forma attenuata dell'infezione.

☐ *Ostacoli alla vaccinazione*

È prudente non praticare la vaccinazione antipertossica nei bambini che abbiano presentato fatti convulsivi di qualsiasi natura o che abbiano sofferto di malattie a carico del cervello; altri ostacoli sono costituiti da qualsiasi malattia infettiva acuta in atto, dalle forme allergiche, da una vaccinazione antivaiolosa praticata da meno di venti giorni.

☐ *Complicazioni*

Secondo molti medici c'è da temere soprattutto che il vaccino antipertossico possa provocare dei disturbi al cervello. Questi si manifestano generalmente entro uno o due giorni dall'inoculazione, e consistono in febbre elevata, convulsioni, e talora persino coma e collasso acuto. Sicuramente questi incidenti si verificano con una frequenza minima, anzi secondo molti sono addirittura eccezionali. In ogni modo è senz'altro necessario, come del resto ho già detto, considerare attentamente l'opportunità di una vaccinazione antipertossica in bambini che abbiano sofferto di malattie del sistema nervoso. Se nella vostra famiglia ci sono o ci sono stati dei casi di epilessia, se il vostro bimbo ha sofferto di difficoltà respiratoria alla nascita (difficoltà che può produrre danni cerebrali), o se ha presentato forme di irritazione meningea o convulsioni di qualunque natura, dovrete avvertire il medico prima che proceda alla vaccinazione.

☐ *Richiami*

In linea di massima si può ritenere che la quarta inoculazione, praticata, come ho detto, verso la fine del primo anno di vita, dia una sufficiente protezione contro la malattia fin verso i quattro o cinque anni, e cioè per tutto il periodo in cui la pertosse è più pericolosa.

2.2. La vaccinazione antitubercolare

Probabilmente quando vostro figlio andrà a scuola vi si chiederà se volete o no che sia vaccinato contro la tubercolosi. Forse questa domanda vi è già stata rivolta. Che cosa rispondere? Io credo che in primo luogo dobbiate interpellare il vostro pediatra: egli conosce il bambino e ha in mano degli elementi, se non per decidere, almeno per esprimere un parere attendibile. In secondo luogo dovrete considerare i rischi ai quali è esposto vostro figlio: se fra i parenti o i conoscenti che frequentano la vostra casa c'è qualcuno che ha sofferto o soffre di tubercolosi, sia pure «stabilizzata» o «quasi guarita», se nell'ambiente in cui vivete sospettate che ci possano essere degli ammalati, se per un qualsiasi motivo siete costretti a vivere in locali antiigienici, senza sole e umidi, se qualcuno di casa esercita un mestiere che lo porti a contatto con persone affette da tubercolosi, se per esempio qualcuno fa l'infermiere o il medico di sanatorio, allora la vaccinazione può essere presa in seria considerazione. La tubercolosi è in notevole diminuzione, e inoltre la sua virulenza va sempre più attenuandosi, ma esiste ancora. E può ancora provocare dei guai. E veniano alla vaccinazione.

☐ *A che età va praticata*

Nel nostro paese la vaccinazione antitubercolare viene in genere praticata verso gli otto o dieci anni, e cioè prima della fine delle scuole elementari, ma molti pediatri ritengono che sia opportuno vaccinare il bambino in epoca neonatale.

☐ *Come viene praticata*

Qui cominciano, come si usa dire, le dolenti note. I medici, innanzitutto, non sono d'accordo sul tipo di vaccino da impiegare: alcuni sostengono quello preparato con germi morti, altri quello allestito con germi vivi e attenuati, il cosidetto BCG. Quest'ultimo riscuote comunque la stragrande maggioranza dei consensi, ed è quello comunemente usato. La inoculazione viene praticata per lo più con una tecnica simile a quella della vaccinazione antivaiolosa, e cioè con piccole punture sulla pelle. Alcuni tuttavia preferiscono ricorrere a una sola minuscola iniezione.

☐ *Reazioni*

La reazione più comune consiste in una manifestazione infiammatoria nel punto di inoculazione. Talora questa reazione è piuttosto violenta e può dar luogo alla formazione di un ascesso.

☐ *Che cosa si deve fare*

Innanzitutto, come per l'antivaiolosa, proteggere la zona di inoculazione con della garza sterile. Dopo circa due mesi il bambino deve essere controllato dal medico, il quale provvederà ad accertare il successo della vaccinazione mediante una speciale prova. In questi due mesi è meglio evitare altri tipi di vaccinazione.

☐ *Risultati*

La vaccinazione non dà una protezione totale contro la malattia, ma ostacola l'infezione tubercolare e soprattutto riduce il rischio di sviluppi gravi.

☐ *Ostacoli alla vaccinazione*

Naturalmente la vaccinazione è inutile nei soggetti già immunizzati da un'infezione tubercolare precedentemente superata. Essa inoltre deve essere evitata, come ogni altra vaccinazione, nel corso di malattie infettive acute, nei soggetti ipersensibili, in tempo di epidemie, durante cure cortisoniche.

□ *Come viene praticata*

Il vaccino può essere somministrato in due modi:

1. *per bocca:* una pastiglia al giorno (a digiuno) per sette giorni di seguito

2. *per iniezione:* una sola inoculazione intramuscolare.

□ *Reazioni*

Le pastiglie possono dare reazioni generali a carico dell'intestino, talora anche notevoli. L'iniezione può a sua volta dare reazioni generali o locali (nel punto di inoculazione). Naturalmente in moltissimi casi non si verifica reazione alcuna, o reazioni irrilevanti.

□ *Che cosa si deve fare*

Al solito, avvertire il medico in caso di reazione.

□ *Risultati*

Il vaccino assicura un alto grado di immunità contro la malattia.

□ *Ostacoli alla vaccinazione*

Gli ostacoli alla vaccinazione antitifica sono quelli stessi che esistono per ogni altra vaccinazione: malattie infettive acute, affezioni febbrili, eccetera.

□ *Complicazioni*

Per lo più, se càpita una complicazione (cosa per nulla frequente), essa colpisce il rene.

□ *Richiami*

La protezione garantita dal vaccino antitifico non dura più di qualche mese. Essa va perciò ripetuta se il rischio di infezione si ripresenta a una certa distanza di tempo dalla prima somministrazione.

2.5. La vaccinazione contro la rosolia

Sul problema della rosolia ci siamo già soffermati sia nella prima parte di questo libro che nel capitolo dedicato alle malattie infettive, e ho già richiamato la vostra attenzione sull'estrema importanza della vaccinazione nelle donne.

☐ *A che età va praticata*

Nelle bambine di dieci-undici anni, e cioè nelle scolare della quinta elementare o della prima media, e in ogni modo prima della pubertà. Normalmente non viene praticata ai maschi.

☐ *Come viene praticata*

Mediante iniezione sottocutanea o intramuscolare.

☐ *Reazioni*

Le reazioni alla vaccinazione contro la rosolia, abbastanza rare, sono solitamente modeste e comunque per nulla preoccupanti: comparsa di macchie sulla pelle simili a quelle della rosolia vera e propria, rigonfiamento di qualche ghiandoletta del collo, qualche dolore alle articolazioni, arrossamento della gola, febbre leggera. Queste reazioni possono presentarsi fra due e trenta giorni dopo la vaccinazione, sono fugaci e non producono alcuna conseguenza.

☐ *Che cosa si deve fare*

Nulla di particolare.

☐ *Risultati*

Con questa vaccinazione si ottiene una buona e duratura immunità contro la malattia.

☐ *Ostacoli alla vaccinazione*

La vaccinazione non può essere praticata se la bambina è febbricitante, se è stata vaccinata contro il vaiolo da meno di un mese, se è allergica a certe sostanze, se viene curata con farmaci cosiddetti «immunodepressori» o se è stata trattata recentemente con immunoglobuline. In ogni modo, prima di procedere alla vaccinazione, è senz'altro consigliabile sentire il parere del medico curante. Conviene aggiungere che non costituisce ostacolo alla vaccinazione il fatto che la bambina abbia già superato una rosolia. In questo caso la vaccinazione non fa altro che rinforzare una immunità che c'è già.

☐ *Complicazioni*

Nessuna.

☐ *Richiami*

Alcuni consigliano un richiamo nelle ragazze di quattordici o quindici anni, purché si sia certi che non siano incinte.

Nota: Esistono in commercio prodotti «trivalenti» che comprendono i vaccini contro il morbillo, la parotite e la rosolia.

2.6. La vaccinazione contro il morbillo

Il morbillo, del quale vi ho già parlato nel capitolo delle malattie infettive, è diffusissimo. Si calcola che nel nostro paese colpisca ogni anno diverse centinaia di migliaia di bambini. La vaccinazione contro questa malattia viene praticata regolarmente anche in Italia, ma i paesi in cui è stata sperimentata di più sono gli Stati Uniti, la Gran Bretagna, il Cile, alcune nazioni africane e l'Unione Sovietica.

☐ *A che età va praticata*

Al quindicesimo mese di età, e comunque non prima del tredicesimo. Se per particolari motivi il medico ritiene necessario vaccinare un bambino di età inferiore a un anno, è estremamente consigliabile una seconda somministrazione dopo il quindicesimo mese.

☐ *Come viene praticata*

Mediante iniezione sottocutanea.

☐ *Reazioni*

Secondo i medici americani e inglesi, che sono quelli che hanno usato di più questo tipo di immunizzazione, il vaccino antimorbilloso non dà generalmente alcuna reazione. Solo in qualche caso si può avere un po' di febbre o la comparsa di macchie rosse sulla pelle dai cinque ai dodici giorni dopo l'inoculazione.

☐ *Che cosa si deve fare*

Avvertire il medico della eventuale reazione.

☐ *Risultati*

Pare che il vaccino dia una protezione quasi assoluta contro la malattia.

☐ *Ostacoli alla vaccinazione*

Il vaccino antimorbilloso non deve in nessun caso essere somministrato a bambini allergici alle uova, a quelli trattati da poco tempo con gammaglobuline o con cortisone, a quelli affetti da malattie infettive acute e a quelli vaccinati recentemente contro il vaiolo.

☐ *Complicazioni*

Sembra che non ce ne siano, almeno di gravi.

☐ *Richiami*

Solo quello previsto per i bambini che sono stati vaccinati prima del dodicesimo-tredicesimo mese di vita, come ho già detto.

2.7. La vaccinazione contro la parotite

Pare che sia praticamente priva di rischi di una certa entità e abbastanza efficace.

È stata praticata piuttosto largamente negli Stati Uniti, ma nel resto del mondo non c'è stata finora una campagna per il suo impiego di massa.

Nel complesso si può dire che l'esperienza attuale non è sufficiente a consentire conclusioni definitive.

2.8. La vaccinazione antivaiolosa

Il vaiolo è una malattia da virus assai contagiosa ed estremamente grave. Per fortuna è praticamente scomparsa da tutto il mondo, fatta eccezione per qualche paese dell'Asia e dell'Africa. Ma anche qui è presente su scala piuttosto ridotta. A seguito della estinzione della malattia, pressoché totale, la vaccinazione non è più obbligatoria e viene richiesta solo per chi si deve recare nei paesi ancora infetti o gravemente sospetti.

La vaccinazione antivaiolosa non può comunque essere praticata nel corso di una malattia infettiva, o durante la convalescenza, nei soggetti allergici, quando ci sia una malattia del sangue e quando vi sia il sospetto di una malattia cerebrale (per esempio quando il bambino abbia presentato in qualsiasi occasione degli attacchi convulsivi). Inoltre non può essere praticata durante i primi tre mesi di gravidanza, e soprattutto in caso di eczema. Non solo, ma una persona vaccinata dovrebbe evitare per almeno tre settimane ogni contatto con un bambino che soffra di eczema. Si ricordi infine che la vaccinazione antivaiolosa non può essere praticata a un bambino che sia stato vaccinato contro la poliomielite da meno di trenta giorni.

3. IL CALENDARIO DELLE VACCINAZIONI E IL CERTIFICATO

Quando e come dovrò far vaccinare il mio bambino? Questa è la domanda che voi mi rivolgerete dopo aver letto questo capitolo. La risposta è molto semplice, la miglior via da seguire è quella di rivolgervi al vostro pediatra o all'ufficio di igiene e sanità o al medico condotto o all'ufficiale sanitario. Al vostro pediatra dovrete pure rivolgervi per le vaccinazioni facoltative essendo a conoscenza di tutti i problemi, le caratteristiche e le esigenze di vostro figlio, è sicuramente lui il miglior giudice in questa materia.

☐ *Il calendario*

Ulteriori ricerche e programmi tecnologici sono in corso e pertanto un calendario generico delle vaccinazioni non può ritenersi definitivo. Fate voi il vostro calendario seguendo il parere del vostro pediatra, dell'ufficio di igiene o del medico di base.

☐ *Il certificato*

Debbo darvi ora un ultimo avvertimento: dato che le vaccinazioni che ho elencato sono obbligatorie per legge di stato, è assolutamente necessario che voi disponiate di un documento comprovante il fatto che tali vaccinazioni sono state regolarmente praticate a vostro figlio.

Se la somministrazione del vaccino viene praticata dall'ufficio di igiene o dall'ufficiale sanitario non ci sono problemi: il certificato vi verrà rilasciato automaticamente. Ma se fate vaccinare il vostro bambino privatamente, ricordatevi di farvi dare una dichiarazione dal medico che ha somministrato il vaccino. In questa dichiarazione debbono essere contenuti i seguenti dati: nome e cognome del bambino vaccinato, la sua data di nascita, il tipo della vaccinazione praticata, la data della vaccinazione, l'esito della vaccinazione se si tratta di antivaiolosa (bisogna cioè che venga specificato se il vaccino è attecchito o no), il tipo e il numero del vaccino impiegato. Dovrete poi portare la dichiarazione del medico all'ufficio d'igiene o all'ufficiale sanitario o al medico condotto, che vi rilasceranno il certificato vero e proprio. Ricordate da ultimo che il certificato è necessario per iscrivere il bambino a scuola, anche a quella materna.

Dodicesimo capitolo

IL PRONTO SOCCORSO

Prima di tutto voglio tranquillizzarvi: l'urgenza, la vera urgenza, è piuttosto rara. Molti credono che il bambino sia un essere estremamente instabile, sempre in pericolo di vita, continuamente esposto a rischi di enorme gravità. Fortunatamente non è così. È vero che nel bambino molti sintomi si manifestano con impressionante intensità, che certe manifestazioni assumono caratteri clamorosi, che per il profano è difficile o addirittura impossibile capire in molti casi che cosa sta succedendo, ma è anche vero che nella stragrande maggioranza dei casi alla gravità delle manifestazioni non corrisponde un'autentica gravità del male.

Questo lo dico perché certi genitori, spaventatissimi per taluni fenomeni che spesso non implicano proprio nulla di serio, tendono a perdere la calma e a prendere dei provvedimenti di emergenza che recano al bambino più danno che vantaggio. Dunque, qualsiasi cosa accada, la prima regola è questa: *non perdete la calma*.

Per fortuna, ripeto, non succede spesso, ma qualche volta succede che l'urgenza si presenti realmente: e allora tutto dipende da voi e dalla vostra presenza di spirito. Un incidente, una malattia acuta di particolare gravità, una intossicazione, una reazione imprevista a una medicina, sono cose che possono accadere. E allora occorre un intervento sanitario immediato, preciso, efficace. Siete voi che dovete pensarci. La salute di vostro figlio, e qualche volta addirittura la sua vita, sono totalmente nelle vostre mani: un attimo di incertezza, una comprensibile (ma non ammissibile) crisi di panico, una irragionevole paura di fare troppo o troppo poco, una speranza ingiustificata che le cose migliorino da sole, una cattiva scelta delle decisioni da prendere, e la situazione può precipitare, farsi gravissima, talora disperata.

Quanti bambini hanno riportato lesioni permanenti, menomazioni, mutilazioni, quanti hanno perduto la vita per un ritardo che si poteva evitare, per un provvedimento sbagliato, per una decisione avventata, per una assurda ostinazione a cercare soluzioni inadatte? Tanti, troppi. I quotidiani ci danno ogni giorno notizia di questi casi agghiaccianti. E tutti noi abbiamo immaginato, abbiamo seguito attraverso le righe di un articolo le sequenze sconcertanti che hanno portato alla tragedia: la disperata ricerca di un medico che non si trova, la corsa attraverso la città congestionata di traffico, l'arrivo a un ospedale tutto pieno, altre corse, altre ricerche, altro scorrere di tempo prezioso, fino alla frase fatale: « Troppo tardi! ». Troppo tardi. Eppure, forse, si poteva fare più presto, si potevano guadagnare quei minuti così importanti, si poteva arrivare in tempo. Forse sarebbe bastata una telefonata al numero giusto. Ma quel numero nessuno lo sapeva, o nessuno ci aveva pensato. Forse sarebbe bastata un po' più di calma, un attimo di riflessione, un minimo di ragionevolezza. Ma nessuno era calmo, nessuno aveva riflettuto, nessuno aveva ragionato. E quei momenti di paura avevano prodotto l'irreparabile.

Questo è quello che volevo dirvi: se il vostro bambino sta veramente male, il suo peggiore nemico è la vostra paura. Ma spesso voi avete paura perché non sapete che cosa fare. Ebbene, in questo capitolo vorrei parlare proprio di ciò che dovete fare in caso di emergenza. Spero che quanto vi dirò possa servirvi a perdere il meno tempo possibile e a ottenere l'assistenza più completa ed efficace.

CONTENUTO DELL'ARMADIETTO DI PRONTO SOCCORSO

FASCE E COMPRESSE STERILI

ROTOLI DI CEROTTO DI VARIE ALTEZZE

GARZA STERILE (DI CIRCA 10×10 cm.)

ALCOOL

BENDE PULITE (ALTEZZA 3 E 6 cm.)

ACQUA OSSIGENATA

TINTURA DI JODIO

ACQUA BORICA

SULFAMIDICI IN POLVERE

COTONE IDROFILO

VASELINA

LACCIO EMOSTATICO

FORBICI

PINZE (PER RIMUOVERE SCHEGGIE)

COTONE EMOSTATICO

1. LE URGENZE «FALSE»

Evidentemente il primo problema è quello di distinguere l'urgenza vera e propria da quella apparente, falsa, ingannevole. Molte volte i genitori rimangono atterriti da qualcosa che non presenta alcun carattere di gravità e che può essere affrontato con tutta calma. Cominciamo dunque con lo sgomberare il campo da queste « pseudourgenze ».

1.1. La febbre elevata

La febbre, in sé e per sé, non è un segno di gravità. Qualsiasi forma influenzale, un mal di gola, un raffreddore, una malattia dei bambini in incubazione, può dare temperature elevatissime, persino sui quaranta gradi e oltre. Ma questo non vuol dire affatto che ci sia sotto qualcosa di veramente minaccioso. Con ciò non voglio naturalmente invitarvi a non fare nulla e ad aspettare fiduciosamente che tutto vada a posto. Per prima cosa dovrete avvertire il medico e chiedergli un consiglio. Ma è del tutto inutile entrare in crisi, agitarsi, interpellare due o tre pediatri perché « con una febbre così alta non si sa mai», somministrare medicamenti di testa vostra. Anzi, più che inutile, dannoso. È molto importante invece osservare attentamente il bambino e riferire al dottore se la febbre è il solo sintomo presente o se è accompagnata da altri segni, come vomito, diarrea, agitazione intensa, tosse, difficoltà di respiro, eccetera. In questo caso, se cioè esistono altri fenomeni morbosi, la situazione può effettivamente presentare caratteri di urgenza; ma allora si rientra nel campo dell'emergenza vera e propria, della quale tratteremo in seguito. La febbre da sola, ripeto, non significa necessariamente pericolo.

☐ *Che cosa dovete fare*: se la temperatura è sui trentotto gradi o poco più è meglio non fare nulla fin che il bambino non è stato visitato dal medico. Nell'attesa del dottore dategli da bere in abbondanza se ha sete, aggiungendo all'acqua o al tè leggero o alla camomilla un cucchiaino di citrosodina o di alcalosio per ogni tazza. Non forzate il bimbo a mangiare se non ha fame. Se la temperatura è molto elevata, sui trentanove o quaranta gradi, massaggiatelo delicatamente con un batuffolo di cotone imbevuto di alcool e acqua mescolati insieme in parti eguali; massaggiate prima un braccio, poi l'altro, poi le gambe, il dorso, il torace. Ogni massaggio dovrebbe durare un paio di minuti circa. L'evaporazione della miscela faciliterà la dispersione del calore e produrrà quindi una diminuzione della temperatura del corpo. Se con questo sistema la temperatura non si abbassa e il medico tarda ad arrivare potrete somministrare al bambino una compressa di aspirina pediatrica o una supposta contro la febbre. Date comunque la preferenza a un prodotto che vi sia stato consigliato in altra occasione dal vostro dottore. Infine, se il piccino non ha dei brividi, cercate di alleggerire il suo vestiario e di lasciare il minimo di coperte sul lettino, in modo che il calore del suo corpo possa disperdersi liberamente.

1.2. Crisi di collera con arresto del respiro (ed eventualmente con perdita della coscienza)

Può accadere che un bambino, o per uno spavento, o per un rimprovero, o per un piccolo incidente, si metta a urlare come un forsennato e poi trattenga il respiro anche a lungo, fino a diventare cianotico, bluastro in viso, e persino fino a perdere la coscienza. Non lasciatevi prendere dal panico. Non è nulla di grave. Se avrete la forza di attendere con calma, la crisi passerà da sola. Naturalmente dovrete parlarne al pediatra, il quale vi darà le indicazioni del caso. Ma comunque non si tratta di cosa che imponga interventi immediati.

□ *Che cosa dovete fare*: aspettare. In questi casi meno si fa e meglio è. In particolare non cercate di « rianimare » il bambino scuotendolo, schiaffeggiandolo, bagnandolo con acqua fredda, facendogli ingurgitare a viva forza una bevanda. Invece è molto importante che sappiate controllarvi. È essenziale che il bambino, superata la crisi, vi trovi sereni, tranquilli, eventualmente sorridenti, proprio come se non fosse accaduto nulla. In tal modo darete a vostro figlio la sensazione che la sua crisi è stata una cosa irrilevante, e questo, a lungo andare, avrà su di lui un effetto «calmante».

1.3. Agitazione intensa

Quando il bambino piange disperatamente, urla come un pazzo, si agita, è facilissimo che i genitori si lascino coinvolgere e contribuiscano a creare un'atmosfera di panico generale. In effetti bisogna riconoscere che ben poche cose sono altrettanto insopportabili del pianto di un bambino. Ma voi dovete evitare di lasciarvi prendere dall'angoscia. In generale, quando un bambino urla a pieni polmoni il suo organismo è in piena efficienza, e raramente c'è sotto qualcosa di realmente pericoloso. Si può dire che praticamente mai c'è qualcosa che rappresenti un pericolo immediato. Sempre che, ovviamente, non ci siano altri sintomi, come vomito, febbre, pallore, occhi alonati, aspetto abbattuto e gravemente sofferente. Di questi segni parleremo in seguito. Il pianto, anche molto forte, se si presenta da solo denuncia semplicemente uno stato di sofferenza, non di gravità. Può essere provocato da una bolla d'aria nello stomaco, da un'otite, da un crampo intestinale, o soltanto da una temperatura ambiente troppo elevata. È chiaro che occorre individuare le cause del disturbo ed eliminarle al più presto, eventualmente ricorrendo al parere del medico. Ma di solito non c'è niente di tragico né di particolarmente urgente.

□ *Che cosa dovete fare*: assicuratevi che il bambino sia a suo agio, che non sia bagnato, che non sia tutto sudato, che non ci sia qualcosa che lo disturba. Cambiatelo, prendetelo in braccio, lasciatelo libero di muoversi a suo piacimento, dategli da bere; se ha mangiato da poco, cercate di fargli eliminare la bolla d'aria battendogli leggermente sulla schiena. Spesso si ottiene un buon effetto tenendo il bimbo bocconi sulle ginocchia; pare che la posizione a pancia in giù sia molto gradita a certi bambini. Se non ottenete alcun effetto con tutte queste manovre, chiedete consiglio al pediatra. Ma soprattutto non lasciatevi prendere dai nervi, non mettetevi a piangere, non gridate; tutto questo non farebbe che irritare il bimbo e porterebbe a un peggioramento della situazione.

1.4. Sangue da naso

Anche questo inconveniente nella maggioranza dei casi non presenta caratteri di gravità né di speciale urgenza. Di solito, quando il medico, convocato mediante disperati appelli telefonici, arriva sul posto, l'emorragia è già finita. S'intende che la faccenda è completamente diversa se il bambino soffre di una malattia del sangue di tipo emorragico, come l'emofilia, o se il sangue da naso è stato provocato da un grave trauma; nel primo caso è probabile che l'episodio sia stato preceduto da altre emorragie o comunque da segni tali da destare il sospetto di un difetto nella coagulazione del sangue, ed è probabile altresì che il medico di vostro figlio vi abbia già parlato della cosa e fornite le istruzioni opportune; nel secondo caso la questione rientra nel capitolo dei traumi, del quale parleremo più avanti. Ma queste sono evenienze eccezionali, o almeno piuttosto rare; il comune sangue da naso non deve suscitare eccessivo allarme e non richiede per lo più l'intervento urgente del medico.

□ *Che cosa dovete fare*: se possibile mantenete il bambino dritto con la testa leggermente piegata in avanti, o, se non riuscite a tenerlo ritto, fatelo stare sdraiato con la testa girata di lato. Potrete anche premere *delicatamente* le narici con un fazzoletto. Applicate dei panni bagnati di acqua fredda o una borsa di ghiaccio alla fronte del bambino. La cosa più importante è far sì che il bambino non si spaventi; cercate di tenerlo tranquillo parlandogli serenamente e di distrarlo con qualsiasi mezzo. Se vostro figlio si agiterà, urlerà, si dibatterà, l'emorragia durerà più a lungo. Se il bambino è grandicello cercherà sicuramente di mettere le dita nel naso o di soffiarselo; dovrete fare in modo da impedirglielo, ma con tutta la calma e la gentilezza possibili per non agitarlo ancora di più.

1.5. Piccoli traumi cranici

Un lattante che sfugga dalle braccia della mamma, un bambino che cada dal lettino, un ragazzetto che voli per le scale o si rovesci col triciclo, son cose di tutti i giorni. Qualche volta il piccolo infortunato batte naturalmente il capo per terra o contro un mobile. La gravità del colpo dipende, beninteso, dalla sua violenza; ma il più delle volte questa violenza è modesta e le conseguenze modestissime o nulle. Un grande spavento per tutti, urla e pianti, e tutto finisce lì. Dovrete comunque sorvegliare vostro figlio nelle ore che seguono l'incidente e poi farlo controllare dal medico. Ma se, a parte il bernoccolo, la sbucciatura e le grida, non si verificano fenomeni anormali, potrete senz'altro affrontare la situazione con tutta calma.

□ *Che cosa dovete fare*: se dopo il trauma il bambino smette di piangere entro un tempo ragionevole, se non presenta un comportamento diverso dal solito, se non resta pallido a lungo, se non vomita, se non accusa disturbi particolari come mal di testa o perdita del senso dell'equilibrio, lasciatelo tranquillo e non prendete iniziative di alcun genere. Unico provvedimento utile: cercare di mantenerlo fermo e a riposo per un paio d'ore, eventualmente raccontandogli qualche storia o mostrandogli qualche libro o facendogli ascoltare della musica. Se si addormenta, evitate di disturbarlo. Ricordate però che un sonno *anormalmente* facile e prolungato dopo il trauma può essere indizio di una lesione nervosa e impone pertanto una visita medica.

1.6. Piccole scottature

Quando dico *piccole* scottature intendo proprio di piccole dimensioni. È noto infatti che la gravità delle scottature dipende non solo dalla profondità della lesione, ma anche e soprattutto dalle sue dimensioni. Se si tratta di scottature di primo grado (arrossamento e gonfiore) o anche di secondo grado (comparsa di vesciche) dell'ampiezza di pochi centimetri quadrati, per esempio come un fondo di bicchiere o giù di lì, in un bambino di età superiore ai due o tre anni, non c'è da spaventarsi. Vanno curate, questo sì, e curate bene, ma non c'è la necessità di un intervento immediato e non c'è, ovviamente, alcun pericolo per la vita del bambino.

□ *Che cosa dovete fare*: primo, cercare di far diminuire il dolore; secondo, evitare che la scottatura si infetti. Farete bene perciò a spalmare delicatamente della vasellina borica o una pomata contro le ustioni sulla zona interessata, e poi fasciare, ma non troppo strettamente, con una garza sterile. Non disinfettate mai una scottatura con tintura di jodio o con alcool! In ogni caso, sarà bene sentire poi il parere del dottore e affidare a lui le medicazioni successive.

1.7. Malattie esantematiche

Ne abbiamo già parlato nell'apposito capitolo, e abbiamo già visto che nella maggior parte dei casi tutte queste malattie, dal morbillo alla varicella, dalla rosolia alla scarlattina, non richiedono un intervento d'urgenza. Anzi, di solito non richiedono alcun intervento particolare. Di tutti gli inconvenienti che abbiamo preso in esame finora questo è quello che richiede le misure *meno* urgenti.

□ *Che cosa dovete fare*: anche di questo abbiamo già parlato diffusamente. Vorrei solo insistere su un punto: secondo una vecchia superstizione un bambino ammalato di morbillo o varicella o simili « dovrebbe stare al caldo ». *Non è vero*. Deve stare a suo agio, cioè non deve soffrire né il freddo né il caldo. Ricordate che il troppo caldo non farà che mantenere alta la temperatura del corpo, accrescerà l'irritazione della pelle e farà peggiorare le condizioni generali del bimbo.

1.8. Punture di insetti

La maggioranza degli insetti diffusi nel nostro paese produce con la propria puntura soltanto del fastidio o un po' di dolore, ma praticamente mai un pericolo vero e proprio. Così le zanzare, provocano delle bolle più o meno cospicue e del prurito, ma niente di più. Certe specie di ragni rappresentano dei « nemici » già relativamente più temibili, ma non ancora pericolosi: la puntura di un grosso ragno può dare disturbi notevoli in un bambino piccolo, con dolore, gonfiore, febbre, malessere. E lo stesso può dirsi per vespe, api e calabroni. Vespe e api in modo particolare giungono a costituire un autentico pericolo, anche mortale, quando siano in gruppo e le punture siano numerose. Ma si tratta evidentemente di casi eccezionali.

☐ *Che cosa dovete fare*: se la puntura è di una zanzara non c'è nulla da temere e poco da fare; per alleviare il prurito ed evitare che il piccino si gratti e che possa provocare un'infezione della pelle coi graffi delle sue unghie sporche, coprite la zona infiammata con una fascetta, dopo averla spalmata con una pomata antiistaminica. Anche la puntura del ragno deve essere trattata nello stesso modo, ma in questo caso sarà bene consultare anche il medico. Se la puntura di una vespa, di un'ape o di un calabrone è unica, togliete innanzitutto il pungiglione, facendo bene attenzione a non romperlo; indi praticate degli impacchi con ammoniaca diluita in acqua fredda. Se le punture sono numerose portate senz'altro il bambino dal medico o al più vicino ospedale.

2. LE VERE URGENZE

2.1. Malattie

Nei casi che elencherò qui sotto l'intervento *immediato* dei medici è assolutamente necessario. La regola fondamentale che dovrete seguire è questa: *non perdere tempo*.

Disturbi gravi della respirazione

I disturbi della respirazione si possono dividere in due gruppi fondamentali:

1. il bambino presenta un respiro superficiale, frequente, difficoltoso; sembra che il piccino *spinga* quando deve emettere l'aria e si ha l'impressione precisa che respirare gli costi fatica, ma che l'ostacolo non sia all'altezza della gola o della trachea bensì « dentro » al torace; inoltre il bimbo può avere un'espressione sofferente, gli occhi sbarrati, il volto pallido, le labbra bluastre. Spesso in questi casi si nota un movimento delle narici, le quali si stringono e si allargano a tempo con la respirazione. Questi sintomi possono essere l'espressione di una grave broncopolmonite o di un importante disturbo cardiocircolatorio

2. la difficoltà respiratoria è evidentemente localizzata in gola e il bambino manifesta uno sforzo palese a *inspirare* (cioè a tirare dentro l'aria), producendo un rumore caratteristico, come se la gola si fosse improvvisamente ristretta. Infatti è così: si tratta di una tumefazione delle mucose della gola che, gonfiandosi verso l'interno, riducono a una fessura o chiudono addirittura l'ingresso alle vie respiratorie. Questa situazione è chiamata *pseudocroup*. Il fenomeno può verificarsi a causa di una infezione, o di una crisi allergica, o di un evento irritativo (per esempio la puntura di un insetto ingoiato per caso). In tali circostanze si può arrivare anche al totale blocco delle vie respiratorie e alla morte per asfissia.

Fino al momento in cui interverrà il medico non prendete iniziative di testa vostra, che potrebbero risolversi a danno del bambino. Lasciatelo tranquillo, in un ambiente ben aerato, e sorvegliatelo attentamente, in modo da poter riferire al dottore ogni eventuale fenomeno morboso.

Convulsioni

Gli attacchi convulsivi sono sempre il segno di qualche cosa di serio. Può anche darsi che si tratti di un episodio singolo, occasionale, provocato per esempio da una febbre molto elevata, ma può darsi invece che sia insorta una malattia infiammatoria delle meningi o del cervello, forse ad andamento acutissimo.

Anche in caso di convulsioni l'unica cosa da fare è aspettare l'intervento del medico e nel frattempo lasciare il piccolo ammalato in completa tranquillità, meglio se in un ambiente semibuio e silenzioso.

Stato di shock

Mi riferisco qui allo stato di shock che insorge nel corso di una malattia, non di quello consecutivo a un trauma. Di quest'ultimo tratterò naturalmente nella parte dedicata appunto ai traumi. Lo shock si manifesta sostanzialmente con questi sintomi: pallore intenso, pelle fredda, stato di prostrazione, sopore profondo o addirittura perdita della conoscenza. Esso può verificarsi sia in occasione di malattie infettive o tossiche, sia durante gravi malattie intestinali con diarrea e vomito e conseguente forte perdita d'acqua dall'organismo. In questo ultimo caso al pallore e al raffreddamento può aggiungersi uno stato di ansietà, agitazione, alonamento degli occhi, sete intensa.

Ancora una volta, la cosa principale è di lasciare il bimbo tranquillo. Se il piccino manifesta della sete dategli da bere della semplice acqua o del tè leggero, senza zucchero.

Dolori addominali con vomito

Naturalmente è tutt'altro che facile, specialmente quando il bambino è piccolo, capire se piange perché soffre di dolori addominali o per qualche altro motivo, forse di nessuna gravità. In genere le mamme tendono ad attribuire il pianto al « mal di pancia » in quasi tutte le occasioni, ma molto spesso s'ingannano. In ogni modo, quando al pianto disperato e violento si aggiunge il vomito, è meglio non aspettare per vedere come si mettono le cose: potrebbe trattarsi di una malattia acuta dell'intestino che richiede un intervento immediato. Un'appendicite, per esempio, o un blocco intestinale. L'urgenza del parere del medico si fa poi imperativa se il piccolo diventa pallido, se il suo aspetto si fa sofferente, con gli occhi infossati e il volto affilato, e se il pianto diventa flebile e simile a un gemito.

Vi raccomando, in situazioni di questo tipo, di non somministrare nulla a vostro figlio, nemmeno dell'acqua, se non per esplicite istruzioni del medico. Tanto meno dovrete ricorrere a rimedi di altra natura, come purganti, borse d'acqua calda, clisteri, medicine « calmanti » e via dicendo.

Ernia strozzata

È una situazione in certo modo simile alla precedente e presenta press'a poco gli stessi sintomi. In più è possibile apprezzare una tumefazione dura e dolente, più spesso in sede inguinale, che non si riesce a far « rientrare » in alcun modo.

In attesa del dottore farete bene a mettere il bambino in un bagno ben caldo: l'acqua calda talvolta provoca un rilasciamento dei muscoli e uno « sblocco » dell'ernia. Conviene senz'altro provare. Eventualmente, mentre il bambino è nel bagno, massaggiate delicatamente la zona dell'ernia.

Emorragia dalla bocca o intestinale

Debbo chiarire che non mi riferisco qui a quelle piccole perdite di sangue che sono dovute per lo più a modeste lesioni delle mucose e che generalmente non hanno alcun carattere di gravità; un po' di sangue nella saliva o nelle scariche intestinali, in assenza di altri sintomi, non deve spaventare. Ma se la perdita di sangue è cospicua, se il bambino per esempio vomita sangue in abbondanza, o se lo emette in quantità con dei colpi di tosse, o se le sue scariche intestinali sono costituite prevalentemente da sangue, e soprattutto se a questi fenomeni emorragici si accompagnano prostrazione profonda, pallore intenso e sudore freddo, allora bisogna ricorrere subito al medico.

Anche in questi frangenti l'unica cosa che potete fare è di lasciare il piccolo tranquillo.

2.2. Traumi

Ferite gravi con emorragia

Se da una ferita profonda il sangue sgorga copiosamente, e soprattutto se si tratta di sangue rosso vivo, piuttosto chiaro e brillante, e se zampilla ritmicamente (segno che segue le pulsazioni del cuore), non c'è un attimo da perdere: tutto questo significa che è stata lacerata un'arteria, e la rottura di un'arteria può produrre una perdita di sangue gravissima in pochi minuti.

Se l'emorragia corrisponde ai caratteri che ho appena descritto dovete fare tutto il possibile per arginarla immediatamente: l'unica maniera efficace per ottenere questo risultato è quella di esercitare una pressione sull'arteria lesa. Se la ferita è a carico della testa potrete tentare di limitare la perdita di sangue premendo fortemente sulla regione che sta davanti all'orecchio o, se non ottenete alcun miglioramento, su un punto situato circa due centimetri davanti alla mascella. Per le ferite alla spalla o al braccio i punti di pressione sono: la parte interna del braccio, a eguale distanza dalla spalla e dal gomito (per l'emorragia dal braccio), oppure dietro l'estremità interna della clavicola (per l'emorragia dalla spalla). Per le perdite di sangue dalla gamba bisogna premere fortemente su un punto situato circa a metà della piega inguinale.

Anche quando l'emorragia non è pulsante e il sangue non è rosso vivo, ma la perdita è imponente, occorre cercare di fermarla. Il mezzo migliore per ottenere quest'effetto è quello di premere con forza un grosso strato di tela o di garza sul punto della ferita.

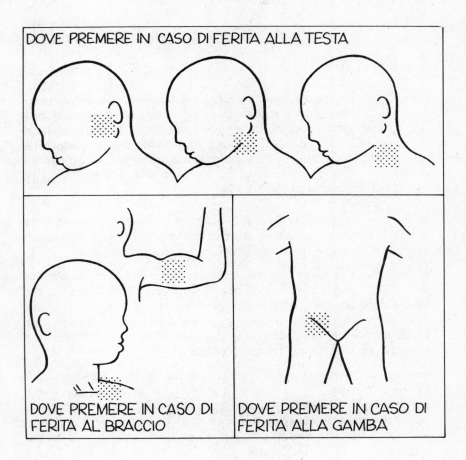

DOVE PREMERE IN CASO DI FERITA ALLA TESTA

DOVE PREMERE IN CASO DI FERITA AL BRACCIO

DOVE PREMERE IN CASO DI FERITA ALLA GAMBA

Ferite profonde e sporche

Le ferite inquinate da terriccio, o polvere, o ruggine, specie quando siano di tipo penetrante, debbono sempre essere considerate come pericolose, anche se la loro entità non sembra allarmante. Il rischio di questo tipo di lesioni non consiste tanto nella eventuale emorragia, quanto nella possibilità di una infezione tetanica. Ne abbiamo già parlato nel capitolo dedicato alle vaccinazioni. Qui desidero soltanto ricordarvi che non è assolutamente sufficiente ripulire e disinfettare la ferita; anche questo va fatto, come primo intervento, ma è categoricamente indispensabile il trattamento medico. Solo il medico infatti è in grado di decidere se sia o no il caso di procedere a una protezione contro il tetano, e di che tipo debba essere questa protezione.

Traumi cranici gravi

I « colpi alla testa » realmente gravi è ben difficile che si verifichino nelle normali circostanze della vita quotidiana; di solito questi tipi di trauma sono prodotti da avvenimenti fortunatamente inconsueti, come la caduta dall'alto di oggetti pesanti che colpiscono il cranio del piccino, o una caduta dello stesso bambino da un'altezza considerevole, o un incidente stradale, e via dicendo. Esistono tre tipi fondamentali di trauma cranico grave:

1. la frattura della volta: è la più evidente, dato che generalmente si può benissimo apprezzare la deformazione del cranio nel punto colpito, ed è anche quella relativamente meno minacciosa

2. la frattura della base: in questo caso si può osservare una perdita di sangue o di un liquido incoloro, o di entrambi, dalla bocca, dal naso e dalle orecchie; inoltre può accadere che gli occhi si facciano più sporgenti, che una palpebra appaia più bassa dell'altra, che lo sguardo diventi strabico, e che il bambino improvvisamente non ci senta più e che sia còlto da vertigini

3. commozione cerebrale: può verificarsi anche in assenza di segni evidenti di frattura. Se si tratta di una forma grave si può avere perdita della coscienza, il corpo può farsi flaccido e senza tono, ogni sensibilità può spegnersi, la pelle può diventare pallida e fredda, può comparire vomito, perdita di urine e feci, alterazioni del respiro.

Qualsiasi trauma cranico di notevole entità, che si tratti di frattura della volta, o della base, o di commozione cerebrale, impone l'intervento urgente del medico. Nell'attesa non dovete fare nulla, se non difendere il bambino da ogni cosa che lo possa molestare. L'ideale sarebbe il riposo in ambiente poco illuminato e silenzioso.

Traumi violenti all'addome

Questo tipo di trauma presenta una caratteristica fondamentale: i sintomi si fanno gradatamente più gravi col passare del tempo. Di solito compare un po' per volta uno stato di shock, mentre le pareti addominali diventano sempre più dure, fino ad assumere qualche volta una consistenza simile a quella del legno.

È più che evidente che l'intervento sanitario in questi casi è urgentissimo. Voi non potete fare altro che lasciare il bambino tranquillo.

Fratture e slogature

Un braccio o una gamba rotti o slogati rappresentano indubbiamente un grosso guaio e richiedono un pronto trattamento, ma direi che di tutti i traumi dei quali stiamo parlando sono quelli che presentano i minori caratteri d'urgenza. In linea di massima, aggiustare una gamba un'ora prima o un'ora dopo non cambia gran che la situazione. Purché, naturalmente, non ci siano altri sintomi, come stato di shock, emorragia, o altro. Mentre aspettate l'intervento del medico dovrete avere cura di mantenere il più possibile immobile l'arto fratturato o slogato.

Ferite all'occhio

Può anche trattarsi di cosa non gravissima o addirittura di poco conto; tuttavia le ferite all'occhio impongono sempre un accertamento immediato da parte di uno specialista. Nel frattempo, difendete l'occhio leso mediante una garza sterile.

Shock provocato da trauma

Può accadere che anche un trauma apparentemente poco importante e di limitata violenza dia luogo alla comparsa di uno stato di shock, con pallore, raffreddamento del corpo, abbattimento, perdita della conoscenza. Ciò che potete fare in attesa del soccorso sanitario è:

1. lasciare il bambino fermo dov'è; un trasporto praticato da mani inesperte può peggiorare la situazione

2. alzare leggermente i piedi del piccolo, in modo che vengano a trovarsi circa cinque o sei centimetri più alti della testa

3. coprire il bambino con una coperta non troppo pesante

4. dare al bambino un po' di liquido caldo da bere, purché naturalmente non vi sia vomito o perdita della coscienza.

2.3. Incidenti vari

Morsicature di cani

Il morso di un cane, per quanto superficiale e modesto, implica tre pericoli: il primo, relativamente limitato, è quello di una comune infezione. La saliva del cane, i suoi denti e le sue mucose pullulano di germi, e quindi è facilissimo che una lesione provocata dal morso si infetti. Il secondo pericolo, estremamente grave, se il bambino non è vaccinato, è quello del *tetano*. Si veda in proposito il capitolo dedicato a questa malattia. Il terzo pericolo è quello della *rabbia* o *idrofobia*, anch'esso gravissimo. Col morso il cane può trasmettere all'uomo il virus di questa tremenda malattia, la quale, se non è curata immediatamente, risulta mortale. La ferita provocata dalla morsicatura di un cane impone dunque sempre l'intervento del medico. Ecco come dovrete comportarvi:

1. morsi semplici (cioè un solo morso, e non profondo): innanzitutto lavate accuratamente la ferita con acqua e sapone e sciacquatela poi con acqua ben calda in cui sia disciolto del sale. Poi sottoponete la lesione al medico. Allo stesso medico dovrete dire se il bambino è vaccinato contro il tetano (spero bene di sì!) e la data della vaccinazione. Infine, e questa è forse la cosa più importante, mantenete sotto osservazione il cane che ha morsicato il bambino. Il controllo dell'animale deve prolungarsi per una decina di giorni. Se, dopo questo periodo, il cane continua ad apparire normale nel suo comportamento, potete stare tranquilli. Ma può darsi invece che l'animale mostri i segni della rabbia, e allora dovrete avvertire immediatamente il dottore, il quale provvederà a praticare al bambino le cure del caso. Esistono due tipi di rabbia: nella cosiddetta *rabbia furiosa* il cane, in un primo tempo, tende ad appartarsi, a dormire in continuazione, a non reagire agli stimoli esterni. Dopo un giorno o due comincia la fase di ipereccitabilità, l'animale perde bava in grande abbondanza, lecca tutto quello che trova, è agitato, presenta degli scatti inesplicabili, come se fosse

perseguitato da invisibili fantasmi, ha la voce rauca, non riesce più a mangiare né a bere perché gli si chiude la gola a ogni tentativo. Passano così altri due o tre giorni, dopo di che l'animale entra in una fase di aggressività violenta, morde tutto e tutti, gli si paralizzano le zampe posteriori e muore. L'intera malattia decorre generalmente in quattro o cinque giorni. Nella *forma muta* di rabbia il cane presenta invece una paralisi dei muscoli della bocca, la mandibola gli pende inerte, e la povera bestia non può mordere, né mangiare, né abbaiare. Dopo tre o quattro giorni muore. Ripeto: se il cane che ha morsicato il bambino presenta questi sintomi, non aspettate un istante. La vita di vostro figlio è in pericolo imminente e può essere salvata solo da una cura *immediata*

2. morsi gravi (morsi profondi, oppure multipli, o morsi alla testa, alla faccia e al collo, anche superficiali): anche in questo caso dovrete naturalmente lavare la ferita come ho detto prima, ma soprattutto dovrete chiamare *subito* il medico. Quando si tratta di morsi gravi infatti occorre iniziare immediatamente la cura antirabica, senza aspettare che nel cane si manifestino i segni della malattia. La cura consiste nella somministrazione di siero antirabico e contemporaneamente nella vaccinazione antirabica, che viene praticata mediante due iniezioni al giorno per parecchi giorni di seguito. Soltanto se, dopo almeno una settimana di attenta osservazione, il cane si rivela perfettamente normale, la cura di vaccino potrà essere interrotta.

Morsicature di serpenti velenosi

L'unico serpente temibile nel nostro paese è la vipera. Il problema è dunque innanzitutto quello di riconoscere il morso della vipera da quello di altri rettili non velenosi. La vipera è lunga circa sessanta o settanta centimetri, è piuttosto tozza, presenta una testa di forma grossolanamente triangolare, e la ferita provocata dal suo morso ha un aspetto caratteristico: due forellini distanti circa un centimetro l'uno dall'altro, i quali ben presto si circondano di una zona di gonfiore e producono un dolore notevole. Le vipere si trovano soprattutto in luoghi aridi e sassosi o nelle crepe dei muri, anche in alta montagna, e nelle zone paludose.

Bisogna ricordare che il morso di una vipera è particolarmente pericoloso per il bambino, dato che la quantità di veleno invade una massa corporea relativamente piccola. Che cosa si deve fare? Ecco i punti più importanti da tenere presenti:

1. mantenere il bambino tranquillo e fermo il più possibile, fino al momento del trasporto a casa o dal dottore

2. legare strettamente l'arto ferito al di sopra della morsicatura allo scopo di impedire una troppo rapida diffusione del veleno, attraverso la circolazione sanguigna; questa legatura dovrà essere allentata ogni quarto d'ora circa, per qualche istante, e poi rimessa e posto

3. praticare un'incisione a croce su entrambi i fori: ogni taglio dovrà essere lungo circa un centimetro e profondo circa mezzo centimetro

4. succhiare in continuazione il sangue che sgorga dai tagli, sputandolo immediatamente e sciacquandosi poi la bocca

5. dopo aver succhiato un'abbondante quantità di sangue, mettere del ghiaccio o degli impacchi freddi sulla ferita

6. trasportare al più presto il bambino dal medico o in ospedale; durante il trasporto lasciare l'arto morsicato pendente verso il basso, in modo da agevolare il deflusso del sangue; di tanto in tanto succhiare ancora sangue dalla ferita

7. praticare al più presto, se possibile, un'iniezione di siero antivipera; l'intervento del medico è comunque necessario e urgente.

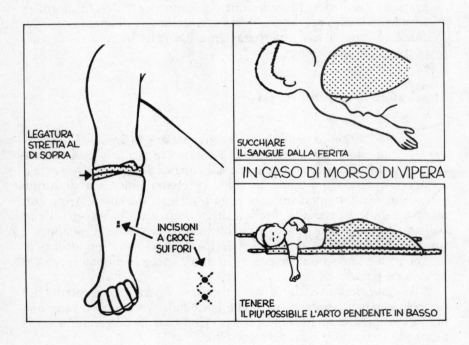

LEGATURA STRETTA AL DI SOPRA

INCISIONI A CROCE SUI FORI

SUCCHIARE IL SANGUE DALLA FERITA

IN CASO DI MORSO DI VIPERA

TENERE IL PIU' POSSIBILE L'ARTO PENDENTE IN BASSO

Soffocamento da corpo estraneo

Che le alte vie respiratorie di un bambino rimangano bloccate da un corpo estraneo ingoiato per caso o per gioco (un bottone, un tappo, un piccolo giocattolo, e così via) è cosa che può accadere in qualsiasi momento. Spesso basta un colpo di tosse o una semplice manovra di rimozione e tutto si risolve felicemente. Ma certe volte l'oggetto che occlude le vie respiratorie non esce tanto facilmente. In questo caso, se il bambino è piccolo, dovrete prenderlo per i piedi, tenerlo a testa in giù e percuoterlo con energia sulla schiena. Se il bambino è grandicello, piegatelo in avanti il più possibile, con la testa in basso, e percuotetelo sulla schiena. Se, nonostante tutto, l'oggetto non esce, compaiono ben presto i sintomi dell'asfissia: la respirazione si blocca, il volto del bambino si fa bluastro, la pelle fredda, il piccolo perde la conoscenza e si abbandona esanime. È chiaro che a questo punto non c'è un secondo da perdere: portate immediatamente il bambino al più vicino ospedale o ambulatorio medico, e col mezzo più veloce.

IN CASO DI SOFFOCAMENTO DA CORPO ESTRANEO

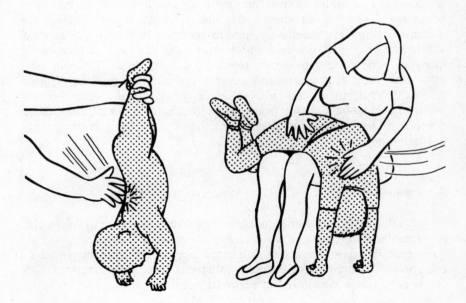

BAMBINO PICCOLO

BAMBINO GRANDE

Folgorazioni

La corrente elettrica è per i bambini un nemico perennemente in agguato. Un impianto elettrico difettoso, un filo scoperto, una presa di corrente incustodita, rappresentano dei pericoli molto seri. Molte volte tutto si esaurisce in una semplice « scossa », seguita da molto spavento e da grandi urla, e allora non è il caso di preoccuparsi. Ma talvolta purtroppo può accadere assai di peggio: il piccolo folgorato perde la coscienza, può presentare convulsioni, e si può arrivare anche all'arresto del cuore e del respiro. In questo caso, evidentemente, è questione di minuti: la rianimazione immediata, praticata da un medico, è l'unico mezzo per evitare la catastrofe. Nell'attesa del medico dovrete praticare voi stessi la respirazione artificiale.

Avvelenamenti

Un avvelenamento può avere le origini più diverse: cibi guasti, fughe di gas, antiparassitari sulla frutta, medicine lasciate incustodite, sostanze chimiche di uso domestico, sono altrettanti nemici contro i quali non si starà mai abbastanza in guardia. Succede spesso, per esempio nel caso di avvelenamento da medicinali, che i genitori non si accorgano di nulla fino al momento in cui il bimbo manifesta i primi segni di intossicazione, e che non si riesca a sapere quale sia la causa dell'avvelenamento; o per lo meno non si riesca a saperlo subito. Perciò, se il vostro bambino presenta disturbi inconsueti di qualsiasi genere, se è preso da repentini e forti dolori gastrointestinali, e se avete il sospetto che possa avere ingerito qualche cosa di nocivo o respirato del gas, non esitate e consultate il medico: molte volte una lavanda gastrica praticata in tempo o la somministrazione precoce di ossigeno e di adeguate medicine possono salvare la vita del bambino.

Annegamento

L'asfissia da annegamento è purtroppo un incidente tutt'altro che eccezionale. Ricordate che un soccorso immediato e corretto può frequentemente capovolgere una situazione apparentemente disperata e, più spesso di quanto non si creda, salvare la vita all'infortunato. Ciò che si deve fare è riassunto nei seguenti punti:

1. distendere l'annegato sul dorso

2. sollevargli un poco la testa da terra rovesciandola all'indietro il più possibile

3. mentre un soccorritore pratica la respirazione artificiale (vedi la relativa tabella), una seconda persona dovrà premere con le mani sulla parte inferiore del torace negli intervalli fra una immissione d'aria e l'altra. Si dovrà cioè premere quando l'infortunato manda *fuori* l'aria sotto lo stimolo della respirazione artificiale

4. non smettere finché l'annegato non ricomincia a respirare da solo

5. chiamare il medico con la massima urgenza.

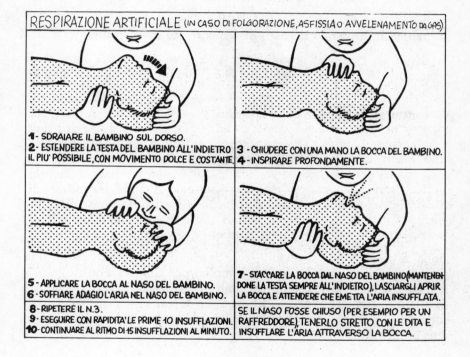

Scottature estese

Se le bruciature coprono una vasta zona della superficie corporea, anche se si tratta di scottature superficiali, la vita del bambino è in pericolo. Se poi alle lesioni della pelle si aggiungono sete intensa, vòmito, sonnolenza profonda o delirio con convulsioni, non perdete nemmeno un istante: solo in ospedale la situazione può essere affrontata con speranza di successo.

Colpo di sole

È un inconveniente piuttosto serio che può colpire un bambino dopo una lunga esposizione ai raggi solari, specie se a capo scoperto, in condizioni fisiche non perfette e senza adeguato allenamento. I principali sintomi del colpo di sole sono il mal di testa, le vertigini, la nausea, un senso generale di spossatezza.

In questo caso dovrete:

1. mettere il bambino a riposo all'ombra, in un luogo fresco e ventilato

2. mettergli un panno bagnato di acqua fresca sulla fronte

3. dargli da bere dell'acqua fresca e leggermente salata ogni dieci minuti circa; in tutto sarà bene che il piccolo arrivi a bere almeno due o tre bicchieri

4. consultare il medico al più presto.

3. COME AFFRONTARE L'EMERGENZA

Prima di tutto bisogna dire che il modo di affrontare una situazione di emergenza è diverso a seconda che questa si verifichi in una città dotata di dispositivi sanitari completi per gli interventi di pronto soccorso, come autolettighe, ospedali specializzati, servizi telefonici di allarme, eccetera, oppure in una zona in cui vi sia a disposizione soltanto il medico condotto. Prendiamo in esame ognuna di queste due eventualità.

3.1. Zone non attrezzate per il pronto soccorso

Se l'incidente o la malattia colpisce un bambino che vive in un luogo lontano da ogni ospedale, è chiaro che non c'è scelta: ci si deve rivolgere al medico più vicino e più disponibile. Di solito il medico condotto. Il quale è d'altra parte preparato e organizzato per affrontare qualsiasi tipo di situazioni di emergenza.

Se invece l'ospedale è lontano solo pochi chilometri, meglio l'ospedale. Se non esiste un servizio di autolettighe, ci si valga del mezzo più rapido e più disponibile. L'importante è non perdere tempo.

Se siete incerti fra un ospedale piccolo e modesto ma vicino, e uno più attrezzato e più grande ma lontano, non esitate a scegliere il più vicino. Fra l'altro, esistono degli ottimi ospedali di provincia, minuscoli e forse addirittura dall'apparenza un po' squallida e dimessa, ma che non hanno nulla da invidiare ai grossi ospedali di città, né come attrezzature, né per la preparazione dei medici. In ogni caso, sempre meglio un piccolo ospedale vicino che un grosso centro specializzatissimo ma lontano. Se sarà il caso, penseranno gli stessi medici dell'ospedale più modesto a mandare il bambino nel centro più importante, dopo che saranno state praticate le cure più urgenti.

3.2. Zone attrezzate per il pronto soccorso

Potrà sembrarvi strano, ma per chi abita in una grande città o comunque in un luogo in cui esistano servizi sanitari completi ed efficienti, il discorso diventa più complicato. In realtà è logico: se si ha a disposizione solo il medico condotto o un ospedale di provincia, c'è una cosa sola da fare. Correre, appunto, dal medico o all'ospedale. Ma se si ha a disposizione un medico di famiglia, un pediatra, un amico dottore, tredici servizi di autolettighe, la propria automobile, le « pantere » della polizia, le « gazzelle » dei vigili, l'ospedale pediatrico, la clinica chirurgica, due case di cura private, otto ambulatori, tre posti di pronto soccorso, e quattro diversi servizi telefonici di emergenza, va a finire che non si sa che cosa scegliere e, quando si sceglie, di solito si imbocca la strada sbagliata.

Per questi motivi dividerò il presente paragrafo in due parti: nella prima parte vi dirò quello che *non dovete fare*, nella seconda quello che *dovete fare*. Spero in questo modo di aiutarvi a prendere immediatamente la decisione giusta e a non perdere quei preziosi istanti che per il vostro bambino possono significare tutto.

Le cose da non fare

1. Non chiamate il medico: sembra un assurdo, ma non lo è. Il medico che di solito cura vostro figlio potrebbe non essere in casa, potrebbe essere in giro per la città a visitare altri bambini, potrebbe essere impegnato in ospedale, o fuori città, o più semplicemente potrebbe essere andato a spasso o al cinema. Che cosa farete allora? Chiamerete il sostituto, o un altro medico di vostra conoscenza; e forse non troverete nemmeno questo, o non potrà venire immediatamente. E intanto avrete perduto minuti preziosi. Inoltre non dimenticate che nessun medico può essere organizzato per il pronto intervento quanto lo è un ospedale: il telefono del medico può essere occupato, la sua automobile non è un'autolettiga munita di sirena, le sue attrezzature sono quelle richieste dal normale esercizio della professione e non servono nei casi che abbiamo visto prima. E infine, anche se troverete immediatamente il vostro pediatra, e anche se lui potrà venire da voi in pochi minuti, che cosa potrà fare appena arrivato? Mandare il bambino all'ospedale, evidentemente, perché tutti i casi gravi che abbiamo passato in rassegna impongono il ricovero. Quanto tempo perduto!

2. non usate, se possibile, un mezzo di trasporto privato: se è il caso di portare subito il bambino all'ospedale, o se comunque decidete di seguire questa linea di condotta, guardatevi bene dall'usare la vostra automobile, se appena potete farne a meno. Ricordate che l'autolettiga è attrezzata per il pronto soccorso, dispone di un lettino, di ossigeno, di personale addestrato, eccetera, è condotta da piloti esperti del traffico cittadino e che conoscono perfettamente gli itinerari da seguire per raggiungere i diversi ospedali, ha la precedenza assoluta su tutti gli altri veicoli; in breve, è fatta apposta per guadagnare tempo. Per voi, al volante della vostra automobile, è tutto diverso: potreste sbagliare strada, rimanere imbottigliati nel traffico, avere un piccolo incidente. E anche con un tassì, non è detto che le cose vadano lisce e senza intoppi; fra l'altro, bisogna prima di tutto trovarlo

3. non andate in un ospedale qualunque: non tutti gli ospedali (e quasi nessuno di quelli privati) dispongono di un servizio attrezzato in modo specifico per il pronto soccorso. D'accordo, un ospedale è sempre un ospedale, e qualche cosa si potrà fare in ogni modo; ma supponete di arrivare in un ospedale pediatrico, sia pure eccellente sotto tutti gli aspetti, ma che non comprenda un servizio otorinolaringologico di emergenza; e supponete che il vostro bambino abbia un oggetto in gola che lo sta soffocando. Che cosa potrà fare il pediatra di guardia? Manderà a chiamare lo specialista, o rispedirà d'urgenza il piccolo all'ospedale specializzato, o cercherà di fare lui stesso qualcosa alla bell'e meglio. Probabilmente la conclusione sarà catastrofica. Oppure immaginate di arrivare in un ospedale già strapieno e coi medici di guardia già impegnati con qualche altro caso urgente. Anche un medico ha due mani soltanto, e non può, per esempio, arrestare un'emorragia da una parte e praticare una rianimazione dall'altra. Ricordate infine, e ne riparleremo nel paragrafo dedicato alle « cose da fare », che esistono istituti specializzati per il soccorso alle diverse forme di ferita, di trauma, di malattia, di intossicazione, e via dicendo. Quando la vita di un bambino dipende da pochi attimi di tempo, è molto importante imboccare subito la strada giusta.

Le cose da fare

1. Organizzare il trasporto del bambino: il mezzo di trasporto più idoneo, come ho già detto, è ovvimaente l'autolettiga. Le grosse città dispongono normalmente di parecchi servizi di autolettighe. Quale scegliere? Innanzitutto rivolgetevi all'organizzazione che notoriamente dispone di un maggior numero di mezzi; sarà più facile trovarne uno che sia libero subito. Secondo criterio da seguire: scegliete il servizio che sia topograficamente il più vicino a casa vostra. Infine, se si tratta di cosa di urgenza estrema, come il soffocamento da un corpo estraneo, o una paralisi cardiaca, o una grave emorragia, o certi avvelenamenti, eccetera, chiamate una autolettiga *con medico*; è un tipo di servizio che esiste, e ben pochi lo sanno. In certe città è stato poi organizzato un servizio centralizzato per la chiamata delle autolettighe: voi componete un numero, dite il vostro indirizzo, e il centralinista provvede a mandarvi l'autoambulanza che in quel momento è più vicina a casa vostra. In tal modo la perdita di tempo è ridotta al minimo. Non dimenticate da ultimo che il trasporto urgente può essere effettuato anche dalle « pantere » della polizia, che possono essere chiamate in qualunque momento componendo il numero 113

2. scegliere l'ospedale adatto: cioè un ospedale che disponga di attrezzature adeguate per fronteggiare la situazione e di medici specializzati nel trattamento di quel particolare caso. Nella tabella allegata a questo capitolo troverete l'indicazione del tipo di ospedale da scegliere per ciascuno dei casi di emergenza che ho elencato prima. In caso di urgenza estrema, quando persino il tempo necessario per raggiungere l'ospedale può compromettere la vita del bambino, oppure quando l'incidente si verifichi per la via, o in altre non sempre prevedibili circostanze, è meglio ricorrere diret-

tamente ai posti di pronto soccorso che sono disseminati nelle zone più importanti della città e che hanno appunto la funzione di fronteggiare i primi istanti di emergenza e di risolvere i problemi più immediati, in modo da permettere di raggiungere in un secondo tempo l'ospedale adatto. Agli stessi posti di pronto soccorso ci si può rivolgere inoltre per il trattamento di quelle forme non gravi e non urgentissime, come il sangue da naso, piccole ferite, modeste scottature, eccetera, che il medico di solito non può trattare adeguatamente al domicilio del piccolo infortunato

3. preavvisare l'ospedale: questa è una cosa importantissima che ben pochi ricordano di fare. Se appena vi è possibile, in attesa della autoambulanza, mettetevi in contatto telefonico con l'ospedale scelto e fornite al servizio di guardia i dati principali relativi al vostro caso: soprattutto l'età del bambino, la natura dell'incidente e i sintomi principali. A questo proposito, fate attenzione: non perdete del tempo a dare una *vostra* interpretazione dei fatti. Dire che il piccolo « ha preso freddo », o che « ha una congestione » o che « ha una broncopolmonite », non serve ad altro che a confondere le idee al medico. Voi non potete sapere se vostro figlio ha una broncopolmonite o no, se la causa di un collasso è il freddo o il caldo, se una emorragia intestinale è provocata da una « congestione » o da qualcos'altro. Dite soltanto quello che è accaduto e quello che potete vedere coi vostri occhi: respira a fatica, è blu in viso, è pallido, ha le convulsioni; oppure, ha ingoiato un turacciolo, gli è caduta addosso dell'acqua bollente, si è tagliato con un vetro rotto, eccetera. Al medico interessa sapere ciò che è accaduto, non quello che pensate voi. Se direte le cose chiaramente e brevemente, quando arriverete all'ospedale tutto sarà già pronto per i primi soccorsi e si sarà guadagnato altro tempo prezioso

4. tenete sempre a portata di mano una tabellina di rapida consultazione, con i numeri telefonici e gli indirizzi che un giorno forse potrebbero rappresentare per vostro figlio la salvezza. Se dovesse accadere che il vostro bambino si venga a trovare in una situazione di emergenza del tipo di quelle considerate in questo capitolo, tutto dipenderà dalla vostra prontezza di spirito e dalla vostra organizzazione.

QUADERNO DELLE EMERGENZE
(esempio di compilazione)

TEL.

TRASPORTO URGENTE
CROCE ROSSA CELESTE
CROCE ROSSA
POLIZIA

POSTI DI PRONTO SOCCORSO VICINI

OSPEDALI (MALATTIE IN GENERALE)
CLINICA PEDIATRICA
OSPEDALE DEI BAMBINI
OSPEDALE PER LE MALATTIE INFETTIVE

OSPEDALI (PRONTO SOCCORSO-CHIRURGIA)
ISTITUTO CHIRURGIA INFANTILE
ISTITUTO ORTOPEDIA E TRAUMATOLOGIA

OSPEDALI (SCOTTATURE)
CENTRO USTIONI

OSPEDALI (TRAUMI CRANICI)
ISTITUTO DI NEUROCHIRURGIA

OSPEDALI (TRAUMI OCCHI)
ISTITUTO OFTALMICO

OSPEDALI (OSTRUZIONE GOLA)
CLINICA OTORINOLARINGOIATRICA

OSPEDALI (AVVELENAMENTI)
CENTRO ANTIVELENI

Qui, con l'augurio che il vostro quaderno delle emergenze non vi serva mai, si conclude questo libro. Già che siamo in tema di auguri, mi permetto di estendere un pochino il mio: che vostro figlio stia sempre bene, fisicamente, psicologicamente e moralmente, che sappia sempre affrontare le sue battaglie, e che sappia anche perderle senza fermarsi, che conservi la straordinaria intraprendenza tipica del bambino, che diventi un "uomo migliore". Mi pare un bell'augurio: che vostro figlio diventi migliore di voi e di me, migliore di noi tutti.

Molti hanno sostenuto, e sostengono, che il bambino disponga di potenzialità enormi e che poi, un po' per volta, ne perda una buona parte. Non so se sia così, ma mi sento di far mia un'osservazione di Freud, che cito a memoria: rimango sempre sbalordito davanti alla lucida intelligenza di un bambino, specie se paragonata all'opaca mediocrità dell'adulto. Anch'io provo la stessa sensazione, anche a me pare che l'essere umano nasca sempre intelligentissimo, e poi lo sia sempre meno. Finché diventa, anziché bambino, rimbambito.

Un amico, persona acuta e colta, mi suggerì una volta di scrivere il seguito di questo stesso libro e di intitolarlo "Il vecchio rimbambito". Che sia vero che il nuovo bambino è destinato a diventare un vecchio rimbambito? Forse no, ma è certo che più vado avanti con gli anni e più mi convinco che sì, che è vero. Magari perché divento rimbambito io (è questo che voleva dire quell'amico?), o perché il mondo degli adulti mi piace sempre meno e quello dei bambini sempre di più, o perché in tanto tempo ho imparato a capire di più i bambini. O mi illudo di capirli. Non so. Ma resto convinto che l'augurare a qualcuno che il figlio sia meglio di lui, di lei, di noi, sia una buona cosa. Prendetela come volete, cari genitori. Senza offesa.

INDICE ANALITICO

INDICE DELLE ILLUSTRAZIONI E DEGLI SCHEMI

INDICE GENERALE

Quarto Capitolo

L'ETÀ DEL DIVEZZAMENTO171

Finito di stampare nel mese di ottobre 1993
presso lo stabilimento Allestimenti Grafici Sud
Via Cancelliera 46, Ariccia RM

Printed in Italy